내신 적중률 1위

한 권으로 끝내는 내신 교재

Total 짱

1679

확률과 통계

이창주 지음

학교시험에

01 출제되는 **문제 유형**이 전부 들어 있어요.

02 잘 나오는 교육청 **기출문제**도 들어 있어요.

03 만점에 도전할 **고난도문제**도 들어 있어요.

아름다운샘

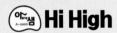

한 권으로 끝내는 내신 교재

Total 짱

1679

확률과 통계

우리 나라는

확률과 통계에서 무엇을 공부하나요?

수학은 오랜 역사를 통해 인류 문명 발전의 원동력이 되어 왔으며, 세계화 • 정보화가 가속화되는 미래 사회의 구성원에게 필수적인 역량을 제공합니다. 수학 학습을 통해 학생들은 수학의 규칙성과 구조의 아름다움을 음미할 수 있고, 수학의 지식과 기능을 활용하여 수학 문제뿐만 아니라 실생활과 다른 교과의 문제를 창의적으로 해결할 수 있으며, 나아가 세계 공동체의 시민으로서 갖추어야 할 합리적 의사 결정 능력과 민주적 소통 능력을 함양할 수 있습니다.

일반 선택 과목인 <확률과 통계>는 공통 과목인 <수학>을 학습한 후, 더 높은 수준의 수학을 학습하기를 원하는 학생들이 선택할 수 있는 과목입니다. <확률과 통계>의 내용은 '경우의 수', '확률', '통계'의 3개 핵심 개념 영역으로 구성됩니다. '경우의 수' 영역에서는 원순열, 중복순열, 중복조합, 이항정리를, '확률' 영역에서는 통계적 확률과 수학적 확률, 확률의 성질과 활용, 조건부확률을, '통계' 영역에서는 확률변수와 확률분포, 이항분포, 정규분포, 통계적 추정을 배우게 됩니다.

<확률과 통계>에서 학습한 수학의 지식과 기능은 자신의 진로와 적성을 고려하여 선택할 수 있는 수학 일반 선택 과목과 진로 선택 과목, 수학 전문 교과 과목을 학습하기 위한 토대가 되고, 자연과학, 공학, 의학뿐만 아니라 경제 • 경영학을 포함한 사회과학, 인문학, 예술 및 체육 분야를 학습하는데 기초가 되며, 나아가 창의적 역량을 갖춘 융합 인재로 성장할 수 있는 기반이 됩니다. 이를 위해 학생들은 <확률과 통계>의 지식을 이해하고 기능을 습득하는 것과 더불어 문제 해결, 추론, 창의 • 융합, 의사소통, 정보 처리, 태도 및 실천의 6가지 수학 교과 역량을 길러야 합니다.

수학 교과 역량 함양을 통해 학생들은 복잡하고 전문화되어 가는 미래 사회에서 사회 구성원의 역할을 성공적으로 수행할 수 있고, 개인의 잠재력과 재능을 발현할 수 있으며, 수학의 필요성과 유용성을 이해하고, 수학 학습의 즐거움을 느끼며, 수학에 대한 흥미와 자신감을 기를 수 있습니다.

수능 레전드인 이유

짱 7년 평균 적중률 85.3%

EBS 연계율 50%

짱 유형 시리즈

(수학 I, 수학 II, 확률과 통계, 미적분, 기하)

짱 확장판 시리즈

(수학 I, 수학 II, 확률과 통계)

짱 파이널 실전모의고사

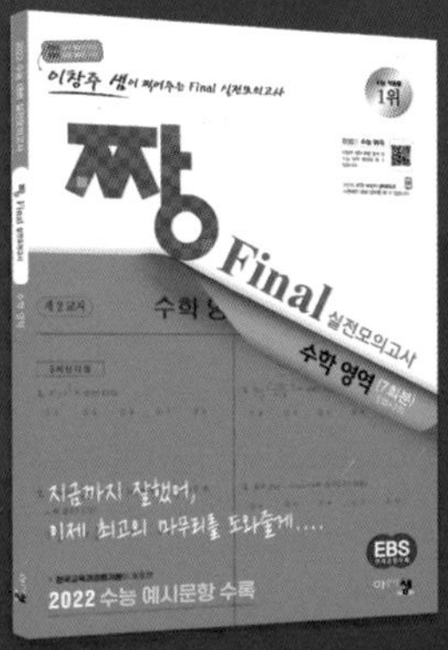

(수학 영역)

짱 쉬운 유형 반복학습을 위한 '짱 확장판'

짱 쉬운 유형

짱 확장판

짱 확장판 추천 대상

1. 수능 4등급 이하의 학생
2. 점수의 기복이 있는 학생
3. 짱 쉬운 유형을 완벽히 풀지 못하는 학생

아름다운샘 교재

개념기본서

수학의 샘

- 수학의 기본 개념과 원리를 쉽게 설명한 교재
- 예제와 유제가 단계적(필수, 발전)으로 구성
- 연습문제가 수준별(A, B, C)로 수록

♣ 수학(상), 수학(하), 수학 Ⅰ, 수학 Ⅱ, 확률과 통계, 미적분, 기하

Total 내신문제집

Total 짱

- '기본+유형+적중+고난도'로 구성되어 누구나 수준에 맞춰 학습이 가능한 교재
- 전국 학교 시험에서 출제된 모든 문제 유형이 전부 수록된 교재
- 모든 유형, 모든 난이도의 문제가 다 있어서 한 권으로 끝내는 교재

♣ 수학(상), 수학(하), 수학 Ⅰ, 수학 Ⅱ, 확률과 통계, 미적분, 기하

문제기본서(기본편/실력편)

아샘 Hi Math / Hi High

- 문제를 통해서 수학의 개념을 익히고 다지는 교재
- [하이 매쓰] 기본문제와 유형문제로 수학의 기본기를 다지는 교재
- [하이 하이] 유형문제와 심화문제로 구성된 최고난도 유형별 교재

♣ 수학(상), 수학(하), 수학 Ⅰ, 수학 Ⅱ, 확률과 통계, 미적분, 기하

수준별 내신 대비 교재

짱 쉬운/중요한 내신

- 학교 시험에 잘 출제되는 기출문제 중심으로 유형 선정
- 같은 유형의 문제를 충분히 반복할 수 있는 교재
- 각 유형별 3단계(기본문제, 기출문제, 예상문제)로 구성

♣ 수학(상), 수학(하)

중간·기말고사 대비서

아샘 내신FINAL

- 실전 모의고사 10회, 부록 4회로 구성
- 회차별 서술형을 포함하여 23문항으로 구성
- 전국의 학교 시험 문제를 완벽히 분석하여 반영한 교재

♣ 고1 수학, 고2 수학 Ⅰ, 고2 수학 Ⅱ 과목별 중간고사/기말고사

유형별 수능기출문제집

짱 쉬운 / 중요한 / 어려운 유형

- 최근 수능에 잘 출제되는 기출문제 중심으로 유형 선정
- 같은 유형의 문제를 충분히 반복할 수 있는 교재
- 각 유형별 3단계(기본문제, 기출문제, 예상문제)로 구성
- [짱 쉬운 유형] '2점+쉬운 3점'짜리 난이도 수준의 유형으로 구성
- [짱 중요한 유형] '3점+쉬운 4점'짜리 난이도 수준의 유형으로 구성
- [짱 어려운 유형] '고난도 4점'짜리 난이도 수준의 유형으로 구성

♣ 수학 Ⅰ, 수학 Ⅱ, 확률과 통계, 미적분, 기하

수능 쉬운(2점+3점) 유형 집중 공략서

짱 쉬운유형 확장판

- 짱 쉬운 유형을 학습 후 더 많은 문항을 필요로 할 때 보는 교재
- 수능의 쉬운 유형, 쉬운 문항을 완벽히 마스터할 수 있는 교재

♣ 수학 Ⅰ, 수학 Ⅱ, 확률과 통계

수능 실전 모의고사

짱 Final 실전모의고사

- 수능 문제지와 가장 유사한 난이도와 문제로 구성된 실전 모의고사 7회
- EBS교재 연계 문항을 수록

♣ 수학 영역

예비 고1 기본서

그래 할 수 있어!

- 예비고1 학생들을 위한 교재
- 고교 수학의 기본을 다지는 참 쉬운 기본서
- 교과서를 어려워하는 학생이 이해할 수 있는 쉬운 교재

♣ 수학(상), 수학(하)

단기특강 교재

10강&2강 텐투

- 유형문제 10강과 기출문제 2강의 총12강으로 구성
- 방과후 또는 방학 보충수업에 최적합

♣ 수학(상), 수학(하), 수학 Ⅰ, 수학 Ⅱ

순열과 조합

원순열

중복순열

같은 것이 있는 순열

중복조합

이항정리

이항계수

파스칼의 삼각형

확률의 뜻과 활용

통계적 확률과 수학적 확률

확률의 덧셈정리

여사건의 확률

조건부확률

조건부확률

사건의 독립과 종속

확률의 곱셈정리

확률분포

확률변수와 확률분포

이산확률변수의 확률분포

이항분포와 정규분포

통계적 추정

모집단과 표본

표본평균과 모평균

모평균의 추정

"진실은 복잡함이나 혼란 속에 있지 않고, 언제나 단순함 속에서 찾을 수 있다."

- 아이작 뉴턴

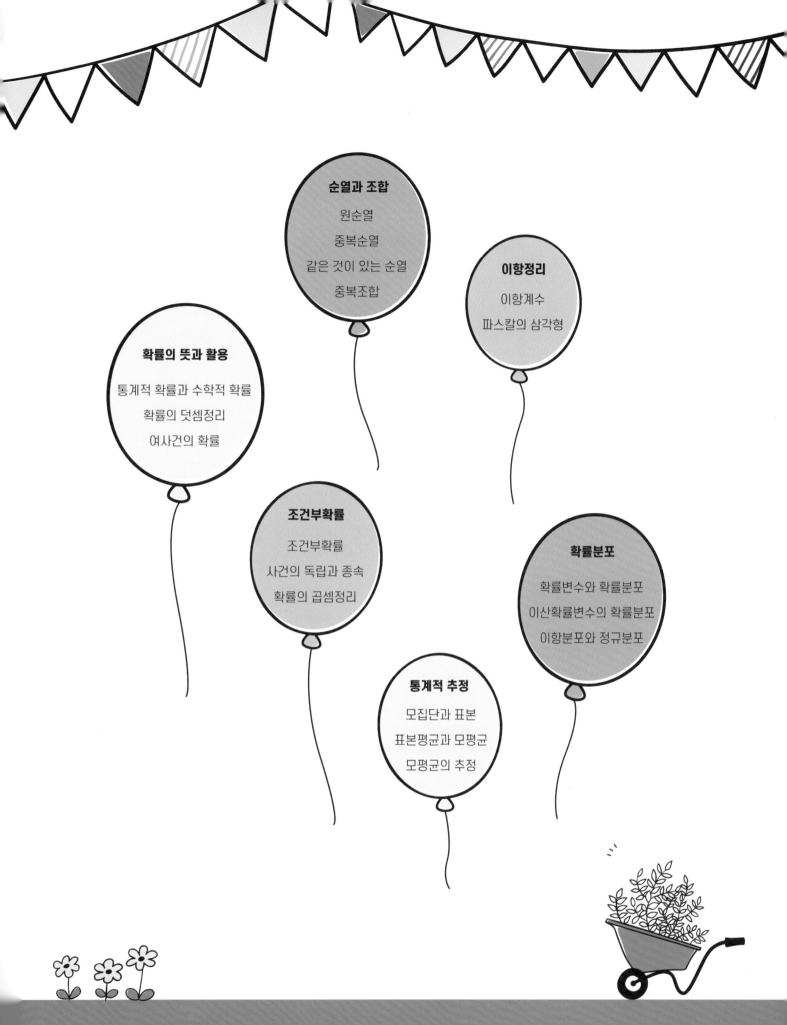

'기본+유형+적중+고난도'로 구성되어
누구나 수준에 맞춰 학습이 가능한

Total 짱

CONTENTS

01
여러 가지 순열
164문항
p.001

02
중복조합과 이항정리
185문항
p.033

03
확률의 뜻과 성질
154문항
p.067

04
덧셈정리와 조건부확률
175문항
p.095

05
독립과 독립시행의 확률
150문항
p.127

06
확률변수와 확률분포
130문항
p.157

07
이산확률변수의 평균과 표준편차
153문항
p.183

08
이항분포
152문항
p.211

09
정규분포
155문항
p.239

10
표본평균의 분포
158문항
p.271

11
모평균의 추정
103문항
p.303

빠른 정답
p.327

"우리는 우리의 판단력보다는 도리어 대수적 계산에 신뢰를 두어야 한다."
- 레온하르트 오일러

300여개 학교 중 2개 이상의 학교 시험에
출제된 모든 문제 유형이 수록된

Total 짱

이 책의 장점은

TOTAL 내신

모든 학교. 모든 유형. 다 있다.

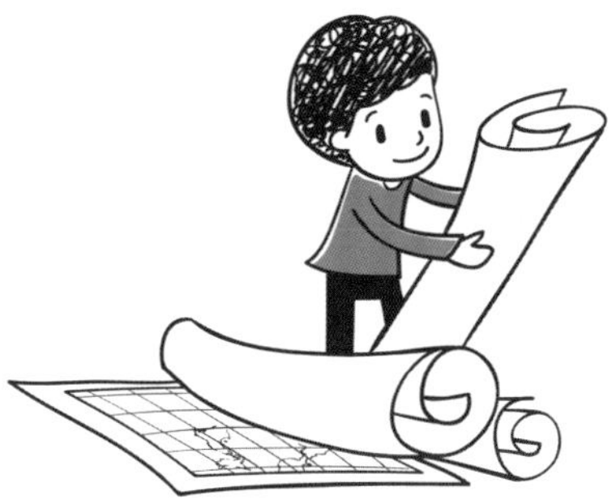

중위권 도약에 필요한 체계적이고

충분한 기본문제

고득점의 발판이 될 다양한

유형문제 & 적중문제

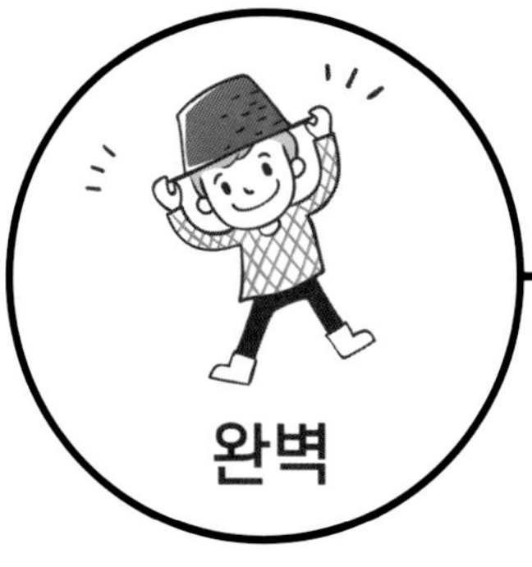

1등급을 넘어 만점의 길을 안내해 줄

고난도문제

"신은 자연수를 만들었고, 그 밖의 모든 것은 사람이 만든 것이다."

- 레오폴드 크로네커

수시? 정시?

대학 입학 전형에는 어떤 것들이 있을까?

대학에서 요구하는 인재를 선발하기 위해 지원자가 가지고 있는 역량을 평가하여 선발 여부를 결정하는 일련의 과정을 대학입학전형이라 합니다. 대학입학전형은 크게 수시모집과 정시모집의 두 가지로 나누어지지만, 정시모집 이후 모집인원의 결원이 생긴 경우 2월 마지막 주에 추가적으로 실시하는 추가모집이 있습니다. 추가모집은 모집대학과 인원이 늘어나는 추세입니다. 이제부터 수시모집과 정시모집에는 어떤 전형 유형들이 있으며, 전형에서 주의해야 할 것은 어떤 것들이 있는지 알아보겠습니다.

수시모집은 정시모집에 앞서 학생의 다양한 능력과 재능을 반영하여 신입생을 선발하는 방식입니다. 한 수험생이 **수시모집에서 대학에 지원할 수 있는 횟수는 최대 6회로 제한되어 있으며(사관학교, 경찰대학, KAIST, GIST, DGIST, UNIST, KENTECH, 한국예술종합대학, 전문대학, 산업대학 등은 제한에 해당되지 않음), 수시모집에 합격(충원합격 포함)하면 등록 여부와 관계없이 정시모집에 지원할 수 없으므로 소신 지원해야 합니다.**

대학입학전형의 유형으로는 정원내 전형과 정원외 전형이 있습니다. 정원내 전형은 교육부에서 허가한 입학정원 내에서 선발하는 전형이고, 정원외 전형은 소득, 지역 등의 차이를 고려하여 대학에서 자율적으로 실시하는 전형으로 해당 자격으로는 농어촌 학생, 특성화고교 졸업자, 재외국민과 외국인(북한 이탈주민, 귀화 허가를 받은 결혼이주민 포함), 기초생활수급자, 한부모가족 지원대상자, 장애, 지체로 인한 특수한 교육적 필요 대상자 등이 있습니다.

수시모집에는 다음과 같은 전형들이 있습니다.

학생부위주전형

학생부를 주된 전형요소로 반영하는 유형으로, 학생부 교과 성적을 정량평가하는 학생부교과전형과 입학사정관 등이 참여하여 학생부(정성평가)를 중심으로 면접 등을 종합평가하는 학생부종합전형으로 나누어집니다.

- 정량평가 : 객관적으로 수량화가 가능한 자료를 사용하는 평가방법
- 정성평가 : 전형자료를 토대로 평가자가 그 의미를 찾고 해석하는 평가방법

논술위주전형

논술고사를 주된 전형요소로 반영하는 유형입니다.

실기위주전형

실기고사를 주된 전형요소로 반영하는 유형입니다.

특기자전형

특정 분야에 뛰어난 능력이나 소질을 가지고 있는 학생을 선발하는 유형입니다. 실기위주전형에 속하는 특기자전형이 있으며, 어학특기자, 수학특기자, 과학특기자, 예능특기자, S/W 특기자 등 그 종류가 다양하고 세분화되어 있습니다. 공인 어학성적, 수상실적 등 특기를 증명할 수 있는 항목들이 전형요소로 활용됩니다.

고른기회전형

교육 기회의 불평등을 해소하기 위해 실시하는 전형으로, 대학 독자적 기준에 따른 보상 및 배려 차원의 정원내 특별전형과 농어촌 학생 등 법률상 보장되는 정원외 특별전형이 있습니다.

정시모집은 수시모집 이후 대학이 일정 기간을 정해 신입생을 모집하여 선발하는 방식으로, 수능 성적표가 배부된 후 모집군을 나누어 신입생을 모집하는 수능 위주의 전형이라고 할 수 있습니다. 한 수험생이 **정시모집에서 대학에 지원할 수 있는 횟수는 군별(가군, 나군, 다군)로 1회씩 총3회 이내로 지원할 수 있습니다. 군외로 KAIST, GIST, DGIST, UNIST, KENTECH에 추가 지원할 수 있습니다.**

이제부터 대학입학전형과 관련된 몇 가지 용어를 알아보겠습니다.

최초합격과 충원합격

최초합격은 지원한 입학전형에서 최초에 합격한 경우를 말하며, 충원합격은 합격자가 등록하지 않아 결원이 생겼을 때 해당 대학의 예비합격자를 추가로 합격시키는 경우를 말합니다.

예비합격자

최초합격자 발표 시 일정 비율의 지원자에게 후순위 합격자의 순위(순서)를 부여하는데, 이때 후순위 합격 기회를 받은 학생을 말합니다.

최종합격

입학전형 절차와 단계에 따라 최종 합격한 경우를 말합니다. 전형방법별로 일괄합산전형은 별도의 단계를 거치지 않고 전형요소별 반영점수의 총점에 따라 최종 합격자가 선발되며, 단계별 전형은 단계마다 모집인원의 일정 배수를 선발한 후 마지막 단계에 최종 합격자를 선발합니다.

일괄합산전형과 단계별전형

일괄합산전형은 전형이 단계로 나누어지지 않고 일괄적인 성적 처리를 통해 이루어지고, 단계별전형은 1단계에서 일정 전형 요소로 모집 정원의 일정배수 인원을 선발한 후 2단계에서 최종적으로 모집 정원을 선발합니다.
ex) 1단계(3배수) : 서류 100% / 2단계 : 1단계 성적 70% + 면접 30%

이중등록

입학할 학기가 같은 2개 이상의 대학에 등록한 것을 말하며, **이중등록은 등록한 모든 대학의 입학 취소 사유가 되므로 반드시 하나의 대학에만 등록해야 합니다.**

"굳은 결심은 가장 유용한 지식이다."
- 나폴레옹

학교 시험에서 자주 출제되는
교육청 기출문제가 수록된

Total 짱

※ 대표저자: 이창주(前한영고 교사, EBS·강남인강 강사, 7차 개정 교과서 집필위원)

※ 연구 및 개발: 박상원, 전신영, 강윤석, 김기호

01 여러 가지 순열

		제 목	내신중요도	유형난이도	문항수	문항번호
		기본 문제			25	0001~0025
유형 문제	01	원탁에 둘러앉는 방법의 수(1)	▬▬▬▬	★★	6	0026~0031
	02	원탁에 둘러앉는 방법의 수(2)	▬▬▬▬▬	★★★	9	0032~0040
	03	도형에 색칠하는 방법의 수	▬▬▬▬	★★★★	9	0041~0049
	04	다각형 모양의 탁자에 둘러앉는 방법의 수	▬▬▬	★★★★	7	0050~0056
	05	중복순열(1)	▬▬▬▬▬	★★★★	9	0057~0065
	06	중복순열(2)	▬	★★★★★	6	0066~0071
	07	중복순열을 이용한 정수의 개수	▬▬▬	★★★★	9	0072~0080
	08	같은 것이 있는 문자의 나열	▬▬▬▬	★★★	6	0081~0086
	09	순서 조건이 있는 문자의 나열	▬▬▬▬▬	★★★★★	9	0087~0095
	10	같은 것이 있는 숫자의 나열	▬▬▬	★★★★	9	0096~0104
	11	같은 것이 있는 순열의 응용	▬▬	★★★★★	6	0105~0110
	12	최단 경로의 수(1)	▬▬▬	★★★	9	0111~0119
	13	최단 경로의 수(2)	▬▬▬	★★★★	7	0120~0126
	14	함수의 개수	▬▬▬▬	★★★★	9	0127~0135
		적중 문제			12	0136~0147
		고난도 문제			17	0148~0164

여러 가지 순열

1. 원순열의 수

(1) 서로 다른 것을 원형으로 배열하는 순열을 원순열이라고 한다.

(2) 서로 다른 n개를 원형으로 배열하는 원순열의 수

➡ $\dfrac{{}_{n}\mathrm{P}_{n}}{n}=\dfrac{n!}{n}=(n-1)!$

참고 $(\text{원순열의 수})=\dfrac{(\text{순열의 수})}{(\text{배열하는 원소의 개수})}$

- 원형으로 배열할 때는 회전하여 일치하는 배열은 모두 같은 것으로 본다.

- 서로 다른 n개를 원형으로 배열할 때, $r\,(r<n)$개가 이웃하는 방법의 수
⇨ $(n-r)!r!$

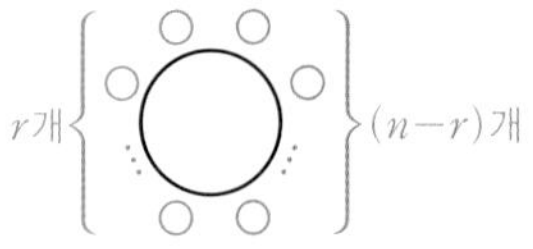

$((n-r+1)-1)!r!=(n-r)!r!$

2. 다각형의 순열

다각형으로 배열하는 순열의 수는 다음 방법으로 구한다.

[방법 1] $\dfrac{(\text{순열의 수})}{(\text{같은 경우의 수})}$

[방법 2] (원순열의 수)×(다른 경우의 수)

참고 서로 다른 n개를 원형으로 배열할 때에는 어느 자리를 기준으로 하더라도 모두 같은 경우이지만 다각형의 모양으로 배열할 때에는 기준이 되는 것의 위치에 따라 서로 다른 경우가 될 수 있다.

- 다각형의 순열

① 정사각형 모양의 테이블에 n명을 앉히는 방법의 수
⇨ $(n-1)!\times\dfrac{n}{4}$

② 직사각형 모양의 테이블에 n명을 앉히는 방법의 수
⇨ $(n-1)!\times\dfrac{n}{2}$

③ 정삼각형 모양의 테이블에 n명을 앉히는 방법의 수
⇨ $(n-1)!\times\dfrac{n}{3}$

3. 중복순열의 수

(1) 서로 다른 n개에서 중복을 허용하여 r개를 택하여 일렬로 배열하는 것을 n개에서 r개를 택하는 중복순열이라 하고, 이 중복순열의 수를 기호로 ${}_n\Pi_r$와 같이 나타낸다.

(2) 서로 다른 n개에서 r개를 택하는 중복순열의 수

➡ ${}_n\Pi_r = n^r$

참고 중복순열을 이용한 자연수의 개수

두 자연수 m, n에 대하여

(1) $1, 2, 3, \cdots, m$의 m개의 숫자에서 중복을 허용하여 만들 수 있는 n자리 자연수의 개수

➡ ${}_m\Pi_n = m^n$

(2) $0, 1, 2, \cdots, m$의 $(m+1)$개의 숫자에서 중복을 허용하여 만들 수 있는 n자리 자연수의 개수

➡ $m \times {}_{m+1}\Pi_{n-1} = m(m+1)^{n-1}$ (단, $n \geq 2$)

- ${}_n\mathrm{P}_r$에서는 $0 \leq r \leq n$이어야 하지만 ${}_n\Pi_r$에서는 $r > n$일 수도 있다.
- 중복순열의 계산법

> ${}_n\Pi_r$에서 n은 받는 쪽(고정 숫자), r는 주는 쪽(선택 숫자)으로 생각한다.

4. 같은 것이 있는 순열

n개 중에서 서로 같은 것이 각각 p개, q개, $\cdots$, r개 있을 때, n개를 모두 일렬로 배열하는 순열의 수는

$$\frac{n!}{p!q!\cdots r!} \text{ (단, } p+q+\cdots+r=n)$$

- 순서가 정해져 있는 문자는 한 문자로 생각하고 푼다.

5. 함수의 개수

두 집합 $X=\{a_1, a_2, a_3, \cdots, a_m\}$,
$Y=\{b_1, b_2, b_3, \cdots, b_n\}$에 대하여 X에서 Y로의 함수의 개수 ➡ ${}_n\Pi_m = n^m$

- 집합 Y의 원소에서 집합 X의 원소의 개수만큼 중복을 허락하여 택하는 순열의 수와 같다.

기본 문제

핵심 개념을 문제로 익히기

1 원순열

[0001-0002] 다음 □ 안에 알맞은 수를 써넣으시오.

0001 서로 다른 10개를 원형으로 배열하는 원순열의 수는

$\frac{{}_{10}\mathrm{P}_{10}}{\square}=\frac{10!}{\square}=\square!$

0002 6명이 원탁에 둘러앉는 방법의 수는

$\frac{{}_{6}\mathrm{P}_{6}}{\square}=\frac{6!}{\square}=\square!=\square$

[0003-0004] 다음 경우의 수를 구하시오.

0003 남학생 2명과 여학생 5명이 원탁에 둘러앉는 방법의 수

0004 그림과 같이 원을 4등분한 영역에 A, B, C, D 네 가지 색을 칠하는 방법의 수

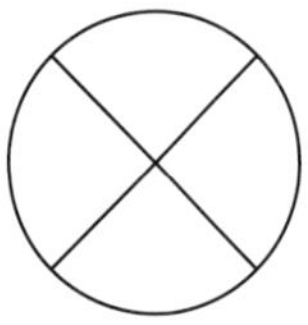

[0005-0007] 연석이와 준호를 포함하여 8명이 원탁에 앉아 회의를 하려고 한다. 다음을 구하시오.

0005 8명이 원탁에 둘러앉는 방법의 수

0006 연석이와 준호가 이웃하여 앉는 방법의 수

0007 연석이와 준호가 이웃하지 않게 앉는 방법의 수

2 다각형의 순열

[0008-0010] 다음 경우의 수를 구하시오.

0008 그림과 같은 정사각형 모양의 탁자에 4명이 둘러앉는 방법의 수

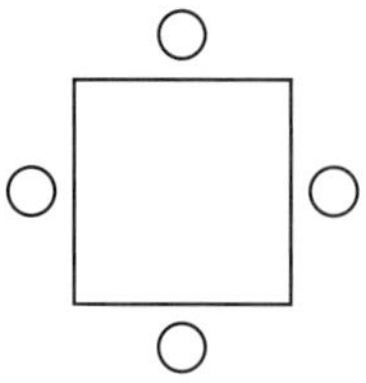

0009 그림과 같은 직사각형 모양의 탁자에 6명이 둘러앉는 방법의 수

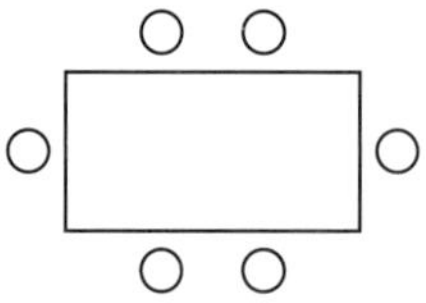

0010 그림과 같은 정삼각형 모양의 탁자에 6명이 둘러앉는 방법의 수

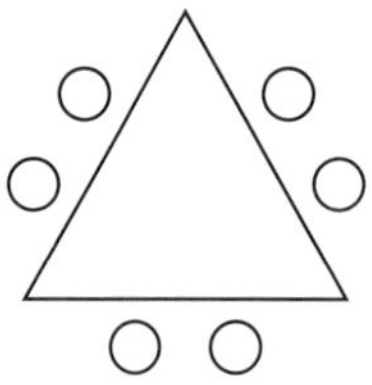

3 중복순열

[0011-0014] 다음 값을 구하시오.

0011 ${}_{5}\mathrm{P}_{2}$

0012 ${}_{5}\Pi_{2}$

0013 ${}_{2}\Pi_{5}$

0014 ${}_{3}\Pi_{r}=81$일 때 r의 값

[0015-0016] 다음을 중복순열의 수의 기호 ${}_{n}\Pi_{r}$를 써서 나타내시오.

0015 서로 다른 6개에서 2개를 택하는 중복순열의 수

0016 서로 다른 3개의 상자에 중복을 허용하여 서로 다른 5개의 공을 넣는 방법의 수

[0017-0020] 다음 경우의 수를 구하시오.

0017 3개의 문자 a, b, c 중에서 중복을 허용하여 4개를 택하여 일렬로 배열하는 방법의 수

0018 ♠ 또는 ♣를 다섯 번 사용하여 일렬로 나열해서 만들 수 있는 무늬의 개수

0019 네 개의 숫자 1, 2, 3, 4에서 중복을 허용하여 만들 수 있는 세 자리 자연수의 개수

0020 0부터 9까지 10개의 숫자에서 중복을 허용하여 만들 수 있는 4자리의 비밀번호의 개수

4 같은 것이 있는 순열

[0021-0023] 다음 경우의 수를 구하시오.

0021 다섯 개의 문자 a, a, a, b, c를 일렬로 나열하는 방법의 수

0022 다섯 개의 숫자 1, 1, 2, 3, 3을 사용하여 만들 수 있는 다섯 자리 자연수의 개수

0023 internet의 여덟 개의 문자를 모두 사용하여 일렬로 배열하는 방법의 수

[0024-0025] 그림과 같은 도로망이 있다. A지점에서 B지점까지 가는 최단 경로의 수를 구하시오.

0024

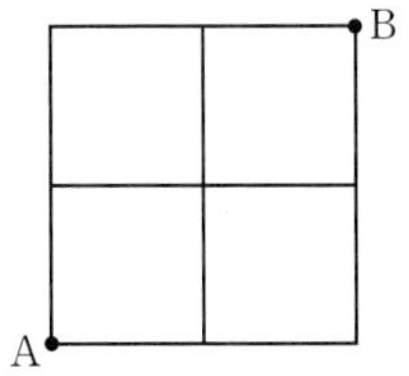

0025

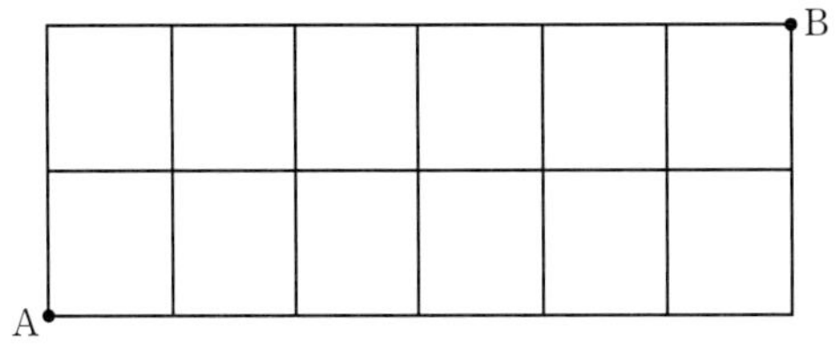

유형 문제

내신 출제 유형 정복하기

유형 01 원탁에 둘러앉는 방법의 수(1)

내신 중요도 ▬▬▬▬ 유형 난이도 ★★☆☆☆

(1) 서로 다른 n개를 원형으로 배열하는 원순열의 수

⇨ $\frac{{}_nP_n}{n}=\frac{n!}{n}=(n-1)!$

(2) 서로 다른 n개를 원형으로 배열할 때, r $(r<n)$개가 이웃하는 방법의 수

⇨ $(n-r)!r!$

0026 평가원 기출 ●○○○

서로 다른 5개의 접시를 원 모양의 식탁에 일정한 간격을 두고 원형으로 놓는 경우의 수는? (단, 회전하여 일치하는 것은 같은 것으로 본다.)

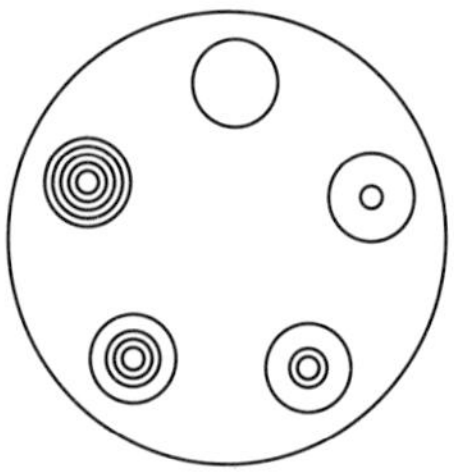

① 6 ② 12 ③ 18
④ 24 ⑤ 30

0027 중요 ●○○○

4명의 학생을 원형 탁자에 앉히는 방법의 수를 구하시오.

0028 짱중요 ●●○○

부모를 포함한 6명의 가족이 그림과 같이 크기와 모양이 같은 6개의 의자가 놓여 있는 원형 식탁에 모두 둘러앉을 때, 부모가 이웃하여 앉는 방법의 수는?

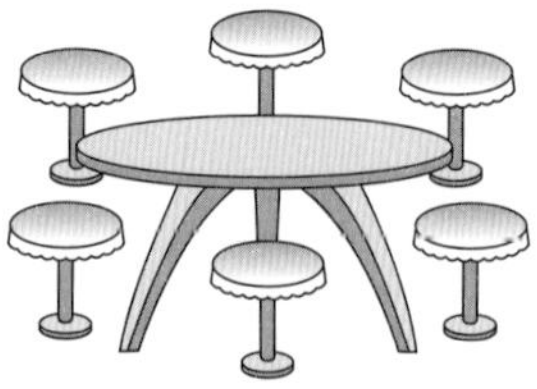

① 12 ② 24 ③ 48
④ 120 ⑤ 240

0029 중요 ●●○○

8명의 사람이 원형 탁자에 둘러앉을 때, 특정한 3명이 이웃하게 앉는 방법의 수는?

① 120 ② 240 ③ 480
④ 720 ⑤ 840

0030 중요 ●●○○

유도부원 3명과 축구부원 2명이 원형 식탁에 둘러앉을 때, 축구부원끼리 이웃하지 않게 앉는 방법의 수는?

① 8 ② 10 ③ 12
④ 14 ⑤ 16

0031 중요 ●●●○

남학생 2명, 여학생 3명 그리고 선생님 1명이 원탁에 둘러앉아 토론식 수업을 하려고 한다. 남학생끼리 이웃하고, 여학생끼리 이웃하게 앉는 방법의 수를 구하시오.

유형 02 원탁에 둘러앉는 방법의 수(2)

내신 중요도 유형 난이도 ★★★☆☆

(1) 부부가 마주 보는 경우 : 한 명만 배치하면 나머지 한 명의 자리는 정해진다.

(2) 남녀가 교대로 앉는 경우 : 우선 남자를 원순열로 배치하여 고정하면, 여자의 배치는 순열이다.

0032 ●○○○

부모와 4명의 자녀로 구성된 6명의 가족이 원 모양의 식탁에 둘러앉을 때, 부모가 서로 마주 보고 앉는 경우의 수를 구하시오.

0033 ●●○○

어느 결혼정보회사에서 4명의 남자 회원과 4명의 여자 회원의 만남을 주선하였다. 이 만남에서 남자 회원과 여자 회원이 교대로 원형 탁자에 둘러앉게 하는 방법의 수를 구하시오.

0034 ●●○○

원탁에 네 쌍의 부부가 둘러앉을 때, 부부끼리 이웃하게 앉는 경우의 수를 구하시오.

0035 ●●○○

부모와 자녀를 포함하여 5명의 가족이 원형 식탁에 둘러앉을 때, 부모 사이에 한 자녀가 앉는 방법의 수를 구하시오.

0036 중요 ●●●○

선생님 3명과 학생 4명이 원 모양의 탁자에 둘러앉을 때, 선생님과 학생 사이에 적어도 한 명의 학생이 앉는 경우의 수를 구하시오.

0037 ●●●○

여자 3명, 남자 3명이 일정한 간격으로 원형 테이블에 둘러앉을 때, 모든 남자의 맞은편에 각각 여자가 마주 보고 있는 경우의 수를 구하시오.

0038 ●●○○

A, B, C를 포함한 6명을 원형의 탁자에 앉힐 때, A의 양 옆에 B와 C가 앉는 방법의 수를 구하시오.

0039 교육청 기출 ●●●○

여학생 3명과 남학생 6명이 원탁에 같은 간격으로 둘러앉으려고 한다. 각각의 여학생 사이에는 1명 이상의 남학생이 앉고 각각의 여학생 사이에 앉은 남학생의 수는 모두 다르다. 9명의 학생이 모두 앉는 경우의 수가 $n \times 6!$일 때, 자연수 n의 값은?

(단, 회전하여 일치하는 것들은 같은 것으로 본다.)

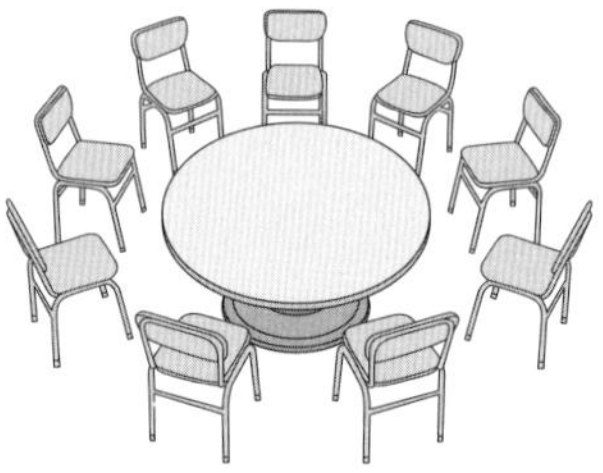

① 10 ② 12 ③ 14
④ 16 ⑤ 18

0040 짱중요 ●●●○

어떤 고등학교 방송반, 신문반, 사진반, 미술반, 연극반, 합창반 반장들이 축제 준비를 위해 원탁에 둘러앉아서 회의를 하려고 한다. 이들 6명이 다음과 같은 조건을 만족하면서 원탁에 둘러앉는 방법의 수를 구하시오.

> (가) 방송반과 신문반, 사진반과 미술반, 연극반과 합창반 반장들은 서로 마주 보고 앉도록 한다.
> (나) 방송반과 합창반 반장은 이웃하여 앉도록 한다.

유형 03 도형에 색칠하는 방법의 수

내신 중요도 ■■■■■ 유형 난이도 ★★★★☆

도형에 색칠하는 방법의 수는 다음과 같이 구한다.
① 기준이 될 수 있는 부분에 색을 칠하는 방법의 수를 구한다.
② 원순열을 이용하여 나머지 부분에 색을 칠하는 방법의 수를 구한다.
③ ①, ②에서 구한 방법의 수를 곱한다.

0041 ●●○○

그림과 같이 정사각형을 4등분하였을 때, 서로 다른 6가지의 색 중에서 4가지 색을 선택하여 4개의 영역을 칠하는 방법의 수를 구하시오.

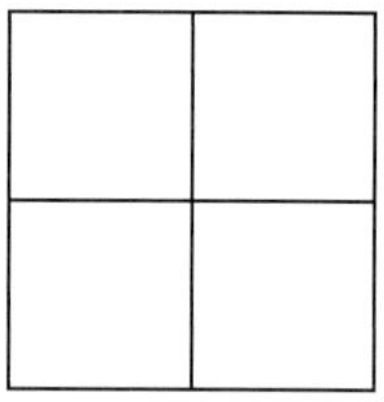

0042 중요 ●●○○

그림과 같이 회전할 수 있는 원판의 다섯 부분 A, B, C, D, E에 서로 다른 5가지의 색을 모두 사용하여 칠하는 방법의 수를 구하시오.

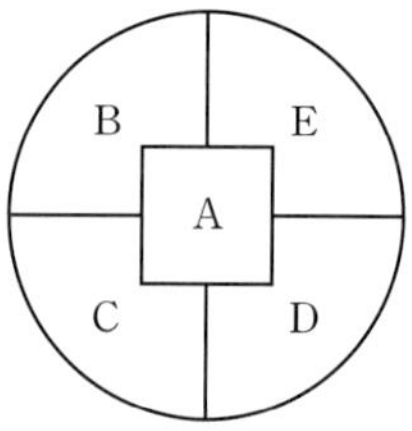

0043 짱중요 ●●○○

그림과 같이 옆면이 모두 합동인 이등변삼각형으로 이루어진 정오각뿔의 6개의 면에 서로 다른 6가지 색을 모두 사용하여 칠하는 경우의 수를 구하시오.

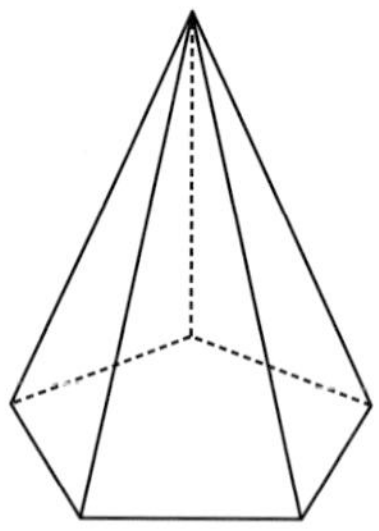

0044 ●●●○

서로 다른 4가지의 색을 모두 사용하여 정사면체의 각 면을 칠하는 방법의 수는?

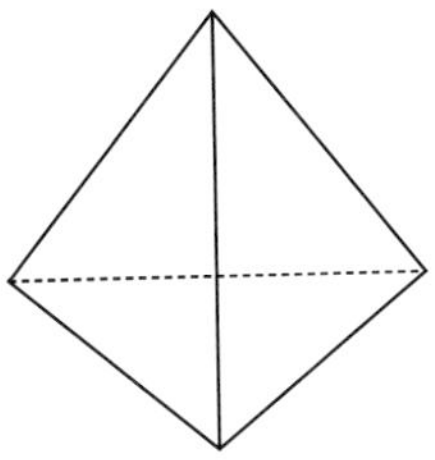

① 2 ② 4
③ 8 ④ 16
⑤ 32

0045 ●●●○

그림과 같이 6등분한 원의 각 부분에 서로 다른 5가지의 색을 모두 사용하여 칠하려고 한다. 인접한 곳에는 같은 색을 칠하지 않는다고 할 때, 칠하는 방법의 수를 구하시오.

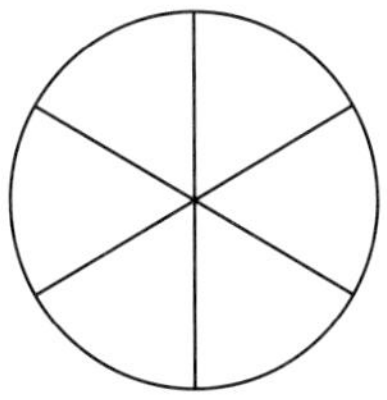

0046 중요 ●●●○

그림과 같이 큰 정사각형을 각 변의 중점끼리 이어 8개의 합동인 직각삼각형으로 나눈 도형이 있다. 서로 다른 8가지의 색을 모두 사용하여 8개의 직각삼각형을 칠하는 방법의 수는?

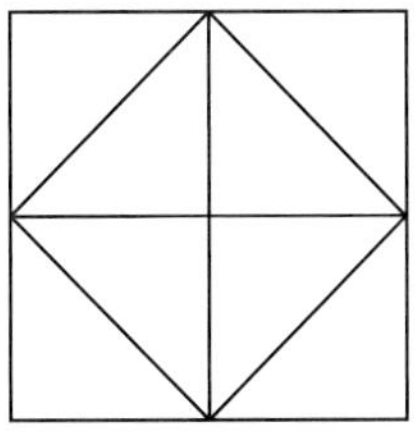

① 10080 ② 10240 ③ 10560
④ 10620 ⑤ 10800

0047 중요 평가원 기출 ●●●○

그림과 같이 서로 접하고 크기가 같은 원 3개와 이 세 원의 중심을 꼭짓점으로 하는 정삼각형이 있다. 원의 내부 또는 정삼각형의 내부에 만들어지는 7개의 영역에 서로 다른 7가지 색을 모두 사용하여 칠하려고 한다. 한 영역에 한 가지 색만을 칠할 때, 색칠한 결과로 나올 수 있는 경우의 수는? (단, 회전하여 일치하는 것은 같은 것으로 본다.)

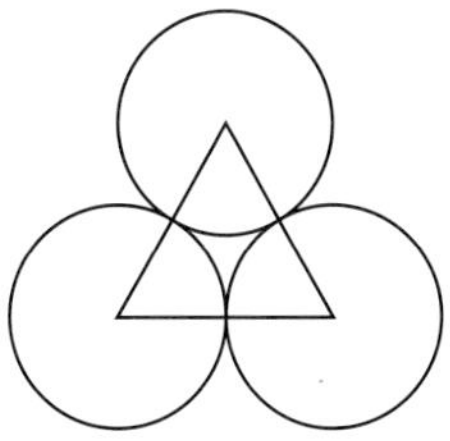

① 1260 ② 1680 ③ 2520
④ 3760 ⑤ 5040

0048 중요 ●●●○

그림과 같은 정오각기둥의 모든 면을 서로 다른 7가지 색을 모두 사용하여 칠하는 방법의 수는?

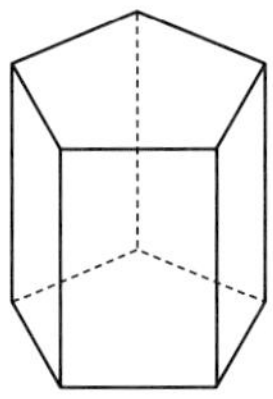

① 144 ② 256
③ 504 ④ 720
⑤ 5040

0049 ●●●○

그림과 같은 정삼각기둥의 각 면을 서로 다른 5가지 색을 모두 사용하여 칠하는 방법의 수를 구하시오.

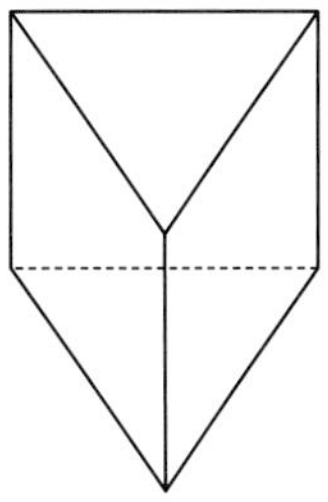

유형 04 다각형 탁자에 둘러앉는 방법의 수

내신 중요도 ■■■■■ 유형 난이도 ★★★★☆

다각형으로 배열하는 방법의 수는 다음과 같이 구한다.
① 원형으로 배열하는 방법의 수를 구한다.
② 다각형으로 배열할 때 서로 다른 경우의 수를 구한다.
③ ①, ②에서 구한 방법의 수를 곱한다.

0050 ●●○○

그림과 같은 정사각형 모양의 A식탁에 4명의 학생을 앉히는 방법의 수를 a, 직사각형 모양의 B식탁에 6명의 학생을 앉히는 방법의 수를 b라 하자. $a+b$의 값을 구하시오.

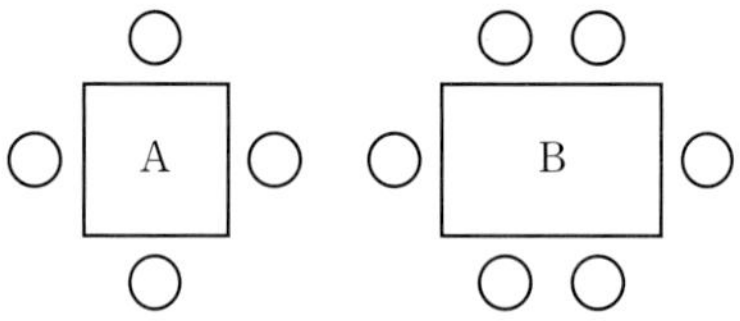

0051 ●●○○

그림과 같은 정육각형 모양의 식탁에 12명이 둘러앉는 방법의 수가 $2\times a!$일 때, 상수 a의 값을 구하시오.

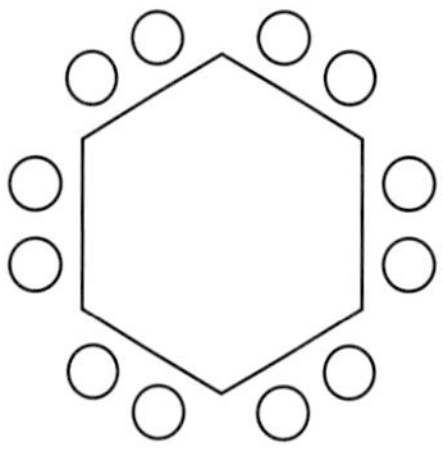

0052 ●●○○

그림과 같은 직사각형 모양의 탁자에 10명의 학생을 앉히는 방법의 수는?

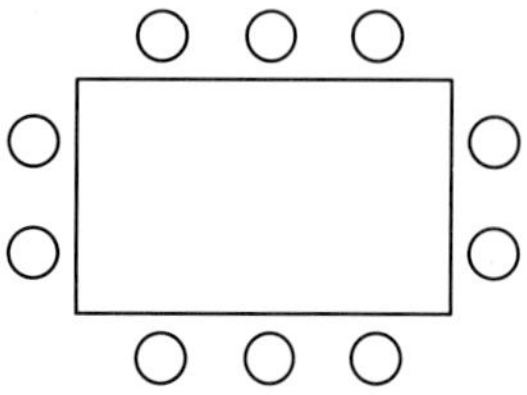

① $9!$　② $9!\times 2$　③ $9!\times 5$　④ $10!\times 3$　⑤ $10!\times 5$

0053 ●●●○

그림과 같은 직사각형 모양의 탁자에 5개의 의자가 놓여 있다. 여학생 3명과 남학생 2명을 앉힐 때, 남학생끼리 마주 보도록 앉히는 방법의 수를 구하시오.

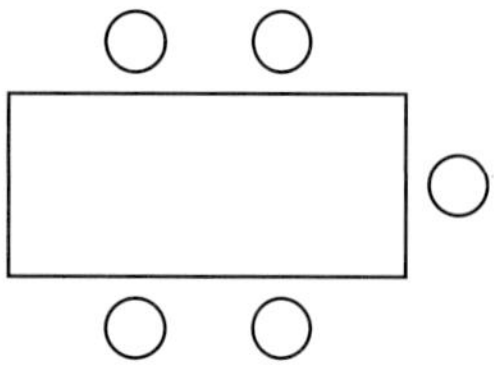

0054 ●●●○

감독, 코치와 8명의 선수로 구성된 10명의 농구팀이 그림과 같이 정오각형 모양의 식탁에 둘러 앉아 회의를 하려고 한다. 감독, 코치가 서로 이웃하여 앉는 경우의 수를 a라 할 때, $\frac{a}{6\times 7\times 8}$의 값을 구하시오. (단, 회전하여 일치하는 것은 같은 것으로 보며, 정오각형의 꼭짓점을 사이에 두고 앉는 것은 이웃하는 것으로 보지 않는다.)

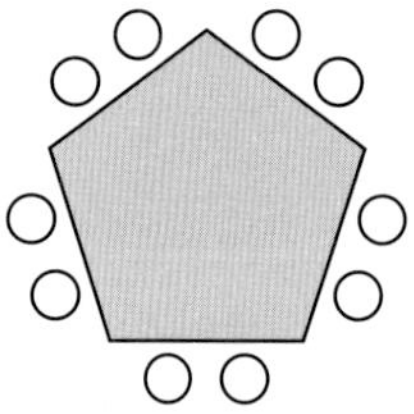

0055 중요 교육청 기출 ●●●○

어느 대학교 수시모집에서 토론식 면접을 진행하기 위하여 남학생 4명과 여학생 4명을 그림과 같이 정사각형 모양의 탁자에 배열된 8개의 의자에 앉히려고 한다. 붙어 있는 의자에는 반드시 남녀가 1명씩 앉도록 할 때, 이들 8명이 앉을 수 있는 모든 방법의 수는?

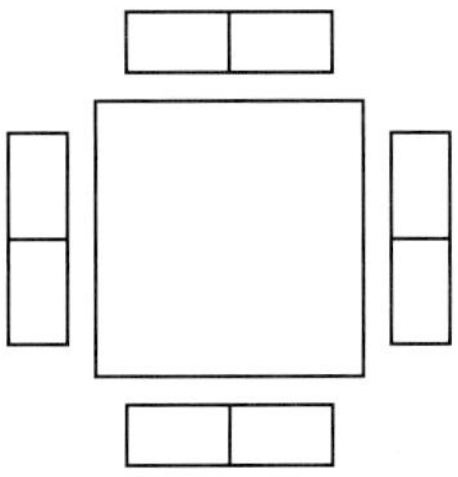

① 1152 ② 2304 ③ 4608
④ 5760 ⑤ 9216

0056 ●●●○

그림과 같은 정육각형 모양의 탁자에 12명의 사람을 앉히는 방법의 수를 $a\times 12!$이라 할 때, 상수 a의 값을 구하시오.

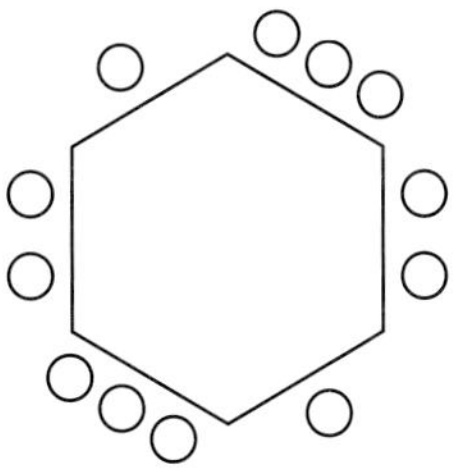

유형 **05** 중복순열(1)

내신 중요도 ■■■■■ 유형 난이도 ★★★★☆

서로 다른 n개에서 중복을 허락하여 r개를 택하는 중복순열의 수

⇨ ${}_n\Pi_r=n^r$

참고 중복순열의 수 ${}_n\Pi_r$에서 n은 선택받는 쪽, 즉 고정된 숫자라 생각하고, r는 선택하는 쪽으로 생각하여 문제를 해결한다.

0057 ●●○○

○, ×만으로 답을 하는 10개의 문제에서 나올 수 있는 답안의 개수를 구하시오.

0058 짱중요 ●●○○

4명의 학생이 세 가지 아이템 A, B, C 중에서 각각 한 개씩 선택하는 모든 경우의 수를 구하시오.

0059 짱중요 평가원 기출 ●●○○

서로 다른 종류의 연필 5자루를 4명의 학생 A, B, C, D에게 남김없이 나누어 주는 방법의 수는?

(단, 연필을 받지 못하는 학생이 있을 수 있다.)

① 1024 ② 1034 ③ 1044
④ 1054 ⑤ 1064

0060 ●●●○

열쇠로 문을 열 때에는 열쇠에 인식되는 지점이 있어서 이 지점에서 열쇠를 깎은 깊이에 따라 인식이 되어 문이 열린다고 한다. 그림과 같이 열쇠를 a, b, c의 세 지점에서 각각 4개의 서로 다른 깊이로 깎아서 만든다고 할 때, 만들 수 있는 서로 다른 열쇠의 종류는?

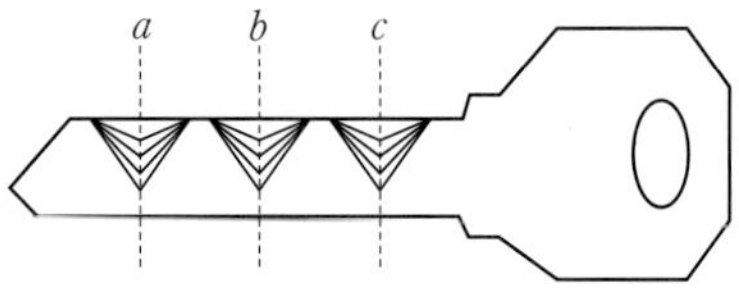

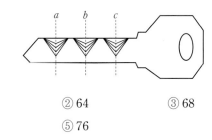

① 60 ② 64 ③ 68
④ 72 ⑤ 76

0061 중요 교육청 기출 ●●●○

1층에서 5명이 엘리베이터를 타고 출발하였다. 이들은 4층부터 7층까지 중에서 어느 한 층에서 내리며 7층에서는 엘리베이터에 남은 모든 사람들이 내린다. 내리는 모든 방법의 수는? (단, 엘리베이터는 2, 3층에서 멈추지 않으며 어느 한 층에서 모두 내릴 수도 있다.)

① 976 ② 1000 ③ 1024
④ 1048 ⑤ 1072

0062 중요 평가원 기출 ●●●○

서로 다른 과일 5개를 3개의 그릇 A, B, C에 남김없이 담으려고 할 때, 그릇 A에는 과일 2개만 담는 방법의 수를 구하시오.
(단, 과일을 하나도 담지 않은 그릇이 있을 수 있다.)

0063 ●●●○

서로 다른 과일 5개를 네 접시 A, B, C, D에 남김없이 담으려고 할 때, 두 접시 A와 B에는 과일이 한 개씩만 담기는 경우의 수는? (단, 빈 접시가 있어도 된다.)

① 150 ② 160 ③ 170
④ 180 ⑤ 190

0064 ●●●●

A, B, C, D, E의 다섯 도시를 경유하는 버스가 승객 10명을 태우고 A도시를 출발하여 세 도시 B, C, D를 순서대로 거쳐서 E도시에 도착할 예정이다. 10명의 승객 중에서 특정한 두 명은 같은 도시에 내리지 않는다고 할 때, 10명의 승객이 네 도시 B, C, D, E에 내리는 방법의 수는?

① 2^{18} ② 3×2^{18} ③ $2^{20}-1$
④ $2^{20}-4$ ⑤ $2^{20}-3^{10}$

0065 평가원 기출 ●●●●

1, 2, 3, 4, 5의 숫자가 각각 하나씩 적힌 5개의 공을 3개의 상자 A, B, C에 넣으려고 한다. 어느 상자에도 넣어진 공에 적힌 수의 합이 13 이상이 되는 경우가 없도록 하는 방법의 수를 구하시오. (단, 빈 상자의 경우에는 넣어진 공에 적힌 수의 합을 0으로 한다.)

유형 06 중복순열(2)

내신 중요도 ■■■■■ 유형 난이도 ★★★★★

(1) 두 집합 A, B는 벤다이어그램에서 4개의 영역이 생긴다.
⇨ $A\cap B$, $A-B$, $B-A$, $(A\cup B)^c$

(2) 서로 다른 n개에서 최대 r개까지 택할 수 있는 중복순열의 수
⇨ ${}_n\Pi_1+{}_n\Pi_2+{}_n\Pi_3+\cdots+{}_n\Pi_r$

0066 교육청 기출 ●●●○

집합 $U=\{1, 2, 3, 4, 5\}$의 공집합이 아닌 두 부분집합 A, B에 대하여 $A\subset B$를 만족하는 순서쌍 (A, B)의 개수를 구하시오.

0067 교육청 기출 ●●●●

집합 $U=\{1, 2, 3, 4, 5, 6\}$의 부분집합 A, B는 다음 두 조건을 만족한다.

(가) $A\neq\varnothing$이고 $B\neq\varnothing$이다.
(나) $A\cap B=\varnothing$이고 $A\cup B=U$이다.

이때 집합 A, B로 만들 수 있는 순서쌍 (A, B)의 개수는?

① 30　② 32　③ 62
④ 64　⑤ 92

0068 ●●●●

전체집합 $U=\{1, 2, 3, 4, 5, 6\}$의 두 부분집합 A, B에 대하여 $n(\mathrm{A}\cap\mathrm{B})=2$가 성립하도록 하는 두 집합 A, B의 순서쌍 (A, B)의 개수를 구하시오.

0069 중요 ●●○○

파랑, 흰색, 빨강 세 가지의 깃발이 한 개씩 있다. 이 깃발 중에서 하나를 택하여 들어 올리는 시행을 5번하여 만들 수 있는 신호의 수를 구하시오.

0070 중요 ●●●●

두 가지 부호 '·', '−'을 5개 이하로 사용하여 만들 수 있는 신호의 개수는? (단, 적어도 한 개 이상의 부호를 사용한다.)

① 60　② 62　③ 64
④ 66　⑤ 68

0071 ●●●●

다음 표와 같이 두 문자 ㄱ, ㄴ을 중복을 허용하여 20번 이하로 사용할 때, 만들 수 있는 서로 다른 기호의 개수는?

1번	2번	3번	⋯
ㄱ	ㄱㄱ	ㄱㄱㄱ	
ㄴ	ㄱㄴ	ㄱㄱㄴ	
	ㄴㄱ	ㄱㄴㄱ	⋯
	ㄴㄴ	⋮	

① $2^{19}-1$　② $2(2^{19}-1)$　③ $2^{20}-1$
④ $2(2^{20}-1)$　⑤ $2^{21}-1$

유형 07 내신 중요도 ■■■■■ 유형 난이도 ★★★★☆

중복순열을 이용한 정수의 개수

두 자연수 m, n에 대하여

(1) 1, 2, 3, ⋯, n의 n개의 숫자에서 중복을 허용하여 만들 수 있는 m자리 정수의 개수
⇨ ${}_n\Pi_m = n^m$

(2) 0, 1, 2, ⋯, n의 $n+1$개의 숫자에서 중복을 허용하여 만들 수 있는 m자리 정수의 개수
⇨ $n \times {}_{n+1}\Pi_{m-1} = n(n+1)^{m-1}$ (단, $m \geq 2$)

0072 중요 ●●○○

네 개의 숫자 0, 1, 2, 3 중에서 중복을 허용하여 만들 수 있는 세 자리 정수의 개수는?

① 42 ② 44 ③ 46
④ 48 ⑤ 50

0073 중요 평가원 기출 ●●○○

다섯 개의 숫자 1, 2, 3, 4, 5 중에서 중복을 허용하여 네 개를 택해 일렬로 나열하여 만든 네 자리 자연수가 5의 배수인 경우의 수는?

① 115 ② 120 ③ 125
④ 130 ⑤ 135

0074 ●●○○

네 개의 숫자 1, 2, 3, 4로 중복을 허용하여 만들 수 있는 세 자리 이하의 자연수의 개수를 구하시오.

0075 중요 ●●●○

여섯 개의 숫자 0, 1, 2, 3, 4, 5 중에서 중복을 허용하여 만들 수 있는 네 자리 정수 중에서 짝수의 개수를 구하시오.

0076 ●●●○

8의 양의 약수 중에서 중복을 허용하여 4개의 수를 뽑아 네 자리 정수를 만들 때, 두 번 이상 사용된 수가 있는 정수의 개수를 구하시오.

0077 중요 ●●●○

여섯 개의 숫자 0, 1, 2, 3, 4, 5로 중복을 허용하여 네 자리 자연수를 만들어 크기가 작은 것부터 순서대로 나열할 때, 500번째에 나열되는 수는?

① 3005 ② 3010 ③ 3104
④ 3120 ⑤ 3151

0078 ●●●●

중복 사용이 가능한 네 개의 숫자 1, 2, 3, 4 중에서 네 수를 택하여 만들 수 있는 네 자리 자연수 중에서 2422보다 작은 수의 개수는?

① 108　② 111　③ 114
④ 117　⑤ 120

0079 ●●●●

여섯 개의 숫자 0, 1, 2, 3, 4, 5 중에서 중복을 허용하여 만든 자연수를 크기가 작은 순서로 나열할 때, 3000보다 작은 수의 개수는?

① 641　② 643　③ 645
④ 647　⑤ 649

0080 짱중요 ●●●●

5개의 수 0, 1, 2, 3, 4에서 중복을 허용하여 만들 수 있는 자연수를 크기가 작은 수부터 순서대로 나열할 때, 4000은 n번째 수이다. 이때, 자연수 n의 값을 구하시오.

유형 08 같은 것이 있는 문자의 나열

내신 중요도 ■■■■■ 유형 난이도 ★★★☆☆

n개 중에서 같은 것이 각각 p개, q개, $\cdots$, r개 있을 때, n개를 일렬로 배열하는 순열의 수

⇨ $\dfrac{n!}{p!q!\cdots r!}$ (단, $p+q+\cdots+r=n$)

0081 ●○○○

a, b, c, d, d, e의 6개의 문자를 모두 사용하여 일렬로 나열하는 방법의 수를 구하시오.

0082 짱중요 ●●○○

7개의 문자 A, A, B, B, C, C, C를 일렬로 배열하는 방법의 수를 구하시오.

0083 교육청 기출 ●●●○

6개의 문자 a, a, a, b, b, c 중에서 4개를 선택하여 일렬로 나열하는 방법의 수를 구하시오.

0084 ●●●○

a, a, a, b, c, c의 6개의 문자를 일렬로 나열할 때, 문자 c가 서로 이웃하지 않게 배열하는 경우의 수를 구하시오.

0085 중요 평가원 기출 ●●●●

7개의 문자 a, a, b, b, c, d, e를 일렬로 배열할 때, a끼리 이웃하거나 b끼리 이웃하는 모든 경우의 수를 구하시오.

0086 ●●●●

6개의 문자 B, A, N, A, N, A를 이용하여 만든 문자열들을 사전식으로 AAABNN, AAANBN, …과 같이 일렬로 배열할 때, NAAABN은 몇 번째에 오는 문자열인가?

① 39번째 ② 40번째 ③ 41번째
④ 42번째 ⑤ 43번째

유형 09 순서 조건이 있는 문자의 나열

내신 중요도 ■■■■■ 유형 난이도 ★★★★★

서로 다른 n개의 문자를 일렬로 배열할 때, 순서가 정해져 있는 문자는 같은 문자로 본다.

참고 순서가 정해진 것을 모두 X로 치환하여 같은 것이 있는 순열로 푼다.

0087 평가원 기출 ●●○○

흰색 깃발 5개, 파란색 깃발 5개를 일렬로 모두 나열할 때, 양 끝에 흰색 깃발이 놓이는 경우의 수는? (단, 같은 색 깃발끼리는 서로 구별하지 않는다.)

① 56 ② 63 ③ 70
④ 77 ⑤ 84

0088 짱중요 ●●●○

7개의 문자 STUDENT를 일렬로 배열할 때, 양 끝에 자음이 오도록 배열하는 경우의 수는?

① 480 ② 840 ③ 960
④ 1200 ⑤ 1440

0089 중요 교육청 기출 ●●●○

7개의 문자 a, b, b, c, c, c, d를 일렬로 나열할 때, 양쪽 끝에는 서로 다른 문자가 오는 경우의 수를 구하시오.

0090 중요 ●●●○

CECILIA의 7개의 문자를 일렬로 배열할 때, 자음과 모음이 교대로 배열되는 경우의 수는?

① 12 ② 24 ③ 36
④ 48 ⑤ 60

0091 ●●●○

4개의 문자 NEED와 4개의 숫자 2, 2, 4, 4를 일렬로 배열할 때, 문자와 숫자가 교대로 오도록 배열하는 경우의 수를 구하시오.

0092 중요 ●●●●

10개의 문자 s, t, a, t, i, s, t, i, c, s를 모두 한 번씩 사용하여 다음 조건을 만족시키도록 일렬로 나열하는 경우의 수를 구하시오.

> (가) 양쪽 끝에 s를 나열한다.
> (나) a와 c는 두 개의 i 사이에 나열한다.

0093 교육청 기출 ●●●○

그림과 같이 '빨강, 주황, 노랑, 초록, 파랑, 남색, 보라' 색깔의 깃발이 각각 하나씩 있다. 7개의 깃발을 모두 일렬로 배열할 때, 빨강이 노랑의 왼쪽에, 노랑은 파랑의 왼쪽에 위치하도록 하는 경우의 수를 구하시오. (단, 깃발은 한쪽 방향에서만 바라본다.)

0094 짱중요 ●●●●

5개의 문자 a_1, a_2, a_3, b_1, b_2를 일렬로 배열할 때, a_2는 a_1의 오른쪽에, a_3은 a_2의 오른쪽에, b_2는 b_1의 왼쪽에 오도록 배열하는 방법의 수를 구하시오.

0095 중요 ●●●●

알파벳 대문자 A, B, C, D와 소문자 a, b, c, d가 있다. 8개의 알파벳 A, B, C, D, a, b, c, d를 한 번씩만 사용하여 일렬로 나열할 때, A는 a보다 앞에, B는 b보다 뒤에, C와 c는 양 끝, D와 d는 이웃하게 나열하는 경우의 수를 구하시오.

유형 10 내신 중요도 유형 난이도 ★★★★☆

같은 것이 있는 숫자의 나열

같은 것이 있는 문자의 나열과 같은 방법으로 푼다. 단, 자연수 조건의 경우 0이 처음에 오지 않는다.

0096 중요 ●○○○

다섯 개의 숫자 2, 2, 3, 3, 5로 만들 수 있는 다섯 자리 자연수의 개수를 구하시오.

0097 짱중요 ●●○○

0, 3, 3, 6, 6, 6의 6개의 숫자를 일렬로 배열하여 만들 수 있는 여섯 자리 정수의 개수는?

① 10 ② 20 ③ 30
④ 40 ⑤ 50

0098 중요 ●●●○

0, 1, 1, 1, 2, 3, 3의 일곱 개의 숫자를 모두 사용하여 일곱 자리 자연수를 만들 때, 짝수의 개수는?

① 50 ② 60 ③ 80
④ 100 ⑤ 110

0099 중요 교육청 기출 ●●●○

7개의 숫자 1, 1, 2, 2, 3, 3, 3을 일렬로 배열할 때, 맨 앞에는 1이 오고 맨 뒤에는 3이 오지 않는 경우의 수는?

① 20 ② 30 ③ 40
④ 50 ⑤ 60

0100 ●●●●

1, 1, 2, 2, 2, 3, 3, 3의 8개의 숫자를 일렬로 나열할 때, 양쪽 끝에는 서로 다른 숫자가 오는 경우의 수를 구하시오.

0101 평가원 기출 ●●●○

1부터 6까지의 자연수가 하나씩 적혀 있는 6장의 카드가 있다. 이 카드를 모두 한 번씩 사용하여 일렬로 나열할 때, 2가 적혀 있는 카드는 4가 적혀 있는 카드보다 왼쪽에 나열하고 홀수가 적혀 있는 카드는 작은 수부터 크기 순서로 왼쪽부터 나열하는 경우의 수는?

① 56 ② 60 ③ 64
④ 68 ⑤ 72

0102

●●●○

5개의 숫자 1, 2, 3, 4, 4를 모두 사용하여 일렬로 배열할 때, 1, 2, 3이 이 순서로 배열되는 방법의 수를 구하시오.

0103

●●●●

각 자리의 수가 0이 아닌 네 자리 자연수 중에서 각 자리의 수의 합이 6인 자연수의 개수를 구하시오.

0104

●●●●

1, 3, 3, 5, 6, 6의 6개의 숫자를 일렬로 배열하여 여섯 자리 자연수를 만들 때, 400000보다 큰 자연수의 개수를 구하시오.

유형 **11** 같은 것이 있는 순열의 응용

내신 중요도 ━━━━━━━ 유형 난이도 ★★★★★

나열하여 방법의 수를 구해야 하는 응용문제인 경우 나열해야 하는 대상을 문자로 표현하자.

0105

●●○○

한국 선수 3명, 중국 선수 1명, 일본 선수 1명, 미국 선수 1명이 참가한 스키 점프 대회에서 다음 조건을 만족시키는 순서로 점프 순서를 정한다.

> ㈎ 중국 선수가 일본 선수보다 먼저 점프한다.
> ㈏ 일본 선수가 미국 선수보다 먼저 점프한다.

만들어질 수 있는 점프 순서는 몇 가지인가?

① 20가지   ② 40가지   ③ 60가지
④ 120가지   ⑤ 144가지

☆0106 중요

●●○○

10개의 계단을 올라가야 하는데 한 걸음에 1계단 또는 3계단씩 만 올라갈 수 있다고 할 때, 10개의 계단을 올라가는 방법의 수를 구하시오.

0107 교육청 기출

●●●○

갑, 을 두 사람이 어떤 게임을 해서 다음과 같은 규칙에 따라 사탕을 갖는다고 한다.

> ㈎ 이긴 사람은 3개, 진 사람은 1개의 사탕을 갖는다.
> ㈏ 비기면 두 사람이 각각 2개씩 사탕을 갖는다.

갑, 을 두 사람이 이 게임을 다섯 번 해서 20개의 사탕을 10개씩 나누어 갖게 되는 경우의 수를 구하시오.

(단, 사탕은 서로 구별되지 않는다.)

0108 교육청 기출

주머니 A에 들어 있는 크기가 같은 흰 공 7개를 주머니 B로 모두 옮겨 담으려고 한다. 한 번에 한 개 또는 두 개씩 꺼내어 옮겨 담는 경우의 수를 구하시오.

0109

좌표평면 위의 점 P가 다음과 같은 규칙으로 이동한다.

> (가) 점 P의 x좌표는 y좌표보다 크거나 같다.
> (나) 점 P는 x축의 방향으로 $+1$만큼 또는 y축의 방향으로 $+1$만큼 이동한다.

점 P가 점 O$(0, 0)$에서 출발하여 점 $(5, 2)$로 이동했을 때, 점 P가 이동할 수 있는 경로의 수를 구하시오.

0110

그림과 같은 좌표평면 위에서 점 P는 다음과 같은 규칙으로 '이동'한다.

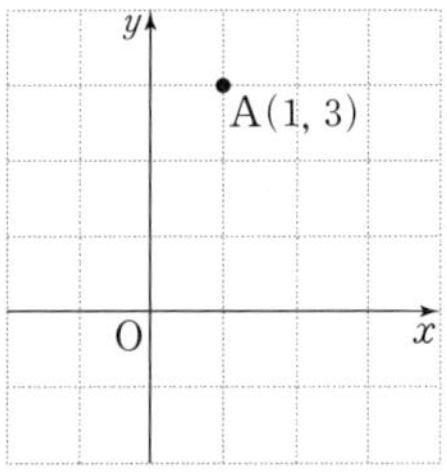

> 한 번의 '이동'으로 상하 또는 좌우 방향으로 1만큼 움직이거나 대각선 방향으로 $\sqrt{2}$만큼 움직인다.

점 P가 원점을 출발하여 4번 '이동'을 시행했을 때, 점 A에 도달하는 방법의 수를 구하시오.

유형 12 최단 경로의 수(1)

내신 중요도 ■■■■■ 유형 난이도 ★★★☆☆

(1) P지점을 반드시 지나야 하는 경우
(출발점에서 P지점까지의 최단 경로의 수)
× (P지점에서 도착점까지의 최단 경로의 수)
(2) P지점을 지나지 않는 경우
(전체 경우의 수) − (P지점을 반드시 지나는 경우의 수)

0111

그림과 같은 도로망을 가진 지역이 있다. A지점에서 출발하여 B지점으로 가는 최단 경로의 수를 구하시오.

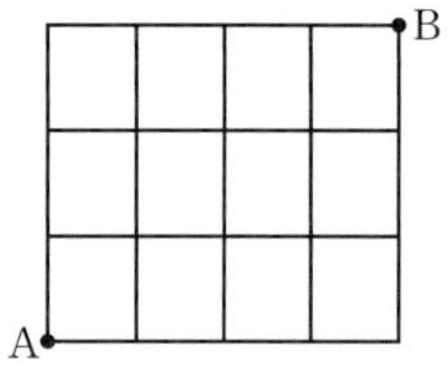

0112 짱중요

그림과 같은 도로망을 가진 지역이 있다. A지점에서 출발하여 P지점을 거쳐 B지점으로 가는 최단 경로의 수를 구하시오.

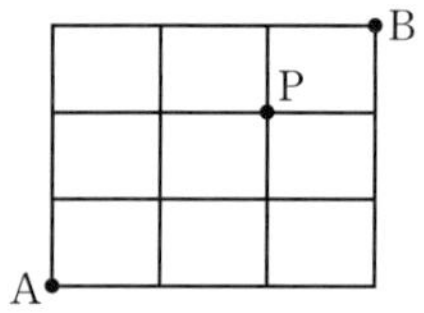

0113 짱중요

그림과 같은 도로망이 있다. A지점에서 출발하여 P지점을 경유하지 않고 B지점으로 가는 최단 경로의 수를 구하시오.

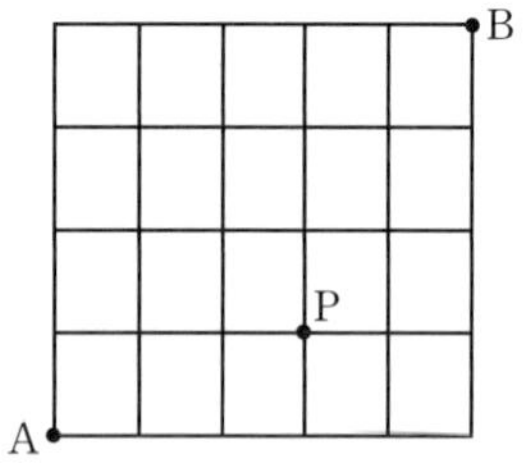

0114 교육청 기출 ●●●○

그림과 같이 직사각형으로 이루어진 도로망이 있다. A지점에서 B지점까지 최단거리로 갈 때, P와 Q 두 지점을 모두 지나는 경로의 수를 구하시오.

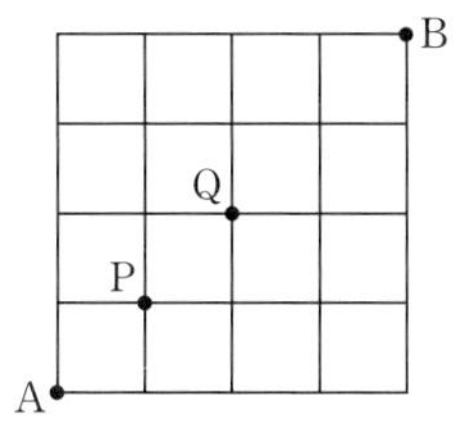

0115 중요 ●●●○

그림과 같은 도로망이 있다. A지점에서 출발하여 C지점은 반드시 지나지만 D지점은 지나지 않고 B지점까지 최단 거리로 가는 방법의 수를 구하시오.

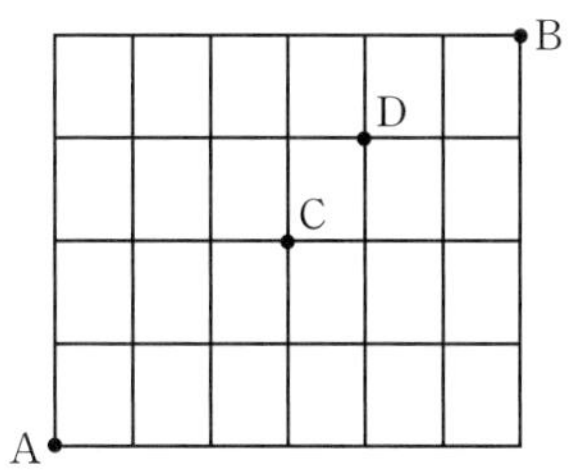

0116 ●●●○

그림과 같이 직사각형 모양으로 연결된 도로망이 있다. 이 도로망을 따라 A지점에서 출발하여 P지점과 Q지점 중에서 한 지점만을 지나 B지점까지 최단거리로 가는 경우의 수를 구하시오.

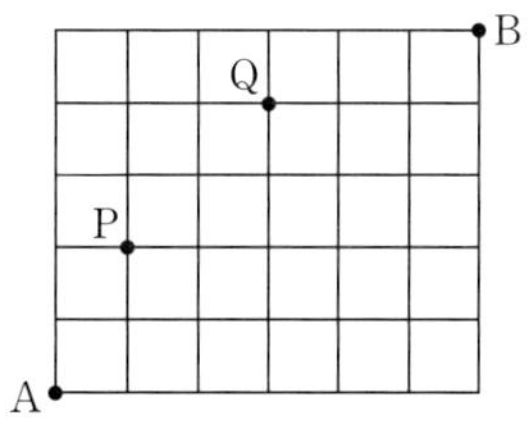

0117 중요 ●●●○

두 마을 A, B는 그림과 같은 도로망으로 서로 연결 되어 있다. A마을에서 출발하여 B마을까지 가는 최단 경로의 수를 구하시오. (단, 색칠한 지역은 침수되어 지나갈 수 없다.)

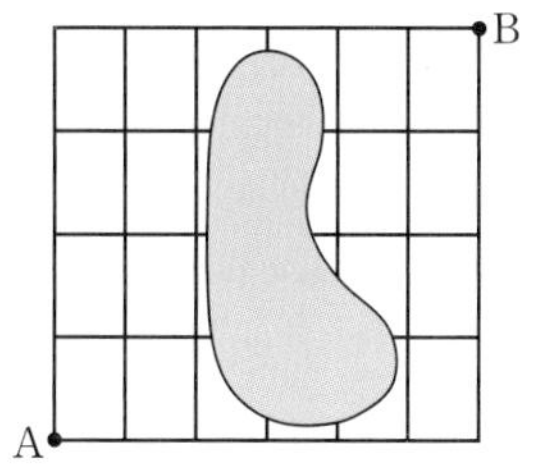

0118 교육청 기출 ●●●●

그림과 같은 직선 도로망이 있다. 5개의 지점 P, Q, R, S, T 중 어느 한 지점도 지나지 않고 A 지점에서 B 지점까지 최단거리로 갈 수 있는 모든 경로의 수를 구하시오.

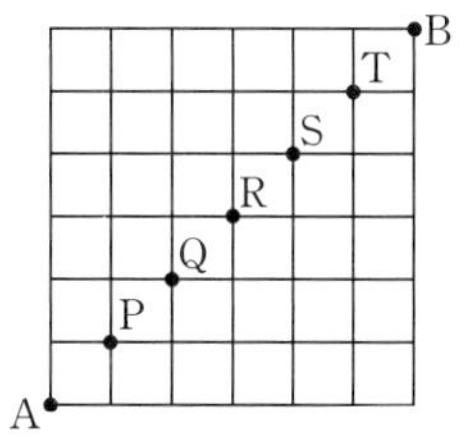

0119 교육청 기출 ●●●●

그림과 같이 바둑판 모양의 도로망이 있다. 교차로 P와 교차로 Q를 지날 때에는 직진 또는 우회전은 할 수 있으나 좌회전은 할 수 없다고 한다. 이때 A 지점에서 B 지점까지 최단거리로 가는 방법의 수를 구하시오.

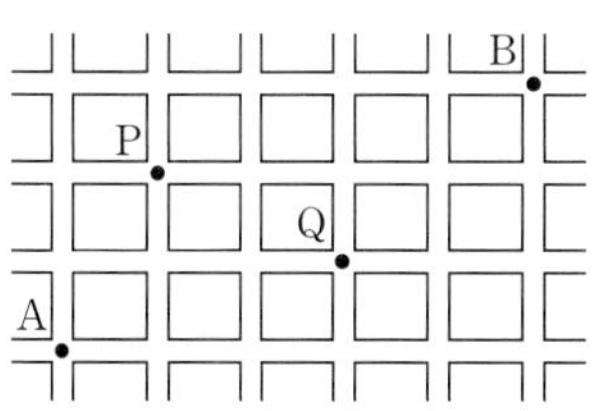

유형 13 최단 경로의 수(2)

내신 중요도 ▬▬▬▬ 유형 난이도 ★★★★☆

그림과 같이 크기가 같은 정육면체를 쌓아 올려 직육면체를 만들었을 때, 꼭짓점 A에서 꼭짓점 B까지 최단 거리로 가는 방법의 수는

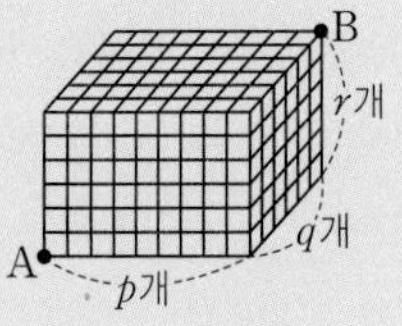

⇨ $\dfrac{(p+q+r)!}{p!q!r!}$

0120 ●●●○

그림과 같은 도로망이 있다. P지점에서 Q지점으로 가는 최단 경로의 수를 구하시오.

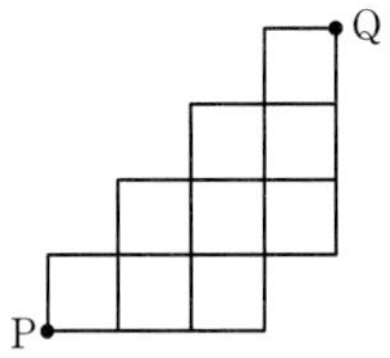

0121 짱중요 ●●●○

수영이는 그림과 같은 직사각형 모양의 도로망을 따라 A지점을 출발하여 B지점까지 가려고 한다. 수영이가 최단 거리로 갈 수 있는 방법의 수를 구하시오.

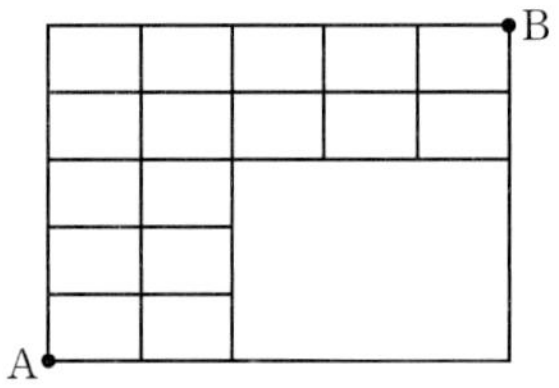

0122 평가원 기출 ●●●●

그림과 같이 마름모 모양으로 연결된 도로망이 있다. 이 도로망을 따라 A지점에서 출발하여 C지점을 지나지 않고, D지점도 지나지 않으면서 B지점까지 최단 거리로 가는 경우의 수는?

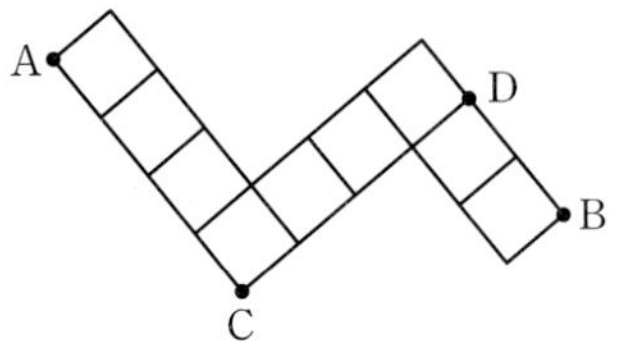

① 26 ② 24 ③ 22
④ 20 ⑤ 18

0123 교육청 기출 ●●●○

그림과 같은 도로망에서 A에서 출발하여 B까지 최단거리로 가는 방법의 수는?

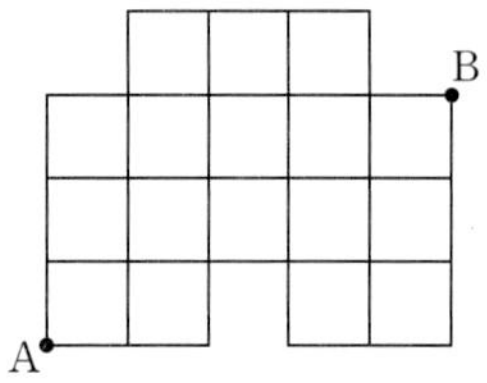

① 46 ② 48
③ 50 ④ 52
⑤ 54

0124 평가원 기출 ●●●●

그림과 같은 모양의 도로망이 있다. 지점 A에서 지점 B까지 도로를 따라 최단 거리로 가는 방법의 수는? (단, 가로 방향 도로와 세로 방향 도로는 각각 서로 평행하다.)

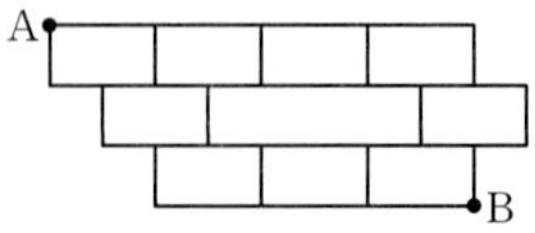

① 14 ② 16 ③ 18
④ 20 ⑤ 22

0125 ●●●○

그림과 같이 정육면체 두 개를 붙여 놓은 도형에서 모서리를 따라 최단 거리로 두 꼭짓점 A, B 사이를 한 번 왕복하는 방법의 수는?

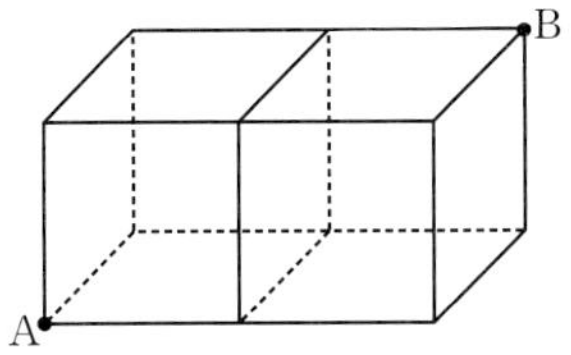

① 12 ② 48 ③ 96
④ 122 ⑤ 144

0126 중요 평가원 기출 ●●●●

직사각형 모양의 잔디밭에 산책로가 만들어져 있다. 이 산책로는 그림과 같이 반지름의 길이가 같은 원 8개가 서로 외접하고 있는 형태이다.

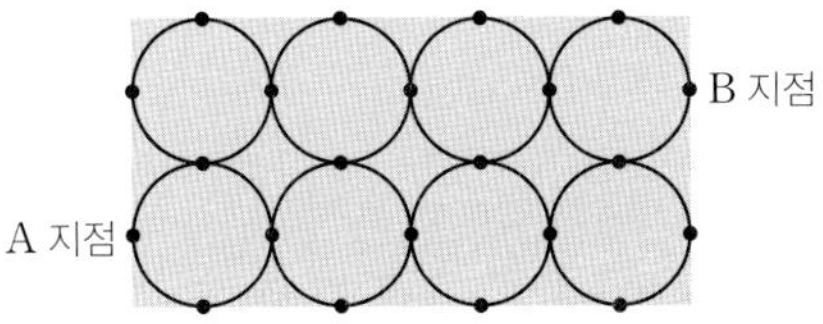

A지점에서 출발하여 산책로를 따라 최단 거리로 B지점에 도착하는 경우의 수를 구하시오. (단, 원 위에 표시된 점은 원과 직사각형 또는 원과 원의 접점을 나타낸다.)

유형 14 함수의 개수

내신 중요도 유형 난이도 ★★★★

두 집합 $X=\{a_1, a_2, a_3, \cdots, a_m\}$, $Y=\{b_1, b_2, b_3, \cdots, b_n\}$에 대하여 X에서 Y로의 함수의 개수

⇨ ${}_n\Pi_m=n^m$

0127 ●○○○

두 집합

$A=\{x\,|\,x$는 10 이하의 짝수$\}$,

$B=\{x\,|\,x$는 10의 양의 약수$\}$

에 대하여 A에서 B로의 함수의 개수는?

① 2^5 ② 3^4 ③ 4^5
④ 5^4 ⑤ 6^6

0128 ●●○○

두 집합 $X=\{1, 2, 3\}$, $Y=\{1, 2, 3, 4\}$에 대하여 X에서 Y로의 함수 f 중에서 $f(1)\neq 1$인 것의 개수는?

① 36 ② 48 ③ 64
④ 72 ⑤ 81

0129 ●●●○

집합 $A=\{1, 2, 3, 4\}$에 대하여 A에서 A로의 함수 중에서 치역의 모든 원소의 곱이 짝수인 것의 개수를 구하시오.

0130 ●●●○

두 집합 $X=\{1, 2, 3, 4\}$, $Y=\{0, 1, 2, 3, 4\}$에 대하여 X에서 Y로의 함수 f는 $f(1)+f(2)=2$를 만족할 때, 함수 f의 개수를 구하시오.

0131 중요 ●●●○

집합 $X=\{1, 2, 3, 4\}$에 대하여 다음 조건을 만족시키는 함수 $f: X \longrightarrow X$의 개수는?

$f(1)\times f(2)\times f(3)\times f(4)=4$

① 10 ② 11 ③ 12
④ 13 ⑤ 14

0132 중요 ●●●○

두 집합 $A=\{a, b, c, d\}$, $B=\{1, 2, 3, 4\}$에 대하여 함수 $f: A \longrightarrow B$가 $f(a)+f(b)+f(c)+f(d)=8$을 만족시킬 때, 함수 f의 개수를 구하시오.

0133 ●●●●

두 집합

$X=\{x \mid x$는 10 이하의 소수$\}$,

$Y=\{x \mid x$는 10의 양의 약수$\}$

에 대하여 X에서 Y로의 함수 f 중에서 $f(2)f(3)=10$을 만족시키는 것의 개수를 구하시오.

0134 ●●●●

두 집합 $X=\{1, 2, 3, 4, 5\}$, $Y=\{x \mid x$는 18의 양의 약수$\}$일 때, X에서 Y로의 함수 f에 대하여 $f(1)+f(3)$의 값이 홀수인 함수 f의 개수는?

① 3426 ② 3600 ③ 3842
④ 3888 ⑤ 4000

0135 중요 ●●●●

집합 $X=\{1, 2, 3, 4, 5\}$에 대하여 다음 조건을 만족시키는 함수 $f: X \longrightarrow X$의 개수를 구하시오.

(가) 치역의 원소의 개수는 3이다.
(나) 치역의 모든 원소의 곱은 짝수이다.

적중 문제

시험에 잘 나오는 문제로 점검하기

해설 023쪽

0136

초등학생 2명, 중학생 2명, 고등학생 3명이 원형 탁자에 둘러앉을 때, 초등학생 2명은 이웃하고, 중학생 2명은 이웃하지 않도록 앉는 방법의 수를 구하시오.

0137

부모를 포함한 6명의 가족이 6개의 의자가 놓여 있는 원형 식탁에 둘러앉을 때, 부모가 이웃하여 앉는 방법의 수를 a, 부모가 마주보고 앉는 방법의 수를 b라 하자. 이때, $a+b$의 값은?

① 24　② 36　③ 48　④ 60　⑤ 72

0138

그림과 같이 크기가 다른 두 원 사이를 6등분한 원판의 각 영역을 구분하여 칠하려고 한다. 서로 다른 7가지의 색을 모두 사용하여 7개의 영역을 칠하는 방법의 수는? (단, 두 원의 중심은 같다.)

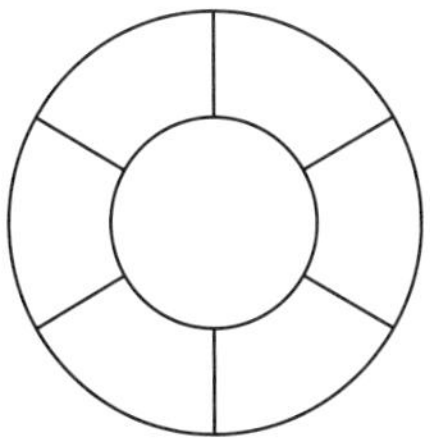

① 120　② 240　③ 360　④ 720　⑤ 840

0139

부모와 자녀 4명이 앉을 수 있는 직사각형 모양의 탁자가 있다. 6명을 앉힐 때, 부모를 마주 보게 앉히는 방법의 수를 구하시오.

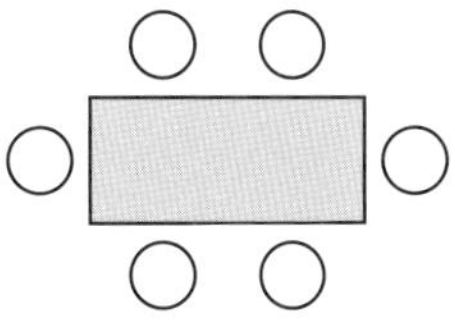

0140

5명의 유권자가 3명의 후보 중에서 한 명의 후보에게 각각 투표하는 방법의 수를 구하시오. (단, 투표용지에는 유권자의 이름이 공개되고, 무효는 없는 것으로 한다.)

0141 서술형

다섯 개의 숫자 0, 1, 3, 5, 7 중에서 중복을 허용하여 만든 자연수를 크기가 작은 것부터 차례대로 나열할 때, 5500은 n번째 수이다. 자연수 n의 값을 구하시오.

해설 025쪽

0142

6개의 문자 a, a, b, b, c, d를 일렬로 나열할 때, 같은 문자가 이웃하지 않도록 나열하는 방법의 수를 구하시오.

0143

5개의 문자 a, b, c, d, e를 일렬로 배열할 때, a는 b의 왼쪽에, c는 b의 오른쪽에, e는 d의 왼쪽에 놓이도록 배열하는 경우의 수를 구하시오.

0144

7개의 숫자 1, 1, 2, 2, 3, 4, 4를 일렬로 나열하여 숫자를 만들 때, 1로 시작하는 숫자 중에서 짝수인 것의 개수를 구하시오.

0145

그림과 같이 직사각형 모양으로 연결된 도로망이 있다. 이 도로망을 따라 A지점에서 출발하여 P지점을 지나지 않고 B지점까지 최단거리로 가는 경우의 수를 구하시오.

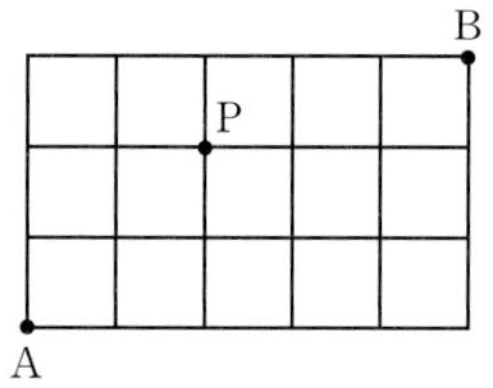

0146 서술형

그림은 A지점에서 B지점으로 갈 수 있는 경로를 나타낸 것이다. A지점에서 B지점으로 가는 최단 경로의 수를 구하시오.

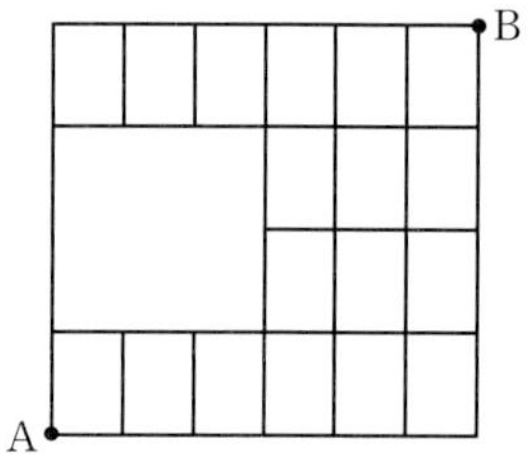

0147

두 집합 $X=\{1, 2, 3\}$, $Y=\{1, 2, 3, 4, 5\}$에 대하여 함수 $f: X \longrightarrow Y$가 있다. $f(1)+f(2)+f(3)=11$을 만족시키는 함수 f의 개수를 구하시오.

고난도 문제

일등급 go! go!

해설 026쪽

Level 1

0148

A, B, C, D, E, F, G, H의 8명의 학생이 다음 조건을 만족시키면서 일정한 간격을 두고 원형 탁자에 둘러앉는 경우의 수를 구하시오.

> (가) A가 앉은 자리를 1번으로 하고 시계 방향으로 2번부터 8번까지 차례로 자리에 번호를 정한다.
> (나) B는 6번 자리에 앉는다.
> (다) A 바로 옆자리 중 적어도 한 자리에는 D, E, F, G 중에서 앉고, C 바로 옆자리 중 적어도 한 자리에도 D, E, F, G 중에서 앉는다.

0149

그림과 같이 가로의 길이, 세로의 길이, 높이가 서로 다른 직육면체가 있다. 서로 다른 6가지 색을 모두 사용하여 직육면체를 칠하는 방법의 수를 구하시오.

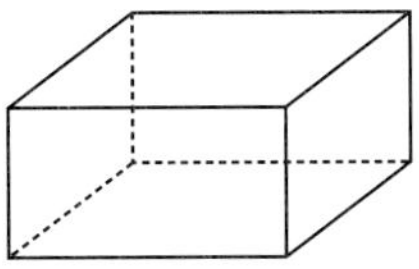

0150

여섯 개의 알파벳 A, B, C, D, E, F 중에서 알파벳 B는 중복을 허락하지 않고 A, C, D, E, F는 중복을 허락하여 3개를 택해 일렬로 나열하는 경우의 수를 구하시오.

0151

두 가지 부호 '·', '－'를 중복 사용하여 일렬로 나열한 신호를 만들 수 있다. 500가지의 서로 다른 신호를 만들 때, 두 부호를 합쳐서 최소한 몇 개를 사용해야 하는가?

① 4 ② 6 ③ 8
④ 10 ⑤ 12

0152

다섯 개의 숫자 1, 2, 3, 4, 5로 중복을 허용하여 만들 수 있는 모든 두 자리 자연수의 합을 구하시오.

0153

교육청 기출

그림과 같은 도로망이 있다. A 지점에서 B 지점까지 최단거리로 이동하는 모든 경우의 수를 구하시오.

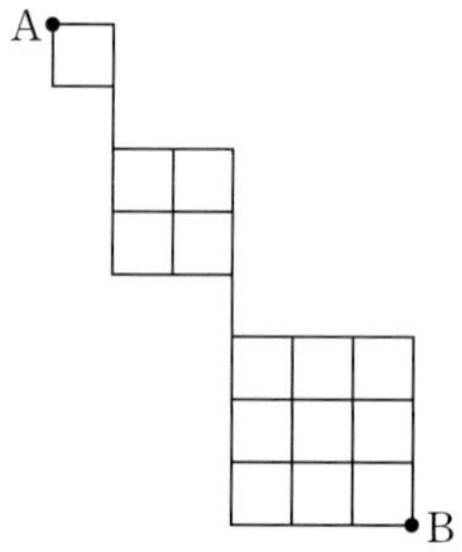

Level 2

0154

A, B, C, D, E, F, G, H의 8명의 회원 중에서 A, B가 그림과 같이 원탁에 마주 보고 앉아 있다. 나머지 회원들은 다음 조건을 만족하도록 남은 자리에 앉는다고 할 때, 그 방법의 수는?

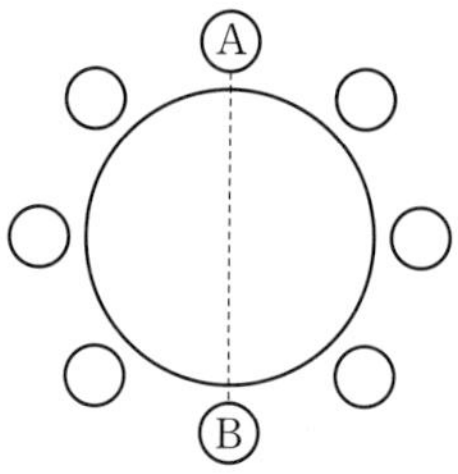

(가) C와 D는 이웃하여 앉는다.
(나) E와 F는 이웃하지 않는다.
(다) G와 H는 A, B를 이은 선분을 기준으로 서로 다른 쪽에 앉아 있다.

① 16 ② 32 ③ 64
④ 128 ⑤ 256

0155

그림과 같이 부채꼴 2개를 붙여 놓은 모양의 탁자에 14명의 학생을 앉히는 방법의 수는?

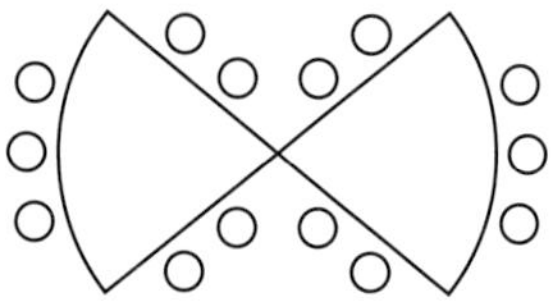

① $13!$ ② $2\times13!$
③ $7\times13!$ ④ $14!$
⑤ $2\times14!$

해설 027쪽

0156

세 개의 숫자 1, 3, 5 중에서 중복을 허용하여 네 자리 자연수를 만들 때, 1과 3이 모두 포함되어 있는 자연수의 개수는?

① 50 ② 52 ③ 54
④ 56 ⑤ 58

0157

여섯 개의 숫자 0, 2, 2, 4, 6, 6을 일렬로 배열하여 여섯 자리 자연수를 만들 때, 260462, 426062와 같이 같은 숫자가 서로 이웃하지 않는 자연수의 개수를 구하시오.

0158

그림과 같이 이웃한 두 교차로 사이의 거리가 모두 같은 도로망이 있다.

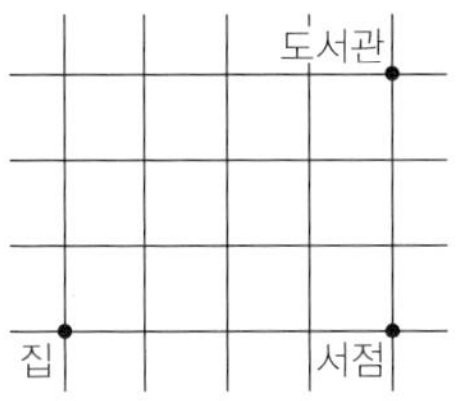

철수가 집에서 도로를 따라 최단 거리로 약속 장소인 도서관으로 가다가 어떤 교차로에서 약속 장소가 서점으로 바뀌었다는 연락을 받고 곧바로 도로를 따라 최단 거리로 서점으로 갔다. 집에서 서점까지 지나 온 길이 같은 경우 하나의 경로로 간주한다. 예를 들어 [그림1]과 [그림2]는 연락받은 위치는 다르나, 같은 경로이다.

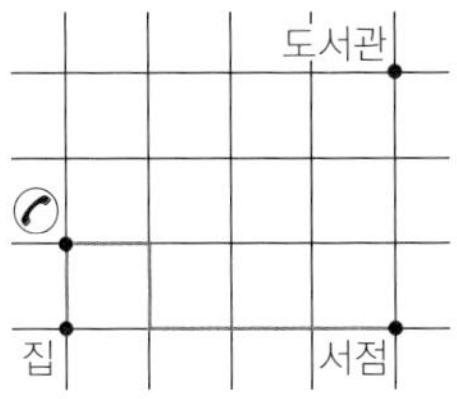

[그림1]

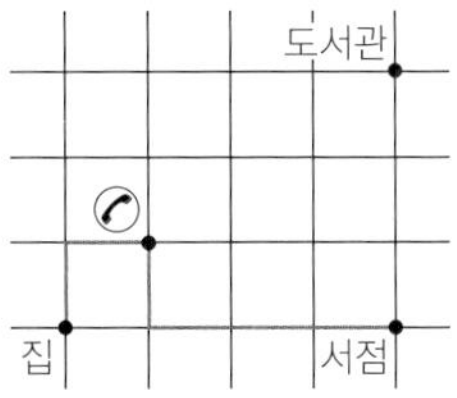

[그림2]

철수가 집에서 서점까지 갈 수 있는 모든 경로의 수를 구하시오. (단, 철수가 도서관에 도착한 후에 서점으로 가는 경우도 포함한다.)

0159

그림은 정육면체 3개를 붙여 놓은 것이다. 꼭짓점 A를 출발하여 정육면체의 모서리를 따라 꼭짓점 B로 가는 최단 경로의 수를 구하시오.

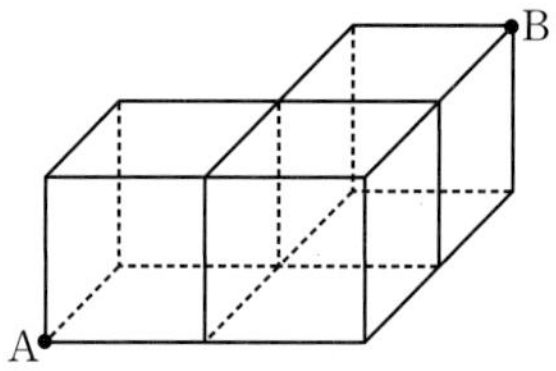

0160

교육청 기출

집합 $X=\{1, 2, 3, 4, 5, 6\}$에 대하여 함수 $f: X \longrightarrow X$는 다음 조건을 만족시킨다.

> (가) $f(3)$은 짝수이다.
> (나) $x<3$이면 $f(x)<f(3)$이다.
> (다) $x>3$이면 $f(x)>f(3)$이다.

함수 f의 개수를 구하시오.

Level 3

0161
교육청 기출

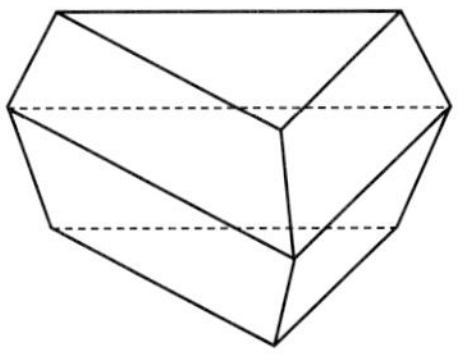

그림과 같이 합동인 정삼각형 2개와 합동인 등변사다리꼴 6개로 이루어진 팔면체가 있다. 팔면체의 각 면에는 한 가지의 색을 칠한다고 할 때, 서로 다른 8개의 색을 모두 사용하여 팔면체의 각 면을 칠하는 경우의 수를 구하시오. (단, 팔면체를 회전시켰을 때 색의 배열이 일치하면 같은 경우로 생각한다.)

0162
평가원 기출

숫자 1, 2, 3, 4, 5, 6 중에서 중복을 허락하여 다섯 개를 다음 조건을 만족시키도록 선택한 후, 일렬로 나열하여 만들 수 있는 모든 다섯 자리의 자연수의 개수는?

> (가) 각각의 홀수는 선택하지 않거나 한 번만 선택한다.
> (나) 각각의 짝수는 선택하지 않거나 두 번만 선택한다.

① 450 ② 445 ③ 440
④ 435 ⑤ 430

해설 030쪽

0163

평가원 기출

그림과 같이 이웃한 두 교차로 사이의 거리가 모두 1인 바둑판 모양의 도로망 위에 한 번 움직일 때마다 길을 따라 1만큼씩 이동하는 로봇이 있다. 로봇은 길을 따라 어느 방향으로도 이동할 수 있지만, 한 번 통과한 지점을 다시 지나지는 않는다. 이 로봇이 O지점에서 출발하여 4번 이동할 때, 가능한 모든 경로의 수를 구하시오.

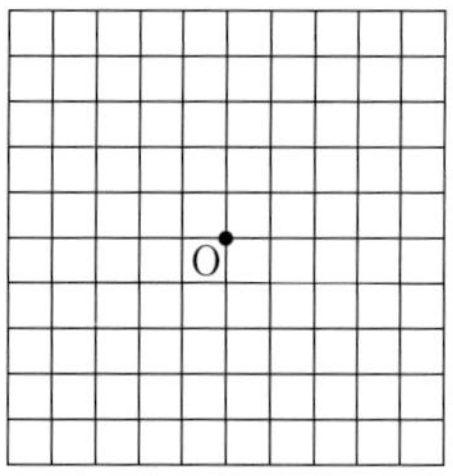

(단, 출발점과 도착점은 일치하지 않는다.)

0164

집합 $\{1, 2, 3, 4\}$에서 집합 $\{1, 2, 3, 4\}$로의 함수 중에서 다음 조건을 만족시키는 함수 f의 개수를 구하시오.

> (가) 함수 f의 치역의 원소의 개수는 2이다.
> (나) 합성함수 $f \circ f$의 치역의 원소의 개수는 1이다.

02

중복조합과 이항정리

		제 목	내신중요도	유형난이도	문항수	문항번호
		기본 문제			27	0165~0191
유형 문제	01	중복조합의 수	▬	★	6	0192~0197
	02	중복조합을 이용하는 경우의 수	▬▬▬▬	★	6	0198~0203
	03	조건이 있는 중복조합의 수	▬▬▬	★★★	6	0204~0209
	04	‘적어도~’ 조건을 포함한 중복조합의 수	▬▬▬	★★★	9	0210~0218
	05	다항식의 항의 개수	▬▬	★★	6	0219~0224
	06	방정식의 해의 개수	▬▬▬▬▬	★★★★★	9	0225~0233
	07	부등식의 해의 개수	▬▬	★★★★	3	0234~0236
	08	조건을 만족시키는 순서쌍의 개수	▬▬▬	★★★★★	9	0237~0245
	09	방정식, 부등식의 해의 개수의 활용	▬▬▬	★★★★	6	0246~0251
	10	중복조합을 이용하는 함수의 개수	▬▬▬▬▬	★★★★	9	0252~0260
	11	$(a+b)^n$ 꼴의 전개식	▬▬▬▬	★★★	9	0261~0269
	12	$\left(x+\frac{1}{x}\right)^n$ 꼴의 전개식	▬▬▬▬▬	★★★★	9	0270~0278
	13	$(a+b)^m(c+d)^n$ 꼴의 전개식	▬▬▬▬	★★★★	6	0279~0284
	14	파스칼의 삼각형	▬▬▬	★★★	6	0285~0290
	15	이항계수의 성질	▬▬▬▬▬	★★★	12	0291~0302
	16	$(a+b)^n$의 전개식의 이해	▬▬▬▬	★★★★★	6	0303~0308
	17	$(1+x)^n$의 전개식의 응용	▬▬▬▬▬	★★★★★	7	0309~0315
		적중 문제			12	0316~0327
		고난도 문제			22	0328~0349

중복조합과 이항정리

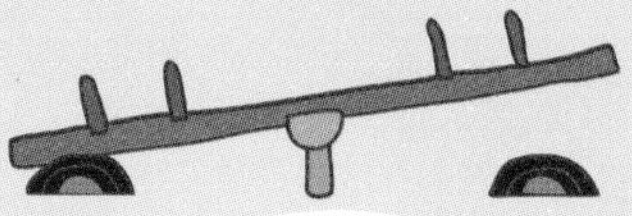

1. 중복조합

서로 다른 n개에서 중복을 허락하여 r개를 택하는 조합을

n개에서 r개를 택하는 중복조합

이라 하고, 이 중복조합의 수를 기호로 다음과 같이 나타낸다.

$${}_{n}\mathrm{H}_{r}$$

조합의 수 ${}_{n}\mathrm{C}_{r}$에서는 항상 $n \ge r$이어야 하지만 중복조합의 수 ${}_{n}\mathrm{H}_{r}$에서는 중복을 허용하므로 $n < r$이어도 된다.

2. 중복조합의 수

서로 다른 n개에서 r개를 택하는 중복조합의 수는

$${}_{n}\mathrm{H}_{r} = {}_{n+r-1}\mathrm{C}_{r}$$

참고 ${}_{n}\mathrm{P}_{r}$, ${}_{n}\Pi_{r}$, ${}_{n}\mathrm{C}_{r}$, ${}_{n}\mathrm{H}_{r}$의 비교

(1) ${}_{n}\mathrm{P}_{r}$: 중복을 허락하지 않고 순서를 생각한다.

(2) ${}_{n}\Pi_{r}$: 중복을 허락하고 순서를 생각한다.

(3) ${}_{n}\mathrm{C}_{r}$: 중복을 허락하지 않고 순서를 생각하지 않는다.

(4) ${}_{n}\mathrm{H}_{r}$: 중복을 허락하고 순서를 생각하지 않는다.

방정식의 해의 개수

방정식 $x_1 + x_2 + \cdots + x_n = r$ (n, r는 자연수)에 대하여

(1) 음이 아닌 정수해의 개수 ⇨ ${}_{n}\mathrm{H}_{r}$

(2) 양의 정수해의 개수 ⇨ ${}_{n}\mathrm{H}_{r-n}$

(단, $r \ge n$)

3. 조합을 이용하는 함수의 개수

함수 $f: X \longrightarrow Y$에 대하여
$n(X)=p$, $n(Y)=q$이고, $a \in X$, $b \in X$일 때,
(1) $a<b$이면 $f(a)<f(b)$인 함수의 개수
⇨ ${}_{q}\mathrm{C}_{p}$ (단, $p \le q$)
(2) $a<b$이면 $f(a) \le f(b)$인 함수의 개수
⇨ ${}_{q}\mathrm{H}_{p}$

$a<b$이면 $f(a)<f(b)$의 조건이 주어지는 경우 치역이 정해지면 함수의 대응 관계는 자동으로 정해진다.

4. 이항정리

자연수 n에 대하여

$$(a+b)^n = {}_{n}\mathrm{C}_{0}a^n + {}_{n}\mathrm{C}_{1}a^{n-1}b + \cdots + {}_{n}\mathrm{C}_{r}a^{n-r}b^r + \cdots + {}_{n}\mathrm{C}_{n-1}ab^{n-1} + {}_{n}\mathrm{C}_{n}b^n$$
$$= \sum_{r=0}^{n} {}_{n}\mathrm{C}_{r}a^{n-r}b^r$$

이와 같이 $(a+b)^n$을 전개하는 것을 이항정리라 하고, 전개식에서 각 항의 계수

$${}_{n}\mathrm{C}_{0},\ {}_{n}\mathrm{C}_{1},\ \cdots,\ {}_{n}\mathrm{C}_{r},\ \cdots,\ {}_{n}\mathrm{C}_{n-1},\ {}_{n}\mathrm{C}_{n}$$

을 이항계수라고 한다.
한편, ${}_{n}\mathrm{C}_{r}a^{n-r}b^r$을 $(a+b)^n$의 전개식의 일반항이라고 한다.

참고 이항계수의 성질
① ${}_{n}\mathrm{C}_{0}+{}_{n}\mathrm{C}_{1}+{}_{n}\mathrm{C}_{2}+\cdots+{}_{n}\mathrm{C}_{n}=2^n$
② ${}_{n}\mathrm{C}_{0}-{}_{n}\mathrm{C}_{1}+{}_{n}\mathrm{C}_{2}-{}_{n}\mathrm{C}_{3}+\cdots+(-1)^n{}_{n}\mathrm{C}_{n}=0$
③ ${}_{n}\mathrm{C}_{0}+{}_{n}\mathrm{C}_{2}+{}_{n}\mathrm{C}_{4}+\cdots={}_{n}\mathrm{C}_{1}+{}_{n}\mathrm{C}_{3}+{}_{n}\mathrm{C}_{5}+\cdots=2^{n-1}$
④ ${}_{n}\mathrm{C}_{1}+2{}_{n}\mathrm{C}_{2}+3{}_{n}\mathrm{C}_{3}+\cdots+n{}_{n}\mathrm{C}_{n}=n2^{n-1}$

이항정리에서 계수를 구할 때, $(a+b)^n$의 전개식의 일반항이 ${}_{n}\mathrm{C}_{r}a^{n-r}b^r$임을 이용한다.

5. 파스칼의 삼각형

$n=0, 1, 2, \cdots$일 때, $(a+b)^n$의 전개식의 이항계수를 차례로 다음과 같이 배열한 것을 파스칼의 삼각형이라고 한다.

$(a+b)^0$	1	↔	1
$(a+b)^1$	${}_{1}\mathrm{C}_{0}$ ${}_{1}\mathrm{C}_{1}$	↔	1 1
$(a+b)^2$	${}_{2}\mathrm{C}_{0}$ ${}_{2}\mathrm{C}_{1}$ ${}_{2}\mathrm{C}_{2}$	↔	1 2 1
$(a+b)^3$	${}_{3}\mathrm{C}_{0}$ ${}_{3}\mathrm{C}_{1}$ ${}_{3}\mathrm{C}_{2}$ ${}_{3}\mathrm{C}_{3}$	↔	1 3 3 1
$(a+b)^4$	${}_{4}\mathrm{C}_{0}$ ${}_{4}\mathrm{C}_{1}$ ${}_{4}\mathrm{C}_{2}$ ${}_{4}\mathrm{C}_{3}$ ${}_{4}\mathrm{C}_{4}$	↔	1 4 6 4 1
$(a+b)^5$	${}_{5}\mathrm{C}_{0}$ ${}_{5}\mathrm{C}_{1}$ ${}_{5}\mathrm{C}_{2}$ ${}_{5}\mathrm{C}_{3}$ ${}_{5}\mathrm{C}_{4}$ ${}_{5}\mathrm{C}_{5}$	↔	1 5 10 10 5 1
⋮	⋮		⋮

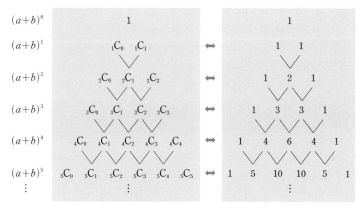

파스칼의 삼각형에서
${}_{n-1}\mathrm{C}_{r-1}+{}_{n-1}\mathrm{C}_{r}={}_{n}\mathrm{C}_{r}$임을 이용한다.
(1) ${}_{n}\mathrm{C}_{n}+{}_{n+1}\mathrm{C}_{n}+\cdots+{}_{m}\mathrm{C}_{n}={}_{m+1}\mathrm{C}_{n+1}$
(2) ${}_{n}\mathrm{C}_{0}+{}_{n+1}\mathrm{C}_{1}+{}_{n+2}\mathrm{C}_{2}+\cdots+{}_{m}\mathrm{C}_{k}$
$={}_{m+1}\mathrm{C}_{k}$

기본 문제

핵심 개념을 문제로 익히기

1 중복조합

[0165-0168] 다음 값을 구하시오.

0165 ${}_{5}\mathrm{C}_{2}$

0166 ${}_{5}\mathrm{C}_{3}$

0167 ${}_{5}\mathrm{H}_{2}$

0168 ${}_{3}\mathrm{H}_{5}$

[0169-0170] 다음 등식을 만족시키는 자연수 n의 값을 구하시오.

0169 ${}_{7}\mathrm{H}_{2}={}_{n}\mathrm{C}_{2}$

0170 ${}_{n}\mathrm{H}_{8}={}_{9}\mathrm{C}_{8}$

[0171-0172] 다음을 중복조합의 수의 기호 ${}_{n}\mathrm{H}_{r}$를 써서 나타내시오.

0171 서로 다른 3개에서 5개를 택하는 중복조합의 수

0172 서로 다른 4종류의 꽃에서 10송이를 택하여 꽃다발을 만드는 방법의 수

2 중복조합의 수

[0173-0176] 3개의 숫자 1, 2, 3이 있다. 다음을 구하시오.

0173 3개의 숫자 중에서 서로 다른 두 개를 뽑아 일렬로 배열하는 경우의 수

0174 3개의 숫자 중에서 중복을 허용하여 두 개를 뽑아 일렬로 배열하는 경우의 수

0175 3개의 숫자 중에서 서로 다른 두 개의 숫자를 뽑는 경우의 수

0176 3개의 숫자 중에서 중복을 허용하여 두 개를 뽑는 경우의 수

[0177-0179] 다음을 구하시오.

0177 서로 다른 2개에서 중복을 허락하여 4개를 택하는 중복조합의 수

0178 사과, 배, 감의 세 종류의 과일 중에서 7개의 과일을 사는 방법의 수

0179 같은 물건이 들어 있는 6개의 택배를 4곳에 나누어 보내는 방법의 수

해설 031쪽

[0180-0181] 다음 식을 전개할 때, 생기는 서로 다른 항의 개수를 구하시오.

0180 $(x+y)^6$

0181 $(x+y+z)^5$

[0182-0183] 다음 방정식을 만족시키는 음이 아닌 정수해의 개수를 구하시오.

0182 $x+y=6$

0183 $x+y+z=5$

3 이항정리

[0184-0186] 다음 식의 전개식에서 x^2y^3의 계수를 구하시오.

0184 $(x+y)^5$

0185 $(x-y)^5$

0186 $(x+2y)^5$

[0187-0188] 다음 물음에 답하시오.

0187 $(2x+1)^6$의 전개식에서 x^3의 계수를 구하시오.

0188 $\left(x+\frac{1}{x}\right)^4$의 전개식에서 상수항을 구하시오.

0189 그림과 같은 파스칼의 삼각형을 이용하여 주어진 전개식에서 두 상수 a, b의 값을 구하시오.

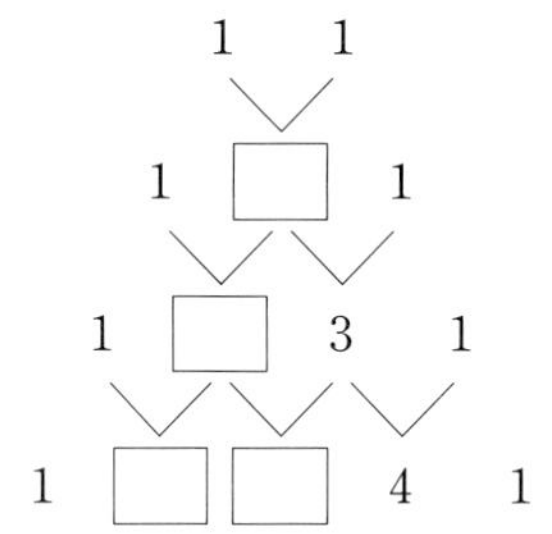

$$(x+y)^4=x^4+ax^3y+bx^2y^2+4xy^3+y^4$$

[0190-0191] $(1+x)^n$의 전개식을 이용하여 다음 값을 구하시오.

0190 ${}_5C_0+{}_5C_1+{}_5C_2+{}_5C_3+{}_5C_4+{}_5C_5$

0191 ${}_6C_1+{}_6C_2+{}_6C_3+{}_6C_4+{}_6C_5$

유형 문제

내신 출제 유형 정복하기

유형 01 중복조합의 수

내신 중요도 ■■■■■ 유형 난이도 ★☆☆☆☆

서로 다른 n개에서 중복을 허락하여 r개를 택하는 중복조합의 수

⇨ ${}_{n}\mathrm{H}_{r} = {}_{n+r-1}\mathrm{C}_{r}$

0192 ●○○○

${}_{3}\mathrm{H}_{5}$의 값을 구하시오.

0193 ●○○○

${}_{3}\mathrm{C}_{2} + {}_{3}\mathrm{H}_{5}$의 값은?

① 21 ② 22 ③ 23
④ 24 ⑤ 25

0194 중요 ●○○○

자연수 r에 대하여 ${}_{2}\mathrm{H}_{r} = {}_{5}\mathrm{C}_{1}$일 때, ${}_{3}\mathrm{H}_{r}$의 값을 구하시오.

0195 중요 ●○○○

자연수 n에 대하여 ${}_{n}\mathrm{H}_{3} = {}_{n+2}\mathrm{C}_{4}$일 때, n의 값은?

① 3 ② 4 ③ 5
④ 6 ⑤ 7

0196 ●●○○

${}_{3}\mathrm{H}_{n} = 21$일 때, 자연수 n의 값을 구하시오.

0197 ●●○○

등식 ${}_{11-r}\mathrm{H}_{r} = {}_{13-r}\mathrm{H}_{r-2}$를 만족시키는 r의 값은?

① 9 ② 8 ③ 6
④ 4 ⑤ 3

해설 033쪽

유형 02 중복조합을 이용하는 경우의 수

내신 중요도 ▬▬▬▬ 유형 난이도 ★☆☆☆☆

서로 다른 m개와 서로 다른 n개에서 각각 r개를 택하는 경우의 수
⇨ ${}_{m}\mathrm{H}_{r} \times {}_{n}\mathrm{H}_{r}$(가지)

0198 ●○○○

두 가지 맛의 사탕이 들어 있는 봉지에서 4개의 사탕을 택하는 방법의 수를 구하시오.

0199 중요 ●○○○

빨간 구슬 6개, 파란 구슬 5개, 노란 구슬 8개가 들어 있는 상자에서 5개의 구슬을 꺼내는 방법의 수를 구하시오.

0200 짱중요 ●○○○

같은 종류의 구슬 7개를 A, B, C의 3명에게 나누어 주는 방법의 수는? (단, 구슬을 받지 못하는 사람이 있을 수 있다.)

① 35 ② 36 ③ 72
④ 120 ⑤ 135

0201 ●○○○

3개의 문자 x, y, z를 이용하여 만들 수 있는 서로 다른 5차 단항식은 모두 몇 가지인가? (단, 계수는 1이다.)

① 15가지 ② 17가지 ③ 19가지
④ 21가지 ⑤ 23가지

0202 짱중요 ●●○○

붉은 구슬 4개와 흰 구슬 5개를 서로 다른 2개의 상자에 담는 방법의 수를 구하시오. (단, 빈 상자가 있을 수 있다.)

0203 ●●○○

같은 종류의 사탕 5개와 서로 다른 종류의 과일 2개를 학생 3명에게 남김없이 나누어 주는 경우의 수를 구하시오.
(단, 아무것도 받지 못하는 학생이 있을 수 있다.)

유형 03 조건이 있는 중복조합의 수

내신 중요도 ▬▬▬▬ 유형 난이도 ★★★★★

조건이 있는 경우의 수를 구할 때는 반드시 일어나는 경우와 절대 일어나지 않는 경우를 생각하자.

0204 ●●○○

레몬 맛, 자두 맛, 포도 맛 사탕 중에서 13개를 사려고 한다. 레몬 맛 사탕은 2개 이상, 포도 맛 사탕은 3개 이상 사는 방법의 수를 구하시오. (단, 각 종류는 13개 이상씩 있다.)

0205 짱중요 ●●○○

빨간 공, 파란 공, 노란 공이 각각 4개, 5개, 6개씩 들어 있는 주머니에서 5개의 공을 꺼내는 방법의 수를 구하시오.

(단, 색깔이 같은 공은 구분하지 않는다.)

0206 ●●○○

숫자 1, 2, 3, 4에서 중복을 허락하여 6개를 택할 때, 숫자 3이 한 개 이하가 되는 경우의 수는?

① 55 ② 52 ③ 49
④ 46 ⑤ 43

0207 ●●○○

회원이 8명인 어느 독서동아리에서 A, B, C 세 권 중 두 권을 다 같이 읽기로 하고, 오른쪽 투표용지에 각자 읽고 싶은 책을 무기명으로 기표하기로 했다. 각 회원이 2권에 기표할 때, 나올 수 있는 경우의 수를 구하시오.

투표용지	
A	
B	
C	

0208 평가원 기출 ●●●○

네 개의 자연수 1, 2, 4, 8 중에서 중복을 허락하여 세 수를 선택할 때, 세 수의 곱이 100 이하가 되도록 선택하는 경우의 수는?

① 12 ② 14 ③ 16
④ 18 ⑤ 20

0209 중요 교육청 기출 ●●●○

네 개의 자연수 2, 3, 5, 7 중에서 중복을 허락하여 8개를 선택할 때, 선택된 8개의 수의 곱이 60의 배수가 되도록 하는 경우의 수를 구하시오.

유형 04 내신 중요도 유형 난이도 ★★★☆☆

'적어도~' 조건을 포함한 중복조합의 수

서로 같은 r개를 n명에게 적어도 하나씩 나누어 주는 방법의 수
⇨ 서로 다른 n명에게 먼저 하나씩 나누어 주고 남은 $(r-n)$개를 n명에게 나누어 주는 방법의 수와 같다.

$${}_n\mathrm{H}_{r-n}={}_{r-1}\mathrm{C}_{r-n}$$

0210 짱중요 ●●○○

4명의 학생에게 동일한 초콜릿 7개를 나누어 주려고 한다. 한 학생에게 적어도 한 개의 초콜릿을 나누어 주는 방법의 수를 구하시오.

0211 중요 교육청 기출 ●●○○

같은 종류의 공 6개를 남김없이 서로 다른 3개의 상자에 나누어 넣으려고 한다. 각 상자에 공이 1개 이상씩 들어가도록 나누어 넣는 경우의 수는?

① 6 ② 7 ③ 8
④ 9 ⑤ 10

0212 ●●●○

양념 치킨, 프라이드 치킨, 간장 치킨 중에서 m개를 주문하는 방법의 수가 36일 때, 양념 치킨, 프라이드 치킨, 간장 치킨을 적어도 하나씩 포함하여 m개를 주문하는 방법의 수를 구하시오.

0213 ●●○○

똑같은 연필 14자루를 다섯 명의 학생 A, B, C, D, E에게 나누어 주는데 1인당 적어도 2자루씩은 나누어 주는 방법의 수를 구하시오.

0214 짱중요 ●●○○

준수네 가족 6명은 볼링 경기를 하러 갔다. 볼링공은 빨간색, 파란색, 보라색, 초록색의 4종류가 각각 10개씩 있었고, 이 중에서 6개의 공을 선택하려고 할 때, 빨간색 볼링공이 적어도 2개 이상 포함되도록 선택하는 방법의 수를 구하시오.

0215 ●●●○

빨강, 파랑, 주황, 초록색의 볼펜이 각각 같은 종류로 5개씩 있다. 이 볼펜 중에서 5개를 선택할 때, 2가지 색으로만 선택하는 방법의 수는?

① 21 ② 22 ③ 23
④ 24 ⑤ 25

0216 중요 ●●●○

9 이하의 자연수 중에서 중복을 허락하여 6개의 수를 택할 때, 3의 배수를 3번 택하고 1은 적어도 1번 택하는 경우의 수를 구하시오. (단, 택한 수의 순서는 생각하지 않는다.)

0217 짱중요 ●●●○

같은 종류의 사탕 6개와 같은 종류의 초콜릿 5개를 서로 다른 2개의 상자에 넣어서 상품을 만들려고 할 때, 만들 수 있는 상품의 개수를 구하시오.

(단, 각 상자에 사탕과 초콜릿을 적어도 한 개씩은 넣는다.)

0218 ●●●○

같은 종류의 사탕 7개와 같은 종류의 초콜릿 7개를 세 사람에게 다음 조건을 만족시키도록 모두 나누어 주는 경우의 수를 구하시오.

> (가) 각 사람에게 사탕은 적어도 1개씩 나누어 준다.
> (나) 초콜릿을 못 받는 사람이 적어도 1명 있다.

유형 05 다항식의 항의 개수

내신 중요도 ■■■■■ 유형 난이도 ★★☆☆☆

$(a+b+c)^n$의 전개식에서 서로 다른 항의 개수

⇨ 서로 다른 3개의 문자 a, b, c에서 중복을 허용하여 n개를 택하는 중복조합의 수와 같으므로

$${}_3\mathrm{H}_n={}_{n+2}\mathrm{C}_n$$

0219 짱중요 ●○○○

$(a+b+c)^9$의 전개식에서 서로 다른 항의 개수는?

① 45 ② 50 ③ 55
④ 60 ⑤ 65

0220 ●○○○

다항식 $(a+b+c+d)^3$의 전개식에서 서로 다른 항의 개수를 구하시오.

0221 ●●○○

다항식 $(a+b+c)^n$을 전개하여 동류항끼리 정리하였을 때 나타나는 서로 다른 항의 개수가 28이었다. 자연수 n의 값을 구하시오.

0222 ●●○○

다항식 $(a+b+c)^5$의 전개식에서 두 개 이상의 문자가 있는 서로 다른 항의 개수를 구하시오.

0223 중요 ●●○○

$(a+b)^3(c+d+e)^2$의 전개식에서 서로 다른 항의 개수는?

① 12 ② 15 ③ 18
④ 21 ⑤ 24

0224 ●●○○

$(a+b+c)^4(d+e)^3$의 전개식에서 서로 다른 항의 개수를 구하시오.

유형 06 방정식의 해의 개수

내신 중요도 ■■■■■ 유형 난이도 ★★★★★

방정식 $x_1+x_2+\cdots+x_n=r$ (n, r는 자연수)에 대하여
(1) 음이 아닌 정수해의 개수 ⇨ ${}_n\mathrm{H}_r$
(2) 양의 정수해의 개수 ⇨ ${}_n\mathrm{H}_{r-n}$ (단, $r\geq n$)

0225 중요 ●●○○

세 자연수 x, y, z에 대하여 방정식 $x+y+z=7$을 만족시키는 순서쌍 (x, y, z)의 개수는?

① 15 ② 20 ③ 25
④ 30 ⑤ 35

0226 ●●○○

방정식 $x+y+z=k$를 만족시키는 음이 아닌 정수해의 개수가 105일 때, 자연수 k의 값을 구하시오.

0227 짱중요 ●●●○

방정식 $x+y+z=14$에 대하여 $x\geq1$, $y\geq2$, $z\geq3$을 만족시키는 정수해의 개수를 구하시오.

0228 중요 ●●●○

다음 조건을 만족시키는 음이 아닌 네 정수 x, y, z, w의 모든 순서쌍 (x, y, z, w)의 개수를 구하시오.

> (가) $x+y+z+w=6$
> (나) $x \geq 3$

0229 중요 ●●●○

방정식 $x+y+z+5w=8$을 만족시키는 음이 아닌 네 정수 x, y, z, w의 순서쌍 (x, y, z, w)의 개수를 구하시오.

0230 ●●●○

다음 조건을 만족시키는 세 자연수 x, y, z의 모든 순서쌍 (x, y, z)의 개수를 구하시오.

> (가) $x+y+z=20$
> (나) x, y, z는 모두 2의 배수이다.

0231 짱중요 ●●●○

세 양의 홀수 x, y, z에 대하여 방정식 $x+y+z=51$을 만족시키는 해의 개수는?

① 320　② 325　③ 330　④ 335　⑤ 340

0232 ●●●●

다음 조건을 만족시키는 네 자연수 a, b, c, d의 모든 순서쌍 (a, b, c, d)의 개수를 구하시오.

> (가) a, b, c, d 중에서 홀수의 개수는 2이다.
> (나) $a+b+c+d=14$

0233 짱중요 ●●●●

다음 조건을 만족시키는 정수 x, y, z의 모든 순서쌍 (x, y, z)의 개수를 구하시오.

> (가) $|x|+|y|+|z|=10$
> (나) $xyz \neq 0$

해설 037쪽

유형 07 부등식의 해의 개수

내신 중요도 유형 난이도 ★★★★☆

부등식 $x+y+z<n$의 음이 아닌 정수인 해의 개수는 방정식 $x+y+z=0$, $x+y+z=1$, $x+y+z=2$, $\cdots$, $x+y+z=n-1$의 모든 음이 아닌 정수인 해의 개수의 합과 같다. (단, n은 자연수이다.)

⇨ ${}_3H_0+{}_3H_1+{}_3H_2+\cdots+{}_3H_{n-1}$
$={}_2C_2+{}_3C_2+{}_4C_2+\cdots+{}_{n+1}C_2$

0234 짱중요 ●●●○

부등식 $x+y+z<6$의 음이 아닌 정수인 해의 개수를 구하시오.

0235 ●●●○

부등식 $a+b+c\le 9$를 만족시키는 세 자연수 a, b, c의 모든 순서쌍 (a, b, c)의 개수를 구하시오.

0236 ●●●○

부등식 $x+y+z+w\le 4$에 대하여 x, y, z, w가 모두 음이 아닌 정수인 해의 개수를 구하시오.

유형 08 조건을 만족시키는 순서쌍의 개수

내신 중요도 유형 난이도 ★★★★★

n개의 자연수에서 r개를 택하여
(1) $a_1<a_2<a_3<\cdots<a_r$를 만족시키는 순서쌍 $(a_1, a_2, a_3, \cdots, a_r)$의 개수는 ⇨ ${}_nC_r$
(2) $a_1\le a_2\le a_3\le\cdots\le a_r$를 만족시키는 순서쌍 $(a_1, a_2, a_3, \cdots, a_r)$의 개수는 ⇨ ${}_nH_r$

0237 ●●○○

$3\le a\le b\le c\le d\le 10$을 만족시키는 네 자연수 a, b, c, d의 모든 순서쌍 (a, b, c, d)의 개수는?

① 240 ② 270 ③ 300
④ 330 ⑤ 360

0238 중요 ●●○○

주사위를 5회 던져 n번째 나오는 눈을 a_n $(n=1, 2, 3, 4, 5)$이라 하자. $a_1<a_2<a_3<a_4<a_5$인 경우의 수를 m, $a_1\le a_2\le a_3\le a_4\le a_5$인 경우의 수를 n이라 할 때, $m+n$의 값을 구하시오.

0239 ●●●○

다음 조건을 만족시키는 세 자연수 a, b, c의 모든 순서쌍 (a, b, c)의 개수를 구하시오.

(가) a, b, c는 홀수이다.
(나) $a\le b\le c\le 20$

0240 ●●●○

음이 아닌 네 정수 a, b, c, d에 대하여 부등식 $a \le b \le 4 < c < d \le 10$을 만족시키는 모든 순서쌍 (a, b, c, d)의 개수를 구하시오.

0241 교육청 기출 ●●●●

다음 조건을 만족시키는 세 자연수 a, b, c의 모든 순서쌍 (a, b, c)의 개수를 구하시오.

(가) $abc=180$
(나) $(a-b)(b-c)(c-a) \ne 0$

0242 교육청 기출 ●●●●

다음 조건을 만족시키는 자연수 a, b, c의 모든 순서쌍 (a, b, c)의 개수를 구하시오.

(가) a, b, c는 모두 짝수이다.
(나) $a \times b \times c = 10^5$

0243 평가원 기출 ●●●●

다음 조건을 만족시키는 음이 아닌 정수 x_1, x_2, x_3의 모든 순서쌍 (x_1, x_2, x_3)의 개수를 구하시오.

(가) $n=1$, 2일 때, $x_{n+1}-x_n \ge 2$이다.
(나) $x_3 \le 10$

0244 ●●●●

다음 조건을 만족시키는 음이 아닌 다섯 개의 정수 a, b, c, d, e의 모든 순서쌍 (a, b, c, d, e)의 개수는?

(가) $a+b+c+d+e=7$
(나) $2^a \times 2^b = 8$

① 48 ② 52 ③ 54 ④ 56 ⑤ 60

0245 ●●●●

다음 조건을 만족시키는 음이 아닌 다섯 개의 정수 a, b, c, d, e의 모든 순서쌍 (a, b, c, d, e)의 개수를 구하시오.

(가) $a+b+c=3(d+e)$
(나) $0 < a+b+c+d+e \le 10$

유형 09 방정식, 부등식의 해의 개수의 활용

내신 중요도 ■■■■■ 유형 난이도 ★★★★☆

n가지에서 r개를 택하는 활용 문제의 경우
⇨ 방정식 $a_1+a_2+a_3+\cdots+a_n=r$을 만족하는 순서쌍 $(a_1, a_2, a_3, \cdots, a_n)$의 개수를 구하는 방법을 이용하자.

0246 ●●●○

서로 다른 4개의 주사위를 동시에 던질 때 나오는 눈의 수의 합이 10인 경우의 수를 구하시오.

0247 짱중요 ●●●○

같은 종류의 주식 10주를 4사람 A, B, C, D에 다음 조건에 맞도록 남김없이 나누어 주는 방법의 수를 구하시오.
(단, D에게는 주식을 주지 않을 수 있다.)

> (가) A에게는 1주 이상, B에게는 2주 이상 준다.
> (나) C에게는 홀수개의 주식을 준다.

0248 중요 ●●●○

네 개의 상자 A, B, C, D에 다음 조건을 만족시키도록 크기와 모양이 같은 야구공 9개를 넣는 경우의 수를 구하시오.
(단, 야구공이 들어 있지 않은 상자가 있을 수 있다.)

> (가) A 상자에는 2개 이상 짝수개의 야구공을 넣는다.
> (나) B 상자에는 적어도 2개의 야구공을 넣는다.

0249 교육청 기출 ●●●●

어느 수영장에 1번부터 8번까지 8개의 레인이 있다. 3명의 학생이 서로 다른 레인의 번호를 각각 1개씩 선택할 때, 3명의 학생이 선택한 레인의 세 번호 중 어느 두 번호도 연속되지 않도록 선택하는 경우의 수는?

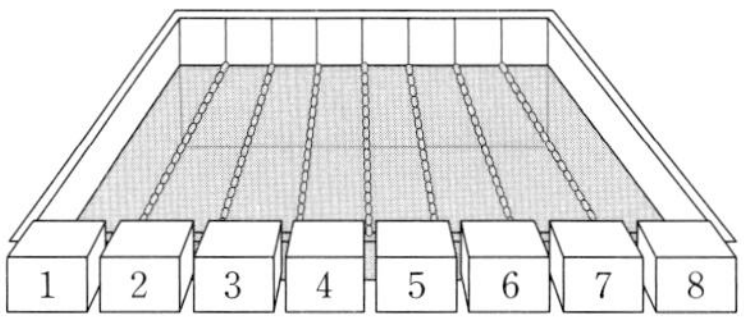

① 120 ② 132 ③ 144 ④ 156 ⑤ 168

0250 중요 교육청 기출 ●●●●

다음 조건을 만족시키는 네 자리 자연수의 개수는?

> (가) 각 자리의 수의 합은 14이다.
> (나) 각 자리의 수는 모두 홀수이다.

① 51 ② 52 ③ 53 ④ 54 ⑤ 55

0251 평가원 기출 ●●●●

네 명의 학생 A, B, C, D에게 같은 종류의 초콜릿 8개를 다음 규칙에 따라 남김없이 나누어 주는 경우의 수는?

> (가) 각 학생은 적어도 1개의 초콜릿을 받는다.
> (나) 학생 A는 학생 B보다 더 많은 초콜릿을 받는다.

① 11 ② 13 ③ 15 ④ 17 ⑤ 19

유형 10 중복조합을 이용하는 함수의 개수

내신 중요도 ■■■■■ 유형 난이도 ★★★★☆

함수 $f: X \longrightarrow Y$에 대하여
$n(X)=p$, $n(Y)=q$이고, $a \in X$, $b \in X$일 때,
(1) $a<b$이면 $f(a)<f(b)$인 함수의 개수
⇨ ${}_{q}\mathrm{C}_{p}$ (단, $p \le q$)
(2) $a<b$이면 $f(a) \le f(b)$인 함수의 개수
⇨ ${}_{q}\mathrm{H}_{p}$

0252 ●●○○

집합 $X=\{a, b, c\}$에서 $Y=\{1, 2, 3, 4\}$로의 함수 f에 대하여 다음을 구하시오.

(1) 함수의 개수
(2) 일대일함수의 개수
(3) $f(a)<f(b)<f(c)$인 함수의 개수
(4) $f(a) \le f(b) \le f(c)$인 함수의 개수

0253 중요 ●●○○

두 집합 $A=\{1, 2, 3, 4\}$, $B=\{1, 2, 3, 4, 5\}$에 대하여
$a \in A$, $b \in A$이고 $a<b$이면 $f(a) \ge f(b)$
를 만족시키는 함수 $f: A \longrightarrow B$의 개수를 구하시오.

0254 ●●●○

집합 $A=\{1, 2, 3, 4\}$에서 집합 $B=\{3, 4, 5, 6, 7, 8\}$으로의 함수 f 중에서
$f(1) \le f(2) < f(3) \le f(4)$
를 만족시키는 함수 f의 개수를 구하시오.

0255 짱중요 ●●●●

집합 $X=\{1, 2, 3, 4, 5\}$에 대하여 $f: X \longrightarrow X$ 중에서 다음 조건을 만족시키는 함수 f의 개수를 구하시오.

(가) $f(1)f(5)=8$
(나) $f(2) \le f(3) < f(4) \le f(5)$

0256 중요 ●●●○

두 집합 $X=\{1, 2, 3, 4\}$, $Y=\{5, 6, 7, 8, 9\}$에 대하여 다음 조건을 만족시키는 X에서 Y로의 함수 f의 개수를 구하시오.

(가) $f(3)=7$
(나) X의 임의의 두 원소 x_1, x_2에 대하여 $x_1<x_2$이면 $f(x_1) \le f(x_2)$이다.

0257 ●●●●

두 집합 $X=\{1, 2, 3, 4, 5\}$, $Y=\{6, 7, 8, 9, 10\}$에 대하여 함수 $f: X \longrightarrow Y$ 중에서 다음 조건을 만족시키는 함수 f의 개수를 구하시오.

(가) $f(3)$은 홀수이다.
(나) 집합 X의 임의의 두 원소 x_1, x_2에 대하여 $x_1<x_2$이면 $f(x_1) \le f(x_2)$이다.

0258 중요 ●●●●

두 집합 $A=\{2, 3, 4, 5, 6, 7\}$, $B=\{1, 2, 3, 4, 5, 6, 7\}$에 대하여 $a\in A$, $b\in A$이고 $a<b$이면 $f(a)\le f(b)$를 만족시키는 함수 $f: A \longrightarrow B$ 중에서 $f(2)f(5)=12$를 만족시키는 함수의 개수를 구하시오.

0259 중요 ●●●●

집합 $X=\{1, 3, 5, 7, 9\}$에 대하여 다음 조건을 만족시키는 함수 $f: X \longrightarrow X$의 개수는?

> (가) $f(1)<f(3)<f(5)$
> (나) $f(7)\le f(9)$

① 110 ② 120 ③ 130 ④ 140 ⑤ 150

0260 교육청 기출 ●●●●

집합 $X=\{1, 2, 3, 4, 5, 6, 7\}$에 대하여 다음 조건을 만족시키는 함수 $f: X \longrightarrow X$의 개수를 구하시오.

> (가) 함수 f의 치역의 원소의 개수는 3이다.
> (나) 집합 X의 임의의 두 원소 x_1, x_2에 대하여 $x_1<x_2$이면 $f(x_1)\le f(x_2)$이다.

유형 11 $(a+b)^n$ 꼴의 전개식

내신 중요도 ■■■■■ 유형 난이도 ★★★☆☆

이항정리에서 계수를 구할 때, $(a+b)^n$의 전개식의 일반항이 ${}_n\mathrm{C}_r a^{n-r}b^r$임을 이용한다.

0261 중요 ●○○○

$(x+y)^{10}$의 전개식에서 x^3y^7의 계수는?

① 60 ② 90 ③ 120 ④ 150 ⑤ 180

0262 평가원 기출 ●○○○

다항식 $(3x+1)^8$의 전개식에서 x의 계수를 구하시오.

0263 ●○○○

$\frac{1}{2}(x-2y)^{10}$의 전개식에서 x^7y^3의 계수를 구하시오.

0264 ●●○○

$(x^2+x)^4$의 전개식에서 x^5의 계수를 구하시오.

0265 ●●○○

$x(x^2+y)^5$의 전개식에서 x^3y^4의 계수는?

① 5 ② 10 ③ 18
④ 24 ⑤ 30

0266 중요 ●●○○

$(ax+2)^4$의 전개식에서 x^2의 계수가 216일 때, 양수 a의 값을 구하시오.

0267 ●●○○

$(ax-y)^6$의 전개식에서 x^2y^4의 계수가 60일 때, x^3y^3의 계수를 구하시오. (단, $a>0$이다.)

0268 중요 교육청 기출 ●●●○

$(x-a)^5$의 전개식에서 x의 계수와 상수항의 합이 0일 때, 양의 상수 a의 값을 구하시오.

0269 교육청 기출 ●●●○

$(x-1)^n$의 전개식에서 x^2의 계수가 -55일 때, x^3의 계수를 구하시오. (단, n은 자연수이다.)

유형 12 $\left(x+\frac{1}{x}\right)^n$ 꼴의 전개식

내신 중요도 ▬▬▬▬▬ 유형 난이도 ★★★★☆

$\left(x+\frac{1}{x}\right)^n$의 전개식의 일반항이 ${}_nC_rx^{n-r}\left(\frac{1}{x}\right)^r$임을 이용한다.

0270 평가원 기출 ●○○○

$\left(x+\frac{1}{3x}\right)^6$의 전개식에서 x^2의 계수는?

① $\frac{4}{3}$ ② $\frac{13}{9}$ ③ $\frac{14}{9}$
④ $\frac{5}{3}$ ⑤ $\frac{16}{9}$

0271 짱중요 ●●○○

$\left(2x^2-\frac{1}{x}\right)^6$의 전개식에서 상수항은?

① 20 ② 40 ③ 60
④ 80 ⑤ 100

0272 평가원 기출 ●●○○

$\left(2x+\frac{1}{x^2}\right)^4$의 전개식에서 x의 계수는?

① 16 ② 20 ③ 24
④ 28 ⑤ 32

0273 중요 ●●●○

$\left(x^3+\frac{1}{x}\right)^6$의 전개식에서 x^6의 계수를 a, $\frac{1}{x^2}$의 계수를 b라 할 때, $a+b$의 값을 구하시오.

0274 중요 ●●●○

$\left(x-\frac{a}{x}\right)^6$의 전개식에서 x^4의 계수가 -12일 때, 상수항은?

(단, a는 상수이다.)

① -138 ② -142 ③ -148
④ -152 ⑤ -160

0275 짱중요 ●●●○

$\left(ax^3+\frac{2}{x^2}\right)^4$의 전개식에서 x^2의 계수가 96일 때, x^7의 계수는?

(단, $a>0$)

① 8 ② 16 ③ 32
④ 64 ⑤ 128

0276 중요 ●●●○

$\left(x+\frac{1}{x}\right)^2+\left(x+\frac{1}{x}\right)^3+\left(x+\frac{1}{x}\right)^4+\left(x+\frac{1}{x}\right)^5+\left(x+\frac{1}{x}\right)^6$

을 전개한 식에서 x^2항의 계수를 구하시오.

0277 ●●●●

$\left(\frac{1}{x}+x^2\right)^n$의 전개식에서 x^2의 계수와 x^8의 계수가 같을 때, 자연수 n의 값을 구하시오.

0278 중요 ●●●●

$\left(x+\frac{1}{x^n}\right)^{10}$의 전개식에서 상수항이 존재하도록 하는 모든 자연수 n의 값의 합을 구하시오.

유형 13 내신 중요도 ■■■■■ 유형 난이도 ★★★★☆

$(a+b)^m(c+d)^n$ 꼴의 전개식

(1) $(a+b)(c+d)^n=a(c+d)^n+b(c+d)^n$임을 이용한다.

(2) $(a+b)^p(c+d)^q$의 전개식의 일반항은 $(a+b)^p$과 $(c+d)^q$의 전개식의 일반항을 각각 구하여 곱한다.

⇨ ${}_pC_r\times{}_qC_s a^{p-r}b^r c^{q-s}d^s$

(3) $(a+b+c)^n$의 전개식의 일반항 [교육과정 外]

⇨ $\frac{n!}{p!q!r!}a^pb^qc^r$ (단, $p+q+r=n$, $p\ge0$, $q\ge0$, $r\ge0$)

0279 중요 평가원 기출 ●●○○

$(1+2x)^6(1-x)$의 전개식에서 x^4의 계수는?

① 40 ② 50 ③ 60 ④ 70 ⑤ 80

0280 중요 평가원 기출 ●●●○

$\left(x^2-\frac{1}{x}\right)\left(x+\frac{a}{x^2}\right)^4$의 전개식에서 x^3의 계수가 7일 때, 상수 a의 값은?

① 1 ② 2 ③ 3 ④ 4 ⑤ 5

0281 ●●●○

다음 전개식에서 x^5y^2의 계수를 구하시오.

$$(x-y)^7+(2xy-y^2)(x-y)^5$$

0282 ●●●●

$(1+3x)^4(1-2x)^5$의 전개식에서 x^2의 계수는?

① -34 ② -26 ③ -18
④ 18 ⑤ 26

0283 짱중요 ●●●●

$\left(x+\frac{1}{x}\right)^5(x^2+1)^3$의 전개식에서 x^9의 계수를 a, x의 계수를 b라 할 때, $a+b$의 값을 구하시오.

0284 ●●●●

9 이하의 자연수 n에 대하여 다항식 $(1-x)^n(1+x)^{9-n}$의 전개식에서 x의 계수와 x^2의 계수가 모두 음수가 되는 정수 n의 값을 구하시오.

유형 14 파스칼의 삼각형

내신 중요도 ■■■■■ 유형 난이도 ★★★☆☆

파스칼의 삼각형에서 ${}_{n-1}C_{r-1}+{}_{n-1}C_r={}_nC_r$임을 이용한다.

0285 ●●○○

파스칼의 삼각형을 이용하여
${}_3C_3+{}_4C_3+{}_5C_3+{}_6C_3+\cdots+{}_{10}C_3$
을 간단히 하면?

$${}_1C_0 \quad {}_1C_1$$
$${}_2C_0 \quad {}_2C_1 \quad {}_2C_2$$
$${}_3C_0 \quad {}_3C_1 \quad {}_3C_2 \quad {}_3C_3$$
$${}_4C_0 \quad {}_4C_1 \quad {}_4C_2 \quad {}_4C_3 \quad {}_4C_4$$
$$\vdots$$

① ${}_{11}C_3$ ② ${}_{11}C_5$
③ ${}_{11}C_7$ ④ ${}_{10}C_4$
⑤ ${}_{10}C_5$

0286 짱중요 ●●○○

${}_2C_0+{}_2C_1+{}_3C_2+{}_4C_3+{}_5C_4$의 값을 구하시오.

0287 중요 ●●●○

${}_2C_2+{}_3C_2+{}_4C_2+\cdots+{}_{20}C_2$의 값은?

① 1310 ② 1320 ③ 1330
④ 1340 ⑤ 1350

0288 중요 ●●●○

${}_{10}C_8+{}_{11}C_9+{}_{12}C_{10}+\cdots+{}_{20}C_{18}$의 값을 구하시오.

0289 중요 교육청 기출 ●●●○

그림과 같은 수의 배열을 파스칼의 삼각형이라고 한다. 어두운 부분의 모든 수들의 합은?

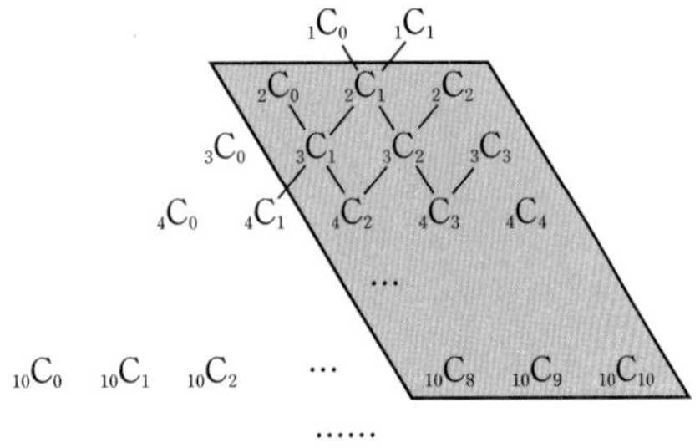

① 224 ② 226 ③ 228
④ 230 ⑤ 232

0290 평가원 기출 ●●●●

빨간색, 파란색, 노란색 색연필이 있다. 각 색의 색연필을 적어도 하나씩 포함하여 15개 이하의 색연필을 선택하는 방법의 수를 구하시오. (단, 각 색의 색연필은 15개 이상씩 있고, 같은 색의 색연필은 서로 구별이 되지 않는다.)

유형 15 이항계수의 성질

내신 중요도 ■■■■■ 유형 난이도 ★★★☆☆

(1) ${}_nC_0+{}_nC_1+{}_nC_2+\cdots+{}_nC_n=2^n$
(2) ${}_nC_0-{}_nC_1+{}_nC_2-{}_nC_3+\cdots+(-1)^n{}_nC_n=0$
(3) ${}_nC_0+{}_nC_2+{}_nC_4+\cdots={}_nC_1+{}_nC_3+{}_nC_5+\cdots=2^{n-1}$

0291 중요 ●●○○

$N={}_{18}C_0+{}_{18}C_1+{}_{18}C_2+\cdots+{}_{18}C_{18}$이라 할 때, $\log_2\sqrt[3]{N}$의 값은?

① 4 ② 6 ③ 8
④ 10 ⑤ 12

0292 중요 ●●○○

${}_{10}C_2+{}_{10}C_3+{}_{10}C_4+\cdots+{}_{10}C_9$의 값은?

① 510 ② 512 ③ 1012
④ 1022 ⑤ 1024

0293 ●●○○

${}_{10}C_1-{}_{10}C_2+{}_{10}C_3-\cdots-{}_{10}C_{10}$의 값은?

① -1 ② 0 ③ 1
④ 2 ⑤ 3

0294 중요 ●●○○

${}_{11}C_0+{}_{11}C_1+{}_{11}C_2+{}_{11}C_3+{}_{11}C_4+{}_{11}C_5$의 값을 A라 할 때, $\log_2 A$의 값을 구하시오.

0295 ●●○○

$({}_8C_0+{}_8C_2+{}_8C_4+{}_8C_6+{}_8C_8)\times({}_8C_1+{}_8C_3+{}_8C_5+{}_8C_7)=2^n$일 때, 자연수 n의 값을 구하시오.

0296 짱중요 ●●○○

$\dfrac{{}_{55}C_1+{}_{55}C_3+{}_{55}C_5+\cdots+{}_{55}C_{55}}{{}_{55}C_0+{}_{55}C_1+{}_{55}C_2+{}_{55}C_3+\cdots+{}_{55}C_{55}}$의 값을 구하시오.

0297 ●●●○

$\log_2\left(\sum_{k=8}^{15}{}_{15}C_k\right)$의 값은?

① 7 ② 9 ③ 11
④ 14 ⑤ 15

0298 중요 ●●○○

다음 부등식을 만족시키는 자연수 n의 최댓값과 최솟값의 합을 구하시오.

$$50<{}_nC_0+{}_nC_1+{}_nC_2+\cdots+{}_nC_n<1000$$

0299 ●●●○

${}_nC_1+2\,{}_nC_2+3\,{}_nC_3+\cdots+n\,{}_nC_n>5000$을 만족시키는 자연수 n의 최솟값을 구하시오.

0300 짱중요

〈보기〉에서 옳은 것만을 있는 대로 고른 것은?

보기

ㄱ. ${}_{10}C_0+{}_{10}C_1+{}_{10}C_2+\cdots+{}_{10}C_{10}=2^{10}$
ㄴ. ${}_7C_0+{}_7C_2+{}_7C_4+{}_7C_6={}_7C_1+{}_7C_3+{}_7C_5+{}_7C_7$
ㄷ. ${}_5C_0-{}_5C_1+{}_5C_2-{}_5C_3+{}_5C_4-{}_5C_5=0$

① ㄱ ② ㄴ ③ ㄷ
④ ㄱ, ㄴ ⑤ ㄱ, ㄴ, ㄷ

0301 중요

집합 $A=\{x\,|\,x$는 9 이하의 자연수$\}$의 부분집합 중에서 원소의 개수가 n개인 부분집합의 개수를 a_n이라 할 때, $a_1+a_3+a_5+a_7+a_9$의 값은?

① 2^5 ② 2^6 ③ 2^7
④ 2^8 ⑤ 2^9

0302

전체 회원이 9명인 어떤 스포츠 동아리에서 전국 대회에 출전할 대표 팀을 만들려고 한다. 대표 팀에 필요한 인원이 5명 이상이라 할 때, 팀을 만들 수 있는 방법의 수를 구하시오.

유형 16 $(a+b)^n$의 전개식의 이해

내신 중요도 ■■■■■ 유형 난이도 ★★★★★

(1) $(a+b)^n=\underbrace{(a+b)(a+b)\cdots(a+b)}_{n\text{개}}$의 전개식에서
a^rb^{n-r}의 계수는 $(a+b)$가 n개 있을 때 a를 r개, b를 $n-r$개 택하는 경우의 수 ${}_nC_r$와 같다.
⇨ ${}_nC_ra^rb^{n-r}$

(2) $(a+b)^n={}_nC_0a^n+{}_nC_1a^{n-1}b+{}_nC_2a^{n-2}b^2+\cdots+{}_nC_nb^n$
에서 $b=x$를 대입하면
$(a+x)^n={}_nC_0a^n+{}_nC_1a^{n-1}x+{}_nC_2a^{n-2}x^2+\cdots+{}_nC_nx^n$
이고, 이 x에 대한 다항식의 계수를 상수항부터 적으면
${}_nC_0a^n$, ${}_nC_1a^{n-1}$, ${}_nC_2a^{n-2}$, $\cdots$, ${}_nC_n$이다.

0303 짱중요

$A={}_{200}C_0+7\,{}_{200}C_1+7^2\,{}_{200}C_2+\cdots+7^{200}\,{}_{200}C_{200}$이라 할 때, $\log_2 A$의 값을 구하시오.

0304 중요 교육청 기출

자연수 n에 대하여 $f(n)=\sum_{r=0}^{n}{}_nC_r\left(\frac{1}{9}\right)^r$일 때, $\log f(n)>1$을 만족시키는 n의 최솟값을 구하시오.

(단, $\log 3=0.4771$로 계산한다.)

0305 중요

$(x+2)^{21}=a_0+a_1x+a_2x^2+\cdots+a_{21}x^{21}$이라 할 때, $\frac{a_r}{a_{r+1}}<1$을 만족시키는 자연수 r의 개수를 구하시오.

0306 ●●●●

$(1-3x)^{15}=a_0+a_1x+a_2x^2+\cdots+a_{15}x^{15}$이라 할 때, $|a_0|+|a_1|+|a_2|+\cdots+|a_{15}|$의 값을 구하시오.

0307 중요 ●●●●

$\sum_{k=0}^{10}({}_{10}C_k)^2={}_nC_{10}$일 때, 자연수 n의 값을 구하시오.

0308 ●●●●

$\sum_{k=0}^{8}({}_{10}C_{10-k}\times{}_{11}C_{8-k})$를 간단히 한 값이 ${}_nC_s$라 할 때, ${}_nC_{s+11}$의 값을 구하시오. (단, s는 10 이하의 자연수이다.)

유형 **17** $(1+x)^n$의 전개식의 응용

내신 중요도 ■■■■■ 유형 난이도 ★★★★★

(1) $(a+b)^n={}_nC_0a^n+{}_nC_1a^{n-1}b+{}_nC_2a^{n-2}b^2+\cdots+{}_nC_nb^n$
에서 99^n은 $a=100$, $b=-1$을 대입하면 되고,
101^n은 $a=100$, $b=1$을 대입하면 된다.

(2) $(1+x)+(1+x)^2+(1+x)^3+\cdots+(1+x)^n$은
첫째항이 $1+x$이고 공비가 $1+x$인 등비수열의 제 n항까지의 합과 같다.

0309 중요 ●●○○

11^9의 백의 자리, 십의 자리, 일의 자리의 숫자를 각각 a, b, c라 할 때, $a+b+c$의 값을 구하시오.

0310 ●●●○

오늘부터 36^7일째 되는 날이 수요일이라 할 때,
오늘부터 $(1+36)^7$일째 되는 날은 무슨 요일인가?

① 월요일 ② 화요일 ③ 수요일
④ 목요일 ⑤ 금요일

해설 052쪽

0311 중요

19^{19}을 400으로 나누었을 때의 나머지를 구하시오.

0312 짱중요

21^{21}을 40으로 나눈 나머지를 구하시오.

0313 짱중요

$(1+x)+(1+x)^2+(1+x)^3+\cdots+(1+x)^{10}$의 전개식에서 x^3의 계수는?

① 320　② 330　③ 340
④ 350　⑤ 360

0314

다항식 $(1+x^2)+(1+x^2)^2+\cdots+(1+x^2)^{10}$의 전개식에서 x^2의 계수를 구하시오.

0315

$(1+x)+2(1+x)^2+3(1+x)^3+\cdots+10(1+x)^{10}$의 전개식에서 x^2의 계수는?

① 840　② 960　③ 1080
④ 1200　⑤ 1320

적중 문제

시험에 잘 나오는 문제로 점검하기

해설 053쪽

0316

동일한 7통의 편지를 서로 다른 3개의 우체통 A, B, C에 넣으려고 할 때, 그 방법의 수는?

① 15 ② 20 ③ 28
④ 36 ⑤ 45

0317

사과 주스, 포도 주스, 감귤 주스 중에서 7병을 선택하려고 한다. 사과 주스, 포도 주스, 감귤 주스를 각각 적어도 1병 이상씩 선택하는 방법의 수는? (단, 각 종류의 주스는 7병 이상씩 있다.)

① 11 ② 13 ③ 15
④ 17 ⑤ 19

0318

같은 종류의 딸기 맛 사탕 5개와 같은 종류의 포도 맛 사탕 5개를 세 명에게 남김없이 나누어 주려고 할 때, 포도 맛 사탕은 각 사람이 적어도 1개씩 받도록 나누어 주는 방법의 수를 구하시오.
(단, 딸기 맛 사탕을 받지 않은 사람이 있을 수 있다.)

0319 서술형

방정식 $a+b+c=6$을 만족시키는 a, b, c에 대하여 음이 아닌 정수해의 개수를 x, 양의 정수해의 개수를 y라 할 때, $x-y$의 값을 구하시오.

0320

부등식 $x+y+z\le7$을 만족하는 x, y, z가 모두 음이 아닌 정수인 해의 개수를 구하시오.

0321

다음 조건을 만족시키는 네 자연수 a, b, c, d의 모든 순서쌍 (a, b, c, d)의 개수를 구하시오.

(가) a, b, c, d는 소수이다.
(나) $a\le b=c\le d<20$

해설 054쪽

0322

두 집합 $A=\{1, 2, 3, 4\}$, $B=\{5, 6, 7\}$에 대하여 함수 $f: A \longrightarrow B$ 중에서 $f(1) \le f(2) \le f(3) \le f(4)$를 만족시키는 함수 f의 개수를 a라 하고, 함수 $g: B \longrightarrow A$ 중에서 $g(5) < g(6) < g(7)$을 만족시키는 함수 g의 개수를 b라 할 때, ab의 값을 구하시오.

0323 서술형

다항식 $(x+a)^6$의 전개식에서 x^4의 계수가 x^5의 계수의 50배일 때, 양수 a의 값을 구하시오.

0324

$\left(x-\dfrac{a}{x^2}\right)^6$의 전개식에서 상수항이 60이 되도록 하는 양수 a의 값을 구하시오.

0325

${}_3C_0+{}_4C_1+{}_5C_2+\cdots+{}_{13}C_{10}$의 값을 구하시오.

0326

〈보기〉에서 옳은 것만을 있는 대로 고른 것은?

보기

ㄱ. $2^{10}-1={}_{10}C_0+{}_{10}C_1+{}_{10}C_2+\cdots+{}_{10}C_9$

ㄴ. ${}_5C_0-{}_5C_1+{}_5C_2-{}_5C_3+{}_5C_4-{}_5C_5=0$

ㄷ. ${}_7C_2+{}_7C_4+{}_7C_6={}_7C_1+{}_7C_3+{}_7C_5$

① ㄱ ② ㄴ ③ ㄱ, ㄴ
④ ㄴ, ㄷ ⑤ ㄱ, ㄴ, ㄷ

0327

$(1+2x)+(1+2x)^2+(1+2x)^3+\cdots+(1+2x)^{20}$의 전개식에서 x^2의 계수를 구하시오.

고난도 문제

일등급 go! go!

해설 055쪽

Level 1

0328

x에 대한 이차방정식 $10x^2 - {}_{n+1}\mathrm{H}_r x - 5 \times n! \, {}_{n+r}\mathrm{C}_r = 0$의 두 근이 -5와 6일 때, ${}_n\mathrm{H}_r$의 값을 구하시오.

0329

$(a+b+c)^4 + (b+c+d)^4$의 전개식에서 서로 다른 항의 개수는?

① 21　② 22　③ 23　④ 24　⑤ 25

0330

연립방정식

$$\begin{cases} a+b+c+d=11 \\ d-2e=1 \end{cases}$$

을 만족시키는 다섯 개의 자연수 a, b, c, d, e의 모든 순서쌍 (a, b, c, d, e)의 개수를 구하시오.

0331

평가원 기출

다음 조건을 만족시키는 음이 아닌 정수 a, b, c의 모든 순서쌍 (a, b, c)의 개수는?

> (가) $a+b+c=6$
> (나) 좌표평면에서 세 점 $(1, a)$, $(2, b)$, $(3, c)$가 한 직선 위에 있지 않다.

① 19　② 20　③ 21　④ 22　⑤ 23

0332

다음 조건을 만족시키는 정수 x, y, z, w의 모든 순서쌍 (x, y, z, w)의 개수를 구하시오.

> (가) $x^2+|y|+|z|+w=14$
> (나) $xyz\neq0$, $w\geq1$

0333

교육청 기출

다음 조건을 만족시키는 모든 자연수의 개수를 구하시오.

> (가) 네 자리의 홀수이다.
> (나) 각 자리의 수의 합이 8보다 작다.

0334

$\left(x^2+\frac{2}{x^3}\right)^n$의 전개식에서 상수항이 존재하도록 하는 양의 정수 n의 최솟값을 구하시오.

0335

$(a+b-2c)^6$의 전개식에서 $a^2b^2c^2$의 계수를 구하시오.

Level 2

0336

평가원 기출

서로 다른 종류의 사탕 3개와 같은 종류의 구슬 7개를 같은 종류의 주머니 3개에 남김없이 나누어 넣으려고 한다. 각 주머니에 사탕과 구슬이 각각 1개 이상씩 들어가도록 나누어 넣는 경우의 수는?

① 11 ② 12 ③ 13 ④ 14 ⑤ 15

0337

다음 조건을 만족시키는 정수 x, y, z의 모든 순서쌍 (x, y, z)의 개수를 구하시오.

> (가) $|x|+|y|+|z|=10$
> (나) $x\neq0$

0338

다음 조건을 만족시키는 네 자연수 x, y, z, w의 모든 순서쌍 (x, y, z, w)의 개수를 구하시오.

> (가) $x+y+z+w=21$
> (나) x, y, z, w 중에서 2개는 3으로 나눈 나머지가 1이고, 2개는 3으로 나눈 나머지가 2이다.

0339

다음 조건을 만족시키는 음이 아닌 세 정수 a, b, c의 모든 순서쌍 (a, b, c)의 개수를 구하시오.

> (가) $a+b+c=7$
> (나) $2^a\times4^b$은 8의 배수이다.

0340

같은 종류의 공 9개를 서로 다른 주머니 4개에 빈 주머니가 없도록 남김없이 나누어 넣으려고 한다. 각 주머니에 4개 이하의 공이 들어가도록 넣는 방법의 수를 구하시오.

0341

$(1+x)^n$의 전개식에서 x^8, x^9, x^{10}의 계수가 이 순서대로 등차수열을 이루도록 하는 양의 정수 n의 값의 합을 구하시오.

0342

$(2x+3)^{15}$의 전개식에서 계수가 가장 큰 항은 x^k항이다. 자연수 k의 값을 구하시오.

0343

$(x^2+x+1)\left(x+\frac{1}{x}\right)^{10}$의 전개식에서 상수항을 구하시오.

0344

다항식 $2(x+a)^n$의 전개식에서 x^{n-1}의 계수와 다항식 $(x-1)(x+a)^n$의 전개식에서 x^{n-1}의 계수가 같게 되는 모든 순서쌍 (a, n)에 대하여 an의 최댓값을 구하시오.

(단, a는 자연수이고, n은 $n \geq 2$인 자연수이다.)

0345

$(1+x)+(1+x)^2+(1+x)^3+\cdots+(1+x)^n$의 전개식에서 x의 계수를 a_n이라 할 때, $\sum_{n=1}^{10} \frac{1}{a_n}$의 합은?

① $\frac{9}{10}$ ② $\frac{18}{10}$ ③ $\frac{10}{11}$
④ $\frac{15}{11}$ ⑤ $\frac{20}{11}$

Level 3

0346

학생 A가 숫자 1, 2, 3, 4, 5 중에서 중복을 허락하여 3개를 택하고, 학생 B도 숫자 1, 2, 3, 4, 5 중에서 중복을 허락하여 3개를 택할 때, 두 학생 A와 B가 택한 6개의 숫자가 짝수 2개, 홀수 4개인 경우의 수는?

(단, 각 학생이 택한 3개의 숫자의 순서는 생각하지 않는다.)

① 304 ② 314 ③ 324
④ 334 ⑤ 344

0347

집합 $X=\{1, 2, 3, 4, 5\}$에 대하여 다음 조건을 만족시키는 함수 $f: X \longrightarrow X$의 개수는?

(가) $f(f(4)) \neq f(4)$
(나) $f(1) \leq f(2) \leq f(3) \leq f(4)$

① 169 ② 170 ③ 171
④ 172 ⑤ 173

해설 060쪽

0348

다항식 $(ax+b)^8$의 전개식에서 x^n의 계수를 a_n ($n=1, 2, 3, \cdots, 8$), 상수항을 a_0이라 하자. 다음 조건을 만족시키는 양의 실수 a, b를 정할 때, $25ab$의 값을 구하시오.

> (가) $\log_3(a_0+a_1+a_2+\cdots+a_8)=16$
> (나) 세 수 a_0, a_2, a_5는 이 순서대로 등비수열을 이룬다.

0349

방정식 $(a+b+c)(d+e)=35$를 만족시키는 다섯 개의 자연수 a, b, c, d, e의 모든 순서쌍 (a, b, c, d, e)의 개수를 구하시오.

03

확률의 뜻과 성질

		제 목	내신중요도	유형난이도	문항수	문항번호
		기본 문제			29	0350~0378
유형문제	01	시행과 사건	▬▬▬	★	5	0379~0383
	02	수학적 확률	▬▬▬▬	★★	9	0384~0392
	03	수학적 확률 – 합의 법칙 이용	▬▬▬▬	★★★	8	0393~0400
	04	순열을 이용하는 확률	▬▬▬▬	★★★★	9	0401~0409
	05	원순열을 이용하는 확률	▬	★★	3	0410~0412
	06	중복순열을 이용하는 확률	▬▬	★★★	6	0413~0418
	07	같은 것이 있는 순열을 이용하는 확률	▬▬▬	★★★	6	0419~0424
	08	조합을 이용하는 확률	▬▬▬	★★	6	0425~0430
	09	조합을 이용하는 확률 – 합의 법칙 이용	▬▬▬▬▬	★★★★★	9	0431~0439
	10	조합을 이용하는 확률 – 곱의 법칙 이용	▬▬▬▬	★★★★	9	0440~0448
	11	중복조합을 이용하는 확률	▬▬	★★★★	6	0449~0454
	12	도형, 좌표를 이용하는 확률	▬▬	★★★	6	0455~0460
	13	함수의 개수를 이용하는 확률	▬▬▬	★★★★	9	0461~0469
	14	확률의 기본 성질	▬	★★★	4	0470~0473
	15	통계적 확률	▬	★	3	0474~0476
		적중 문제			12	0477~0488
		고난도 문제			15	0489~0503

03 확률의 뜻과 성질

1. 시행과 사건

(1) 시행: 같은 조건에서 반복할 수 있으며 그 결과가 우연에 의하여 결정되는 실험이나 관찰

(2) 표본공간: 어떤 시행에서 일어날 수 있는 모든 가능한 결과 전체의 집합

(3) 사건: 시행의 결과, 즉 표본공간의 부분집합

(4) 근원사건: 어떤 시행에서 더 이상 세분할 수 없는 사건

(5) 전사건: 어떤 시행에서 반드시 일어나는 사건

(6) 공사건: 어떤 시행에서 결코 일어나지 않는 사건

2. 배반사건과 여사건

표본공간 S의 두 사건 A, B에 대하여

(1) 합사건: A 또는 B가 일어나는 사건 ➡ $A \cup B$

(2) 곱사건: A와 B가 동시에 일어나는 사건 ➡ $A \cap B$

(3) 배반사건: A와 B가 동시에 일어나지 않는 사건 ➡ $A \cap B = \varnothing$

(4) A의 여사건: A가 일어나지 않는 사건 ➡ A^C

표본공간은 공집합이 아닌 경우만 생각한다.

사건을 벤다이어그램으로 나타내면 다음과 같다.

① 합사건

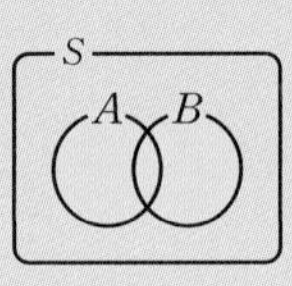

② 곱사건

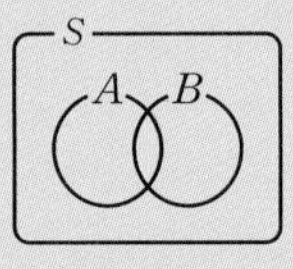

③ 배반사건

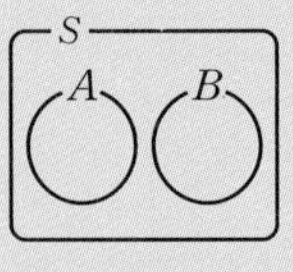

④ A의 여사건

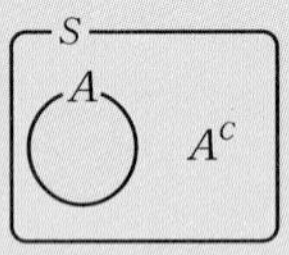

$A \cap A^C = \varnothing$이므로 A와 A^C은 서로 배반사건이다.

3. 수학적 확률

어떤 시행에서 각각의 근원사건이 일어날 가능성이 같은 정도로 기대될 때,
표본공간 S에서 사건 A가 일어날 확률 $\mathrm{P}(A)$는

$$\mathrm{P}(A)=\frac{n(A)}{n(S)}=\frac{(\text{사건 } A\text{가 일어날 경우의 수})}{(\text{일어날 수 있는 모든 경우의 수})}$$

참고 경우의 수를 구할 때, 앞에서 공부한 합의 법칙, 곱의 법칙, 순열, 여러 가지 순열, 조합, 중복조합 등을 이용한다.

● 기하학적 확률 [교육과정 外]

어떤 영역 S 안에서 각각의 점에 대하여 일어날 가능성이 모두 같은 정도로 기대될 때, 사건 A가 S의 부분 영역에서 일어난다고 할 경우 사건 A가 일어날 확률 $\mathrm{P}(A)$는

$$\mathrm{P}(A)=\frac{(\text{영역 } A\text{의 크기})}{(\text{영역 } S\text{의 크기})}$$

● 시행 횟수가 충분히 클 때 통계적 확률은 수학적 확률에 가까워지므로 수학적 확률을 구하기 어려운 경우에 통계적 확률을 대신 사용할 수 있다.

4. 확률의 기본 성질

확률의 기본 성질

(1) 임의의 사건 A에 대하여 $0\le \mathrm{P}(A)\le 1$

(2) 전사건 S에 대하여 $\mathrm{P}(S)=1$ ← 반드시 일어날 때

(3) 공사건 $\varnothing$에 대하여 $\mathrm{P}(\varnothing)=0$ ← 절대로 일어나지 않을 때

5. 통계적 확률

동일한 조건에서 같은 시행을 n회 반복하였을 때, 사건 A가 일어난 횟수를 r_n이라 하면
사건 A가 일어날 통계적 확률 $\mathrm{P}(A)$는

$$\mathrm{P}(A)=\lim_{n\to\infty}\frac{r_n}{n}=p \text{ (단, } p\text{는 수학적 확률)}$$

참고 $\lim_{n\to\infty}\frac{r_n}{n}$의 의미는 n의 값이 한없이 커질 때의 $\frac{r_n}{n}$의 값으로 「미적분」에서 공부한다.

기본 문제

핵심 개념을 문제로 익히기

1 시행과 사건

[0350-0352] 한 개의 주사위를 던지는 시행에 대하여 다음을 구하시오.

0350 표본공간

0351 근원사건

0352 짝수의 눈이 나오는 사건

2 배반사건과 여사건

[0353-0357] 1부터 12까지의 숫자가 각각 적힌 12개의 공이 들어 있는 상자에서 한 개의 공을 꺼낼 때, 다음을 구하시오.

0353 2의 배수가 나오는 사건

0354 3의 배수가 나오는 사건

0355 2의 배수 또는 3의 배수가 나오는 사건

0356 2의 배수이고 3의 배수가 나오는 사건

0357 2의 배수가 아닌 수가 나오는 사건

[0358-0364] 1부터 10까지의 자연수가 각각 하나씩 적힌 10장의 카드 중 한 장을 뽑는 시행에서 5의 배수가 적힌 카드를 뽑는 사건을 A, 8의 약수가 적힌 카드를 뽑는 사건을 B라 하자. 다음을 구하시오.

0358 사건 A

0359 사건 B

0360 $A\cup B$

0361 $A\cap B$

0362 B^C

0363 $A\cap B^C$

0364 $A^C\cap B^C$

3 확률의 뜻

[0365-0371] 서로 다른 두 개의 주사위를 동시에 던질 때, 다음을 구하시오.

0365 나오는 두 눈의 수가 모두 3일 확률

0366 나오는 두 눈의 수가 서로 같을 확률

0367 나오는 두 눈의 수의 합이 10보다 클 확률

0368 나오는 두 눈의 수의 합이 8이 될 확률

0369 나오는 두 눈의 수의 곱이 12일 확률

0370 나오는 두 눈의 수가 서로 다를 확률

0371 나오는 두 눈의 수가 모두 4 이상일 확률

4 순열을 이용하는 확률

[0372-0374] A, B, C, D 네 사람을 일렬로 세울 때, 다음을 구하시오.

0372 모든 방법의 수

0373 A를 맨 앞에 세우는 방법의 수

0374 A가 맨 앞에 서는 확률

5 조합을 이용하는 확률

[0375-0378] 노란 구슬 3개, 빨간 구슬 2개가 들어 있는 주머니에서 구슬을 꺼낼 때, 다음을 구하시오.

0375 한 개의 구슬을 꺼낼 때, 노란 구슬이 나올 확률

0376 두 개의 구슬을 꺼낼 때, 빨간 구슬이 2개 나올 확률

0377 두 개의 구슬을 꺼낼 때, 노란 구슬이 2개 나올 확률

0378 두 개의 구슬을 꺼낼 때, 노란 구슬 1개, 빨간 구슬 1개가 나올 확률

유형 문제

내신 출제 유형 정복하기

유형 01 시행과 사건

내신 중요도 ▬▬▬▬▬ 유형 난이도 ★☆☆☆☆

두 사건 A, B에 대하여

(1) 배반사건: A와 B가 동시에 일어나지 않을 때, 즉 $A\cap B=\varnothing$일 때, A와 B는 서로 배반이라 하고 이 두 사건을 서로 배반사건이라고 한다.

(2) 여사건(A^C): 사건 A에 대하여 A가 일어나지 않는 사건을 A의 여사건이라고 한다.

0379 중요 ●○○○

한 개의 주사위를 던지는 시행에서 6의 약수가 나오는 사건을 A, 3의 배수가 나오는 사건을 B라고 할 때, 다음 물음에 답하시오.

(1) 표본공간을 구하시오.

(2) 사건 A의 배반사건을 모두 구하시오.

(3) 사건 B의 여사건을 구하시오.

0380 중요 ●○○○

1부터 5까지의 숫자가 각각 하나씩 적힌 5장의 카드에서 1장을 꺼낼 때, 적힌 숫자에 대한 다음 사건 중에서 서로 배반사건인 것은?

A: 짝수	B: 소수
C: 6의 약수	D: 완전제곱수

① A와 B ② A와 C ③ B와 C
④ B와 D ⑤ C와 D

0381 중요 ●●○○

서로 다른 두 개의 주사위를 동시에 던질 때, 나오는 두 눈의 수가 서로 같은 사건을 A, 두 눈의 수의 차가 1인 사건을 B, 두 눈의 수의 합이 6인 사건을 C라 하자. 〈보기〉에서 서로 배반사건인 것만을 있는 대로 고른 것은?

보기

ㄱ. A와 B ㄴ. A와 C ㄷ. B와 C

① ㄱ ② ㄴ ③ ㄱ, ㄴ
④ ㄱ, ㄷ ⑤ ㄴ, ㄷ

0382 ●●○○

10 이하의 자연수가 각각 하나씩 적혀 있는 10장의 카드에서 임의로 한 장의 카드를 꺼낼 때, 4의 배수가 적혀 있는 카드를 꺼낼 사건을 A, 홀수가 적혀 있는 카드를 꺼낼 사건을 B라 하자.
두 사건 A, B와 모두 배반인 사건 C의 개수를 구하시오.

0383 ●●○○

서로 다른 n개의 동전을 동시에 던지는 시행에서 표본공간의 원소의 개수가 128이고, 서로 다른 n개의 동전 중에서 표시한 2개의 동전이 앞면이 나오는 사건의 수가 m일 때, $m+n$의 값을 구하시오.

유형 02 수학적 확률

내신 중요도 ▬▬▬▬▬ 유형 난이도 ★★☆☆☆

표본공간 S의 임의의 사건 A에 대하여

$$\mathrm{P}(A)=\frac{n(A)}{n(S)}=\frac{(\text{사건 } A\text{가 일어날 경우의 수})}{(\text{일어날 수 있는 모든 경우의 수})}$$

0384 중요 ●○○○

다음 표는 다운이네 반 학생 30명을 대상으로 희망하는 수학여행 장소를 조사한 것이다. 다운이네 반 학생 중 한 명을 뽑아 희망하는 수학여행 장소를 물었을 때, 그 학생이 설악산을 희망하는 학생일 확률을 구하시오.

장소	제주도	설악산	경주
학생 수(명)	17	6	7

0385 중요 ●○○○

서로 다른 두 개의 주사위를 동시에 던질 때, 나오는 눈의 수의 합이 7일 확률을 구하시오.

0386 짱중요 ●○○○

서로 다른 두 개의 주사위를 동시에 던질 때, 나오는 두 눈의 수의 합이 4 이하일 확률을 구하시오.

0387 ●●○○

두 개의 주사위 A, B를 동시에 던져 나오는 두 눈의 수를 각각 a, b라 할 때, $|a-b|=2$일 확률은?

① $\frac{2}{9}$ ② $\frac{5}{18}$ ③ $\frac{1}{3}$
④ $\frac{7}{18}$ ⑤ $\frac{4}{9}$

0388 ●●○○

1에서 5까지의 숫자가 각각 적힌 5장의 카드 중 두 장을 뽑는 시행에서 처음 뽑은 카드의 숫자를 a, 두 번째 뽑은 카드의 숫자를 b라 할 때, $3a+b>17$이 될 확률을 구하시오.

(단, 처음 뽑은 카드는 다시 집어넣는다.)

0389 ●●○○

흰 공과 검은 공이 합하여 모두 8개가 들어 있는 주머니에서 임의로 1개의 공을 꺼낼 때, 그 공이 흰 공일 확률이 $\frac{1}{4}$이다. 주머니 속에 들어 있는 검은 공의 개수를 구하시오.

0390 ●●○○

집합 $A=\{a, b, c, d, e, f\}$의 모든 부분집합 중에서 하나의 부분집합을 임의로 택할 때, a와 b가 그 부분집합의 원소일 확률을 구하시오.

0391 중요 ●●○○

$-2\leq m\leq 4$인 정수 m에 대하여 이차방정식 $x^2+mx+m=0$이 허근을 가질 확률은?

① $\frac{1}{7}$ ② $\frac{2}{7}$ ③ $\frac{3}{7}$
④ $\frac{4}{7}$ ⑤ $\frac{5}{7}$

0392 ●●●○

한 개의 주사위를 두 번 던질 때 나오는 두 눈의 수를 차례로 a, b라 하자. 이차함수 $f(x)=x^2-6x+5$에 대하여 $f(a)f(b)<0$이 성립할 확률은?

① $\frac{1}{18}$ ② $\frac{1}{9}$ ③ $\frac{1}{6}$
④ $\frac{2}{9}$ ⑤ $\frac{5}{18}$

유형 03 수학적 확률-합의 법칙 이용

내신 중요도 ■■■■■ 유형 난이도 ★★★☆☆

두 사건 A, B가 동시에 일어나지 않을 때, 사건 A가 일어나는 경우가 m가지이고 사건 B가 일어나는 경우가 n가지이면 사건 A 또는 사건 B가 일어나는 경우의 수는

$m+n$

0393 중요 ●●○○

한 개의 주사위를 두 번 던질 때, 나오는 눈의 수의 차가 2이거나 합이 9일 확률을 구하시오.

0394 짱중요 ●●○○

서로 다른 두 개의 주사위를 동시에 던질 때, 두 눈의 수의 합이 4의 배수 또는 12의 약수일 확률을 구하시오.

0395 평가원 기출 ●●●○

한 개의 주사위를 세 번 던져서 나오는 눈의 수를 차례로 a, b, c라 할 때, $a>b$이고 $a>c$일 확률을 구하시오.

0396 중요 평가원 기출

한 개의 주사위를 세 번 던질 때 나오는 눈의 수를 차례로 a, b, c라 하자. 세 수 a, b, c가 $a<b-2\le c$를 만족시킬 확률은?

① $\frac{2}{27}$ ② $\frac{1}{12}$ ③ $\frac{5}{54}$
④ $\frac{11}{108}$ ⑤ $\frac{1}{9}$

0397

한 개의 주사위를 두 번 던져서 나오는 두 눈의 수를 차례로 a, b라 할 때, 부등식 $3<(a-2)(b-1)\le 6$을 만족시킬 확률을 구하시오.

0398

두 개의 주사위를 던져서 나오는 눈의 수를 각각 a, b라 할 때, 함수 $f(x)=x^2+ax+b$의 최솟값이 -1 이하일 확률을 구하시오.

0399 중요

서로 다른 두 개의 주사위 A, B를 동시에 던져서 나오는 눈의 수를 각각 a, b라 할 때, 좌표평면에서 이차곡선 $(x-a)^2+b=y$와 직선 $y=x$가 만날 확률을 구하시오.

0400

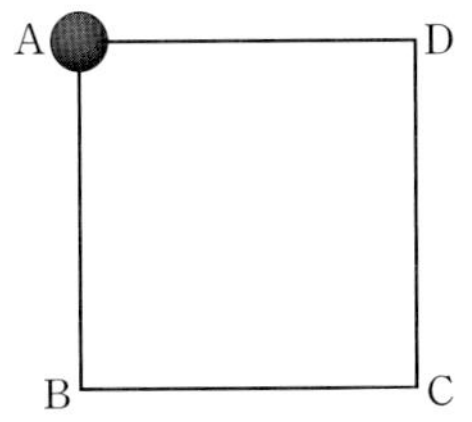

그림과 같이 한 변의 길이가 1인 정사각형 ABCD의 꼭짓점 A 위에 검은색 바둑돌을 놓고 주사위를 던져서 나온 눈의 수만큼 변을 따라 시계 반대 방향으로 움직인다고 한다. 한 개의 주사위를 두 번 던질 때, 바둑돌이 꼭짓점 A 위에 놓여 있을 확률을 구하시오.

유형 04 순열을 이용하는 확률

내신 중요도 ▬▬▬▬ 유형 난이도 ★★★★☆

서로 다른 n개 중 r개를 뽑아서 일렬로 나열하는 방법의 수는

$$ {}_nP_r = n\times(n-1)\times(n-2)\times\cdots\times\{n-(r-1)\} = \frac{n!}{(n-r)!} \text{ (단, } 0<r\le n) $$

0401 ●●○○

네 사람 A, B, C, D를 일렬로 세울 때, 다음을 구하시오.

(1) C를 가장 앞에 세울 확률

(2) C와 D를 이웃하여 세울 확률

(3) C와 D를 이웃하지 않게 세울 확률

(4) 양 끝에 C, D를 세울 확률

0402 ●●○○

여학생 4명, 남학생 4명이 한 줄로 설 때, 여학생과 남학생이 번갈아 가며 서게 될 확률을 구하시오.

0403 짱중요 ●●○○

A, B, C, D, E, F의 학생 6명을 일렬로 세울 때, A와 B 사이에 한 명의 학생이 있을 확률을 구하시오.

0404 중요 ●●●○

남자 3명과 여자 5명을 일렬로 세울 때, 남자끼리는 이웃하지 않게 서 있을 확률은?

① $\frac{3}{28}$ ② $\frac{5}{28}$ ③ $\frac{3}{14}$ ④ $\frac{5}{14}$ ⑤ $\frac{11}{28}$

0405 ●●●○

8개의 문자 c, o, m, p, u, t, e, r를 일렬로 나열할 때, c와 r 사이에 3개의 문자가 들어올 확률은 $\frac{n}{m}$이다. $m+n$의 값을 구하시오. (단, m, n은 서로소인 자연수이다.)

0406 중요 ●●○○

5개의 숫자 1, 2, 3, 4, 5에서 서로 다른 4개의 숫자를 사용하여 네 자리 정수를 만들 때, 5의 배수일 확률은?

① $\frac{1}{5}$ ② $\frac{1}{4}$ ③ $\frac{1}{2}$ ④ $\frac{3}{5}$ ⑤ $\frac{3}{4}$

해설 066쪽

0407 ●●●○

5개의 숫자 1, 2, 3, 4, 5를 한 번씩 사용하여 다섯 자리 자연수를 만들 때, 45000보다 큰 수일 확률을 구하시오.

0408 중요 ●●●○

네 개의 숫자 0, 1, 2, 3이 각각 하나씩 적혀 있는 4장의 카드가 있다. 이 카드를 한 줄로 나열하여 네 자리 자연수를 만들 때, 3100보다 클 확률을 구하시오.

0409 ●●●●

A, B, C 세 학교 학생이 2명씩 있다. 이 6명이 그림과 같이 좌석 번호가 지정된 6개의 좌석 중에서 임의로 1개씩 선택하여 앉을 때, 같은 학교의 두 학생끼리는 좌석 번호의 차가 1 또는 10이 되도록 앉게 될 확률을 구하시오.

11	12	13
21	22	23

유형 05 **원순열을 이용하는 확률** 내신 중요도 ■■■■ 유형 난이도 ★★☆☆☆

서로 다른 n개를 원형으로 배열하는 원순열의 수

⇨ $\dfrac{n!}{n}=(n-1)!$

0410 ●●○○

남학생 3명, 여학생 2명이 원탁에 둘러앉을 때, 여학생끼리 이웃하여 앉게 될 확률을 구하시오.

0411 중요 ●●○○

부모와 자녀를 포함하여 6명의 가족이 원탁에 둘러앉을 때, 부모가 서로 이웃하지 않을 확률은?

① $\dfrac{1}{3}$ ② $\dfrac{2}{5}$ ③ $\dfrac{1}{2}$

④ $\dfrac{3}{5}$ ⑤ $\dfrac{2}{3}$

0412 ●●●○

A, B, C, D, E, F, G, H의 8명이 원탁에 둘러앉을 때, B와 D는 서로 마주 보고 앉고, E와 G는 이웃하여 앉게 될 확률을 구하시오.

유형 06 중복순열을 이용하는 확률

내신 중요도 ▬▬▬▬ 유형 난이도 ★★★☆☆

서로 다른 n개에서 중복을 허용하여 r개를 택하는 중복순열의 수

⇨ ${}_n\Pi_r = n^r$

0413 ●●○○

아샘고등학교는 내년도 신입생을 10개 반으로 편성하려고 한다. 신입생을 임의로 반에 배정한다고 할 때, 내년에 아샘고등학교에 입학할 예정인 A, B, C 세 학생이 모두 다른 반에 배정될 확률은? (단, 각 반의 학생 수는 같다.)

① $\frac{1}{50}$ ② $\frac{39}{100}$ ③ $\frac{1}{2}$
④ $\frac{13}{25}$ ⑤ $\frac{18}{25}$

0414 중요 ●●○○

세 개의 숫자 1, 2, 3에서 중복을 허용하여 세 자리 정수를 만들 때, 그 정수가 3의 배수일 확률을 구하시오.

0415 ●●●○

0, 1, 2, 3의 네 개의 숫자에서 중복을 허용하여 세 자리 자연수를 만들 때, 3을 포함하지 않을 확률을 구하시오.

0416 ●●●○

상자 안에 1부터 5까지의 자연수가 각각 하나씩 적혀 있는 5개의 공이 있다. 상자에서 1개의 공을 꺼내어 숫자를 확인하고 다시 집어넣는 시행을 3회 반복하여 나오는 세 수를 꺼낸 순서대로 x, y, z라 하자. $(x-y)(y-z)=0$을 만족시킬 확률을 구하시오.

0417 ●●●○

집합 $\{1, 2, 3, 4, 5\}$에서 중복을 허용하여 임의로 세 수 a, b, c를 뽑을 때, $a+bc$의 값이 홀수일 확률을 구하시오.

0418 ●●●●

서로 다른 세 개의 주머니에 1부터 5까지의 자연수가 각각 하나씩 적혀 있는 카드 5장씩이 들어 있다. 각 주머니에서 임의로 카드를 한 장씩 뽑을 때, 세 장의 카드에 적힌 수의 최솟값이 3일 확률은?

① $\frac{13}{125}$ ② $\frac{16}{125}$ ③ $\frac{18}{125}$
④ $\frac{19}{125}$ ⑤ $\frac{21}{125}$

유형 07 같은 것이 있는 순열을 이용하는 확률

내신 중요도 유형 난이도 ★★★☆☆

n개 중에서 같은 것이 각각 p개, q개, ⋯, r개씩 있을 때, n개를 모두 일렬로 나열하는 순열의 수

⇨ $\dfrac{n!}{p!q!\cdots r!}$ (단, $p+q+\cdots+r=n$)

0419

6개의 문자 C, H, U, R, C, H를 일렬로 나열할 때, 두 개의 H가 서로 이웃할 확률은?

① $\frac{1}{8}$ ② $\frac{1}{6}$ ③ $\frac{1}{5}$ ④ $\frac{1}{4}$ ⑤ $\frac{1}{3}$

0420 짱중요

영문자 A, B와 숫자 0, 0, 1, 2를 모두 사용하여 임의로 6자리 비밀번호를 만들려고 할 때, 영문자끼리 이웃하지 않을 확률을 구하시오.

0421 중요

7개의 숫자 1, 1, 1, 1, 2, 3, 3을 한 줄로 나열할 때, 1끼리는 이웃하지 않을 확률을 구하시오.

0422

5개의 문자 a, b, c, d, e를 모두 한 번씩 사용하여 문자열을 만들 때, b, c, d가 이 순서를 유지할 확률은?

① $\frac{1}{8}$ ② $\frac{1}{7}$ ③ $\frac{1}{6}$ ④ $\frac{1}{5}$ ⑤ $\frac{1}{4}$

0423 중요

세 사람이 가위바위보를 할 때, 단 한 번의 시행에서 한 사람의 승자가 결정될 확률을 구하시오.

0424

그림과 같은 길을 따라 A지점에서 B지점까지 최단 거리로 가려고 할 때, P지점을 지나가게 될 확률을 구하시오.

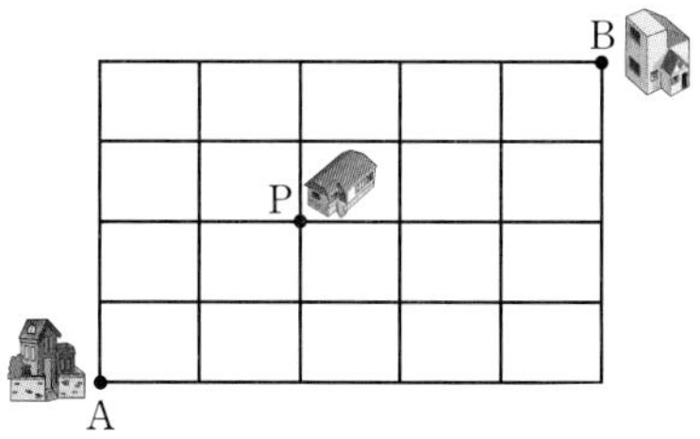

유형 08 조합을 이용하는 확률

내신 중요도 ▬▬▬▬ 유형 난이도 ★★☆☆☆

서로 다른 n개에서 순서를 생각하지 않고 r개를 택하는 조합의 수

⇨ ${}_nC_r=\frac{{}_nP_r}{r!}=\frac{n!}{r!(n-r)!}$ (단, $0\le r\le n$)

0425 중요 ●○○○

주머니 속에 흰 구슬 4개와 검은 구슬 5개가 들어 있다. 이 주머니에서 임의로 3개의 구슬을 동시에 꺼낼 때, 흰 구슬 1개와 검은 구슬 2개가 나올 확률을 구하시오.

0426 중요 ●○○○

1부터 5까지의 자연수가 하나씩 적힌 5장의 카드 중에서 임의로 두 장의 카드를 동시에 뽑을 때, 카드에 적힌 두 수의 곱이 짝수일 확률을 구하시오.

0427 평가원 기출 ●●○○

주머니 속에 2부터 8까지의 자연수가 각각 하나씩 적힌 구슬 7개가 있다. 이 주머니에서 임의로 2개의 구슬을 동시에 꺼낼 때, 꺼낸 구슬에 적힌 두 자연수가 서로소일 확률은?

① $\frac{8}{21}$ ② $\frac{10}{21}$ ③ $\frac{4}{7}$
④ $\frac{2}{3}$ ⑤ $\frac{16}{21}$

0428 ●●○○

A, B를 포함한 8명의 수학 동아리 회원 중에서 수학 체험전에 참가할 5명의 회원을 임의로 뽑을 때, A, B가 모두 뽑힐 확률은?

① $\frac{1}{7}$ ② $\frac{3}{14}$ ③ $\frac{5}{14}$
④ $\frac{3}{7}$ ⑤ $\frac{1}{2}$

0429 중요 ●●○○

n개의 당첨 제비가 들어 있는 10개의 제비 중에서 2개를 뽑을 때, 2개가 모두 당첨될 확률이 $\frac{1}{15}$이라고 한다. n의 값을 구하시오.

0430 ●●●○

10명의 학생으로 이루어진 모임에서 대표 2명을 뽑을 때, 남학생과 여학생이 1명씩 뽑힐 확률은 $\frac{8}{15}$이다. 10명의 학생 중에서 여학생의 수를 구하시오. (단, 여학생이 남학생보다 많다.)

유형 09 조합을 이용하는 확률-합의 법칙 이용

내신 중요도 ▬▬▬▬▬ 유형 난이도 ★★★★★

조합을 이용하여 경우의 수를 구할 때, 여러 가지 다른 경우가 존재하면 합의 법칙을 이용하자.

0431 짱중요 ●●○○

흰 공 3개, 붉은 공 2개가 들어 있는 주머니에서 2개의 공을 동시에 꺼낼 때, 같은 색의 공이 나올 확률을 구하시오.

0432 ●●○○

숫자 1이 적힌 카드가 1장, 2가 적힌 카드가 2장, 3이 적힌 카드가 3장, 4가 적힌 카드가 4장 있다. 이 10장의 카드를 모두 섞은 후 두 장의 카드를 임의로 뽑을 때, 두 장의 카드에 적힌 수가 같을 확률은?

① $\frac{1}{9}$ ② $\frac{2}{9}$ ③ $\frac{1}{3}$
④ $\frac{4}{9}$ ⑤ $\frac{5}{9}$

0433 중요 ●●●○

흰 공과 검은 공을 합하여 16개가 들어 있는 주머니에서 임의로 2개의 공을 꺼낼 때, 그 공이 모두 흰 공이거나 모두 검은 공일 확률이 $\frac{1}{2}$이라 한다. 흰 공과 검은 공의 개수의 차를 구하시오.

0434 중요 교육청 기출 ●●●○

1부터 9까지의 자연수가 하나씩 적혀 있는 9개의 공이 들어 있는 주머니가 있다. 이 주머니에서 임의로 3개의 공을 동시에 꺼낼 때, 꺼낸 공에 적혀 있는 세 수의 합이 짝수일 확률은?

① $\frac{5}{14}$ ② $\frac{8}{21}$ ③ $\frac{3}{7}$
④ $\frac{10}{21}$ ⑤ $\frac{11}{21}$

0435 교육청 기출 ●●●○

흰 공 6개와 빨간 공 4개가 들어 있는 주머니가 있다. 이 주머니에서 임의로 4개의 공을 동시에 꺼낼 때, 꺼낸 4개의 공 중 흰 공의 개수가 3 이상일 확률은?

① $\frac{17}{42}$ ② $\frac{19}{42}$ ③ $\frac{1}{2}$
④ $\frac{23}{42}$ ⑤ $\frac{25}{42}$

0436 ●●●○

A, B, C 세 사람이 각각 한 개의 주사위를 한 번씩 던져서 나온 세 눈의 수를 각각 a, b, c라 할 때, $a<b<c$ 또는 $a>b>c$일 확률은?

① $\frac{5}{108}$ ② $\frac{5}{54}$ ③ $\frac{5}{27}$
④ $\frac{5}{18}$ ⑤ $\frac{5}{9}$

0437 ●●●●

1부터 9까지의 자연수가 하나씩 적혀 있는 9장의 카드가 있다. 이 카드 중에서 임의로 4장의 카드를 택할 때, 택한 카드에 적혀 있는 수 중에서 가장 큰 수와 가장 작은 수의 합이 9일 확률을 구하시오.

0438 중요 교육청 기출 ●●●●

집합 $A=\{1, 2, 3, 4\}$가 있다. A의 부분집합 중에서 임의로 서로 다른 두 집합을 택하였을 때, 한 집합이 다른 집합의 부분집합이 될 확률은?

① $\frac{7}{24}$ ② $\frac{9}{24}$ ③ $\frac{11}{24}$
④ $\frac{13}{24}$ ⑤ $\frac{15}{24}$

0439 중요 ●●●●

1부터 20까지의 자연수 중 세 수를 동시에 선택하여 작은 수부터 차례로 나열할 때, 이 세 수가 등차수열을 이룰 확률을 구하시오.

유형 10 조합을 이용하는 확률 – 곱의 법칙 이용

내신 중요도 ▬▬▬▬ 유형 난이도 ★★★★★

사건 A가 일어나는 경우가 m가지이고 그 각각에 대하여 사건 B가 일어나는 경우가 n가지일 때, 두 사건 A, B가 동시에 일어나는 경우의 수는

$m \times n$

0440 중요 평가원 기출 ●●○○

흰 공 3개, 검은 공 4개가 들어 있는 주머니가 있다. 이 주머니에서 임의로 네 개의 공을 동시에 꺼낼 때, 흰 공 2개와 검은 공 2개가 나올 확률은?

① $\frac{2}{5}$ ② $\frac{16}{35}$ ③ $\frac{18}{35}$
④ $\frac{4}{7}$ ⑤ $\frac{22}{35}$

0441 중요 ●●○○

대표 2명, 부대표 3명, 부원 4명인 어느 모임에서 대표 2명은 각자 나머지 7명과 모두 악수를 하였다. 그리고 부대표 3명은 각자 나머지 4명의 부원과 모두 악수를 하였다. 이 모임의 9명 중에서 임의로 3명을 택했을 때, 3명이 모두 서로 악수를 나눈 사람들일 확률을 구하시오.

0442 ●●●○

5명의 학생 A, B, C, D, E 중에서 임의로 3명을 뽑아 일렬로 세울 때, C, D가 이웃하게 서 있을 확률을 $\frac{q}{p}$라 하자. $p+q$의 값을 구하시오. (단, p, q는 서로소인 자연수이다.)

0443 중요 ●●●○

1부터 10까지의 자연수가 각각 하나씩 적힌 10장의 카드 중에서 3장을 뽑았을 때, 3장에 적힌 수의 곱이 4의 배수가 될 확률을 구하시오.

0444 ●●●○

두 주머니 A와 B에는 숫자 1, 2, 3, 4가 하나씩 적혀 있는 4장의 카드가 각각 들어 있다. 갑은 주머니 A에서, 을은 주머니 B에서 각자 임의로 두 장의 카드를 꺼내어 가진다. 갑이 가진 두 장의 카드에 적힌 수의 합과 을이 가진 두 장의 카드에 적힌 수의 합이 같을 확률을 구하시오.

0445 중요 ●●●○

두 집합 $A=\{1,\ 2,\ 3,\ 4,\ 5\}$, $B=\{6,\ 7\}$에 대하여 다음 조건을 만족시키는 두 집합 X, Y를 임의로 선택한다. 집합 X에 포함된 홀수의 개수가 집합 Y에 포함된 홀수의 개수보다 클 확률을 구하시오.

> (가) $X\subset A$, $n(X)=2$
> (나) $Y\subset\{(A-X)\cup B\}$, $n(Y)=2$

0446 중요 ●●●○

남학생 3명과 여학생 3명으로 구성된 과학 동아리가 있다. 이 동아리에서 회원을 임의로 2명씩 3팀으로 나누어 실험을 할 때, 남학생으로만 구성된 팀이 생기게 될 확률은?

① $\frac{1}{2}$ ② $\frac{3}{5}$ ③ $\frac{7}{10}$
④ $\frac{4}{5}$ ⑤ $\frac{9}{10}$

0447 ●●●○

6명의 학생 A, B, C, D, E, F를 임의로 2명씩 짝을 지어 3개의 조로 편성하려고 한다. A와 B는 같은 조에 편성되고, C와 D는 서로 다른 조에 편성될 확률은?

① $\frac{1}{15}$ ② $\frac{1}{10}$ ③ $\frac{2}{15}$
④ $\frac{1}{6}$ ⑤ $\frac{1}{5}$

0448 중요 ●●●○

집합 $U=\{1,\ 2,\ 3,\ 4\}$의 공집합이 아닌 모든 부분집합 중에서 임의로 서로 다른 두 부분집합을 택할 때, 두 부분집합이 서로소일 확률은?

① $\frac{1}{7}$ ② $\frac{4}{21}$ ③ $\frac{5}{21}$
④ $\frac{2}{7}$ ⑤ $\frac{1}{3}$

유형 11 내신 중요도 유형 난이도

중복조합을 이용하는 확률

서로 다른 n개에서 중복을 허용하여 r개를 택하는 중복조합의 수

⇨ ${}_{n}\mathrm{H}_{r}={}_{n+r-1}\mathrm{C}_{r}$

0449 ●●○○

주영이가 마트에서 귤, 참외, 사과, 배를 구입하려고 한다. 중복을 허용하여 6개를 구입할 때, 배가 3개만 포함될 확률은?

① $\frac{1}{42}$ ② $\frac{1}{21}$ ③ $\frac{1}{14}$

④ $\frac{2}{21}$ ⑤ $\frac{5}{42}$

0450 ●●○○

똑같은 연필 10자루를 네 명의 학생에게 나누어 줄 때, 모든 학생이 적어도 한 자루의 연필을 받을 확률을 구하시오.

0451 중요 ●●●○

집합 $A=\{1, 2, 3, 4, 5\}$의 모든 부분집합 중에서 중복을 허락하여 임의로 2개를 택할 때, 한 집합이 다른 집합의 부분집합일 확률을 구하시오.

0452 중요 ●●●○

한 개의 주사위를 3번 던질 때 나오는 눈의 수를 차례로 a, b, c라 하자. 부등식 $a\le b\le c$를 만족시킬 확률이 $\frac{q}{p}$일 때, $p+q$의 값을 구하시오. (단, p와 q는 서로소인 자연수이다.)

0453 ●●●○

방정식 $x+y+z=8$을 만족시키는 음이 아닌 정수해의 순서쌍 (x, y, z) 중에서 하나를 임의로 택할 때, x, y, z가 모두 양의 정수로만 이루어질 확률을 구하시오.

0454 중요 ●●●○

음이 아닌 정수 x, y, z에 대하여 방정식 $x+y+z=10$의 해의 순서쌍 (x, y, z) 중에서 하나를 택할 때, 순서쌍이 $x\ge 1$, $y\ge 2$, $z\ge 3$을 만족시킬 확률은 $\frac{q}{p}$이다. $p+q$의 값을 구하시오.

(단, p, q는 서로소인 자연수이다.)

유형 12 도형, 좌표를 이용하는 확률

내신 중요도 ▬▬▬▬▬ 유형 난이도 ★★★☆☆

일직선 위에 있지 않은 n개의 점에서 세 점을 택하여 삼각형을 만드는 경우의 수는 ⇨ ${}_{n}C_{3}$

참고 일직선 위의 세 점을 연결하면 삼각형이 되지 않는다.

0455 ●●○○

한 모서리의 길이가 1인 정육면체에서 서로 다른 두 꼭짓점을 택할 때, 그 거리가 1.1 이상일 확률을 구하시오.

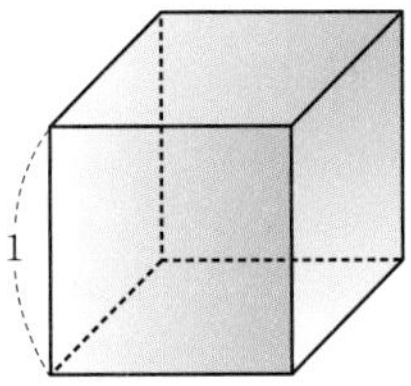

0456 중요 ●●○○

그림과 같이 반원의 호를 6등분하는 점 7개와 지름의 중점 O가 있다. 이 중에서 임의로 세 점을 뽑아 선분으로 연결했을 때, 그 도형이 직각삼각형이 될 확률을 구하시오.

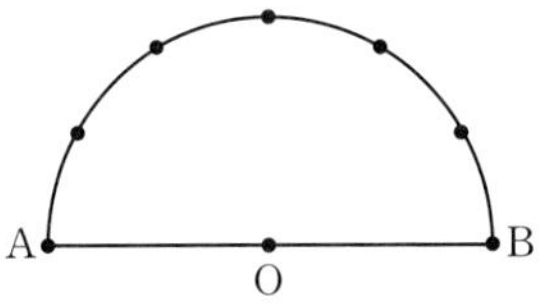

0457 교육청 기출 ●●●○

정팔각형의 꼭짓점 중 임의의 세 점을 택하여 만든 삼각형이 직각삼각형일 때, 그 삼각형이 이등변삼각형일 확률을 $\frac{q}{p}$라 하자. 이때, $10p+q$의 값을 구하시오.

(단, p, q는 서로소인 자연수이다.)

0458 ●●●○

그림과 같이 거리가 1인 두 개의 평행선 위에 거리가 1만큼씩 떨어져 있는 점이 각각 5개씩 있다. 이 중에서 네 개의 점을 연결하여 사각형을 만들 때, 넓이가 3이 될 확률을 구하시오.

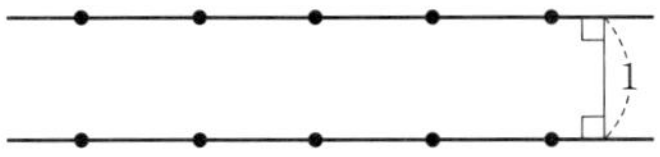

0459 ●●●○

그림과 같이 수직선 위를 움직이는 점 P가 있다. 한 개의 주사위를 던져 짝수의 눈이 나오면 오른쪽으로 1만큼, 홀수의 눈이 나오면 왼쪽으로 1만큼 점 P가 움직인다. 주사위를 4번 던진 후 원점에서 출발한 점 P가 다시 원점으로 돌아왔을 때, 점 P가 점 A(1)을 들러 왔을 확률은 $\frac{b}{a}$이다. a^2+b^2의 값을 구하시오.

(단, a, b는 서로소인 자연수이다.)

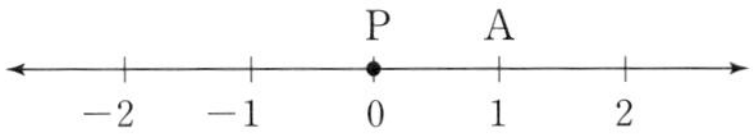

0460 ●●●●

그림과 같이 좌표평면 위의 원점 O를 출발하여 매초 1만큼 x축의 방향 또는 y축의 방향으로 움직이는 점 P가 있다. 예를 들어 점 P가 원점을 출발하여 3초 후에 점 (1, 0)에 도달하는 경로 중에서 하나는

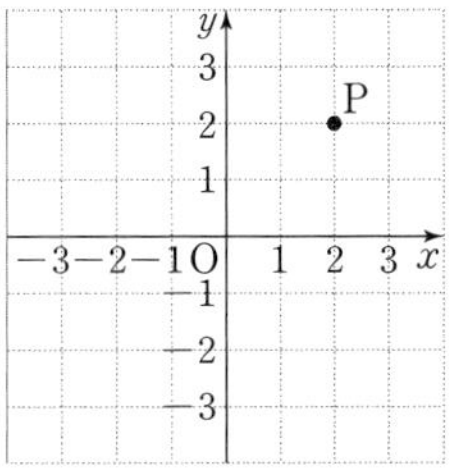

$(0, 0) \rightarrow (1, 0) \rightarrow (1, 1) \rightarrow (1, 0)$과 같다. 점 P가 원점을 출발하여 6초 후에 점 (2, 2)에 도달할 확률을 구하시오.

유형 13 내신 중요도 유형 난이도 ★★★★☆

함수의 개수를 이용하는 확률

두 집합 $X=\{x_1, x_2, \cdots, x_m\}$, $Y=\{y_1, y_2, \cdots, y_n\}$일 때,

(1) X에서 Y로의 함수의 개수 ⇨ ${}_n\Pi_m=n^m$

(2) $m\le n$일 때,

① $x_i\ne x_j$이면 $f(x_i)\ne f(x_j)$인 함수의 개수 ⇨ ${}_n\mathrm{P}_m$

② $x_i<x_j$이면 $f(x_i)<f(x_j)$인 함수의 개수 ⇨ ${}_n\mathrm{C}_m$

③ $x_i<x_j$이면 $f(x_i)\le f(x_j)$인 함수의 개수 ⇨ ${}_n\mathrm{H}_m$

⇨ 서로 다른 n개에서 중복을 허락하여 m개를 택하는 중복조합의 수와 같다.

0461 중요 ●●○○

두 집합 $A=\{1, 2, 3\}$, $B=\{1, 2, 3, 4, 5, 6\}$에 대하여 $f: A \longrightarrow B$인 함수 중에서 하나를 택할 때, 그 함수가 $i\in A$, $j\in A$에 대하여 $i>j$이면 $f(i)>f(j)$를 만족시키는 함수일 확률을 구하시오.

0462 ●●○○

두 집합 $A=\{3, 4, 5\}$, $B=\{6, 7, 8, 9, 10\}$에 대하여 $f: A \longrightarrow B$인 함수를 만들 때, $x_1\in A$, $x_2\in A$에 대하여 $x_1<x_2$이면 $f(x_1)\le f(x_2)$를 만족시킬 확률이 $\frac{b}{a}$이다. $a+b$의 값을 구하시오. (단, a, b는 서로소인 자연수이다.)

0463 교육청 기출 ●●○○

집합 $A=\{1, 2, 3, 4, 5\}$에서 A로의 일대응대응 중에서 한 개를 선택할 때, 자기 자신으로 대응되는 원소가 3개인 함수일 확률은?

① $\frac{1}{12}$ ② $\frac{1}{6}$ ③ $\frac{3}{8}$ ④ $\frac{1}{2}$ ⑤ $\frac{3}{5}$

0464 ●●○○

집합 $X=\{1, 2, 3\}$에 대하여 X에서 X로의 함수를 만들 때, 함숫값의 합이 5가 될 확률은?

① $\frac{2}{9}$ ② $\frac{1}{3}$ ③ $\frac{4}{9}$ ④ $\frac{5}{9}$ ⑤ $\frac{2}{3}$

0465 ●●●○

정의역이 $X=\{1, 2, 3, 4\}$, 공역이 $Y=\{1, 2, 4, 8\}$인 함수 f 중에서 임의로 선택한 한 함수가 $f(1)\times f(2)\times f(3)=f(4)$를 만족시킬 확률을 구하시오.

0466 중요 ●●●○

집합 $A=\{1, 2, 3, 4\}$에서 집합 $B=\{1, 2, 3, 4, 5, 6, 7\}$로의 함수 f는 임의의 $x_1\in X$, $x_2\in X$에 대하여 $x_1\ne x_2$이면 $f(x_1)\ne f(x_2)$가 성립한다. 이 함수 중에서 임의로 하나를 선택할 때, 선택한 함수 f가 다음 조건을 만족시킬 확률을 구하시오.

> $a\in A$에 대하여 $f(a)=2a$인 a의 개수는 2이다.

0467 ●●●●

두 집합 $X=\{1, 2, 3, 4, 5\}$, $Y=\{2, 3, 4, 5, 6\}$에 대하여 함수 $f: X \longrightarrow Y$ 중에서 다음 조건을 만족시키는 함수일 확률을 구하시오.

> (가) 함수 f의 치역의 원소의 개수는 4이다.
> (나) $f(a)=a+1$인 X의 원소 a의 개수는 3이다.

0468 중요 ●●●○

두 집합 $X=\{a, b, c\}$, $Y=\{1, 2, 3, 4\}$에 대하여 함수 $f: X \longrightarrow Y$ 중에서 하나를 택할 때, $f(a)<f(b)=f(c)$를 만족시킬 확률을 $\frac{q}{p}$라 하자. $p+q$의 값을 구하시오.

(단, p, q는 서로소인 자연수이다.)

0469 ●●●○

두 집합 $X=\{1, 2, 3, 4\}$, $Y=\{1, 2, 3, 4, 5, 6\}$에 대하여 X에서 Y로의 함수 중에서 임의로 한 개를 택할 때, 이 함수가 다음 조건을 만족시키는 함수 f일 확률은 $\frac{q}{p}$이다. $p+q$의 값을 구하시오.

(단, p, q는 서로소인 자연수이다.)

> (가) X의 임의의 두 원소 x_1, x_2에 대하여 $x_1<x_2$이면 $f(x_1) \le f(x_2)$이다.
> (나) $f(2)=4$

유형 14 확률의 기본 성질

내신 중요도 ▬▬▬▬▬ 유형 난이도 ★★★☆☆

(1) 임의의 사건 A에 대하여 $0 \le \mathrm{P}(A) \le 1$
(2) 전사건에 대하여 $\mathrm{P}(S)=1$
(3) 공사건에 대하여 $\mathrm{P}(\varnothing)=0$

0470 ●○○○

흰 공 3개와 파란 공 2개가 들어 있는 주머니에서 임의로 3개의 공을 동시에 꺼낼 때, 흰 공이 나올 확률을 구하시오.

0471 ●●○○

표본공간을 S, 공사건을 $\varnothing$라 할 때, 임의의 두 사건 A, B에 대하여 〈보기〉에서 옳은 것만을 있는 대로 고른 것은?

> **보기**
> ㄱ. $0 \le \mathrm{P}(A) \le 1$
> ㄴ. $\mathrm{P}(S)+\mathrm{P}(\varnothing)=1$
> ㄷ. $1<\mathrm{P}(S)+\mathrm{P}(A)+\mathrm{P}(B)+\mathrm{P}(\varnothing)<2$

① ㄱ ② ㄴ ③ ㄱ, ㄴ
④ ㄱ, ㄷ ⑤ ㄱ, ㄴ, ㄷ

해설 080쪽

0472 ●●●○

어떤 시행에서 표본공간 S의 부분집합인 서로 다른 두 사건을 A, B라 할 때, 〈보기〉에서 옳은 것만을 있는 대로 고른 것은?

보기

ㄱ. $A \subset B$이면 $\mathrm{P}(A) \leq \mathrm{P}(B)$

ㄴ. $\mathrm{P}(A)+\mathrm{P}(B)=1$이면 두 사건 A와 B는 서로 배반사건이다.

ㄷ. $A \cup B=S$이면 $\mathrm{P}(A)+\mathrm{P}(B)=1$

① ㄱ ② ㄴ ③ ㄱ, ㄴ
④ ㄱ, ㄷ ⑤ ㄱ, ㄴ, ㄷ

0473 ●●●○

표본공간 S의 부분집합인 두 사건 A, B가 일어날 확률 $\mathrm{P}(A)$, $\mathrm{P}(B)$에 대하여 다음 조건이 성립할 때, $3\mathrm{P}(A)+\mathrm{P}(B)$의 값을 구하시오.

(가) $\mathrm{P}(A)-2\mathrm{P}(B)=\mathrm{P}(\varnothing)$

(나) $\dfrac{\mathrm{P}(A)+\mathrm{P}(B)}{3}=\mathrm{P}(S)-2\mathrm{P}(B)$

유형 15 통계적 확률

내신 중요도 ■■■■■ 유형 난이도 ★★★★★

사건 A가 n번에 r번 꼴로 일어날 때,

사건 A가 일어날 통계적 확률 ⇨ $\dfrac{r}{n}$

0474 ●●○○

다음 표는 어느 프로 야구 선수가 올해 기록한 성적이다. 이 선수의 올해 타율을 구하시오. $\left(\text{단, 타율은 } \dfrac{(\text{안타 수})}{(\text{타수})}\text{를 의미한다.}\right)$

타수	안타 수			
	1루타	2루타	3루타	홈런
320	41	23	6	10

0475 ●●●○

주머니 속에 노란 공이 2개, 빨간 공이 3개, 파란 공이 n개 들어 있다. 이 주머니에서 한 개의 공을 꺼내어 색을 확인하고 다시 넣는 시행을 1500번 하였더니 그중 노란 공이 120번 나왔다. n의 값을 추측하면?

① 1 ② 2 ③ 10
④ 20 ⑤ 40

0476 ●●○○

다음 표는 어떤 단추를 여러 번 던져서 앞면이 나온 횟수를 조사한 것이다. 이 단추의 앞면이 나올 확률의 근삿값을 소수점 아래 둘째 자리까지 구하시오.

던진 횟수	20	50	100	200	300
앞면이 나온 횟수	10	23	44	91	136

적중 문제

시험에 잘 나오는 문제로 점검하기

해설 081쪽

0477

표본공간 $S=\{x|x$는 10 이하의 자연수$\}$에 대하여 두 사건 A, B가 $A=\{x|x$는 10의 약수$\}$, $B=\{x|x$는 10 이하의 홀수$\}$일 때, 두 사건 A, B와 모두 배반인 사건 C의 개수를 구하시오.

0478

서로 다른 두 개의 주사위를 동시에 던질 때, 나오는 두 눈의 수의 차가 4 이상일 확률은?

① $\frac{1}{6}$　② $\frac{1}{3}$　③ $\frac{1}{2}$
④ $\frac{2}{3}$　⑤ $\frac{5}{6}$

0479 서술형

서로 다른 세 개의 주사위 A, B, C를 동시에 던져 나오는 눈의 수를 각각 a, b, c라 할 때, 부등식 $a<b\le c$를 만족시킬 확률을 구하시오.

0480

다섯 개의 문자 a, b, c, d, e가 각각 적혀 있는 5장의 카드를 일렬로 나열할 때, c, d, e가 적힌 카드가 서로 이웃할 확률은?

① $\frac{3}{10}$　② $\frac{2}{5}$　③ $\frac{1}{2}$
④ $\frac{3}{5}$　⑤ $\frac{7}{10}$

0481

다섯 개의 숫자 0, 1, 2, 3, 4에서 서로 다른 세 개의 숫자를 사용하여 세 자리 자연수를 만들 때, 3의 배수일 확률을 구하시오.

0482

6개의 문자 B, C, D, E, E, F를 일렬로 나열할 때, 양 끝에 자음이 위치할 확률은?

① $\frac{1}{5}$　② $\frac{1}{4}$　③ $\frac{2}{5}$
④ $\frac{1}{2}$　⑤ $\frac{3}{5}$

해설 082쪽

0483

A, B, C, D, E, F의 6명 중에서 3명의 대표를 뽑을 때, A는 포함되고 B는 포함되지 않을 확률을 구하시오.

0484

남학생 3명, 여학생 5명 중에서 2명을 뽑을 때, 모두 남학생이거나 모두 여학생일 확률을 구하시오.

0485 서술형

남녀 학생 합하여 36명인 동아리에서 대표 2명을 임의로 정할 때, 2명이 모두 남학생이거나 모두 여학생일 확률이 $\frac{1}{2}$이라고 한다. 이때 남학생의 수를 구하시오.

(단, 남학생의 수는 여학생 수보다 적다.)

0486

0부터 9까지의 숫자가 각각 하나씩 적혀 있는 10장의 카드가 있다. 이 중에서 3장의 카드를 동시에 꺼낼 때, 적혀 있는 숫자들 중에서 가장 큰 수를 a, 가장 작은 수를 b라 하자. $a-b\leq3$일 확률을 구하시오.

0487

정팔각형의 8개의 꼭짓점 중에서 임의로 세 꼭짓점을 연결하여 만든 삼각형이 이등변삼각형이 될 확률을 구하시오.

0488

두 집합 $A=\{1, 2, 3\}$, $B=\{1, 2, 3, 4, 5\}$에 대하여 $f: A \longrightarrow B$인 함수 중에서 하나를 택할 때, 그 함수가 $i\in A$, $j\in A$에 대하여 $i<j$이면 $f(i)<f(j)$를 만족시키는 함수일 확률을 구하시오.

해설 083쪽

Level 1

0489 교육청 기출

모자를 쓴 네 사람이 실내에 들어와 모자를 한 곳에 벗어놓은 후, 나갈 때는 놓여 있던 모자를 임의로 하나씩 착용하였다. 네 사람 모두 자신의 모자를 착용하지 않게 될 확률은 $\frac{q}{p}$이다. $p+q$의 값을 구하시오. (단, p, q는 서로소인 자연수이다.)

0490

한 개의 주사위를 두 번 던져 첫 번째 나온 눈의 수를 a, 두 번째 나온 눈의 수를 b라고 한다. $f(x)=(5-a)x+1$, $g(x)=(b-3)x-3$일 때, 직선 $y=(f\circ g)(x)$가 제1사분면을 지날 확률을 구하시오.

0491

1부터 9까지의 자연수 중에서 임의로 서로 다른 4개의 수를 선택하여 네 자리의 자연수를 만들 때, 백의 자리의 수와 십의 자리의 수의 합이 짝수가 될 확률은?

① $\frac{4}{9}$　② $\frac{1}{2}$　③ $\frac{5}{9}$
④ $\frac{11}{18}$　⑤ $\frac{13}{18}$

0492

1에서 n까지의 자연수가 각각 하나씩 적혀 있는 n장의 카드가 있다. 이 중에서 3장의 카드를 동시에 꺼낼 때, 꺼낸 3장의 카드에 적힌 수가 연속인 자연수일 확률을 P_n이라고 한다. $\sum_{n=3}^{20}\mathrm{P}_n$의 값을 구하시오.

0493

반지름이 길이가 6이고 중심이 O인 원의 내부에 점 P가 있을 때, $3\le\overline{OP}\le6$일 확률을 구하시오.

0494

집합 $X=\{-2,\ -1,\ 0,\ 1,\ 2\}$에 대하여 X에서 X로의 함수 f 중에서 임의로 하나의 함수를 택할 때, 이 함수가 $x\in X$인 모든 x에 대하여 $f(x)=-f(-x)$를 만족시키는 함수일 확률을 구하시오.

Level 2

0495

1부터 10까지의 자연수가 각각 하나씩 적힌 10개의 구슬이 주머니에 들어 있다. 이 주머니에서 임의로 한 개의 구슬을 꺼내어 그 구슬에 적힌 수를 m이라 할 때, 직선 $y=m$과 포물선 $y=-x^2+5x-\frac{3}{4}$이 만나도록 하는 수가 적힌 구슬을 꺼낼 확률을 구하시오.

0496 교육청 기출

1부터 15까지의 자연수 중에서 서로 다른 세 수를 택하여 택한 순서대로 나열할 때, 세 수가 나열된 순서대로 등차수열이 될 확률은?

① $\frac{7}{195}$ ② $\frac{1}{13}$ ③ $\frac{7}{65}$
④ $\frac{12}{65}$ ⑤ $\frac{1}{5}$

0497

평가원 기출

좌표평면 위에 두 점 A(0, 4), B(0, −4)가 있다. 한 개의 주사위를 두 번 던질 때 나오는 눈의 수를 차례로 m, n이라 하자.

점 $\mathrm{C}\left(m\cos\frac{n\pi}{3}, m\sin\frac{n\pi}{3}\right)$에 대하여 삼각형 ABC의 넓이가 12보다 작을 확률은?

① $\frac{1}{2}$　② $\frac{5}{9}$　③ $\frac{11}{18}$　④ $\frac{2}{3}$　⑤ $\frac{13}{18}$

0498

주머니 안에 1부터 8까지의 자연수가 각각 하나씩 적혀 있는 8개의 공이 들어 있다. 이 주머니에서 임의로 세 개의 공을 동시에 꺼낼 때, 꺼낸 공에 적혀 있는 수를 각각 a, b, c $(a<b<c)$라 하자. $\frac{bc}{a}$가 자연수일 확률은 $\frac{q}{p}$이다. $p+q$의 값을 구하시오.

(단, p, q는 서로소인 자연수이다.)

0499

1부터 9까지의 자연수가 각각 하나씩 적혀 있는 9개의 구슬을 임의로 3개씩 3묶음으로 나누어 상자 A, B, C에 각각 한 묶음씩 넣을 때, 각 상자에 들어 있는 세 구슬에 적혀 있는 수의 합이 모두 홀수일 확률을 구하시오.

0500

교육청 기출

한 변의 길이가 1인 정사각형 12개를 그림과 같이 배치하여 나타나는 24개의 꼭짓점들 중 임의로 2개의 점을 선택하여 선분을 만들 때, 선분의 길이가 $\sqrt{10}$일 확률은?

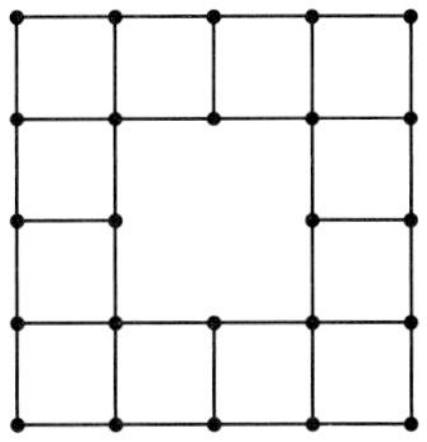

① $\frac{2}{69}$　② $\frac{4}{69}$　③ $\frac{2}{23}$　④ $\frac{8}{69}$　⑤ $\frac{10}{69}$

03 확률의 뜻과 성질

해설 086쪽

Level 3

0501

3명씩 탑승한 두 대의 자동차 A, B가 어느 휴게소에서 만났다. 이들 6명은 연료절약을 위해 좌석수가 6개인 자동차 B에 모두 승차하려고 한다. 자동차 B의 운전자는 자리를 바꾸지 않고 나머지 5명은 임의로 앉을 때, 처음부터 자동차 B에 탔던 2명이 모두 처음 좌석이 아닌 다른 좌석에 앉게 될 확률은 $\frac{q}{p}$이다. $p+q$의 값을 구하시오. (단, p, q는 서로소인 자연수이다.)

0502

집합 $\{1, 2, 3, \cdots, 100\}$에서 중복을 허용하여 임의로 두 수 a, b를 뽑을 때, 3^a+7^b의 일의 자리의 수가 0일 확률은?

① $\frac{1}{2}$ ② $\frac{1}{3}$ ③ $\frac{1}{4}$

④ $\frac{3}{16}$ ⑤ $\frac{1}{8}$

0503

집합 $X=\{1, 2, 3\}$에서 X로의 함수 중에서 임의로 선택한 함수를 f라 할 때, $f(1)f(2)f(3)$의 값이 6의 배수일 확률을 구하시오.

04 덧셈정리와 조건부확률

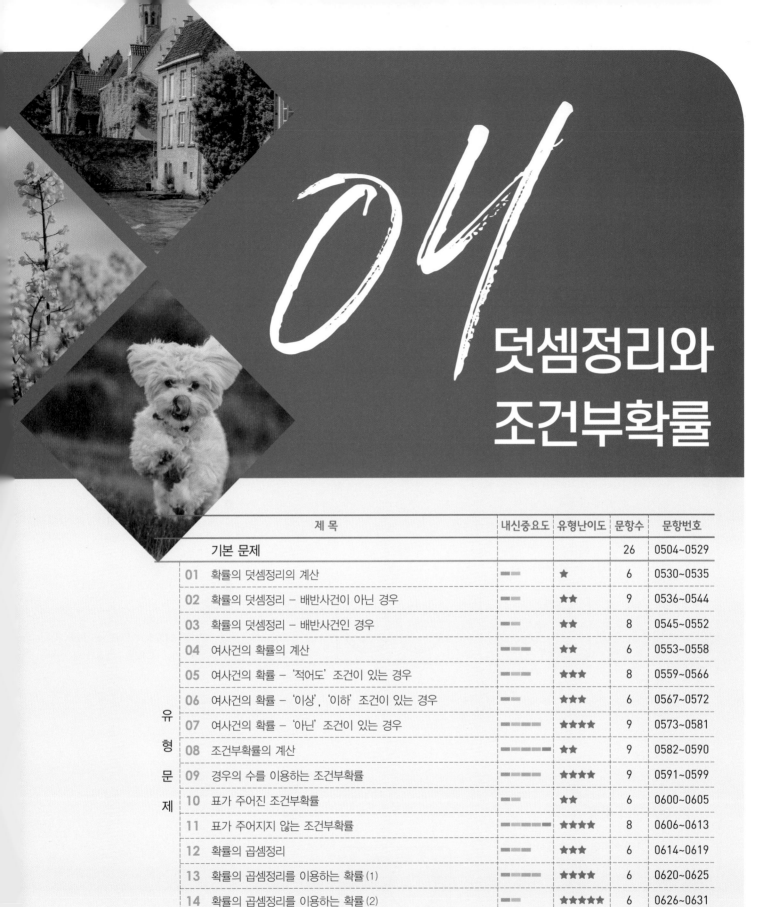

		제 목	내신중요도	유형난이도	문항수	문항번호
		기본 문제			26	0504~0529
유형문제	01	확률의 덧셈정리의 계산	▬▬	★	6	0530~0535
	02	확률의 덧셈정리 – 배반사건이 아닌 경우	▬▬	★★	9	0536~0544
	03	확률의 덧셈정리 – 배반사건인 경우	▬▬	★★	8	0545~0552
	04	여사건의 확률의 계산	▬▬▬	★★	6	0553~0558
	05	여사건의 확률 – '적어도' 조건이 있는 경우	▬▬▬	★★★	8	0559~0566
	06	여사건의 확률 – '이상', '이하' 조건이 있는 경우	▬▬	★★★	6	0567~0572
	07	여사건의 확률 – '아닌' 조건이 있는 경우	▬▬▬▬	★★★★	9	0573~0581
	08	조건부확률의 계산	▬▬▬▬▬	★★	9	0582~0590
	09	경우의 수를 이용하는 조건부확률	▬▬▬▬	★★★★	9	0591~0599
	10	표가 주어진 조건부확률	▬▬	★★	6	0600~0605
	11	표가 주어지지 않는 조건부확률	▬▬▬▬▬	★★★★	8	0606~0613
	12	확률의 곱셈정리	▬▬▬	★★★	6	0614~0619
	13	확률의 곱셈정리를 이용하는 확률 (1)	▬▬▬▬	★★★★	6	0620~0625
	14	확률의 곱셈정리를 이용하는 확률 (2)	▬▬	★★★★★	6	0626~0631
	15	확률의 곱셈정리와 조건부확률 (1)	▬▬▬	★★★★★	9	0632~0640
	16	확률의 곱셈정리와 조건부확률 (2)	▬▬	★★★★★	7	0641~0647
		적중 문제			12	0648~0659
		고난도 문제			19	0660~0678

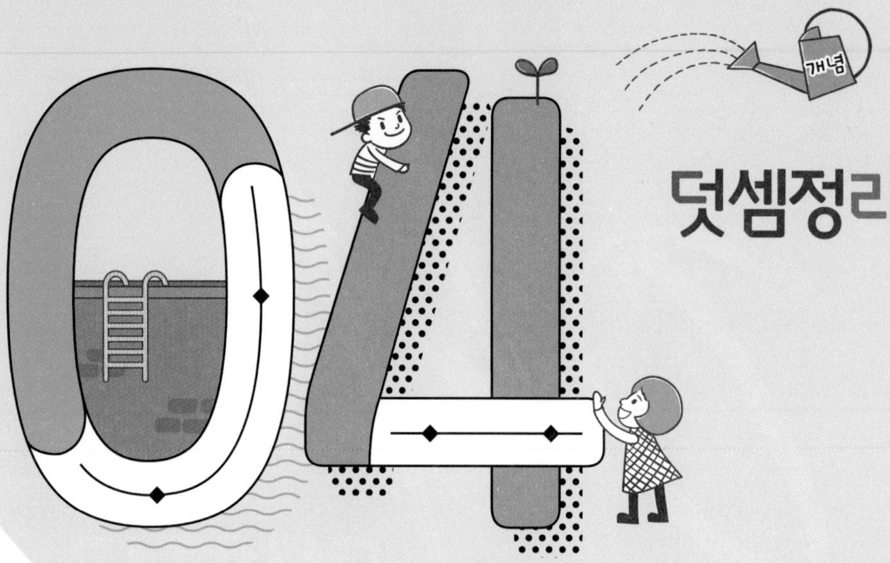

덧셈정리와 조건부확률

1. 확률의 덧셈정리

두 사건 A, B에 대하여

$$P(A \cup B) = P(A) + P(B) - P(A \cap B)$$

특히 두 사건 A, B가 서로 배반사건, 즉 $A \cap B = \varnothing$이면

$$P(A \cup B) = P(A) + P(B)$$

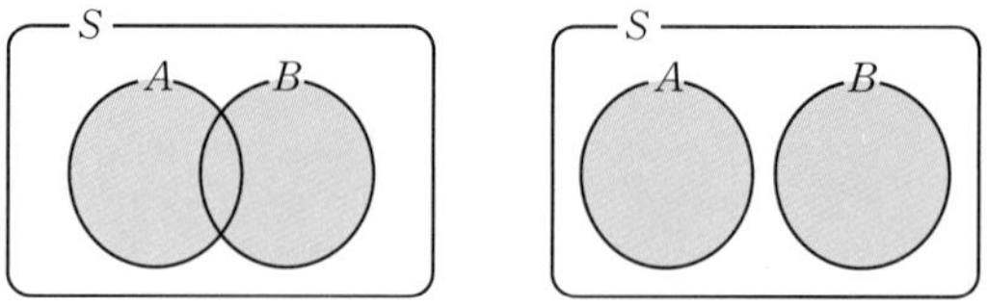

$A \cap B \neq \varnothing$　　　　$A \cap B = \varnothing$

합의 법칙
두 사건 A, B에 대하여 $A \cap B = \varnothing$일 때
$n(A \cup B) = n(A) + n(B)$

n개의 사건 A_1, A_2, A_3, $\cdots$, A_n이 서로 배반사건이면
$P(A_1 \cup A_2 \cup A_3 \cup \cdots \cup A_n)$
$= P(A_1) + P(A_2) + P(A_3) + \cdots + P(A_n)$

2. 여사건의 확률

사건 A의 여사건 A^C에 대하여

$$P(A^C) = 1 - P(A)$$

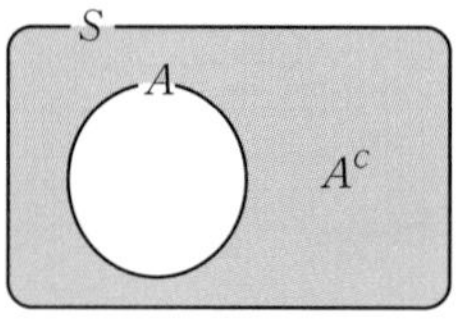

조건 속에 '적어도 ~인 사건', '~ 이상인 사건', '~ 이하인 사건'이라는 표현이 있는 경우에는 여사건의 확률을 이용하면 편리하다.

3. 조건부확률

확률이 0이 아닌 두 사건 A, B에 대하여 사건 A가 일어났다고 가정할 때, 사건 B가 일어날 확률을 사건 A가 일어났을 때의 사건 B의 조건부확률이라 하고, 기호로 $\mathrm{P}(B|A)$와 같이 나타낸다.

$$\mathrm{P}(B|A)=\frac{\mathrm{P}(A\cap B)}{\mathrm{P}(A)}\ (\text{단, } \mathrm{P}(A)\neq 0)$$

- $\mathrm{P}(B|A)$는 A를 새로운 표본공간으로 생각하고 표본공간 A에서 사건 $A\cap B$가 일어날 확률을 뜻한다.
- 조건부확률의 성질

$\mathrm{P}(A)>0$, $\mathrm{P}(B)>0$일 때,
① $\mathrm{P}(B^C|A)=1-\mathrm{P}(B|A)$
② 두 사건 A와 B가 서로 배반사건이면 $\mathrm{P}(B|A)=\mathrm{P}(A|B)=0$

4. 확률의 곱셈정리

(1) 두 사건 A, B에 대하여 두 사건이 동시에 일어날 확률은

$$\mathrm{P}(A\cap B)=\mathrm{P}(A)\mathrm{P}(B|A)=\mathrm{P}(B)\mathrm{P}(A|B)\ (\text{단, } \mathrm{P}(A)>0,\ \mathrm{P}(B)>0)$$

(2) 두 사건 A, E에 대하여

$$\mathrm{P}(E)=\mathrm{P}(A\cap E)+\mathrm{P}(A^C\cap E)$$
$$=\mathrm{P}(A)\mathrm{P}(E|A)+\mathrm{P}(A^C)\mathrm{P}(E|A^C)$$

- 두 사건 A, E에 대하여
$\mathrm{P}(E)=\mathrm{P}(A\cap E)+\mathrm{P}(A^C\cap E)$
$=\mathrm{P}(A)\mathrm{P}(E|A)$
$+\mathrm{P}(A^C)\mathrm{P}(E|A^C)$

5. 확률의 곱셈정리와 조건부확률

사건 E가 일어났다는 조건 하에 사건 A가 일어날 확률은

$$\mathrm{P}(A|E)=\frac{\mathrm{P}(A\cap E)}{\mathrm{P}(E)}=\frac{\mathrm{P}(A\cap E)}{\mathrm{P}(A\cap E)+\mathrm{P}(A^C\cap E)}$$

기본 문제

핵심 개념을 문제로 익히기

1 확률의 덧셈정리

[0504-0506] 다음 물음에 답하시오.

0504 두 사건 A, B에 대하여 $\mathrm{P}(A)=\frac{1}{3}$, $\mathrm{P}(B)=\frac{2}{5}$, $\mathrm{P}(A\cap B)=\frac{1}{15}$일 때, $\mathrm{P}(A\cup B)$를 구하시오.

0505 두 사건 A, B에 대하여 $\mathrm{P}(A)=\frac{3}{10}$, $\mathrm{P}(B)=\frac{1}{5}$, $\mathrm{P}(A\cup B)=\frac{9}{20}$일 때, $\mathrm{P}(A\cap B)$를 구하시오.

0506 서로 배반사건인 두 사건 A, B에 대하여 $\mathrm{P}(A)=\frac{1}{4}$, $\mathrm{P}(B)=\frac{2}{3}$일 때, $\mathrm{P}(A\cup B)$를 구하시오.

[0507-0510] 1부터 10까지의 자연수가 각각 하나씩 적힌 10장의 카드에서 한 장의 카드를 뽑을 때, 카드에 적힌 수가 2의 배수인 사건을 A, 소수인 사건을 B, 홀수인 사건을 C라 하자. 다음을 구하시오.

0507 $\mathrm{P}(A\cap B)$

0508 $\mathrm{P}(A\cup B)$

0509 $\mathrm{P}(A\cap C)$

0510 $\mathrm{P}(A\cup C)$

2 여사건의 확률

[0511-0515] 두 사건 A, B에 대하여 다음을 구하시오.

0511 $\mathrm{P}(A)=\frac{1}{6}$일 때, $\mathrm{P}(A^C)$

0512 $\mathrm{P}(A\cup B)=\frac{3}{4}$일 때, $\mathrm{P}(A^C\cap B^C)$

0513 $\mathrm{P}(A)=\frac{5}{6}$, $\mathrm{P}(A\cap B)=\frac{1}{6}$일 때, $\mathrm{P}(A\cap B^C)$

0514 $\mathrm{P}(A)=\frac{1}{3}$, $\mathrm{P}(B)=\frac{1}{2}$, $\mathrm{P}((A\cap B)^C)=\frac{5}{6}$일 때, $\mathrm{P}(A\cup B)$

0515 $\mathrm{P}(A)=\frac{1}{3}$, $\mathrm{P}(B^C)=\frac{3}{4}$, $\mathrm{P}(A\cup B)=\frac{1}{2}$일 때, $\mathrm{P}(A\cap B)$

[0516-0517] 다음 확률을 구하시오.

0516 서로 다른 세 개의 동전을 동시에 던질 때, 적어도 한 개가 뒷면이 나올 확률을 구하시오.

0517 8개 중에서 3개의 불량품이 들어 있는 상자에서 2개의 인형을 동시에 꺼낼 때, 적어도 한 개가 불량품일 확률을 구하시오.

3 조건부확률

[0518-0520] 두 사건 A, B에 대하여 $\mathrm{P}(A)=\frac{3}{8}$, $\mathrm{P}(B)=\frac{1}{2}$, $\mathrm{P}(A\cup B)=\frac{5}{8}$일 때, 다음을 구하시오.

0518 $\mathrm{P}(A\cap B)$

0519 $\mathrm{P}(B|A)$

0520 $\mathrm{P}(A|B)$

[0521-0523] 한 개의 주사위를 던질 때, 다음을 구하시오.

0521 홀수의 눈이 나올 확률

0522 소수의 눈이 나올 확률

0523 홀수의 눈이 나왔을 때, 그것이 소수일 확률

[0524-0526] 1부터 10까지의 자연수 중에서 임의로 한 개의 자연수를 택할 때, 3의 배수가 나오는 사건을 A, 짝수가 나오는 사건을 B라 하자. 다음을 구하시오.

0524 $\mathrm{P}(A\cap B)$

0525 $\mathrm{P}(B|A)$

0526 $\mathrm{P}(A|B)$

[0527-0529] 두 사건 A, B에 대하여 $\mathrm{P}(A)=0.3$, $\mathrm{P}(B)=0.2$, $\mathrm{P}(B|A)=0.5$일 때, 다음을 구하시오.

0527 $\mathrm{P}(A\cap B)$

0528 $\mathrm{P}(A\cup B)$

0529 $\mathrm{P}(A|B)$

유형 문제

내신 출제 유형 정복하기

유형 01 **확률의 덧셈정리와 여사건**

내신 중요도 ■■■■■ 유형 난이도 ★★★★★

표본공간 S의 두 사건 A, B에 대하여

(1) $P(A\cup B)=P(A)+P(B)-P(A\cap B)$

(2) A, B가 서로 배반사건, 즉 $A\cap B=\varnothing$이면

$$P(A\cup B)=P(A)+P(B)$$

0530 중요 평가원 기출 ●○○○

두 사건 A, B에 대하여

$$P(A)+P(B)=\frac{7}{9},\ P(A\cap B)=\frac{2}{9}$$

일 때, $P(A\cup B)$의 값은?

① $\frac{1}{3}$ ② $\frac{7}{18}$ ③ $\frac{4}{9}$ ④ $\frac{1}{2}$ ⑤ $\frac{5}{9}$

0531 ●○○○

두 사건 A, B에 대하여

$$P(A)=\frac{1}{2},\ P(A\cap B)=\frac{1}{4},\ P(A\cup B)=\frac{7}{12}$$

일 때, $P(B)$는?

① $\frac{1}{4}$ ② $\frac{1}{3}$ ③ $\frac{1}{2}$ ④ $\frac{2}{3}$ ⑤ $\frac{3}{4}$

0532 ●○○○

두 사건 A, B가 서로 배반사건이고

$$P(A)=\frac{1}{3},\ P(B)=\frac{1}{4}$$

일 때, $P(A\cup B)$는?

① $\frac{1}{12}$ ② $\frac{1}{4}$ ③ $\frac{5}{12}$ ④ $\frac{7}{12}$ ⑤ $\frac{3}{4}$

0533 평가원 기출 ●○○○

두 사건 A와 B는 서로 배반사건이고

$$P(A)=P(B),\ P(A)P(B)=\frac{1}{9}$$

일 때, $P(A\cup B)$의 값은?

① $\frac{1}{6}$ ② $\frac{1}{3}$ ③ $\frac{1}{2}$ ④ $\frac{2}{3}$ ⑤ $\frac{5}{6}$

0534 ●●○○

표본공간 S의 두 사건 A와 B는 서로 배반사건이고

$$A\cup B=S,\ P(A)=4P(B)$$

일 때, $P(B)$를 구하시오.

0535 중요 ●●○○

서로 배반사건이 아닌 두 사건 A, B에 대하여

$$P(A)=\frac{2}{3},\ P(B)=\frac{3}{5}$$

이 성립할 때, $P(A\cap B)$의 최솟값을 구하시오.

유형 02 확률의 덧셈정리 – 배반사건이 아닌 경우

내신 중요도 유형 난이도 ★★☆☆☆

표본공간 S의 두 사건 A, B에 대하여 $A\cap B\neq\varnothing$일 때, 사건 A 또는 사건 B가 일어날 확률은

$$P(A\cup B)=P(A)+P(B)-P(A\cap B)$$

0536 중요 ●○○○

한 개의 주사위를 던질 때, 6의 약수 또는 소수의 눈이 나오는 확률을 구하시오.

0537 짱중요 ●○○○

1에서 12까지의 번호가 각각 하나씩 적힌 12개의 공이 들어 있는 주머니에서 한 개의 공을 꺼낼 때, 2의 배수 또는 3의 배수가 적힌 공이 나올 확률을 구하시오.

0538 ●●○○

어느 반 학생 36명 중에서 방과후 수업에 참여하는 학생은 20명, 야간 자율 학습에 참여하는 학생은 28명이고, 방과후 수업과 야간 자율 학습에 모두 참여하지 않는 학생은 6명이다. 이 반에서 임의로 한 학생을 택할 때, 그 학생이 방과후 수업과 야간 자율 학습에 모두 참여하는 학생일 확률을 구하시오.

0539 ●●○○

1, 2, 3의 숫자가 각각 하나씩 적힌 3개의 공이 들어 있는 주머니가 있다. 임의로 1개의 공을 꺼내어 공에 적힌 숫자를 확인한 뒤 넣는 일을 3번 반복할 때, 꺼낸 공에 적힌 세 수가 모두 같거나 세 수의 합이 6일 확률을 구하시오.

0540 중요 ●●○○

어느 마을에서 사과를 생산하는 농가는 전체의 $\frac{2}{3}$, 배를 생산하는 농가는 전체의 $\frac{1}{2}$이고, 사과와 배를 모두 생산하는 농가는 전체의 $\frac{1}{4}$이다. 이 마을에서 한 농가를 임의로 골랐을 때, 이 농가가 사과 또는 배를 생산하는 농가일 확률을 구하시오.

0541 ●●○○

내일 눈이 올 확률이 40%, 내일과 모레 모두 눈이 올 확률은 20%이다. 내일 또는 모레 눈이 올 확률이 70%일 때, 모레 눈이 올 확률은 몇 %인지 구하시오.

0542 ●●○○

서로 다른 두 주사위 A, B를 던질 때, 주사위 A의 눈의 수가 주사위 B의 눈의 수보다 3만큼 크거나 주사위 A의 눈의 수가 주사위 B의 눈의 수의 2배일 확률은 $\frac{n}{m}$이다. $m+n$의 값을 구하시오. (단, m, n은 서로소인 자연수이다.)

0543 중요 ●●●○

한 개의 주사위를 세 번 던질 때, 나오는 세 눈의 수를 차례로 a, b, c라 하자. 세 수 a, b, c가 등식 $(a-b)(b-2c)=0$을 만족시킬 확률은?

① $\frac{7}{36}$ ② $\frac{5}{24}$ ③ $\frac{2}{9}$
④ $\frac{17}{72}$ ⑤ $\frac{1}{4}$

0544 ●●●○

어느 선풍기 공장에서 생산된 선풍기 중에서 보증 기간 동안 날개 부분에 문제가 발생할 확률은 $\frac{1}{20}$이고, 전기 부분에 문제가 발생할 확률은 $\frac{1}{10}$이었다. 이 공장에서 생산된 선풍기를 하나 샀을 때, 보증 기간 동안에 날개 또는 전기 부분에 문제가 발생할 확률의 최솟값을 구하시오.

유형 03 확률의 덧셈정리 - 배반사건인 경우

내신 중요도 ▬▬▬▬▬ 유형 난이도 ★★☆☆☆

표본공간 S의 두 사건 A, B가 서로 배반사건, 즉 $A\cap B=\varnothing$이면 사건 A 또는 사건 B가 일어날 확률은

$$P(A\cup B)=P(A)+P(B)$$

0545 짱중요 ●○○○

상자 속에 크기와 모양이 같은 흰 공 3개, 검은 공 5개가 들어 있다. 이 상자에서 임의로 2개의 공을 꺼낼 때, 2개 모두 같은 색의 공일 확률을 구하시오.

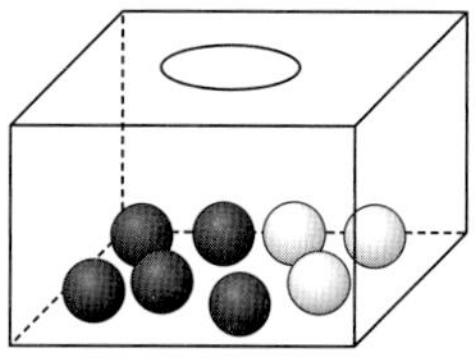

0546 ●●○○

수학 경시대회에 출전할 학교 대표 2명을 선발하는 시험에 1, 2, 3학년 학생이 각각 3명, 5명, 7명 참가하였다. 대표로 뽑힌 두 학생이 모두 같은 학년일 확률은? (단, 모든 학생의 실력은 같다.)

① $\frac{34}{105}$ ② $\frac{38}{105}$ ③ $\frac{8}{21}$
④ $\frac{44}{105}$ ⑤ $\frac{16}{35}$

0547 ●●○○

서로 다른 두 개의 주사위를 동시에 던질 때, 나오는 두 눈의 수의 합이 6의 배수일 확률은?

① $\frac{1}{12}$ ② $\frac{1}{9}$ ③ $\frac{5}{36}$
④ $\frac{1}{6}$ ⑤ $\frac{7}{36}$

0548 중요

서로 다른 2개의 주사위를 동시에 던질 때, 나오는 두 눈의 수의 합이 5이거나 차가 2일 확률은?

① $\frac{1}{9}$　② $\frac{2}{9}$　③ $\frac{1}{3}$
④ $\frac{4}{9}$　⑤ $\frac{5}{9}$

0549

흰 공 6개, 파란 공 4개가 들어 있는 주머니에서 임의로 3개의 공을 꺼낼 때, 흰 공 2개, 파란 공 1개가 나오거나 흰 공 1개, 파란 공 2개가 나올 확률은?

① $\frac{9}{10}$　② $\frac{4}{5}$　③ $\frac{3}{5}$
④ $\frac{1}{2}$　⑤ $\frac{3}{10}$

0550

노란 구슬 5개, 파란 구슬 5개가 들어 있는 주머니에서 4개의 구슬을 꺼낼 때, 노란 구슬의 개수가 2 이하일 확률이 $\frac{n}{m}$이다. $m+n$의 값을 구하시오. (단, m, n은 서로소인 자연수이다.)

0551 중요

0, 1, 2, 3, 4, 5의 숫자 중에서 세 수를 사용하여 각 자리의 숫자가 모두 다른 세 자리 정수를 만들 때, 그 수가 짝수일 확률을 구하시오.

0552

그림과 같이 원 위에 같은 간격으로 0부터 6까지의 숫자가 쓰여 있다. 한 개의 주사위를 2번 던져서 나온 두 눈의 수의 합만큼 0에서 출발하여 화살표 방향으로 바둑돌을 움직인다고 할 때, 바둑돌이 0 또는 5에 있을 확률이 $\frac{n}{m}$이라고 한다. $m+n$의 값을 구하시오. (단, m, n은 서로소인 자연수이다.)

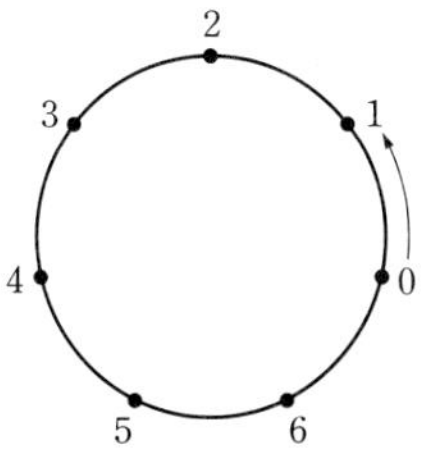

유형 04 여사건의 확률의 계산

내신 중요도 ■■■■■ 유형 난이도 ★★☆☆☆

표본공간 S의 두 사건 A, B에 대하여

(1) $\mathrm{P}(A^C)=1-\mathrm{P}(A)$

(2) $\mathrm{P}(A^C\cap B^C)=1-\mathrm{P}(A\cup B)$

(3) $\mathrm{P}(A^C\cup B^C)=1-\mathrm{P}(A\cap B)$

0553 짱중요 ●○○○

두 사건 A, B에 대하여

$$\mathrm{P}(A)=\frac{1}{3},\ \mathrm{P}(B)=\frac{1}{4},\ \mathrm{P}(A^C\cup B^C)=\frac{11}{12}$$

일 때, $\mathrm{P}(A\cup B)$를 구하시오.

0554 ●○○○

두 사건 A, B에 대하여

$$\mathrm{P}(A^C\cap B^C)=\frac{1}{6},\ \mathrm{P}(A\cap B^C)=\frac{1}{2}$$

일 때, $\mathrm{P}(B^C)$은?

① $\frac{1}{6}$ ② $\frac{1}{3}$ ③ $\frac{1}{2}$

④ $\frac{2}{3}$ ⑤ $\frac{5}{6}$

0555 중요 평가원 기출 ●○○○

두 사건 A, B에 대하여

$$\mathrm{P}(A^C)=\frac{2}{3},\ \mathrm{P}(A^C\cap B)=\frac{1}{4}$$

일 때, $\mathrm{P}(A\cup B)$의 값은? (단, A^C은 A의 여사건이다.)

① $\frac{1}{2}$ ② $\frac{7}{12}$ ③ $\frac{2}{3}$

④ $\frac{3}{4}$ ⑤ $\frac{5}{6}$

0556 중요 ●○○○

두 사건 A, B는 서로 배반사건이고

$$\mathrm{P}(A\cap B^C)=\frac{1}{5},\ \mathrm{P}(A^C\cap B)=\frac{1}{4}$$

일 때, $\mathrm{P}(A\cup B)$는?

① $\frac{9}{20}$ ② $\frac{11}{20}$ ③ $\frac{13}{20}$

④ $\frac{17}{20}$ ⑤ $\frac{19}{20}$

0557 ●●○○

서로 배반사건인 두 사건 A, B에 대하여

$$\mathrm{P}((A\cup B)^C)=\frac{1}{5},\ \mathrm{P}(A)=3\mathrm{P}(B)$$

가 성립할 때, $\mathrm{P}(A^C)$을 구하시오.

0558 ●●○○

두 사건 A, B는 서로 배반사건이고

$$\mathrm{P}(A)=\frac{1}{4},\ \mathrm{P}(A)+\mathrm{P}(B)=3\mathrm{P}(A^C\cap B^C)$$

일 때, $\mathrm{P}(B)$를 구하시오.

유형 05 내신 중요도 유형 난이도 ★★★☆☆

여사건의 확률 – '적어도' 조건이 있는 경우

(1) 사건 A의 여사건 A^C에 대하여
$$\mathrm{P}(A)=1-\mathrm{P}(A^C)$$
(2) '적어도 ~인 사건' ⇨ 여사건을 생각한다.
(3) ('적어도 하나 ~'의 확률)$=1-$(반대인 사건의 확률)

0559 짱중요 ●○○○

8개의 제비 중에 당첨 제비가 3개 들어 있다. 이 중에서 2개를 꺼낼 때, 적어도 1개가 당첨 제비일 확률을 구하시오.

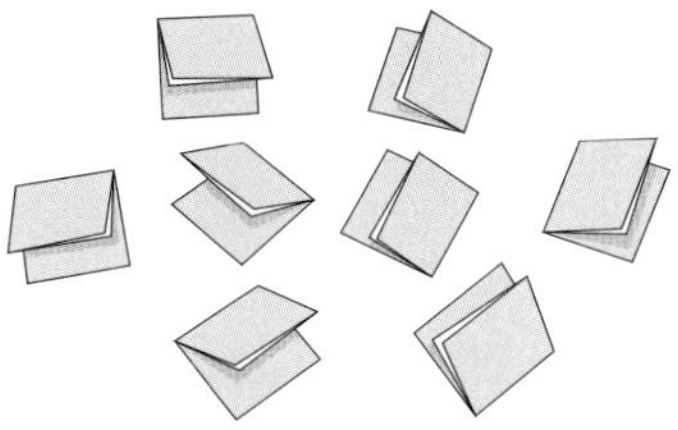

0560 짱중요 ●○○○

어떤 회사에서 만들어지는 제품은 10개 중에 3개가 불량품이라고 한다. 이 회사에서 만든 10개의 제품 중에서 임의로 3개의 제품을 동시에 택할 때, 적어도 하나가 불량품일 확률을 구하시오.

0561 ●●○○

빨간 공 4개, 파란 공 3개, 노란 공 3개가 들어 있는 상자에서 2개의 공을 꺼낼 때, 적어도 한 개가 빨간 공일 확률은?

① $\frac{1}{4}$ ② $\frac{1}{3}$ ③ $\frac{1}{2}$
④ $\frac{2}{3}$ ⑤ $\frac{3}{4}$

0562 ●●○○

서로 다른 3개의 동전을 동시에 던지는 시행에서 3개 모두 같은 면이 나오는 사건을 A, 3개 중에서 적어도 2개가 뒷면이 나오는 사건을 B라 할 때, $\mathrm{P}(A\cup B)$는?

① $\frac{1}{8}$ ② $\frac{1}{4}$ ③ $\frac{3}{8}$
④ $\frac{5}{8}$ ⑤ $\frac{3}{4}$

0563 ●●●○

흰 공이 3개, 검은 공이 n개 들어 있는 주머니에서 2개의 공을 동시에 꺼낼 때, 검은 공이 적어도 하나 나올 확률은 $\frac{7}{10}$이다. n의 값을 구하시오.

0564 중요 ●●●○

9명의 학생 중에서 여학생이 n명 있다. 이 9명의 학생 중에서 임의로 2명의 대표를 선발하였을 때, 적어도 한 명이 여학생일 확률이 $\frac{5}{6}$이다. n의 값을 구하시오.

0565 ●●○○

서로 다른 세 개의 주사위를 동시에 던질 때, 적어도 두 개의 눈이 같을 확률은?

① $\frac{2}{27}$ ② $\frac{1}{3}$ ③ $\frac{5}{12}$ ④ $\frac{4}{9}$ ⑤ $\frac{5}{6}$

0566 ●●●○

집합 $N=\{n|1\le n\le 1000,\ n$은 자연수$\}$에 대하여 집합 N에서 임의로 한 개의 자연수 a를 꺼냈을 때, 이차방정식 $10x^2-7ax+a^2=0$이 적어도 하나의 정수해를 가질 확률은?

① $\frac{1}{5}$ ② $\frac{2}{5}$ ③ $\frac{3}{5}$ ④ $\frac{2}{3}$ ⑤ $\frac{3}{4}$

유형 06 여사건의 확률 - '이상', '이하' 조건이 있는 경우

내신 중요도 ■■■■■ 유형 난이도 ★★★☆☆

사건 A의 여사건 A^C에 대하여

$$P(A)=1-P(A^C)$$

(1) '~ 이상일 확률' ⇨ 1−(~ 미만일 확률)

(2) '~ 이하일 확률' ⇨ 1−(~ 초과일 확률)

0567 중요 ●●○○

서로 다른 두 개의 주사위를 동시에 던질 때, 나온 두 눈의 수의 합이 5 이상일 확률은?

① $\frac{1}{6}$ ② $\frac{1}{3}$ ③ $\frac{1}{2}$ ④ $\frac{2}{3}$ ⑤ $\frac{5}{6}$

0568 ●●○○

각 면에 1, 2, 3, 4의 숫자가 하나씩 적혀 있는 정사면체가 있다. 이 정사면체를 두 번 던져서 나온 두 눈의 수의 합이 4 이상일 확률은? (단, 정사면체는 바닥에 놓인 면에 적힌 숫자를 읽는다.)

① $\frac{13}{16}$ ② $\frac{5}{8}$ ③ $\frac{7}{16}$ ④ $\frac{1}{4}$ ⑤ $\frac{1}{16}$

0569 중요 ●●○○

흰 공 6개, 파란 공 4개가 들어 있는 주머니에서 4개의 공을 꺼낼 때, 흰 공이 2개 이상일 확률은?

① $\frac{25}{42}$ ② $\frac{29}{42}$ ③ $\frac{31}{42}$ ④ $\frac{37}{42}$ ⑤ $\frac{41}{42}$

해설 095쪽

0570 중요 ●●○○

집합 $S=\{1, 2, 3, 4, 5, 6\}$의 부분집합 중에서 임의로 하나의 부분집합을 택할 때, 원소의 합이 5 이상일 확률을 구하시오.

0571 ●●●○

한 개의 주사위를 두 번 던져서 첫 번째 나온 눈의 수를 a, 두 번째 나온 눈의 수를 b라 할 때, 직선 $y=\frac{b}{a}x$의 기울기가 2 이하일 확률을 구하시오.

0572 ●●●○

50원, 100원, 500원짜리 동전이 각각 3개씩 모두 9개가 들어 있는 지갑에서 동전 3개를 임의로 꺼낼 때, 꺼낸 모든 동전의 금액의 합이 250원 이상일 확률을 $\frac{q}{p}$라 하자. $p+q$의 값을 구하시오.

(단, p, q는 서로소인 자연수이다.)

유형 07 여사건의 확률 – '아닌' 조건이 있는 경우

내신 중요도 ■■■■■ 유형 난이도 ★★★★☆

사건 A의 여사건 A^C에 대하여

$$P(A)=1-P(A^C)$$

(1) '~가 아닐 확률' ⇨ $1-$(모두 ~일 확률)

(2) '짝수일 확률' ⇨ $1-$(홀수일 확률)

(3) '이웃하지 않을 확률' ⇨ $1-$(이웃할 확률)

0573 짱중요 ●●○○

서로 다른 두 개의 주사위를 동시에 던질 때, 나온 두 눈의 수의 곱이 짝수일 확률을 구하시오.

0574 교육청 기출 ●●○○

A, B를 포함한 8명의 요리 동아리 회원 중에서 요리 박람회에 참가할 5명의 회원을 임의로 뽑을 때, A 또는 B가 뽑힐 확률은?

① $\frac{17}{28}$ ② $\frac{19}{28}$ ③ $\frac{3}{4}$

④ $\frac{23}{28}$ ⑤ $\frac{25}{28}$

0575 중요 ●●●○

1, 2, 3, 4의 숫자가 각각 적혀 있는 4장의 숫자 카드에서 중복을 허락하여 3장의 카드를 뽑을 때, 나오는 수를 각각 x, y, z라 하자. 이때, $(x-y)(y-z)(z-x)=0$일 확률을 구하시오.

0576 ●●○○

어느 바둑 동아리 회원의 구성이 표와 같다. 이 회원 중에서 2명의 대표를 임의로 뽑을 때, 여학생이 포함되거나 1학년 학생이 포함될 확률을 구하시오.

(단위: 명)

학년 \ 성별	남	여	합계
1학년	6	2	8
2학년	10	2	12
합계	16	4	20

0577 중요 ●●●○

영희, 지은, 승희는 5개의 특기적성 과목 중에서 한 과목씩 선택하였다. 세 명 중에서 같은 과목을 선택한 사람이 있을 확률을 구하시오.

0578 ●●●○

그림과 같이 9장의 카드에 1, 2, 3, $\cdots$, 9의 번호가 각각 하나씩 적혀 있다. 이것을 잘 섞어서 두 장을 뽑을 때, 1, 2 중에서 어느 카드 하나만 뽑을 확률을 구하시오.

0579 중요 평가원 기출 ●●●●

숫자 1, 2, 3, 4가 하나씩 적혀 있는 흰 공 4개와 숫자 4, 5, 6이 하나씩 적혀 있는 검은 공 3개가 있다. 이 7개의 공을 임의로 일렬로 나열할 때, 같은 숫자가 적혀 있는 공이 서로 이웃하지 않게 나열될 확률은 $\frac{q}{p}$이다. $p+q$의 값을 구하시오.

(단, p와 q는 서로소인 자연수이다.)

0580 ●●●○

그림과 같이 두 직선 l, m이 60°의 각을 이루면서 점 O에서 만난다. 점 O로부터 일정한 간격으로 점을 잡고 직선 l 위의 네 점을 A, B, C, D, 직선 m 위의 세 점을 A′, B′, C′이라고 한다. 네 점 A, B, C, D에서 한 점, 세 점 A′, B′, C′에서 한 점을 골라내어 이 두 점과 점 O를 꼭짓점으로 하는 삼각형을 만들 때, 이 삼각형이 직각삼각형이 아닐 확률을 구하시오.

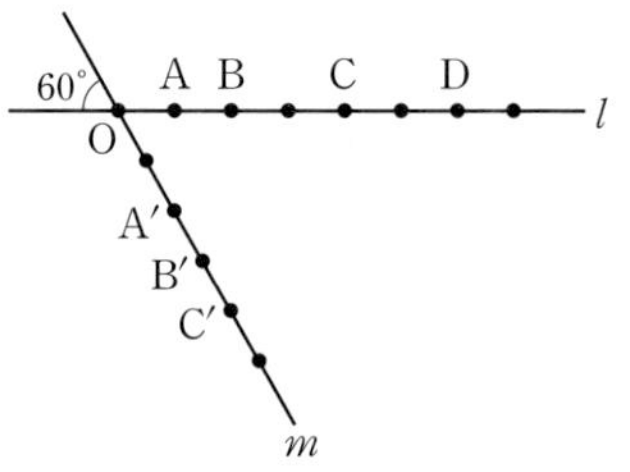

0581 교육청 기출 ●●●●

그림과 같이 한 변의 길이가 1인 정사각형 6개를 붙여 놓은 도형이 있다. 12개의 꼭짓점 중에서 임의의 두 점을 연결한 선분의 길이가 무리수일 확률이 $\frac{a}{b}$일 때, $a+b$의 값을 구하시오.

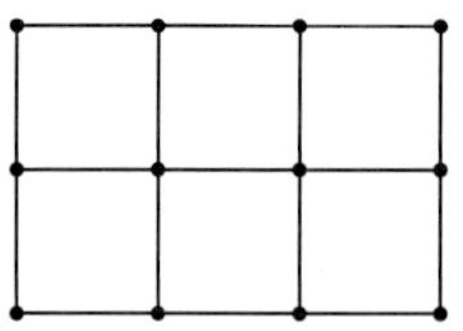

(단, a, b는 서로소인 자연수이다.)

내신 중요도 ━━━━━ 유형 난이도 ★★☆☆☆

유형 08 조건부확률의 계산

사건 A가 일어났을 때, 사건 B의 조건부확률은

$$\mathrm{P}(B|A)=\frac{\mathrm{P}(A\cap B)}{\mathrm{P}(A)}\ (\text{단, } \mathrm{P}(A)\neq 0)$$

0582 중요 ●○○○

두 사건 A, B에 대하여

$$\mathrm{P}(A)=\frac{2}{3},\ \mathrm{P}(A\cap B^C)=\frac{1}{4}$$

일 때, $\mathrm{P}(B|A)$는?

① $\frac{1}{8}$ ② $\frac{1}{4}$ ③ $\frac{3}{8}$
④ $\frac{1}{2}$ ⑤ $\frac{5}{8}$

0583 중요 ●○○○

두 사건 A, B에 대하여

$$\mathrm{P}(A)=\frac{1}{3},\ \mathrm{P}(B)=\frac{1}{2},\ \mathrm{P}(A|B)=\frac{1}{6}$$

일 때, $\mathrm{P}(A\cup B)$를 구하시오.

0584 짱중요 ●●○○

두 사건 A, B에 대하여

$$\mathrm{P}(A)=\frac{1}{3},\ \mathrm{P}(B|A)=\frac{2}{5},\ \mathrm{P}(A^C\cap B^C)=\frac{1}{3}$$

일 때, $\mathrm{P}(B)$는?

① $\frac{1}{3}$ ② $\frac{2}{5}$ ③ $\frac{7}{15}$
④ $\frac{8}{15}$ ⑤ $\frac{3}{5}$

0585 ●●○○

두 사건 A, B에 대하여

$$\mathrm{P}(A^C)=\frac{1}{5},\ \mathrm{P}(B|A)=\frac{3}{4}$$

일 때, $\mathrm{P}(A\cap B^C)$을 구하시오.

0586 중요 평가원 기출 ●●○○

두 사건 A, B에 대하여

$$\mathrm{P}(A\cup B)=\frac{5}{8},\ \mathrm{P}(B)=\frac{1}{4}$$

일 때, $\mathrm{P}(A|B^C)$의 값은? (단, B^C은 B의 여사건이다.)

① $\frac{1}{2}$ ② $\frac{1}{3}$ ③ $\frac{1}{4}$
④ $\frac{1}{5}$ ⑤ $\frac{1}{6}$

0587 ●●●○

두 사건 A, B에 대하여

$$\mathrm{P}(A\cup B)=2\mathrm{P}(A),\ \mathrm{P}(B|A)=\frac{3}{5}$$

일 때, $\mathrm{P}(A|B)$를 구하시오.

0588 짱중요 ●●●○

두 사건 A, B에 대하여

$$P(A)=\frac{2}{5},\ P(B)=\frac{2}{3},\ P(B|A)=\frac{5}{6}$$

일 때, $P(A|B^C)$을 구하시오.

0589 중요 ●●○○

두 사건 A, B가 서로 배반사건이고

$$P(A)=\frac{3}{5},\ P(B)=\frac{1}{4}$$

일 때, $P(B|A^C)$을 구하시오.

0590 평가원 기출 ●●●○

두 사건 A, B에 대하여

$$P(A\cap B)=\frac{1}{8},\ P(B^C|A)=2P(B|A)$$

일 때, $P(A)$의 값은? (단, B^C은 B의 여사건이다.)

① $\frac{5}{12}$ ② $\frac{3}{8}$ ③ $\frac{1}{3}$
④ $\frac{7}{24}$ ⑤ $\frac{1}{4}$

유형 09 경우의 수를 이용하는 조건부확률

내신 중요도 ▬▬▬▬ 유형 난이도 ★★★★☆

사건 A가 일어났을 때, 사건 B가 일어날 확률은 조건부확률 $P(B|A)$를 구한다.

⇨ $P(B|A)=\frac{n(A\cap B)}{n(A)}=\frac{P(A\cap B)}{P(A)}$

0591 중요 ●○○○

한 개의 주사위를 던져서 나오는 눈의 수가 6의 약수일 때, 그 수가 홀수일 확률을 구하시오.

0592 중요 평가원 기출 ●●○○

한 개의 주사위를 두 번 던질 때 나오는 눈의 수를 차례로 a, b라 하자. 두 수의 곱 ab가 6의 배수일 때, 이 두 수의 합 $a+b$가 7일 확률은?

① $\frac{1}{5}$ ② $\frac{7}{30}$ ③ $\frac{4}{15}$
④ $\frac{3}{10}$ ⑤ $\frac{1}{3}$

0593 중요 교육청 기출 ●●●○

한 개의 주사위를 2번 던질 때 첫 번째 나온 눈의 수를 a, 두 번째 나온 눈의 수를 b라 하자. 두 수 a, b의 곱 ab가 짝수일 때, a와 b가 모두 짝수일 확률은?

① $\frac{7}{12}$ ② $\frac{1}{2}$ ③ $\frac{5}{12}$
④ $\frac{1}{3}$ ⑤ $\frac{1}{4}$

0594 ●●●○

집합 $A=\{1, 2, 3, 4, 5\}$의 부분집합 중에서 임의로 동시에 두 개를 선택하려고 한다. 선택한 두 부분집합의 원소의 개수가 각각 2개였을 때, 이 두 부분집합의 교집합이 공집합일 확률을 구하시오.

0595 ●●●○

3학년 전체 학생에 대한 남학생의 비율이 $48\,\%$인 어느 고등학교에서 이들 학생을 대상으로 수시모집 응시여부를 조사하였다. 그 결과 응시를 희망한 남학생은 3학년 전체 학생의 $30\,\%$가 되었다. 이 학교 3학년 전체 학생 중에서 임의로 뽑은 한 학생이 남학생이었다면 이 학생이 수시모집 응시를 희망했을 확률을 구하시오.

0596 교육청 기출 ●●●○

주머니에 1부터 8까지의 자연수가 하나씩 적힌 8개의 공이 들어 있다. 이 주머니에서 임의로 3개의 공을 동시에 꺼낼 때, 꺼낸 3개의 공에 적힌 수를 a, b, c $(a<b<c)$라 하자. $a+b+c$가 짝수일 때 a가 홀수일 확률은?

① $\frac{3}{7}$ ② $\frac{1}{2}$ ③ $\frac{4}{7}$
④ $\frac{9}{14}$ ⑤ $\frac{5}{7}$

0597 중요 ●●●●

흰 공 3개, 검은 공 4개가 들어 있는 주머니가 있다. 이 주머니에서 임의로 4개의 공을 동시에 꺼내는 시행에서 꺼낸 흰 공과 검은 공의 개수를 각각 m, n이라 하자. 이 시행에서 $3m \geq n$일 때, 꺼낸 흰 공의 개수가 2일 확률을 구하시오.

0598 교육청 기출 ●●●●

한 변의 길이가 3인 정육면체 ABCD−EFGH가 있다.

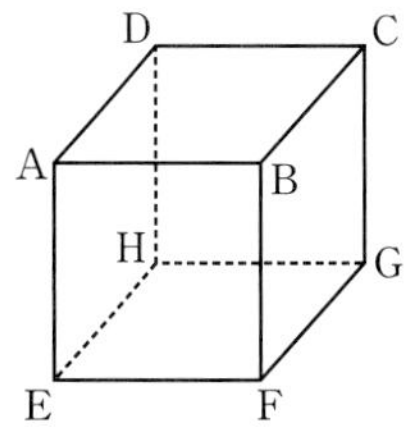

정육면체의 꼭짓점 중에서 임의의 서로 다른 두 점을 연결한 선분의 길이가 무리수일 때, 그 선분의 길이가 $3\sqrt{3}$일 확률은?

① $\frac{1}{16}$ ② $\frac{1}{8}$ ③ $\frac{3}{16}$
④ $\frac{1}{4}$ ⑤ $\frac{5}{16}$

0599 ●●●●

딸기 맛 사탕 4개, 포도 맛 사탕 3개가 들어 있는 정육면체 모양의 상자가 n개 있고, 딸기 맛 사탕 3개, 포도 맛 사탕 4개가 들어 있는 원기둥 모양의 상자가 한 개 있다. 상자를 임의로 택하여 사탕 2개를 한꺼번에 꺼냈더니 2개 모두 딸기 맛 사탕일 때, 택한 상자가 원기둥 모양이었을 확률이 $\frac{1}{9}$이다. n의 값을 구하시오.

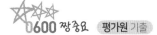

유형 10 표가 주어진 조건부확률

내신 중요도 ▬▬▬▬ 유형 난이도 ★★☆☆☆

(1) 사건 A가 일어났을 때, 사건 B가 일어날 확률은

$$\Rightarrow \mathrm{P}(B|A)=\frac{n(A\cap B)}{n(A)}=\frac{\mathrm{P}(A\cap B)}{\mathrm{P}(A)}$$

(2) 주어진 표에서

$n(A\cap B),\ n(A^C\cap B),\ n(A\cap B^C),\ n(A^C\cap B^C)$

의 값을 구하여 확률을 구한다.

0600 짱중요 평가원 기출 ●○○○

14개의 공에 각각 검은색과 흰색 중 한 가지 색이 칠해져 있고, 자연수가 하나씩 적혀 있다. 각각의 공에 칠해져 있는 색과 적혀 있는 수에 따라 분류한 공의 개수는 다음과 같다.

(단위: 개)

구분	검은색	흰색	합계
홀수	5	3	8
짝수	4	2	6
합계	9	5	14

14개의 공 중에서 임의로 선택한 한 개의 공이 검은색일 때, 이 공에 적혀 있는 수가 짝수일 확률은?

① $\frac{2}{9}$ ② $\frac{5}{18}$ ③ $\frac{1}{3}$

④ $\frac{7}{18}$ ⑤ $\frac{4}{9}$

0601 짱중요 ●●○○

다음은 회사 직원 25명을 대상으로 희망하는 야유회 장소를 조사하여 나타낸 표이다.

성별 \ 장소	산	바다
남자	7	6
여자	8	4

이 회사에서 임의로 택한 한 직원이 바다를 희망한 직원인 사건을 A, 여자 직원인 사건을 B라 할 때, $\mathrm{P}(A|B)$의 값을 구하시오.

0602 ●●○○

다음 표와 같은 인원으로 구성된 어떤 동아리 학생 20명 중에서 임의로 한 명을 뽑았다. 뽑힌 학생이 3학년일 때, 이 학생이 남학생일 확률을 구하시오.

(단위: 명)

학년 \ 성별	남	여	합계
1학년	5	3	8
2학년	3	3	6
3학년	4	2	6
합계	12	8	20

0603 중요 ●●○○

남녀 60명인 어느 반에서 학교 통학 방법을 조사하였더니 다음 표와 같은 결과가 나왔다.

(단위: 명)

성별 \ 통학 방법	자전거	비자전거	합계
남	24	16	40
여	11	9	20
합계	35	25	60

이 반에서 남학생 1명을 임의로 뽑을 때, 그 학생이 자전거로 통학하는 학생일 확률을 a, 또 이 반에서 자전거로 통학하는 학생 1명을 임의로 뽑을 때, 그 학생이 남학생일 확률을 b라고 한다. $a+b$의 값을 구하시오.

0604 ●●○○

인원이 28명인 어느 학급에서 안경을 쓴 학생을 조사하였더니 다음 표와 같았다.

(단위: 명)

성별 \ 구분	안경 착용	안경 미착용	합계
남자	8	10	18
여자	4	6	10
합계	12	16	28

이 학급에서 임의로 1명을 뽑을 때, 뽑힌 학생이 남자일 사건을 A, 안경을 쓴 학생일 사건을 B라 하자.
$\mathrm{P}(A|B^C)+\mathrm{P}(B^C|A^C)$의 값을 구하시오.

0605 평가원 기출 ●●●○

휴대 전화의 메인 보드 또는 액정 화면 고장으로 서비스센터에 접수된 200건에 대하여 접수 시기를 품질보증 기간 이내, 이후로 구분한 결과는 다음과 같다.

(단위: 건)

구분	메인 보드 고장	액정 화면 고장	합계
품질보증 기간 이내	90	50	140
품질보증 기간 이후	a	b	60

접수된 200건 중에서 임의로 선택한 1건이 액정 화면 고장건일 때, 이 건의 접수 시기가 품질보증 기간 이내일 확률이 $\frac{2}{3}$이다. $a-b$의 값을 구하시오. (단, 메인 보드와 액정 화면 둘 다 고장인 경우는 고려하지 않는다.)

유형 **11** 표가 주어지지 않은 조건부확률

내신 중요도 ■■■■■ 유형 난이도 ★★★★☆

(1) 사건 A가 일어났을 때, 사건 B가 일어날 확률
⇨ 조건부확률 $\mathrm{P}(B|A)=\frac{n(A\cap B)}{n(A)}=\frac{\mathrm{P}(A\cap B)}{\mathrm{P}(A)}$

(2) 사건을 A, B로 나타내고 표를 만들어서
$n(A\cap B)$, $n(A^C\cap B)$, $n(A\cap B^C)$, $n(A^C\cap B^C)$
의 값을 적는다.

(3) %로 주어진 문제는 전체 개수를 100으로 놓고 표를 만들자.

0606 짱중요 ●●○○

어느 학급은 남학생 18명, 여학생 16명으로 이루어져 있다. 이 학급의 모든 학생은 중국어와 일본어 중에서 한 과목만 수업을 받는다고 한다. 남학생 중에서 중국어 수업을 받는 학생은 12명이고, 여학생 중에서 일본어 수업을 받는 학생은 7명이다. 이 학급에서 임의로 뽑은 한 학생이 중국어 수업을 받는다고 할 때, 이 학생이 여학생일 확률을 구하시오.

0607 중요 ●●○○

어느 학급은 35명으로 이루어져 있다. 이 학급의 모든 학생 중에서 대학수학능력시험 사회탐구 영역에서 경제를 선택한 학생은 24명, 세계사를 선택한 학생은 15명이고, 경제와 세계사 중에서 어느 것도 선택하지 않은 학생은 4명이다. 이 학급에서 한 명의 학생을 뽑을 때, 이 학생이 경제와 세계사를 모두 선택하였을 확률은?

① $\frac{6}{35}$ ② $\frac{1}{5}$ ③ $\frac{8}{35}$
④ $\frac{9}{35}$ ⑤ $\frac{2}{7}$

0608 ●●●○

어느 학교의 전체 학생은 300명이고 이 학교의 학생 중 동아리에 가입한 남학생은 50명, 동아리에 가입한 여학생은 60명이다. 이 학교의 학생 중 임의로 뽑은 한 명의 학생이 여학생일 때, 동아리에 가입하지 않았을 확률은 $\frac{5}{8}$이다. 이 학교의 여학생 수를 구하시오.

0609 짱중요 ●●●○

어느 전자 회사는 전자제품 총 생산량의 40 %를 해외에 수출하고 있는데, 해외로 수출하는 휴대 전화가 전자제품 총 생산량의 12 %라고 한다. 전자제품 중에서 임의로 하나를 택한 것이 수출하는 제품일 때, 이 제품이 휴대 전화일 확률은?

① 0.2 ② 0.3 ③ 0.4 ④ 0.5 ⑤ 0.6

0610 평가원 기출 ●●●○

여학생이 40명이고 남학생이 60명인 어느 학교 전체 학생을 대상으로 축구와 야구에 대한 선호도를 조사하였다. 이 학교 학생의 70 %가 축구를 선택하였으며, 나머지 30 %는 야구를 선택하였다. 이 학교의 학생 중 임의로 뽑은 1명이 축구를 선택한 남학생일 확률은 $\frac{2}{5}$이다.

이 학교의 학생 중 임의로 뽑은 1명이 야구를 선택한 학생일 때, 이 학생이 여학생일 확률은? (단, 조사에서 모든 학생들은 축구와 야구 중 한 가지만 선택하였다.)

① $\frac{1}{4}$ ② $\frac{1}{3}$ ③ $\frac{5}{12}$ ④ $\frac{1}{2}$ ⑤ $\frac{7}{12}$

0611 짱중요 평가원 기출 ●●●○

남학생 수와 여학생 수의 비가 2 : 3인 어느 고등학교에서 전체 학생의 70 %가 K자격증을 가지고 있고, 나머지 30 %는 가지고 있지 않다. 이 학교의 학생 중에서 임의로 한 명을 선택할 때, 이 학생이 K자격증을 가지고 있는 남학생일 확률이 $\frac{1}{5}$이다. 이 학교의 학생 중에서 임의로 선택한 학생이 K자격증을 가지고 있지 않을 때, 이 학생이 여학생일 확률은?

① $\frac{1}{4}$ ② $\frac{1}{3}$ ③ $\frac{5}{12}$ ④ $\frac{1}{2}$ ⑤ $\frac{7}{12}$

0612 중요 ●●●○

어느 도시에서 올해에 새 휴대 전화로 바꾸어 구입하는 사람을 대상으로 구매 실태를 조사하였다. 조사 결과에 따르면 대상자의 30 %가 L사 제품을 사용하던 사람이었다. 그리고 L사 제품을 사용하던 사람의 60 %는 올해에도 L사 제품을 구입하였고, S사 제품을 사용하던 사람의 80 %는 올해에도 S사 제품을 구입하였다. 이 도시의 대상자 중에서 임의로 한 사람을 택하였더니 올해에 S사 제품을 구입한 사람이었을 때, 이 사람이 L사 제품을 사용하던 사람이었을 확률은? (단, 휴대 전화 종류는 L사 제품과 S사 제품의 2가지뿐이라고 가정한다.)

① $\frac{3}{17}$ ② $\frac{4}{17}$ ③ $\frac{5}{17}$ ④ $\frac{6}{17}$ ⑤ $\frac{7}{17}$

0613 짱중요 평가원 기출 ●●●○

어떤 의사가 암에 걸린 사람을 암에 걸렸다고 진단할 확률은 98 %이고, 암에 걸리지 않은 사람을 암에 걸리지 않았다고 진단할 확률은 92 %라고 한다. 이 의사가 실제로 암에 걸린 사람 400명과 실제로 암에 걸리지 않은 사람 600명을 진찰하여 암에 걸렸는지 아닌지를 진단하였다. 이들 1000명 중 임의로 한 사람을 택했을 때, 그 사람이 암에 걸렸다고 진단받은 사람일 확률은?

① 39.2 % ② 40.0 % ③ 40.8 % ④ 44.0 % ⑤ 44.8 %

해설 103쪽

유형 12 확률의 곱셈정리

내신 중요도 ▬▬▬▬▬ 유형 난이도 ★★★☆☆

두 사건 A, B가 동시에 일어날 확률은
$$\mathrm{P}(A\cap B)=\mathrm{P}(A)\mathrm{P}(B|A)=\mathrm{P}(B)\mathrm{P}(A|B)$$

0614 중요 ●●○○

같은 모양의 흰 공 3개와 빨간 공 7개가 들어 있는 주머니 속에서 공을 한 개씩 두 번 꺼낸다고 한다. 첫 번째 꺼낸 공이 흰 공일 때, 두 번째 꺼낸 공도 흰 공일 확률을 구하시오.

(단, 꺼낸 공은 다시 넣지 않는다.)

0615 중요 ●●○○

어느 동아리의 전체 회원은 모두 25명이고, 이 중에서 9명이 여학생이다. 이 동아리에서 한 사람씩 차례로 두 명을 뽑을 때, 뽑힌 두 명이 모두 여학생일 확률을 구하시오.

0616 짱중요 ●●○○

8개의 제비 중 당첨 제비가 3개 들어 있는 상자에서 갑, 을 두 사람이 갑, 을의 순서로 제비를 한 개씩 뽑을 때, 두 사람 모두 당첨 제비를 뽑을 확률을 구하시오.

(단, 뽑은 제비는 다시 넣지 않는다.)

0617 ●●●○

어느 고등학교의 동아리 연합 체육대회에 참석한 학생 중에서 2학년 학생이 전체의 40 %이고, 이들 2학년의 남녀 구성비는 3 : 2라고 한다. 추첨을 통해 행운상을 받을 때, 2학년 여학생이 받을 확률을 구하시오.

0618 중요 ●●●○

어떤 자물쇠에 맞는 2개의 열쇠가 포함되어 있는 10개의 열쇠 뭉치에서 하나씩 차례로 확인하여 이 자물쇠에 맞는 2개의 열쇠가 모두 발견되면 확인하는 작업을 끝내려고 한다. 네 번째에서 확인이 끝날 확률을 구하시오.

0619 ●●●●

흰 공 3개와 검은 공 n개가 들어 있는 주머니에서 2개의 공을 순서대로 1개씩 꺼낼 때, 첫 번째는 흰 공이 나오고, 두 번째는 검은 공이 나올 확률이 $\frac{3}{10}$이 되는 모든 n의 값의 합은?

(단, 꺼낸 공은 다시 넣지 않는다.)

① 5 ② 6 ③ 7
④ 8 ⑤ 9

유형 13 내신 중요도 ━━━━━ 유형 난이도 ★★★★☆

확률의 곱셈정리를 이용하는 확률 (1)

두 사건 A, E에 대하여

$$\mathrm{P}(E)=\mathrm{P}(A\cap E)+\mathrm{P}(A^{C}\cap E)$$
$$=\mathrm{P}(A)\mathrm{P}(E|A)+\mathrm{P}(A^{C})\mathrm{P}(E|A^{C})$$

0620 짱중요 ●●○○

9장의 복권 중에서 당첨 복권이 3장 들어 있는 주머니에서 처음에 갑이 한 장을 뽑고, 다음에 을이 한 장을 뽑을 때, 을이 당첨 복권을 뽑을 확률을 구하시오. (단, 뽑은 복권은 다시 넣지 않는다.)

0621 중요 ●●○○

비가 온 다음 날에 비가 올 확률은 0.4이고, 비가 오지 않은 날의 다음 날에 비가 올 확률은 0.3이라고 한다. 월요일에 비가 왔을 때, 같은 주 수요일에 비가 올 확률을 구하시오.

0622 ●●●○

A, B가 순서대로 과녁에 화살을 쏠 때, A가 쏜 화살이 명중할 경우 B가 쏜 화살도 명중할 확률은 0.6, A가 쏜 화살이 명중하지 못했을 경우 B가 쏜 화살이 명중할 확률은 0.7이라고 한다. 명중할 확률이 0.4인 A가 먼저 화살을 쏠 때, B가 화살을 쏘아 과녁에 명중시킬 확률은?

① 0.48 ② 0.52 ③ 0.66
④ 0.78 ⑤ 0.84

0623 짱중요 평가원 기출 ●●●○

주머니 A에는 흰 공 2개와 검은 공 3개가 들어 있고, 주머니 B에는 흰 공 1개와 검은 공 3개가 들어 있다. 주머니 A에서 임의로 1개의 공을 꺼내어 흰 공이면 흰 공 2개를 주머니 B에 넣고 검은 공이면 검은 공 2개를 주머니 B에 넣은 후, 주머니 B에서 임의로 1개의 공을 꺼낼 때 꺼낸 공이 흰 공일 확률은?

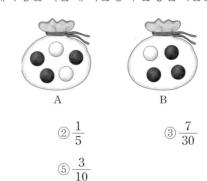

① $\frac{1}{6}$ ② $\frac{1}{5}$ ③ $\frac{7}{30}$
④ $\frac{4}{15}$ ⑤ $\frac{3}{10}$

0624 짱중요 ●●●●

흰 공 3개와 검은 공 2개가 들어 있는 주머니가 있다. 1개의 주사위를 던져서 2 이하의 눈이 나오면 흰 공 1개를 주머니에 넣고, 3 이상의 눈이 나오면 검은 공 1개를 주머니에 넣은 후 이 주머니에서 임의로 2개의 공을 동시에 꺼낼 때, 서로 다른 색의 공이 나올 확률을 구하시오.

0625 평가원 기출 ●●●●

상자 A에는 빨간 공 3개와 검은 공 5개가 들어 있고, 상자 B는 비어 있다. 상자 A에서 임의로 2개의 공을 꺼내어 빨간 공이 나오면 [실행 1]을, 빨간 공이 나오지 않으면 [실행 2]를 할 때, 상자 B에 있는 빨간 공의 개수가 1일 확률은?

> [실행 1] 꺼낸 공을 상자 B에 넣는다.
> [실행 2] 꺼낸 공을 상자 B에 넣고, 상자 A에서 임의로 2개의 공을 더 꺼내어 상자 B에 넣는다.

① $\frac{1}{2}$ ② $\frac{7}{12}$ ③ $\frac{2}{3}$
④ $\frac{3}{4}$ ⑤ $\frac{5}{6}$

유형 14 내신 중요도 유형 난이도 ★★★★★

확률의 곱셈정리를 이용하는 확률 (2)

확률의 곱셈정리를 이용하여 각 배반사건들의 확률을 구하고 확률의 덧셈정리를 이용한다.

0626 ●●●○

두 개의 정육면체 모양의 상자 A, B가 있다. A는 6개의 면에 각각 1, 1, 2, 2, 3, 3의 숫자가 적혀 있고, B는 6개의 면에 각각 1, 2, 2, 3, 3, 3의 숫자가 적혀 있다. A, B를 동시에 던져 바닥과 닿는 면에 해당하는 두 수의 합이 4가 될 확률을 구하시오.

0627 교육청 기출 ●●●●

철수와 영희는 볼링 시합에서 두 게임을 연속하여 이기는 사람이 우승하기로 하였다. 매 게임마다 철수가 영희를 이길 확률이 $\frac{2}{3}$라고 할 때, 다섯 번째 게임에서 철수가 우승할 확률은 $\frac{q}{p}$ (p, q는 서로소인 자연수)이다. 이때, $p+q$의 값을 구하시오.

(단, 비기는 경우는 없다.)

0628 중요 평가원 기출 ●●●●

A, B 두 사람이 탁구 시합을 할 때, 한 사람이 먼저 세 세트를 이기거나 연속하여 두 세트를 이기면 승리하기로 한다. 각 세트에서 A가 이길 확률은 $\frac{1}{3}$이고, B가 이길 확률은 $\frac{2}{3}$이다. 첫 세트에서 A가 이겼을 때, 이 시합에서 A가 승리할 확률은 $\frac{q}{p}$이다. $p+q$의 값을 구하시오. (단, p와 q는 서로소인 자연수이다.)

0629 중요 ●●●●

세 명이 가위바위보 게임을 하여 우승자를 1명만 결정하려고 한다. 우승자 1명이 결정되지 않았을 때에는 이긴 사람들 또는 비긴 사람들끼리 가위바위보를 다시 실시한다. 세 번째의 가위바위보에서 1명의 우승자가 결정될 확률을 구하시오.

0630 교육청 기출 ●●●○

어떤 게임에 A, B, C 세 팀이 출전하였다. 과거의 승률에 따르면 A팀이 B팀을 이길 확률은 0.7, B팀이 C팀을 이길 확률은 0.2, C팀이 A팀을 이길 확률은 0.4이었다. 이 승률에 따라 그림과 같은 대진표로 경기를 진행할 때, A팀이 우승할 확률은 p이다. $100p$의 값을 구하시오. (단, 비기는 경우는 없다.)

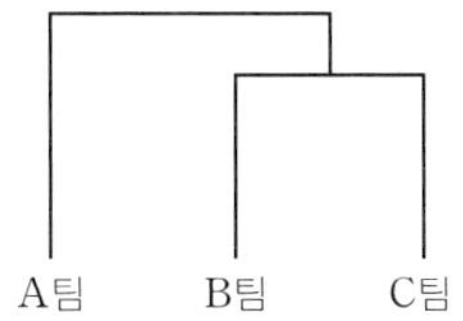

0631 중요 평가원 기출 ●●●●

3학년에 7개의 반이 있는 어느 고등학교에서 토너먼트 방식으로 축구 시합을 하려고 하는데 이미 1반은 부전승으로 결정되어 있다. 다음과 같은 형태의 대진표를 만들어 시합을 할 때, 1반과 2반이 축구 시합을 할 확률은? (단, 각 반이 시합에서 이길 확률은 모두 $\frac{1}{2}$이고, 기권하는 반은 없다고 한다.)

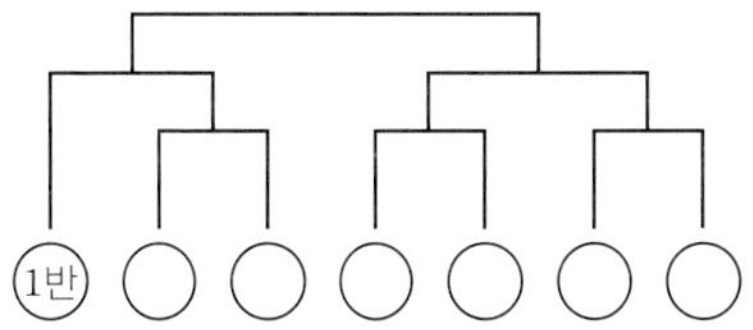

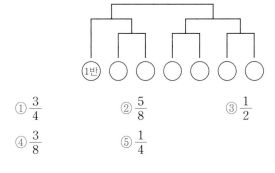

① $\frac{3}{4}$ ② $\frac{5}{8}$ ③ $\frac{1}{2}$
④ $\frac{3}{8}$ ⑤ $\frac{1}{4}$

04 덧셈정리와 조건부확률

유형 15 내신 중요도 유형 난이도 ★★★★★

확률의 곱셈정리와 조건부확률 (1)

사건 E가 일어났다는 조건 하에 사건 A가 일어날 확률은

$$P(A|E)=\frac{P(A\cap E)}{P(E)}=\frac{P(A\cap E)}{P(A\cap E)+P(A^C\cap E)}$$

0632 중요

어느 프로야구 경기의 관중 중에서 80 %가 어른이고, 55 %가 남자이며 여자 중에서 20 %가 어린 아이이다. 관중 중에서 어른 한 명을 택했을 때, 그 사람이 여자일 확률은?

① 0.35 ② 0.4 ③ 0.45
④ 0.5 ⑤ 0.55

0633 평가원 기출

어느 학교 전체 학생의 60 %는 버스로, 나머지 40 %는 걸어서 등교하였다. 버스로 등교한 학생의 $\frac{1}{20}$이 지각하였고, 걸어서 등교한 학생의 $\frac{1}{15}$이 지각하였다. 이 학교 전체 학생 중 임의로 선택한 1명의 학생이 지각하였을 때, 이 학생이 버스로 등교하였을 확률은?

① $\frac{3}{7}$ ② $\frac{9}{20}$ ③ $\frac{9}{19}$
④ $\frac{1}{2}$ ⑤ $\frac{9}{17}$

0634

어느 지역에 거주하는 자동차 운전자 중에서 보험 가입자와 미가입자가 자동차 사고를 일으킬 확률은 각각 10 %, 20 %이고, 이 지역의 자동차 운전자 중에서 보험에 가입한 운전자의 비율은 80 %라고 한다. 어느 날 자동차 사고가 일어났을 때, 사고를 일으킨 운전자가 보험 가입자일 확률은?

① $\frac{1}{4}$ ② $\frac{1}{3}$ ③ $\frac{1}{2}$
④ $\frac{2}{3}$ ⑤ $\frac{3}{4}$

0635

어느 의류 회사에서는 같은 디자인의 제품을 두 공장 P, Q에서 나누어 생산하고 있다. 공장 P에서는 옷 전체 생산량의 30 %, 공장 Q에서는 70 %를 생산하고 두 공장 P, Q의 불량률은 각각 1 %, 2 %이다. 판매된 옷 한 벌이 불량으로 반품되었을 때, 이 옷이 공장 Q에서 생산된 제품일 확률을 구하시오.

0636

올림픽 경기에 참가한 세 양궁 선수 갑, 을, 병이 10점에 화살을 명중시킬 확률이 각각 $\frac{3}{4}$, $\frac{2}{3}$, $\frac{2}{5}$라고 한다. 세 명이 동시에 하나의 과녁을 향해 쏘았더니 한 개의 화살이 10점에 맞았을 때, 이 화살이 갑이 명중시킨 화살일 확률은?

① $\frac{2}{17}$ ② $\frac{5}{17}$ ③ $\frac{9}{17}$
④ $\frac{11}{17}$ ⑤ $\frac{13}{17}$

0637 중요

어느 장소에 들를 때마다 세 번에 한 번 꼴로 우산을 잃어버리는 버릇이 있는 K군이 어느 날에 우산을 가지고 집을 나서서 학교, 도서관, 서점을 차례로 들러 집에 돌아와 보니 우산이 없었다. 우산을 도서관에서 잃어버렸을 확률을 구하시오.

0638 중요 ●●●○

3개의 당첨 제비가 들어 있는 10개의 제비 중에서 철수, 영희의 순서로 제비를 한 개씩 뽑는다. 영희가 당첨 제비를 뽑았을 때, 철수도 당첨 제비를 뽑았을 확률을 구하시오.

(단, 뽑은 제비는 다시 넣지 않는다.)

0639 ●●●●

당첨 제비 2개를 포함한 5개의 제비 중에서 한 개를 꺼내어 친구에게 보여 주었더니 당첨 제비라고 하였다. 그 친구는 4번에 1번 꼴로 거짓말을 한다고 할 때, 꺼낸 것이 당첨 제비일 확률을 구하시오.

0640 중요 ●●●●

어느 거짓말 탐지기의 정확도는 80 %이다. 즉, 참말을 참이라고 판정할 확률과 거짓말을 거짓이라고 판정할 확률이 모두 0.8이다. 거짓말을 할 확률이 $\frac{1}{5}$인 어떤 사람이 한 말에 대해 거짓말 탐지기가 참이라고 판정했을 때, 실제로 그 사람이 참말을 했을 확률을 구하시오.

유형 16 확률의 곱셈정리와 조건부확률 (2)

내신 중요도 ■■■■■ 유형 난이도 ★★★★★

$$P(A|E)=\frac{P(A\cap E)}{P(E)}=\frac{P(A\cap E)}{P(A\cap E)+P(A^C\cap E)}$$
$$=\frac{P(A)P(E|A)}{P(A)P(E|A)+P(A^C)P(E|A^C)}$$

0641 중요 ●●●○

A상자에는 흰 공 3개, 검은 공 2개, B상자에는 흰 공 4개, 검은 공 3개가 들어 있다. 한 개의 상자를 임의로 택하여 한 개의 공을 꺼내었더니 그것이 흰 공이었을 때, 택한 상자가 A상자일 확률을 구하시오.

0642 평가원 기출 ●●●○

주머니 A에는 검은 구슬 3개가 들어 있고, 주머니 B에는 검은 구슬 2개와 흰 구슬 2개가 들어 있다. 두 주머니 A, B 중 임의로 선택한 하나의 주머니에서 동시에 꺼낸 2개의 구슬이 모두 검은색일 때, 선택된 주머니가 B이었을 확률은?

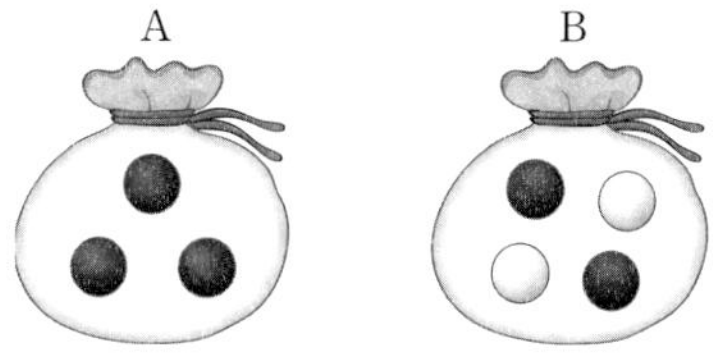

① $\frac{5}{14}$ ② $\frac{2}{7}$ ③ $\frac{3}{14}$
④ $\frac{1}{7}$ ⑤ $\frac{1}{14}$

0643 평가원 기출 ●●●○

A 주머니에 흰 공 2개, 검은 공 5개 그리고 B 주머니에 흰 공 3개, 검은 공 4개가 들어 있다. A 주머니에서 한 개의 공을 임의로 꺼내어 B 주머니에 넣은 다음 다시 B 주머니에서 하나의 공을 꺼내기로 한다. B에서 꺼낸 공이 흰 공일 때, A에서 B로 옮겨진 공이 흰 공이었을 확률은 $\frac{q}{p}$이다. $10p+q$의 값을 구하시오.

(단, p와 q는 서로소인 자연수이다.)

0644 중요 ●●●●

흰 공 2개와 검은 공 3개가 들어 있는 상자에서 갑이 먼저 공 1개를 꺼낸 후 다시 넣지 않고 을이 나머지 4개 중에서 1개를 꺼냈다. 을이 꺼낸 공이 흰 공이었을 때, 갑이 꺼낸 공도 흰 공일 확률은?

① $\frac{1}{5}$ ② $\frac{1}{4}$ ③ $\frac{1}{3}$
④ $\frac{2}{3}$ ⑤ $\frac{3}{4}$

0645 평가원 기출 ●●●●

주머니 A에는 1, 2, 3, 4, 5의 숫자가 하나씩 적혀 있는 5장의 카드가 들어 있고, 주머니 B에는 6, 7, 8, 9, 10의 숫자가 하나씩 적혀 있는 5장의 카드가 들어 있다. 두 주머니 A, B에서 임의로 각각 한 장씩의 카드를 꺼냈다. 꺼낸 2장의 카드에 적혀 있는 두 수의 합이 홀수일 때, 주머니 A에서 꺼낸 카드에 적혀 있는 수가 짝수일 확률을 구하시오.

0646 중요 ●●●●

흰 공 3개, 검은 공 4개가 들어 있는 주머니에서 A, B, C 세 사람이 차례로 임의로 한 개씩 공을 꺼낸다. A, B 중 적어도 한 명이 검은 공을 꺼내지 못했을 때, A, B, C 세 사람 중 한 명만 흰 공을 꺼낼 확률을 구하시오. (단, 꺼낸 공은 다시 넣지 않는다.)

0647 중요 평가원 기출 ●●●●

주머니 A에는 1, 2, 3, 4, 5의 숫자가 하나씩 적혀 있는 5장의 카드가 들어 있고, 주머니 B에는 1, 2, 3, 4, 5, 6의 숫자가 하나씩 적혀 있는 6장의 카드가 들어 있다. 한 개의 주사위를 한 번 던져서 나온 눈의 수가 3의 배수이면 주머니 A에서 임의로 카드를 한 장 꺼내고, 3의 배수가 아니면 주머니 B에서 임의로 카드를 한 장 꺼낸다. 주머니에서 꺼낸 카드에 적힌 수가 짝수일 때, 그 카드가 주머니 A에서 꺼낸 카드일 확률은?

① $\frac{1}{5}$ ② $\frac{2}{9}$ ③ $\frac{1}{4}$
④ $\frac{2}{7}$ ⑤ $\frac{1}{3}$

적중 문제

시험에 잘 나오는 문제로 점검하기

해설 112쪽

0648

서로 배반사건이 아닌 두 사건 A, B에 대하여

$$\mathrm{P}(A)=\frac{1}{4},\ \mathrm{P}(B^C)=\frac{7}{12},\ \mathrm{P}(A\cup B)=\frac{1}{2}$$

일 때, $\mathrm{P}(A\cap B)$를 구하시오.

0649

1부터 30까지의 자연수가 각각 하나씩 적힌 30장의 카드에서 1장의 카드를 꺼낼 때, 적힌 숫자가 2의 배수이거나 5의 배수일 확률은?

① $\frac{7}{30}$　② $\frac{3}{10}$　③ $\frac{2}{5}$

④ $\frac{7}{15}$　⑤ $\frac{3}{5}$

0650

필통 속에 노란색 연필이 4개, 파란색 연필이 3개 들어 있다. 이 필통에서 동시에 3개의 연필을 꺼낼 때, 모두 같은 색의 연필이 나올 확률은?

① $\frac{4}{35}$　② $\frac{1}{7}$　③ $\frac{6}{35}$

④ $\frac{1}{5}$　⑤ $\frac{8}{35}$

0651 서술형

16개의 제비 중에 당첨 제비가 3개 들어 있는 주머니에서 한꺼번에 2개의 제비를 뽑았을 때, 적어도 1개가 당첨 제비일 확률을 구하시오.

0652

1부터 20까지의 자연수가 각각 하나씩 적힌 20개의 구슬이 들어 있는 주머니가 있다. 이 주머니에서 임의로 두 개의 구슬을 뽑을 때, 구슬에 적힌 두 수의 곱이 짝수일 확률을 구하시오.

0653

두 사건 A, B에 대하여

$$\mathrm{P}(A)=\frac{1}{2},\ \mathrm{P}(A|B)=\frac{1}{6},\ \mathrm{P}(A\cup B)=\frac{3}{4}$$

일 때, $\mathrm{P}(B)$를 구하시오.

해설 113쪽

0654

7명의 학생 중에서 3명은 1월생이고, 4명은 2월생이다. 이 중에서 2명을 선발하였더니 2명의 생일이 같은 달이었을 때, 2명의 생일이 1월일 확률을 구하시오.

0655

다음은 남학생 20명, 여학생 15명으로 이루어진 어느 반에서 동생이 있는지 없는지를 조사한 후 그 결과를 표로 나타낸 것이다.

(단위: 명)

성별 \ 동생	있다	없다	합계
남학생	5	15	20
여학생	8	7	15
합계	13	22	35

이 반에서 임의로 남학생 한 명을 뽑을 때, 그 학생에게 동생이 있을 확률을 구하시오.

0656 서술형

어느 도시에서 야간에 뺑소니 사건이 일어났다. 이 도시 전체 차량의 80 %는 자가용이고, 20 %는 영업용이다. 그런데 한 목격자가 뺑소니 차량을 자가용이라고 증언하였다. 이 증언의 타당성을 알아보기 위해 사고와 동일한 상황에서 그 목격자가 자가용 차량과 영업용 차량을 구별할 수 있는 능력을 측정해 본 결과 바르게 구별할 확률이 90 %이었을 때, 목격자가 본 뺑소니 차량이 실제로 자가용일 확률은 $\frac{q}{p}$이다. $p+q$의 값을 구하시오.
(단, p, q는 서로소인 자연수이고, 모든 차량이 뺑소니 사건을 일으킬 가능성은 같다고 가정한다.)

0657

파란 공 5개, 노란 공 3개가 들어 있는 주머니에서 갑, 을 두 사람이 갑, 을의 순서로 공을 한 개씩 꺼낼 때, 두 사람 모두 파란 공을 꺼낼 확률은? (단, 꺼낸 공은 다시 넣지 않는다.)

① $\frac{3}{14}$ ② $\frac{2}{7}$ ③ $\frac{5}{14}$
④ $\frac{3}{7}$ ⑤ $\frac{1}{2}$

0658

어떤 야구팀이 다른 팀과의 시합에서 비가 오면 이길 확률이 0.7, 비가 오지 않으면 이길 확률이 0.4라고 한다. 그동안 시합이 열리는 날의 30 %는 비가 왔다고 할 때, 이 팀이 한 번의 시합에서 다른 팀을 이길 확률을 구하시오.

0659

상자에 흰 공 3개와 검은 공 2개가 들어 있다. 민호가 먼저 임의로 1개의 공을 꺼낸 후 다시 넣지 않았고, 다음에 창민이가 남은 4개의 공 중에서 임의로 1개의 공을 꺼냈다. 창민이가 꺼낸 공이 흰 공이었을 때, 민호가 먼저 꺼냈던 공도 흰 공일 확률은?

① $\frac{1}{2}$ ② $\frac{1}{3}$ ③ $\frac{1}{4}$
④ $\frac{1}{5}$ ⑤ $\frac{1}{6}$

고난도 문제

일등급 go! go!

해설 114쪽

Level 1

0660

1부터 6까지의 자연수 중에서 서로 다른 네 수를 택한 후 나열하여 만들 수 있는 네 자리 자연수 중에서 임의로 택한 자연수의 천의 자리, 백의 자리, 십의 자리, 일의 자리의 수를 각각 a, b, c, d라 할 때, $a>b>c$ 또는 $b>c>d$를 만족시킬 확률은 $\frac{q}{p}$이다. $p+q$의 값을 구하시오. (단, p와 q는 서로소인 자연수이다.)

0661

주머니 속에 2의 숫자가 적힌 카드가 3장, -1의 숫자가 적힌 카드가 3장 들어 있다. 주사위를 한 번 던져 나오는 눈의 수만큼 주머니 속에서 카드를 꺼낼 때, 꺼낸 카드에 적힌 숫자의 총합을 X라 하자. X가 4일 확률은?

① $\frac{1}{10}$　② $\frac{7}{60}$　③ $\frac{2}{15}$　④ $\frac{3}{20}$　⑤ $\frac{1}{6}$

0662 교육청 기출

흰 공 5개와 검은 공 3개가 들어 있는 주머니에서 임의로 1개씩 공을 꺼내는 시행을 반복하여 검은 공 3개가 모두 나오면 이 시행을 멈추기로 할 때, 5번 이상 공을 꺼낼 확률은 p이다. $70p$의 값을 구하시오. (단, 꺼낸 공은 다시 넣지 않는다.)

0663

두 사건 A, B에 대하여

$$\mathrm{P}(A)=\frac{1}{3},\ \mathrm{P}(A|B)=\frac{1}{2},\ \mathrm{P}(B|A)=\frac{1}{4}$$

일 때, $\mathrm{P}((A\cap B^C)\cup(B\cap A^C))$을 구하시오.

0664

다음 조건을 만족시키는 좌표평면 위의 점 (a, b) 중에서 임의로 서로 다른 두 점을 택한다. 택한 두 점의 y좌표가 같을 때, 이 두 점의 y좌표가 2일 확률은?

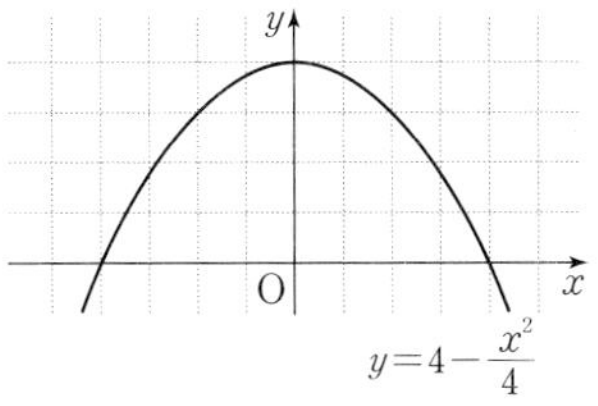

(가) a, b는 정수이다.　(나) $0<b<4-\frac{a^2}{4}$

① $\frac{4}{17}$　② $\frac{5}{17}$　③ $\frac{6}{17}$　④ $\frac{7}{17}$　⑤ $\frac{8}{17}$

0665

세 사람 A, B, C가 한 번의 시행으로 승부를 결정하는 가위바위보 게임을 하려고 한다. 오른쪽 표는 이 세 사람이 게임을 할 때 '가위, 바위, 보'를 낼 각각의 확률을 나타낸 것이다. C가 혼자 이겼다고 할 때, '보'를 내어 이겼을 확률을 구하시오.

	A	B	C
가위	$\frac{1}{5}$	$\frac{1}{2}$	$\frac{1}{4}$
바위	$\frac{3}{5}$	$\frac{1}{3}$	$\frac{1}{2}$
보	$\frac{1}{5}$	$\frac{1}{6}$	$\frac{1}{4}$

Level 2

0666

주사위 한 개를 n번 던지는 시행에서 나온 눈의 수들 중에서 가장 큰 수를 a_n, 가장 작은 수를 b_n이라 하자. 예를 들어 주사위를 한 번 던지는 시행에서 나온 눈의 수가 3이면 $a_1=b_1=3$이고, 주사위를 두 번 던지는 시행에서 나온 두 눈의 수가 4, 6이면 $a_2=6$, $b_2=4$이다. $a_n-b_n<5$가 될 확률을 p_n이라 할 때, $\sum_{n=1}^{10} p_n$의 값은?

① $8-10\left(\frac{5}{6}\right)^{10}$　② $12-10\left(\frac{5}{6}\right)^{10}$　③ $8-10\left(\frac{5}{6}\right)^{10}+2\left(\frac{2}{3}\right)^{10}$　④ $12-10\left(\frac{5}{6}\right)^{10}+2\left(\frac{2}{3}\right)^{10}$　⑤ $8+10\left(\frac{5}{6}\right)^{10}-2\left(\frac{2}{3}\right)^{10}$

0667

주머니 안에 1, 2, 3, 4, 5의 숫자가 각각 하나씩 적혀 있는 5개의 공이 들어 있다. 이 주머니에서 임의로 한 개의 공을 꺼내어 공에 적힌 숫자를 확인한 뒤 다시 주머니에 넣는 일을 4번 반복할 때, 꺼낸 공에 적혀 있는 수를 차례로 a, b, c, d라 하자. 네 수 a, b, c, d가 다음 세 식을 모두 만족시킬 확률을 구하시오.

$$b^2+c^2=20,\ a\le b,\ c\le d$$

0668　평가원 기출

다음 좌석표에서 2행 2열 좌석을 제외한 8개의 좌석에 여학생 4명과 남학생 4명을 1명씩 임의로 배정할 때, 적어도 2명의 남학생이 서로 이웃하게 배정될 확률은 p이다. $70p$의 값을 구하시오. (단, 2명이 같은 행의 바로 옆이나 같은 열의 바로 앞뒤에 있을 때 이웃한 것으로 본다.)

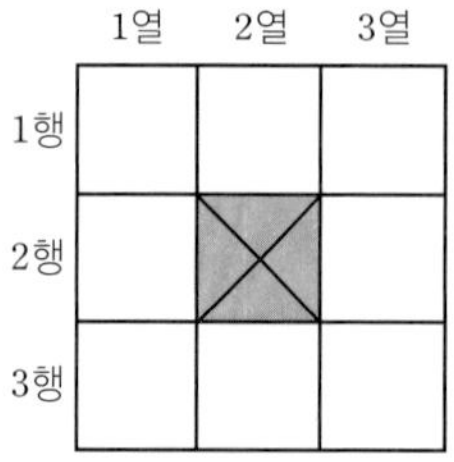

0669

확률이 모두 양수인 세 사건 A, B, C에 대하여 〈보기〉에서 옳은 것만을 있는 대로 고른 것은?

보기

ㄱ. $\mathrm{P}(A)\le\mathrm{P}(B)$이면 $\mathrm{P}(A|C)\le\mathrm{P}(B|C)$이다.
ㄴ. $A\cup B=D$인 사건 D에 대하여 $\mathrm{P}(A|C)\le\mathrm{P}(D|C)$이다.
ㄷ. $A\cap B=E$인 사건 E에 대하여 $\mathrm{P}(E|C)\le\mathrm{P}(A|C)$이다.

① ㄴ　② ㄱ, ㄴ　③ ㄱ, ㄷ　④ ㄴ, ㄷ　⑤ ㄱ, ㄴ, ㄷ

0670　교육청 기출

주머니에 1, 2, 3, 4의 숫자가 각각 하나씩 적힌 흰 공 4개와 3, 5, 7, 9의 숫자가 각각 하나씩 적힌 검은 공 4개가 들어 있다. 이 주머니에서 임의로 3개의 공을 동시에 꺼낸다. 꺼낸 3개의 공이 흰 공 2개, 검은 공 1개일 때, 꺼낸 검은 공에 적힌 수가 꺼낸 흰 공 2개에 적힌 수의 합보다 클 확률은?

① $\frac{11}{24}$　② $\frac{1}{2}$　③ $\frac{13}{24}$　④ $\frac{7}{12}$　⑤ $\frac{5}{8}$

0671 평가원 기출

자연수 n $(n\geq 3)$에 대하여 집합 A를

$$A=\{(x,\ y)\,|\,1\leq x\leq y\leq n,\ x\text{와 } y\text{는 자연수}\}$$

라 하자. 집합 A에서 임의로 선택된 한 개의 원소 $(a,\ b)$에 대하여 b가 3의 배수일 때, $a=b$일 확률이 $\frac{1}{9}$이 되도록 하는 모든 자연수 n의 값의 합을 구하시오.

0672

A여자고등학교의 학생 비율은 1, 2학년이 각각 40 %이고 3학년은 20 %이다. 이 학생들에게 여자대학교에 진학할 의향이 있는지를 조사하였더니 1학년은 30 %, 2학년은 10 %, 3학년은 15 %가 졸업 후 여자대학교에 진학하기를 희망한다고 답하였다. 여자대학교에 진학하기를 희망하는 학생 중에서 1명을 택하였을 때, 그 학생이 1학년이거나 2학년 학생일 확률은 $\frac{n}{m}$이다. $m+n$의 값을 구하시오. (단, m, n은 서로소인 자연수이다.)

0673 평가원 기출

어느 학교의 전체 학생 320명을 대상으로 수학동아리 가입여부를 조사한 결과 남학생의 60 %와 여학생의 50 %가 수학동아리에 가입하였다고 한다. 이 학교의 수학동아리에 가입한 학생 중 임의로 1명을 선택할 때 이 학생이 남학생일 확률을 p_1, 이 학교의 수학동아리에 가입한 학생 중 임의로 1명을 선택할 때 이 학생이 여학생일 확률을 p_2라 하자. $p_1=2p_2$일 때, 이 학교의 남학생의 수는?

① 170 ② 180 ③ 190
④ 200 ⑤ 210

0674 교육청 기출

주머니 A에는 흰 구슬이 4개, 검은 구슬이 6개 들어 있고, 주머니 B에는 흰 구슬과 검은 구슬을 합하여 10개가 들어 있다. 주머니 A에서 한 개의 구슬을 꺼내어 주머니 B에 넣고 잘 섞은 다음, 주머니 B에서 한 개의 구슬을 꺼낼 때 그것이 흰 구슬일 확률은 $\frac{2}{5}$이다. 이때, 주머니 B에 처음 들어 있던 흰 구슬의 개수는?

① 3 ② 4 ③ 5
④ 6 ⑤ 7

0675 평가원 기출

각각 3명의 선수로 구성된 A팀과 B팀이 있다. 각 팀 3명의 순번을 1, 2, 3번으로 정하고 다음 규칙에 따라 경기를 한다.

> (가) A팀 1번 선수와 B팀 1번 선수가 먼저 대결한다.
> (나) 대결에서 승리한 선수는 상대 팀의 다음 순번 선수와 대결한다.
> (다) 어느 팀이든 3명이 모두 패하면 경기가 종료된다.

A팀의 2번 선수가 승리한 횟수가 1일 확률은?

(단, 각 선수가 승리할 확률은 $\frac{1}{2}$이고 무승부는 없다.)

① $\frac{1}{32}$ ② $\frac{1}{16}$ ③ $\frac{1}{8}$
④ $\frac{1}{4}$ ⑤ $\frac{1}{2}$

0676

평가원 기출

A, B, C, D 4명이 그림과 같은 대진표에 따라 경기를 한다. 이들은 숫자 1, 2, 3, 4가 각각 한 개씩 적힌 카드가 들어 있는 주머니에서 카드를 임의로 하나씩 꺼내어 나온 번호에 위치한다.

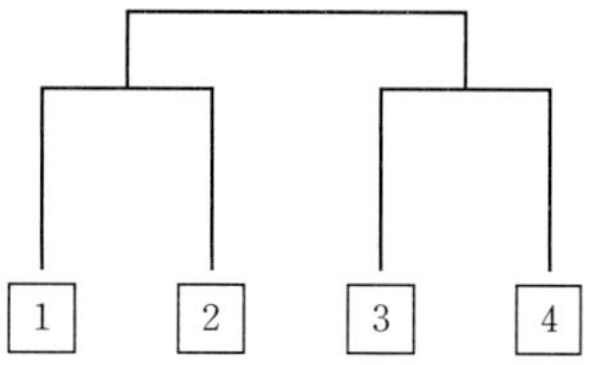

A가 C, D와 경기할 때 이길 확률이 모두 $\frac{2}{3}$이고, B가 C, D와 경기할 때 이길 확률이 모두 $\frac{1}{2}$이라고 하자. 이때, A와 B가 결승에서 만날 확률은?

① $\frac{1}{2}$　② $\frac{1}{3}$　③ $\frac{2}{3}$
④ $\frac{1}{6}$　⑤ $\frac{2}{9}$

Level 3

0677

집합 $X=\{1, 2, 3, 4\}$에서 집합 $Y=\{-2, -1, 0, 1\}$로의 함수 중에서 임의로 선택한 함수를 $y=f(x)$라 할 때, $f(1)f(2)f(3)=0$ 또는 $f(4)\geq 0$이 성립할 확률이 $\frac{q}{p}$이다. $p+q$의 값을 구하시오.

(단, p, q는 서로소인 자연수이다.)

0678

두 사람 중에서 어느 한 사람이 연속하여 2번 이기면 끝나는 게임에서 갑, 을 두 사람이 각각 이길 확률은 다음 표와 같다.

게임 / 확률	첫 번째 게임	갑이 이긴 다음의 게임	을이 이긴 다음의 게임
갑이 이길 확률	$\frac{2}{3}$	$\frac{2}{3}$	$\frac{1}{4}$
을이 이길 확률	$\frac{1}{3}$	$\frac{1}{3}$	$\frac{3}{4}$

이 시합에서 $2n$번째 게임에서 승부가 났다고 할 때, 갑이 승자일 확률을 구하시오. (단, $n\geq 2$)

05

독립과 독립시행의 확률

		제 목	내신중요도	유형난이도	문항수	문항번호
		기본 문제			26	0679~0704
유형 문제	01	독립사건의 확률의 계산	▬▬▬▬▬	★	9	0705~0713
	02	서로 독립인 사건의 조건부확률의 계산	▬▬	★★	6	0714~0719
	03	사건의 독립과 종속의 판정	▬▬▬	★★★	8	0720~0727
	04	독립과 종속의 성질	▬▬▬▬	★★★★★	7	0728~0734
	05	독립사건의 확률의 곱셈정리	▬▬	★★★	6	0735~0740
	06	독립사건의 확률의 곱셈정리 – 여사건	▬	★★★★	5	0741~0745
	07	'독립' 조건에서 미지수 구하기	▬▬▬	★★★★★	7	0746~0752
	08	사건이 하나인 독립시행의 확률	▬▬▬▬	★★★	9	0753~0761
	09	사건이 여러 개인 독립시행의 확률	▬▬▬▬▬	★★★★	9	0762~0770
	10	여사건을 이용하는 독립시행의 확률	▬▬	★★★	6	0771~0776
	11	독립시행의 확률을 이용한 승패 확률	▬▬▬	★★★★	6	0777~0782
	12	독립시행의 확률을 이용한 위치 확률	▬▬▬▬	★★★★	7	0783~0789
	13	독립시행의 확률의 활용	▬▬▬	★★★★	6	0790~0795
	14	독립시행의 확률을 이용한 조건부확률	▬▬	★★★★★	4	0796~0799
		적중 문제			12	0800~0811
		고난도 문제			17	0812~0828

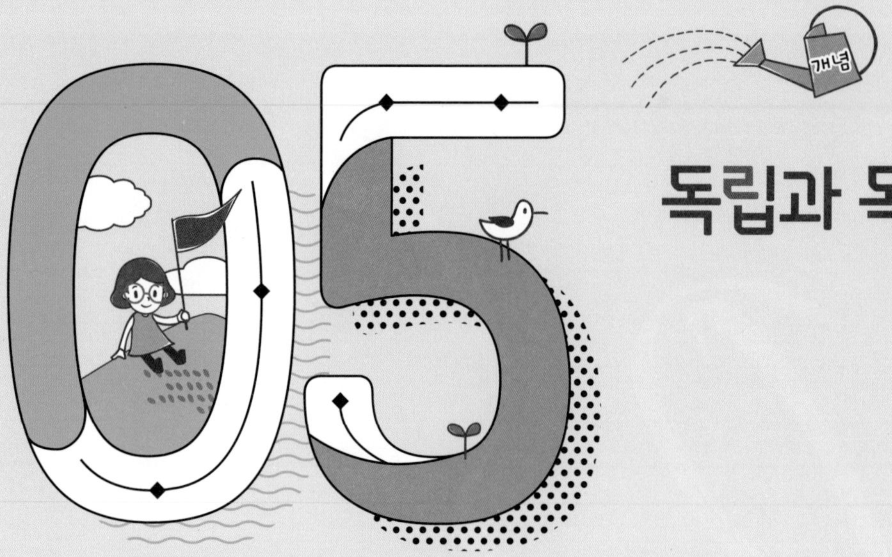

05 독립과 독립시행의 확률

1. 사건의 독립과 종속

(1) 두 사건 A와 B에 대하여 사건 A가 일어나는 것이 사건 B가 일어나는 (또는 사건 B가 일어나는 것이 사건 A가 일어나는) 확률에 영향을 미치지 않을 때 두 사건 A와 B는 서로 독립이라고 한다.

$\mathrm{P}(B|A)=\mathrm{P}(B)$ 또는 $\mathrm{P}(A|B)=\mathrm{P}(A)$

(2) 두 사건 A와 B에 대하여 사건 A가 일어나는 것이 사건 B가 일어나는 확률에 영향을 미칠 때 두 사건 A와 B는 서로 종속이라고 한다.

$\mathrm{P}(B|A)\neq\mathrm{P}(B)$ 또는 $\mathrm{P}(A|B)\neq\mathrm{P}(A)$

꺼낸 공을 다시 넣고 또 꺼내는 시행(복원추출)은 서로 독립이고, 꺼낸 공을 다시 넣지 않고 꺼내는 시행(비복원추출)은 서로 종속이다.

2. 독립사건의 성질

(1) 두 사건 A와 B $(\mathrm{P}(A)>0,\ \mathrm{P}(B)>0)$가 서로 독립이면

$\mathrm{P}(B|A)=\mathrm{P}(B|A^C)=\mathrm{P}(B)$

$\mathrm{P}(A|B)=\mathrm{P}(A|B^C)=\mathrm{P}(A)$

참고 두 사건 A, B가 서로 독립이면 $\mathrm{P}(B^C|A)=\mathrm{P}(B^C|A^C)=\mathrm{P}(B^C)$

(2) 두 사건 A와 B가 서로 종속이면

$\mathrm{P}(B|A)\neq\mathrm{P}(B|A^C)$

$\mathrm{P}(A|B)\neq\mathrm{P}(A|B^C)$

두 사건 A, B가 서로 배반사건이면 A, B는 서로 종속이다. 또 두 사건 A, B가 서로 독립이면 A, B는 서로 배반사건이 아니다.

두 사건 A와 B가 서로 독립이면 A^C과 B, A와 B^C, A^C과 B^C도 서로 독립이다.

3. 사건의 독립과 종속의 판정

두 사건 A, B에 대하여

(1) $\mathrm{P}(A\cap B)=\mathrm{P}(A)\mathrm{P}(B)$ ➡ 독립

(2) $\mathrm{P}(A\cap B)\neq\mathrm{P}(A)\mathrm{P}(B)$ ➡ 종속

- 두 사건 A와 B가 서로 종속이기 위한 필요충분조건은
$\mathrm{P}(A\cap B)\neq\mathrm{P}(A)\mathrm{P}(B)$

4. 독립사건의 곱셈정리

두 사건 A와 B가 서로 독립이기 위한 필요충분조건은

$$\mathrm{P}(A\cap B)=\mathrm{P}(A)\mathrm{P}(B)\ (\text{단, } \mathrm{P}(A)>0,\ \mathrm{P}(B)>0)$$

참고 세 사건 A, B, C가 서로 독립이기 위한 필요충분조건은
$\mathrm{P}(A\cap B\cap C)=\mathrm{P}(A)\mathrm{P}(B)\mathrm{P}(C)$ (단, $\mathrm{P}(A)>0$, $\mathrm{P}(B)>0$, $\mathrm{P}(C)>0$)

- 배반사건과 독립사건의 비교

두 사건 A와 B가 서로 배반사건
⇨ $\mathrm{P}(A\cap B)=0$
두 사건 A와 B가 서로 독립사건
⇨ $\mathrm{P}(A\cap B)=\mathrm{P}(A)\mathrm{P}(B)$

- 두 사건 A, B가 서로 독립이면 A와 B^C도 서로 독립이다.

$$\begin{aligned}\mathrm{P}(A\cap B^C)&=\mathrm{P}(A)-\mathrm{P}(A\cap B)\\&=\mathrm{P}(A)-\mathrm{P}(A)\mathrm{P}(B)\\&=\mathrm{P}(A)\{1-\mathrm{P}(B)\}\\&=\mathrm{P}(A)\mathrm{P}(B^C)\end{aligned}$$

5. 독립시행의 확률

(1) 주사위나 동전을 여러 번 던지는 경우와 같이 어떤 시행을 같은 조건에서 반복할 때, 각 시행의 결과가 다른 시행의 결과에 아무런 영향을 받지 않는 시행, 즉 시행의 결과가 각각 독립인 시행을 독립시행이라고 한다.

(2) 매회의 시행에서 사건 A가 일어날 확률이 p로 일정할 때, 이 시행을 n회 반복하는 독립시행에서 사건 A가 r회 일어날 확률은

$${}_n\mathrm{C}_r p^r q^{n-r}\ (\text{단, } r=0,\ 1,\ 2,\ \cdots,\ n,\ p+q=1)$$

- 독립시행의 확률을 구하는 과정

① 1회의 시행에서 사건 A가 일어날 확률을 구한다.

② 독립시행의 횟수와 사건 A가 일어나는 횟수를 파악하여 독립시행의 확률을 구한다.

기본 문제

핵심 개념을 문제로 익히기

1 독립사건의 확률의 계산

[0679-0683] 두 사건 A, B가 서로 독립이고 $\mathrm{P}(A)=\frac{3}{4}$, $\mathrm{P}(B)=\frac{2}{3}$일 때, 다음을 구하시오.

0679 $\mathrm{P}(A\cap B)$

0680 $\mathrm{P}(B^C)$

0681 $\mathrm{P}(A\cap B^C)$

0682 $\mathrm{P}(A|B)$

0683 $\mathrm{P}(A|B^C)$

2 사건의 독립과 종속

[0684-0685] 흰 공 2개와 검은 공 3개가 들어 있는 주머니에서 한 개씩 두 개의 공을 꺼낼 때, 첫 번째 꺼낸 공이 흰 공인 사건을 A, 두 번째 꺼낸 공이 흰 공인 사건을 B라 하자. 다음 확률을 구하시오.

0684 꺼낸 공을 다시 주머니에 넣는다고 할 때,
$\mathrm{P}(B)$, $\mathrm{P}(B|A)$

0685 꺼낸 공을 다시 주머니에 넣지 않는다고 할 때,
$\mathrm{P}(B)$, $\mathrm{P}(B|A)$

[0686-0688] 한 개의 주사위를 던질 때, 짝수의 눈이 나오는 사건을 A, 3 이상의 눈이 나오는 사건을 B라 하자. 다음 물음에 답하시오.

0686 $\mathrm{P}(A)\mathrm{P}(B)$를 구하시오.

0687 $\mathrm{P}(A\cap B)$를 구하시오.

0688 두 사건 A, B가 서로 독립인지 종속인지 말하시오.

[0689-0691] 1부터 20까지의 자연수가 각각 하나씩 적힌 20장의 카드 중 1장을 꺼낼 때, 카드에 적힌 수가 3의 배수인 사건을 A, 5의 배수인 사건을 B라 하자. 다음 물음에 답하시오.

0689 $\mathrm{P}(A)\mathrm{P}(B)$를 구하시오.

0690 $\mathrm{P}(A\cap B)$를 구하시오.

0691 두 사건 A, B가 서로 독립인지 종속인지 말하시오.

[0692-0693] 다음을 만족시키는 두 사건 A, B가 서로 독립인지 종속인지 조사하시오.

0692 $P(A)=\frac{2}{3}$, $P(B)=\frac{1}{2}$, $P(A\cap B)=\frac{1}{3}$

0693 $P(A)=\frac{1}{3}$, $P(B)=\frac{3}{4}$, $P(A\cap B)=\frac{1}{5}$

[0694-0695] 주사위를 한 번 던지는 시행에서 세 사건 A, B, C가 다음과 같을 때, 주어진 두 사건이 서로 독립인지 종속인지 조사하시오.

A: 2의 배수, B: 3의 배수, C: 4의 배수

0694 A, B

0695 A, C

[0696-0697] 다음 물음에 답하시오.

0696 어떤 수학문제를 맞힐 확률이 윤주는 $\frac{4}{5}$, 도현이는 $\frac{2}{3}$일 때, 윤주와 도현이 두 사람 모두 이 문제를 맞힐 확률을 구하시오.

0697 주사위 한 개와 동전 한 개를 동시에 던질 때, 주사위는 소수의 눈이 나오고 동전은 앞면이 나올 확률을 구하시오.

3 독립시행의 확률

[0698-0699] 어떤 독립시행에서 사건 A가 일어날 확률이 $\frac{1}{3}$이다. 이 독립시행을 10번 반복할 때, 다음 □ 안에 알맞은 값을 구하시오.

0698 (사건 A가 3번 일어날 확률)

$=_{10}C_{\square}\left(\frac{1}{3}\right)^3\left(\square\right)^7$

0699 (사건 A가 4번 일어날 확률)

$=_{10}C_{\square}\frac{\square^6}{3^{10}}$

[0700-0701] 한 개의 주사위를 1번 던질 때, 5의 약수의 눈이 나오는 사건을 A라 하자. 다음을 구하시오.

0700 $P(A)$

0701 주사위를 3번 던질 때, 사건 A가 2번 일어날 확률

[0702-0704] 다음 물음에 답하시오.

0702 한 개의 동전을 4번 던질 때, 앞면이 3번 나올 확률을 구하시오.

0703 두 프로야구팀 A, B가 경기를 할 때, A팀이 이길 확률은 $\frac{3}{5}$이다. 3번의 경기를 할 때, A팀이 2번 이길 확률을 구하시오. (단, 비기는 경우는 없다.)

0704 파란 공 3개, 빨간 공 6개가 들어 있는 상자에서 한 개의 공을 꺼내어 그 색깔을 확인하고 다시 넣는 시행을 5번 반복할 때, 파란 공이 2번 나올 확률을 구하시오.

05 독립과 독립시행의 확률

유형 문제

내신 출제 유형 정복하기

유형 01 독립사건의 확률의 계산

내신 중요도 ■■■■■ 유형 난이도 ★☆☆☆☆

(1) 두 사건 A, B가 서로 독립이면

① $\mathrm{P}(A\cap B)=\mathrm{P}(A)\mathrm{P}(B)$

② $\mathrm{P}(A\cup B)=\mathrm{P}(A)+\mathrm{P}(B)-\mathrm{P}(A)\mathrm{P}(B)$

(2) 두 사건 A, B가 서로 독립이면 A^C과 B, A와 B^C, A^C과 B^C도 서로 독립이다.

0705 중요 ●○○○

두 사건 A, B가 서로 독립이고 $\mathrm{P}(A)=\frac{1}{4}$, $\mathrm{P}(B)=\frac{2}{3}$일 때, $\mathrm{P}(A\cap B)$는?

① $\frac{1}{2}$ ② $\frac{1}{3}$ ③ $\frac{1}{4}$

④ $\frac{1}{5}$ ⑤ $\frac{1}{6}$

0706 ●○○○

두 사건 A, B가 서로 독립이고 $\mathrm{P}(B)=\frac{3}{5}$, $\mathrm{P}(A\cap B)=\frac{1}{5}$일 때, $\mathrm{P}(A\cup B)$는?

① $\frac{2}{3}$ ② $\frac{11}{15}$ ③ $\frac{4}{5}$

④ $\frac{13}{15}$ ⑤ $\frac{14}{15}$

0707 짱중요 ●○○○

서로 독립인 두 사건 A, B에 대하여 $\mathrm{P}(A)=\frac{1}{2}$, $\mathrm{P}(A\cup B)=\frac{2}{3}$일 때, $\mathrm{P}(B)$를 구하시오.

0708 ●○○○

두 사건 A, B가 서로 독립이고 $\mathrm{P}(A)=\frac{1}{3}$, $\mathrm{P}(B)=\frac{1}{3}$일 때, $\mathrm{P}(A\cap B^C)$은?

① $\frac{5}{27}$ ② $\frac{2}{9}$ ③ $\frac{7}{27}$

④ $\frac{8}{27}$ ⑤ $\frac{1}{3}$

0709 짱중요 ●○○○

서로 독립인 두 사건 A, B에 대하여 $\mathrm{P}(B)=\frac{1}{3}$, $\mathrm{P}(A\cap B^C)=\frac{1}{2}$일 때, $\mathrm{P}(A\cap B)$는?

① $\frac{1}{18}$ ② $\frac{1}{15}$ ③ $\frac{1}{12}$

④ $\frac{1}{6}$ ⑤ $\frac{1}{4}$

0710 ●●○○

두 사건 A, B가 서로 독립이고 $\mathrm{P}(A\cap B^C)=\frac{1}{4}$, $\mathrm{P}(A\cup B)=\frac{3}{4}$일 때, $\mathrm{P}(A)$는?

① $\frac{3}{16}$ ② $\frac{1}{4}$ ③ $\frac{3}{8}$

④ $\frac{1}{2}$ ⑤ $\frac{3}{4}$

0711 중요 ●●○○

두 사건 A, B가 서로 독립이고 $\mathrm{P}(A^C \cap B)=\frac{1}{3}$,

$\mathrm{P}(A^C \cap B^C)=\frac{1}{4}$일 때, $\mathrm{P}(B)$를 구하시오.

0712 평가원 기출 ●●○○

두 사건 A와 B는 서로 독립이고,

$$\mathrm{P}(A)=\mathrm{P}(B),\ \mathrm{P}(A)+\mathrm{P}(B)=\frac{2}{3}$$

일 때, $\mathrm{P}(A \cap B)$의 값은?

① $\frac{1}{15}$ ② $\frac{1}{12}$ ③ $\frac{1}{9}$
④ $\frac{1}{6}$ ⑤ $\frac{1}{3}$

0713 ●●●○

두 사건 A, B에 대하여 $\mathrm{P}(A \cup B)$의 값을 구하는데 갑은 두 사건이 서로 독립이라고 생각하여 0.6이라 하였고, 을은 두 사건이 서로 배반사건이라 생각하여 0.7이라고 하였다.
$|\mathrm{P}(A)-\mathrm{P}(B)|$의 값을 구하시오.

유형 02 서로 독립인 사건의 조건부확률의 계산

내신 중요도 ▬▬▬▬▬ 유형 난이도 ★★☆☆☆

(1) 두 사건 A, B가 서로 독립이면
$$\mathrm{P}(A \cap B)=\mathrm{P}(A)\mathrm{P}(B)$$
(2) 사건 A가 일어났을 때, 사건 B의 조건부확률은
$$\mathrm{P}(B|A)=\frac{\mathrm{P}(A \cap B)}{\mathrm{P}(A)}\ (\text{단, } \mathrm{P}(A) \neq 0)$$

0714 교육청 기출 ●○○○

두 사건 A와 B는 서로 독립이고,

$$\mathrm{P}(A)=\frac{3}{8},\ \mathrm{P}(B|A)=\frac{2}{3}$$

일 때, $\mathrm{P}(A \cup B)$의 값은?

① $\frac{5}{8}$ ② $\frac{2}{3}$ ③ $\frac{17}{24}$
④ $\frac{3}{4}$ ⑤ $\frac{19}{24}$

0715 중요 ●●○○

두 사건 A, B가 서로 독립이고 $\mathrm{P}(A^C)=\frac{1}{4}$, $\mathrm{P}(A \cap B)=\frac{1}{2}$일 때, $\mathrm{P}(B|A^C)$의 값을 구하시오.

0716 중요 평가원 기출 ●●○○

두 사건 A와 B는 서로 독립이고 $\mathrm{P}(A \cup B)=\frac{1}{2}$,

$\mathrm{P}(A|B)=\frac{3}{8}$일 때, $\mathrm{P}(A \cap B^C)$을 구하시오.

0717

서로 독립인 두 사건 A, B에 대하여

$$\mathrm{P}(A|B)=\mathrm{P}(B|A)=\frac{3}{4}$$

이 성립할 때, $\mathrm{P}(A\cup B)$는?

① $\frac{15}{16}$ ② $\frac{13}{16}$ ③ $\frac{11}{16}$
④ $\frac{9}{16}$ ⑤ $\frac{7}{16}$

0718

서로 독립인 두 사건 A와 B에 대하여 $\mathrm{P}(A\cup B)=\frac{3}{5}$, $\mathrm{P}(A)\mathrm{P}(B)=\frac{1}{4}$일 때, $\mathrm{P}(A|B^C)+\mathrm{P}(B|A^C)$의 값을 구하시오.

0719

세 사건 A, B, C에 대하여 A와 B는 서로 독립이고, A와 C, B와 C는 각각 서로 배반사건이다. 세 사건 A, B, C가 일어날 확률이 각각 $\mathrm{P}(A)=\frac{1}{3}$, $\mathrm{P}(B)=\frac{1}{4}$, $\mathrm{P}(C)=\frac{5}{12}$일 때, $\mathrm{P}(A|(B\cup C))$를 구하시오.

유형 03 사건의 독립과 종속의 판정

내신 중요도 유형 난이도 ★★★☆☆

두 사건 A, B에 대하여
(1) $\mathrm{P}(A\cap B)=\mathrm{P}(A)\mathrm{P}(B)$ ⇨ 독립
(2) $\mathrm{P}(A\cap B)\neq\mathrm{P}(A)\mathrm{P}(B)$ ⇨ 종속

0720 짱중요

한 개의 주사위를 던질 때, 홀수의 눈이 나오는 사건을 A, 소수의 눈이 나오는 사건을 B, 2 이하의 눈이 나오는 사건을 C라 하자. 〈보기〉에서 서로 독립인 것을 모두 고른 것은?

보기
ㄱ. A와 B ㄴ. B와 C ㄷ. A와 C

① ㄱ ② ㄴ ③ ㄷ
④ ㄱ, ㄴ ⑤ ㄴ, ㄷ

0721

한 개의 주사위를 던져 4 이하의 눈이 나오는 사건을 A, 짝수의 눈이 나오는 사건을 B라 할 때, 〈보기〉에서 옳은 것만을 있는 대로 고른 것은?

보기
ㄱ. 두 사건 A, B는 서로 독립이다.
ㄴ. 두 사건 A^C, B는 서로 독립이다.
ㄷ. 두 사건 A, B^C은 서로 종속이다.

① ㄱ ② ㄱ, ㄴ ③ ㄱ, ㄷ
④ ㄴ, ㄷ ⑤ ㄱ, ㄴ, ㄷ

0722 ●●●○

1, 2, 3, 4가 적힌 면은 빨간색, 5, 6이 적힌 면은 파란색이 칠해진 주사위가 있다. 이 주사위를 한 번 던질 때, 홀수의 눈이 나오는 사건을 A, 6의 약수의 눈이 나오는 사건을 B, 빨간색 면이 나오는 사건을 C, 파란색이 면이 나오는 사건을 D라 하자. 〈보기〉에서 서로 독립인 것만을 있는 대로 고른 것은?

보기

ㄱ. A와 B　　ㄴ. A와 C　　ㄷ. B와 D

① ㄱ　② ㄴ　③ ㄱ, ㄴ　④ ㄱ, ㄷ　⑤ ㄴ, ㄷ

0723 중요 ●●○○

서로 다른 두 개의 주사위를 동시에 던질 때,

사건 A: 나오는 두 눈의 수의 합이 10 이상
사건 B: 두 눈의 수의 곱의 약수의 개수가 3
사건 C: 두 눈의 수의 곱의 약수의 개수가 홀수

라 하자. 〈보기〉에서 옳은 것을 있는 대로 모두 고르시오.

보기

ㄱ. A와 B는 서로 배반사건이다.
ㄴ. B와 C는 서로 종속이다.
ㄷ. A와 C는 서로 독립이다.

0724 중요 ●●○○

1부터 10까지의 자연수가 각각 하나씩 적힌 10개의 카드 중에서 임의로 한 개의 카드를 선택할 때, 홀수가 적힌 카드가 나오는 사건을 A, 소수가 적힌 카드가 나오는 사건을 B, 5의 배수가 적힌 카드가 나오는 사건을 C라 하자. 〈보기〉에서 옳은 것을 있는 대로 모두 고르시오.

보기

ㄱ. A와 B는 서로 종속이다.
ㄴ. B와 C는 서로 종속이다.
ㄷ. A와 C는 서로 독립이다.

0725 평가원 기출 ●●●○

서로 다른 3개의 동전을 동시에 던질 때, 앞면이 나오는 동전이 1개 이하인 사건을 A, 동전 3개가 모두 같은 면이 나오는 사건을 B라 하자. 〈보기〉에서 옳은 것만을 있는 대로 고르시오.

보기

ㄱ. $\mathrm{P}(A)=\frac{1}{2}$　　ㄴ. $\mathrm{P}(A\cap B)=\frac{1}{8}$
ㄷ. 두 사건 A와 B는 서로 독립이다.

0726 교육청 기출 ●●●○

1부터 10까지의 자연수가 각각 하나씩 적힌 10장의 카드 중에서 임의로 한 장을 뽑을 때, n의 배수가 적힌 카드를 뽑는 사건을 A_n이라 하자. 이때 〈보기〉에서 옳은 것을 모두 고른 것은?

보기

ㄱ. A_3과 A_4는 서로 배반사건이다.
ㄴ. $\mathrm{P}(A_4|A_2)=\frac{1}{5}$
ㄷ. A_2와 A_5는 서로 독립이다.

① ㄱ　② ㄱ, ㄴ　③ ㄱ, ㄷ　④ ㄴ, ㄷ　⑤ ㄱ, ㄴ, ㄷ

0727 ●●●○

1개의 동전을 3회 던져서 첫 번째에 앞면이 나오는 사건을 A, 두 번째에 앞면이 나오는 사건을 B, 3회 중에서 2회만 연속하여 앞면이 나오는 사건을 C라 할 때, 〈보기〉에서 서로 종속인 것만을 있는 대로 고른 것은?

보기

ㄱ. A와 B　　ㄴ. B와 C　　ㄷ. A와 C

① ㄱ　② ㄴ　③ ㄷ　④ ㄱ, ㄴ　⑤ ㄴ, ㄷ

유형 04 독립과 종속의 성질

내신 중요도 ■■■■■ 유형 난이도 ★★★★★

두 사건 A, B가 서로

(1) 독립이면 ⇨ $\mathrm{P}(B|A)=\mathrm{P}(B|A^C)=\mathrm{P}(B)$,
$\mathrm{P}(A|B)=\mathrm{P}(A|B^C)=\mathrm{P}(A)$

(2) 종속이면 ⇨ $\mathrm{P}(B|A)\neq\mathrm{P}(B|A^C)$,
$\mathrm{P}(A|B)\neq\mathrm{P}(A|B^C)$

0728 짱중요 ●●●○

두 사건 A, B에 대하여 〈보기〉에서 옳은 것만을 있는 대로 고르시오. (단, $\mathrm{P}(A)\neq0$, $\mathrm{P}(B)\neq0$)

보기

ㄱ. 두 사건 A, B가 서로 배반사건이면 두 사건 A, B는 서로 독립이다.

ㄴ. 두 사건 A, B가 서로 독립이면 두 사건 A, B^C은 서로 독립이다.

ㄷ. 두 사건 A, B가 서로 독립이면 두 사건 A, B는 서로 배반사건이다.

0729 중요 ●●●○

표본공간 S의 공사건이 아닌 세 사건 A, B, C에 대하여 〈보기〉에서 옳은 것만을 있는 대로 고르시오.

보기

ㄱ. A, B가 서로 배반사건이고 B, C가 서로 배반사건이면 A, C도 서로 배반사건이다.

ㄴ. A, B가 서로 독립이고 B, C가 서로 독립이면 A, C도 서로 독립이다.

ㄷ. A, B가 서로 배반사건이고 B^C, C가 서로 배반사건이면 A, C는 서로 종속이다.

0730 중요 ●●●○

표본공간 S의 두 사건 A, B에 대하여 〈보기〉에서 옳은 것만을 있는 대로 고른 것은? (단, $\mathrm{P}(A)\neq0$, $\mathrm{P}(B)\neq0$)

보기

ㄱ. $A\subset B$이면 $\mathrm{P}(B|A)=1$이다.

ㄴ. 두 사건 A, B가 서로 배반사건이면 $\mathrm{P}(B|A)=0$이다.

ㄷ. 두 사건 A, B가 서로 독립이면 두 사건 A, B는 서로 배반사건이다.

① ㄱ ② ㄱ, ㄴ ③ ㄱ, ㄷ
④ ㄴ, ㄷ ⑤ ㄱ, ㄴ, ㄷ

0731 중요 ●●●○

확률이 0이 아닌 두 사건 A, B가 서로 독립일 때, 〈보기〉에서 옳은 것만을 있는 대로 고르시오.

보기

ㄱ. $\mathrm{P}(A^C|B)=1-\mathrm{P}(A)$

ㄴ. $\mathrm{P}(A\cap B)=\mathrm{P}(A|B^C)\mathrm{P}(B|A^C)$

ㄷ. $\mathrm{P}(B)=\mathrm{P}(A)\mathrm{P}(B)+\mathrm{P}(A^C)\mathrm{P}(B)$

0732 ●●●●

표본공간 S의 두 사건 A, B에 대하여 〈보기〉에서 옳은 것만을 있는 대로 고르시오. (단, 두 사건 A, B는 공사건이 아니다.)

보기

ㄱ. $\mathrm{P}(A|B)=\mathrm{P}(A)$이면 $\mathrm{P}(A\cap B)=\mathrm{P}(A)\mathrm{P}(B)$

ㄴ. $\mathrm{P}(A|B^C)+\mathrm{P}(A^C|B^C)=1$

ㄷ. $\mathrm{P}(A|B)+\mathrm{P}(A^C|B^C)=1$이면 두 사건 A, B는 서로 독립이다.

0733 교육청 기출 ●●●●

두 사건 A, B에 대하여 $0<\mathrm{P}(A)<1$, $0<\mathrm{P}(B)<1$일 때, 〈보기〉에서 옳은 것만을 있는 대로 고른 것은?

(단, A^C은 A의 여사건이다.)

┤ 보 기 ├

ㄱ. $\mathrm{P}(A\,|\,B^C)=0$이면 $\mathrm{P}(A\,|\,B)\mathrm{P}(B)=\mathrm{P}(A)$이다.

ㄴ. 사건 A와 B가 서로 독립이면 사건 A와 B는 서로 배반이다.

ㄷ. 사건 A와 B가 서로 독립이면
$\mathrm{P}(A\,|\,B)+\mathrm{P}(A\,|\,B^C)=2\mathrm{P}(A)$이다.

① ㄱ ② ㄴ ③ ㄱ, ㄷ

④ ㄴ, ㄷ ⑤ ㄱ, ㄴ, ㄷ

0734 ●●●●

서로 독립인 세 사건 A, B, C에 대하여 〈보기〉에서 옳은 것만을 있는 대로 고른 것은? (단, $\mathrm{P}(A)\neq0$, $\mathrm{P}(B)\neq0$, $\mathrm{P}(C)\neq0$)

┤ 보 기 ├

ㄱ. $\mathrm{P}(A\cup B\cup C)=\mathrm{P}(A)+\mathrm{P}(B)+\mathrm{P}(C)$

ㄴ. $\mathrm{P}(A\cap B\cap C)=\mathrm{P}(A)\mathrm{P}(B)\mathrm{P}(C)$

ㄷ. 사건 A와 $B\cup C$는 서로 독립이다.

① ㄱ ② ㄷ ③ ㄱ, ㄴ

④ ㄴ, ㄷ ⑤ ㄱ, ㄴ, ㄷ

유형 **05** 독립사건의 확률의 곱셈정리

내신 중요도 ■■■□□□ 유형 난이도 ★★★☆☆

(1) 두 사건 A, B가 서로 독립이면
⇨ $\mathrm{P}(A\cap B)=\mathrm{P}(A)\mathrm{P}(B)$

(2) 세 사건 A, B, C가 서로 독립이면
⇨ $\mathrm{P}(A\cap B\cap C)=\mathrm{P}(A)\mathrm{P}(B)\mathrm{P}(C)$

0735 ●○○○

어떤 시험에 갑, 을, 병 세 사람이 합격할 확률이 각각 $\dfrac{2}{5}$, $\dfrac{3}{4}$, $\dfrac{1}{3}$이다. 세 사람 모두 합격할 확률이 $\dfrac{a}{b}$일 때, $a+b$의 값을 구하시오.

(단, a, b는 서로소인 자연수이다.)

0736 ●●○○

검은 구슬이 5개, 흰 구슬이 3개 들어 있는 A주머니와 검은 구슬이 8개, 흰 구슬이 4개 들어 있는 B주머니에서 각각 하나씩 구슬을 꺼낼 때, 두 주머니 모두에서 흰 구슬을 꺼낼 확률을 구하시오.

⭐**0737** 중요 ●●●●

주머니 A에는 흰 공 5개, 검은 공 1개가 들어 있고, 주머니 B에는 흰 공 4개, 검은 공 1개가 들어 있다. 준희는 주머니 A에서, 영수는 주머니 B에서 각각 1개의 공을 꺼낼 때, 두 사람 중에서 한 명만 흰 공을 뽑을 확률은 $\dfrac{q}{p}$이다. $p+q$의 값을 구하시오.

(단, p, q는 서로소인 자연수이다.)

0738

3문제로 구성된 시험을 실시한 결과 1번, 2번, 3번 문제의 정답률이 각각 80 %, 50 %, 40 %이었다. 시험에 응시한 사람 중에서 한 사람을 뽑을 때, 그 사람이 2번 문제만 맞혔을 확률은?

① 6 % ② 10 % ③ 12 %
④ 30 % ⑤ 50 %

0739 중요 교육청 기출

1부터 7까지의 자연수가 하나씩 적혀 있는 7개의 공이 들어 있는 상자에서 임의로 1개의 공을 꺼내는 시행을 반복할 때, 짝수가 적혀 있는 공을 모두 꺼내면 시행을 멈춘다. 5번째까지 시행을 한 후 시행을 멈출 확률은? (단, 꺼낸 공은 다시 넣지 않는다.)

① $\frac{6}{35}$ ② $\frac{1}{5}$ ③ $\frac{8}{35}$
④ $\frac{9}{35}$ ⑤ $\frac{2}{7}$

0740 평가원 기출

각 면에 1, 1, 1, 2의 숫자가 하나씩 적혀 있는 정사면체 모양의 상자가 있다. 이 상자를 던져서 밑면에 적힌 숫자가 1이면 그림의 영역 A에, 숫자가 2이면 영역 B에 색을 칠하기로 하였다. 두 영역에 색이 모두 칠해질 때까지 이 상자를 계속 던질 때, 3번째에 마칠 확률을 $\frac{q}{p}$라 하자. $p+q$의 값을 구하시오.

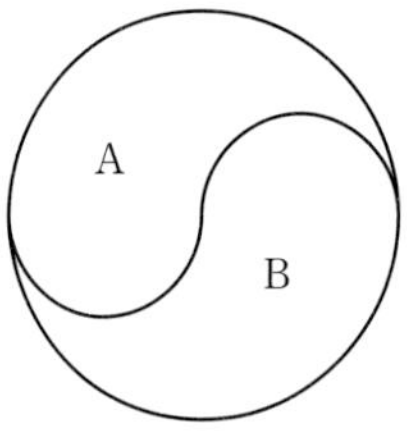

(단, p, q는 서로소인 자연수이다.)

유형 06 독립사건의 확률의 곱셈정리-여사건

내신 중요도 유형 난이도 ★★★★

두 사건 A, B가 서로 독립일 때

⇨ $\mathrm{P}(A^C)=1-\mathrm{P}(A)$

⇨ $\mathrm{P}(A^C\cup B^C)=\mathrm{P}((A\cap B)^C)=1-\mathrm{P}(A\cap B)$

0741

A상자에는 3, 4, 5, 6, 7의 숫자가 하나씩 적혀 있는 5개의 공이 들어 있고, B상자에는 6, 7, 8, 9, 10의 숫자가 하나씩 적혀 있는 5개의 공이 들어 있다. 두 상자 A, B에서 각각 임의로 1개의 공을 꺼낼 때, 꺼낸 두 공에 적혀 있는 수의 곱이 짝수일 확률을 구하시오.

0742 중요

어떤 프로야구팀의 1번, 2번 두 명의 타자가 한 타석에서 안타를 칠 확률이 각각 $\frac{1}{3}$, $\frac{1}{4}$이라고 한다. 이 두 사람이 한 번씩 타석에 들어설 때, 한 명 이상 안타를 칠 확률을 구하시오.

0743

어떤 프로축구팀의 세 선수 A, B, C가 페널티킥을 성공할 확률이 각각 0.8, 0.7, 0.6이다. 이들이 한 번씩 페널티킥을 하였을 때, 적어도 한 명은 성공할 확률을 구하시오.

0744 중요 ●●●○

어떤 제품은 3개의 부품 A, B, C로 만들어진다. 부품 A, B, C가 1년 이내에 고장이 날 확률이 각각 $\frac{1}{2}$, $\frac{1}{3}$, $\frac{1}{4}$이라 할 때, 1년 이내에 이 제품의 어딘가에 고장이 날 확률은?

① $\frac{1}{3}$ ② $\frac{2}{3}$ ③ $\frac{1}{2}$
④ $\frac{1}{4}$ ⑤ $\frac{3}{4}$

0745 ●●●●

그림과 같은 전기회로에서 3개의 스위치 A, B, C는 다음 조건을 만족시킨다.

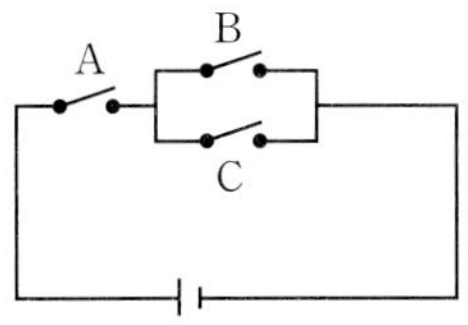

(가) 세 개의 스위치 A, B, C는 서로 독립적으로 작동한다.
(나) A, B, C가 닫혀 있을 확률은 각각 $\frac{1}{2}$, $\frac{1}{4}$, $\frac{1}{5}$이다.

이 회로에 전기가 흐를 확률을 구하시오.
(단, 스위치가 닫히면 전기가 흐른다.)

유형 07 '독립' 조건에서 미지수 구하기

내신 중요도 ▬▬▬▬▬ 유형 난이도 ★★★★★

두 사건 A, B가 서로 독립이면
(1) $\mathrm{P}(A\cap B)=\mathrm{P}(A)\mathrm{P}(B)$
(2) $\mathrm{P}(A\cup B)=\mathrm{P}(A)+\mathrm{P}(B)-\mathrm{P}(A)\mathrm{P}(B)$

0746 중요 ●●●○

표본공간 $S=\{x\,|\,1\le x\le 16,\ x$는 자연수$\}$와 사건 $A=\{1, 2, 3, 4\}$에 대하여 사건 A와 독립이고 $n(A\cap B)=3$인 사건 B의 개수는?

① 820 ② 840 ③ 860
④ 880 ⑤ 900

0747 ●●●○

두 주머니 A, B에는 각각 9개의 구슬이 들어 있다. A주머니에는 흰 구슬이 3개, 검은 구슬이 6개 들어 있고, B주머니에는 흰 구슬이 n개, 나머지는 모두 검은 구슬이 들어 있다. 두 주머니 A, B에서 각각 임의로 1개의 구슬을 꺼낼 때, 꺼낸 구슬이 모두 흰 구슬일 확률이 $\frac{2}{9}$가 되도록 하는 자연수 n의 값을 구하시오.

0748 중요 ●●●○

1부터 20까지의 자연수가 각각 하나씩 적힌 20장의 카드 중에서 임의로 한 장의 카드를 선택할 때, 카드에 적힌 수가 짝수인 사건을 A라 하자. 사건 A와 독립인 사건 B 중에서 $\mathrm{P}(B)=\frac{1}{5}$을 만족시키는 사건 B의 개수를 n이라 할 때, $\frac{n}{27}$의 값을 구하시오.

0749 평가원 기출 ●●●○

어느 회사의 전체 직원은 기혼 남성 6명, 미혼 남성 20명, 기혼 여성 36명, 미혼 여성 x명이고, 이 회사의 직원 중 한 사람을 선택하여 선물을 주기로 하였다. 선택된 직원이 남성인 경우를 사건 A라 하고, 미혼인 경우를 사건 B라 하자. 두 사건 A와 B가 서로 독립일 때, x의 값을 구하시오.

(단, 각 직원이 선택될 확률은 같다.)

0750 ●●●●

n개의 동전을 동시에 던질 때, 적어도 $(n-1)$개가 뒷면이 나오는 사건을 A, 적어도 1개가 앞면이 나오되 모두 앞면은 아닌 사건을 B라 하자. 이 두 사건 A, B가 서로 독립이기 위한 n의 값을 구하시오. (단, $n \geq 2$)

0751 중요 평가원 기출 ●●●○

다음은 어느 회사에서 전체 직원 360명을 대상으로 재직 연수와 새로운 조직 개편안에 대한 찬반 여부를 조사한 표이다.

(단위: 명)

재직 연수 \ 찬반 여부	찬성	반대	계
10년 미만	a	b	120
10년 이상	c	d	240
계	150	210	360

재직 연수가 10년 미만일 사건과 조직 개편안을 찬성할 사건이 서로 독립일 때, a의 값을 구하시오.

0752 교육청 기출 ●●●●

주머니 속에 8개의 공이 들어 있다. 이 중 k개는 흰 공이고, 나머지는 검은 공이다. 흰 공에는 1부터 k까지의 자연수가 각각 하나씩 적혀 있고, 검은 공에는 $k+1$부터 8까지의 자연수가 각각 하나씩 적혀 있다. 이 주머니에서 임의로 하나의 공을 꺼낼 때, 흰 공이 나오는 사건을 A라 하고, 홀수가 적힌 공이 나오는 사건을 B라 하자. 두 사건 A, B가 서로 독립이 되도록 자연수 k의 값을 정할 때, 모든 k의 값의 합을 구하시오. (단, $1 \leq k \leq 7$이다.)

유형 08 내신 중요도 유형 난이도 ★★★☆☆

사건이 하나인 독립시행의 확률

매회의 시행에서 사건 A가 일어날 확률이 p로 일정할 때, n회의 독립시행에서 사건 A가 r회 일어날 확률은

$${}_{n}C_{r}\,p^{r}(1-p)^{n-r} \text{ (단, } r=0, 1, 2, \cdots, n)$$

0753 ●○○○

어느 시험에서 오지선다형 문제가 5문제 출제되었다. 문제를 보지 않고 임의로 답을 적었을 때, 한 문제만 맞힐 확률을 구하시오.

0754 중요 ●○○○

주머니 속에 흰 바둑돌이 2개, 검은 바둑돌이 3개 들어 있다. 이 주머니에서 1개의 바둑돌을 꺼내 색을 확인하고 다시 넣는 시행을 3번 반복할 때, 검은 바둑돌을 2번 꺼낼 확률은?

① $\frac{8}{125}$ ② $\frac{27}{125}$ ③ $\frac{36}{125}$
④ $\frac{54}{125}$ ⑤ $\frac{27}{1000}$

0755 교육청 기출 ●●○○

한 개의 주사위를 4번 던질 때 6의 약수의 눈이 2번 나올 확률을 p_1이라 하고, 한 개의 동전을 3번 던질 때 동전의 앞면이 2번 나올 확률을 p_2라 하자. $\frac{1}{p_1p_2}$의 값을 구하시오.

0756 ●●○○

한 개의 주사위를 5번 던져 3의 배수 또는 소수의 눈이 2번 나올 확률이 $\frac{a}{b}$일 때, $a+b$의 값을 구하시오.

(단, a, b는 서로소인 자연수이다.)

0757 중요 ●●○○

서로 다른 2개의 주사위를 동시에 3번 던졌을 때, 두 주사위 모두 3의 배수의 눈이 나오는 사건이 2번 일어날 확률을 구하시오.

0758 중요 ●●●○

흰 공 2개, 검은 공 4개가 들어 있는 주머니에서 임의로 공을 한 개 꺼내어 색을 확인하고 다시 주머니에 넣는 시행을 반복한다. 흰 공이 두 번 나오면 시행을 멈추기로 할 때, 공을 꺼내는 시행을 5번 한 후 멈출 확률을 구하시오.

0759 짱중요

한 개의 주사위를 6회 던지는 시행을 할 때, 짝수의 눈이 4회까지 2번 나오고 6회까지 3번 나올 확률은?

① $\frac{1}{16}$ ② $\frac{1}{8}$ ③ $\frac{3}{16}$
④ $\frac{1}{4}$ ⑤ $\frac{5}{16}$

0760

주사위 한 개를 던져 나온 눈의 수가 3의 배수일 경우 2점, 3의 배수가 아닐 경우 1점을 얻는 게임이 있다. 주사위를 4번 던질 때까지 얻은 점수가 5점일 확률은?

① $\frac{2^4}{3^4}$ ② $\frac{2^5}{3^4}$ ③ $\frac{2^3}{3^3}$
④ $\frac{2^4}{3^3}$ ⑤ $\frac{2^5}{3^3}$

0761

한 개의 주사위를 던져서 1 또는 2의 눈이 나오면 상금 1000원을 받고, 그 밖의 눈이 나오면 상금 500원을 받기로 하였다. 주사위를 5번 던졌을 때, 받은 상금이 4000원이 될 확률은?

① $\frac{4}{243}$ ② $\frac{4}{81}$ ③ $\frac{40}{243}$
④ $\frac{40}{81}$ ⑤ $\frac{41}{81}$

유형 09 사건이 여러 개인 독립시행의 확률

내신 중요도 ▬▬▬▬▬ 유형 난이도 ★★★★☆

두 사건 A, B가 배반사건, 즉 $\mathrm{P}(A\cap B)=0$이면
$\mathrm{P}(A\cup B)=\mathrm{P}(A)+\mathrm{P}(B)$

0762 짱중요

자유투 성공률이 $\frac{5}{6}$인 어떤 농구 선수가 시합에서 3개의 자유투 중 2개 이상을 성공시킬 확률은?

① $\frac{7}{9}$ ② $\frac{22}{27}$ ③ $\frac{23}{27}$
④ $\frac{8}{9}$ ⑤ $\frac{25}{27}$

0763 중요

어떤 축구 선수가 패널티킥을 성공시킬 확률이 80 %라 한다. 이 선수가 3번의 패널티킥 상황에서 2번 이상 성공할 확률은?

① 0.128 ② 0.384 ③ 0.512
④ 0.64 ⑤ 0.896

0764

주사위 한 개를 8번 던질 때, 홀수의 눈이 7번 이상 나올 확률은?

① $\frac{7}{256}$ ② $\frac{9}{256}$ ③ $\frac{11}{256}$
④ $\frac{13}{256}$ ⑤ $\frac{15}{256}$

0765

●●●○

○, ×로 답하는 서로 다른 6개의 문제가 주어져 있다. 어떤 학생이 임의로 ○, ×표를 할 때, 4문제 이상 맞힐 확률을 구하시오.

0766

●●●○

주사위 1개를 한 번 던져 나온 눈의 수가 3의 배수이면 1점, 그 외의 눈의 수가 나오면 2점을 얻는 게임을 하려고 한다. 주사위 1개를 4번 던져 얻은 점수의 합이 5점 이하가 될 확률은?

① $\dfrac{1}{9}$ ② $\dfrac{2}{9}$ ③ $\dfrac{1}{3}$

④ $\dfrac{4}{9}$ ⑤ $\dfrac{5}{9}$

⭐0767 중요

●●●○

4개의 객실을 운영하는 어느 펜션에서 운영하는 객실이 예약 후 취소되는 확률이 $\dfrac{1}{3}$ 이라고 한다. 이 펜션에서 취소되는 확률을 고려하여 4개의 객실에 대하여 6건의 예약을 받았다고 할 때, 객실이 부족하게 될 확률을 구하시오.

(단, 예약의 취소는 독립적으로 이루어진다.)

⭐0768 중요 평가원 기출

●●●○

주사위를 1개 던져서 나오는 눈의 수가 6의 약수이면 동전을 3개 동시에 던지고, 6의 약수가 아니면 동전을 2개 동시에 던진다. 1개의 주사위를 1번 던진 후 그 결과에 따라 동전을 던질 때, 앞면이 나오는 동전의 개수가 1일 확률은?

① $\dfrac{1}{3}$ ② $\dfrac{3}{8}$ ③ $\dfrac{5}{12}$

④ $\dfrac{11}{24}$ ⑤ $\dfrac{1}{2}$

⭐0769 중요

●●●●

서로 다른 2개의 주사위를 동시에 던져 나온 눈의 수의 합이 7이면 한 개의 동전을 4번 던지고, 나온 눈의 수의 합이 7이 아니면 한 개의 동전을 2번 던지기로 하였다. 이 시행에서 동전의 앞면이 나온 횟수와 뒷면이 나온 횟수가 같을 확률을 구하시오.

⭐0770 중요

●●●●

서로 다른 동전 6개와 주사위 1개를 동시에 던지는 시행에서 앞면이 나오는 동전의 개수가 주사위의 눈의 수보다 클 확률은?

① $\dfrac{37}{128}$ ② $\dfrac{39}{128}$ ③ $\dfrac{41}{128}$

④ $\dfrac{43}{128}$ ⑤ $\dfrac{45}{128}$

유형 10 내신 중요도 ▬▬▬▬▬ 유형 난이도 ★★★★★

여사건을 이용하는 독립시행의 확률

'적어도 ~인' 사건의 확률을 구할 때는 여사건의 확률을 이용한다.

('적어도 ~인' 사건의 확률)$=1-$(반대인 사건의 확률)

0771 ●●○○

한 개의 동전을 4번 던질 때, 앞면이 적어도 1번 나올 확률은?

① $\frac{1}{16}$ ② $\frac{3}{16}$ ③ $\frac{9}{16}$

④ $\frac{11}{16}$ ⑤ $\frac{15}{16}$

0772 ●●○○

2개의 당첨 제비가 포함되어 있는 10개의 제비가 있다. 이 중에서 임의로 3회 복원추출할 때, 적어도 한 개가 당첨 제비일 확률을 구하시오.

0773 중요 ●●●○

어느 시험에서 옳은 것에는 ○표, 옳지 않은 것에는 ×표를 하는 문제가 6개 출제되었다. 임의로 ○표 또는 ×표를 할 때, 적어도 3문제를 맞힐 확률을 구하시오.

0774 ●●●○

3번의 슈팅에서 두 번 꼴로 골을 넣는 축구 선수가 있다. 이 선수가 n번의 슈팅에서 한 번 이상의 골을 넣을 확률이 0.99보다 크게 되는 n의 최솟값을 구하시오.

(단, 각 슈팅은 다른 슈팅에 영향을 주지 않는다.)

0775 중요 ●●●○

어느 농구 선수의 자유투 성공률은 80 %라고 한다. 이 선수가 3번의 자유투를 던질 때, 1번 이상 성공할 확률은 $\frac{b}{a}$이다. $a+b$의 값을 구하시오. (단, a, b는 서로소인 자연수이다.)

0776 ●●●○

주사위를 던져 나오는 눈에 따라 동전을 던지는 횟수를 정하는 놀이가 있다. 짝수의 눈이 나오면 동전을 3번, 홀수의 눈이 나오면 동전을 2번 던진다고 한다. 주사위 한 개와 동전 한 개로 이 놀이를 할 때, 동전의 뒷면이 적어도 한 번 나올 확률은?

① $\frac{11}{16}$ ② $\frac{3}{4}$ ③ $\frac{13}{16}$

④ $\frac{7}{8}$ ⑤ $\frac{15}{16}$

해설 135쪽

유형 11 독립시행의 확률을 이용한 승패 확률

내신 중요도 ▬▬▬▬▬ 유형 난이도 ★★★★☆

n회에서 우승을 해야 하는 경우
⇨ $(n-1)$회까지의 독립시행의 확률을 먼저 구하고, n회에 이길 확률을 곱한다.

0777 중요 ●●○○

실력이 같은 정도로 기대되는 A, B 두 팀이 7번의 시합에서 먼저 4번을 이기면 우승한다고 할 때, A팀이 6번째 시합에서 우승할 확률은? (단, 비기는 경우는 없다.)

① ${}_5C_3\left(\frac{1}{2}\right)^4$ ② ${}_5C_3\left(\frac{1}{2}\right)^5$ ③ ${}_5C_3\left(\frac{1}{2}\right)^6$
④ ${}_6C_4\left(\frac{1}{2}\right)^5$ ⑤ ${}_6C_4\left(\frac{1}{2}\right)^6$

0778 짱중요 ●●○○

5번의 경기 중에서 3번을 먼저 이기는 팀이 최종 우승하는 배구 대회의 결승에 A와 B 두 팀이 진출하였다. A팀이 첫 번째 경기를 이겼을 때, B팀이 최종 우승할 확률을 구하시오.

(단, 두 팀이 이길 확률은 같고, 비기는 경우는 없다.)

0779 평가원 기출 ●●●○

A와 B 두 팀이 축구 경기에서 연장전까지 0 : 0으로 승부를 가리지 못하여 승부차기를 하였다. 각 팀당 5명의 선수가 A팀부터 시작하여 1명씩 교대로 승부차기를 할 때, B팀이 5 : 4로 이길 확률은? (단, 각 선수의 승부차기는 독립시행이고 성공할 확률은 0.8이다.)

① 0.2×0.8^8 ② 0.8^8 ③ 0.2×0.8^9
④ 0.8^9 ⑤ 0.8^{10}

0780 중요 ●●●○

두 배구팀 A, B가 결승전에서 먼저 2승한 팀이 우승한다고 한다. 한 번의 시합에서 A팀이 이길 확률은 $\frac{3}{5}$, B팀이 이길 확률은 $\frac{2}{5}$일 때, A팀이 우승할 확률을 구하시오. (단, 무승부는 없다.)

0781 짱중요 ●●●○

두 야구팀 A, B가 7전 4선승제로 최종 우승을 놓고 경기를 한다. 3경기를 진행한 결과 A팀이 2승 1패로 이기고 있을 때, A팀이 우승할 확률을 구하시오.

$\left(\text{단, A팀이 이길 확률은 }\frac{2}{3}\text{이고, 비기는 경우는 없다.}\right)$

0782 ●●●○

A, B 두 선수가 겨루는 권투 경기가 3명의 심판의 판정에 의해 승패가 결정된다. 각 심판이 A가 경기에 이겼다고 판정할 확률이 $\frac{3}{4}$일 때, 세 심판의 다수결에 의한 판정으로 A가 이길 확률을 구하시오.

유형 12 내신 중요도 ━━━━━ 유형 난이도 ★★★★★

독립시행의 확률을 이용한 위치 확률

(1) 1회 시행을 한 후의 위치를 파악한다.
(2) 주어진 조건의 횟수만큼 독립시행을 한다.

0783 중요 ●●○○

수직선 위를 움직이는 점 A는 주사위를 던져서 6의 약수가 나오면 1만큼, 그 외의 눈이 나오면 -1만큼 원점을 출발하여 움직인다. 주사위를 4번 던졌을 때, 점 A가 원점으로부터 오른쪽으로 2만큼 떨어진 점에 있을 확률을 구하시오.

0784 ●●●○

점 P가 수직선 위의 원점 O에 있다. 동전을 던져서 앞면이 나오면 -1만큼, 뒷면이 나오면 $+1$만큼 이동한다. 동전을 5회 던졌을 때, 점 P의 좌표가 2보다 클 확률을 구하시오.

0785 짱중요 ●●●○

수직선 위의 원점 O에 점 P가 있다. 동전을 던져서 앞면이 나오면 P의 위치를 오른쪽으로 1만큼 이동하고, 뒷면이 나오면 왼쪽으로 1만큼 이동한다. 동전을 9회 던질 때, $\overline{OP}\le 2$일 확률은?

① $\frac{125}{256}$ ② $\frac{63}{128}$ ③ $\frac{127}{256}$
④ $\frac{1}{2}$ ⑤ $\frac{65}{128}$

0786 중요 ●●●○

좌표평면 위를 움직이는 점 P가 원점을 출발하여 다음과 같이 움직인다.

> 한 개의 주사위를 던져서 홀수의 눈이 나오면 x축의 양의 방향으로 1만큼, 짝수의 눈이 나오면 y축의 양의 방향으로 1만큼 움직인다.

예를 들어 홀수의 눈이 2번, 짝수의 눈이 1번 나오면 점 P의 좌표는 $(2, 1)$이 된다. 주사위를 5번 던질 때, 원점에서 점 P까지의 거리가 4 이하일 확률은?

① $\frac{1}{8}$ ② $\frac{1}{4}$ ③ $\frac{3}{8}$
④ $\frac{1}{2}$ ⑤ $\frac{5}{8}$

0787 짱중요 ●●●●

한 개의 주사위를 던져서 4 또는 6의 눈이 나오면 x축의 양의 방향으로 2만큼, y축의 양의 방향으로 1만큼 움직이고, 그 밖의 눈이 나오면 x축의 음의 방향으로 1만큼, y축의 양의 방향으로 1만큼 움직이는 점 P가 원점에서 출발하여 점 $(2, 4)$에 오게 될 확률을 구하시오.

0788 중요 ●●●○

좌표평면 위의 원점에 점 A가 있다. 한 개의 주사위를 던져 6의 약수의 눈이 나오면 점 A를 x축의 양의 방향으로 1만큼, 6의 약수의 눈이 나오지 않으면 y축의 양의 방향으로 1만큼 평행이동시킨다. 주사위를 네 번 던질 때, 점 A가 그림과 같은 원 $x^2+y^2=9$의 외부에 놓이게 될 확률은?

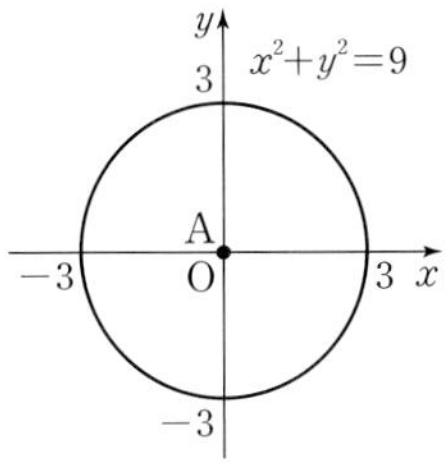

① $\frac{17}{27}$ ② $\frac{2}{3}$ ③ $\frac{56}{81}$

④ $\frac{19}{27}$ ⑤ $\frac{20}{27}$

0789 교육청 기출 ●●●●

좌표평면 위를 움직이는 점 P가 있다. 동전 1개를 던져서 앞면이 나오면 점 P를 x축에 대하여 대칭이동하고, 뒷면이 나오면 점 P를 y축에 대하여 대칭이동하기로 하자. 동전을 6번 던질 때, 점 (1, 2)에서 출발한 점 P가 점 (−1, −2)에 있을 확률은?

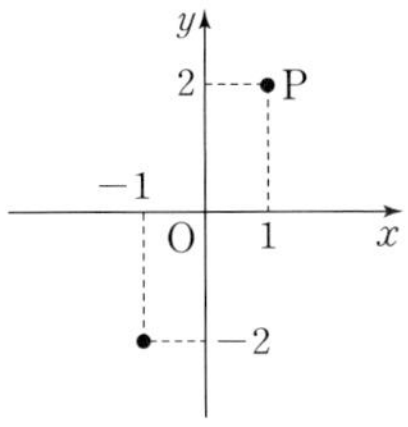

① $\frac{1}{4}$ ② $\frac{1}{3}$ ③ $\frac{2}{5}$

④ $\frac{1}{2}$ ⑤ $\frac{3}{5}$

유형 13 독립시행의 확률의 활용

내신 중요도 ▬▬▬▬ 유형 난이도 ★★★★☆

주어진 문제가 독립시행임을 파악하고, 1회 시행의 확률과 시행 횟수를 먼저 구하자.

0790 ●●○○

그림과 같은 도로망이 있다. 한 개의 동전을 던져서 앞면이 나오면 북쪽으로 한 칸 가고, 뒷면이 나오면 동쪽으로 한 칸 간다. 동전을 7번 던질 때, 점 O를 출발하여 점 A에 도착할 확률은?

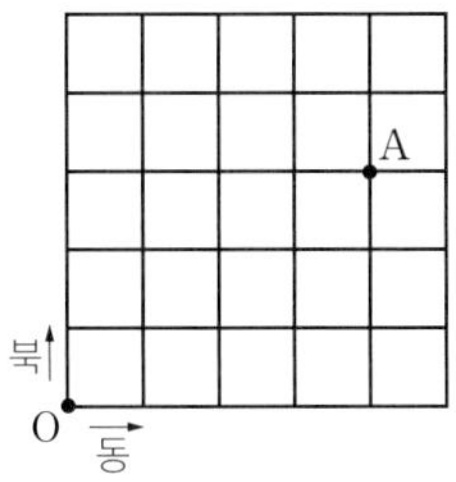

① $\frac{15}{128}$ ② $\frac{27}{128}$ ③ $\frac{35}{128}$

④ $\frac{39}{128}$ ⑤ $\frac{45}{128}$

0791 ●●●○

그림과 같은 바둑판 위에서 점 A를 출발점으로 하여 동전을 던져 앞면이 나오면 오른쪽으로, 뒷면이 나오면 위로 각각 한 눈금씩 바둑돌을 옮긴다. 동전을 4회 던질 때, 바둑돌이 점 B 또는 점 C에 도달할 확률을 구하시오. (단, 바둑돌이 바둑판 밖으로 나가게 될 경우 움직이지 않는다.)

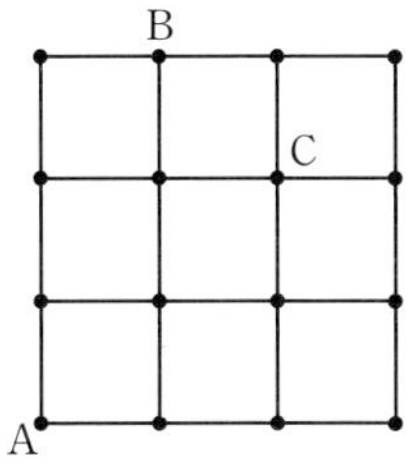

0792 중요

그림과 같이 한 변의 길이가 1인 정사각형 ABCD의 변 위를 움직이는 점 P가 있다. 한 개의 주사위를 던져서 나온 눈의 수가 6의 약수이면 점 P를 시계 방향으로 1만큼, 그 외에는 시계 반대 방향으로 1만큼 움직인다고 할 때, 주사위를 6번 던져서 꼭짓점 A에서 출발한 점 P가 꼭짓점 A로 돌아올 확률을 구하시오.

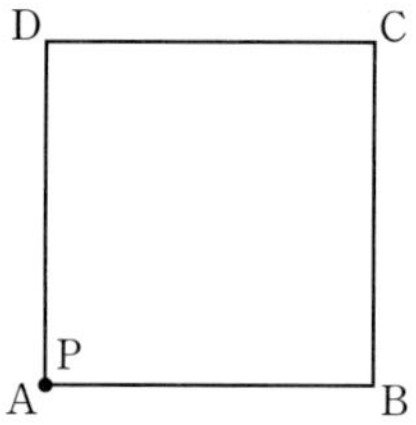

0793 짱중요

그림과 같이 한 변의 길이가 1인 정오각형 ABCDE의 꼭짓점 위의 점 P를 다음 규칙에 따라 이동시킨다.

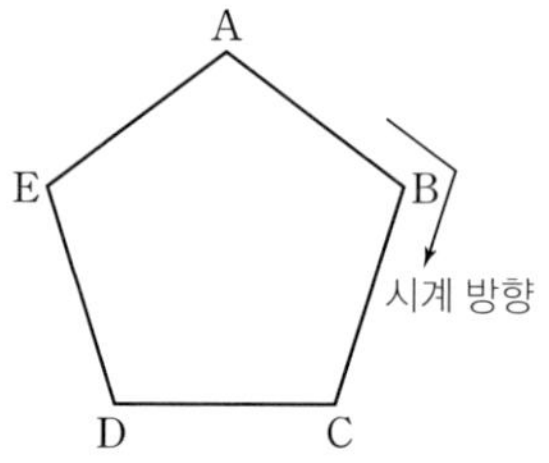

> (가) 꼭짓점 A에서 출발한다.
> (나) 주사위 1개를 던져서 홀수의 눈이 나오면 정오각형의 변을 따라 시계 방향으로 2만큼 이동시킨다.
> (다) 주사위 1개를 던져서 짝수의 눈이 나오면 정오각형의 변을 따라 시계 방향으로 1만큼 이동시킨다.

주사위를 10번 던져서 점 P가 꼭짓점 D에 도달할 확률을 p라 할 때, $2^{10}\times p$의 값을 구하시오.

0794 중요 평가원 기출

A, B를 포함한 6명이 정육각형 모양의 탁자에 그림과 같이 둘러앉아 주사위 한 개를 사용하여 다음 규칙을 따르는 시행을 한다.

> 주사위를 가진 사람이 주사위를 던져 나온 눈의 수가 3의 배수이면 시계 방향으로, 3의 배수가 아니면 시계 반대 방향으로 이웃한 사람에게 주사위를 준다.

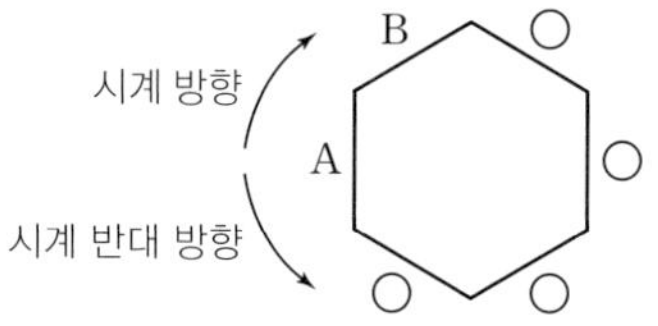

A부터 시작하여 이 시행을 5번 한 후, B가 주사위를 가지고 있을 확률은?

① $\frac{4}{27}$　② $\frac{2}{9}$　③ $\frac{8}{27}$　④ $\frac{10}{24}$　⑤ $\frac{4}{9}$

0795

한 개의 주사위를 던져 나온 수만큼 말을 오른쪽으로 이동시키는 게임이 있다. A9에 도달하면 게임을 끝내고 오른쪽으로 이동할 칸 수가 주사위의 눈의 수보다 작을 때에는 A9까지 이동한 후 왼쪽으로 남은 칸 수만큼 이동한다. 예를 들어 A6의 위치에서 주사위를 던져 나온 눈의 수가 3이면 A9에 말을 옮겨 게임을 끝내고, 나온 눈의 수가 5이면 A7로 이동한다.

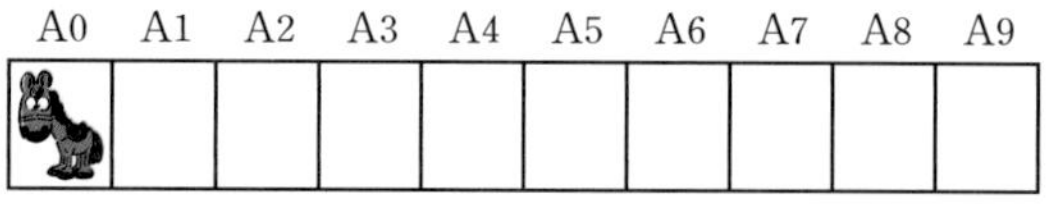

A0의 위치에서 주사위를 3번 던져서 게임이 끝날 확률은?

① $\frac{25}{216}$　② $\frac{29}{216}$　③ $\frac{31}{216}$　④ $\frac{35}{216}$　⑤ $\frac{37}{216}$

유형
14 독립시행의 확률을 이용한 조건부확률

내신 중요도 ■■■■■■ 유형 난이도 ★★★★★

사건 E가 일어났다는 조건 하에 사건 A가 일어날 확률은

$$P(A|E)=\frac{P(A\cap E)}{P(E)}=\frac{P(A\cap E)}{P(A\cap E)+P(A^c\cap E)}$$

0796 평가원 기출 ●●●○

서로 다른 2개의 주사위를 동시에 던져 나온 눈의 수가 같으면 한 개의 동전을 4번 던지고, 나온 눈의 수가 다르면 한 개의 동전을 2번 던진다. 이 시행에서 동전의 앞면이 나온 횟수와 뒷면이 나온 횟수가 같을 때, 동전을 4번 던졌을 확률은?

① $\frac{3}{23}$ ② $\frac{5}{23}$ ③ $\frac{7}{23}$

④ $\frac{9}{23}$ ⑤ $\frac{11}{23}$

0797 평가원 기출 ●●●○

A가 동전을 2개 던져서 나온 앞면의 개수만큼 B가 동전을 던진다. B가 던져서 나온 앞면의 개수가 1일 때, A가 던져서 나온 앞면의 개수가 2일 확률은?

① $\frac{1}{6}$ ② $\frac{1}{5}$ ③ $\frac{1}{4}$

④ $\frac{1}{3}$ ⑤ $\frac{1}{2}$

0798 교육청 기출 ●●●●

주머니에 1, 2, 3, 4의 숫자가 하나씩 적혀 있는 4개의 공이 들어 있다. 이 주머니에서 임의로 2개의 공을 동시에 꺼낼 때, 꺼낸 공에 적혀 있는 숫자의 합이 소수이면 1개의 동전을 2번 던지고, 소수가 아니면 1개의 동전을 3번 던진다. 동전의 앞면이 2번 나왔을 때, 꺼낸 2개의 공에 적혀 있는 숫자의 합이 소수일 확률은?

① $\frac{2}{7}$ ② $\frac{5}{14}$ ③ $\frac{3}{7}$

④ $\frac{1}{2}$ ⑤ $\frac{4}{7}$

0799 ●●●●

좌표평면 위의 원점에서 출발하는 점 P에 대하여 한 개의 주사위를 사용하여 다음과 같은 시행을 한다.

㈎ 나오는 눈의 수가 1 또는 6이면 점 P를 x축의 양의 방향으로 1만큼 움직인다.

㈏ 그 이외의 눈이 나오면 점 P를 y축의 양의 방향으로 2만큼 움직인다.

위의 시행을 반복하여 점 P가 직선 $x=6$ 또는 $y=6$과 만나면 이 시행을 멈춘다. 점 P가 직선 $x=6$과 만나서 멈추었을 때, 점 P가 직선 $y=2$ 위에 있을 확률을 구하시오.

적중 문제

시험에 잘 나오는 문제로 점검하기

0800

두 사건 A, B가 서로 독립이고 $\mathrm{P}(A)=\frac{1}{4}$, $\mathrm{P}(A\cup B)=\frac{5}{8}$일 때, $\mathrm{P}(A\cap B^{C})$은?

① $\frac{1}{8}$ ② $\frac{1}{4}$ ③ $\frac{3}{8}$
④ $\frac{5}{8}$ ⑤ $\frac{3}{4}$

0801

두 사건 A, B가 서로 독립이고 $\mathrm{P}(A)=\frac{1}{3}$, $\mathrm{P}(A\cup B)=\frac{4}{5}$일 때, $\mathrm{P}(B|A^{C})$의 값을 구하시오.

0802

한 개의 주사위를 던지는 시행에서 짝수의 눈이 나오는 사건을 A, 3의 배수의 눈이 나오는 사건을 B, 홀수의 눈이 나오는 사건을 C라고 할 때, 〈보기〉에서 옳은 것만을 있는 대로 고른 것은?

보기
ㄱ. 두 사건 A와 B는 서로 종속이다.
ㄴ. 두 사건 A와 C는 서로 배반사건이다.
ㄷ. 두 사건 A와 C는 서로 종속이다.

① ㄱ ② ㄴ ③ ㄱ, ㄷ
④ ㄴ, ㄷ ⑤ ㄱ, ㄴ, ㄷ

0803

확률이 0이 아닌 두 사건 A, B에 대하여 〈보기〉에서 옳은 것만을 있는 대로 고르시오.

보기
ㄱ. $A\subset B$이면 $\mathrm{P}(B|A)<1$이다.
ㄴ. A, B가 서로 배반사건이면 $\mathrm{P}(B|A)=0$이다.
ㄷ. A, B가 서로 독립이면 $\mathrm{P}(A^{C}|B)=\mathrm{P}(B|A^{C})$이다.

0804

축구 선수 A와 B가 승부차기에서 성공할 확률은 각각 0.8, 0.9이다. 두 선수가 한 번씩 승부차기를 할 때, 두 선수 중 한 명만 성공할 확률은?

① 0.22 ② 0.26 ③ 0.3
④ 0.34 ⑤ 0.38

0805

어느 고등학교에서 전체 학생 330명을 대상으로 성별에 따라 생활복 도입에 대한 찬반 여부를 조사한 표가 다음과 같을 때, a의 값을 구하시오.

(단위: 명)

찬반 여부 / 성별	찬성	반대	합계
남학생	a	b	220
여학생	c	d	110
합계	240	90	330

0806 서술형

주머니에 흰 공 3개와 검은 공 6개가 들어 있다. 주머니에서 임의로 1개의 공을 꺼내 공의 색을 확인하고 다시 주머니에 넣는 시행을 반복한다. 이 시행을 6회 반복할 때, 3번째 시행에서 흰 공이 두 번째로 나오고 6번째 시행에서 검은 공이 두 번째로 나올 확률을 구하시오.

0807 서술형

주사위를 던져 나오는 눈의 수에 따라 동전 던지는 횟수를 정하는 놀이가 있다. 6의 눈이 나오면 동전을 3번, 6이 아닌 눈이 나오면 동전을 2번 던지기로 한다. 주사위 한 개와 동전 한 개로 이 놀이를 할 때, 동전의 앞면이 한 번 나타날 확률을 구하시오.

0808

주사위 한 개를 10번 던질 때, 짝수의 눈이 9번 이상 나올 확률은?

① $\frac{11}{1024}$ ② $\frac{13}{1024}$ ③ $\frac{15}{1024}$
④ $\frac{17}{1024}$ ⑤ $\frac{19}{1024}$

0809

7번의 경기 중 먼저 4번을 이기는 선수가 우승하는 탁구 대회가 있다. 현재까지 2번의 경기에서 A선수가 두 경기 모두 승리했을 때, B선수가 우승할 확률을 구하시오.

(단, 두 선수가 이길 확률은 같고, 비기는 경우는 없다.)

0810

좌표평면 위를 움직이는 점 P는 주사위를 던져 짝수의 눈이 나오면 x축의 양의 방향으로 1만큼, 홀수의 눈이 나오면 y축의 양의 방향으로 2만큼 움직인다. 주사위를 6번 던졌을 때, 원점에서 출발한 점 P가 점 $(1, 2)$를 지나 점 $(3, 6)$에 있을 확률을 구하시오.

0811

오른쪽 그림과 같이 한 변의 길이가 1인 정오각형 ABCDE에서 점 P를 다음 규칙에 따라 이동시킨다.

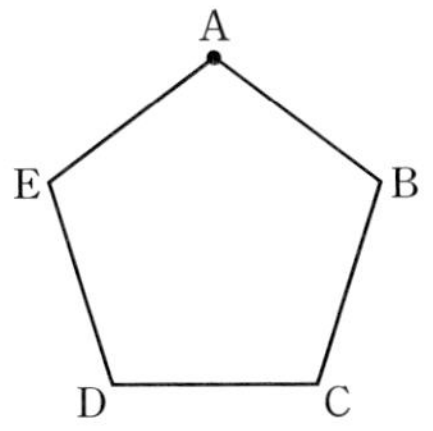

(가) 꼭짓점 A에서 출발한다.
(나) 동전을 두 개를 던져 모두 앞면이 나오면 점 P를 2만큼 정오각형을 따라 시계방향으로 이동한다.
(다) 동전을 두 개를 던져 적어도 하나가 뒷면이 나오면 점 P를 1만큼 정오각형을 따라 시계방향으로 이동한다.

점 P가 오각형을 두 바퀴를 돌아 처음으로 점 A에 도착하는 확률이 p일 때, $\sqrt{p}$의 값을 구하시오.

고난도 문제

일등급 *go! go!*

Level 1

0812

두 사건 A, B가 서로 독립이고 $\mathrm{P}(A\cup B)=\frac{5}{8}$,

$\mathrm{P}(A\cap B)=\frac{1}{8}$, $\mathrm{P}(A)>\mathrm{P}(B)$일 때, $\mathrm{P}(B)$를 구하시오.

0813 교육청 기출

1부터 10까지 자연수가 각각 하나씩 적힌 10장의 카드 중에서 임의로 한 장을 뽑을 때, n의 배수가 적힌 카드를 뽑는 사건을 A_n이라 하자. 〈보기〉에서 옳은 것만을 있는 대로 고른 것은?

보기

ㄱ. A_3과 A_4는 서로 배반사건이다.

ㄴ. $\mathrm{P}(A_4|A_2)=\frac{1}{5}$

ㄷ. A_2와 A_5는 서로 독립이다.

① ㄱ　② ㄱ, ㄴ　③ ㄱ, ㄷ　④ ㄴ, ㄷ　⑤ ㄱ, ㄴ, ㄷ

0814

자연수 1, 2, 3, 4, 5를 임의로 나열하여 순서대로 a_1, a_2, a_3, a_4, a_5라 하자. $a_1<a_2$인 사건을 A, $a_2<a_3$인 사건을 B, $a_3<a_4$인 사건을 C라 하자. 〈보기〉에서 옳은 것만을 있는 대로 고른 것은?

보기

ㄱ. $\mathrm{P}(A\cap B)<\mathrm{P}(A\cap C)$

ㄴ. 두 사건 A와 B는 서로 독립이다.

ㄷ. 두 사건 A와 C는 서로 독립이다.

① ㄱ　② ㄴ　③ ㄷ　④ ㄱ, ㄷ　⑤ ㄴ, ㄷ

0815

A, B, C 세 학생이 어떤 시험에서 합격할 확률이 각각 $\frac{2}{3}$, $\frac{1}{2}$, $\frac{2}{5}$일 때, 두 사람만 합격할 확률을 구하시오.

0816

평가원 기출

어떤 제품을 생산하는 세 공장 A, B, C가 있다. 공장 A에서 생산한 제품의 불량률은 2 %이고, 공장 B, C에서 생산한 제품의 불량률은 각각 1 %이다. 세 공장 중 임의로 한 공장을 선택하고, 그 공장에서 생산한 제품 3개를 임의추출하여 조사할 때, 2개가 불량품일 확률을 p라 하자. $10^6 p$의 값을 구하시오.

0817

세연이는 5명의 친구에게 각각 전화를 걸어 오전 9시에서 10시 사이에 약속 장소로 모이라고 연락을 하였다. 그런데 세연이가 사정이 생겨서 오전 9시부터 15분 동안만 약속 장소에 있고 오전 9시 15분이 되면 그 곳을 떠나야 했다. 세연이가 적어도 2명의 친구를 만날 확률을 구하시오.

(단, 친구들은 모두 약속 시간에 맞춰 나온다고 한다.)

Level 2

0818

한 개의 동전을 3번 던질 때, 첫 번째에 앞면이 나오는 사건을 A, 앞면이 적어도 2번 나오는 사건을 B, 3번 모두 같은 면이 나오는 사건을 C라 하자. 〈보기〉에서 서로 독립인 것만을 있는 대로 고른 것은?

보기

ㄱ. A와 B　　ㄴ. A와 C^C　　ㄷ. B^C과 C^C

① ㄴ　② ㄱ, ㄴ　③ ㄱ, ㄷ　④ ㄴ, ㄷ　⑤ ㄱ, ㄴ, ㄷ

0819

평가원 기출

정보이론에서는 사건 E가 발생했을 때, 사건 E의 정보량 $I(E)$가 다음과 같이 정의된다고 한다.

$$I(E)=-\log_2 \mathrm{P}(E)$$

〈보기〉에서 옳은 것만을 있는 대로 고른 것은? (단, 사건 E가 일어날 확률 $\mathrm{P}(E)$는 양수이고, 정보량의 단위는 비트이다.)

보기

ㄱ. 한 개의 주사위를 던져 홀수의 눈이 나오는 사건을 E라 하면 $I(E)=1$이다.

ㄴ. 두 사건 A, B가 서로 독립이고 $\mathrm{P}(A\cap B)>0$이면 $I(A\cap B)=I(A)+I(B)$이다.

ㄷ. $\mathrm{P}(A)>0$, $\mathrm{P}(B)>0$인 두 사건 A, B에 대하여 $2I(A\cup B)\le I(A)+I(B)$이다.

① ㄱ　② ㄱ, ㄴ　③ ㄱ, ㄷ　④ ㄴ, ㄷ　⑤ ㄱ, ㄴ, ㄷ

0820

1, 2, 3, ⋯, $2n$의 숫자가 각각 하나씩 적혀 있는 $2n$개의 공이 들어 있는 주머니에서 임의로 1개의 공을 꺼낼 때, 짝수가 나오는 사건을 A, 소수의 제곱의 수가 나오는 사건을 B라 하자. 두 사건 A, B가 서로 독립일 때, 2 이상의 자연수 n의 최댓값을 구하시오.

0821 교육청 기출

그림과 같이 1, 2, 3, 4, 5, 6의 숫자가 한 면에만 각각 적혀 있는 6장의 카드가 일렬로 놓여 있다. 주사위 한 개를 던져서 나온 눈의 수가 2 이하이면 가장 작은 숫자가 적혀 있는 카드 1장을 뒤집고, 3 이상이면 가장 작은 숫자가 적혀 있는 카드부터 차례로 2장의 카드를 뒤집는 시행을 한다. 3번째 시행에서 4가 적혀 있는 카드가 뒤집어질 확률은? (단, 모든 카드는 한 번만 뒤집는다.)

① $\frac{4}{9}$ ② $\frac{13}{27}$ ③ $\frac{14}{27}$
④ $\frac{5}{9}$ ⑤ $\frac{16}{27}$

0822 평가원 기출

한 개의 주사위를 5번 던질 때 홀수의 눈이 나오는 횟수를 a라 하고, 한 개의 동전을 4번 던질 때 앞면이 나오는 횟수를 b라 하자. $a-b$의 값이 3일 확률을 $\frac{q}{p}$라 할 때, $p+q$의 값을 구하시오.
(단, p와 q는 서로소인 자연수이다.)

0823

한 번의 시행에서 사건 A가 일어날 확률과 사건 A^C이 일어날 확률의 차가 $\frac{1}{2}$일 때, 8회의 독립시행에서 사건 A가 5회 일어나지만 연속으로 5회는 일어나지 않을 확률은 $\frac{k\times 3^3}{2^{14}}$이다. 상수 k의 값을 구하시오. (단, $\mathrm{P}(A)<\mathrm{P}(A^C)$)

0824

평가원 기출

좌표평면의 원점에 점 A가 있다. 한 개의 동전을 사용하여 다음 시행을 한다.

> 동전을 한 번 던져
> 앞면이 나오면 점 A를 x축의 양의 방향으로 1만큼
> 뒷면이 나오면 점 A를 y축의 양의 방향으로 1만큼
> 이동시킨다.

위의 시행을 반복하여 점 A의 x좌표 또는 y좌표가 처음으로 3이 되면 이 시행을 멈춘다. 점 A의 y좌표가 처음으로 3이 되었을 때, 점 A의 x좌표가 1일 확률은?

① $\frac{1}{4}$ ② $\frac{5}{16}$ ③ $\frac{3}{8}$
④ $\frac{7}{16}$ ⑤ $\frac{1}{2}$

Level 3

0825

다음 조건을 만족시키는 집합 $U=\{x \mid x$는 9 이하의 자연수$\}$의 부분집합 X의 개수를 구하시오.

> (가) $8 \in X$이고 집합 X의 원소의 개수는 6이다.
> (나) 집합 X의 원소 중에서 임의로 한 개를 택할 때 짝수가 나오는 사건을 A라 하고, 5 이상의 수가 나오는 사건을 B라 하면 두 사건 A와 B는 서로 독립이다.

0826

그림과 같은 정사각형의 모눈이 있다. 어떤 병뚜껑 한 개를 던져 앞면이 나오면 오른쪽으로 한 칸을 이동하고, 뒷면이 나오면 아래로 한 칸을 이동한다. 점 O에서 시작하여 이 시행을 반복할 때, 6개의 점 A, B, C, D, E, F 중에서 어느 한 점에 도달하면 이 시행을 끝내기로 한다. 이 시행이 정확히 4번 만에 끝날 확률이 $\frac{9}{32}$일 때, 이 시행이 정확히 5번 만에 끝날 확률을 구하시오.

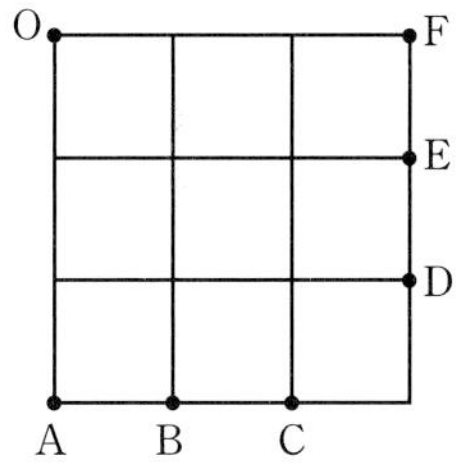

해설 149쪽

0827 교육청 기출

꼭짓점이 A_1, A_2, A_3, $\cdots$, A_6인 정육각형 모양의 게임판에서 다음 규칙에 따라 게임이 진행된다.

> 규칙 1. A_1을 출발점으로 한다.
> 규칙 2. 동전을 던져 앞면이 나오면 시계 방향의 이웃한 꼭짓점으로 이동하고 뒷면이 나오면 반시계 방향의 이웃한 꼭짓점으로 이동한다.
> 규칙 3. A_4에 도달하면 더 이상 동전을 던지지 않고 게임은 끝난다.

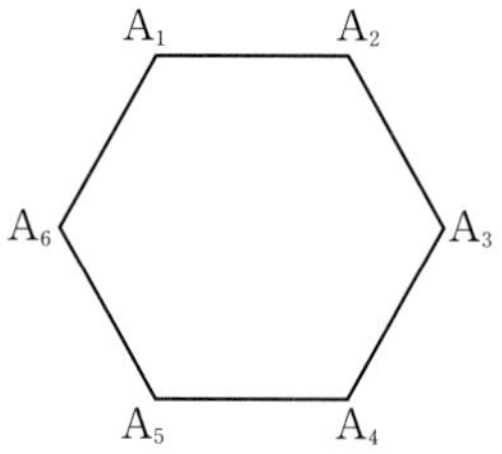

동전을 다섯 번 던져서 게임이 끝날 확률은?

① $\frac{7}{32}$ ② $\frac{3}{16}$ ③ $\frac{5}{32}$
④ $\frac{1}{8}$ ⑤ $\frac{3}{32}$

0828 교육청 기출

세 학생 A, B, C가 다음 단계에 따라 최종 승자를 정한다.

> [단계 1] 세 학생이 동시에 가위바위보를 한다.
> [단계 2] [단계 1]에서 이긴 학생이 1명뿐이면 그 학생이 최종 승자가 되고, 이긴 학생이 2명이면 [단계 3]으로 가고, 이긴 학생이 없으면 [단계 1]로 간다.
> [단계 3] [단계 2]에서 이긴 2명 중 이긴 학생이 나올 때까지 가위바위보를 하여 이긴 학생이 최종 승자가 된다.

가위바위보를 2번 한 결과 A 학생이 최종 승자로 정해졌을 때, 2번째 가위바위보를 한 학생이 2명이었을 확률은?

$\left(\text{단, 각 학생이 가위, 바위, 보를 낼 확률은 각각 } \frac{1}{3}\text{이다.}\right)$

① $\frac{1}{6}$ ② $\frac{1}{3}$ ③ $\frac{1}{2}$
④ $\frac{2}{3}$ ⑤ $\frac{5}{6}$

06 확률변수와 확률분포

		제 목	내신중요도	유형난이도	문항수	문항번호
		기본 문제			29	0829~0857
유형 문제	01	확률변수	▬	★	5	0858~0862
	02	확률질량함수의 성질	▬▬▬	★★★	6	0863~0868
	03	확률분포가 주어질 때 확률 구하기	▬▬	★★	8	0869~0876
	04	확률질량함수가 주어질 때 확률 구하기	▬▬▬▬	★★★	9	0877~0885
	05	이산확률변수와 확률	▬▬▬▬	★★	9	0886~0894
	06	확률밀도함수의 성질	▬▬▬	★★	8	0895~0902
	07	확률밀도함수의 그래프가 주어질 때 확률 구하기	▬▬▬	★★★	8	0903~0910
	08	확률밀도함수가 주어질 때 확률 구하기	▬▬▬▬▬	★★★★	9	0911~0919
	09	정적분을 이용하는 확률밀도함수에서의 확률 [교육과정 外]	▬	★★★	2	0920~0921
	10	확률밀도함수의 응용	▬▬	★★★★	4	0922~0925
	11	확률밀도함수의 활용	▬	★★★★★	2	0926~0927
	12	확률밀도함수 그래프의 이해	▬▬	★★★★★	5	0928~0932
		적중 문제			12	0933~0944
		고난도 문제			14	0945~0958

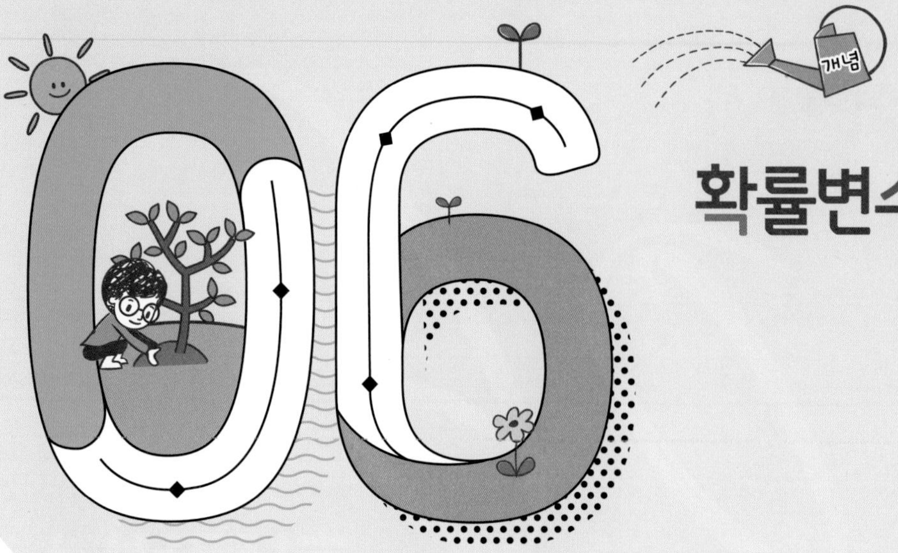

확률변수와 확률분포

1. 확률변수

(1) 어떤 시행의 결과 일어나는 각 사건에 대하여 하나의 수를 대응시킬 때, 이 대응을 확률변수라고 한다.

(2) 확률변수는 표본공간을 정의역으로 하고, 실수의 집합을 공역으로 하는 함수이다.

(3) 확률변수 X가 어떤 값 x를 가질 확률 ➡ $\mathrm{P}(X=x)$

확률변수는 보통 X, Y, Z 등으로 나타내고, 확률변수가 가질 수 있는 값은 x, y, z 등으로 나타낸다.

2. 이산확률변수

확률변수 X가 유한개의 값을 갖거나 자연수와 같이 셀 수 있을 때, X를 이산확률변수라고 한다.

확률분포가 주어질 때 확률 구하기

① 모든 확률의 합이 1임을 이용하여 미지수를 구한다.

② 확률변수 X가 a 이상 b 이하의 값을 가질 확률은

$$\mathrm{P}(a \le X \le b) = \sum_{x=a}^{b} \mathrm{P}(X=x)$$

3. 확률분포

확률변수 X가 갖는 값과 X가 이 값을 가질 확률의 대응 관계를 X의 확률분포라 하고, 확률분포를 다음과 같이 표로 나타낸 것을 확률분포표라고 한다.

X	x_1	x_2	x_3	$\cdots$	x_n	합계
$\mathrm{P}(X=x_i)$	p_1	p_2	p_3	$\cdots$	p_n	1

4. 확률질량함수

(1) 이산확률변수 X가 가질 수 있는 모든 값 $x_1, x_2, x_3, \cdots, x_n$에 대하여 이 값을 가질 확률 $p_1, p_2, p_3, \cdots, p_n$을 대응시키는 함수

$$\mathrm{P}(X=x_i)=p_i \; (i=1, 2, 3, \cdots, n)$$

를 이산확률변수 X의 확률질량함수라고 한다.

(2) 확률질량함수의 성질

이산확률변수 X의 확률질량함수 $\mathrm{P}(X=x_i)=p_i \; (i=1, 2, 3, \cdots, n)$에 대하여

① $0 \le p_i \le 1$

② $p_1+p_2+p_3+\cdots+p_n=1$

③ $\mathrm{P}(x_i \le X \le x_j)=\sum_{k=i}^{j} \mathrm{P}(X=x_k)$ (단, $i \le j$, $j=1, 2, 3, \cdots, n$)

5. 연속확률변수

확률변수 X가 어떤 범위에 속하는 모든 실수 값을 가질 때, X를 연속확률변수라고 한다.

6. 확률밀도함수의 성질

연속확률변수 X가 $a \le X \le b$에서 모든 실수 값을 가질 수 있고 이 범위에서 함수 $y=f(x)$ $(a \le x \le b)$가 다음과 같은 성질을 가질 때, 함수 $y=f(x)$를 연속확률변수 X의 확률밀도함수라고 한다.

(1) $f(x) \ge 0$

(2) 함수 $y=f(x)$의 그래프와 x축 및 두 직선 $x=a$, $x=b$로 둘러싸인 부분의 넓이는 1이다.

(3) $\mathrm{P}(\alpha \le X \le \beta)$는 함수 $y=f(x)$의 그래프와 x축 및 두 직선 $x=\alpha$, $x=\beta$로 둘러싸인 부분의 넓이와 같다.

(단, $a \le \alpha \le \beta \le b$)

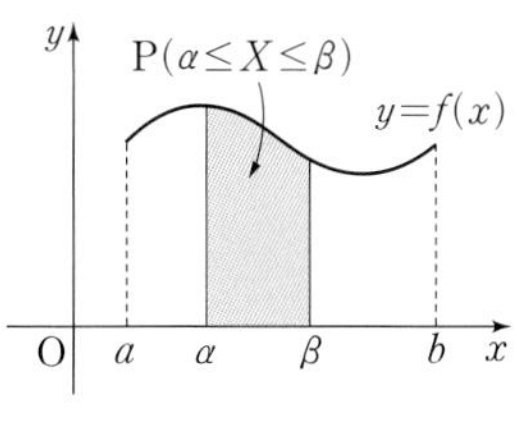

● 정적분을 이용하는 확률밀도함수

[교육과정 外]

구간 $[a, b]$에 속하는 모든 실수 값을 가질 수 있는 연속확률변수 X의 확률밀도함수 $y=f(x)$에 대하여 다음이 성립한다.

① $f(x) \ge 0$

② $\int_a^b f(x)\,dx=1$

③ $\mathrm{P}(\alpha \le X \le \beta)=\int_\alpha^\beta f(x)\,dx$

(단, $a \le \alpha \le \beta \le b$)

● 연속확률변수 X의 확률밀도함수 $y=f(x)$가 모든 실수 x에 대하여 $f(k+x)=f(k-x)$를 만족시키면 확률밀도함수 $y=f(x)$는 $x=k$에 대하여 대칭이다.

기본 문제

핵심 개념을 문제로 익히기

1 확률변수

0829 다음은 한 개의 동전을 두 번 던져서 나오는 모든 경우를 집합 S라 하고, 이 시행에서 나오는 앞면의 개수를 확률변수 X라 할 때, X의 각 값에 대한 확률을 나타낸 것이다. □ 안에 알맞은 값을 구하시오.

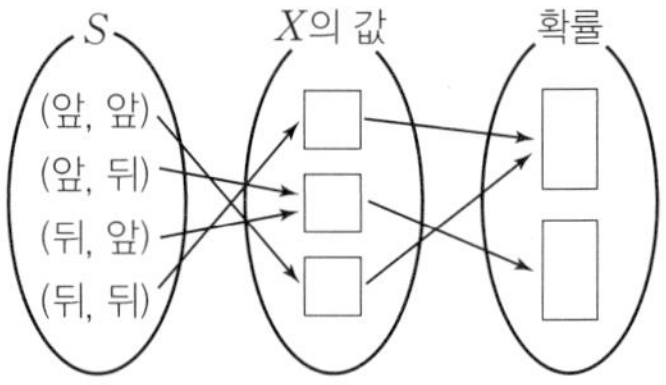

[0830-0832] 다음을 확률변수 X라 할 때, X가 가질 수 있는 값을 모두 구하시오.

0830 한 개의 주사위를 다섯 번 던질 때, 1의 눈이 나오는 횟수

0831 서로 같은 동전 3개를 던질 때, 앞면이 나오는 개수

0832 흰 구슬 2개와 검은 구슬 3개가 들어 있는 주머니에서 2개의 구슬을 동시에 꺼낼 때 나오는 흰 구슬의 개수

2 확률분포와 확률질량함수

0833 한 개의 동전을 두 번 던질 때 나오는 앞면의 개수를 확률변수 X라고 한다. 다음 확률분포표를 완성하시오.

X				합계
$\mathrm{P}(X=x)$				1

0834 한 개의 주사위를 두 번 던질 때 5의 배수의 눈이 나오는 횟수를 확률변수 X라고 한다. 다음 확률분포표를 완성하시오.

X				합계
$\mathrm{P}(X=x)$				1

0835 확률변수 X의 확률질량함수가

$$\mathrm{P}(X=x)=\begin{cases} \frac{1}{4} & (x=1, 2) \\ \frac{1}{2} & (x=3) \end{cases}$$

일 때, 다음 확률분포표를 완성하시오.

X				합계
$\mathrm{P}(X=x)$				

3 이산확률분포에서의 확률

[0836-0837] 확률변수 X의 확률분포를 그래프로 나타내면 그림과 같을 때, 다음 확률을 구하시오.

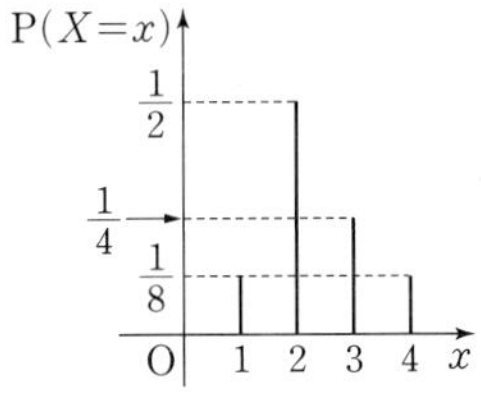

0836 $\mathrm{P}(X=1)$

0837 $\mathrm{P}(2\le X\le 3)$

[0838-0842] 확률변수 X의 확률분포를 나타낸 표가 아래와 같을 때, 다음을 구하시오.

X	0	1	2	3	합계
$\mathrm{P}(X=x)$	$\frac{1}{4}$	a	$\frac{1}{8}$	$\frac{1}{2}$	b

0838 상수 a, b의 값

0839 $\mathrm{P}(X=0)$

0840 $\mathrm{P}(X=1$ 또는 $X=2)$

0841 $\mathrm{P}(X\ge 2)$

0842 $\mathrm{P}(X^2-X=0)$

[0843-0846] 주어진 확률질량함수에 대하여 다음을 구하시오.

$$\mathrm{P}(X=x)=\begin{cases}\dfrac{1}{10} & (x=1,\ 5)\\[4pt] \dfrac{1}{5} & (x=2,\ 4)\\[4pt] \dfrac{2}{5} & (x=3)\end{cases}$$

0843 $\mathrm{P}(X=1)$

0844 $\mathrm{P}(X=2)+\mathrm{P}(X=3)$

0845 $\mathrm{P}(3\le X\le 5)$

0846 $\displaystyle\sum_{x=1}^{5}\mathrm{P}(X=x)$

해설 151쪽

4 확률밀도함수

[0847-0849] $-2\le x\le 2$에서 정의된 연속확률변수 X의 확률밀도함수 $y=f(x)$의 그래프가 그림과 같을 때, 다음을 구하시오.

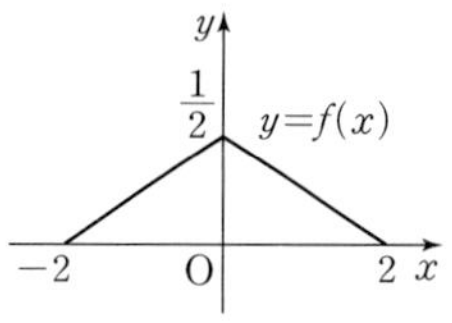

0847 $\mathrm{P}(-2\le X\le 2)$

0848 $\mathrm{P}(X\ge 0)$

0849 $\mathrm{P}(X\ge 1)$

[0850-0851] $0\le x\le 4$에서 정의된 연속확률변수 X의 확률밀도함수 $y=f(x)$의 그래프가 다음과 같을 때, 상수 k의 값을 구하시오.

0850

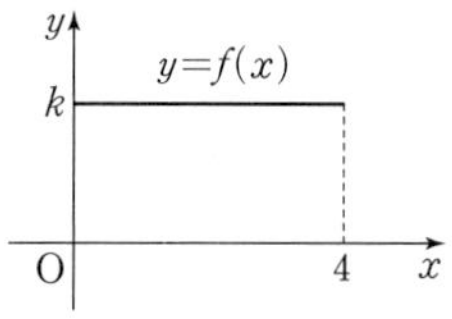

0851

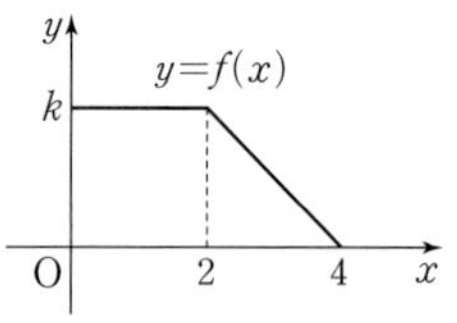

[0852-0854] $0\le x\le 6$에서 정의된 연속확률변수 X의 확률밀도함수 $y=f(x)$의 그래프가 그림과 같을 때, 다음을 구하시오.

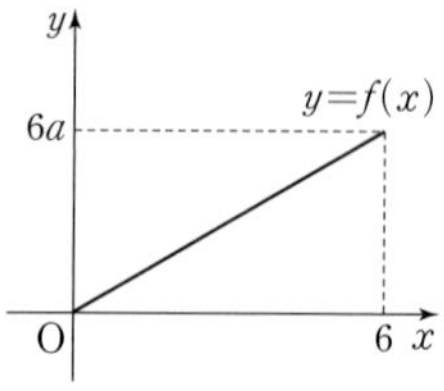

0852 상수 a의 값

0853 $\mathrm{P}(0\le X\le 3)$

0854 $\mathrm{P}(X\ge 4)$

[0855-0856] 확률변수 X의 확률밀도함수가

$$f(x)=\frac{1}{8}x\ (0\le x\le 4)$$

일 때, 다음을 구하시오.

0855 $\mathrm{P}(2\le X\le 4)$

0856 $\mathrm{P}(X\le 1)$

0857 $0\le x\le 2$에서 연속확률변수 X의 확률밀도함수인 것만을 〈보기〉에서 있는 대로 고르시오.

보기

ㄱ. $f(x)=2$　　ㄴ. $f(x)=\frac{1}{2}x$

ㄷ. $f(x)=-x+1$　　ㄹ. $f(x)=|x-1|$

유형 문제

내신 출제 유형 정복하기

해설 152쪽

유형 01 **확률변수**

내신 중요도 ■□□□□ 유형 난이도 ★☆☆☆☆

(1) 어떤 시행의 결과 일어나는 각 사건에 대하여 하나의 수를 대응시킬 때, 이 대응을 확률변수라고 한다.

(2) 확률변수는 표본공간을 정의역으로 하고, 실수의 집합을 공역으로 하는 함수이다.

0858 중요 ●○○○

다음 확률변수 중 이산확률변수인 것은?

① 매 달 내리는 비의 강수량
② 어느 고등학교 학생들의 키
③ 지난 한 달 동안의 제주도의 기온
④ 공항에 도착하는 비행기의 비행시간
⑤ 각 선생님의 컴퓨터에 있는 폴더의 개수

0859 ●○○○

다음 확률변수 중 연속확률변수인 것은?

① 한 개의 주사위를 10번 던져 나오는 눈의 수의 합
② 우리 반 학생들의 핸드폰에 있는 앱의 개수
③ 어느 공장에서 생산되는 불량품의 개수
④ 과수원에서 수확하는 사과의 무게
⑤ 올림픽에서 각 나라가 따는 메달의 개수

0860 ●○○○

주머니 속에 1, 2, 3, 4, 5가 각각 하나씩 적힌 5개의 공이 들어 있다. 이 주머니에서 임의로 2개의 공을 동시에 꺼낼 때, 홀수가 적힌 공의 개수를 확률변수 X라 하자. X가 가질 수 있는 값들의 합을 구하시오.

0861 ●○○○

2, 4, 6, 8의 숫자가 각 면에 하나씩 적혀 있는 정사면체를 한 번 던지는 시행에서 바닥에 닿는 면을 제외한 세 면의 숫자의 합을 확률변수 X라 할 때, X가 가질 수 있는 값을 모두 구하시오.

0862 ●●○○

0, 2, 4, 6, 8, 10의 숫자가 각각 하나씩 적혀 있는 6장의 카드 중에서 임의로 2장의 카드를 동시에 뽑을 때, 뽑힌 2장의 카드에 적혀 있는 두 수의 차를 확률변수 X라 하자. X가 가질 수 있는 값을 모두 구하시오.

유형 02 확률질량함수의 성질

내신 중요도 ▬▬▬▬▬ 유형 난이도 ★★★☆☆

확률변수 X의 확률질량함수
$P(X=x_i)=p_i\ (i=1, 2, 3, \cdots, n)$에 대하여
(1) $0\le p_i\le 1$
(2) $\sum_{i=1}^{n} p_i=p_1+p_2+\cdots+p_n=1$
(3) $P(X=x_i$ 또는 $X=x_j)=P(X=x_i)+P(X=x_j)$
(단, $x_i\ne x_j$, $j=1, 2, 3, \cdots, n$)
(4) $P(x_i\le X\le x_j)=\sum_{k=i}^{j} P(X=x_k)$
(단, $i\le j$, $j=1, 2, 3, \cdots, n$)

0863 중요 ●○○○

확률변수 X의 확률분포가 다음 표와 같을 때, $a+b$의 값을 구하시오. (단, a, b는 상수이다.)

X	1	2	3	4	합계
$P(X=x)$	$\frac{1}{12}$	$\frac{5}{12}$	a	$2a$	b

0864 ●○○○

확률변수 X의 확률분포를 나타낸 표가 다음과 같을 때, 상수 a의 값은?

X	1	2	3	4	합계
$P(X=x)$	$\frac{1}{8}$	$4a^2$	$\frac{1}{2}a$	$\frac{1}{8}$	1

① $\frac{1}{8}$ ② $\frac{1}{4}$ ③ $\frac{3}{8}$
④ $\frac{1}{2}$ ⑤ $\frac{5}{8}$

0865 ●●○○

확률변수 X의 확률질량함수가
$P(X=x)=k(x+1)\ (x=0, 1, 2)$
일 때, 상수 k의 값을 구하시오.

0866 중요 ●●○○

확률변수 X의 확률질량함수가

$$P(X=x)=\frac{a}{(2x-1)(2x+1)}\ (x=1, 2, \cdots, 9)$$

일 때, 상수 a의 값을 구하시오.

0867 ●●●○

확률변수 X의 확률질량함수가

$$P(X=k)=\begin{cases}\frac{1}{k^2+k} & (k=1, 2, 3, 4, 5)\\ \frac{a}{k} & (k=6)\end{cases}$$

일 때, 상수 a의 값을 구하시오.

0868 ●●●○

확률변수 X의 확률질량함수가

$$P(X=n)=\frac{k}{\sqrt{n+1}+\sqrt{n}}\ (n=1, 2, \cdots, 8)$$

일 때, 상수 k의 값을 구하시오.

유형 03 확률분포가 주어질 때 확률 구하기

내신 중요도 ▬▬▬▬▬ 유형 난이도 ★★☆☆☆

(1) 모든 확률의 합이 1임을 이용하여 미지수를 구한다.
(2) 확률변수 X가 a 이상 b 이하의 값을 가질 확률은

$$\mathrm{P}(a \le X \le b) = \sum_{x=a}^{b} \mathrm{P}(X=x)$$

0869 짱중요 ●○○○

확률변수 X의 확률분포를 나타낸 표가 다음과 같을 때, $\mathrm{P}(1 \le X \le 2)$는?

X	0	1	2	3	합계
$\mathrm{P}(X=x)$	$\frac{1}{6}$	a	$\frac{3}{10}$	$\frac{1}{30}$	1

① $\frac{1}{5}$ ② $\frac{3}{10}$ ③ $\frac{2}{5}$
④ $\frac{3}{5}$ ⑤ $\frac{4}{5}$

0870 중요 ●○○○

확률변수 X의 확률분포를 나타낸 표가 다음과 같을 때, $\mathrm{P}(X \ge 2a)$는?

X	0	1	2	3	합계
$\mathrm{P}(X=x)$	$\frac{1}{8}$	$\frac{3}{8}$	a	$\frac{1}{8}$	1

① $\frac{3}{8}$ ② $\frac{1}{2}$ ③ $\frac{5}{8}$
④ $\frac{3}{4}$ ⑤ $\frac{7}{8}$

0871 교육청 기출 ●○○○

이산확률변수 X의 확률분포를 나타내면 다음과 같다.

X	1	2	3	합계
$\mathrm{P}(X=x)$	a	$a+\frac{1}{4}$	$a+\frac{1}{2}$	1

$\mathrm{P}(X \le 2)$의 값은?

① $\frac{1}{4}$ ② $\frac{7}{24}$ ③ $\frac{1}{3}$
④ $\frac{3}{8}$ ⑤ $\frac{5}{12}$

0872 ●●○○

확률변수 X의 확률분포를 나타낸 표가 다음과 같을 때, $\mathrm{P}(X^2+X=0)$은?

X	-1	0	1	합계
$\mathrm{P}(X=x)$	a	$\frac{1}{4}$	a	1

① $\frac{1}{6}$ ② $\frac{1}{3}$ ③ $\frac{1}{2}$
④ $\frac{5}{8}$ ⑤ $\frac{3}{4}$

0873 중요 ●●●○

확률변수 X의 확률분포를 나타낸 표가 다음과 같다.

X	2	3	4	합계
$\mathrm{P}(X=x)$	a	$2a$	$3b$	1

$\mathrm{P}(X=2)=\frac{2}{3}\mathrm{P}(X=4)$일 때, $\mathrm{P}(3 \le X \le 4)$를 구하시오.

0874

●●●○

확률변수 X의 확률분포를 나타낸 표가 다음과 같고,

$P(X^2<X+2)=\frac{1}{2}$일 때, $a-b$의 값을 구하시오.

(단, a, b는 상수이다.)

X	-2	-1	0	1	2	합계
$P(X=x)$	$\frac{1}{10}$	$\frac{1}{5}$	$\frac{1}{10}$	a	b	1

0875

●●●○

다음과 같이 확률변수 X의 확률분포를 나타낸 표의 일부가 찢어져 보이지 않는다. $P(X\geq4)=2P(X=1)$이 성립할 때, $P(X=3)$을 구하시오.

(단, 확률변수 X는 $1, 2, 3, \cdots, 10$의 값을 갖는다.)

X	1	2	3
$P(X=x)$	$\frac{1}{6}$	$\frac{1}{12}$	

0876

●●○○

확률변수 X가 $-1, 0, 1$의 값을 갖고

$$P(X=-1)=\frac{1}{4},\ P(X=0)=\frac{1}{6},\ P(X=1)=k$$

일 때, $P(X^2-2X-3<0)$을 구하시오. (단, k는 상수이다.)

유형 04 확률질량함수가 주어질 때 확률 구하기

내신 중요도 ■■■■■ 유형 난이도 ★★★☆☆

① 확률변수 X가 취할 수 있는 값을 모두 찾는다.
② 각각의 확률변수 X에 대응하는 확률을 구한다.
③ 모든 확률의 합이 1임을 이용하여 미지수를 구한다.

0877

●○○○

확률변수 X의 확률질량함수가

$$P(X=x)=\frac{x}{k}\ (x=1, 2, 3, 4)$$

일 때, $P(2\leq X\leq3)$은? (단, k는 상수이다.)

① $\frac{1}{3}$ ② $\frac{2}{5}$ ③ $\frac{1}{2}$
④ $\frac{7}{10}$ ⑤ $\frac{4}{5}$

0878 중요

●○○○

확률변수 X의 확률질량함수가

$$P(X=x)=ax^2\ (x=1, 2, 3, 4, 5)$$

일 때, $P(X\leq4)$를 구하시오. (단, a는 상수이다.)

0879 중요

●●○○

확률변수 X의 확률질량함수가

$$P(X=x)=\begin{cases}\frac{1}{6} & (x=0, 2, 4)\\ a & (x=1, 3)\end{cases}$$

일 때, $P(1\leq X\leq3)$을 구하시오. (단, a는 상수이다.)

0880 짱중요 ●●○○

확률변수 X의 확률질량함수가

$$P(X=x)=\frac{k}{x(x+1)}\ (x=1,\ 2,\ 3,\ 4)$$

일 때, $P(X=2)$를 구하시오. (단, k는 상수이다.)

0881 중요 ●●○○

자연수 n에 대하여 이산확률변수 X의 확률질량함수가 다음과 같다.

$$P(X=x)=cx\ (\text{단, } x=1,\ 2,\ \cdots,\ n\text{이고, } c\text{는 상수이다.})$$

$P(X\geq 3)=\frac{6}{7}$일 때, n의 값을 구하시오.

0882 ●●○○

확률변수 X의 확률질량함수가

$$P(X=n)=k\log_4\frac{n+1}{n}\ (n=1,\ 2,\ 3,\ \cdots,\ 15)$$

일 때, $P(4\leq X\leq 15)$를 구하시오. (단, k는 상수이다.)

0883 중요 ●●●○

확률변수 X의 확률질량함수가

$$P(X=x)=p_x\ (x=1,\ 2,\ 3,\ 4,\ 5)$$

이고 확률 $p_1,\ p_2,\ p_3,\ p_4,\ p_5$가 이 순서대로 등차수열을 이룰 때, $P(X^2-6X+8\leq 0)$을 구하시오.

0884 ●●●○

확률변수 X의 확률질량함수가

$$P(X=x)=\log_2 p_x\ (x=1,\ 2,\ 3,\ 4,\ 5)$$

이고, $p_1,\ p_2,\ p_3,\ p_4,\ p_5$가 이 순서대로 등비수열을 이룰 때, $P(X=3)$을 구하시오.

0885 평가원 기출 ●●●○

확률변수 X의 확률질량함수가

$$P(X=x)=\begin{cases} c & (x=0,\ 1,\ 2) \\ 2c & (x=3,\ 4,\ 5) \\ 5c^2 & (x=6,\ 7) \end{cases}$$

이다. 확률변수 X가 6 이상일 사건을 A, 확률변수 X가 3 이상일 사건을 B라 할 때, $P(A|B)$를 구하시오. (단, c는 양수이다.)

유형 05 이산확률변수와 확률

내신 중요도 ▬▬▬▬ 유형 난이도 ★★☆☆☆

확률변수 X가 가질 수 있는 값을 구하고 X의 각 값에 대한 확률을 구한다.

0886 짱중요 ●●○○

불량품 4개가 포함된 7개의 제품 중에서 임의로 3개의 제품을 동시에 뽑아서 나오는 불량품의 개수를 확률변수 X라 할 때, $\mathrm{P}(1\le X\le 3)$은?

① $\frac{34}{35}$ ② $\frac{33}{35}$ ③ $\frac{32}{35}$

④ $\frac{31}{35}$ ⑤ $\frac{6}{7}$

0887 중요 ●●○○

10개의 제비 중에 4개의 당첨 제비가 있다. 10개 중에서 3개의 제비를 임의로 뽑아 나오는 당첨 제비의 개수를 확률변수 X라 할 때, $\mathrm{P}(X\le 1)$을 구하시오.

0888 짱중요 ●●○○

흰 공 2개와 빨간 공 4개가 들어 있는 주머니에서 2개의 공을 꺼낼 때, 나오는 흰 공의 개수를 확률변수 X라 하자.
$\mathrm{P}(X^2-3X+2=0)$을 구하시오.

0889 ●●○○

한 개의 주사위를 2회 던져서 나오는 눈의 수의 합을 확률변수 X라 할 때, $\mathrm{P}(3\le X\le 4)$를 구하시오.

0890 중요 ●●○○

두 주사위 A, B를 동시에 던질 때 나오는 두 눈의 수를 각각 a, b라 하자. $|a-b|$의 값을 확률변수 X라 할 때, $\mathrm{P}(X\ge 4)=\frac{q}{p}$이다. $p+q$의 값을 구하시오. (단, p와 q는 서로소인 자연수이다.)

0891 ●●●○

각 면에 1, 2, 3, 4의 숫자가 하나씩 적혀 있는 정사면체를 두 번 던져서 밑면에 나오는 수의 합을 확률변수 X라 할 때, $\mathrm{P}(X\ge a)=\frac{3}{8}$을 만족시키는 정수 a의 값을 구하시오.

해설 157쪽

0892 ●●○○

세 개의 동전을 동시에 던지는 시행에서 앞면이 나오는 개수를 확률변수 X라 하자. 확률변수 X의 확률분포를 표로 나타내면 다음과 같을 때, 세 상수 a, b, c에 대하여 $a-b-c$의 값을 구하시오.

X	0	1	2	3	합계
$\mathrm{P}(X=x)$	$\frac{1}{8}$	a	b	c	1

0893 중요 ●●○○

한 변의 길이가 1인 정육각형의 꼭짓점 중에서 임의로 두 점을 택하여 서로 연결하여 만든 선분의 길이를 확률변수 X라 할 때, $\mathrm{P}(X<2)$를 구하시오.

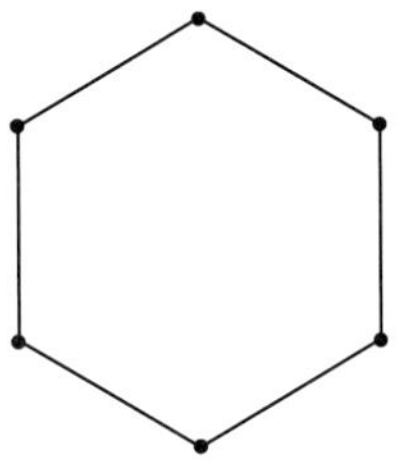

0894 ●●●○

원점 O를 출발하여 수직선 위를 움직이는 점 P가 있다. 점 P는 주사위를 던져 짝수의 눈이 나오면 $+2$만큼, 홀수의 눈이 나오면 -2만큼 이동한다. 주사위를 두 번 던질 때, 점 P의 좌표를 확률변수 X로 하는 확률분포에서 $\mathrm{P}(X\geq 0)$은?

① $\frac{1}{4}$ ② $\frac{1}{2}$ ③ $\frac{3}{4}$
④ $\frac{4}{5}$ ⑤ $\frac{5}{6}$

유형 06 확률밀도함수의 성질

내신 중요도 ■■■■■ 유형 난이도 ★★★★★

연속확률변수 X의 확률밀도함수 $y=f(x)$ $(a\leq x\leq b)$의 미정계수를 구할 때
⇨ 함수 $y=f(x)$의 그래프와 x축 및 두 직선 $x=a$, $x=b$로 둘러싸인 부분의 넓이가 1임을 이용하여 미정계수의 값을 구한다.

0895 ●○○○

구간 $[0, 4]$에서 정의된 연속확률변수 X의 확률밀도함수 $y=f(x)$의 그래프가 그림과 같을 때, 상수 k의 값을 구하시오.

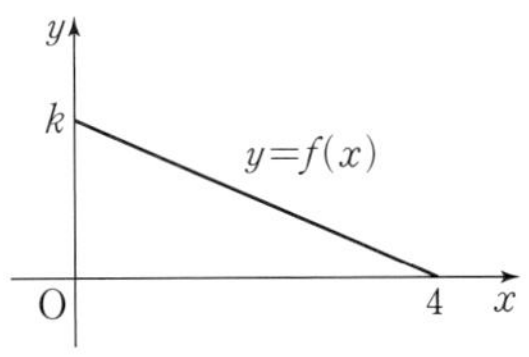

0896 중요 ●○○○

$0\leq x\leq 3$에서 정의된 연속확률변수 X의 확률밀도함수 $y=f(x)$의 그래프가 그림과 같을 때, 상수 a의 값은?

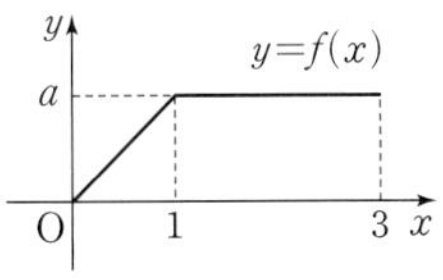

① $\frac{1}{3}$ ② $\frac{2}{5}$ ③ $\frac{2}{3}$
④ $\frac{3}{2}$ ⑤ $\frac{5}{2}$

0897 ●●○○

구간 $[0, 6]$에서 정의된 연속확률변수 X의 확률밀도함수 $y=f(x)$의 그래프가 그림과 같을 때, 상수 a의 값을 구하시오.

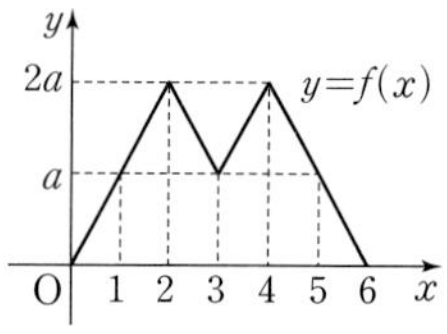

0898 중요 ●●○○

연속확률변수 X의 확률밀도함수가

$$f(x)=kx \ (0\le x\le 4)$$

일 때, 상수 k의 값을 구하시오.

0899 중요 ●●○○

$0\le x\le 1$에서 정의된 확률변수 X의 확률밀도함수가 $f(x)=ax+a$일 때, 상수 $30a$의 값을 구하시오.

0900 ●●●○

연속확률변수 X의 확률밀도함수가

$$f(x)=\begin{cases} kx & (0\le x<1) \\ -k(x-2) & (1\le x\le 2) \end{cases}$$

일 때, 상수 k의 값은?

① $\frac{1}{3}$ ② $\frac{1}{2}$ ③ $\frac{2}{3}$

④ 1 ⑤ $\frac{4}{3}$

0901 ●●●○

연속확률변수 X의 확률밀도함수가 $f(x)=a(1-|x|)\ (-1\le x\le 1)$일 때, 상수 a의 값을 구하시오.

0902 중요 ●●●●

$a>0$, $b>0$일 때, $[0, 3]$의 값을 갖는 확률변수 X의 확률밀도함수가 $f(x)=a|x|+b|x-1|+b|x-2|+a|x-3|$이다. $3a=b$일 때, $a+b$의 값을 구하시오.

해설 159쪽

유형 07 확률밀도함수가 주어질 때 확률 구하기

내신 중요도 ▬▬▬▬▬ 유형 난이도 ★★★☆☆

연속확률변수 X의 확률밀도함수 $y=f(x)$ $(a\le x\le b)$에 대하여

① 함수 $y=f(x)$의 그래프를 그린다.

② $\mathrm{P}(\alpha\le X\le\beta)$는 함수 $y=f(x)$의 그래프와 x축 및 두 직선 $x=\alpha$, $x=\beta$로 둘러싸인 부분의 넓이와 같음을 이용하여 확률을 구한다. (단, $a\le\alpha\le\beta\le b$)

0903

●●○○

$0\le x\le b$에서 정의된 연속확률변수 X의 확률밀도함수 $y=f(x)$의 그래프가 그림과 같고, $\mathrm{P}(0\le X\le a)=\frac{1}{2}$일 때, $a+b$의 값을 구하시오.

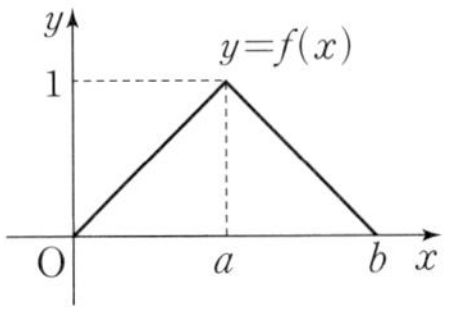

0904 중요

●●○○

연속확률변수 X가 갖는 값의 범위가 $0\le X\le 6$이고 확률밀도함수 $y=f(x)$의 그래프가 그림과 같을 때, 확률 $\mathrm{P}(2\le X\le 5)$의 값은?

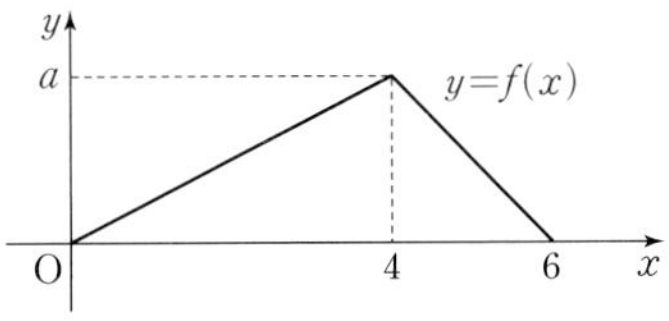

① $\frac{1}{2}$ ② $\frac{5}{8}$ ③ $\frac{3}{4}$

④ $\frac{5}{4}$ ⑤ $\frac{7}{8}$

0905 중요 평가원 기출

●●○○

연속확률변수 X가 갖는 값의 범위는 $0\le X\le 2$이고, X의 확률밀도함수의 그래프가 그림과 같을 때, $\mathrm{P}\left(\frac{1}{3}\le X\le a\right)$의 값은?

(단, a는 상수이다.)

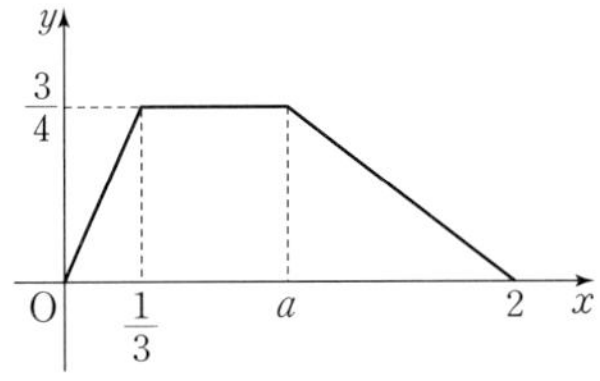

① $\frac{11}{16}$ ② $\frac{5}{8}$ ③ $\frac{9}{16}$

④ $\frac{1}{2}$ ⑤ $\frac{7}{16}$

0906

●●○○

$0\le x\le 3$에서 정의된 연속확률변수 X의 확률밀도함수 $y=f(x)$의 그래프가 그림과 같을 때, $\mathrm{P}(1\le X\le 2)$를 구하시오.

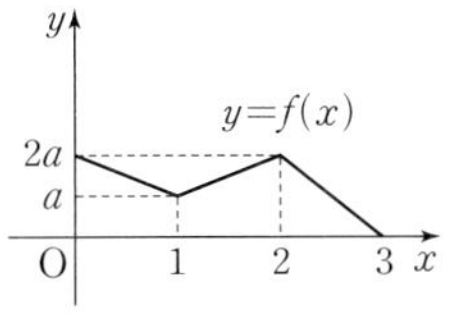

0907 평가원 기출

●○○○

연속확률변수 X가 갖는 값의 범위는 $0\le X\le 10$이고, X의 확률밀도함수의 그래프는 그림과 같다.

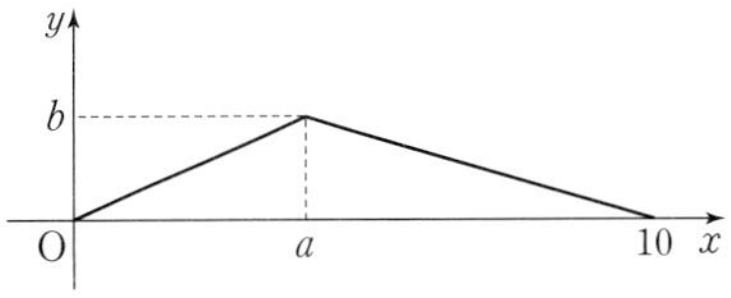

$\mathrm{P}(0\le X\le a)=\frac{2}{5}$일 때, 두 상수 a, b의 합 $a+b$의 값은?

① $\frac{21}{5}$ ② $\frac{22}{5}$ ③ $\frac{23}{5}$

④ $\frac{24}{5}$ ⑤ 5

0908 중요 ●●●○

연속확률변수 X가 갖는 값의 범위는 $0\le X\le b$이고, X의 확률밀도함수의 그래프는 그림과 같다.

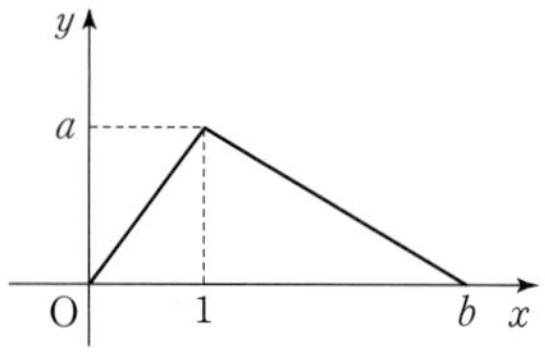

$3\mathrm{P}(0\le X\le 1)=\mathrm{P}(1\le X\le b)$일 때, $a+b$의 값을 구하시오.

0909 ●●●○

연속확률변수 X가 갖는 값의 범위가 $0\le x\le 2$이고, 확률밀도함수의 그래프는 다음과 같다. $\mathrm{P}(a\le X\le b)=\frac{1}{2}$일 때, $k=\frac{q}{p}$이다. p^2+q^2의 값을 구하시오.

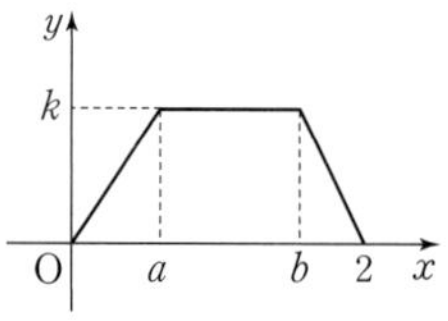

(단, p, q는 서로소인 자연수이다.)

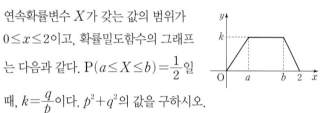

0910 평가원 기출 ●●●○

연속확률변수 X가 갖는 값의 범위는 $0\le X\le 2$이고, X의 확률밀도함수의 그래프는 그림과 같다.

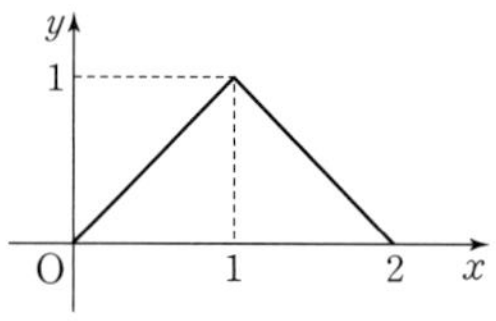

확률 $\mathrm{P}\left(a\le X\le a+\frac{1}{2}\right)$의 값이 최대가 되도록 하는 상수 a의 값은?

① $\frac{3}{8}$ ② $\frac{1}{2}$ ③ $\frac{5}{8}$
④ $\frac{3}{4}$ ⑤ $\frac{7}{8}$

유형 08 확률밀도함수가 주어질 때 확률 구하기

내신 중요도 ▬▬▬▬ 유형 난이도 ★★★★☆

확률밀도함수의 그래프를 그려서 다음 두 가지를 이용하자.
(1) 전체 넓이의 합은 1이다.
(2) (구간에서의 확률)=(구간에서의 넓이)

0911 교육청 기출 ●○○○

연속확률변수 X의 확률밀도함수가 $f(x)=\frac{1}{2}x\ (0\le x\le 2)$일 때, $\mathrm{P}(0\le X\le 1)$은?

① $\frac{1}{2}$ ② $\frac{1}{3}$ ③ $\frac{1}{4}$
④ $\frac{1}{5}$ ⑤ $\frac{1}{6}$

0912 짱중요 ●●○○

연속확률변수 X의 확률밀도함수가 $f(x)=ax\ (0\le x\le 3)$일 때, $\mathrm{P}(2\le X\le 3)$을 구하시오. (단, a는 상수이다.)

0913 중요 ●●○○

연속확률변수 X의 확률밀도함수가 $f(x)=kx\ (0\le x\le 2)$일 때, $\mathrm{P}(0\le X\le k)$을 구하시오.

0914 ●●●○

연속확률변수 X의 확률밀도함수가 $0 \le x \le 2$에서 $f(x)=2ax+a$로 정의될 때, $\mathrm{P}(0 \le X \le 1)$은? (단, a는 상수이다.)

① $\frac{1}{2}$ ② $\frac{1}{3}$ ③ $\frac{1}{4}$
④ $\frac{1}{5}$ ⑤ $\frac{1}{6}$

0915 ●●○○

연속확률변수 X의 확률밀도함수가

$$f(x)=\begin{cases} x+1 & (-1 \le x < 0) \\ 1-x & (0 \le x \le 1) \end{cases}$$

일 때, $\mathrm{P}\left(-\frac{1}{2} \le X \le 1\right)$을 구하시오.

0916 ●●●○

연속확률변수 X의 확률밀도함수 $f(x)$가

$$f(x)=\begin{cases} kx & (0 \le x < 1) \\ -\frac{1}{2}k(x-3) & (1 \le x \le 3) \end{cases}$$

일 때, $\mathrm{P}(3k \le X \le 3)$의 값을 구하시오.

0917 ●●●○

연속확률변수 X의 확률밀도함수가

$$f(x)=k|x-1| \quad (0 \le x \le 3)$$

일 때, $\mathrm{P}(X \le 2)$을 구하시오.

0918 중요 **평가원 기출** ●●●●

구간 [0, 2]에서 정의된 연속확률변수 X의 확률밀도함수 $f(x)$는 다음과 같다.

$$f(x)=\begin{cases} a(1-x) & (0 \le x < 1) \\ b(x-1) & (1 \le x \le 2) \end{cases}$$

$\mathrm{P}(1 \le X \le 2)=\frac{a}{6}$일 때, $a-b$의 값은?

① 1 ② $\frac{1}{2}$ ③ $\frac{1}{3}$
④ $\frac{1}{4}$ ⑤ $\frac{1}{5}$

0919 ●●●●

연속확률변수 X가 갖는 값의 범위가 $0 \le X \le 2$이고 확률변수 X의 확률밀도함수가

$$f(x)=\begin{cases} x & (0 \le x < 1) \\ -x+2 & (1 \le x \le 2) \end{cases}$$

일 때, $\mathrm{P}\left(k \le X \le k+\frac{1}{3}\right)$의 최댓값을 구하시오. (단, k는 상수이다.)

유형 09 정적분을 이용하는 확률밀도함수에서의 확률

내신 중요도 / 유형 난이도 ★★★☆☆

[교육과정 外]

구간 $[a, b]$에 속하는 모든 실수 값을 가질 수 있는 연속확률변수 X의 확률밀도함수 $y=f(x)$에 대하여 다음이 성립한다.

(1) $f(x)\geq 0$

(2) $\int_a^b f(x)\,dx=1$

(3) $\mathrm{P}(\alpha\leq X\leq\beta)=\int_\alpha^\beta f(x)\,dx$ (단, $a\leq\alpha\leq\beta\leq b$)

0920 ●●○○

연속확률변수 X의 확률밀도함수가

$f(x)=6x(1-x)\ (0\leq x\leq 1)$

일 때, 확률 $\mathrm{P}\left(0\leq X\leq\frac{1}{3}\right)$의 값은?

① $\frac{4}{27}$ ② $\frac{5}{27}$ ③ $\frac{2}{9}$

④ $\frac{7}{27}$ ⑤ $\frac{8}{27}$

0921 ●●●○

연속확률변수 X의 확률밀도함수가 $f(x)=ax^2\ (0\leq x\leq 2)$일 때, $\mathrm{P}(0\leq X\leq 1)$의 값을 구하시오.

유형 10 확률밀도함수의 응용

내신 중요도 / 유형 난이도 ★★★★☆

여러 가지 응용을 이용하여 확률변수가 부등식으로 표현될 때, 그 구간에서의 확률은 그 구간에서의 넓이로 구한다.

0922 중요 ●●●○

$0\leq x\leq 8$에서 정의된 확률변수 X의 확률밀도함수 $f(x)$의 그래프가 그림과 같을 때, t에 대한 이차방정식 $t^2-2Xt+5X-6=0$이 허근을 갖게 하는 확률변수 X의 확률은?

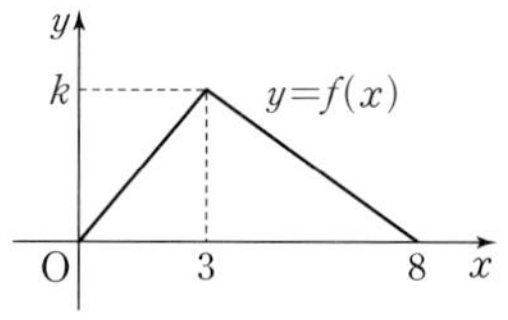

① $\frac{5}{24}$ ② $\frac{3}{12}$ ③ $\frac{7}{24}$

④ $\frac{1}{3}$ ⑤ $\frac{9}{24}$

0923 ●●●○

확률변수 X의 확률밀도함수가 $f(x)=ax\ (0\leq x\leq 4)$일 때, t에 대한 이차방정식 $t^2+xt+2ax+4a=0$이 실근을 갖게 하는 확률변수 X의 확률은? (단, a는 상수이다.)

① $\frac{1}{4}$ ② $\frac{1}{3}$ ③ $\frac{1}{2}$

④ $\frac{2}{3}$ ⑤ $\frac{3}{4}$

0924 평가원 기출

연속확률변수 X가 갖는 값의 범위는 $0 \le X \le 3$이고, 확률 $\mathrm{P}(X \le 1)$과 확률 $\mathrm{P}(X \le 2)$의 값이 이차방정식 $6x^2-5x+1=0$의 두 근일 때, 확률 $\mathrm{P}(1<X\le 2)$의 값은?

① $\frac{1}{12}$ ② $\frac{1}{6}$ ③ $\frac{1}{4}$
④ $\frac{1}{3}$ ⑤ $\frac{5}{12}$

0925 평가원 기출

연속확률변수 X가 갖는 값의 범위는 $0 \le X \le 2$이고, 확률밀도함수의 그래프는 다음과 같다.

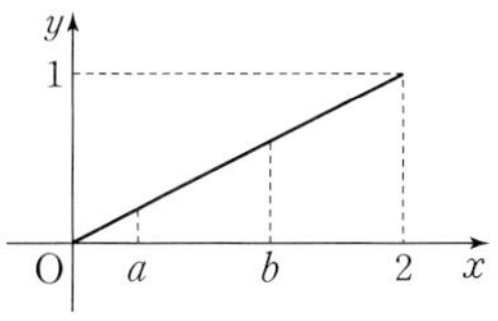

두 양수 a, b에 대하여
$p_1=\mathrm{P}(0\le X\le a)$, $p_2=\mathrm{P}(a<X\le b)$, $p_3=\mathrm{P}(b<X\le 2)$
이다. 세 확률 p_1, p_2, p_3이 이 순서로 등차수열을 이루고 $a+b=\frac{4}{3}$일 때, b의 값은? (단, $a<b$이다.)

① $\frac{11}{12}$ ② 1 ③ $\frac{13}{12}$
④ $\frac{7}{6}$ ⑤ $\frac{5}{4}$

유형 11 확률밀도함수의 활용

내신 중요도 ■■■■ 유형 난이도 ★★★★★

시간을 확률변수로 생각해야 하는 경우 그 확률변수는 연속확률변수이다.

0926

배차 간격이 12분인 지하철을 기다리는 시간을 X분이라고 할 때, 연속확률변수 X의 확률밀도함수는

$$f(x)=\frac{1}{288}x(12-x)\ (0\le x\le 12)$$

이다. 다음 중 옳은 것만을 〈보기〉에서 있는 대로 고르면?

보기

ㄱ. $\mathrm{P}(X=1)=0$
ㄴ. $\mathrm{P}(0\le X\le 6)=\frac{1}{2}$
ㄷ. $\mathrm{P}(1\le X\le 3)=\mathrm{P}(9<X<11)$
ㄹ. $\mathrm{P}(0\le x\le 9)=1-\mathrm{P}(0\le x\le 3)$

① ㄱ ② ㄱ, ㄴ ③ ㄱ, ㄷ
④ ㄴ, ㄷ, ㄹ ⑤ ㄱ, ㄴ, ㄷ, ㄹ

0927 중요

두 사람 A, B가 오후 6시부터 6시 30분 사이에 만나기로 약속하고, 두 사람 모두 약속한 시간 안에 도착했다. 두 사람 모두 10분만 기다리기로 했을 때, 두 사람이 만날 확률을 구하시오.

유형 12 내신 중요도 유형 난이도 ★★★★★

확률밀도함수 그래프의 이해

연속확률변수 X의 확률밀도함수 $y=f(x)$가 모든 실수 x에 대하여 $f(k+x)=f(k-x)$를 만족시키면 확률밀도함수 $y=f(x)$는 $x=k$에 대하여 대칭이다.

0928 평가원 기출

연속확률변수 X의 확률밀도함수 $y=f(x)$가 모든 실수 x에 대하여 $f(2+x)=f(2-x)$를 만족시킨다. 두 양수 a, b $(a<b)$에 대하여

$$\mathrm{P}(2-a\le X\le 2+b)=p_1,\ \mathrm{P}(2+a\le X\le 2+b)=p_2$$

일 때, $\mathrm{P}(2-b\le X\le 2+b)$를 p_1과 p_2로 나타낸 것은?

① p_1+p_2 ② $\dfrac{p_1+p_2}{2}$ ③ $\dfrac{p_1-p_2}{2}$

④ p_1-p_2 ⑤ p_2-p_1

0929 중요

$-2\le X\le 4$의 모든 값을 취하는 연속확률변수 X의 확률밀도함수 $y=f(x)$에 대하여 다음이 성립할 때, $\mathrm{P}(0\le X\le 3)$을 구하시오.

(가) $f(1-x)=f(1+x)$
(나) $\mathrm{P}(1\le X\le 3)=2\mathrm{P}(3\le X\le 4)$
(다) $\mathrm{P}(0\le X\le 1)=\dfrac{1}{4}$

0930

연속확률변수 X가 갖는 값의 범위가 $0\le x\le 6$이고, 확률변수 X와 그 확률밀도함수 $y=f(x)$가 다음 조건을 만족시킨다.

(가) $f(3+x)=f(3-x)$
(나) $0\le x\le 3$인 실수 x에 대하여 $\mathrm{P}(x\le X\le 3)=a-\dfrac{x^2}{18}$

$\mathrm{P}(1\le X\le 4)$를 구하시오. (단, a는 상수이다.)

0931

$0\le x\le 4$에서 정의된 연속확률변수 X의 확률밀도함수를 $f(x)$가 다음 두 조건을 만족할 때, 상수 k와 $\mathrm{P}(8k\le X\le 12k)$의 값을 구하시오.

(가) $0\le x\le 2$일 때, $f(x)=kx$
(나) $0\le x\le 2$인 모든 x에 대하여 $f(2-x)=f(2+x)$

0932 교육청 기출

연속확률변수 X가 갖는 값은 구간 $[0, 1]$의 모든 실수이다. 구간 $[0, 1]$에서 두 함수 $y=F(x)$, $y=G(x)$를

$$F(x)=\mathrm{P}(X\ge x),\ G(x)=\mathrm{P}(X\le x)$$

로 정의할 때, 〈보기〉에서 옳은 것만을 있는 대로 고르시오.

보기

ㄱ. $F(0.3)\le F(0.2)$ ㄴ. $F(0.4)=G(0.6)$
ㄷ. $F(0.2)-F(0.7)=G(0.7)-G(0.2)$

적중 문제

시험에 잘 나오는 문제로 점검하기

해설 166쪽

0933

확률변수 X의 확률질량함수가

$$P(X=x)=\frac{k}{x(x+1)}\ (x=1,\ 2,\ 3,\ 4,\ 5,\ 6)$$

로 주어질 때, $12k$의 값은? (단, k는 상수이다.)

① 10　② 12　③ 14　④ 16　⑤ 18

0934

확률변수 X의 확률분포를 나타낸 표가 다음과 같고 $P(1\le X\le 2)=\frac{1}{4}$일 때, $P(X=3)$을 구하시오.

X	1	2	3	4	합계
$P(X=x)$	$\frac{1}{12}$	a	b	$\frac{5}{12}$	1

0935

확률변수 X의 확률질량함수가

$$P(X=x)=\frac{a}{x(x+1)}\ (x=1,\ 2,\ 3,\ 4,\ 5)$$

일 때, $P(X^2-5X+6\le 0)$의 값을 구하시오.

(단, a는 상수이다.)

0936

확률변수 X의 확률질량함수가

$$P(X=n)=\log_k\frac{n+1}{n}\ (n=1,\ 2,\ \cdots,\ 9)$$

일 때, $P(X\ge 3)$은? (단, k는 상수이다.)

① $\log\frac{10}{9}$　② $\log\frac{5}{3}$　③ $\log\frac{5}{2}$　④ $\log\frac{10}{3}$　⑤ $\log 5$

0937 서술형

불량품이 5개 포함되어 있는 9개의 제품 중 4개의 제품을 뽑아 나오는 불량품의 개수를 확률변수 X라 할 때, $P(X^2-6X+8\le 0)$을 구하시오.

0938

2, 4, 6, 8의 숫자가 각각 하나씩 적혀 있는 4장의 카드 중에서 동시에 2장을 뽑으려고 한다. 각 카드에 적힌 두 수의 차를 확률변수 X라 할 때, $P(|X-3|\le 2)$를 구하시오.

해설 168쪽

0939

$0 \le x \le 1$에서 정의된 확률변수 X의 확률밀도함수가 $f(x)=3ax+a$일 때, 상수 a의 값을 구하시오.

0940

연속확률변수 X의 확률밀도함수 $y=f(x)$의 그래프가 다음 그림과 같을 때, $\mathrm{P}\left(0 \le X \le \frac{4}{3}a\right)$의 값을 구하시오.

(단, a는 상수이다.)

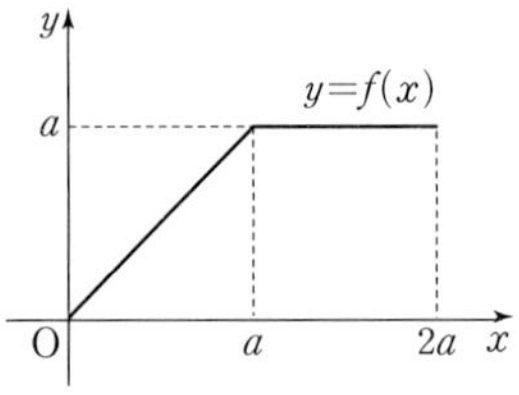

0941 서술형

연속확률변수 X에 대한 확률밀도함수 $y=f(x)$의 그래프가 그림과 같다. $\mathrm{P}(a \le X \le b)=\frac{1}{4}$일 때, a의 값을 구하시오.

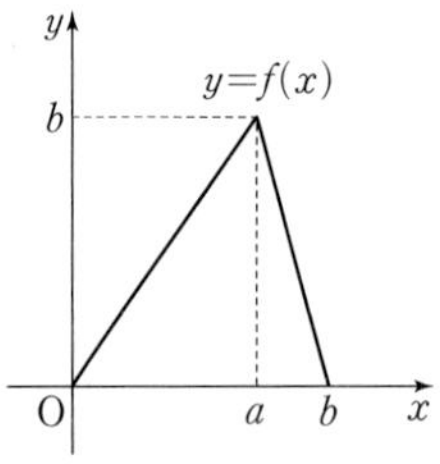

0942

연속확률변수 X의 확률밀도함수 $f(x)=ax$ $(0 \le x \le 2)$에 대하여 $\mathrm{P}\left(0 \le X \le \frac{1}{2}\right)$의 값을 구하시오. (단, a는 상수이다.)

0943

연속확률변수 X의 확률밀도함수가

$$f(x)=\begin{cases} ax & (0 \le x < 2) \\ -a(x-4) & (2 \le x \le 4) \end{cases}$$

일 때, $\mathrm{P}(1 \le X \le 3)$을 구하시오. (단, a는 상수이다.)

0944

$0 \le x \le 6$에서 정의된 연속확률변수 X의 확률밀도함수 $y=f(x)$가 다음 조건을 만족시킬 때, $\mathrm{P}(4 \le X \le 5)$를 구하시오.

(가) $f(3+x)=f(3-x)$
(나) $\mathrm{P}(1 \le X \le 3)=7\mathrm{P}(0 \le X \le 1)$
(다) $\mathrm{P}(2 \le X \le 3)=\frac{5}{16}$

해설 169쪽

Level 1

0945

확률변수 X의 확률분포를 나타낸 표가 다음과 같다.

X	1	2	3	4	합계
$\mathrm{P}(X=x)$	$\frac{1}{8}$	$\frac{1}{8}$	a	b	1

$\frac{1}{8}$, a, b가 이 순서대로 등비수열을 이룰 때, b의 값은?

① $\frac{1}{4}$　② $\frac{1}{3}$　③ $\frac{1}{2}$

④ $\frac{2}{9}$　⑤ $\frac{3}{4}$

0946

$0\le x\le a$에서 정의된 연속확률변수 X의 확률밀도함수가

$$f(x)=\begin{cases} 3x+1 & \left(0\le x<\frac{1}{3}\right) \\ -3x+3 & \left(\frac{1}{3}\le x\le a\right) \end{cases}$$

일 때, a의 값은? $\left(단, \frac{1}{3}\le a\le 1\right)$

① $\frac{2}{3}$　② $\frac{3}{4}$　③ $\frac{5}{6}$

④ $\frac{7}{8}$　⑤ 1

0947 교육청 기출

확률변수 X가 가질 수 있는 값이 1, 2, 3, $\cdots$, 99일 때, $X=k$일 확률은 $\mathrm{P}(X=k)=\dfrac{a}{\sqrt{k+1}+\sqrt{k}}$ $(k=1, 2, 3, \cdots, 99)$이다.

$\mathrm{P}(X=16)+\mathrm{P}(X=17)+\mathrm{P}(X=18)+\cdots+\mathrm{P}(X=99)=b$라 할 때, $a+b$의 값을 구하시오. (단, a, b는 상수이다.)

0948 평가원 기출

구간 $[0, 3]$의 모든 실수 값을 가지는 연속확률변수 X에 대하여 X의 확률밀도함수의 그래프는 그림과 같다.

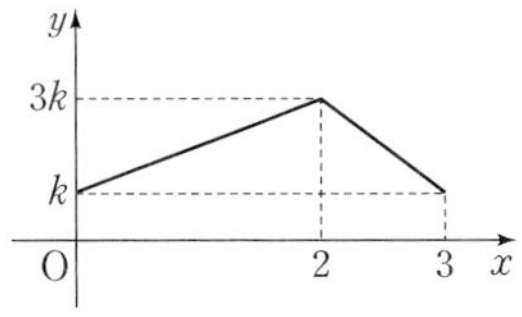

$\mathrm{P}(0\le X\le 2)=\dfrac{q}{p}$라 할 때, $p+q$의 값을 구하시오.

(단, k는 상수이고, p와 q는 서로소인 자연수이다.)

0949

연속확률변수 X의 확률밀도함수가

$$f(x)=\begin{cases} ax & (0\le x<1) \\ a & (1\le x<2) \\ -\frac{a}{2}x+2a & (2\le x\le 4) \end{cases}$$

이때, $\mathrm{P}(1\le X\le 4)$의 값을 구하시오.

(단, a는 $a>0$인 상수이다.)

0950

$-10\le x\le 10$에서 정의된 연속확률변수 X의 확률밀도함수 $y=f(x)$의 그래프가 그림과 같고, $\mathrm{P}(|X|\ge b)=0.09$일 때, ab의 값을 구하시오. (단, $0<b<10$)

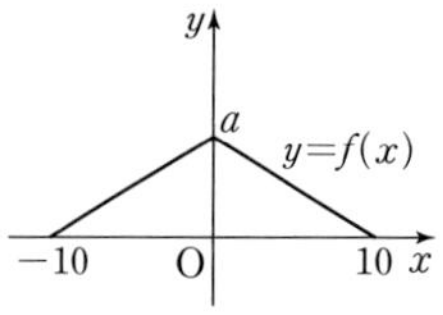

Level 2

0951

사과 6개와 귤 4개가 들어 있는 바구니에서 임의로 3개를 꺼내서 나오는 귤의 개수를 확률변수 X라 할 때, $\frac{1}{3}\le\mathrm{P}(X\le k)\le\frac{2}{3}$를 만족시키는 자연수 k의 값을 구하시오.

0952

그림과 같이 정사각형 ABCD가 있다. 이 정사각형을 4개의 작은 정사각형으로 사등분하여 각각 파란색, 빨간색, 노란색 중에서 한 가지를 택하여 칠하려고 한다. 파란색으로 칠해진 작은 정사각형의 개수를 확률변수 X라 할 때, $\mathrm{P}(X=2)$를 구하시오.

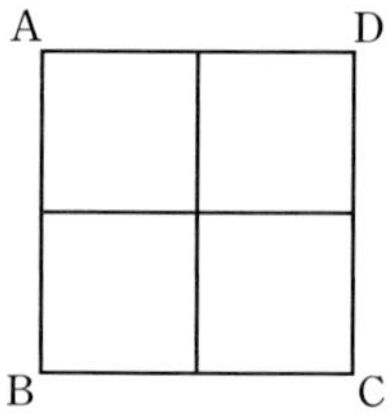

0953

$-a \le X \le a$에서 정의된 연속확률변수 X의 확률밀도함수 $y=f(x)$의 그래프가 그림과 같고 $f(0)=b$이다.

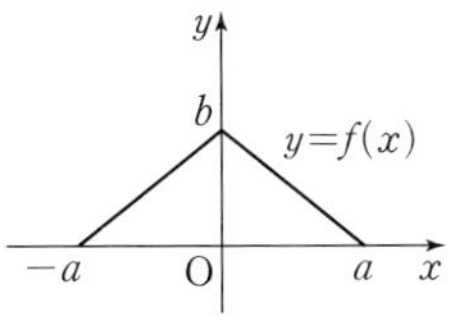

$-a \le Y \le a$에서 정의된 확률밀도함수 $y=\frac{1}{2}f(x)+c$에 대하여 $100(ab+ac)$의 값을 구하시오.

(단, a, b, c는 양수이다.)

0954 평가원 기출

구간 [0, 3]의 모든 실수 값을 가지는 연속확률변수 X에 대하여

$$\mathrm{P}(x \le X \le 3)=a(3-x)\ (0 \le x \le 3)$$

이 성립할 때, $\mathrm{P}(0 \le X < a)=\frac{q}{p}$이다. $p+q$의 값을 구하시오.

(단, a는 상수이고, p와 q는 서로소인 자연수이다.)

0955

$-2 \le x \le 2$에서 정의된 연속확률변수 X의 확률밀도함수 $y=f(x)$의 그래프가 그림과 같다.

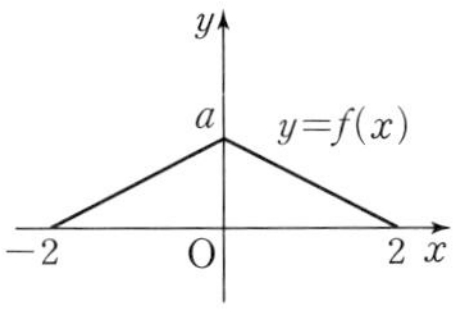

세 사건 $A=\{X \mid -2 \le X \le 0\}$, $B=\{X \mid -1 \le X \le 1\}$, $C=\{X \mid 0 \le X \le 2\}$에 대하여 〈보기〉에서 옳은 것만을 있는 대로 고르시오.

보기

ㄱ. $\mathrm{P}(A^C \cup B^C)=\frac{5}{8}$

ㄴ. $\mathrm{P}(B \mid C)=\frac{2}{7}$

ㄷ. 두 사건 A와 B는 서로 독립이다.

0956

$-2 \le x \le 1$에서 정의된 연속확률변수 X의 확률밀도함수 $y=f(x)$의 그래프가 그림과 같을 때, 〈보기〉에서 옳은 것만을 있는대로 고른 것은?

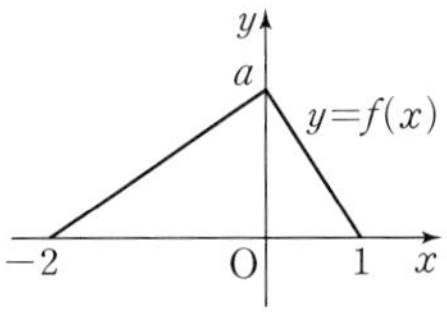

보기

ㄱ. $a=\frac{2}{3}$

ㄴ. $\mathrm{P}(-2 \le X \le -1)=\frac{1}{2}\mathrm{P}(X>0)$

ㄷ. $\mathrm{P}(-1 \le X \le 0)=\mathrm{P}(X>-1)-\mathrm{P}(-2 \le X \le 0)$

① ㄱ ② ㄴ ③ ㄱ, ㄴ
④ ㄴ, ㄷ ⑤ ㄱ, ㄴ, ㄷ

해설 172쪽

Level 3

0957

확률변수 X의 확률분포를 나타낸 표가 다음과 같다.

X	0	1	2	$\cdots$	10	합계
$\mathrm{P}(X=x)$	p_0	p_1	p_2	$\cdots$	p_{10}	1

집합 $\{x\mid 0\le x\le 10\}$에서 정의된 두 함수 $y=F(x)$, $y=G(x)$가 $F(x)=\mathrm{P}(0\le X\le x)$, $G(x)=\mathrm{P}(X>x)$일 때, 〈보기〉에서 옳은 것만을 있는 대로 고르시오.

보기

ㄱ. $F(4)+G(4)=1$
ㄴ. $\mathrm{P}(4\le X\le 8)=F(8)-F(4)$
ㄷ. $\mathrm{P}(4\le X\le 8)=G(3)-G(8)$

0958

교육청 기출

확률변수 X의 확률밀도함수 $f(x)$가 다음과 같을 때, $\mathrm{P}(a\le X\le 5a)$의 값은?

$$f(x)=\begin{cases} -|x-a|+a & (0\le x<2a) \\ -|x-4a|+2a & (2a\le x<6a) \\ 0 & (x<0,\ x\ge 6a) \end{cases}$$

① $\frac{8}{9}$ ② $\frac{7}{8}$ ③ $\frac{6}{7}$
④ $\frac{5}{6}$ ⑤ $\frac{4}{5}$

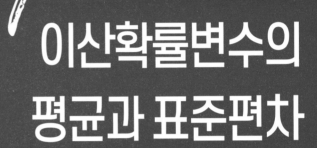

07 이산확률변수의 평균과 표준편차

		제 목	내신중요도	유형난이도	문항수	문항번호
		기본 문제			28	0959~0986
유형 문제	01	이산확률변수의 평균 – 확률분포가 주어질 때	▬▬▬	★	6	0987~0992
	02	이산확률변수의 평균 – 확률질량함수가 주어질 때	▬▬▬	★★	5	0993~0997
	03	이산확률변수의 평균 – 확률분포가 주어지지 않을 때	▬▬▬▬▬	★★★	9	0998~1006
	04	이산확률변수의 기댓값	▬▬	★★★	5	1007~1011
	05	이산확률변수의 분산과 표준편차 – 확률분포가 주어질 때	▬▬▬	★★★	8	1012~1019
	06	이산확률변수의 분산과 표준편차 – 확률질량함수가 주어질 때	▬▬▬	★★★	6	1020~1025
	07	이산확률변수의 분산과 표준편차 – 확률분포가 주어지지 않을 때	▬▬▬▬▬	★★★★	12	1026~1037
	08	이산확률변수 $aX+b$의 평균과 분산	▬▬▬	★★	6	1038~1043
	09	$\mathrm{V}(X)=\mathrm{E}(X^2)-\{\mathrm{E}(X)\}^2$	▬▬▬	★★★	6	1044~1049
	10	이산확률변수 $aX+b$의 평균 – 확률분포가 주어질 때	▬▬	★★	6	1050~1055
	11	이산확률변수 $aX+b$의 평균 – 확률질량함수가 주어질 때	▬▬	★★★★	3	1056~1058
	12	이산확률변수 $aX+b$의 평균 – 확률분포가 주어지지 않을 때	▬▬▬▬	★★★	9	1059~1067
	13	이산확률변수 $aX+b$의 분산과 표준편차 – 확률분포가 주어질 때	▬▬▬	★★★	6	1068~1073
	14	이산확률변수 $aX+b$의 분산과 표준편차 – 확률질량함수가 주어질 때	▬	★★★★	3	1074~1076
	15	이산확률변수 $aX+b$의 분산과 표준편차 – 확률분포가 주어지지 않을 때	▬▬▬▬	★★★★	8	1077~1084
		적중 문제			12	1085~1096
		고난도 문제			15	1097~1111

07 이산확률변수의 평균과 표준편차

1. 이산확률변수의 평균, 분산, 표준편차

이산확률변수 X의 확률질량함수가 $P(X=x_i)=p_i\ (i=1, 2, 3, \cdots, n)$일 때

(1) X의 평균 (기댓값) : $E(X)=x_1p_1+x_2p_2+x_3p_3+\cdots+x_np_n=\sum_{i=1}^{n} x_ip_i$

(2) 분산 :
$$\begin{aligned} V(X)&=E((X-m)^2)\\ &=\sum_{i=1}^{n}(x_i-m)^2p_i\\ &=\sum_{i=1}^{n}x_i^2p_i-m^2\\ &=E(X^2)-\{E(X)\}^2\ (\text{단, } m=E(X)) \end{aligned}$$

(3) 표준편차 : $\sigma(X)=\sqrt{V(X)}$

참고
$$\begin{aligned} V(X)&=\sum_{i=1}^{n}(x_i-m)^2p_i\\ &=\sum_{i=1}^{n}(x_i^2-2mx_i+m^2)p_i\\ &=\sum_{i=1}^{n}x_i^2p_i-2m\sum_{i=1}^{n}x_ip_i+m^2\sum_{i=1}^{n}p_i\\ &=\sum_{i=1}^{n}x_i^2p_i-2m^2+m^2\ \left(\because \sum_{i=1}^{n}x_ip_i=m,\ \sum_{i=1}^{n}p_i=1\right)\\ &=\sum_{i=1}^{n}x_i^2p_i-m^2\\ &=E(X^2)-\{E(X)\}^2 \end{aligned}$$

확률질량함수
이산확률변수 X가 가질 수 있는 모든 값 $x_1, x_2, x_3, \cdots, x_n$에 이 값을 가질 확률 $p_1, p_2, p_3, \cdots, p_n$이 대응되는 함수 $P(X=x_i)=p_i\ (i=1, 2, 3, \cdots, n)$를 이산확률변수 X의 확률질량함수라고 한다.

① (편차)=(변량)−(평균)
② (분산)=$\dfrac{\{(\text{편차})^2\text{의 총합}\}}{(\text{전체 자료의 개수})}$
③ (표준편차)=$\sqrt{(\text{분산})}$

2. 확률변수의 평균, 분산, 표준편차의 성질

확률변수 X와 두 상수 a, b $(a\neq0)$에 대하여

(1) $\mathrm{E}(aX+b)=a\mathrm{E}(X)+b$

(2) $\mathrm{V}(aX+b)=a^2\mathrm{V}(X)$

(3) $\sigma(aX+b)=|a|\sigma(X)$

참고 ① $\mathrm{E}(aX+b)=\sum_{i=1}^{n}(ax_i+b)p_i$
$=a\sum_{i=1}^{n}x_ip_i+b\sum_{i=1}^{n}p_i$
$=a\mathrm{E}(X)+b$

② $\mathrm{V}(aX+b)=\sum_{i=1}^{n}\{(ax_i+b)-\mathrm{E}(aX+b)\}^2p_i$
$=\sum_{i=1}^{n}\{(ax_i+b)-(a\mathrm{E}(X)+b)\}^2p_i$
$=a^2\sum_{i=1}^{n}(x_i-\mathrm{E}(X))^2p_i$
$=a^2\mathrm{V}(X)$

③ $\sigma(aX+b)=\sqrt{\mathrm{V}(aX+b)}$
$=\sqrt{a^2\mathrm{V}(X)}$
$=|a|\sigma(X)$

분산과 표준편차는 평균을 중심으로 흩어진 정도를 나타내므로 b의 값에 영향을 받지 않는다.

확률변수 X가 가질 수 있는 모든 값 x_1, x_2, x_3, $\cdots$, x_n에 대하여 확률변수 $Y=aX+b$ (a, b는 상수, $a\neq0$)가 가질 수 있는 값은 ax_1+b, ax_2+b, ax_3+b, $\cdots$, ax_n+b이다.

3. 이산확률변수의 분산의 성질

이산확률변수 X의 평균을 $\mathrm{E}(X)=m$이라 할 때,

$$\mathrm{V}(X)=\mathrm{E}(X^2)-\{\mathrm{E}(X)\}^2$$
$$=\sum_{i=1}^{n}x_i^2p_i-m^2$$

참고 $\mathrm{E}(X^2)=\mathrm{V}(X)+\{\mathrm{E}(X)\}^2$

$\mathrm{V}(X)=\mathrm{E}((X-m)^2)$
$=\sum_{i=1}^{n}(x_i-m)^2p_i$

기본 문제

핵심 개념을 문제로 익히기

1 이산확률변수의 평균, 분산, 표준편차

[0959-0962] 확률변수 X의 확률분포를 나타낸 표가 다음과 같을 때, 다음 □에 알맞은 것을 구하시오.

X	x_1	x_2	x_3	$\cdots$	x_{10}	합계
$\mathrm{P}(X=x_i)$	p_1	p_2	p_3	$\cdots$	p_{10}	1

0959 $m=\mathrm{E}(X)=\sum_{i=1}^{10}\square$

0960 $\mathrm{V}(X)=\sum_{i=1}^{10}(\square)^2p_i$

0961 $\mathrm{V}(X)=\mathrm{E}(X^2)-\square$

0962 $\sigma(X)=\sqrt{\square}$

[0963-0967] 확률변수 X의 확률분포를 나타낸 표가 다음과 같을 때, 다음을 구하시오.

X	1	2	3	합계
$\mathrm{P}(X=x)$	a	$\frac{1}{4}$	$\frac{5}{8}$	1

0963 상수 a의 값

0964 $\mathrm{P}(1\le X\le 2)$

0965 $\mathrm{E}(X)$

0966 $\mathrm{V}(X)$

0967 $\sigma(X)$

[0968-0972] 한 개의 주사위를 두 번 던질 때, 소수의 눈이 나오는 횟수를 확률변수 X라 하자. 확률분포표를 완성하고 다음을 구하시오.

0968

X				합계
$\mathrm{P}(X=x)$				1

0969 $\mathrm{P}(X(X-1)\le 0)$

0970 $\mathrm{E}(X)$

0971 $\mathrm{V}(X)$

0972 $\sigma(X)$

[0973-0975] 확률변수 X의 확률질량함수가

$$P(X=x)=\begin{cases}\frac{1}{6} & (x=1,\ 3)\\ \frac{2}{3} & (x=2)\end{cases}$$

일 때, 다음을 구하시오.

0973 $P(1\le X\le 2)$

0974 $E(X)$

0975 $V(X)$

[0976-0978] 확률변수 X에 대하여 다음을 구하시오.

0976 $E(X)=10$, $\sigma(X)=4$일 때, $E(X^2)$

0977 $E(X)=5$, $E(X^2)=40$일 때, $V(X)$

0978 $V(X)=4$, $E(X^2)=29$일 때, $\{E(X)\}^2$

2 확률분포와 확률질량함수

[0979-0981] 확률변수 X에 대하여 다음이 성립할 때, $\square$에 알맞은 값을 구하시오.

0979 $E(4X+5)=\square E(X)+\square$

0980 $V(4X+5)=\square V(X)$

0981 $\sigma(4X+5)=\square \sigma(X)$

[0982-0986] 확률변수 X에 대하여 $E(X)=5$, $V(X)=4$일 때, 다음을 구하시오.

0982 $E(2X-1)$

0983 $V(-X+3)$

0984 $\sigma(3X+2)$

0985 $Y=-X+1$일 때, $E(Y)$, $\sigma(Y)$

0986 $Z=\frac{1}{5}X+3$일 때, $E(Z)$, $\sigma(Z)$

유형 문제

내신 출제 유형 정복하기

유형 01 **이산확률변수의 평균 – 확률분포가 주어질 때**

내신 중요도 ■■■■■ 유형 난이도 ★★★★★

확률변수 X의 확률질량함수가
$\mathrm{P}(X=x_i)=p_i\ (i=1, 2, 3, \cdots, n)$일 때, X의 평균은

$$\mathrm{E}(X)=x_1p_1+x_2p_2+\cdots+x_np_n=\sum_{i=1}^{n}x_ip_i$$

0987 중요 ●○○○

확률변수 X의 확률분포를 표로 나타내면 다음과 같다.

X	1	2	3	4	합계
$\mathrm{P}(X=x)$	$\frac{1}{6}$	$\frac{1}{3}$	$\frac{1}{6}$	$\frac{1}{3}$	1

$\mathrm{E}(X)$의 값을 구하시오.

0988 ●○○○

확률변수 X의 확률분포를 나타낸 표가 다음과 같을 때, X의 평균을 구하시오.

X	2	3	4	6	합계
$\mathrm{P}(X=x)$	a	$\frac{1}{3}$	a	$\frac{1}{6}$	1

0989 중요 ●●○○

확률변수 X의 확률분포표는 다음과 같다.

X	-1	0	1	2	합계
$\mathrm{P}(X=x)$	a	$\frac{1}{8}$	b	$\frac{1}{8}$	1

$\mathrm{P}(0\le X\le 2)=\frac{7}{8}$일 때, 확률변수 X의 평균 $\mathrm{E}(X)$의 값을 구하시오.

0990 짱중요 평가원 기출 ●●○○

확률변수 X의 확률분포표가 다음과 같다.

X	1	3	7	합계
$\mathrm{P}(X=x)$	a	$\frac{1}{4}$	b	1

$\mathrm{E}(X)=5$일 때, b의 값은? (단, a와 b는 상수이다.)

① $\frac{19}{36}$ ② $\frac{5}{9}$ ③ $\frac{7}{12}$
④ $\frac{11}{18}$ ⑤ $\frac{23}{36}$

0991 ●●○○

확률변수 X의 확률분포를 나타낸 표가 다음과 같다.

$\mathrm{E}(X)=-\frac{1}{2}$일 때, $a+b$의 값은? (단, a, b는 상수이다.)

X	-2	0	2	합계
$\mathrm{P}(X=x)$	a	b	a^2	1

① $\frac{3}{8}$ ② $\frac{1}{2}$ ③ $\frac{5}{8}$
④ $\frac{3}{4}$ ⑤ $\frac{7}{8}$

0992 ●●○○

확률변수 X의 확률분포를 나타낸 표가 다음과 같다.

X	1	2	k	합계
$\mathrm{P}(X=x)$	$\frac{1}{6}$	a	b	1

$\frac{1}{6}$, a, b가 이 순서대로 등차수열을 이루고 $\mathrm{E}(X)=\frac{17}{6}$일 때, 상수 k의 값을 구하시오.

유형 02 내신 중요도 유형 난이도 ★★☆☆☆

이산확률변수의 평균 – 확률질량함수가 주어질 때

확률질량함수를 이용하여 확률변수 X의 확률분포를 표로 나타내고

$$E(X)=x_1p_1+x_2p_2+\cdots+x_np_n=\sum_{i=1}^{n} x_ip_i$$

을 이용하자.

0993 ●○○○

이산확률변수 X의 확률질량함수가

$$P(X=x)=\begin{cases} \frac{1}{4} & (x=1,\ 3) \\ \frac{1}{2} & (x=2) \end{cases}$$

로 주어질 때, $E(X)$의 값을 구하시오.

0994 ●●○○

이산확률변수 X의 확률질량함수가

$$P(X=x)=\frac{x^2}{a}\ (x=1,\ 2,\ 3,\ 4,\ 5)$$

일 때, $E(X)$의 값을 구하시오. (단, a는 상수이다.)

0995 ●●●○

확률변수 X가 1^2, 2^2, 3^2, $\cdots$, 10^2의 값을 갖고, 확률질량함수가 $P(X=k^2)=ck\ (k=1,\ 2,\ \cdots,\ 10)$일 때, $E(X)$를 구하시오.

(단, c는 상수이다.)

0996 중요 ●●●○

확률변수 X의 확률질량함수가

$$P(X=x)=\frac{k}{x(x+1)}\ (x=1,\ 2,\ 3,\ 4)$$

일 때, $E(X)$를 구하시오. (단, k는 상수이다.)

0997 ●●●●

이산확률변수 X의 확률질량함수가

$$P(X=n)=\log\frac{n+1}{n}\ (\text{단, } n=1,\ 2,\ 3,\ \cdots,\ a)$$

일 때, $E(X)+\log(9!)$의 값을 구하시오. (단, a는 자연수이다.)

유형 03 이산확률변수의 평균 – 확률분포가 주어지지 않을 때

내신 중요도 ▬▬▬▬▬ 유형 난이도 ★★★☆☆

① 확률변수 X가 취할 수 있는 값들을 구한다.

② 구한 각 값들에 대한 확률을 구하여 표로 만든다.

③ $\mathrm{E}(X)=x_1p_1+x_2p_2+\cdots+x_np_n=\sum_{i=1}^{n} x_ip_i$를 이용하여 평균을 구한다.

0998 ●○○○

확률변수 X의 확률분포가 그림의 대응과 같다. $\mathrm{E}(X)=\frac{13}{6}$일 때, 두 상수 a, b에 대하여 ab의 값을 구하시오.

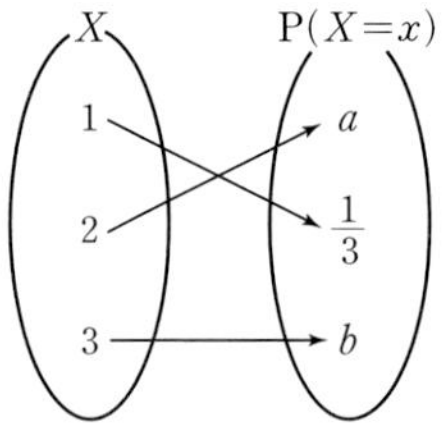

0999 ●●○○

한 개의 주사위를 한 번 던져 나오는 눈의 수를 3으로 나눈 나머지를 확률변수 X라 하자. X의 평균을 구하시오.

1000 중요 ●●○○

흰 공 2개와 검은 공 3개가 들어 있는 주머니에서 임의로 3개의 공을 동시에 꺼낼 때, 주머니에서 나오는 흰 공의 개수를 확률변수 X라 하자. $\mathrm{E}(X)$를 구하시오.

1001 중요 ●●○○

서로 다른 두 개의 주사위를 동시에 던졌을 때, 나오는 두 눈의 수의 차를 확률변수 X라 할 때, $\mathrm{E}(X)$의 값을 구하시오.

1002 ●●○○

그림은 각 면에 1, 2, 3, 4가 적힌 정사면체의 전개도이다. 이 전개도로 만든 정사면체를 두 번 던질 때, 밑면에 적힌 수 중에서 첫 번째 수를 a, 두 번째 수를 b라 하자. $|a-b|$의 값을 확률변수 X라 할 때, $\mathrm{E}(X)$를 구하시오.

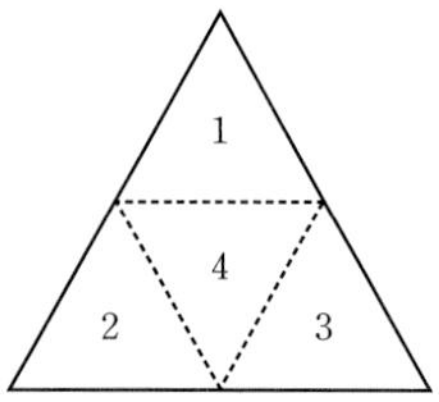

1003 중요 ●●○○

검은 구슬 5개와 파란 구슬 2개가 들어 있는 주머니가 있다. 이 주머니에서 2개의 구슬을 꺼내는 시행에서 나오는 검은 구슬의 개수를 확률변수 X라 할 때, X의 평균을 구하시오.

1004 ●●●○

상자 속에 숫자 1이 적힌 공이 1개, 2가 적힌 공이 2개, 3이 적힌 공이 3개, ⋯, 10이 적힌 공이 10개 들어 있다. 이 상자에서 임의로 한 개의 공을 꺼낼 때, 그 공에 적힌 수를 확률변수 X라고 한다. $E(X)$는?

① 5 ② 6 ③ 7
④ 8 ⑤ 9

1005 ●●●○

100원짜리 동전 2개와 10원짜리 동전 1개를 동시에 던지는 시행에서 앞면이 나오는 동전들의 합계 금액을 확률변수 X라 하자. $E(X)$의 값을 구하시오.

1006 중요 교육청 기출 ●●●○

1이 적혀 있는 구슬이 1개, 2가 적혀 있는 구슬이 3개, 3이 적혀 있는 구슬이 5개가 들어 있는 주머니가 있다. 이 주머니에서 구슬 두 개를 동시에 꺼낼 때, 두 개의 구슬에 적혀 있는 수의 곱을 X라 하자. 확률변수 X의 기댓값 $E(X)$의 값은?

① $\frac{61}{12}$ ② $\frac{65}{12}$ ③ $\frac{71}{12}$
④ $\frac{73}{12}$ ⑤ $\frac{77}{12}$

유형 04 이산확률변수의 기댓값

내신 중요도 ■■■■■ 유형 난이도 ★★★☆☆

확률변수 X의 확률질량함수가
$P(X=x_i)=p_i$ $(i=1, 2, 3, \cdots, n)$일 때, X의 기댓값은

$$E(X)=\sum_{i=1}^{n} x_i p_i$$

1007 중요 ●●○○

학교 축제에서 행운권 100장을 발행했는데, 상품은 표와 같이 10000원과 5000원짜리 문화 상품권이다. 문화 상품권을 현금으로 생각한다면, 행운권 한 장으로 받을 수 있는 현금의 기댓값을 구하시오.

상	문화 상품권	개수
행운상	10000원	10
다행상	5000원	40
꽝	0원	50

1008 ●●●○

어느 복권회사에서 1부터 10까지의 자연수 중에서 3개를 적어 내는 복권을 판매한다. 이 회사에서는 3개의 수를 발표하여 이 세 수를 모두 맞힌 사람에게는 15만 원, 2개의 수를 맞힌 사람에게는 2만 원, 1개의 수를 맞힌 사람에게는 1만 원의 당첨금을 지급한다고 한다. 이 회사가 손해를 보지 않기 위해서 받아야 하는 복권 한 장의 최소 금액은? (단, 수의 순서는 생각하지 않는다.)

① 5000원 ② 7000원 ③ 10000원
④ 12000원 ⑤ 15000원

1009

●●●○

그림과 같이 표적 원판이 네 개의 부채꼴로 나누어져 있고 각 부채꼴의 넓이는 등차수열을 이루며 가장 큰 부채꼴의 넓이는 가장 작은 부채꼴의 넓이의 5배이다. 또 중심각의 크기가 큰 부채꼴부터 각각 2점, 4점, 6점, 8점이 부여되어 있다. 이 표적 원판을 돌린 후, 화살 한 개를 쏘아 원판에 맞추었을 때, 얻는 점수의 기댓값을 구하시오.

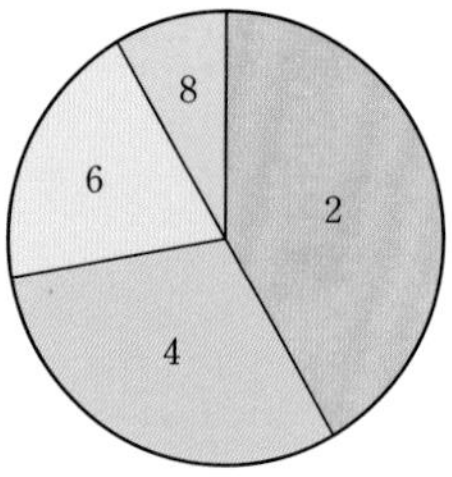

(단, 화살은 경계선에 맞지 않는다.)

1010

●●●○

다음 표와 같은 상금이 걸려 있는 제비가 있다. 한 개의 제비를 뽑아 받을 수 있는 상금의 기대 금액이 1000원이 되도록 할 때, 전체 제비의 개수를 구하시오.

등급	상금	개수
1등	100000원	1
2등	10000원	10
등외	0원	?

1011

●●●○

빨간 구슬이 8개, 흰 구슬이 x개 들어 있는 주머니에서 한 개의 구슬을 꺼낼 때, 빨간 구슬이 나오면 1000원의 상금을 받고 흰 구슬이 나오면 500원을 지불하는 게임이 있다. 이 게임에서 얻을 수 있는 이익의 기댓값이 300원일 때, 주머니 속에 들어 있는 흰 구슬의 개수를 구하시오.

유형 05 이산확률변수의 분산과 표준편차 – 확률분포가 주어질 때

내신 중요도 ■■■■■ 유형 난이도 ★★★☆☆

확률변수 X의 확률질량함수가

$P(X=x_i)=p_i\ (i=1,\ 2,\ 3,\ \cdots,\ n)$일 때

$$V(X)=E((X-m)^2)=\sum_{i=1}^{n}(x_i-m)^2p_i$$

(1) 분산: $V(X)=E(X^2)-\{E(X)\}^2$

(2) 표준편차: $\sigma(X)=\sqrt{V(X)}$

1012

●○○○

확률변수 X의 확률분포를 나타낸 표가 다음과 같을 때, $E(X)+\sigma(X)$의 값은?

X	1	2	3	4	합계
$P(X=x)$	$\frac{1}{10}$	$\frac{1}{5}$	$\frac{3}{10}$	$\frac{2}{5}$	1

① 1　② 2　③ 3
④ 4　⑤ 5

1013 짱중요

●●○○

확률변수 X의 확률분포를 나타낸 표가 다음과 같을 때, $a+E(X)+V(X)$의 값을 구하시오. (단, a는 상수이다.)

X	1	2	3	4	합계
$P(X=x)$	$\frac{1}{6}$	$\frac{1}{3}$	a	$\frac{1}{6}$	1

1014

●●○○

확률변수 X의 확률분포를 나타낸 표가 다음과 같을 때, $\sigma(X)$를 구하시오.

X	-1	0	1	합계
$P(X=x)$	a	$\frac{a}{2}$	a^2	1

1015 중요 평가원 기출

확률변수 X의 확률분포를 나타낸 표가 다음과 같다.

X	1	2	4	8	합계
$\mathrm{P}(X=x)$	$\frac{1}{4}$	a	$\frac{1}{8}$	b	1

확률변수 X의 평균이 5일 때, X의 분산을 구하시오.

1016 중요

확률변수 X의 확률분포를 나타낸 표가 다음과 같다.

X	-1	0	1	합계
$\mathrm{P}(X=x)$	a	$\frac{1}{3}$	b	1

확률변수 X의 분산이 $\frac{5}{12}$일 때, $\mathrm{P}(X=1)$은? (단, $a>b$)

① $\frac{1}{12}$ ② $\frac{1}{8}$ ③ $\frac{1}{6}$
④ $\frac{1}{4}$ ⑤ $\frac{1}{3}$

1017

확률변수 X의 확률분포를 나타낸 표가 다음과 같다.

X	1	2	3	합계
$\mathrm{P}(X=x)$	a	b	c	1

$\mathrm{E}(X)=2$, $\mathrm{V}(X)=\frac{1}{2}$일 때, 세 상수 a, b, c에 대하여 abc의 값은?

① $\frac{1}{28}$ ② $\frac{1}{30}$ ③ $\frac{1}{32}$
④ $\frac{1}{34}$ ⑤ $\frac{1}{36}$

1018 중요

확률변수 X의 확률분포를 나타낸 표가 다음과 같다. X의 분산이 최대가 되도록 하는 a의 값을 k라 할 때, $12k$의 값을 구하시오.

X	0	2	3	합계
$\mathrm{P}(X=x)$	a	$\frac{1}{4}$	b	1

1019 교육청 기출

이산확률변수 X의 확률분포가 아래 표와 같다.

X	x_1	x_2	$\cdots$	x_n	합계
$\mathrm{P}(X=x_i)$	p_1	p_2	$\cdots$	p_n	1

실수 a에 대하여 함수 $S(a)$를

$$S(a)=\sum_{i=1}^{n}(x_i-a)^2p_i$$

라 정의하자. 옳은 것만을 〈보기〉에서 있는 대로 고른 것은?

보기

ㄱ. $S(a)=0$일 때, $\mathrm{V}(X)=0$이다.
ㄴ. $a_1<a_2$일 때, $S(a_1)<S(a_2)$이다.
ㄷ. 함수 $S(a)$는 $a=\sum_{i=1}^{n}x_ip_i$일 때, 최솟값을 갖는다.

① ㄱ ② ㄴ ③ ㄱ, ㄷ
④ ㄴ, ㄷ ⑤ ㄱ, ㄴ, ㄷ

유형 06 이산확률변수의 분산과 표준편차 – 확률질량함수가 주어질 때

내신 중요도 ■■■■■ 유형 난이도 ★★★☆☆

확률질량함수를 이용하여 확률변수 X의 확률분포를 표로 나타내고

(1) 분산: 편차의 제곱의 평균

⇨ $V(X)=E((X-m)^2)=\sum_{i=1}^{n}(x_i-m)^2p_i$

(2) 분산: (제곱의 평균)−(평균의 제곱)

⇨ $V(X)=E(X^2)-\{E(X)\}^2$

두 가지 중에서 한 가지 방법을 이용하자.

1020 ●○○○

확률변수 X의 확률질량함수가

$$P(X=x)=\frac{3x+1}{12}\ (x=0,\ 1,\ 2)$$

일 때, $E(X)+V(X)$의 값을 구하시오.

1021 중요 ●●○○

확률변수 X의 확률질량함수가

$$P(X=n)=\frac{5-n}{10}\ (n=1,\ 2,\ 3,\ 4)$$

일 때, X의 분산은?

① $\frac{1}{2}$ ② 1 ③ $\frac{3}{2}$
④ 2 ⑤ $\frac{5}{2}$

1022 ●●○○

확률변수 X의 확률질량함수가

$$P(X=k)=\frac{k}{a}\ (k=1,\ 2,\ 3,\ 4)$$

일 때, X의 표준편차는? (단, a는 상수이다.)

① 1 ② 2 ③ 3
④ 4 ⑤ 5

1023 교육청 기출 ●●●○

확률변수 X는 1, 2, 3, ⋯, n의 값을 취하고, $X=k\ (1\le k\le n)$일 확률이

$P(X=k)=ck$ (단, c는 상수)

라 한다. 확률변수 X의 표준편차가 $\sqrt{6}$이 되도록 하는 자연수 n의 값을 구하시오.

1024 중요 ●●●○

확률변수 X의 확률질량함수가

$P(X=x)=ax\ (x=1,\ 2,\ 3,\ \cdots,\ n)$

이고 $V(X)=1$일 때, $P(2\le X\le 3)$의 값을 구하시오.

(단, a는 상수이다.)

1025 중요 ●●●●

이산확률변수 X의 확률질량함수

$P(X=x_i)=p_i\ (i=1,\ 2,\ 3,\ \cdots,\ n)$

이 다음 조건을 만족시킬 때, $E(X)+V(X)$의 값을 구하시오.

$\left(\text{단, } m=\sum_{i=1}^{n}x_ip_i\right)$

(가) $\sum_{i=1}^{n}(2x_i+6)p_i=10$

(나) $\sum_{i=1}^{n}(3x_i-m)^2p_i=25$

유형 07 내신 중요도 ▬▬▬▬▬ 유형 난이도 ★★★★☆

이산확률변수의 분산과 표준편차 – 확률분포가 주어지지 않을 때

① 확률변수 X가 가질 수 있는 값을 먼저 구하고, 그 각각에 대한 확률을 구한다.
② 확률변수 X의 확률분포를 표로 나타낸다.
③ 확률변수 X의 평균, 분산, 표준편차를 구한다.

1026 중요 ●●○○

1이 적힌 카드가 1장, 2가 적힌 카드가 2장, 3이 적힌 카드가 3장 있다. 이 중에서 한 장의 카드를 뽑을 때, 뽑힌 카드에 적힌 수를 확률변수 X라고 한다. $\mathrm{V}(X)$는?

① $\frac{1}{9}$ ② $\frac{2}{9}$ ③ $\frac{1}{3}$
④ $\frac{4}{9}$ ⑤ $\frac{5}{9}$

1027 중요 ●●○○

한 개의 주사위를 던져서 나온 눈의 수의 양의 약수의 개수를 확률변수 X라 할 때, X의 분산을 구하시오.

1028 ●●○○

각 면에 1, 2, 2, 3, 3, 3의 숫자가 하나씩 적혀 있는 서로 다른 두 개의 주사위를 던지는 시행에서 나오는 두 눈의 수의 합을 확률변수 X라 할 때, X의 표준편차를 구하시오.

1029 ●●○○

현아는 오늘 세 통의 스팸 메일을 포함하여 모두 다섯 통의 제목 없는 메일을 받았다. 이 중에서 임의로 택한 두 통의 메일을 삭제할 때, 남아 있는 스팸 메일의 수를 확률변수 X라고 한다. X의 분산은?

① $\frac{9}{25}$ ② $\frac{2}{5}$ ③ $\frac{11}{25}$
④ $\frac{12}{25}$ ⑤ $\frac{13}{25}$

1030 중요 ●●○○

네 개의 수 2, 3, 4, 5 중에서 임의로 서로 다른 두 수를 동시에 뽑을 때, 두 수의 차를 확률변수 X라 하자. $\sigma(X)$의 값을 구하시오.

1031 ●●●○

그림과 같이 한 모서리의 길이가 1인 정육면체 ABCD-EFGH가 있다. 8개의 꼭짓점 중에서 임의로 세 개의 꼭짓점을 연결하여 만든 삼각형의 넓이를 확률변수 X라 할 때, $\{\mathrm{E}(X)\}^2+\mathrm{V}(X)$의 값은?

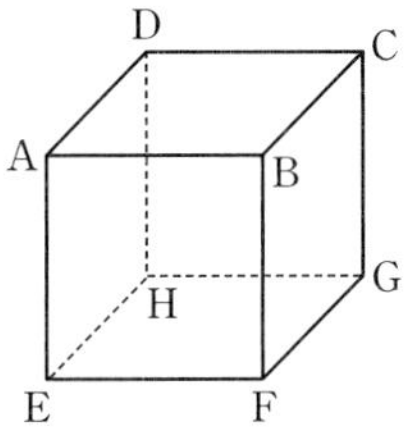

① $\frac{1}{7}$ ② $\frac{3}{7}$ ③ $\frac{5}{7}$
④ 1 ⑤ $\frac{9}{7}$

1032 짱중요 ●●●○

흰 공 3개, 검은 공 2개가 들어 있는 주머니에서 임의로 2개의 공을 꺼낼 때, 나오는 검은 공의 개수를 확률변수 X라고 한다. $\mathrm{V}(X)$를 구하시오.

1033 ●●●○

파란 공이 4개, 노란 공이 3개 들어 있는 주머니에서 임의로 3개의 공을 꺼낼 때 파란 공의 개수를 확률변수 X라 하자. X의 표준편차를 구하시오.

1034 ●●●○

A, B, C, D, E, F의 6명을 임의로 일렬로 세울 때, C, D 사이에 서는 사람의 수를 확률변수 X라 하자. X의 분산을 구하시오.

1035 중요 ●●●○

그림과 같이 1, 2, 3, 4, 5의 숫자가 각각 하나씩 적힌 5장의 카드가 있다.

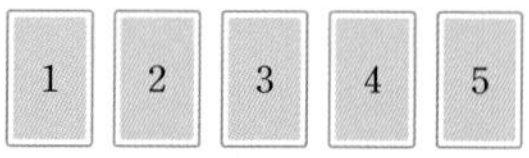

이 중에서 임의로 3장을 뽑아 크기순으로 배열할 때, 가운데 카드에 적혀 있는 수를 확률변수 X라 하자. $\dfrac{\mathrm{V}(X)}{\mathrm{E}(X)}$의 값을 구하시오.

1036 중요 ●●●●

숫자 $1, 2, 3, \cdots, n$이 각각 하나씩 적혀 있는 n장의 카드 중에서 한 장의 카드를 뽑는 시행에서 그 카드에 적힌 숫자를 확률변수 X라 할 때, X의 분산은?

① $\dfrac{n-1}{2}$ ② $\dfrac{n+1}{2}$ ③ $\left(\dfrac{n+1}{2}\right)^2$
④ $\dfrac{n^2-1}{12}$ ⑤ $\dfrac{n^2+1}{12}$

1037 ●●●●

자연수 n에 대하여 자연수 k $(k=1, 2, 3, \cdots, n)$가 적힌 공이 k개씩 들어 있는 주머니에서 임의로 1개의 공을 꺼내어 그 공에 적힌 수를 확률변수 X라 할 때, $\mathrm{V}(X)+\{\mathrm{E}(X)\}^2=an^2+bn$이 항상 성립한다. 두 상수 a, b에 대하여 ab의 값을 구하시오.

해설 184쪽

유형 08 내신 중요도 ■■■■■ 유형 난이도 ★★★★★

이산확률변수 $aX+b$의 평균과 분산

확률변수 X와 두 상수 a, b $(a\neq0)$에 대하여
(1) $\mathrm{E}(aX+b)=a\mathrm{E}(X)+b$
(2) $\mathrm{V}(aX+b)=a^2\mathrm{V}(X)$
(3) $\sigma(aX+b)=|a|\sigma(X)$

1038

●○○○

확률변수 X의 평균이 10, 분산이 3일 때, 확률변수 $2X+3$의 평균과 분산을 각각 a, b라 하자. 이때, $a+b$의 값을 구하시오.

1039 짱중요

●○○○

확률변수 X에 대하여 $\mathrm{E}(X)=5$, $\mathrm{V}(X)=4$일 때, $\mathrm{E}(-7X+1)+\mathrm{V}(3X-5)$의 값을 구하시오.

1040

●●○○

확률변수 X에 대하여 $\mathrm{E}(X)=a$, $\mathrm{V}(X)=b$일 때, 확률변수 $Y=2X+5$에 대하여 $\mathrm{E}(Y)=25$, $\mathrm{V}(Y)=12$이다. $a+b$의 값을 구하시오.

1041 짱중요

●●○○

확률변수 X에 대하여 $\mathrm{E}(X)=4$, $\mathrm{V}(X)=8$이고, 확률변수 $Y=aX+b$에 대하여 $\mathrm{E}(Y)=13$, $\mathrm{V}(Y)=32$일 때, 두 상수 a, b에 대하여 a^2+b^2의 값은? (단, $a>0$)

① 27 ② 28 ③ 29
④ 30 ⑤ 31

1042

●●○○

확률변수 X에 대하여 $\mathrm{E}(X)=5$, $\sigma(X)=3$이다.
$\mathrm{E}(aX+b)=12$, $\sigma(aX+b)=6$이 성립하도록 하는 두 양수 a, b에 대하여 $a+b$의 값을 구하시오.

1043

●●●○

확률변수 X는 x_1, x_2, x_3, $\cdots$, x_{10}의 값을 취하고, X의 평균이 100, 표준편차가 10이라고 한다. x_i $(i=1, 2, 3, \cdots, 10)$의 3배에 7을 더한 값, 즉 $3x_1+7$, $3x_2+7$, $3x_3+7$, $\cdots$, $3x_{10}+7$의 값을 취하는 확률변수의 평균과 표준편차를 차례로 구한 것은?

① 100, 10 ② 107, 30 ③ 307, 30
④ 307, 37 ⑤ 307, 90

유형 09 $V(X)=E(X^2)-\{E(X)\}^2$

내신 중요도 ■■■■■ 유형 난이도 ★★★☆☆

이산확률변수 X의 평균을 $E(X)=m$이라 할 때,

$$V(X)=E(X^2)-\{E(X)\}^2$$
$$=\sum_{i=1}^{n} x_i^2 p_i - m^2$$

참고 $E(X^2)=V(X)+\{E(X)\}^2$

1044 ●●○○

확률변수 X에 대하여 $E(X)=8$, $V(X)=13$일 때, $E(X^2)$은?

① 74 ② 75 ③ 76
④ 77 ⑤ 78

1045 중요 ●●○○

확률변수 X에 대하여 $E(X)=5$, $E(X^2)=100$일 때, $\sigma(X)$는?

① $2\sqrt{3}$ ② $3\sqrt{3}$ ③ $4\sqrt{3}$
④ $5\sqrt{3}$ ⑤ $6\sqrt{3}$

1046 중요 ●●○○

확률변수 X에 대하여 $E(X)=2$, $V(X)=5$일 때,
$E(3X^2-5)$를 구하시오.

1047 ●●○○

확률변수 X에 대하여 $E(X^2)=5E(X)$, $V(X)=4$일 때,
$E(X)$는? (단, $E(X)\geq 2$)

① 2 ② 3 ③ 4
④ 5 ⑤ 6

1048 ●●●○

확률변수 $Y=-3X+5$에 대하여 $E(Y)=-4$, $V(Y)=18$이다.
확률변수 X에 대하여 $E(X^2)$은?

① 5 ② 7 ③ 9
④ 11 ⑤ 13

1049 ●●●○

확률변수 X에 대하여 확률변수 $Y=\frac{1}{5}X-1$0일 때,

$E(Y)=-2$, $E(Y^2)=5$이다. $E(X)+V(X)$의 값은?

① 45 ② 50 ③ 55
④ 60 ⑤ 65

유형 10 이산확률변수 $aX+b$의 평균 - 확률분포가 주어질 때

내신 중요도 ■■■□□□ 유형 난이도 ★★☆☆☆

확률변수 X와 두 상수 a, b $(a \neq 0)$에 대하여
$$E(aX+b) = aE(X) + b$$

1050 중요
●○○○

확률변수 X의 확률분포를 나타낸 표가 다음과 같을 때, 확률변수 $Y=5X+3$의 평균을 구하시오.

X	1	2	3	4	합계
$P(X=x)$	$\dfrac{3}{10}$	$\dfrac{4}{10}$	$\dfrac{1}{10}$	$\dfrac{2}{10}$	1

1051
●○○○

확률변수 X의 확률분포를 나타낸 표가 다음과 같을 때, 확률변수 $Z=-3X+4$의 평균을 구하시오.

X	-1	0	1	합계
$P(X=x)$	$\dfrac{1}{2}$	$\dfrac{1}{3}$	a	1

1052 중요 평가원 기출
●●○○

확률변수 X의 확률분포를 표로 나타내면 다음과 같다.

X	0	1	2	합계
$P(X=x)$	$\dfrac{1}{4}$	a	$2a$	1

$E(4X+10)$의 값은?

① 11   ② 12   ③ 13
④ 14   ⑤ 15

1053
●●○○

확률변수 X의 확률분포를 나타낸 표가 다음과 같을 때, 확률변수 $aX+10$의 평균은? (단, a는 상수이다.)

X	200	300	500	합계
$P(X=x)$	$\dfrac{1}{2}$	a	$4a^2$	1

① 75   ② 80   ③ 85
④ 90   ⑤ 95

1054 교육청 기출
●●○○

확률변수 X의 확률분포를 표로 나타내면 다음과 같다.

X	1	2	3	합계
$P(X=x)$	$\dfrac{1}{6}$	a	b	1

$E(6X)=13$일 때, $2a+3b$의 값은?

① $\dfrac{4}{3}$ ② $\dfrac{3}{2}$ ③ $\dfrac{5}{3}$
④ $\dfrac{11}{6}$ ⑤ 2

1055
●●●○

확률변수 X의 확률분포를 나타낸 표가 다음과 같다.

X	1	a	a^2	a^3	합계
$P(X=x)$	$\dfrac{1}{4}$	$\dfrac{1}{8}$	$\dfrac{1}{2}$	$\dfrac{1}{8}$	1

확률변수 $Y=2X+3$의 평균이 10일 때, 실수 a의 값을 구하시오.

유형 11 이산확률변수 $aX+b$의 평균 – 확률질량함수가 주어질 때

내신 중요도 유형 난이도 ★★★★☆

확률질량함수를 이용하여 확률변수 X의 확률분포를 표로 나타내고 먼저 $\mathrm{E}(X)$를 구한 후

$$\mathrm{E}(aX+b)=a\mathrm{E}(X)+b$$

를 이용하자.

1056 중요 ●●●○

확률변수 X의 확률질량함수가

$$\mathrm{P}(X=k)=ak\ (k=1, 2, 3, \cdots, 10)$$

일 때, $\mathrm{E}(3X-7)$을 구하시오. (단, a는 상수이다.)

1057 ●●●○

이산확률변수 X의 확률질량함수가

$$\mathrm{P}(X=x)=a(x^2-x+3)\ (x=-1, 0, 1, 2)$$

일 때, $\mathrm{E}\left(\frac{1}{a}X-2\right)$의 값을 구하시오. (단, a는 상수이다.)

1058 ●●●●

확률변수 X의 확률질량함수가

$$\mathrm{P}(X=k)=\frac{1}{10}+(-1)^k p\ (k=1, 2, 3, \cdots, 2n)$$

일 때, $\mathrm{E}(4X-3)=20$이다. $\frac{1}{p}$의 값을 구하시오.

(단, $0<p<\frac{1}{10}$이고, n은 자연수이다.)

유형 12 이산확률변수 $aX+b$의 평균 – 확률분포가 주어지지 않을 때

내신 중요도 유형 난이도 ★★★☆☆

① 확률변수 X가 취할 수 있는 값들을 구한다.
② 구한 각 값들에 대한 확률을 구하여 표로 만든다.
③ $\mathrm{E}(X)$를 구한 후 $\mathrm{E}(aX+b)=a\mathrm{E}(X)+b$를 이용한다.

1059 중요 ●○○○

한 개의 주사위를 던져 나오는 눈의 수를 확률변수 X라 할 때, $\mathrm{E}(4X+3)$은?

① 14 ② 15 ③ 16
④ 17 ⑤ 18

1060 평가원 기출 ●●○○

각 면에 1, 1, 2, 2, 2, 4의 숫자가 하나씩 적혀 있는 정육면체 모양의 상자가 있다. 이 상자를 던졌을 때, 바닥에 닿는 면에 적힌 수를 확률변수 X라 하자. 확률변수 $5X+3$의 평균을 구하시오.

1061 ●●○○

10원짜리 동전 2개와 100원짜리 동전 3개가 있다. 이들 5개의 동전 중 2개의 동전을 택하는 시행에서 택한 두 동전의 금액의 합을 확률변수 X라 하자. 확률변수 $Y=100X+50$의 기댓값을 구하시오.

1062

●●○○

한 개의 주사위를 던져서 나오는 눈의 수를 확률변수 X라 하자. 확률변수 $4X-k^2$에 대하여 $\mathrm{E}(4X-k^2)$의 최댓값을 구하시오.

(단, k는 상수이다.)

1063

●●●○

주머니 속에 1, 2, 3의 숫자가 하나씩 적혀 있는 공이 각각 3개, 2개, 1개 들어 있다. 이 주머니에서 임의로 두 개의 공을 동시에 꺼낼 때, 꺼낸 공에 적혀 있는 숫자의 합을 확률변수 X라 하자. $\mathrm{E}(3X-4)$의 값을 구하시오.

1064

●●●○

서로 다른 파란 카드 3장과 노란 카드 2장을 임의로 한 줄로 나열하고 앞에서부터 1, 2, 3, 4, 5의 번호를 적는다고 한다. 파란 카드에 적히는 수 중에서 가장 작은 수를 확률변수 X라 할 때, $\mathrm{E}(4X+5)$의 값을 구하시오.

1065

●●●○

그림과 같이 A주머니에는 흰 공 1개, 빨간 공 4개, B주머니에는 흰 공 1개, 빨간 공 3개, C주머니에는 흰 공 2개, 빨간 공 2개가 들어 있다. A, B, C주머니에서 공을 한 개씩 꺼낼 때, 꺼낸 공 중에서 빨간 공의 개수를 확률변수 X라 하자. $\mathrm{E}(20X+3)$을 구하시오.

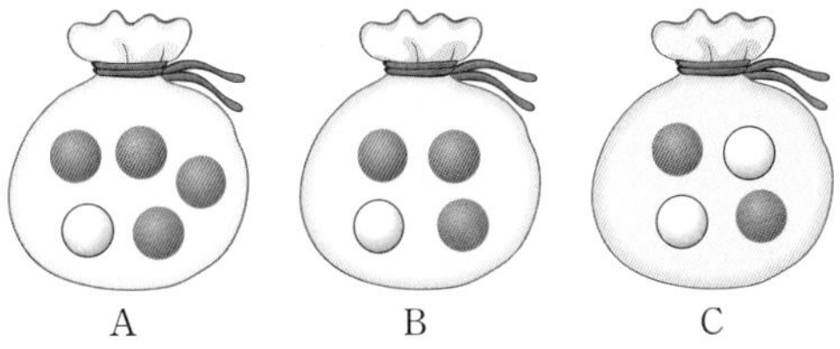

1066

●●●○

주머니 속에 2, 3, 4, 5의 자연수가 하나씩 적혀 있는 카드가 2장씩 8장 들어 있다. 이 주머니에서 임의로 2장의 카드를 동시에 꺼낼 때 다음과 같은 규칙으로 확률변수 X의 값을 정한다.

> 꺼낸 카드에 적혀 있는 두 수가 같으면 카드에 적혀 있는 수를 확률변수 X의 값으로 하고, 다르면 2장에 적혀 있는 수 중에서 작은 수를 확률변수 X의 값으로 정한다.

$\mathrm{E}(8X+7)$의 값을 구하시오.

1067

●●●●

그림과 같은 한 모서리의 길이가 1인 정육면체에서 서로 다른 두 꼭짓점 사이의 거리를 확률변수 X라 할 때, $\mathrm{E}(7X-3-\sqrt{3})$의 값을 구하시오.

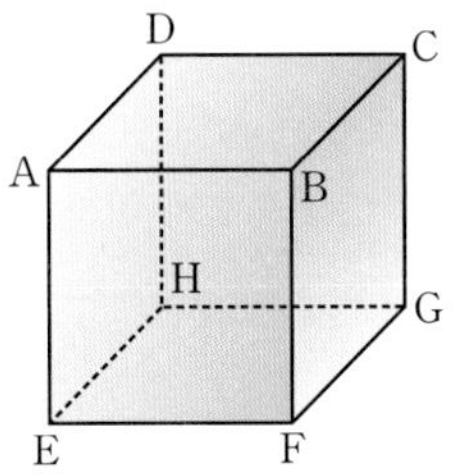

유형 13 이산확률변수 $aX+b$의 분산과 표준편차 - 확률분포가 주어질 때

내신 중요도 ■■■■■ 유형 난이도 ★★★☆☆

① 평균 $\mathrm{E}(X)$를 구한다.
② 분산 $\mathrm{V}(X)$, $\sigma(X)$를 구한다.
③ $\mathrm{V}(aX+b)=a^2\mathrm{V}(X)$, $\sigma(aX+b)=|a|\sigma(X)$를 이용한다.

1068 ●●○○

확률변수 X의 확률분포를 나타낸 표가 다음과 같을 때, 확률변수 $7X$의 분산을 구하시오.

X	0	1	2	합계
$\mathrm{P}(X=x)$	$\frac{2}{7}$	$\frac{3}{7}$	$\frac{2}{7}$	1

1069 중요 ●●○○

확률변수 X의 확률분포를 나타낸 표가 다음과 같을 때, 확률변수 $Y=-3X+2$의 기댓값을 a, 분산을 b라 할 때, $a+b$의 값을 구하시오.

X	6	12	18	합계
$\mathrm{P}(X=x)$	$\frac{1}{2}$	$\frac{1}{3}$	$\frac{1}{6}$	1

1070 짱중요 ●●○○

확률변수 X의 확률분포를 나타낸 표가 다음과 같을 때, 확률변수 $Y=3X-2$에 대하여 $\mathrm{E}(Y)+\mathrm{V}(Y)$의 값을 구하시오.

X	0	1	2	합계
$\mathrm{P}(X=x)$	$\frac{1}{6}$	$\frac{1}{3}$	a	1

1071 중요 ●●●○

확률변수 X의 확률분포를 나타낸 표가 다음과 같다.

X	-2	0	2	합계
$\mathrm{P}(X=x)$	a^2	$\frac{a}{2}$	a	1

확률변수 aX의 평균과 확률변수 $aX+3$의 분산의 합을 구하시오.

(단, a는 상수이다.)

1072 ●●●○

확률변수 X의 확률분포를 나타낸 표가 다음과 같을 때, $\sigma(9X-8)$은?

X	-1	0	1	합계
$\mathrm{P}(X=x)$	$\frac{a}{2}$	a^2	$\frac{a^2}{2}$	1

① $2\sqrt{10}$ ② $2\sqrt{11}$ ③ $2\sqrt{13}$
④ $3\sqrt{10}$ ⑤ $3\sqrt{11}$

1073 ●●●○

확률변수 X의 평균이 $\frac{1}{2}$이고, X의 확률분포를 나타낸 표가 다음과 같을 때, $12aX+b$의 분산을 구하시오.

(단, a, b는 상수이다.)

X	-2	0	1	b	합계
$\mathrm{P}(X=x)$	a	$\frac{1}{8}$	$2a$	$\frac{1}{8}$	1

유형 14 내신 중요도 유형 난이도 ★★★★☆

이산확률변수 $aX+b$의 분산과 표준편차 – 확률질량함수가 주어질 때

확률질량함수를 이용하여 확률변수 X의 확률분포를 표로 나타내고 먼저 $E(X)$, $V(X)$, $\sigma(X)$를 구한 후

$$V(aX+b)=a^2V(X),\ \sigma(aX+b)=|a|\sigma(X)$$

를 이용한다.

1074 중요 ●●●○

이산확률변수 X가 가지는 값이 2, 4, 6, 8이고 X의 확률질량함수가 $P(X=x)=ax$ $(x=2, 4, 6, 8)$일 때, $V(3X-1)$의 값을 구하시오. (단, a는 상수이다.)

1075 평가원 기출 ●●●○

이산확률변수 X의 확률질량함수가

$$P(X=x)=\frac{ax+2}{10}\ (x=-1, 0, 1, 2)$$

일 때, 확률변수 $3X+2$의 분산 $V(3X+2)$의 값은? (단, a는 상수이다.)

① 9 ② 18 ③ 27 ④ 36 ⑤ 45

1076 ●●●●

이산확률변수 X의 확률질량함수가

$$P(X=x)=\frac{|x-4|}{7}\ (x=1, 2, 3, 4, 5)$$

일 때, $\sigma(14X+5)$의 값을 구하시오.

유형 15 내신 중요도 유형 난이도 ★★★★☆

이산확률변수 $aX+b$의 분산과 표준편차 – 확률분포가 주어지지 않을 때

① 확률변수 X가 취할 수 있는 값들을 구한다.
② 구한 각 값들에 대한 확률을 구하여 표로 만든다.
③ $E(X)$, $V(X)$, $\sigma(X)$를 구한다.
④ $V(aX+b)=a^2V(X)$, $\sigma(aX+b)=|a|\sigma(X)$를 이용한다.

1077 ●●○○

4개의 제품 중에서 합격품이 2개 들어 있다. 이 중에서 2개의 제품을 임의로 꺼낼 때, 포함되어 있는 합격품의 개수를 확률변수 X라 하자. $E(3X+2)+V(3X+2)$의 값을 구하시오.

1078 중요 ●●○○

파란 구슬 2개, 빨간 구슬 4개가 들어 있는 상자에서 3개의 구슬을 동시에 꺼낼 때, 나오는 빨간 구슬의 개수를 확률변수 X라 하자. $V(10X+1)$은?

① 32 ② 36 ③ 38 ④ 40 ⑤ 42

1079 중요 ●●●○

3개의 흰 공과 2개의 검은 공이 들어 있는 주머니에서 검은 공이 나올 때까지 임의로 공을 1개씩 꺼낸다. 처음으로 검은 공이 나올 때까지 꺼낸 흰 공의 개수를 확률변수 X라 할 때, $V(2X+5)$의 값을 구하시오. (단, 한 번 꺼낸 공은 다시 넣지 않고, 공의 크기와 모양은 구분하지 않는다.)

해설 193쪽

1080 중요

한 개의 주사위를 던지는 시행을 3번 반복한 후 다음과 같은 방법으로 얻은 점수를 확률변수 X라 할 때,
$E(3X+1)+V(3X+1)$의 값을 구하시오.

(가) 3의 배수의 눈이 총 0회 또는 1회가 나오면 2점
(나) 3의 배수의 눈이 총 2회 나오면 4점
(다) 3의 배수의 눈이 총 3회 나오면 8점

1081

큰 주사위 한 개와 작은 주사위 한 개를 던져 나온 두 눈의 수를 각각 a, b라 할 때, 이차방정식 $x^2+2ax+b^2=0$의 실근의 개수를 확률변수 X라 하자. $E(2X+3)+V(2X+3)$의 값을 구하시오.

1082

집합 $A=\{1, 2, 3, 4, 5, 6\}$의 부분집합 중 임의로 하나를 택할 때, 택한 부분집합의 원소 중 소수인 원소의 합을 X라 하자.
$V(2X-5)$의 값을 구하시오.

1083

주머니 속에 1, 2, 3, 4, 5의 번호가 각각 하나씩 적힌 5개의 공이 들어 있다. 이 중에서 세 개의 공을 동시에 꺼낼 때, 가장 작은 수를 확률변수 X라 하자. 확률변수 $(10X-a)^2$의 기댓값이 최소일 때, 상수 a의 값을 구하시오.

1084

한 개의 주사위를 10번 던질 때, 홀수의 눈이 나오는 횟수를 확률변수 X라 하자. 확률변수 $Y=10-X$에 대하여 〈보기〉에서 옳은 것만을 있는 대로 고르시오.

보기

ㄱ. $P(5\le Y\le 7)=P(3\le X\le 5)$
ㄴ. Y의 평균은 X의 평균과 같다.
ㄷ. Y의 분산은 X의 분산보다 크다.

적중 문제

시험에 잘 나오는 문제로 점검하기

해설 195쪽

1085

확률변수 X의 확률분포를 표로 나타내면 다음과 같다.

X	0	1	2	합계
$\mathrm{P}(X=x)$	a	$\frac{1}{3}$	b	1

$\mathrm{P}(X=0)+\mathrm{P}(X=1)=\frac{1}{2}$일 때, $\mathrm{E}(X^2)$의 값을 구하시오.

1086

4 이하의 자연수 중에서 서로 다른 두 수를 뽑아 두 수의 차를 확률변수 X라 할 때, X의 평균을 구하시오.

1087

확률변수 X의 확률분포를 나타낸 표가 다음과 같고, $\mathrm{E}(X)=\frac{7}{5}$일 때, $\frac{b}{a}$의 값은?

X	0	1	2	3	합계
$\mathrm{P}(X=x)$	$\frac{1}{5}$	a	$\frac{3}{10}$	b	1

① $\frac{1}{7}$　② $\frac{2}{7}$　③ $\frac{3}{7}$
④ $\frac{4}{7}$　⑤ $\frac{5}{7}$

1088

제비 100개 중에 포함된 당첨 제비의 수와 그 제비에 대한 상금이 표와 같다. 이 중에서 한 개의 제비를 뽑을 때의 상금에 대한 기댓값은?

등급	상금	개수
1등	10만 원	5
2등	5만 원	10
3등	3만 원	25
등외	0원	60

① 16000원　② 16500원　③ 17000원
④ 17500원　⑤ 18000원

1089

확률변수 X의 확률분포를 나타낸 표가 다음과 같을 때, $\sigma(X)$를 구하시오.

X	0	2	4	합계
$\mathrm{P}(X=x)$	a	a^2	a^2	1

1090

흰 공 2개, 검은 공 4개가 들어 있는 주머니에서 3개의 공을 꺼낼 때, 나오는 검은 공의 개수를 확률변수 X라고 한다. X의 표준편차를 구하시오.

1091 서술형

흰 구슬 6개와 검은 구슬 4개가 들어 있는 주머니가 있다. 이 주머니에서 임의로 구슬을 3개 꺼낼 때, 나오는 검은 구슬의 개수를 확률변수 X라 하자. 이때, 다음 물음에 답하시오.

(1) 다음 확률분포표를 완성하시오.

X	0	1	2	3	합계
$\mathrm{P}(X=x)$					1

(2) X의 평균을 구하시오.

(3) X의 표준편차를 구하시오.

1092

확률변수 X의 확률분포를 나타낸 표가 다음과 같을 때, 확률변수 $Y=X-1$의 평균은?

X	0	1	2	합계
$\mathrm{P}(X=x)$	$\frac{1}{4}$	a	a^2	1

① -1 ② 0 ③ 1
④ 2 ⑤ 3

1093

1부터 7까지의 숫자가 각각 하나씩 적힌 7장의 카드에서 2장의 카드를 뽑을 때, 나오는 홀수가 적힌 카드의 개수를 확률변수 X라 하자. $\mathrm{E}(-7X+10)$을 구하시오.

1094

확률변수 X의 확률분포를 나타낸 표가 다음과 같을 때, 확률변수 $Y=10X+5$의 분산을 구하시오.

X	0	1	2	3	합계
$\mathrm{P}(X=x)$	$\frac{1}{5}$	$\frac{3}{10}$	$\frac{3}{10}$	$\frac{1}{5}$	1

1095

이산확률변수 X의 확률질량함수가

$$\mathrm{P}(X=x)=\frac{a-x}{10}\ (x=0,\ 1,\ 2,\ 3)$$

일 때, 확률변수 X의 분산 $\mathrm{V}(-3X+2)$의 값을 구하시오.
(단, a는 상수이다.)

1096 서술형

남자 3명과 여자 3명 중에서 임의로 3명을 뽑을 때, 뽑힌 남자의 수를 확률변수 X라 하고, $Y=10X+5$라 하자. 이때, 다음을 구하시오.

(1) $\mathrm{E}(X)+\mathrm{V}(X)$

(2) $\mathrm{V}(Y)+\sigma(Y)$

고난도 문제

일등급 go! go!

해설 198쪽

Level 1

1097

한 개의 동전을 세 번 던져 나온 결과에 대하여, 다음 규칙에 따라 얻은 점수를 확률변수 X라 하자.

(가) 같은 면이 연속하여 나오지 않으면 0점으로 한다.
(나) 같은 면이 연속하여 두 번만 나오면 1점으로 한다.
(다) 같은 면이 연속하여 세 번 나오면 3점으로 한다.

확률변수 X의 분산 $\mathrm{V}(X)$를 구하시오.

1098

평가원 기출

두 이산확률변수 X와 Y가 가지는 값이 각각 1부터 5까지의 자연수이고

$$\mathrm{P}(Y=k)=\frac{1}{2}\mathrm{P}(X=k)+\frac{1}{10}\ (k=1,\ 2,\ 3,\ 4,\ 5)$$

이다. $\mathrm{E}(X)=4$일 때, $\mathrm{E}(Y)=a$이다. $8a$의 값을 구하시오.

1099

오른쪽 표는 어느 학교 A반과 B반의 확률과 통계 과목의 수행평가 점수에 대한 평균과 분산을 나타낸 것이다. A반과 B반 전체 학생의 수행평가 점수에 대한 분산은?

구분 \ 반	A	B
평균	18	16
분산	4	8
학생 수	30	30

① 3 ② 5 ③ 7 ④ 9 ⑤ 11

1100

교육청 기출

확률변수 X의 확률분포를 표로 나타내면 다음과 같다.

X	2	4	8	16	합계
$\mathrm{P}(X=x)$	$\frac{{}_4\mathrm{C}_1}{k}$	$\frac{{}_4\mathrm{C}_2}{k}$	$\frac{{}_4\mathrm{C}_3}{k}$	$\frac{{}_4\mathrm{C}_4}{k}$	1

$\mathrm{E}(3X+1)$의 값은? (단, k는 상수이다.)

① 13 ② 14 ③ 15 ④ 16 ⑤ 17

1101

확률변수 X에 대하여 $\mathrm{E}(X)=25$, $\mathrm{E}(X^2)=725$이다.
확률변수 $Y=aX+b$의 평균과 분산이 각각 $\mathrm{E}(Y)=51$, $\mathrm{V}(Y)=20$일 때, 상수 b의 값을 구하시오. (단, $a>0$인 상수이다.)

1102 교육청 기출

어느 해 대학수학능력시험 수학 영역의 원점수 X의 평균을 m, 표준편차를 σ라 할 때, 표준점수 T는

$$T=a\left(\frac{X-m}{\sigma}\right)+b$$

꼴로 나타내어진다. 수학 영역의 표준점수 T가 평균이 100, 표준편차가 20인 분포를 이룬다고 할 때, 두 상수 a, b에 대하여 $a+b$의 값은? (단, $a>0$)

① 80 ② 90 ③ 100
④ 110 ⑤ 120

Level 2

1103

두 이산확률변수 X와 Y가 가지는 값이 각각 1부터 6까지의 자연수이고

$$\mathrm{P}(X=k)=\frac{2}{5}\mathrm{P}(Y=k)+\frac{1}{7}\ (k=1,\ 2,\ 3,\ 4,\ 5,\ 6)$$

이다. $\mathrm{E}(Y)=5$일 때, $\mathrm{E}(X)$의 값을 구하시오.

1104

확률변수 X의 확률분포를 나타낸 표가 다음과 같고, $\mathrm{P}(X^2-8X+12\geq 0)=\frac{3}{4}$이다.

X	2	4	6	합계
$\mathrm{P}(X=x)$	a	b	c	1

X의 분산이 최대일 때의 a의 값을 α, 그때의 분산을 β라 할 때, $8\alpha+\beta$의 값을 구하시오.

해설 199쪽

1105

상자 속에 1이 적힌 카드 5장과 3이 적힌 카드 10장이 들어 있다. 상자 속에서 카드를 한 장 꺼내어 그 수를 확인한 다음 다시 집어넣는 작업을 1회 시행이라고 한다. A, B 두 사람이 각각 시행을 2회 또는 3회 할 수 있고, 각 시행에서 나온 카드에 적힌 수의 합을 득점으로 하는 게임을 한다. 단, 누구든 3회의 시행을 할 때, 나온 수의 합이 7 또는 9일 경우에는 그 사람의 점수는 0으로 한다. A, B는 각각 다음의 작전으로 게임을 한다.

> A: 2회까지의 합이 2일 경우 3회 시행을 하고, 4 또는 6일 경우에는 3회의 시행을 하지 않는다.
> B: 2회까지의 합이 2 또는 4일 경우에는 3회의 시행을 하고, 6일 경우 3회의 시행을 하지 않는다.

두 사람 A, B가 얻는 점수의 기댓값의 차를 구하시오.

1106

등차수열 $\{a_n\}$의 9개의 항 $a_1, a_2, a_3, \cdots, a_9$에 대하여

$f(x)=\frac{1}{9}\sum_{k=1}^{9}(a_k-x)^2$이라 하면 $f(x)$는 $x=10$일 때, 최솟값

$\frac{50}{9}$을 갖는다. 9개의 항의 평균을 m, 표준편차를 σ라 할 때,

$\frac{m}{\sigma}$의 값을 구하시오.

1107

확률변수 X는 $x_1, x_2, \cdots, x_{10}$의 값을 가지고, 그 각각의 확률은 모두 같다. $\mathrm{E}(X)=2$, $\sigma(X)=5$일 때, $f(t)=\sum_{i=1}^{10}(x_i-t)^2$의 최솟값을 구하시오.

1108

두 주머니 A, B에는 다음과 같이 일정한 규칙에 따라 수가 하나씩 적힌 공이 각각 n개씩 들어 있다. 각 주머니에서 구슬을 하나씩 꺼내어 구슬에 적힌 수를 각각 확률변수 X, Y라 하자. $\mathrm{E}(X)=9$일 때, $\mathrm{V}(Y)$의 값을 구하시오.

> 주머니 A: 1 2 3 4 5 …
> 주머니 B: 10 13 16 19 22 …

해설 201쪽

Level 3

1109

2가 적힌 구슬 1개와 3이 적힌 구슬 2개가 들어 있는 주머니가 있다. 이 주머니에서 임의로 구슬을 1개 꺼내서 주머니에 적힌 숫자를 확인하고 다시 주머니에 넣는 시행을 10회 반복할 때 꺼낸 구슬에 적힌 숫자의 곱을 확률변수 X라 하자.
$\mathrm{E}(X^2)-\mathrm{V}(X)=a^{10}$라 할 때, a의 값을 구하시오.

1110

확률변수 X의 평균은 0, 분산은 1이다. 확률변수 $Y=aX+b$에 대하여 $\mathrm{E}((Y-2)^2)\le 4$를 만족시키는 순서쌍 (a, b)의 개수를 구하시오. (단, a, b는 자연수이다.)

1111

확률변수 X의 확률질량함수가

$\mathrm{P}(X=k)=ck$ (c는 상수, $k=1, 2, 3, \cdots, n$)

이고 확률변수 $Y=3X-2$의 표준편차가 $\sqrt{5}$일 때, 자연수 n의 값을 구하시오.

08

이항분포

		제 목	내신중요도	유형난이도	문항수	문항번호
		기본 문제			37	1112~1148
유형 문제	01	독립시행에서의 확률		★★★	6	1149~1154
	02	이항분포의 평균과 표준편차		★	8	1155~1162
	03	미지수로 표현된 이항분포		★★	8	1163~1170
	04	이항분포에서 확률변수 $aX+b$의 평균과 분산		★★★	6	1171~1176
	05	이항분포를 이용하여 확률 구하기		★★★	8	1177~1184
	06	확률을 이용하여 이항분포 구하기		★★★★	6	1185~1190
	07	독립시행에서의 평균		★★★	9	1191~1199
	08	독립시행에서의 분산과 표준편차		★★★★	9	1200~1208
	09	독립시행에서 $\mathrm{E}(X^2)$ 구하기		★★★	6	1209~1214
	10	확률질량함수와 이항분포		★★★	3	1215~1217
	11	확률질량함수를 이용한 평균과 분산		★★★★	9	1218~1226
	12	확률질량함수와 평균, 분산의 관계		★★★★★	9	1227~1235
		적중 문제			12	1236~1247
		고난도 문제			16	1248~1263

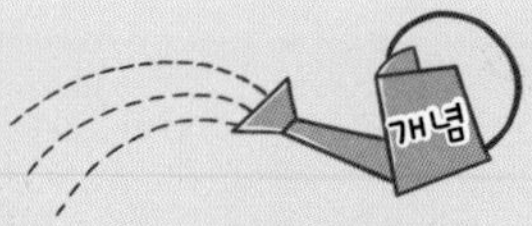

08 이항분포

1. 이항분포

어떤 사건 A가 일어날 확률이 p인 독립시행을 n번 시행하였을 때, 사건 A가 일어날 횟수를 확률변수 X라 하면 X의 확률질량함수는

$$\mathrm{P}(X=x)={}_n\mathrm{C}_x p^x q^{n-x}\ (x=0,\ 1,\ 2,\ \cdots,\ n,\ q=1-p)$$

이고 X의 확률분포를 표로 나타내면 다음과 같다.

X	0	1	2	$\cdots$	n	합계
$\mathrm{P}(X=x)$	${}_n\mathrm{C}_0 p^0 q^n$	${}_n\mathrm{C}_1 p^1 q^{n-1}$	${}_n\mathrm{C}_2 p^2 q^{n-2}$	$\cdots$	${}_n\mathrm{C}_n p^n q^0$	1

이와 같은 확률분포를 이항분포라 하고, $\mathrm{B}(n,\ p)$로 나타낸다.

어떤 사건의 시행이 독립시행일 때의 확률분포는 이항분포를 따른다.

확률변수 X가 이항분포 $\mathrm{B}(n,\ p)$를 따를 때,

$\mathrm{P}(X=r)={}_n\mathrm{C}_r p^r q^{n-r}$

$(r=0,\ 1,\ 2,\ \cdots,\ n,\ q=1-p)$

① 이항분포에서 각 확률의 모든 합은 1이다.

$\sum_{r=0}^{n} \mathrm{P}(X=r)$

$=\sum_{r=0}^{n} {}_n\mathrm{C}_r p^r q^{n-r}$

$=(p+q)^n=1$ ($\because$ 이항정리)

② $\mathrm{P}(a\le X\le b)=\sum_{r=a}^{b} {}_n\mathrm{C}_r p^r q^{n-r}$

(단, a, b는 정수)

2. 이항분포의 평균, 분산, 표준편차

확률변수 X가 이항분포 $\mathrm{B}(n,\ p)$를 따를 때,

(1) $\mathrm{E}(X)=np$

(2) $\mathrm{V}(X)=npq$ (단, $q=1-p$)

(3) $\sigma(X)=\sqrt{npq}$

확률변수 X와 두 상수 $a,\ b\ (a\neq0)$에 대하여
① $\mathrm{E}(aX+b)=a\mathrm{E}(X)+b$
② $\mathrm{V}(aX+b)=a^2\mathrm{V}(X)$
③ $\sigma(aX+b)=|a|\sigma(X)$

3. 확률질량함수를 이용한 평균과 분산

확률변수 X가 이항분포 $\mathrm{B}(n,\ p)$를 따를 때

(1) $\mathrm{E}(X)=\sum_{r=0}^{n} r\,{}_n\mathrm{C}_r p^r q^{n-r}=np$(단, $q=1-p$)

(2) $\mathrm{V}(X)=\sum_{r=0}^{n} r^2\,{}_n\mathrm{C}_r p^r q^{n-r}-\left(\sum_{r=0}^{n} r\,{}_n\mathrm{C}_r p^r q^{n-r}\right)^2=npq$

(3) $\mathrm{E}(X^2)=\sum_{r=0}^{n} r^2\,{}_n\mathrm{C}_r p^r q^{n-r}=npq+(np)^2$

4. 큰수의 법칙

n번의 독립시행에서 사건 A가 일어나는 횟수를 확률변수 X라 할 때, 매회 시행에서 사건 A가 일어날 확률이 p이면 임의의 양수 h에 대하여

$$\lim_{n\to\infty}\mathrm{P}\left(\left|\frac{X}{n}-p\right|<h\right)=1$$

큰수의 법칙에 의하여 시행 횟수가 충분히 클 때 상대도수, 즉 통계적 확률은 수학적 확률에 가까워지므로 수학적 확률을 모를 때는 시행 횟수를 충분히 크게 하여 사건 A의 상대도수를 사건 A가 일어날 확률 $\mathrm{P}(A)$의 근삿값으로 사용할 수 있다. 자연 현상이나 사회 현상과 같이 수학적 확률을 구할 수 없는 경우에는 큰수의 법칙에 의하여 통계적 확률을 이용할 수 있다.

기본 문제

핵심 개념을 문제로 익히기

1 무리식

[1112-1117] 다음 확률변수 X의 확률분포를 이항분포 $\mathrm{B}(n, p)$ 꼴로 나타내시오.

1112 한 개의 동전을 50번 던질 때, 뒷면이 나오는 횟수 X

1113 한 개의 주사위를 30번 던질 때, 6의 눈이 나오는 횟수 X

1114 한 개의 주사위를 10번 던질 때, 3의 배수의 눈이 나오는 횟수 X

1115 두 개의 동전을 동시에 던지는 시행을 100번 할 때, 모두 앞면이 나오는 횟수 X

1116 자유투 성공률이 0.6인 어느 농구 선수가 25개의 자유투를 던질 때 성공한 횟수 X

1117 흰 공 2개와 검은 공 4개가 들어 있는 주머니에서 하나의 공을 꺼내어 색을 확인하는 시행을 30회 할 때, 나온 흰 공의 개수 X (단, 꺼낸 공은 다시 넣는다.)

[1118-1120] 확률변수 X의 확률질량함수가 다음과 같을 때, 확률변수 X가 따르는 분포를 이항분포 $\mathrm{B}(n, p)$ 꼴로 나타내시오.

1118 $\mathrm{P}(X=x)={}_5\mathrm{C}_x\left(\frac{1}{3}\right)^x\left(\frac{2}{3}\right)^{5-x}$ $(x=0, 1, 2, 3, 4, 5)$

1119 $\mathrm{P}(X=x)={}_4\mathrm{C}_x\left(\frac{1}{6}\right)^x\left(\frac{5}{6}\right)^{4-x}$ $(x=0, 1, 2, 3, 4)$

1120 $\mathrm{P}(X=x)={}_3\mathrm{C}_x\left(\frac{3}{10}\right)^x\left(\frac{7}{10}\right)^{3-x}$ $(x=0, 1, 2, 3)$

[1121-1124] 다음은 확률변수 X의 확률질량함수를 이항분포 $\mathrm{B}(n, p)$ 꼴로 나타낸 것이다. □ 안에 알맞은 값을 구하시오.

1121 ${}_{10}\mathrm{C}_x\frac{2^x\times 3^{10-x}}{5^{10}}={}_{10}\mathrm{C}_x\left(\square\right)^x\left(\frac{3}{5}\right)^{10-x}$ $(x=0, 1, 2, \cdots, 10)$

➡ $\mathrm{B}\left(10, \square\right)$

1122 ${}_8\mathrm{C}_{8-x}\left(\frac{1}{4}\right)^x\left(\frac{3}{4}\right)^{8-x}$ $(x=0, 1, 2, \cdots, 8)$

➡ $\mathrm{B}\left(8, \square\right)$

1123 ${}_{20}\mathrm{C}_x\frac{2^{20-x}}{3^{20}}={}_{20}\mathrm{C}_x\left(\frac{1}{3}\right)^x\left(\square\right)^{20-x}$ $(x=0, 1, 2, \cdots, 20)$

➡ $\mathrm{B}\left(\square, \frac{1}{3}\right)$

1124 ${}_{10}\mathrm{C}_x\frac{4^x}{5^{10}}={}_{10}\mathrm{C}_x\left(\square\right)^x\left(\frac{1}{5}\right)^{10-x}$ $(x=0, 1, 2, \cdots, 10)$

➡ $\mathrm{B}\left(10, \square\right)$

해설 202쪽

[1125-1127] 다음은 확률변수 X가 이항분포 $\mathrm{B}(n, p)$를 따를 때, 확률변수 X의 확률질량함수를 나타낸 것이다. $\square$ 안에 알맞은 값을 써넣으시오.

1125 $\mathrm{B}\left(10, \frac{1}{3}\right) \Rightarrow {}_{\square}\mathrm{C}_x\left(\square\right)^x\left(\frac{2}{3}\right)^{10-x}$

$(x=0, 1, 2, \cdots, 10)$

1126 $\mathrm{B}\left(5, \frac{2}{5}\right) \Rightarrow {}_5\mathrm{C}_x\left(\frac{2}{5}\right)^x\left(\square\right)^{\square}$ $(x=0, 1, 2, 3, 4, 5)$

1127 $\mathrm{B}\left(20, \frac{1}{4}\right) \Rightarrow {}_{\square}\mathrm{C}_x\frac{\square^{20-x}}{4^{20}}$ $(x=0, 1, 2, \cdots, 20)$

[1128-1130] 이항분포 $\mathrm{B}\left(12, \frac{1}{4}\right)$을 따르는 확률변수 X에 대하여 다음을 구하시오.

1128 확률질량함수 $\mathrm{P}(X=x)$

1129 $\mathrm{P}(X=0)$

1130 $\mathrm{P}(1 \le X \le 12)$

2 이항분포의 평균, 분산, 표준편차

[1131-1133] 확률변수 X가 이항분포 $\mathrm{B}\left(10, \frac{1}{5}\right)$을 따를 때, 다음을 구하시오.

1131 $\mathrm{E}(X)$

1132 $\mathrm{V}(X)$

1133 $\sigma(X)$

[1134-1136] 확률변수 X가 이항분포 $\mathrm{B}\left(72, \frac{5}{6}\right)$를 따를 때, 다음을 구하시오.

1134 $\mathrm{E}(3X+5)$

1135 $\mathrm{V}(2X-3)$

1136 $\sigma(5X)$

해설 203쪽

[1137-1139] 이항분포 $\mathrm{B}(18,\ p)$를 따르는 확률변수 X의 평균이 6일 때, 다음을 구하시오.

1137 p의 값

1138 X의 분산

1139 X의 표준편차

[1140-1142] 이항분포 $\mathrm{B}\left(n,\ \frac{2}{3}\right)$를 따르는 확률변수 X의 평균이 24일 때, 다음을 구하시오.

1140 n의 값

1141 $\mathrm{V}(X)$

1142 $\sigma(3X+5)$

[1143-1148] 한 개의 주사위를 3번 던져서 홀수의 눈이 나오는 횟수를 확률변수 X라 할 때, 다음 물음에 답하시오.

1143 확률변수 X의 확률분포를 이항분포 $\mathrm{B}(n,\ p)$ 꼴로 나타내시오.

1144 $\mathrm{E}(X)$를 구하시오.

1145 $\mathrm{V}(3X+1)$을 구하시오.

1146 $\sigma(X)$를 구하시오.

1147 확률변수 X의 확률질량함수를 구하시오.

1148 $\mathrm{P}(X=2)$를 구하시오.

해설 204쪽

유형 01 독립시행에서의 확률

내신 중요도 ■■■■■ 유형 난이도 ★★★☆☆

어떤 사건 A가 일어날 확률이 p인 독립시행을 n번 반복할 때, 사건 A가 일어날 횟수를 확률변수 X라 하면 $X=x$에서의 확률은

$$P(X=x)={}_{n}C_{x}p^{x}q^{n-x}\ (q=1-p,\ x=0,\ 1,\ 2,\ \cdots,\ n)$$

이다. 이때 X의 확률분포를 이항분포라 하고, $B(n,\ p)$로 나타낸다.

1149 짱중요 ●●○○

주머니에 흰 공 3개와 검은 공 6개가 들어있다. 이 주머니에서 임의로 1개의 공을 꺼내 공의 색을 확인하고 다시 주머니에 넣는다. 이 시행을 5회 반복할 때, 흰 공이 2회 나올 확률을 구하시오.

1150 ●●○○

어떤 전염병에 걸리면 사망할 확률이 1 %라고 한다. 10명의 환자가 발생했을 때 사망자의 수가 1명 이하일 확률은 $k\left(\frac{99}{100}\right)^{10}$이다. 상수 k의 값을 구하시오.

1151 중요 ●●○○

어느 농구 선수의 자유투 성공률은 80 %라고 한다. 매번 던지는 시행이 독립이고, 한 게임에서 5번 던진다고 할 때, 적어도 2번 이상 성공할 확률을 구하시오.

1152 ●●○○

한 개의 동전을 2번 던지는 시행에서 앞면이 나오는 횟수를 확률변수 X라 하면 X는 이항분포 $B(n,\ p)$를 따르고, X의 확률분포를 표로 나타내면 다음과 같다.

X	0	1	2	합계
$P(X=x)$	p_0	p_1	p_2	1

$10n(p+p_1)$의 값을 구하시오.

1153 ●●○○

완치율이 80 %인 어떤 병을 앓고 있는 5명의 환자가 동일한 치료를 받고 있다. 완치되는 환자의 수를 확률변수 X라 할 때, $P(X\geq4)=\left(\frac{4}{5}\right)^{4}k$이다. 상수 k의 값은?

① $\frac{1}{5}$ ② $\frac{3}{5}$ ③ $\frac{7}{5}$
④ $\frac{9}{5}$ ⑤ $\frac{11}{5}$

1154 ●●●○

한 개의 동전을 던져 앞면이 나올 때까지 던지는 횟수를 확률변수 X라 하자. 동전은 최대 10번 이내에 앞면이 나온다고 할 때, $P(6\leq X\leq10)$의 값을 구하시오.

유형 02 이항분포의 평균과 표준편차

내신 중요도 ■■■■■ 유형 난이도 ★★★★★

확률변수 X가 이항분포 $\mathrm{B}(n, p)$를 따를 때,

(1) $\mathrm{E}(X)=np$

(2) $\mathrm{V}(X)=npq$ (단, $q=1-p$)

(3) $\sigma(X)=\sqrt{npq}$

1155 중요 교육청 기출 ●○○○

확률변수 X가 이항분포 $\mathrm{B}\left(12, \frac{1}{3}\right)$을 따를 때, $\mathrm{E}(X)$의 값은?

① 1 ② 2 ③ 3
④ 4 ⑤ 5

1156 짱중요 ●○○○

확률변수 X가 이항분포 $\mathrm{B}\left(72, \frac{1}{6}\right)$을 따를 때, $\mathrm{E}(X)+\mathrm{V}(X)$의 값을 구하시오.

1157 ●○○○

확률변수 X가 이항분포 $\mathrm{B}\left(48, \frac{3}{4}\right)$을 따를 때, $\sigma(X)$의 값을 구하시오.

1158 짱중요 ●●○○

이항분포 $\mathrm{B}\left(27, \frac{1}{3}\right)$을 따르는 확률변수 X에 대하여 $\mathrm{E}(X^2)$의 값을 구하시오.

1159 ●●○○

확률변수 X가 이항분포 $\mathrm{B}\left(50, \frac{1}{5}\right)$을 따른다. $\mathrm{E}(X^2)+\mathrm{V}(X)$의 값을 구하시오.

1160 중요 ●●○○

확률변수 X가 이항분포 $\mathrm{B}(20, p)$를 따를 때, X의 분산의 최댓값을 구하시오. (단, $0<p<1$)

1161

이항분포 $\mathrm{B}(n, p)$를 따르는 확률변수 X의 분산의 최댓값이 10일 때, $\mathrm{E}(X)$의 값을 구하시오.

1162

다음은 이항분포 $\mathrm{B}(n, p)$를 이루는 확률변수 X에 대하여 $\mathrm{E}(X)=np$임을 증명한 것이다.

증명

$\mathrm{E}(X)=\sum_{r=0}^{n}$ (가) $\cdot {}_{n}\mathrm{C}_{r}p^{r}q^{n-r}$ (단, $q=1-p$)

$=1\cdot {}_{n}\mathrm{C}_{1}pq^{n-1}+2\cdot {}_{n}\mathrm{C}_{2}p^{2}q^{n-2}+\cdots+r\cdot {}_{n}\mathrm{C}_{r}p^{r}q^{n-r}+\cdots+n\cdot {}_{n}\mathrm{C}_{n}p^{n}$

에서

$r\cdot {}_{n}\mathrm{C}_{r}=r\cdot \dfrac{n!}{(n-r)!r!}=\dfrac{n!}{(n-r)!(r-1)!}=$ (나)

이므로

$n\cdot {}_{n-1}\mathrm{C}_{0}pq^{n-1}+n\cdot {}_{n-1}\mathrm{C}_{1}p^{2}q^{n-2}+\cdots+n\cdot {}_{n-1}\mathrm{C}_{r-1}p^{r}q^{n-r}+\cdots+n\cdot {}_{n-1}\mathrm{C}_{n-1}p^{n}$

$=$ (다) $({}_{n-1}\mathrm{C}_{0}q^{n-1}+{}_{n-1}\mathrm{C}_{1}pq^{n-2}+\cdots+{}_{n-1}\mathrm{C}_{r-1}p^{r-1}q^{n-r}+\cdots+{}_{n-1}\mathrm{C}_{n-1}p^{n-1})$

$=np(q+p)^{n-1}=np$

위의 증명에서 (가), (나), (다)에 알맞은 것은?

	(가)	(나)	(다)
①	r	$n\cdot {}_{n-1}\mathrm{C}_{r}$	npq
②	r^{2}	$n\cdot {}_{n}\mathrm{C}_{r-1}$	np
③	r	$(n-1)\cdot {}_{n-1}\mathrm{C}_{r-1}$	np
④	r^{2}	$n\cdot {}_{n-1}\mathrm{C}_{r-1}$	npq
⑤	r	$n\cdot {}_{n-1}\mathrm{C}_{r-1}$	np

유형 03 미지수로 표현된 이항분포

내신 중요도 / 유형 난이도 ★★☆☆☆

확률변수 X가 이항분포를 이룰 때, 평균 $\mathrm{E}(X)=np$, 분산 $\mathrm{V}(X)=npq$의 값을 이용하여 $\mathrm{B}(n, p)$를 구할 수 있다.

1163 중요

확률변수 X가 이항분포 $\mathrm{B}(100, p)$를 따르고 X의 평균이 20일 때, X의 분산은?

① 16 ② 17 ③ 18 ④ 19 ⑤ 20

1164

확률변수 X가 이항분포 $\mathrm{B}\left(n, \dfrac{1}{4}\right)$을 따르고 $\mathrm{V}(X)=6$일 때, n의 값을 구하시오.

1165

확률변수 X가 이항분포 $\mathrm{B}\left(n, \frac{1}{4}\right)$을 따르고

$\mathrm{E}(X)-\mathrm{V}(X)=4$일 때, n의 값을 구하시오.

1166 중요

이항분포 $\mathrm{B}(n, p)$를 따르는 확률변수 X의 평균이 20, 표준편차가 4일 때, n의 값을 구하시오.

1167

확률변수 X가 이항분포 $\mathrm{B}(9, p)$를 따르고 $\{\mathrm{E}(X)\}^2=\mathrm{V}(X)$일 때, p의 값은? (단, $0<p<1$)

① $\frac{1}{13}$　② $\frac{1}{12}$　③ $\frac{1}{11}$
④ $\frac{1}{10}$　⑤ $\frac{1}{9}$

1168

확률변수 X가 이항분포 $\mathrm{B}\left(n, \frac{1}{2}\right)$을 따르고

$\mathrm{E}(X^2)=\mathrm{V}(X)+25$를 만족시킬 때, n의 값은?

① 10　② 12　③ 14
④ 16　⑤ 18

1169 중요

확률변수 X가 이항분포 $\mathrm{B}\left(n, \frac{1}{6}\right)$을 따르고 $\mathrm{V}(X)=10$일 때,

$\mathrm{E}(X^2)$의 값을 구하시오.

1170

이항분포 $\mathrm{B}(18, p)$를 따르는 확률변수 X에 대하여 X의 분산이 4일 때, X^2의 평균의 최솟값을 구하시오.

해설 206쪽

유형 04 이항분포에서 확률변수 $aX+b$의 평균과 분산

내신 중요도 ■■■■■ 유형 난이도 ★★★☆☆

확률변수 X와 두 상수 a, b $(a \neq 0)$에 대하여
(1) $E(aX+b)=aE(X)+b$
(2) $V(aX+b)=a^2V(X)$
(3) $\sigma(aX+b)=|a|\sigma(X)$

1171 ●○○○

확률변수 X가 이항분포 $B\left(5, \frac{2}{3}\right)$를 따를 때, $6X-5$의 평균은?

① 5 ② 10 ③ 15
④ 20 ⑤ 25

1172 중요 ●●○○

확률변수 X가 이항분포 $B\left(90, \frac{1}{3}\right)$을 따를 때, $E(4X+10)+V(3X)$의 값을 구하시오.

1173 ●●○○

확률변수 X가 이항분포 $B\left(100, \frac{1}{5}\right)$을 따를 때, $\sigma(3X-4)$를 구하시오.

1174 중요 ●●○○

확률변수 X가 이항분포 $B\left(n, \frac{1}{4}\right)$을 따르고 확률변수 $E(2X-3)=13$일 때, $V(3X-2)$의 값을 구하시오.

1175 ●●●○

확률변수 X가 이항분포 $B(n, p)$를 따르고 $E(3X+1)=11$, $V(3X)=20$이다. $n+3p$의 값을 구하시오.

1176 ●●●○

확률변수 X가 이항분포 $B(n, p)$를 따르고, $\sigma(3X+1)=2\sqrt{2}$이다. 세 수 $E(X)$, $\sigma(X)$, $V(X)$가 이 순서대로 등비수열을 이룰 때, n의 값을 구하시오. (단, $0<p<1$)

유형 05 이항분포를 이용하여 확률 구하기

내신 중요도 ■■■■■ 유형 난이도 ★★★★★

확률변수 X가 이항분포 $B(n, p)$를 따를 때, X의 확률질량함수를 이용하여 X가 취할 수 있는 값에 대하여 그 각각의 확률을 구할 수 있다.

1177 중요 ●●○○

이항분포 $B\left(10, \frac{1}{3}\right)$을 따르는 확률변수 X에 대하여 $\frac{P(X=4)}{P(X=8)}$의 값은?

① $\frac{220}{3}$ ② 74 ③ $\frac{224}{3}$
④ $\frac{226}{3}$ ⑤ 76

1178 ●●○○

확률변수 X가 이항분포 $B\left(5, \frac{1}{2}\right)$을 따를 때, $P(X^2-4X+3=0)$은?

① $\frac{11}{32}$ ② $\frac{13}{32}$ ③ $\frac{15}{32}$
④ $\frac{17}{32}$ ⑤ $\frac{19}{32}$

1179 ●●○○

확률변수 X가 이항분포 $B\left(4, \frac{2}{3}\right)$를 따를 때, $P(X^2-4X+3\geq 0)=\frac{q}{p}$이다. $p+q$의 값은?

(단, p, q는 서로소인 자연수이다.)

① 40 ② 42 ③ 44
④ 46 ⑤ 48

1180 ●●○○

확률변수 X가 이항분포 $B\left(16, \frac{3}{4}\right)$을 따를 때, 〈보기〉에서 옳은 것만을 있는 대로 고른 것은?

보기

ㄱ. 확률변수 X의 평균은 12이다.
ㄴ. 확률변수 X의 표준편차는 3이다.
ㄷ. $P(X=1)=\frac{3}{2^{28}}$

① ㄱ ② ㄴ ③ ㄷ
④ ㄱ, ㄷ ⑤ ㄴ, ㄷ

1181 ●●●○

이항분포 $B\left(6, \frac{1}{3}\right)$을 따르는 확률변수 X의 확률분포를 나타낸 표가 다음과 같다.

X	0	1	2	3	4	5	6	합계
$P(X=x)$	p_0	p_1	p_2	p_3	p_4	p_5	p_6	1

$p_2+p_4=\frac{k}{3^5}$를 만족시키는 자연수 k의 값을 구하시오.

해설 208쪽

1182 중요

이항분포 $\mathrm{B}(n, p)$를 따르는 확률변수 X에 대하여 X의 평균이 2, 분산이 1일 때, $\mathrm{P}(X=2)$는?

① $\frac{1}{8}$ ② $\frac{1}{4}$ ③ $\frac{3}{8}$
④ $\frac{1}{2}$ ⑤ $\frac{5}{8}$

1183 중요

확률변수 X가 이항분포 $\mathrm{B}(n, p)$를 따르고 $\mathrm{E}(X^2)=40$, $\mathrm{E}(2X+1)=13$일 때, $\frac{\mathrm{P}(X=2)}{\mathrm{P}(X=1)}$의 값을 구하시오.

1184

확률변수 X가 이항분포 $\mathrm{B}\left(50, \frac{1}{4}\right)$을 따를 때, $\frac{\mathrm{P}(X=k)}{\mathrm{P}(X=k+1)}=\frac{2}{5}$를 만족시키는 k의 값을 구하시오. (단, $k=0, 1, 2, \cdots, 49$)

유형 06 확률을 이용하여 이항분포 구하기

내신 중요도 ■■■■■ 유형 난이도 ★★★★☆

독립시행에서의 확률은 확률질량함수 $\mathrm{P}(X=x)={}_n\mathrm{C}_x p^x q^{36-x}(q=1-p,\ x=0,\ 1,\ 2,\ \cdots,\ n)$을 이용해서 n, p를 구하여 $B(n, p)$를 구할 수 있다.

1185 짱중요

확률변수 X가 이항분포 $\mathrm{B}(6, p)$를 따르고 $\mathrm{P}(X=0)=\frac{1}{64}$일 때, $\mathrm{P}(X=3)+\mathrm{P}(X=4)$의 값을 구하시오.

1186

이항분포 $\mathrm{B}(5, p)$를 따르는 확률변수 X에 대하여 $\mathrm{P}(X=4)=5\mathrm{P}(X=5)$가 성립할 때, $\mathrm{P}(X^2-4X+4>0)$을 구하시오. (단, $p\neq0$)

1187 짱중요

확률변수 X가 이항분포 $\mathrm{B}(10, p)$를 따르고, $\mathrm{P}(X=4)=\frac{1}{3}\mathrm{P}(X=5)$일 때, $\mathrm{E}(7X)$를 구하시오.

1188 중요 ●●●○

확률변수 X가 이항분포 $\mathrm{B}(36, p)$를 따르고 $12\mathrm{P}(X=0)=\mathrm{P}(X=1)$일 때, $\mathrm{E}(2X)+\mathrm{V}(2X)$의 값을 구하시오. (단, $0<p<1$)

1189 중요 ●●●○

확률변수 X가 이항분포 $\mathrm{B}(n, p)$를 따르고, $\mathrm{E}(X)=10$이다. $\mathrm{P}(X=2)=8\mathrm{P}(X=1)$일 때, $\mathrm{V}(10X+2)$의 값을 구하시오.

1190 교육청 기출 ●●●●

확률변수 X는 이항분포 $\mathrm{B}(3, p)$를 따르고, 확률변수 Y는 이항분포 $\mathrm{B}(4, 2p)$를 따른다고 할 때, $10\mathrm{P}(X=3)=\mathrm{P}(Y\geq 3)$을 만족시키는 양수 p의 값은 $\frac{n}{m}$이다. $m+n$의 값은?

(단, m, n은 서로소인 자연수이다.)

① 25 ② 30 ③ 35
④ 40 ⑤ 45

유형 07 독립시행에서의 평균

내신 중요도 ■■■■■ 유형 난이도 ★★★★★

어떤 사건의 시행이 독립시행일 때의 확률분포는 이항분포를 따른다. 즉, 시행 횟수 n과 한 번의 시행에서 어떤 사건이 일어날 확률 p를 구하여 $\mathrm{B}(n, p)$로 나타낸다.
⇨ 평균 : $\mathrm{E}(X)=np$

1191 ●○○○

한 개의 주사위를 30번 던져서 5의 눈이 나오는 횟수를 확률변수 X라 할 때, X의 평균은?

① 4 ② 5 ③ 6
④ 7 ⑤ 8

1192 중요 ●●○○

20 %의 불량률로 제품을 생산하는 기계가 100개의 제품을 생산할 때, 나오는 불량품의 개수를 확률변수 X라 할 때, $\mathrm{E}(X)$의 값을 구하시오.

1193 ●●○○

동전 한 개를 던져서 앞면이 나오면 100원, 뒷면이 나오면 50원의 상금을 받는다. 아샘이가 동전을 10번 던질 때, 상금의 기댓값은?

① 700원 ② 750원 ③ 800원
④ 850원 ⑤ 900원

해설 210쪽

1194 ●●●○

두 개의 주사위를 동시에 120번 던지는 시행에서 두 주사위의 눈의 수의 곱이 짝수가 되는 횟수를 확률변수 X라 하면 X는 이항분포 $\mathrm{B}(n, p)$를 따른다. $\mathrm{E}(2X+10)$의 값을 구하시오.

1195 중요 ●●●○

서로 다른 두 개의 주사위를 동시에 180번 던지는 시행에서 두 주사위의 눈의 수의 합이 4의 배수가 되는 횟수를 확률변수 X라 할 때, $\mathrm{E}(X)$는?

① 40 ② 45 ③ 50
④ 55 ⑤ 60

1196 ●●●○

명중률이 $\frac{3}{4}$인 양궁 선수가 화살을 n발 쏠 때, 과녁에 명중하는 화살의 개수를 확률변수 X라 할 때 $\mathrm{E}(X)=9$이다.
$2^{20}\mathrm{P}(X=1)$의 값을 구하시오.

1197 중요 ●●●○

흰 공과 검은 공을 합하여 8개의 공이 들어 있는 주머니에서 1개의 공을 꺼내어 색을 확인하고 다시 주머니에 넣는 시행을 64번 반복할 때, 흰 공이 나오는 횟수를 확률변수 X라 하자. X의 평균이 24일 때, 주머니 속에 들어 있는 흰 공의 개수는?

① 1 ② 2 ③ 3
④ 4 ⑤ 5

1198 평가원 기출 ●●●●

두 사람 A와 B가 각각 주사위를 한 개씩 동시에 던지는 시행을 한다. 이 시행에서 나온 두 주사위의 눈의 수의 차가 3보다 작으면 A가 1점을 얻고, 그렇지 않으면 B가 1점을 얻는다. 이와 같은 시행을 15회 반복할 때, A가 얻는 점수의 합의 기댓값과 B가 얻는 점수의 합의 기댓값의 차는?

① 1 ② 3 ③ 5
④ 7 ⑤ 9

1199 중요 ●●●●

원점 O를 출발하여 수직선 위를 움직이는 점 P는 한 개의 주사위를 던져서 나오는 결과에 따라 다음과 같은 규칙에 따라 움직인다.

> (가) 6의 약수의 눈이 나오면 양의 방향으로 2만큼 이동한다.
> (나) 6의 약수의 눈이 나오지 않으면 음의 방향으로 3만큼 이동한다.

한 개의 주사위를 30회 던졌을 때, 점 P의 좌표를 확률변수 X라고 할 때, 확률변수 $2X+3$의 평균을 구하시오.

유형 8 독립시행에서의 분산과 표준편차

내신 중요도 ▬▬▬▬ 유형 난이도 ★★★★☆

확률변수 X의 확률분포가 독립시행의 확률을 따르면 X는 이항분포를 따른다. 이때 시행 횟수 n과 1회의 시행에서 사건이 일어날 확률 p를 구하여 이항분포 $\mathrm{B}(n, p)$로 나타내면 이항분포의 평균, 분산, 표준편차를 구할 수 있다.

⇨ 분산 : $\mathrm{V}(X)=npq$ (단, q는 $1-p$)

표준편차 : $\sigma(X)=\sqrt{npq}$

1200 ●○○○

한 개의 동전을 3번 던져서 뒷면이 나오는 횟수를 확률변수 X라 할 때, $\mathrm{V}(2X+5)$의 값을 구하시오.

1201 중요 ●●○○

운전면허 필기시험을 준비하고 있는 혜원이는 3문제 중 2문제의 비율로 정답을 맞힌다고 한다. 혜원이가 운전면허 필기시험의 50문제를 풀었을 때, 틀린 문제의 수를 확률변수 X라 하자. X의 평균과 표준편차의 합을 구하시오.

1202 중요 ●●○○

1회의 시행에서 사건 A가 일어날 확률이 p인 독립시행을 12번 반복할 때, A가 일어나는 횟수를 확률변수 X라 하자. $\mathrm{V}(X)=3$일 때, $\mathrm{E}(X)$는?

① 3 ② 4 ③ 5
④ 6 ⑤ 9

1203 ●●●○

동전 한 개를 6번 던져서 앞면이 나오는 횟수를 확률변수 X라 할 때, 확률변수 $aX+b$의 평균이 2, 분산이 24이다. 두 상수 a, b에 대하여 ab의 값은? (단, $a>0$)

① -40 ② -32 ③ -24
④ -16 ⑤ -8

1204 짱중요 ●●●○

흰 공 4개와 검은 공 m개가 들어 있는 주머니에서 1개의 공을 꺼내어 색을 확인하고 다시 주머니에 넣는 시행을 n번 반복할 때, 흰 공이 나오는 횟수를 확률변수 X라 하자. $\mathrm{E}(X)=40$, $\mathrm{V}(X)=24$일 때, $n-m$의 값은?

① 82 ② 86 ③ 90
④ 94 ⑤ 98

1205 ●●●○

어느 지역 고등학교 학생들의 혈액형별 분포는 다음 표와 같다.

혈액형	A형	B형	AB형	O형	합계
비율	25 %	26 %	20 %	29 %	100 %

이 지역 고등학교 학생 400명의 혈액형을 조사하였을 때, 혈액형이 A형인 학생 수를 확률변수 X, AB형인 학생 수를 확률변수 Y라 하자. $\mathrm{V}(X)+\mathrm{V}(Y)$의 값을 구하시오.

해설 213쪽

1206 평가원 기출 ●●●○

한 개의 주사위를 20번 던질 때 1의 눈이 나오는 횟수를 확률변수 X라 하고, 한 개의 동전을 n번 던질 때 앞면이 나오는 횟수를 확률변수 Y라 하자. Y의 분산이 X의 분산보다 크게 되도록 하는 n의 최솟값을 구하시오.

1207 평가원 기출 ●●●○

동전 2개를 동시에 던지는 시행을 10회 반복할 때, 동전 2개 모두 앞면이 나오는 횟수를 확률변수 X라고 하자. 확률변수 $4X+1$의 분산 $\mathrm{V}(4X+1)$의 값을 구하시오.

1208 ●●●○

원점을 출발하여 수직선 위를 움직이는 점 P가 있다. 두 개의 동전을 동시에 던져 같은 면이 나오면 양의 방향으로 3만큼, 다른 면이 나오면 음의 방향으로 1만큼 점 P를 이동시킨다. 동전을 8번 던진 후의 점 P의 좌표를 확률변수 X라 할 때, $\mathrm{E}(X)+\mathrm{V}(X)$의 값을 구하시오.

유형 09 독립시행에서 $\mathrm{E}(X^2)$ 구하기

내신 중요도 ▬▬▬▬▬ 유형 난이도 ★★★☆☆

이산확률변수 X의 평균을 $\mathrm{E}(X)=m$이라 할 때,

$$\mathrm{V}(X)=\mathrm{E}(X^2)-\{\mathrm{E}(X)\}^2$$
$$=\sum_{i=1}^{n} x_i^2 p_i - m^2$$

참고 $\mathrm{E}(X^2)=\mathrm{V}(X)+\{\mathrm{E}(X)\}^2$

1209 ●●○○

한 번의 시행에서 일어날 확률이 $\frac{1}{4}$인 사건 A가 있다. 160번의 독립시행에서 사건 A가 일어나는 횟수를 확률변수 X라 할 때, X^2의 평균 $\mathrm{E}(X^2)$을 구하시오.

1210 중요 ●●○○

흡연하는 사람이 폐암에 걸릴 확률이 30 %라고 한다. 흡연하는 사람 200명 중에서 폐암에 걸리는 사람의 수를 확률변수 X라 할 때, $\mathrm{E}(X^2)$을 구하시오.

1211 ●●●○

어느 백화점에서 일정 금액을 구입하는 고객에게 3장 중 1장 꼴로 당첨되는 복권을 나누어 주었다. 9장의 복권 중에서 당첨되는 복권의 개수를 확률변수 X라 할 때, $\mathrm{E}((2X-1)^2)$을 구하시오.

1212 중요 ●●●○

한 개의 주사위를 n번 던져서 3의 배수의 눈이 나오는 횟수를 확률변수 X라 하자. X의 평균이 6일 때, X^2의 평균은?

① 30 ② 35 ③ 40
④ 45 ⑤ 50

1213 ●●●○

한 개의 동전을 4번 던질 때, 앞면이 나오는 횟수를 확률변수 X라 하자. $(X-a)^2$의 기댓값을 $f(a)$라 할 때, $f(a)$의 최솟값은? (단, a는 상수이다.)

① 1 ② $\frac{4}{3}$ ③ $\frac{5}{3}$
④ $\frac{7}{4}$ ⑤ 2

1214 중요 ●●●●

좌표평면 위의 점 P가 원점을 출발하여 한 개의 주사위를 던져서 나오는 눈의 수에 따라 다음 규칙으로 이동한다.

> (가) 3의 배수의 눈이 나오면 x축의 양의 방향으로 2만큼 이동한다.
> (나) 3의 배수의 눈이 나오지 않으면 y축의 양의 방향으로 1만큼 이동한다.

주사위를 9번 던져서 이동한 점 P에 대하여 $\overline{OP}^2$의 값을 확률변수 X라고 할 때, 확률변수 X의 평균을 구하시오.

유형 10 확률질량함수와 이항분포

내신 중요도 ▬▬▬▬▬ 유형 난이도 ★★★★★

확률변수 X의 확률질량함수가
$P(X=x)={}_nC_xp^xq^{36-x}(q=1-p,\ x=0,\ 1,\ 2,\ \cdots,\ n)$일 때,
확률변수 X는 이항분포 $B(n,\ p)$를 따른다.

1215 ●●○○

확률변수 X의 확률질량함수가

$$P(X=k)={}_{30}C_k\left(\frac{1}{6}\right)^k\left(\frac{5}{6}\right)^{30-k}\ (k=0,\ 1,\ 2,\ \cdots,\ 30)$$

일 때, X는 이항분포 $B(n,\ p)$를 따른다고 한다. $n-6p$의 값을 구하시오.

1216 ●●●○

확률변수 X의 확률질량함수가

$$P(X=x)={}_4C_x\frac{2^x}{3^4}\ (x=0,\ 1,\ 2,\ 3,\ 4)$$

일 때, X는 이항분포 $B(n,\ p)$를 따른다고 한다. np의 값은?

① $\frac{8}{3}$ ② $\frac{10}{3}$ ③ 4
④ $\frac{13}{3}$ ⑤ $\frac{15}{3}$

1217 ●●●○

확률변수 X의 확률질량함수가

$$P(X=x)={}_nC_xp^x(1-p)^{n-x}\ (x=0,\ 1,\ 2,\ \cdots,\ n)$$

일 때, X는 이항분포 $B\left(25,\ \frac{4}{5}\right)$를 따른다고 한다. $n+5p$의 값을 구하시오.

유형 11 확률질량함수를 이용한 평균과 분산

내신 중요도 ■■■■■ 유형 난이도 ★★★★☆

확률변수 X의 확률질량함수가
$\mathrm{P}(X=x)={}_{n}\mathrm{C}_{x}p^{x}q^{n-x}(q=1-p,\ x=0,\ 1,\ 2,\ \cdots,\ n)$일 때
⇨ $\mathrm{E}(X)=np$, $\mathrm{V}(X)=npq$

1218 ●●○○

확률변수 X의 확률질량함수가

$$\mathrm{P}(X=x)={}_{45}\mathrm{C}_{x}\left(\frac{2}{3}\right)^{x}\left(\frac{1}{3}\right)^{45-x}\ (x=0,\ 1,\ 2,\ \cdots,\ 45)$$

일 때, X의 평균과 표준편차의 곱을 구하시오.

1219 짱중요 ●●○○

확률변수 X의 확률질량함수가

$$\mathrm{P}(X=x)={}_{72}\mathrm{C}_{x}\left(\frac{1}{3}\right)^{x}\left(\frac{2}{3}\right)^{72-x}\ (x=0,\ 1,\ 2,\ \cdots,\ 72)$$

일 때, 확률변수 $2X-10$의 평균과 분산을 구하시오.

1220 짱중요 ●●●○

확률변수 X의 확률질량함수가

$$\mathrm{P}(X=x)={}_{9}\mathrm{C}_{x}\left(\frac{1}{3}\right)^{x}\left(\frac{2}{3}\right)^{9-x}\ (x=0,\ 1,\ 2,\ \cdots,\ 9)$$

일 때, $\mathrm{E}(X^2)$은?

① 10 ② 11 ③ 12
④ 13 ⑤ 14

1221 ●●●○

확률변수 X의 확률질량함수가

$$\mathrm{P}(X=x)={}_{49}\mathrm{C}_{x}\frac{6^{x}}{7^{49}}\ (x=0,\ 1,\ 2,\ \cdots,\ 49)$$

일 때, $\mathrm{E}(X^2)$을 구하시오.

1222 ●●●○

한 개의 주사위를 90번 던지는 시행에서 5 이상의 눈이 나오는 횟수를 확률변수 X라 할 때, X의 확률질량함수는

$$\mathrm{P}(X=r)={}_{n}\mathrm{C}_{r}a^{r}\left(\frac{2}{3}\right)^{n-r}\ (r=0,\ 1,\ 2,\ \cdots,\ 90)$$

이다. na의 값을 구하시오. (단, a는 상수이다.)

1223 중요 ●●●○

한 개의 주사위를 4번 던지는 시행에서 3의 눈이 나오는 횟수를 확률변수 X라 할 때, X의 확률질량함수는

$$\mathrm{P}(X=r)={}_{4}\mathrm{C}_{r}a^{r}b^{4-r}\ (r=0,\ 1,\ 2,\ 3,\ 4)$$

이다. $\mathrm{E}\left(\frac{b}{a}X\right)+\mathrm{V}\left(\frac{b}{a}X\right)$의 값을 구하시오.

1224 중요

확률변수 X의 확률질량함수는

$\mathrm{P}(X=x)={}_{n}\mathrm{C}_{x}\,p^{x}(1-p)^{n-x}\ (x=0, 1, 2, \cdots, n)$

이다. X의 평균과 분산이 각각 $\mathrm{E}(X)=20$, $\mathrm{V}(X)=15$일 때, $\frac{n}{p}$의 값을 구하시오.

1225 평가원 기출

확률변수 X의 확률질량함수가

$\mathrm{P}(X=x)={}_{n}\mathrm{C}_{x}\,p^{x}(1-p)^{n-x}$

($x=0, 1, 2, \cdots, n$이고 $0<p<1$)

이다. $\mathrm{E}(X)=1$, $\mathrm{V}(X)=\frac{9}{10}$일 때, $\mathrm{P}(X<2)$는?

① $\frac{19}{10}\left(\frac{9}{10}\right)^{9}$ ② $\frac{17}{9}\left(\frac{8}{9}\right)^{8}$ ③ $\frac{15}{8}\left(\frac{7}{8}\right)^{7}$
④ $\frac{13}{7}\left(\frac{6}{7}\right)^{6}$ ⑤ $\frac{11}{6}\left(\frac{5}{6}\right)^{5}$

1226

확률변수 X의 확률분포를 나타낸 표가 다음과 같을 때, X의 평균과 분산의 합은?

X	0	1	2	3	$\cdots$	160	합계
$\mathrm{P}(X=x)$	${}_{160}\mathrm{C}_{0}\left(\frac{1}{2}\right)^{320}$	$3\times{}_{160}\mathrm{C}_{1}\left(\frac{1}{2}\right)^{320}$	$3^{2}\times{}_{160}\mathrm{C}_{2}\left(\frac{1}{2}\right)^{320}$	$3^{3}\times{}_{160}\mathrm{C}_{3}\left(\frac{1}{2}\right)^{320}$	$\cdots$	$3^{160}\times{}_{160}\mathrm{C}_{160}\left(\frac{1}{2}\right)^{320}$	1

① 110 ② 120 ③ 130
④ 140 ⑤ 150

유형 **12** 확률질량함수와 평균, 분산의 관계

내신 중요도 유형 난이도 ★★★★★

확률변수 X가 이항분포 $\mathrm{B}(n, p)$를 따를 때

(1) $\mathrm{E}(X)=\sum_{r=0}^{n} r\,{}_{n}\mathrm{C}_{r}p^{r}q^{n-r}=np$ (단, $q=1-p$)

(2) $\mathrm{V}(X)=\sum_{r=0}^{n} r^{2}{}_{n}\mathrm{C}_{r}p^{r}q^{n-r}-\left(\sum_{r=0}^{n} r\,{}_{n}\mathrm{C}_{r}p^{r}q^{n-r}\right)^{2}=npq$

(3) $\mathrm{E}(X^{2})=\sum_{r=0}^{n} r^{2}{}_{n}\mathrm{C}_{r}p^{r}q^{n-r}=npq+(np)^{2}$

1227

이항분포 $\mathrm{B}\left(90, \frac{1}{3}\right)$을 따르는 확률변수 X의 확률질량함수가

$\mathrm{P}(X=i)=p_{i}\ (i=0, 1, 2, \cdots, 90)$

일 때, $\sum_{i=0}^{90} i\times p_{i}$의 값은?

① 10 ② 20 ③ 30
④ 40 ⑤ 50

1228 중요

이항분포 $\mathrm{B}\left(100, \frac{1}{5}\right)$을 따르는 확률변수 X의 확률질량함수가

$\mathrm{P}(X=i)=p_{i}\ (i=0, 1, 2, \cdots, 100)$

일 때, $\sum_{i=0}^{100}(i-20)^{2}\times p_{i}$의 값은?

① 8 ② 10 ③ 12
④ 14 ⑤ 16

1229

서로 다른 주사위 두 개를 동시에 180번 던져서 나오는 두 눈의 수의 합이 5의 배수가 되는 횟수를 확률변수 X라 하자. X의 확률질량함수가

$\mathrm{P}(X=i)=p_{i}\ (i=0, 1, 2, \cdots, 180)$

일 때, $\sum_{i=0}^{180}(3i-2)p_{i}$의 값을 구하시오.

1230 ●●●○

확률변수 X가 이항분포 $\mathrm{B}\left(25,\ \frac{2}{5}\right)$를 따를 때,

$\sum_{x=1}^{25} x^2 \times {}_{25}\mathrm{C}_x \left(\frac{2}{5}\right)^x \left(\frac{3}{5}\right)^{25-x} - 10^2$의 값은?

① 2 ② 3 ③ 4
④ 5 ⑤ 6

1231 중요 ●●●○

$\sum_{x=0}^{72} x \times {}_{72}\mathrm{C}_x \left(\frac{1}{6}\right)^x \left(\frac{5}{6}\right)^{72-x}$의 값은?

① 4 ② 8 ③ 12
④ 16 ⑤ 20

1232 중요 ●●●○

$\sum_{x=0}^{36} x^2 \times {}_{36}\mathrm{C}_x \left(\frac{1}{3}\right)^x \left(\frac{2}{3}\right)^{36-x}$의 값은?

① 146 ② 148 ③ 150
④ 152 ⑤ 154

1233 ●●●●

확률변수 X의 확률질량함수가

$$\mathrm{P}(X=r) = {}_{80}\mathrm{C}_r \left(\frac{1}{4}\right)^r \left(\frac{3}{4}\right)^{80-r} \quad (r=0,\ 1,\ 2,\ \cdots,\ 80)$$

일 때, $\sum_{r=0}^{80} r^2 \times \mathrm{P}(X=r)$의 값을 구하시오.

1234 짱중요 ●●●●

확률변수 X의 확률질량함수가

$$\mathrm{P}(X=x) = {}_{64}\mathrm{C}_x \left(\frac{1}{4}\right)^x \left(\frac{3}{4}\right)^{64-x} \quad (x=0,\ 1,\ 2,\ \cdots,\ 64)$$

일 때, $\sum_{x=0}^{64} x^2 \times {}_{64}\mathrm{C}_x \left(\frac{1}{4}\right)^{x+1} \left(\frac{3}{4}\right)^{64-x}$의 값을 구하시오.

1235 ●●●●

확률변수 X의 확률질량함수가

$$\mathrm{P}(X=x) = {}_{100}\mathrm{C}_x \left(\frac{1}{5}\right)^x \left(\frac{4}{5}\right)^{100-x} \quad (x=0,\ 1,\ 2,\ \cdots,\ 100)$$

일 때, $\sum_{x=0}^{100} x^2\, {}_{100}\mathrm{C}_x \left(\frac{1}{5}\right)^x \left(\frac{4}{5}\right)^{100-x} - \left\{ \sum_{x=0}^{100} x\, {}_{100}\mathrm{C}_x \left(\frac{1}{5}\right)^x \left(\frac{4}{5}\right)^{100-x} \right\}^2$

의 값을 구하시오.

적중 문제

시험에 잘 나오는 문제로 점검하기

1236

서로 다른 두 개의 동전을 동시에 던지는 시행을 6번 반복할 때, 앞면이 한 개만 나오는 횟수가 2번 이하일 확률을 구하시오.

1237

확률변수 X가 이항분포 $\mathrm{B}\left(100, \frac{1}{5}\right)$을 따를 때, $\mathrm{E}(X)+\sigma(X)$의 값을 구하시오.

1238

이항분포 $\mathrm{B}(n, p)$를 따르는 확률변수 X의 평균과 표준편차가 모두 $\frac{7}{8}$일 때, p의 값은?

① $\frac{1}{8}$ ② $\frac{1}{4}$ ③ $\frac{3}{8}$

④ $\frac{3}{4}$ ⑤ $\frac{7}{8}$

1239 서술형

확률변수 X가 이항분포 $\mathrm{B}\left(n, \frac{1}{6}\right)$을 따르고 $\mathrm{V}(2X-3)=40$일 때, $\mathrm{E}(X^2)$을 구하시오.

1240

확률변수 X가 이항분포 $\mathrm{B}(n, p)$를 따를 때, X의 평균이 $\frac{4}{5}$, X^2의 평균이 $\frac{32}{25}$이다. $\mathrm{P}(X=3)$은?

① $\frac{8}{5^3}$ ② $\frac{16}{5^3}$ ③ $\frac{8}{5^4}$

④ $\frac{16}{5^4}$ ⑤ $\frac{8}{5^5}$

1241

확률변수 X가 이항분포 $\mathrm{B}\left(n, \frac{1}{2}\right)$을 따른다. $\mathrm{P}(X=2)=10\mathrm{P}(X=1)$일 때, $\mathrm{E}(2X+3)$의 값을 구하시오.

1242

한 개의 주사위를 36번 던지는 시행에서 1의 눈이 나오는 횟수를 확률변수 X라 할 때, $\mathrm{E}(2X+5)$의 값을 구하시오.

1243

발아율이 60 %인 어떤 씨앗 n개를 뿌릴 때, 싹이 나오는 씨앗의 개수를 X라 할 때 $\mathrm{E}(X)=120$이다. n의 값을 구하시오.

1244

주사위 한 개를 세 번 던져서 나온 눈의 수를 차례대로 p, q, r라 할 때, $4\le p+q+r\le 7$을 만족시키는 사건을 A라 하자. 주사위 한 개를 세 번 던지는 시행을 108회 반복할 때, 사건 A가 일어나는 횟수를 확률변수 X라 하자. $\mathrm{E}(X)$의 값을 구하시오.

1245

어떤 학생이 컴퓨터를 이용하여 문서를 작성할 때, 10자 중에 1자 꼴로 오타가 발생한다고 한다. 이 학생이 400자 문서를 작성할 때, 오타의 수를 확률변수 X라 하자. X의 평균과 표준편차의 합은?

① 40 ② 42 ③ 44
④ 46 ⑤ 48

1246 서술형

확률변수 X의 확률질량함수가

$$\mathrm{P}(X=x)={}_{36}\mathrm{C}_x\left(\frac{2}{3}\right)^x 3^{x-36}\ (x=0,\ 1,\ 2,\ \cdots,\ 36)$$

일 때, $\mathrm{E}\left(\frac{1}{2}X+2\right)+\mathrm{V}\left(\frac{1}{2}X+2\right)$의 값을 구하시오.

1247

확률변수 X의 확률질량함수가

$$\mathrm{P}(X=x)={}_{7}\mathrm{C}_x\left(\frac{1}{3}\right)^x\left(\frac{2}{3}\right)^{7-x}\ (x=0,\ 1,\ 2,\ \cdots,\ 7)$$

일 때, $\sum_{k=0}^{7}(9k-4)\mathrm{P}(X=k)$의 값을 구하시오.

고난도 문제

일등급 go! go!

Level 1

1248

확률변수 X의 확률분포를 나타낸 표가 다음과 같다.

X	0	1	2	3	$\cdots$	20	합계
$\mathrm{P}(X=r)$	${}_{20}\mathrm{C}_0\left(\frac{1}{2}\right)^{20}$	${}_{20}\mathrm{C}_1\left(\frac{1}{2}\right)^{20}$	${}_{20}\mathrm{C}_2\left(\frac{1}{2}\right)^{20}$	${}_{20}\mathrm{C}_3\left(\frac{1}{2}\right)^{20}$	$\cdots$	${}_{20}\mathrm{C}_{20}\left(\frac{1}{2}\right)^{20}$	1

확률변수 $Y=aX+b$의 평균이 0, 분산이 1일 때, 두 상수 a, b의 곱 ab의 값은?

① -2　② -1　③ 0
④ 1　⑤ 2

1249 평가원 기출

한 개의 주사위를 던져 나온 눈의 수 a에 대하여 직선 $y=ax$와 곡선 $y=x^2-2x+4$가 서로 다른 두 점에서 만나는 사건을 A라 하자. 한 개의 주사위를 300회 던지는 독립시행에서 사건 A가 일어나는 횟수를 확률변수 X라 할 때, X의 평균 $\mathrm{E}(X)$는?

① 100　② 150　③ 180
④ 200　⑤ 240

1250

확률변수 X의 확률질량함수가

$$\mathrm{P}(X=x)=\frac{3^x}{2^{20}}\times{}_n\mathrm{C}_x\ (x=0,\ 1,\ 2,\ \cdots,\ n)$$

일 때, X는 이항분포 $\mathrm{B}(10,\ p)$를 따른다고 한다.

$\mathrm{P}(X=2)=\dfrac{a}{2^{20}}$일 때, 상수 a의 값을 구하시오.

1251

이항분포 $\mathrm{B}(n,\ p)$를 따르는 확률변수 X의 분산은 $\dfrac{16}{9}$이고, $\dfrac{\mathrm{P}(X=n-1)}{\mathrm{P}(X=n)}=4$일 때, X^2의 평균은 $\dfrac{b}{a}$이다. $a+b$의 값을 구하시오. (단, a, b는 서로소인 자연수이다.)

1252

한 개의 주사위를 5번 던져서 1 또는 6의 눈이 나오는 횟수가 X이면 상금으로 a^X원을 받는 게임에서 상금의 기댓값이 243원이라고 할 때, 자연수 a의 값을 구하시오.

1253

두 주사위 A, B를 동시에 던질 때, 나오는 각각의 눈의 수 m, n에 대하여 $m^2+n^2 \leq 25$가 되는 사건을 E라 하자. 두 주사위 A, B를 동시에 던지는 12회의 독립시행에서 사건 E가 일어나는 횟수를 확률변수 X라 할 때, X의 분산 $\mathrm{V}(X)$는 $\frac{q}{p}$이다. $p+q$의 값을 구하시오. (단, p, q는 서로소인 자연수이다.)

Level 2

1254

평가원 기출

어느 창고에 부품 S가 3개, 부품 T가 2개 있는 상태에서 부품 2개를 추가로 들여왔다. 추가된 부품은 S 또는 T이고, 추가된 부품 중 S의 개수는 이항분포 $\mathrm{B}\left(2, \frac{1}{2}\right)$을 따른다. 이 7개의 부품 중 임의로 1개를 선택한 것이 T일 때, 추가된 부품이 모두 S였을 확률은?

① $\frac{1}{6}$ ② $\frac{1}{4}$ ③ $\frac{1}{3}$
④ $\frac{1}{2}$ ⑤ $\frac{3}{4}$

1255

1부터 10까지의 자연수 n에 대하여 n^2이 하나씩 적혀 있는 구슬이 각각 $4n$개씩 들어 있는 주머니에서 임의로 한 개의 구슬을 꺼내어 적혀 있는 수를 확인하고 다시 주머니에 넣는 시행을 220번 한다. 1 이상 10 이하의 자연수 k에 대하여 적혀 있는 수가 k^2인 구슬이 나오는 횟수를 확률변수 X라 할 때, $\mathrm{E}(X)=12$이다. k의 값을 구하시오.

1256 평가원 기출

어느 공장에서 생산되는 제품은 한 상자에 50개씩 넣어 판매되는데, 상자에 포함된 불량품의 개수는 이항분포를 따르고 평균이 m, 분산이 $\frac{48}{25}$이라 한다. 한 상자를 판매하기 전에 불량품을 찾아내기 위하여 50개의 제품을 모두 검사하는 데 총 60000원의 비용이 발생한다. 검사하지 않고 한 상자를 판매할 경우에는 한 개의 불량품에 a원의 애프터서비스 비용이 필요하다. 한 상자의 제품을 모두 검사하는 비용과 애프터서비스로 인해 필요한 비용의 기댓값이 같다고 할 때, $\frac{a}{1000}$의 값을 구하시오.

(단, a는 상수이고, m은 5 이하인 자연수이다.)

1257

원점을 출발하여 수직선 위를 움직이는 점 P는 서로 다른 두 개의 주사위를 던져서 나오는 결과에 따라 다음과 같은 규칙으로 움직인다.

> (가) 3 이하의 숫자가 하나라도 나오면 양의 방향으로 2만큼 이동한다.
> (나) 두 수가 모두 4 이상이면 음의 방향으로 2만큼 이동한다.

이 시행을 n번 반복하였을 때, $\mathrm{E}(\overline{\mathrm{OP}}^2)=20n$이다. n의 값을 구하시오.

1258

확률변수 X의 확률분포를 나타낸 표가 다음과 같을 때, $\mathrm{E}(X)+\mathrm{V}(X)$의 값을 구하시오.

X	2	$\frac{1}{3}+2$	$\frac{2}{3}+2$
$\mathrm{P}(X=x)$	${}_{15}\mathrm{C}_0\left(\frac{2}{5}\right)^{15}$	${}_{15}\mathrm{C}_1\left(\frac{3}{5}\right)\left(\frac{2}{5}\right)^{14}$	${}_{15}\mathrm{C}_2\left(\frac{3}{5}\right)^2\left(\frac{2}{5}\right)^{13}$

$\frac{3}{3}+2$	$\cdots$	$\frac{15}{3}+2$	합계
${}_{15}\mathrm{C}_3\left(\frac{3}{5}\right)^3\left(\frac{2}{5}\right)^{12}$	$\cdots$	${}_{15}\mathrm{C}_{15}\left(\frac{3}{5}\right)^{15}$	1

1259

어느 고등학교의 학생들은 5명에 2명 꼴로 하루에 한 번 이상 매점을 이용한다고 한다. 이 학교 학생 중에서 임의로 50명을 택할 때, 그중 하루에 한 번 이상 매점을 이용하는 학생의 수를 확률변수 X라 하고, $X=k$ $(k=0,\ 1,\ 2,\ \cdots,\ 50)$일 확률을 $\mathrm{P}(X=k)$라 하자. $\sum_{k=0}^{50} k^2\mathrm{P}(X=k)$의 값을 구하시오.

Level 3

1260

이항분포 $\mathrm{B}\left(n,\ \frac{1}{2}\right)$을 따르는 확률변수 X의 확률질량함수가

$$\mathrm{P}(X=i)=p_i\ (i=0,\ 1,\ 2,\ 3,\ \cdots,\ n)$$

일 때, $\sum_{i=0}^{n}(2i+4)p_i=10$이다.

$1^2p_1+2^2p_2+3^2p_3+\cdots+n^2p_n$의 값을 구하시오.

1261 교육청 기출

어느 배구선수의 공격이 성공하는 횟수를 확률변수 X라 하면, n번 공격했을 때 k번 성공할 확률은 다음과 같다.

$$\mathrm{P}(X=k)={}_n\mathrm{C}_k\left(\frac{1}{2}\right)^n$$

이때, $\sum_{k=0}^{n}(k+1)^2\times\mathrm{P}(X=k)=451$을 만족하는 n의 값을 구하시오.

해설 226쪽

1262

집합 $A=\{0, 1, 2, 3, \cdots, 45\}$를 정의역으로 하는 두 함수 $y=f(x)$, $y=g(x)$가

$$f(x)={}_{45}\mathrm{P}_x\left(\frac{2}{3}\right)^{45-x},\ g(x)=\frac{1}{x!}\left(\frac{1}{3}\right)^x$$

일 때, $\sum_{x=0}^{45}(x+1)^2f(x)g(x)$의 값을 구하시오.

1263

확률변수 X의 확률질량함수가

$$\mathrm{P}(X=x)=\frac{{}_6\mathrm{C}_x}{k}\ (x=1, 2, 3, 4, 5, 6)$$

일 때, $\mathrm{E}(21X^2+3)$을 구하시오. (단, k는 상수이다.)

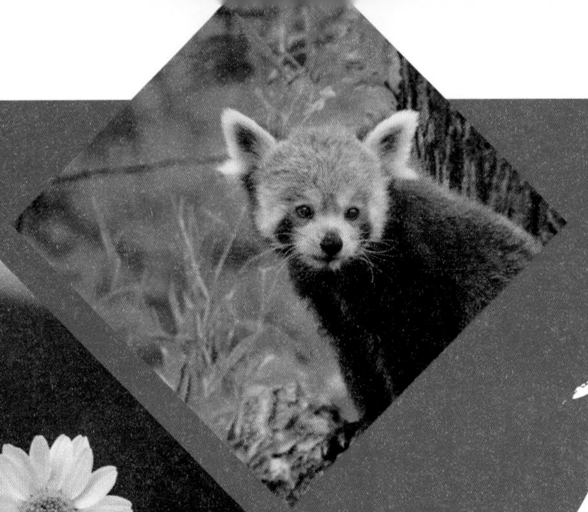

09

정규분포

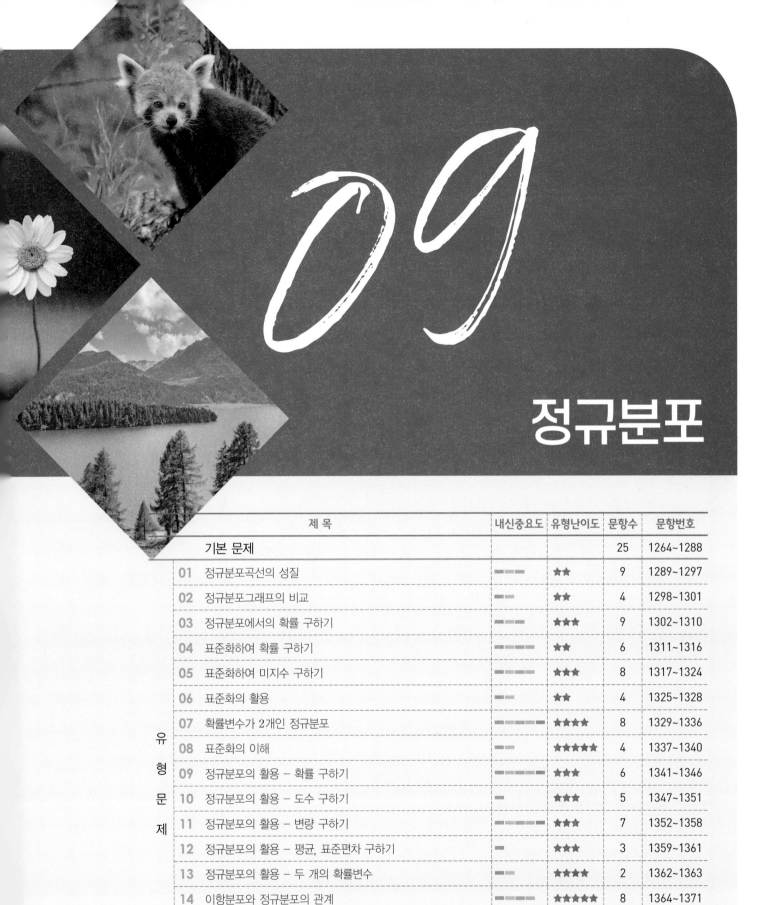

		제 목	내신중요도	유형난이도	문항수	문항번호
		기본 문제			25	1264~1288
유형 문제	01	정규분포곡선의 성질	▬▬▬	★★	9	1289~1297
유형 문제	02	정규분포그래프의 비교	▬▬	★★	4	1298~1301
유형 문제	03	정규분포에서의 확률 구하기	▬▬▬	★★★	9	1302~1310
유형 문제	04	표준화하여 확률 구하기	▬▬▬▬	★★	6	1311~1316
유형 문제	05	표준화하여 미지수 구하기	▬▬▬▬	★★★	8	1317~1324
유형 문제	06	표준화의 활용	▬▬	★★	4	1325~1328
유형 문제	07	확률변수가 2개인 정규분포	▬▬▬▬▬	★★★★	8	1329~1336
유형 문제	08	표준화의 이해	▬▬	★★★★★	4	1337~1340
유형 문제	09	정규분포의 활용 – 확률 구하기	▬▬▬▬▬	★★★	6	1341~1346
유형 문제	10	정규분포의 활용 – 도수 구하기	▬	★★★	5	1347~1351
유형 문제	11	정규분포의 활용 – 변량 구하기	▬▬▬▬▬	★★★	7	1352~1358
유형 문제	12	정규분포의 활용 – 평균, 표준편차 구하기	▬	★★★	3	1359~1361
유형 문제	13	정규분포의 활용 – 두 개의 확률변수	▬▬	★★★★	2	1362~1363
유형 문제	14	이항분포와 정규분포의 관계	▬▬▬▬	★★★★★	8	1364~1371
유형 문제	15	이항분포와 정규분포의 관계의 활용 – 확률 구하기	▬▬▬▬▬	★★★★	9	1372~1380
유형 문제	16	이항분포와 정규분포의 관계의 활용 – 확률의 합 구하기	▬	★★★★★	2	1381~1382
유형 문제	17	이항분포와 정규분포의 관계의 활용 – 미지수의 값 구하기	▬▬	★★★★★	5	1383~1387
유형 문제	18	정규분포를 이용하여 이항분포 구하기	▬▬	★★★★★	5	1388~1392
		적중 문제			12	1393~1404
		고난도 문제			14	1405~1418

정규분포

1. 정규분포

연속확률변수 X의 확률밀도함수 $y=f(x)$가

$$f(x)=\frac{1}{\sqrt{2\pi}\,\sigma}e^{-\frac{(x-m)^2}{2\sigma^2}}\ (e=2.718281\cdots)$$

일 때, X는 평균이 m이고 분산이 σ^2인 정규분포를 따른다고

하며, 기호

$\mathrm{N}(m,\ \sigma^2)$

으로 나타낸다.

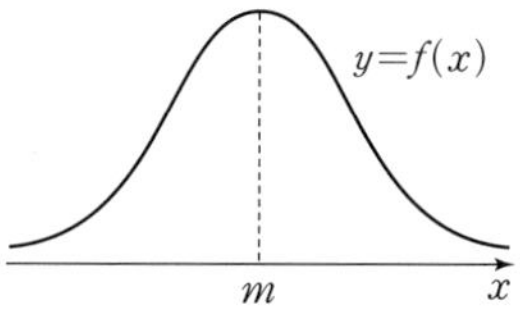

정규분포곡선의 성질

① 직선 $x=m$에 대하여 대칭인 종 모양의 곡선이고, x축을 점근선으로 한다.

② $x=m$일 때, 최댓값 $\frac{1}{\sqrt{2\pi}\,\sigma}$을 가진다.

③ 곡선과 x축 사이의 넓이는 1이다.

④ m의 값이 일정할 때, σ의 값이 커지면 곡선의 가운데 부분이 낮아지며 옆으로 퍼지고, σ의 값이 작아지면 곡선의 가운데 부분이 높아지고 옆으로 좁아진다.

⑤ σ의 값이 일정할 때, m의 값이 변하면 대칭축의 위치는 바뀌지만 곡선의 모양과 크기는 같다.

2. 정규분포에서의 확률의 성질

확률변수 X가 정규분포 $\mathrm{N}(m,\ \sigma^2)$을 따를 때, 정규분포곡선은 직선 $x=m$에 대하여 대칭이므로

(1) $\mathrm{P}(X\le m)=\mathrm{P}(X\ge m)=0.5$

(2) $\mathrm{P}(m-\sigma\le X\le m)=\mathrm{P}(m\le X\le m+\sigma)$

3. 표준정규분포

(1) 평균이 0, 표준편차가 1인 정규분포 N(0, 1)을 표준정규분포라고 한다.

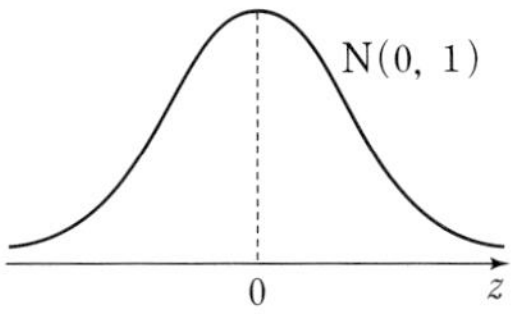

(2) 정규분포의 표준화

확률변수 X가 정규분포 $\mathrm{N}(m, \sigma^2)$을 따를 때

① 확률변수 $Z=\dfrac{X-m}{\sigma}$은 표준정규분포 N(0, 1)을 따른다.

② $\mathrm{P}(a \le X \le b)=\mathrm{P}\left(\dfrac{a-m}{\sigma} \le Z \le \dfrac{b-m}{\sigma}\right)$

참고 $0<a<b$에 대하여 확률변수 Z가 표준정규분포를 따를 때
① $\mathrm{P}(Z \ge a)=0.5-\mathrm{P}(0 \le Z \le a)$
② $\mathrm{P}(-a \le Z \le 0)=\mathrm{P}(0 \le Z \le a)$
③ $\mathrm{P}(a \le Z \le b)=\mathrm{P}(0 \le Z \le b)-\mathrm{P}(0 \le Z \le a)$
임을 이용하여 확률을 구한다.

> 표준정규분포는 평균이 0이므로 확률밀도함수 $y=f(z)$의 그래프는 직선 $z=0$에 대하여 대칭이다.

> 확률변수 X가 정규분포 $\mathrm{N}(m, \sigma^2)$을 따를 때, $\mathrm{P}(X \ge a)$는
> ① $a \ge m$일 때,
> $\mathrm{P}(X \ge a)=0.5-\mathrm{P}\left(0 \le Z \le \dfrac{a-m}{\sigma}\right)$
> ② $a<m$일 때,
> $\mathrm{P}(X \ge a)=0.5+\mathrm{P}\left(\dfrac{a-m}{\sigma} \le Z \le 0\right)$
> $=0.5+\mathrm{P}\left(0 \le Z \le \dfrac{m-a}{\sigma}\right)$

4. 이항분포와 정규분포 사이의 관계

확률변수 X가 이항분포 $\mathrm{B}(n, p)$를 따르고 n이 충분히 크면 X는 근사적으로 정규분포 $\mathrm{N}(np, npq)$를 따른다. (단, $q=1-p$)

$\mathrm{B}(n, p) \Rightarrow \mathrm{N}(np, npq)$

참고 이항분포 —(n이 충분히 크면)→ 정규분포 —(표준화)→ 표준정규분포 —(표준정규분포표)→ 확률 계산

> n이 $np \ge 5$, $nq \ge 5$를 만족시킬 때, n을 충분히 큰 값으로 생각한다.

기본 문제

핵심 개념을 문제로 익히기

1 정규분포

[1264-1265] 확률변수 X의 평균과 분산이 다음과 같을 때, X가 따르는 정규분포를 기호 $\mathrm{N}(m, \sigma^2)$ 꼴로 나타내시오.

1264 $\mathrm{E}(X)=2$, $\mathrm{V}(X)=25$

1265 $\mathrm{E}(X)=10$, $\mathrm{V}(X)=9$

[1266-1267] 정규분포 $\mathrm{N}(m_{\mathrm{A}}, {\sigma_{\mathrm{A}}}^2)$을 따르는 확률변수 X_{A}의 확률밀도함수 $y=f(x)$와 정규분포 $\mathrm{N}(m_{\mathrm{B}}, {\sigma_{\mathrm{B}}}^2)$을 따르는 확률변수 X_{B}의 확률밀도함수 $y=g(x)$에 대하여 다음 그래프를 보고 □ 안에 알맞은 부등호를 써넣으시오.

1266

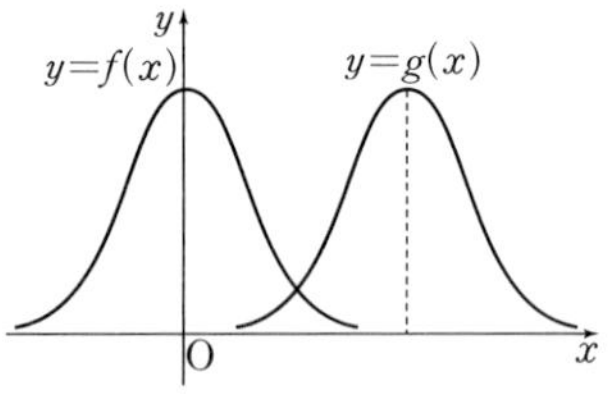

(X_{A}의 평균) □ (X_{B}의 평균)

1267

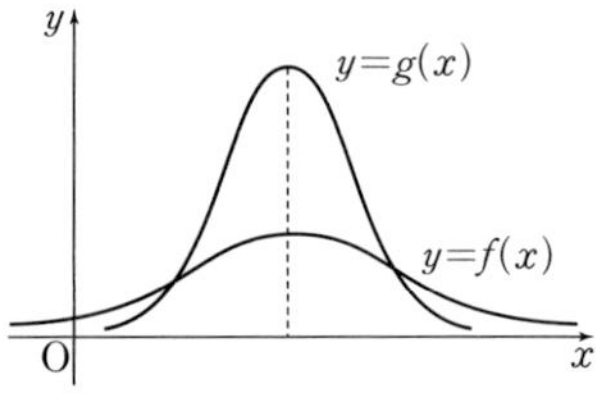

(X_{A}의 표준편차) □ (X_{B}의 표준편차)

[1268-1270] 정규분포 $\mathrm{N}(m, \sigma^2)$을 따르는 확률변수 X에 대하여 $\mathrm{P}(m \le X \le m+\sigma)=a$, $\mathrm{P}(m \le X \le m+2\sigma)=b$일 때, 다음을 a, b를 사용하여 나타내시오.

1268 $\mathrm{P}(m-\sigma \le X \le m)$

1269 $\mathrm{P}(m-\sigma \le X \le m+2\sigma)$

1270 $\mathrm{P}(m+\sigma \le X \le m+2\sigma)$

2 표준정규분포

[1271-1272] 다음 두 정규분포 곡선에서 색칠한 부분의 넓이가 같을 때, a, b의 값을 구하시오.

1271

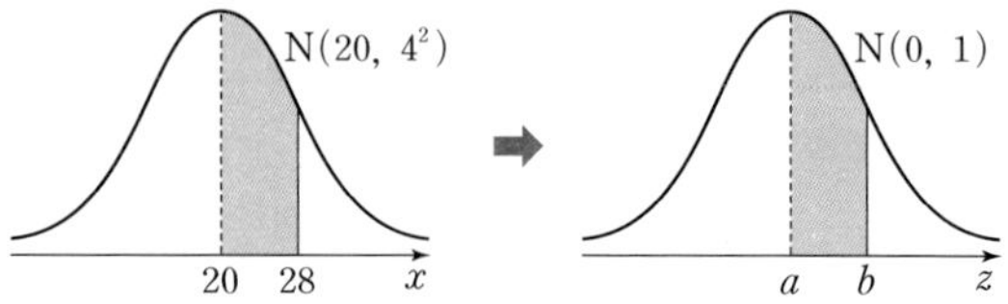

1272

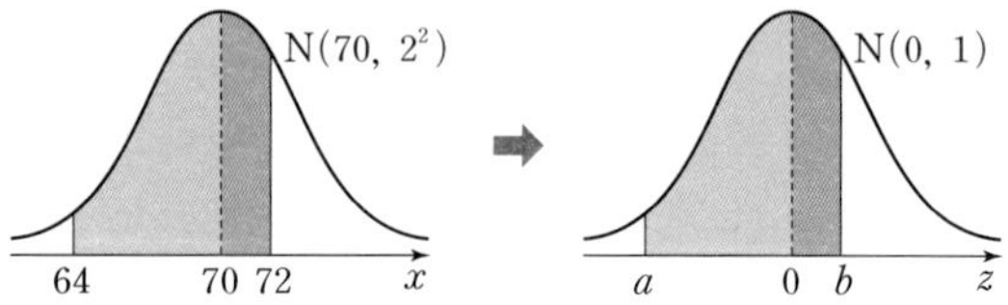

[1273-1275] 확률변수 X가 정규분포 $\mathrm{N}(50, 10^2)$을 따를 때, 다음 확률을 확률변수 Z를 사용하여 나타내시오.

(단, Z는 표준정규분포 $\mathrm{N}(0, 1)$을 따른다.)

1273 $\mathrm{P}(X \ge 50)$

1274 $\mathrm{P}(55 \le X \le 70)$

1275 $\mathrm{P}(40 \le X \le 65)$

[1276-1281] 확률변수 Z가 표준정규분포 $N(0,\ 1)$을 따를 때, 오른쪽 표준정규분포표를 이용하여 다음을 구하시오.

z	$P(0\le Z\le z)$
0.5	0.1915
1.0	0.3413
1.5	0.4332
2.0	0.4772

1276 $P(0\le Z\le 2)$

1277 $P(1\le Z\le 2)$

1278 $P(-1\le Z\le 1.5)$

1279 $P(Z\ge 1.5)$

1280 확률변수 X가 정규분포 $N(50,\ 3^2)$을 따를 때, $P(47\le X\le 56)$

1281 확률변수 X가 정규분포 $N(20,\ 2^2)$을 따를 때, $P(X\le 22)$

3 이항분포와 정규분포 사이의 관계

[1282-1283] 확률변수 X가 다음과 같은 이항분포를 따를 때 X는 근사적으로 정규분포를 따른다. X가 따르는 정규분포를 기호로 나타내시오.

1282 $B\left(72,\ \frac{1}{3}\right)$

1283 $B\left(150,\ \frac{2}{5}\right)$

[1284-1286] 한 개의 동전을 100번 던질 때, 앞면이 나오는 횟수를 확률변수 X라 하자. 다음 물음에 답하시오.

1284 확률변수 X의 확률분포를 이항분포 $B(n,\ p)$ 꼴로 나타내시오.

1285 확률변수 X의 평균과 표준편차를 구하시오.

1286 확률변수 X의 확률분포를 정규분포 $N(m,\ \sigma^2)$ 꼴로 나타내시오.

1287 오른쪽 표준정규분포표를 이용하여 $P(X\ge 60)$을 구하시오.

z	$P(0\le Z\le z)$
1.0	0.3413
2.0	0.4772
3.0	0.4987

1288 동전의 앞면이 35번 이상 55번 이하로 나올 확률을 위의 표준정규분포표를 이용하여 구하시오.

유형 문제

내신 출제 유형 정복하기

유형 01 정규분포곡선의 성질

내신 중요도 ▬▬▬▬▬ 유형 난이도 ★★★★★

(1) 직선 $x=m$에 대하여 대칭인 종 모양의 곡선이고, x축을 점근선으로 한다.

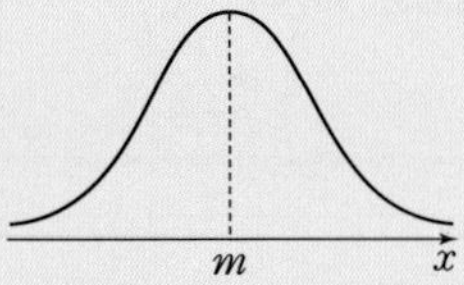

(2) $x=m$일 때, 최댓값 $\frac{1}{\sqrt{2\pi}\sigma}$을 가진다.

(3) 곡선과 x축 사이의 넓이는 1이다.

1289

●○○○

확률변수 X가 정규분포 $\mathrm{N}(m,\ \sigma^2)$을 따를 때, 정규분포곡선에 대한 설명으로 옳지 않은 것은?

① 직선 $x=m$에 대하여 대칭이다.

② x축을 점근선으로 한다.

③ 곡선과 x축 사이의 넓이는 1이다.

④ 표준편차가 일정할 때, 평균이 커질수록 곡선은 오른쪽으로 평행이동한다.

⑤ 평균이 일정할 때, 표준편차가 커질수록 높이는 높아지고 폭은 좁아진다.

1290

●○○○

정규분포 $\mathrm{N}(m,\ \sigma^2)$을 따르는 확률변수 X의 확률밀도함수 $y=f(x)$가 k의 값에 관계없이 $f(30-k)=f(30+k)$를 만족시킬 때, m의 값을 구하시오.

1291 짱중요

●●○○

정규분포 $\mathrm{N}(m,\ \sigma^2)$을 따르는 확률변수 X에 대하여 $\mathrm{P}(X\le 12)=\mathrm{P}(X\ge 18)$일 때, m의 값을 구하시오.

1292

●●●○

정규분포 $\mathrm{N}(m,\ \sigma^2)$을 따르는 확률변수 X가 다음 조건을 만족시킬 때, $m+\sigma$의 값을 구하시오.

(가) $\mathrm{P}(X\le 6)=\mathrm{P}(X\ge 10)$
(나) $\mathrm{E}(X^2)=100$

1293 중요

●●○○

확률변수 X가 정규분포 $\mathrm{N}(m,\ \sigma^2)$을 따를 때, $\mathrm{P}(c\le X\le c+2)$가 최대가 되도록 하는 상수 c의 값은?

① $m-2$　② $m-1$　③ m
④ $m+1$　⑤ $m+2$

1294 중요 교육청 기출

●●○○

정규분포 $\mathrm{N}(m,\ 4)$를 따르는 확률변수 X에 대하여 함수

$$g(k)=\mathrm{P}(k-8\le X\le k)$$

는 $k=12$일 때 최댓값을 갖는다. 상수 m의 값을 구하시오.

1295 짱중요 ●●●○

확률변수 X가 정규분포 $\mathrm{N}(m,\ \sigma^2)$을 따를 때,

$\mathrm{P}(X \geq 34) = \mathrm{P}(X \leq 26)$

가 성립한다. $\mathrm{P}(k-4 \leq X \leq k)$의 값이 최대가 되도록 하는 상수 k의 값을 구하시오.

1296 ●●○○

정규분포 $\mathrm{N}(m,\ \sigma^2)$을 따르는 확률변수 X에 대하여 〈보기〉에서 옳은 것만을 있는 대로 고르시오.

보기

ㄱ. $\mathrm{P}(X \geq m) = 0.5$

ㄴ. $\mathrm{P}(X \geq m+\sigma) = \mathrm{P}(X \leq m-\sigma)$

ㄷ. $\mathrm{P}(X \geq m+\sigma) \leq \mathrm{P}(X \geq m+2\sigma)$

1297 ●●●○

정규분포를 따르는 확률변수 X가 다음 조건을 만족시킬 때, 확률변수 X가 따르는 정규분포를 기호로 나타낸 것은?

(가) $\mathrm{P}(X \leq -3) = \mathrm{P}(X \geq 13)$

(나) $\mathrm{V}\left(\frac{1}{3}X\right) = 1$

① $\mathrm{N}(5,\ 2)$ ② $\mathrm{N}(5,\ 4)$ ③ $\mathrm{N}(5,\ 9)$
④ $\mathrm{N}(12,\ 5)$ ⑤ $\mathrm{N}(16,\ 5)$

유형 02 정규분포곡선의 성질

내신 중요도 ■■■■■ 유형 난이도 ★★★★★

(1) m의 값이 일정할 때, σ의 값이 작아지면 곡선의 가운데 부분이 높아지고 폭은 좁아진다.

(2) σ의 값이 일정할 때, m의 값이 달라지면 대칭축의 위치는 바뀌지만 곡선의 모양과 크기는 같다.

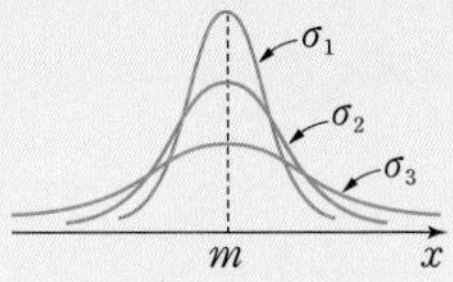

〈m은 일정, $\sigma_1 < \sigma_2 < \sigma_3$〉

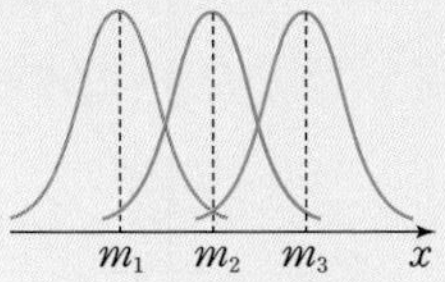

〈σ는 일정, $m_1 < m_2 < m_3$〉

1298 중요 ●●○○

아샘 고등학교 2학년 1반과 2학년 2반 학생들의 키가 각각 정규분포 $\mathrm{N}(m_1,\ {\sigma_1}^2)$, $\mathrm{N}(m_2,\ {\sigma_2}^2)$을 따른다. 두 반의 정규분포곡선이 오른쪽 그림과 같을 때, 다음 중 m_1과 m_2, σ_1과 σ_2의 대소 관계로 옳은 것은?

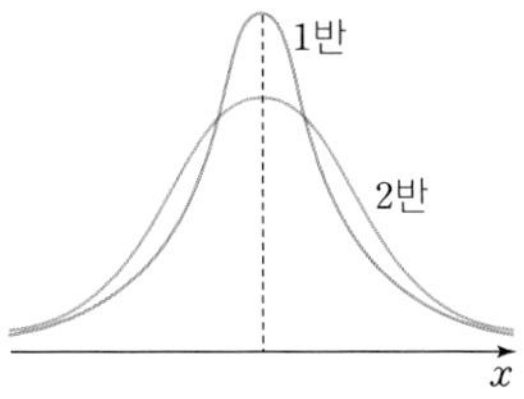

① $m_1 = m_2,\ \sigma_1 < \sigma_2$ ② $m_1 < m_2,\ \sigma_1 < \sigma_2$
③ $m_1 = m_2,\ \sigma_1 > \sigma_2$ ④ $m_1 < m_2,\ \sigma_1 > \sigma_2$
⑤ $m_1 > m_2,\ \sigma_1 = \sigma_2$

1299 ●●○○

정규분포를 따르는 확률변수 X_1, X_2의 확률밀도함수를 각각 $f(x)$, $g(x)$라 할 때, 두 정규분포 곡선이 그림과 같다. 〈보기〉 중 옳은 것을 모두 고른 것은?

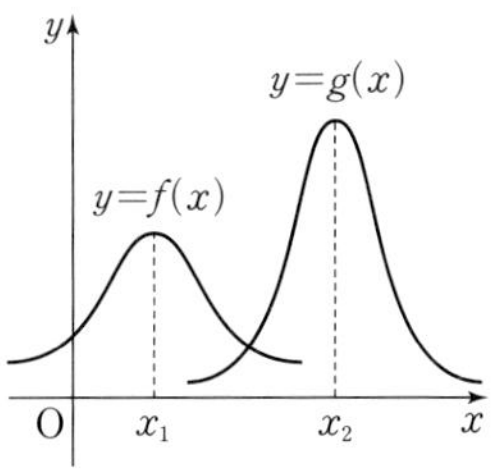

보기

ㄱ. $\mathrm{E}(X_1) < \mathrm{E}(X_2)$

ㄴ. $\sigma(X_1) < \sigma(X_2)$

ㄷ. $\mathrm{P}(X_1 \leq x_1) + \mathrm{P}(X_2 \geq x_2) = 1$

① ㄱ ② ㄱ, ㄴ ③ ㄴ, ㄷ
④ ㄱ, ㄷ ⑤ ㄱ, ㄴ, ㄷ

1300 중요 ●●○○

그림과 같은 세 곡선 A, B, C가 나타내는 정규분포의 평균을 각각 m_A, m_B, m_C라 하고, 분산을 각각 V_A, V_B, V_C라고 할 때, 다음 중 옳은 것은? (단, A를 평행이동하면 C와 일치한다.)

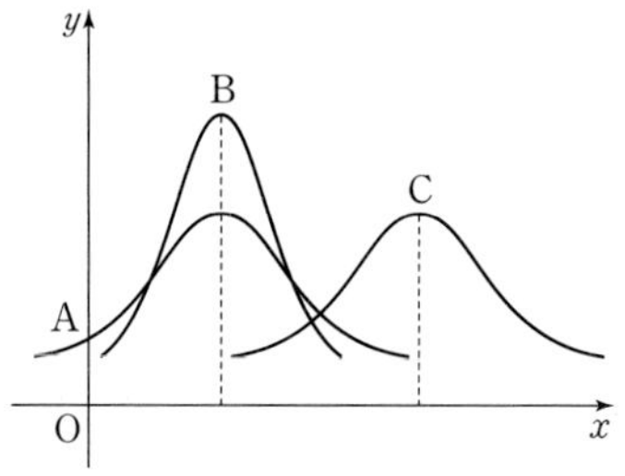

① $m_A=m_B<m_C$ $V_A=V_B<V_C$
② $m_A=m_B<m_C$ $V_B<V_A=V_C$
③ $m_A=m_C<m_B$ $V_B<V_A=V_C$
④ $m_C<m_A=m_B$ $V_A=V_C<V_B$
⑤ $m_A<m_B<m_C$ $V_A=V_C<V_B$

1301 ●●●○

그림은 아샘 고등학교 1학년, 2학년, 3학년 학생들 500명씩의 몸무게를 조사하여 그 분포를 나타낸 곡선이다.

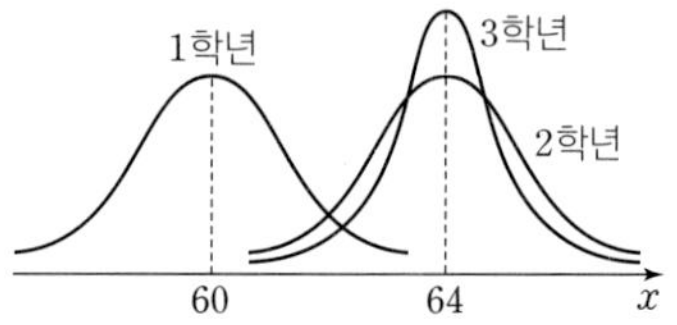

각 학년의 몸무게가 정규분포를 이룰 때, 〈보기〉에서 옳은 것만을 있는 대로 고른 것은?

보기

ㄱ. 가장 고른 분포를 보이는 것은 3학년이다.
ㄴ. 평균적으로 1학년 학생들은 2학년 학생들보다 가볍다.
ㄷ. 몸무게가 아주 많이 나가는 학생들은 2학년이 3학년보다 많다.

① ㄱ ② ㄴ ③ ㄱ, ㄴ
④ ㄴ, ㄷ ⑤ ㄱ, ㄴ, ㄷ

유형 03 정규분포에서의 확률 구하기

내신 중요도 ■■■■■ 유형 난이도 ★★★★★

확률변수 X가 정규분포 $N(m, \sigma^2)$을 따를 때, 정규분포곡선은 직선 $x=m$에 대하여 대칭이므로
(1) $P(X\le m)=P(X\ge m)=0.5$
(2) $P(m-\sigma\le X\le m)=P(m\le X\le m+\sigma)$

1302 ●●○○

정규분포 $N(80, 5^2)$을 따르는 확률변수 X에 대하여

$$P(75\le X\le 90)=P(m-a\sigma\le X\le m+b\sigma)$$

일 때, 두 상수 a, b에 대하여 $a+b$의 값을 구하시오.
(단, m은 평균, σ는 표준편차이다.)

1303 중요 ●●○○

정규분포 $N(m, \sigma^2)$을 따르는 확률변수 X에 대하여 $P(m\le X\le m+2\sigma)=0.4772$이다. 확률변수 X가 정규분포 $N(50, 10^2)$을 따를 때, $P(X\le 30)$을 구하시오.

1304 ●●○○

확률변수 X가 정규분포 $N(m, \sigma^2)$을 따르고

$$P(m-\sigma\le X\le m+\sigma)=a,$$
$$P(m-2\sigma\le X\le m+\sigma)=b$$

일 때, $P(m-2\sigma\le X\le m+2\sigma)$를 a, b로 나타내면?

① $b-a$ ② $2b-a$ ③ $a+b$
④ $a+2b$ ⑤ $2a-b$

1305 ●●○○

확률변수 X가 정규분포 $N(48, 3^2)$을 따를 때, 오른쪽 표를 이용하여 $P(X \le a)=0.0228$을 만족시키는 상수 a의 값을 구하면? (단, m은 평균, σ는 표준편차이다.)

x	$P(m \le X \le x)$
$m+\sigma$	0.3413
$m+2\sigma$	0.4772
$m+3\sigma$	0.4987

① 42 ② 44 ③ 46 ④ 48 ⑤ 50

1306 중요 ●●○○

연속확률변수 X가 갖는 값의 범위는 $0 \le X \le 10$이고, X의 확률밀도함수의 그래프는 직선 $x=5$에 대하여 대칭이다.

$P\left(X \ge \frac{5}{2}\right)=9P\left(X \ge \frac{15}{2}\right)$일 때, $P\left(5 \le X \le \frac{15}{2}\right)$의 값을 구하시오.

1307 중요 ●●●○

$0 \le x \le 6$에서 정의된 확률변수 X의 확률밀도함수 $f(x)$가 다음 조건을 모두 만족시킬 때, $P(4 \le x \le 5)$의 값을 구하시오.

> (가) $f(3+x)=f(3-x)$
> (나) $P(2 \le X \le 4)=2P(0 \le X \le 2)$
> (다) $P(5 \le X \le 6)=\frac{1}{12}$

1308 중요 ●●●○

확률변수 X가 정규분포 $N(20, 2^2)$을 따르고 $P(|X-20| \le 2)=a$, $P(|X-20| \le 4)=b$라 할 때, $P(18 \le X \le 24)$를 a, b로 나타낸 것은?

① $\frac{b-a}{2}$ ② $b-a$ ③ $\frac{a+b}{2}$ ④ $a+b$ ⑤ $2b-a$

1309 ●●●○

확률변수 X가 정규분포 $N(m, \sigma^2)$을 따를 때, $P(X \ge m+1.2\sigma)=0.1151$이다. X의 평균이 80, 표준편차가 5일 때, $P(X \ge a)=0.8849$를 만족시키는 상수 a의 값을 구하시오.

1310 평가원 기출 ●●●○

확률변수 X가 정규분포 $N(m, \sigma^2)$을 따르고 다음 조건을 만족시킨다.

> (가) $P(X \ge 64)=P(X \le 56)$
> (나) $E(X^2)=3616$

$P(X \le 68)$을 오른쪽 표를 이용하여 구하시오.

x	$P(m \le X \le x)$
$m+1.5\sigma$	0.4332
$m+2\sigma$	0.4772
$m+2.5\sigma$	0.4938

유형 04 정규분포의 표준화

내신 중요도 ▬▬▬▬▬ 유형 난이도 ★★★★★

확률변수 X가 정규분포 $N(m, \sigma^2)$을 따를 때

(1) 확률변수 $Z=\frac{X-m}{\sigma}$은 표준정규분포 $N(0, 1)$을 따른다.

(2) $P(a \le X \le b)=P\left(\frac{a-m}{\sigma} \le Z \le \frac{b-m}{\sigma}\right)$

1311 짱중요

●○○○

확률변수 X가 정규분포 $N(70, 10^2)$을 따를 때, 오른쪽 표준정규분포표를 이용하여 $P(60 \le X \le 90)$을 구하시오.

z	$P(0 \le Z \le z)$
1.0	0.3413
2.0	0.4772
3.0	0.4987

1312

●○○○

확률변수 X가 정규분포 $N(50, 4^2)$을 따를 때, $P(44 \le X \le 54)$의 값을 오른쪽 표준정규분포표를 이용하여 구하시오.

z	$P(0 \le Z \le z)$
1.0	0.3413
1.5	0.4332
2.0	0.4772
2.5	0.4938

1313

●○○○

확률변수 X가 정규분포 $N(56, 8^2)$을 따를 때, $P(X \le 48)$은?

(단, $P(0 \le Z \le 1)=0.3413$으로 계산한다.)

① 0.1587 ② 0.6826 ③ 0.8626
④ 0.8664 ⑤ 0.9544

1314

●●○○

표준정규분포 $N(0, 1)$을 따르는 확률변수 Z에 대하여 $P(-3 \le Z \le 2)=a$, $P(0 \le Z \le 3)=b$라고 할 때, $P(|Z| \ge 2)$를 a, b를 이용하여 나타낸 것은?

① $2a-2b$ ② $-2a+2b$ ③ $1-a-2b$
④ $1-2a-2b$ ⑤ $1-2a+2b$

1315

●●●○

확률변수 X가 정규분포 $N(5, 2^2)$을 따를 때, 오른쪽 표준정규분포표를 이용하여 $f(x)=P(x \le X \le x+6)$의 최댓값을 구하시오.

z	$P(0 \le Z \le z)$
0.5	0.19
1.0	0.34
1.5	0.43
2.0	0.48

1316 평가원 기출

●●●○

확률변수 X가 평균이 $\frac{3}{2}$, 표준편차가 2인 정규분포를 따를 때, 실수 전체의 집합에서 정의된 함수 $y=H(t)$는

$$H(t)=P(t \le X \le t+1)$$

이다. $H(0)+H(2)$의 값을 위의 표준정규분포표를 이용하여 구하시오.

z	$P(0 \le Z \le z)$
0.25	0.0987
0.50	0.1915
0.75	0.2734
1.00	0.3413

해설 233쪽

유형 05 내신 중요도 ■■■■■ 유형 난이도 ★★★☆☆

표준정규분포에서의 확률 구하기

정규분포 $N(m,\ \sigma^2)$을 따르는 확률변수 X에 대하여 확률을 구하거나 주어진 확률을 만족시키는 미지수의 값을 구할 때

⇨ 확률변수 X를 $Z=\dfrac{X-m}{\sigma}$으로 표준화한 후 표준정규분포표를 이용한다.

1317 중요 ●○○○

확률변수 X가 정규분포 $N(50,\ 5^2)$을 따를 때, 오른쪽 표준정규분포표를 이용하여 $P(X\ge a)=0.0013$을 만족시키는 상수 a의 값을 구하시오.

z	$P(0\le Z\le z)$
1.0	0.3413
2.0	0.4772
3.0	0.4987

1318 짱중요 ●●○○

확률변수 X가 정규분포 $N(15,\ 6^2)$을 따를 때, 오른쪽 표준정규분포표를 이용하여 $P(21\le X\le a)=0.09$를 만족시키는 실수 a의 값을 구하시오.

z	$P(0\le Z\le z)$
0.5	0.19
1.0	0.34
1.5	0.43
2.0	0.48

1319 ●●●○

확률변수 X는 정규분포 $N(2,\ 3^2)$을 따르고, 확률변수 Y는 정규분포 $N(2,\ 4^2)$을 따를 때, $P(X\ge 2k)=P(Y\ge k)$를 만족시키는 상수 k의 값을 구하시오.

1320 중요 ●●○○

확률변수 X가 정규분포 $N(m,\ 5^2)$을 따를 때, $P(X\ge 120)=0.0228$을 만족시키는 상수 m의 값을 구하시오.

(단, $P(|Z|\le 2)=0.9544$로 계산한다.)

1321 교육청 기출 ●●●○

확률변수 X가 정규분포 $N(5,\ 2^2)$을 따를 때, 등식 $P(X\le 9-2a)=P(X\ge 3a-3)$을 만족시키는 상수 a에 대하여 $P(9-2a\le X\le 3a-3)$의 값을 오른쪽 표준정규분포표를 이용하여 구한 것은?

z	$P(0\le Z\le z)$
1.0	0.3413
1.5	0.4332
2.0	0.4772
2.5	0.4938

① 0.7745 ② 0.8664 ③ 0.9104 ④ 0.9544 ⑤ 0.9876

1322 중요 ●●●○

확률변수 X가 정규분포 $N(m,\ \sigma^2)$을 따르고 다음 두 조건을 만족시킨다. 오른쪽 표준정규분포표를 이용하여 $P(58.5\le X\le 62)$의 값을 구하시오.

z	$P(0\le Z\le z)$
1.0	0.3413
1.5	0.4332
2.0	0.4772
2.5	0.4938
3.0	0.4987

(가) $P(X\ge 56)=P(X\le 64)$
(나) $P(|X-m|\ge 1.5)=0.1336$

1323 교육청 기출

정규분포 $N(m, \sigma^2)$을 따르는 확률변수 X에 대하여 확률밀도 함수 $y=f(x)$가 모든 실수 x에 대하여

$f(100-x)=f(100+x)$를 만족시킨다. $P(m \le X \le m+12)=0.4987$일 때, 위의 표준정규분포표를 이용하여 $P(94 \le X \le 110)$을 구하면?

z	$P(0 \le Z \le z)$
1.5	0.4332
2.0	0.4772
2.5	0.4938
3.0	0.4987

① 0.9104 ② 0.9270 ③ 0.9710
④ 0.9725 ⑤ 0.9759

1324 중요 교육청 기출

확률변수 X가 평균이 m, 표준편차가 σ인 정규분포를 따를 때, 실수 전체의 집합에서 정의된 함수 $f(t)$는

$$f(t)=P(t \le X \le t+2)$$

이다. 함수 $f(t)$는 $t=4$에서 최댓값을 갖고, $f(m)=0.3413$이다. 오른쪽 표준정규분포표를 이용하여 $f(7)$의 값을 구한 것은?

z	$P(0 \le Z \le z)$
1.0	0.3413
1.5	0.4332
2.0	0.4772
2.5	0.4938

① 0.1359 ② 0.0919 ③ 0.0606
④ 0.0440 ⑤ 0.0166

유형 06 표준화의 활용

내신 중요도 ■■■■■ 유형 난이도 ★★☆☆☆

(1) 각 점수를 표준화한 후 Z의 값을 비교하자.
(2) 표준점수 공식이 주어지는 경우 공식에 대입하여 표준점수를 구하자.

1325 짱중요

다음 표는 하현이의 지난 기말고사 성적표의 일부이다. 각 과목의 성적이 정규분포를 따를 때, 다른 학생과 비교하여 상대적으로 하현이의 성적이 좋은 과목부터 순서대로 적은 것은?

성적 \ 과목	국어	영어	수학
점수(점)	84	92	80
반 평균(점)	72	85	60
표준편차(점)	12	14	15

① 국어, 수학, 영어 ② 영어, 국어, 수학
③ 영어, 수학, 국어 ④ 수학, 국어, 영어
⑤ 수학, 영어, 국어

1326

어느 해 한국, 미국, 일본의 대졸 신입 사원의 월급은 평균이 각각 230만 원, 3000불, 28만 엔이고 표준편차가 각각 10만 원, 300불, 2만 5천 엔인 정규분포를 따른다고 한다. 이 3개국에서 임의로 한 명씩 뽑힌 대졸 신입 사원 A, B, C의 월급이 각각 244만 원, 3250불, 31만 엔이라 할 때, 각각 자국 내에서 상대적으로 월급을 많이 받는 사람부터 순서대로 적은 것은?

① A, B, C ② A, C, B ③ B, A, C
④ C, A, B ⑤ C, B, A

1327 ●●○○

어느 학교 수학경시대회에서 점수 X에 대하여 X의 평균이 m점이고, 표준편차가 σ점일 때,

$$T=20\left(\frac{X-m}{\sigma}\right)+100$$

을 X의 표준점수라 한다. 평균이 60점이고 표준편차가 10점인 1학기 수학경시대회에서 90점을 맞은 학생 A의 표준점수가 평균이 55점이고 표준편차가 15점인 2학기 수학경시대회에서 a점을 맞은 학생 B의 표준점수와 같다고 할 때, a의 값을 구하시오.

1328 ●●●○

어느 고등학교 2학년 학생을 대상으로 실시한 학업성취도평가 점수는 정규분포를 따르고, 어느 한 학생의 원점수와 각 영역의 2학년 전체의 평균, 표준편차는 다음 표와 같다. 확률변수 Z가 표준정규분포 $\mathrm{N}(0,\ 1)$을 따를 때, 표준점수를 $T=20Z+100$이라 하자. 원점수에 대한 표준점수가 가장 큰 영역과 가장 작은 영역의 표준점수의 차는?

성적 \ 영역	A	B	C
원점수(점)	70	65	57
학년 평균(점)	60	55	45
표준편차(점)	20	10	16

① 8 ② 10 ③ 12
④ 14 ⑤ 16

유형 07 확률변수가 2개인 정규분포

내신 중요도 ■■■■■ 유형 난이도 ★★★★☆

확률변수가 2개인 경우 각각의 정규분포를 이용하여 표준화시켜서 Z의 값으로 확률을 구하여 서로 비교할 수 있다.

1329 짱중요 ●●○○

두 확률변수 X, Y가 각각 정규분포 $\mathrm{N}(2,\ 3^2)$, $\mathrm{N}(0,\ 5^2)$을 따를 때, $\mathrm{P}(2\le X\le 8)=\mathrm{P}(0\le Y\le k)$를 만족시키는 실수 k의 값을 구하시오.

1330 ●●○○

정규분포 $\mathrm{N}(45,\ 10^2)$을 따르는 확률변수 X에 대하여 확률변수 Y가 $Y=2X-1$일 때, 오른쪽 표준정규분포표를 이용하여 $\mathrm{P}(Y\le 79)$를 구하면?

z	$\mathrm{P}(0\le Z\le z)$
0.5	0.1915
1.0	0.3413
1.5	0.4332
2.0	0.4772

① 0.1915 ② 0.3085 ③ 0.3830
④ 0.6085 ⑤ 0.8830

1331 ●●○○

두 확률변수 X, Y는 각각 정규분포 $\mathrm{N}(1,\ 1^2)$, $\mathrm{N}(1,\ 2^2)$을 따르고

$$a=\mathrm{P}(0<X<2),\ b=\mathrm{P}(1<Y<5),\ c=\mathrm{P}(-3<Y<3)$$

이라 할 때, 다음 중 a, b, c의 대소 관계로 옳은 것은?

① $a<b<c$ ② $a<c<b$ ③ $b<a<c$
④ $b<c<a$ ⑤ $c<b<a$

1332 짱중요 ●●●○

두 확률변수 X와 Y는 각각 정규분포 $N(10, 3^2)$과 $N(m, 3^2)$을 따른다. 각각의 확률밀도함수 $f(x)$와 $g(x)$가 다음 조건을 만족시킬 때, $P(Y \leq 36)$의 값을 오른쪽 표준정규분포표를 이용하여 구하시오.

z	$P(0 \leq Z \leq z)$
1.0	0.3413
1.5	0.4332
2.0	0.4772
2.5	0.4938

(가) $P(X \leq 10) \leq P(Y \geq 25)$
(나) $f(15) = g(25)$

1333 ●●●○

확률변수 X가 평균이 m, 표준편차가 σ인 정규분포를 따르고, 확률변수 Y가 평균이 $3m+6$, 표준편차가 3σ인 정규분포를 따른다.

$$P(X \geq a) = 0.1151$$
$$P(Y \geq 3a+18) = 0.0548$$

일 때, 오른쪽 표준정규분포표를 이용하여 σ의 값을 구하시오.
(단, a는 상수이다.)

z	$P(0 \leq Z \leq z)$
1.2	0.3849
1.4	0.4192
1.6	0.4452
1.8	0.4641

1334 중요 ●●●○

서로 다른 두 실수 m_1, m_2에 대하여 확률변수 X는 정규분포 $N(m_1, 6^2)$, 확률변수 Y는 정규분포 $N(m_2, 6^2)$을 따르고, 확률변수 X와 Y의 확률밀도함수는 각각 $f(x)$, $g(x)$이다.
$f(48) = g(48)$,
$P(Y \geq 48) = 0.9772$일 때, $2m_1 - m_2$의 값을 오른쪽 표준정규분포표를 이용하여 구하시오.

z	$P(0 \leq Z \leq z)$
1.0	0.3413
1.5	0.4332
2.0	0.4772
2.5	0.4938

1335 중요 교육청 기출 ●●●○

그림은 정규분포 $N(40, 10^2)$, $N(50, 5^2)$을 따르는 두 확률변수 X, Y의 정규분포곡선을 나타낸 것이다. 그림과 같이 $40 \leq x \leq 50$인 범위에서 두 곡선과 직선 $x=40$으로 둘러싸인 부분의 넓이를 S_1, 두 곡선과 직선 $x=50$으로 둘러싸인 부분의 넓이를 S_2라 할 때, $S_2 - S_1$의 값을 오른쪽 표준편차정규분포표를 이용하여 구한 것은?

z	$P(0 \leq Z \leq z)$
1	0.3413
2	0.4772
3	0.4987

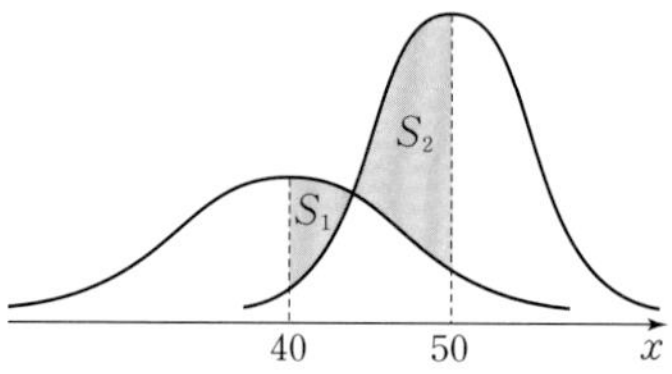

① 0.1248   ② 0.1359   ③ 0.1575
④ 0.1684   ⑤ 0.1839

1336 짱중요 ●●●○

확률변수 X는 정규분포 $N(m_1, 5^2)$을 따르고, 확률변수 Y는 정규분포 $N(m_2, 5^2)$을 따르며 $10 \leq m_1 < m_2 \leq 20$이다. 두 확률변수 X, Y의 확률밀도함수를 각각 $f(x)$, $g(x)$라 할 때, 다음 조건을 만족할 때, 두 확률밀도함수 $y = f(x)$, $y = g(x)$의 그래프와 두 직선 $x=10$, $x=20$으로 둘러싸인 색칠한 부분의 넓이를 아래 표준정규분포표를 이용하여 구하시오.

(가) 모든 실수 x에 대하여 $f(12-x) = f(12+x)$이다.
(나) $f(10) = g(20)$

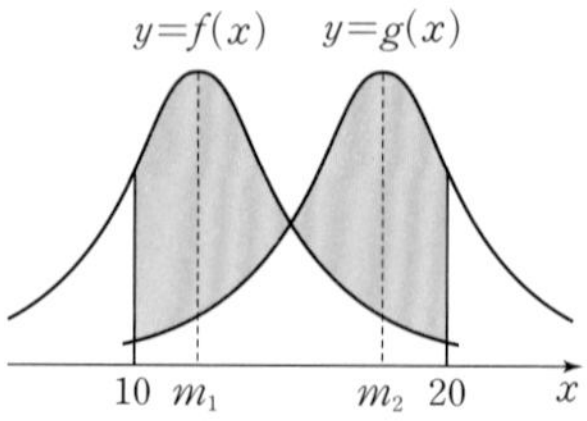

z	$P(0 \leq Z \leq z)$
0.4	0.1554
0.6	0.2257
1.4	0.4192
1.6	0.4452

유형

08 표준화의 이해

내신 중요도 ▰▰▰▱▱▱ 유형 난이도 ★★★★★

(1) 정규분포곡선의 성질을 이용한다.

(2) 표준화를 이용하여 확률변수 X를 확률변수 Z로 표현하자.

⭐ **1337** 중요 교육청 기출 ●●●●

연속확률변수 X는 평균이 20, 표준편차가 4인 정규분포를 따른다. 함수 $f(k)$를 $f(k)=\mathrm{P}(k-8\leq X\leq k)$로 정의할 때, $f(k)$에 대한 설명으로 옳은 것만을 〈보기〉에서 있는 대로 고른 것은?

┤ 보기 ├

ㄱ. $f(12)=f(36)$

ㄴ. 함수 $f(k)$는 $k=24$일 때 최댓값을 갖는다.

ㄷ. 임의의 실수 k에 대하여 $f(k)=f(24-k)$이다.

① ㄱ ② ㄷ ③ ㄱ, ㄴ

④ ㄴ, ㄷ ⑤ ㄱ, ㄴ, ㄷ

1338 평가원 기출 ●●●●

확률변수 X와 Y는 평균이 m ($m\neq 0$), 표준편차가 각각 σ_1과 σ_2인 정규분포를 따르고, 확률밀도함수가 각각 $f(x)$와 $g(x)$이다.

$$\mathrm{P}(X\geq 2m)=\mathrm{P}(Y\geq 3m)$$

일 때, 옳은 것만을 〈보기〉에서 있는 대로 고른 것은?

┤ 보기 ├

ㄱ. $\sigma_2=2\sigma_1$

ㄴ. $f(m)>g(m)$

ㄷ. $\mathrm{P}(X\leq 0)+\mathrm{P}(Y\geq 0)=1$

① ㄱ ② ㄷ ③ ㄱ, ㄴ

④ ㄴ, ㄷ ⑤ ㄱ, ㄴ, ㄷ

1339 평가원 기출 ●●●●

확률변수 X와 Y는 평균이 0이고 표준편차가 각각 a와 b인 정규분포를 따를 때, 〈보기〉에서 옳은 것을 모두 고른 것은?

┤ 보기 ├

ㄱ. $\mathrm{P}(1\leq X\leq 2)=\mathrm{P}(2\leq X\leq 3)$

ㄴ. $\mathrm{P}(-a\leq X\leq 0)=\mathrm{P}(0\leq Y\leq b)$

ㄷ. $\mathrm{P}(-1\leq X\leq 1)=\mathrm{P}(-2\leq Y\leq 2)$이면 $a<b$이다.

① ㄱ ② ㄱ, ㄴ ③ ㄱ, ㄷ

④ ㄴ, ㄷ ⑤ ㄱ, ㄴ, ㄷ

1340 교육청 기출 ●●●●

확률변수 X, Y의 평균이 m, $2m$ ($m>0$)이고 표준편차가 각각 2σ, σ인 정규분포를 따를 때, 〈보기〉에서 옳은 것만을 있는 대로 고른 것은?

┤ 보기 ├

ㄱ. $\mathrm{P}(X\leq 0)=\mathrm{P}\left(Y\geq \dfrac{5}{2}m\right)$

ㄴ. $\mathrm{P}(m\leq X\leq 2m)=\dfrac{1}{2}\mathrm{P}(2m\leq Y\leq 3m)$

ㄷ. 상수 a, b에 대하여 $\mathrm{P}(X\geq a)+\mathrm{P}(Y\leq b)=1$일 때, $b=\dfrac{a+3m}{2}$

① ㄱ ② ㄴ ③ ㄱ, ㄷ

④ ㄴ, ㄷ ⑤ ㄱ, ㄴ, ㄷ

유형 09 정규분포의 활용 – 확률 구하기

내신 중요도 ■■■■■ 유형 난이도 ★★★☆☆

① 확률변수 X가 따르는 정규분포 $\mathrm{N}(m, \sigma^2)$을 구한다.

② 확률변수 X를 $Z=\frac{X-m}{\sigma}$으로 표준화한 후 표준정규분포표를 이용하여 확률을 구한다.

1341 짱중요 ●●○○

어느 양식장의 물고기 한 마리의 무게는 평균 800 g, 표준편차 50 g인 정규분포를 따른다고 한다. 이 양식장에서 임의로 선택한 물고기 한 마리의 무게가 830 g 이상일 확률을 위의 표준정규분포표를 이용하여 구하면?

z	$\mathrm{P}(0\le Z\le z)$
0.3	0.1179
0.4	0.1554
0.5	0.1915
0.6	0.2257

① 0.2257 ② 0.2743 ③ 0.3085
④ 0.3446 ⑤ 0.3821

1342 짱중요 ●●○○

어느 공장에서 생산되는 테니스공 한 개의 무게는 평균 56 g, 표준편차 0.5 g인 정규분포를 따른다고 한다. 이 공장에서 생산된 테니스공 중에서 임의로 한 개를 택할 때, 이 테니스공의 무게가 55.5 g 이상 56.5 g 이하일 확률을 구하시오.

(단, $\mathrm{P}(0\le Z\le 1)=0.3413$으로 계산한다.)

1343 중요 ●●○○

어느 제과 회사에서 만든 과자 한 개의 무게는 평균이 16 g, 표준편차가 0.3 g인 정규분포를 따른다고 한다. 이 제과 회사에서 만든 과자 중 임의로 한 개를 선택할 때, 이 과자의 무게가 15.25 g 이하일 확률을 위의 표준정규분포표를 이용하여 구하면?

z	$\mathrm{P}(0\le Z\le z)$
1.0	0.34
1.5	0.43
2.0	0.48
2.5	0.49

① 0.01 ② 0.02 ③ 0.03
④ 0.04 ⑤ 0.05

1344 중요 ●●●○

어떤 사람이 집에서 직장까지 자가용으로 출근하는 데 걸리는 시간은 평균 50분, 표준편차가 5분인 정규분포를 따른다고 한다. 직장 출근 시각은 9시이고 이 사람이 집에서 출발한 시각이 8시일 때, 지각할 확률을 위의 표준정규분포표를 이용하여 구하면?

z	$\mathrm{P}(0\le Z\le z)$
1.0	0.3413
1.5	0.4332
2.0	0.4772
2.5	0.4938
3.0	0.4987

① 0.0013 ② 0.0062 ③ 0.0228
④ 0.0668 ⑤ 0.1587

1345 중요 평가원 기출 ●●●○

어느 재래시장을 이용하는 고객의 집에서 시장까지의 거리는 평균이 1740 m, 표준편차가 500 m인 정규분포를 따른다고 한다. 집에서 시장까지의 거리가 2000 m 이상인 고객 중에서 15 %, 2000 m 미만인 고객 중에서 5 %는 자가용을 이용하여 시장에 온다고 한다. 자가용을 이용하여 시장에 온 고객 중에서 임의로 1명을 선택할 때, 이 고객의 집에서 시장까지의 거리가 2000 m 미만일 확률은? (단, Z가 표준정규분포를 따르는 확률변수일 때, $\mathrm{P}(0\le Z\le 0.52)=0.2$로 계산한다.)

① $\frac{3}{8}$ ② $\frac{7}{16}$ ③ $\frac{1}{2}$
④ $\frac{9}{16}$ ⑤ $\frac{5}{8}$

1346 ●●●○

확률변수 X가 정규분포 $\mathrm{N}(1, 1^2)$을 따를 때, y에 대한 이차방정식 $y^2-2Xy+3X=0$이 허근을 가질 확률을 오른쪽 표준정규분포표를 이용하여 구하시오.

z	$\mathrm{P}(0\le Z\le z)$
1.0	0.34
1.5	0.43
2.0	0.48
2.5	0.49

유형 10 정규분포의 활용 - 도수 구하기

내신 중요도 ▬▬▬▬▬ 유형 난이도 ★★★☆☆

특정 범위에 포함되는 도수 구하기
① 주어진 조건에서 정규분포를 따르는 확률변수 X를 먼저 정한다.
② 확률변수 X를 표준화한 후 표준정규분포표를 이용하여 X가 특정한 범위에 포함될 확률 p를 구한다.
⇨ 도수: (전체 도수)$\times p$

1347 ●●●○

어느 공장에서 생산된 제품 한 개의 무게는 평균이 50 g, 표준편차가 2 g인 정규분포를 따른다. 이 공장에서는 생산된 제품의 무게가 52.56 g 이상인 것을 최상품으로 분류하여 판매한다고 할 때, 한 달 동안 생산된 3650개의 제품 중에서 최상품으로 분류 받은 것은 몇 개인지 구하시오.

(단, $\mathrm{P}(0\le Z\le 1.28)=0.4$로 계산한다.)

1348 ●●●○

1000명이 지원한 어느 회사의 입사 시험 성적이 평균 70점, 표준편차 12점인 정규분포를 따를 때, 88점을 받은 지원자의 등수를 오른쪽 표준정규분포표를 이용하여 구하시오.

z	$\mathrm{P}(0\le Z\le z)$
0.5	0.19
1.0	0.34
1.5	0.43
2.0	0.48

1349 ●●●○

어느 공장에서 생산되는 제품 한 개의 무게는 평균이 150 g, 표준편차가 4 g인 정규분포를 따르고, 무게가 144 g 이상 160 g 이하인 제품만 출고 합격을 받는다고 한다. 생산한 제품이 모두 1000개일 때, 출고 불합격을 받은 제품의 개수를 구하시오.

(단, $\mathrm{P}(0\le Z\le 1.5)=0.433$, $\mathrm{P}(0\le Z\le 2.5)=0.494$로 계산한다.)

1350 ●●●○

어느 고등학교 학생 2000명의 하루 평균 인터넷 사용 시간은 평균이 67분, 표준편차가 5분인 정규분포를 따른다고 한다. 하루 평균 인터넷 사용 시간이 1시간 이하인 학생 수를 구하시오.

(단, $\mathrm{P}(0\le Z\le 1.4)=0.419$로 계산한다.)

1351 ●●●○

정원이 n명인 어느 학과의 신입생 모집에 400명이 지원하였다. 응시생의 성적이 평균 395점, 표준편차 10점인 정규분포를 따르고, 합격하기 위한 최소 점수는 410점이라 할 때, 자연수 n의 값을 위의 표준정규분포표를 이용하여 구하시오.

z	$\mathrm{P}(0\le Z\le z)$
1.5	0.43
2.0	0.48
2.5	0.49

유형 11 내신 중요도 ■■■■■ 유형 난이도 ★★★☆☆

정규분포의 활용 – 도수, 미지수의 값 구하기

확률변수 X가 정규분포 $\mathrm{N}(m, \sigma^2)$을 따를 때, 상위 $a\%$ 이내에 속하는 X의 최솟값을 k라 하면

$$\mathrm{P}(X \ge k) = \frac{a}{100},\ \text{즉 } \mathrm{P}\left(Z \ge \frac{k-m}{\sigma}\right) = \frac{a}{100}$$

를 만족시킨다.

1352

●●●○

어느 공장에서 생산되는 전구의 수명은 평균이 1000시간, 표준편차가 100시간인 정규분포를 따른다고 한다. 전구의 수명을 확률변수 X라 하면 $\mathrm{P}(X \ge a) = 0.98$을 만족시키는 상수 a의 값을 위의 표준정규분포표를 이용하여 구하시오.

z	$\mathrm{P}(0 \le Z \le z)$
1.28	0.40
1.75	0.46
2.05	0.48

1353 중요

●●●○

어느 농장의 생후 7개월 된 돼지 200마리의 무게는 평균 110 kg, 표준편차 10 kg인 정규분포를 따른다고 한다. 이 200마리의 돼지 중에서 무거운 것부터 차례로 3마리를 뽑아 우량 돼지 선발대회에 보내려고 한다. 우량 돼지 선발대회에 보낼 돼지의 최소 무게를 위의 표준정규분포표를 이용하여 구하면?

z	$\mathrm{P}(0 \le Z \le z)$
2.12	0.483
2.17	0.485
2.29	0.489

① 131.2 kg ② 131.7 kg ③ 132.9 kg
④ 152.4 kg ⑤ 153.4 kg

1354 중요

●●●○

어느 농장에서 생산되는 달걀 한 개의 무게는 정규분포 $\mathrm{N}(54, 9^2)$을 따른다고 한다. 이 농장에서 생산되는 달걀 중 무게가 상위 10% 이내인 것을 특란으로 포장하여 판매한다면 특란의 무게는 약 몇 g 이상인가? (단, $\mathrm{P}(0 \le Z \le 1.28) = 0.4$로 계산한다.)

① 56.6 g ② 58.4 g ③ 60.8 g
④ 63.2 g ⑤ 65.5 g

1355

●●●○

140명의 신입사원을 뽑는 어느 회사의 입사 시험에 2000명이 응시하였다. 응시자들의 성적은 평균이 70점, 표준편차가 12점인 정규분포를 따른다고 할 때, 몇 점 이상이어야 합격할 수 있는지 위의 표준정규분포표를 이용하여 구하시오. (단, 동점자는 없다.)

z	$\mathrm{P}(0 \le Z \le z)$
0.5	0.19
1.0	0.34
1.5	0.43
2.0	0.48

1356

●●●○

어느 고등학교에서 학생 400명의 기말고사 성적에 따라 상위 2% 안에 드는 학생에게 장학금을 지급한다고 한다. 학생 전체의 성적이 평균 77점, 표준편차 3점인 정규분포를 따른다고 할 때, 장학금을 받는 학생 수를 a, 장학금을 받기 위한 최소 점수를 b점이라 하자. $a+b$의 값을 위의 표준정규분포표를 이용하여 구하시오.

z	$\mathrm{P}(0 \le Z \le z)$
1.25	0.39
1.75	0.46
2.00	0.48
2.50	0.49

1357 짱중요 교육청 기출 ●●●○

모집인원이 200명인 어느 대학의 입학시험에 1000명의 수험생이 응시하였다. 수험생의 점수는 평균이 156점이고 표준편차가 20점인 정규분포를 따른다고 할 때, 합격하기 위한 최저 점수를 위의 표준정규분포표를 이용하여 구한 것은?

z	$\mathrm{P}(0\le Z\le z)$
0.52	0.20
0.67	0.25
0.84	0.30
1.00	0.34

① 166.4점 ② 168.8점 ③ 169.4점
④ 170.8점 ⑤ 172.8점

1358 평가원 기출 ●●●○

A 과수원에서 생산하는 귤의 무게는 평균이 86, 표준편차가 15인 정규분포를 따르고, B 과수원에서 생산하는 귤의 무게는 평균이 88, 표준편차가 10인 정규분포를 따른다고 한다. A 과수원에서 임의로 선택한 귤의 무게가 98 이하일 확률과 B 과수원에서 임의로 선택한 귤의 무게가 a 이하일 확률이 같을 때, a의 값을 구하시오. (단, 귤의 무게의 단위는 g이다.)

유형 12 내신 중요도 ■■■■■ 유형 난이도 ★★★☆☆

정규분포의 활용 – 평균, 표준편차 구하기

확률변수 X가 정규분포 $\mathrm{N}(m, \sigma^2)$을 따를 때, 확률 $\mathrm{P}(X=x)$는 $\mathrm{P}(Z=z)$즉, $\mathrm{P}\left(Z=\dfrac{x-m}{\sigma}\right)$을 이용하여 구한다.

1359 ●●●○

어떤 동물의 특정 자극에 대한 반응 시간은 평균이 m, 표준편차가 1인 정규분포를 따른다고 한다. 반응 시간이 2.93 미만일 확률이 0.1003일 때, m의 값을 위의 표준정규분포표를 이용하여 구하시오.

z	$\mathrm{P}(0\le Z\le z)$
0.91	0.3186
1.28	0.3997
1.65	0.4505
2.02	0.4783

1360 중요 평가원 기출 ●●●○

어느 공장에서 생산되는 제품 A의 무게는 정규분포 $\mathrm{N}(m, 1)$을 따르고, 제품 B의 무게는 정규분포 $\mathrm{N}(2m, 4)$를 따른다. 이 공장에서 생산된 제품 A와 제품 B에서 임의로 제품을 1개씩 선택할 때, 선택된 제품 A의 무게가 k 이상일 확률과 선택된 제품 B의 무게가 k 이하일 확률이 같다. $\dfrac{k}{m}$의 값은?

① $\dfrac{11}{9}$ ② $\dfrac{5}{4}$ ③ $\dfrac{23}{18}$
④ $\dfrac{47}{36}$ ⑤ $\dfrac{4}{3}$

1361 평가원 기출 ●●●○

어느 학교 3학년 학생의 A과목 시험 점수는 평균이 m, 표준편차가 σ인 정규분포를 따르고, B과목 시험 점수는 평균이 $m+3$, 표준편차가 σ인 정규분포를 따른다고 한다. 이 학교 3학년 학생 중에서 A과목 시험 점수가 80점 이상인 학생의 비율이 9 %이고, B과목 시험 점수가 80점 이상인 학생의 비율이 15 %일 때, $m+\sigma$의 값은? (단, Z가 표준정규분포를 따르는 확률변수일 때, $\mathrm{P}(0\le Z\le 1.04)=0.35$, $\mathrm{P}(0\le Z\le 1.34)=0.41$로 계산한다.)

① 68.6 ② 70.6 ③ 72.6
④ 74.6 ⑤ 76.6

유형 13 정규분포의 활용 – 두 개의 확률변수

내신 중요도 ▬▬▬▬ 유형 난이도 ★★★★☆

두 확률변수 X, Y가 각각 정규분포 $N(m_1, \sigma_1)$, $N(m_2, \sigma_2)$를 따르면

⇨ $P(X=x)=P\left(Z=\frac{x-m_1}{\sigma_1}\right)$,

$P(Y=y)=P\left(Z=\frac{y-m_2}{\sigma_2}\right)$

1362 중요 ●●●○

A과수원에서 생산하는 귤의 무게는 평균이 86, 표준편차가 15인 정규분포를 따르고, B과수원에서 생산하는 귤의 무게는 평균이 88, 표준편차가 10인 정규분포를 따른다고 한다. A과수원에서 임의로 선택한 귤의 무게가 98 이하일 확률과 B과수원에서 임의로 선택한 귤의 무게가 a 이하일 확률이 같을 때, a의 값을 구하시오. (단, 귤의 무게의 단위는 g이다.)

1363 ●●●●

어느 공장에서는 2종류의 건전지 A, B를 생산하고 있는데, A 건전지의 수명은 평균이 m, 표준편차가 σ_1인 정규분포를 따르고, B 건전지의 수명은 평균이 $m+10$, 표준편차가 σ_2인 정규분포를 따른다고 한다. A 건전지의 수명이 $m+3$ 이상일 확률과 B 건전지의 수명이 $m+4$ 이하일 확률이 같을 때, $\frac{\sigma_2}{\sigma_1}$의 값을 구하시오.

유형 14 이항분포와 정규분포의 관계

내신 중요도 ▬▬▬▬ 유형 난이도 ★★★★★

확률변수 X가 이항분포 $B(n, p)$를 따를 때, n이 충분히 크면 X는 근사적으로 정규분포 $N(np, npq)$를 따른다.

(단, $q=1-p$)

1364 ●●●○

확률변수 X가 이항분포 $B\left(100, \frac{1}{5}\right)$을 따를 때, X는 정규분포 $N(m, \sigma^2)$을 따른다. $m+3\sigma^2$의 값은?

① 66 ② 68 ③ 70
④ 72 ⑤ 74

1365 짱중요 ●●●○

확률변수 X가 이항분포 $B\left(720, \frac{1}{6}\right)$을 따를 때,

$P(100 \leq X \leq 140)$은? (단, $P(0 \leq Z \leq 2)=0.4772$로 계산한다.)

① 0.0456 ② 0.6826 ③ 0.7745
④ 0.9104 ⑤ 0.9544

1366 중요 ●●●○

확률변수 X가 이항분포 $B\left(180, \frac{5}{6}\right)$를 따를 때, 오른쪽 표준정규분포표를 이용하여 $P(X \leq 155)$를 구하시오.

z	$P(0 \leq Z \leq z)$
1.0	0.3413
1.5	0.4332
2.0	0.4772
2.5	0.4938

1367 ●●●○

확률변수 X가 이항분포 $B\left(100, \frac{1}{2}\right)$을 따르고, 확률변수 Z가 표준정규분포 $N(0, 1)$을 따를 때,
$P(40 \le X \le 50) = P(0 \le Z \le c)$를 만족시키는 상수 c의 값은?

① 0.5　② 1　③ 1.5
④ 2　⑤ 2.5

1368 짱중요 ●●●●

확률변수 X에 대하여

$$P(X=r) = {}_{180}C_r\left(\frac{1}{6}\right)^r\left(\frac{5}{6}\right)^{180-r} \quad (r=0, 1, 2, \cdots, 180)$$

일 때, $P(20 \le X \le 40)$은? (단, $P(0 \le Z \le 2) = 0.48$로 계산한다.)

① 0.02　② 0.24　③ 0.48
④ 0.96　⑤ 0.98

1369 중요 ●●●●

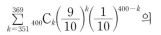

$\sum_{k=351}^{369} {}_{400}C_k\left(\frac{9}{10}\right)^k\left(\frac{1}{10}\right)^{400-k}$의 값을 오른쪽 표준정규분포표를 이용하여 구한 것은?

z	$P(0 \le Z \le z)$
0.5	0.1915
1.0	0.3413
1.5	0.4332
2.0	0.4772

① 0.1587　② 0.3085
③ 0.6826　④ 0.8664
⑤ 0.9544

1370 ●●●●

${}_{48}C_9\left(\frac{1}{4}\right)^9\left(\frac{3}{4}\right)^{39} + {}_{48}C_{10}\left(\frac{1}{4}\right)^{10}\left(\frac{3}{4}\right)^{38} + \cdots + {}_{48}C_{21}\left(\frac{1}{4}\right)^{21}\left(\frac{3}{4}\right)^{27}$의 값을 구하시오.

(단, $P(0 \le Z \le 1) = 0.3413$, $P(0 \le Z \le 3) = 0.4987$로 계산한다.)

1371 중요 ●●●●

이산확률변수 X의 확률질량함수가

$$P(X=x) = {}_{100}C_x p^x(1-p)^{100-x}$$

$(x=0, 1, 2, \cdots, 100$이고 $0 < p < 1)$

이고 $E(X) = 20$일 때, $P(X \le 30)$을 구하시오.
(단, $P(0 \le Z \le 2) = 0.4772$, $P(0 \le Z \le 2.5) = 0.4938$로 계산한다.)

유형 15 이항분포와 정규분포의 관계의 활용 – 확률 구하기

내신 중요도 ━━━━━ 유형 난이도 ★★★★☆

확률변수 X가 이항분포 $\mathrm{B}(n,\ p)$를 따를 때
① X가 근사적으로 정규분포 $\mathrm{N}(np,\ np(1-p))$를 따름을 이용하여 X를 표준화한다.
② 표준정규분포표와 비교하여 미지수의 값을 구한다.

1372

어느 독감 백신을 접종한 n명을 대상으로 면역력 조사를 실시했다. 면역력이 생긴 사람의 수를 확률변수 X라 하면 X는 정규분포 $\mathrm{N}(48,\ 36)$을 따른다고 할 때, n의 값은?

(단, 각각의 사람에게 면역력이 생길 확률은 같다.)

① 144 ② 169 ③ 192 ④ 225 ⑤ 289

1373 중요

한 개의 주사위를 720회 던질 때, 2의 눈이 110회 이상 나올 확률을 오른쪽 표준정규분포표를 이용하여 구하시오.

z	$\mathrm{P}(0\le Z\le z)$
1.0	0.3413
1.5	0.4332
2.0	0.4772
2.5	0.4938

1374 짱중요

어느 게임의 접속 성공률이 오후 5시에서 6시 사이에는 50 %라고 한다. 어느 날 오후 5시 30분에 이 게임의 이용자 100명이 접속을 시도했을 때, 이들 중에서 45명 이하가 접속에 성공할 확률을 위의 표준정규분포표를 이용하여 구하시오.

z	$\mathrm{P}(0\le Z\le z)$
1.0	0.3413
1.5	0.4332
2.0	0.4772
2.5	0.4938

1375

다음은 어느 백화점에서 판매하고 있는 등산화에 대한 제조 회사별 고객의 선호도를 조사한 표이다.

제조 회사	A	B	C	D	합계
선호도(%)	20	28	25	27	100

192명의 고객이 각각 한 켤레씩 등산화를 산다고 할 때, C회사 제품을 선택할 고객이 42명 이상일 확률을 오른쪽 표준정규분포표를 이용하여 구하시오.

z	$\mathrm{P}(0\le Z\le z)$
0.5	0.1915
1.0	0.3413
1.5	0.4332
2.0	0.4772

1376 중요 교육청 기출

각 면에 1, 2, 3, 4의 숫자가 하나씩 적혀 있는 정사면체 모양의 상자 2개를 동시에 던졌을 때 바닥에 닿은 면에 적혀 있는 두 눈의 수의 곱이 홀수인 사건을 A라 하자. 이 시행을 1200번 하였을 때 사건 A가 일어나는 횟수가 270 이하일 확률을 오른쪽 표준정규분포표를 이용하여 구한 값을 p라 하자. $1000p$의 값을 구하시오.

z	$\mathrm{P}(0\le Z\le z)$
1.0	0.341
1.5	0.433
2.0	0.477
2.5	0.494

1377

숫자가 하나씩 적혀 있는 서로 다른 10장의 카드가 있다. 이 10장의 카드 중에서 적혀 있는 숫자가 2, 3, 5인 카드는 각각 두 장, 세 장, 다섯 장이다. 10장의 카드 중에서 임의로 3장의 카드를 뽑아 숫자를 확인한 후 다시 섞는 시행을 448번 하였을 때, 세 카드에 쓰여 있는 숫자의 합이 9 이하인 횟수를 확률변수 X라 하자. X가 49 이상 70 이하가 될 확률을 1376의 표준정규분포표를 이용하여 구하시오.

1378 중요

한 개의 주사위를 던져 6의 눈이 나오면 900원의 이익을 얻고, 그 이외의 눈이 나오면 100원의 손해를 보는 게임이 있다. 이 게임을 180회 시행했을 때, 이익금으로 22000원 이상을 얻게 될 확률을 위의 표준정규분포표를 이용하여 구하면?

z	$\mathrm{P}(0\le Z\le z)$
0.5	0.1915
1.0	0.3413
1.5	0.4332
2.0	0.4772

① 0.1587 ② 0.0668 ③ 0.0456
④ 0.0292 ⑤ 0.0228

1379

한 개의 주사위를 n번 던져서 2의 눈이 나온 횟수를 확률변수 X라 할 때, X의 표준편차는 10이다. 2의 눈이 100회 이상 130회 이하로 나올 확률을 구하시오.
(단, $\mathrm{P}(0\le Z\le 1)=0.3413$, $\mathrm{P}(0\le Z\le 2)=0.4772$로 계산한다.)

1380 짱중요 교육청 기출

어느 해운회사의 통계자료에 의하면 예약 고객 10명 중 8명의 비율로 승선한다고 한다. 정원이 340명인 여객선의 예약 고객이 400명일 때, 승선한 고객이 예약 고객만으로 정원을 초과하지 않을 확률을 위의 표준정규분포표를 이용하여 구하면?

z	$\mathrm{P}(0\le Z\le z)$
1.0	0.3413
1.5	0.4332
2.0	0.4772
2.5	0.4938

① 0.9938 ② 0.9918 ③ 0.9893
④ 0.9861 ⑤ 0.9821

유형 16 이항분포와 정규분포의 관계의 활용 – 확률의 합 구하기

내신 중요도 ■■■■■ 유형 난이도 ★★★★★

확률변수 X가 이항분포 $\mathrm{B}(n, p)$를 따르고 n이 충분히 크면 확률변수 X는 근사적으로 정규분포 $\mathrm{N}(np, npq)$를 따른다. (단, $q=1-p$)

$$\Rightarrow \sum_{k=a}^{b}\mathrm{P}(X=x)=\mathrm{P}(a\le X\le b)=\mathrm{P}\left(\frac{a-m}{\sigma}\le Z\le\frac{b-m}{\sigma}\right)$$

1381 중요

각 면에 1, 2, 3, 4의 숫자가 하나씩 적혀 있는 정사면체 모양의 상자가 있다. 이 상자를 432회 던질 때, 1이 적혀 있는 면이 바닥에 놓이는 횟수를 확률변수 X라 하자. $\sum_{k=99}^{126}\mathrm{P}(X=k)$의 값을 위의 표준정규분포표를 이용하여 구하시오.

z	$\mathrm{P}(0\le Z\le z)$
0.5	0.1915
1.0	0.3413
1.5	0.4332
2.0	0.4772

1382

한 개의 주사위를 n번 던질 때, 3의 배수의 눈이 나오는 횟수를 확률변수 X라 하자. 이 확률분포의 분산이 36일 때, $\sum_{k=42}^{63}\mathrm{P}(X=k)$의 값을 오른쪽 표준정규분포표를 이용하여 구하시오.

z	$\mathrm{P}(0\le Z\le z)$
0.5	0.1915
1.0	0.3413
1.5	0.4332
2.0	0.4772

유형 17 내신 중요도 ■■■■■ 유형 난이도 ★★★★★

이항분포와 정규분포의 관계의 활용 - 미지수의 값 구하기

이항분포를 따르는 확률변수 X를 정규분포 $\mathrm{N}(m,\ \sigma^2)$으로 바꾸고 표준정규분포의 확률을 이용해서 미지수를 구한다.

1383

찬주가 100개의 오지선다형 문제에 모두 임의로 답을 선택할 때, k개 이상의 문제를 맞힐 확률이 0.01이라고 한다. k의 값을 구하시오. (단, $\mathrm{P}(0\le Z\le 2.5)=0.49$로 계산한다.)

1384 중요

어느 회사의 제품이 불량품일 확률이 2%라 할 때, 이 회사에서 생산된 10000개의 제품 중 불량품의 개수를 확률변수 X라 하자. $\mathrm{P}(a\le X\le 214)=0.6826$일 때, 상수 a의 값을 오른쪽 표준정규분포표를 이용하여 구하시오.

z	$\mathrm{P}(0\le Z\le z)$
1.0	0.3413
1.5	0.4332
2.0	0.4772
2.5	0.4938

1385 교육청 기출

한 개의 동전을 400번 던질 때, 앞면이 나온 횟수를 확률변수 X라 하자. $\mathrm{P}(X\le k)=0.9772$를 만족시키는 상수 k의 값을 오른쪽 표준정규분포표를 이용하여 구하시오.

z	$\mathrm{P}(0\le Z\le z)$
1	0.3413
2	0.4772
3	0.4987

1386

어떤 농구 선수의 자유투 성공률은 $\frac{2}{3}$라고 한다. 이 농구 선수가 450번의 자유투를 시도하여 성공한 횟수를 확률변수 X라 할 때, $\mathrm{P}(300\le X\le a)=0.38$이 되도록 하는 상수 a의 값을 구하시오. (단, $\mathrm{P}(0\le Z\le 0.5)=0.19$, $\mathrm{P}(0\le Z\le 1.2)=0.38$로 계산한다.)

1387 중요

한 개의 주사위를 n번 던질 때, 6의 눈이 나오는 횟수를 확률변수 X라 하자. 이때, $\mathrm{P}\left(\left|\frac{X}{n}-\frac{1}{6}\right|\le 0.05\right)\ge 0.95$를 만족시키는 자연수 n의 최솟값을 구하시오. (단, n은 충분히 큰 자연수이고, Z가 표준정규분포를 따르는 확률변수일 때, $\mathrm{P}(|Z|\le 2)=0.95$로 계산한다.)

해설 250쪽

유형 18 정규분포를 이용하여 이항분포 구하기

내신 중요도 ■■■■■ 유형 난이도 ★★★★★

(1) 정규분포를 이루는 모집단에서 1회 시행의 확률 p와 시행 횟수 n의 값을 구한다.
(2) n회 시행했을 때 사건이 나오는 개수를 확률변수 X라 하고 이항분포 $\mathrm{B}(n, p)$를 구한다.
(3) n이 충분히 클 때, 확률변수 X는 근사적으로 정규분포 $\mathrm{N}(np, npq)$을 따른다. (단, $q=1-p$)
(4) 표준화를 이용하여 확률을 구한다.

1388 짱중요

어느 공장에서 생산되는 제품의 무게는 평균이 30 g, 표준편차가 5 g인 정규분포를 따르고, 제품의 무게가 40 g 이상인 제품은 불량품으로 판정한다. 이 공장에서 생산된 제품 중에서 2500개를 임의로 추출할 때, 불량품이 57개 이상일 확률을 위의 표준정규분포표를 이용하여 구하시오.

z	$\mathrm{P}(0\le Z\le z)$
0.5	0.19
1.0	0.34
2.0	0.48

1389 교육청 기출

어느 양궁 종목에서 사용하는 표적지는 원의 반지름의 길이가 각각 4 cm, 8 cm, 12 cm, $\cdots$, 40 cm로 4 cm씩 증가하는 10개의 동심원으로 되어 있다. 표적지의 중심에서 화살이 꽂힌 곳까지의 거리를 X라고 할 때 $0\le X\le 4$이면 10점, $4<X\le 8$이면 9점, $8<X\le 12$이면 8점, $\cdots$, $36<X\le 40$점이면 1점, $X>40$이면 0점을 득점한다. 기록에 의하면 양궁 선수 A가 화살을 쏘았을 때 표적지의 중심에서 화살이 꽂힌 곳까지의 거리는 평균 8 cm, 표준편차 2 cm인 정규분포를 따른다고 한다. A가 12발의 화살을 쏘았을 때 8점을 득점한 화살의 개수 Y의 기댓값 $\mathrm{E}(Y)$는?

z	$\mathrm{P}(0\le Z\le z)$
1.0	0.3413
2.0	0.4772
3.0	0.4987

① 4.0956 ② 4.9112 ③ 5.7264
④ 5.8554 ⑤ 5.9844

1390 중요

무게의 평균이 40 g, 표준편차가 4 g인 정규분포를 따르는 제품에 대하여 무게가 44 g 이상일 경우 불량품으로 판정한다고 한다. 이 제품 중에서 2100개를 임의로 추출하여 불량품의 개수를 Y라 할 때, Y가 나타내는 분포는 근사적으로 정규분포 $\mathrm{N}(m, \sigma^2)$을 따른다고 한다. m의 값을 구하시오.

z	$\mathrm{P}(0\le Z\le z)$
0.5	0.19
1.0	0.34
1.5	0.43
2.0	0.48

1391 교육청 기출

어느 과수원에서 수확한 사과의 무게는 평균이 400 g, 표준편차가 50 g인 정규분포를 따른다고 한다. 이 사과 중에서 무게가 442 g 이상인 것을 1등급 상품으로 정한다. 이 과수원에서 수확한 사과 중에서 100개를 임의로 선택할 때, 1등급 상품이 24개 이상일 확률을 위의 표준정규분포표를 이용하여 구하시오.

z	$\mathrm{P}(0\le Z\le z)$
0.64	0.24
0.84	0.30
1.00	0.34
1.28	0.40

1392 교육청 기출

어느 회사에서 만든 신제품의 무게는 정규분포 $\mathrm{N}(180, 8^2)$을 따른다. 이 회사에서는 신제품의 무게가 164보다 작을 경우 불량품으로 판정한다. 하루에 2500개의 신제품을 생산할 때, 불량품의 개수가 64 이하일 확률을 오른쪽 표준정규분포표를 이용하여 구하시오. (단, 신제품의 무게의 단위는 g이다.)

z	$\mathrm{P}(0\le Z\le z)$
0.5	0.19
1.0	0.34
1.5	0.43
2.0	0.48

적중 문제

시험에 잘 나오는 문제로 점검하기

1393

확률변수 X가 정규분포 $N(8, 2^2)$을 따를 때, $P(k \le X \le k+4)$가 최대가 되도록 하는 상수 k의 값은?

① 0　② 2　③ 4　④ 6　⑤ 8

1394

정규분포 $N(30, 5^2)$을 따르는 확률변수 X에 대하여 $P(30 \le X \le 40) = 0.4772$일 때, $P(X \ge 20)$은?

① 0.0226　② 0.4772　③ 0.5226　④ 0.9544　⑤ 0.9772

1395

확률변수 X가 정규분포 $N(30, 2^2)$을 따를 때, 오른쪽 표준정규분포표를 이용하여 $P(28 \le X \le 36)$을 구하시오.

z	$P(0 \le Z \le z)$
1.0	0.3413
2.0	0.4772
3.0	0.4987

1396

확률변수 X가 정규분포 $N(10, 2^2)$을 따를 때, 오른쪽 표준정규분포표를 이용하여 $P(10-2k \le X \le 10+2k) = 0.8664$를 만족시키는 양수 k의 값을 구하면?

z	$P(0 \le Z \le z)$
0.5	0.1915
1.0	0.3413
1.5	0.4332
2.0	0.4772
2.5	0.4938

① 0.5　② 1　③ 1.5　④ 2　⑤ 2.5

1397 서술형

확률변수 X, Y가 정규분포 $N(65, 12^2)$, $N(55, 10^2)$을 각각 따를 때, $P(53 \le X \le k) = P(35 \le Y \le 65)$를 만족시키는 상수 k의 값을 구하시오.

1398

어느 연구소에서 토마토 모종을 심은 지 3주가 지났을 때 토마토 줄기의 길이를 조사한 결과 토마토 줄기의 길이는 평균이 30 cm, 표준편차가 2 cm인 정규분포를 따른다고 한다. 이 연구소에서 토마토 모종을 심은 지 3주가 지났을 때, 토마토 줄기 중에서 임의로 선택한 줄기의 길이가 27 cm 이상 32 cm 이하일 확률을 위의 표준정규분포표를 이용하여 구하면?

z	$P(0 \le Z \le z)$
0.5	0.1915
1.0	0.3413
1.5	0.4332
2.0	0.4772
2.5	0.4938

① 0.6826　② 0.7745　③ 0.8185　④ 0.9104　⑤ 0.9270

1399

어느 대학교 학생 400명의 몸무게는 정규분포 $N(50, 4^2)$을 따른다고 할 때, 몸무게가 44 kg 이상 58 kg 이하인 학생 수를 오른쪽 표준정규분포표를 이용하여 구하시오.

z	$P(0 \le Z \le z)$
0.5	0.192
1.0	0.341
1.5	0.433
2.0	0.477

1400

아샘 고등학교 2학년 학생들의 1학기 수학 성적은 평균이 55점, 표준편차가 20점인 정규분포를 따른다고 한다. 상위 4 % 이내에 속하는 학생들에게 1등급을 준다고 할 때, 1등급을 받으려면 최소한 몇 점 이상이어야 하는지 위의 표준정규분포표를 이용하여 구하시오.

z	$P(0 \le Z \le z)$
1.65	0.45
1.75	0.46
1.88	0.47

1401

확률변수 X의 확률질량함수가

$$P(X=x)={}_{48}C_x\left(\frac{1}{4}\right)^x\left(\frac{3}{4}\right)^{48-x}\ (x=0, 1, 2, \cdots, 48)$$

일 때, $P(12 \le X \le 18)$을 구하시오.

(단, $P(0 \le Z \le 2)=0.4772$로 계산한다.)

1402

한 개의 주사위를 72번 던져 6의 약수의 눈이 나오는 횟수를 확률변수 X라 할 때, 오른쪽 표준정규분포표를 이용하여 $P(52 \le X \le 60)$을 구하시오.

z	$P(0 \le Z \le z)$
1.0	0.3413
2.0	0.4772
3.0	0.4987

1403 서술형

공을 던질 때마다 $\frac{1}{5}$의 확률로 커브를 던지는 투수가 있다. 이 투수가 225개의 공을 던질 때, 오른쪽 표준정규분포표를 이용하여 다음과 같은 확률

$\sum_{k=39}^{a} {}_{225}C_k\left(\frac{1}{5}\right)^k\left(\frac{4}{5}\right)^{225-k}=0.8185$의 값을 구하였다. 상수 a의 값을 구하시오. (단, $a \ge 40$이고 공을 던지는 시행은 독립시행이다.)

z	$P(0 \le Z \le z)$
0.5	0.1915
1.0	0.3413
1.5	0.4332
2.0	0.4772

1404

어느 회사에서 만든 휴대 전화 배터리의 지속 시간은 평균 30시간인 정규분포를 따른다고 한다. 이 회사에서 만든 8개의 배터리 중에서 지속 시간이 30시간 이상인 배터리가 2개 이상일 확률을 구하시오.

고난도 문제

일등급 go! go!

Level 1

1405

어느 도시의 학생 2500명을 대상으로 조사한 통학 시간은 평균이 25분, 표준편차가 5분인 정규분포를 따른다고 한다. 이 2500명의 학생 중에서 임의로 택한 한 학생의 통학 시간이 35분 이상일 확률은 p_1이다. 또 이 2500명의 학생 중에서 통학 시간이 35분 이상인 학생이 n명 이상일 확률은 p_2이다. $p_1=p_2$일 때, 자연수 n의 값을 위의 표준정규분포표를 이용하여 구하시오.

z	$\mathrm{P}(0\le Z\le z)$
1.0	0.34
1.5	0.43
2.0	0.48

1406 교육청 기출

두 연속확률변수 X와 Y는 각각 정규분포 $\mathrm{N}(50,\ \sigma^2)$, $\mathrm{N}(65,\ 4\sigma^2)$을 따른다.

$\mathrm{P}(X\ge k)=\mathrm{P}(Y\le k)=0.1056$

일 때, $k+\sigma$의 값을 오른쪽 표준정규분포표를 이용하여 구하시오. (단, $\sigma>0$)

z	$\mathrm{P}(0\le Z\le z)$
1.25	0.3944
1.50	0.4332
1.75	0.4599
2.00	0.4772

1407

확률변수 X_m이 정규분포 $\mathrm{N}(m,\ 1)$을 따를 때, $f(m)=\mathrm{P}(X_m\le 0)$이라 하자. 〈보기〉에서 옳은 것만을 있는 대로 고른 것은?

보기

ㄱ. $f(m)$의 최댓값은 $\frac{1}{2}$이다.

ㄴ. $f(m)+f(-m)=1$

ㄷ. $m_1<m_2$이면 $f(m_1)>f(m_2)$이다.

① ㄱ ② ㄱ, ㄴ ③ ㄱ, ㄷ

④ ㄴ, ㄷ ⑤ ㄱ, ㄴ, ㄷ

1408 교육청 기출

정규분포 $\mathrm{N}(20,\ t^2)$을 따르는 확률변수 X에 대하여 양의 실수 전체의 집합을 정의역으로 하는 함수 $y=H(t)$는 $H(t)=\mathrm{P}(X\le 15)$이다. 〈보기〉에서 옳은 것만을 있는 대로 고르시오. (단, 표준정규분포를 따르는 확률변수 Z에 대하여 $\mathrm{P}(0\le Z\le 1)=0.3413$, $\mathrm{P}(0\le Z\le 2)=0.4772$로 계산한다.)

보기

ㄱ. $H(2.5)=\mathrm{P}(Z\ge 2)$

ㄴ. $H(2)<H(2.5)$

ㄷ. $H(5)<5H(2)$

1409

세 확률변수 X, Y, W에 대하여 X는 이항분포 $\mathrm{B}\left(100, \frac{1}{5}\right)$, Y는 이항분포 $\mathrm{B}\left(225, \frac{1}{5}\right)$, W는 이항분포 $\mathrm{B}\left(400, \frac{1}{5}\right)$을 따른다. 〈보기〉에서 옳은 것만을 있는 대로 고르시오.

보기

ㄱ. $\mathrm{P}\left(\left|\frac{X}{100}-\frac{1}{5}\right|<\frac{1}{10}\right)<\mathrm{P}\left(\left|\frac{W}{400}-\frac{1}{5}\right|<\frac{1}{10}\right)$

ㄴ. $\mathrm{P}\left(\left|\frac{X}{100}-\frac{1}{5}\right|<\frac{1}{10}\right)<\mathrm{P}\left(\left|\frac{Y}{225}-\frac{1}{5}\right|<\frac{1}{25}\right)$

ㄷ. $\mathrm{P}\left(\left|\frac{Y}{225}-\frac{1}{5}\right|<\frac{1}{25}\right)<\mathrm{P}\left(\left|\frac{W}{400}-\frac{1}{5}\right|<\frac{1}{25}\right)$

Level 2

1410

정규분포 $\mathrm{N}(60,\ 5^2)$을 따르는 확률변수 X에 대하여 $f(k)=\mathrm{P}(k\le X\le k+10)$이라 하면 $f(k)$의 최댓값이 0.6826이다. $a<b$일 때, $f(a)>f(b)$를 만족시키는 실수 a의 최솟값을 위의 표준정규분포표를 이용하여 구하시오.

z	$\mathrm{P}(0\le Z\le z)$
1.0	0.3413
2.0	0.4772
3.0	0.4987

1411

두 확률변수 X, Y의 평균이 각각 m, $2m$ $(m>0)$이고 표준편차가 각각 2σ, σ인 정규분포를 따를 때, 〈보기〉에서 옳은 것만을 있는 대로 고르시오.

보기

ㄱ. $\mathrm{P}(X\le 0)=\mathrm{P}\left(Y\ge \frac{5}{2}m\right)$

ㄴ. $\mathrm{P}(m\le X\le 2m)=\frac{1}{2}\mathrm{P}(2m\le Y\le 3m)$

ㄷ. 두 상수 a, b에 대하여 $\mathrm{P}(X\ge a)+\mathrm{P}(Y\le b)=1$일 때, $b=\frac{a+3m}{2}$

1412

평가원 기출

양의 실수 전체의 집합에서 정의된 함수 $G(t)$는 평균이 t, 표준편차가 $\frac{1}{t^2}$인 정규분포를 따르는 확률변수 X에 대하여

$$G(t)=\mathrm{P}\left(X\le\frac{3}{2}\right)$$

이다. 함수 $G(t)$의 최댓값을 오른쪽 표준정규분포표를 이용하여 구한 것은?

z	$\mathrm{P}(0\le Z\le z)$
0.4	0.1554
0.5	0.1915
0.6	0.2257
0.7	0.2580

① 0.3085 ② 0.3446 ③ 0.6915
④ 0.7257 ⑤ 0.7580

1413

교육청 기출

이산확률변수 X에 대한 확률질량함수가

$$\mathrm{P}(X=n)={}_{100}\mathrm{C}_n\left(\frac{1}{2}\right)^{100}\ (n=0, 1, 2, 3, \cdots, 100)$$

으로 주어질 때, 함수 $f(x)$를 다음과 같이 정의하자.

$$f(x)=\mathrm{P}(X\le 5x+50)\ (-10\le x\le 10)$$

이때, 〈보기〉에서 옳은 것을 모두 고른 것은?

보기

ㄱ. 확률변수 X의 분산은 25이다.
ㄴ. $x_1\le x_2$이면 $f(x_1)\le f(x_2)$이다.
ㄷ. $f(-x)+f(x)<1$을 만족하는 x가 적어도 하나 존재한다.

① ㄱ ② ㄷ ③ ㄱ, ㄴ
④ ㄴ, ㄷ ⑤ ㄱ, ㄴ, ㄷ

1414

이산확률변수 X의 확률질량함수가

$$\mathrm{P}(X=x)={}_n\mathrm{C}_x\frac{4^{n-x}}{5^n}\ (x=0, 1, 2, \cdots, n)$$

이고, $\mathrm{E}(X^2)=416$일 때, $\mathrm{P}(X\le a)=0.9772$를 만족시키는 a의 값을 오른쪽 표준정규분포표를 이용하여 구하시오.

z	$\mathrm{P}(0\le Z\le z)$
1.0	0.3413
2.0	0.4772
3.0	0.4987

Level 3

1415

어느 고등학교 학생들의 집에서 학교까지의 거리는 평균이 1580 m, 표준편차가 500 m인 정규분포를 따른다고 한다. 집에서 학교까지의 거리가 2000 m 이상인 학생 중에서 25 %, 2000 m 미만인 학생 중에서 5 %는 자전거로 통학한다고 한다. 자전거로 통학하는 학생 중에서 임의로 1명을 선택할 때, 이 학생의 집에서 학교까지의 거리가 2000 m 미만일 확률을 구하시오.

(단, $\mathrm{P}(0 \le Z \le 0.84) = 0.3$으로 계산한다.)

1416

평가원 기출

두 확률변수 X와 Y는 평균이 모두 0이고 분산이 각각 σ^2과 $\dfrac{\sigma^2}{4}$인 정규분포를 따르고, 확률변수 Z는 표준정규분포를 따른다. 두 양수 a, b에 대하여 $\mathrm{P}(|X| \le a) = \mathrm{P}(|Y| \le b)$일 때, 〈보기〉에서 옳은 것만을 있는 대로 고른 것은?

보기

ㄱ. $a > b$

ㄴ. $\mathrm{P}\left(Z > \dfrac{2b}{\sigma}\right) = \mathrm{P}\left(Y > \dfrac{a}{2}\right)$

ㄷ. $\mathrm{P}(Y \le b) = 0.7$일 때, $\mathrm{P}(|X| \le a) = 0.3$이다.

① ㄱ　　② ㄴ　　③ ㄱ, ㄴ
④ ㄴ, ㄷ　　⑤ ㄱ, ㄴ, ㄷ

해설 259쪽

1417

평가원 기출

확률변수 X가 평균이 m, 표준편차가 σ인 정규분포를 따르고

$$P(X \le 3)=P(3 \le X \le 80)=0.3$$

일 때, $m+\sigma$의 값을 구하시오.

(단, Z가 표준정규분포를 따르는 확률변수일 때, $P(0 \le Z \le 0.25)=0.1$, $P(0 \le Z \le 0.52)=0.2$로 계산한다.)

1418

평가원 기출

확률변수 X는 평균이 8, 표준편차가 3인 정규분포를 따르고, 확률변수 Y는 평균이 m, 표준편차가 σ인 정규분포를 따른다.

두 확률변수 X, Y가

$$P(4 \le X \le 8)+P(Y \ge 8)=\frac{1}{2}$$

을 만족시킬 때, $P\left(Y \le 8+\frac{2\sigma}{3}\right)$의 값을 오른쪽 표준정규분포표를 이용하여 구한 것은?

z	$P(0 \le Z \le z)$
1.0	0.3413
1.5	0.4332
2.0	0.4772
2.5	0.4938

① 0.8351　② 0.8413　③ 0.9332

④ 0.9772　⑤ 0.9938

10 표본평균의 분포

		제 목	내신중요도	유형난이도	문항수	문항번호
		기본 문제			37	1419~1455
유형 문제	01	모집단과 표본	■■	★	4	1456~1459
	02	이산확률분포에서 표본평균의 확률	■■	★★	5	1460~1464
	03	표본평균 $\overline{X}$의 평균, 분산, 표준편차 − 모평균과 모표준편차가 주어질 때	■■■■■	★★	12	1465~1476
	04	표본평균 $\overline{X}$의 평균, 분산, 표준편차 − 확률분포가 주어질 때	■■■■	★★	11	1477~1487
	05	표본평균 $\overline{X}$의 평균, 분산, 표준편차 − 모집단이 주어질 때	■■■■	★★★	9	1488~1496
	06	표본평균의 분포	■	★★	5	1497~1501
	07	표본평균 $\overline{X}$의 확률 구하기	■■■■■	★★★	10	1502~1511
	08	조건을 만족하는 확률, 개수 구하기	■■■■	★★★	5	1512~1516
	09	표본의 크기 구하기	■■■■■	★★★★	10	1517~1526
	10	표본평균의 확률에서 미지수 구하기	■■■■	★★★★	7	1527~1533
	11	표본평균의 확률에서 평균, 표준편차 구하기	■■	★★★★	7	1534~1540
	12	표본평균 $\overline{X}, \overline{Y}$의 확률 구하기	■■■	★★★★★	7	1541~1547
		적중 문제			12	1548~1559
		고난도 문제			17	1560~1576

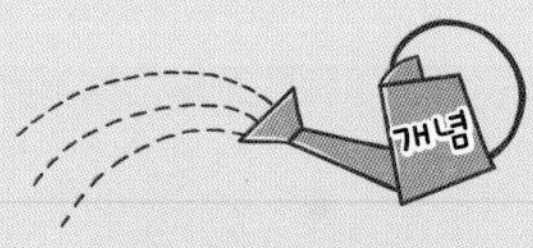

표본평균의 분포

1. 모집단과 표본

(1) 전수조사: 조사 대상 전체를 조사하는 것

(2) 표본조사: 조사 대상의 일부를 조사하여 조사 대상 전체의 성질을 추측하는 것

(3) 모집단: 통계 조사에서 조사의 대상이 되는 집단 전체

(4) 표본: 모집단에서 조사를 위하여 뽑은 대상들의 집합

(5) 임의추출: 모집단의 각 대상이 표본에 포함될 확률이 모두 같도록 추출하는 방법

참고 추출하는 방법의 수

크기가 m인 모집단에서 크기가 n인 표본을 추출할 때

(1) 복원추출하는 방법의 수는 순서를 따질 때

➡ ${}_{m}\Pi_{n}$

(2) 비복원추출하는 방법의 수는

① 순서대로 하나씩 추출할 때 ➡ ${}_{m}\mathrm{P}_{n}$

② 동시에 n개를 추출할 때 ➡ ${}_{m}\mathrm{C}_{n}$

● 표본의 크기: 표본조사에서 뽑은 표본의 개수

● 임의추출로 자료를 추출할 때, 한 번 추출한 원소를 다시 되돌려 놓고 다음 원소를 추출하는 방법을 복원추출, 되돌려 놓지 않고 계속해서 추출하는 방법을 비복원추출이라고 한다.

2. 표본평균의 평균, 분산, 표준편차

모평균이 m이고, 모표준편차가 σ인 모집단에서 임의추출한 크기가 n인 표본의 표본평균 $\overline{X}$에 대하여

(1) 표본평균의 평균 ➡ $\mathrm{E}(\overline{X})=m$

(2) 표본평균의 분산 ➡ $\mathrm{V}(\overline{X})=\dfrac{\sigma^2}{n}$

(3) 표본평균의 표준편차 ➡ $\sigma(\overline{X})=\dfrac{\sigma}{\sqrt{n}}$

● 모집단에서 임의추출한 크기가 n인 표본을 X_1, X_2, $\cdots$, X_n이라 할 때 이들의 평균

$\overline{X}=\dfrac{1}{n}(X_1+X_2+\cdots+X_n)$

을 표본평균이라고 한다.

● 모평균 m은 고정된 상수이지만 표본평균 $\overline{X}$는 추출된 표본에 따라 여러 가지 값을 가질 수 있는 확률변수이다.

3. 표본평균의 분포

정규분포 $\mathrm{N}(m, \sigma^2)$을 따르는 모집단에서 크기가 n인 표본을 복원추출할 때, 표본평균을 $\overline{X}$라 하면

(1) $\mathrm{E}(\overline{X})=m$, $\mathrm{V}(\overline{X})=\dfrac{\sigma^2}{n}$, $\sigma(\overline{X})=\dfrac{\sigma}{\sqrt{n}}$

(2) $\overline{X}$의 분포는 정규분포 $\mathrm{N}\left(m, \dfrac{\sigma^2}{n}\right)$을 따른다.

(모집단의 평균)=(표본평균 전체 집단의 평균)
(모집단의 표준편차) > (표본평균 전체 집단의 표준편차)

4. 표본평균의 확률분포의 성질

모집단의 분포가 정규분포가 아닐 때도 표본의 크기 n이 충분히 크면, $\overline{X}$의 분포는 근사적으로 정규분포 $\mathrm{N}\left(m, \dfrac{\sigma^2}{n}\right)$을 따른다.

이때 n이 충분히 크다는 것은 $n \geq 30$을 만족시킬 때이다.

5. 표본평균 $\overline{X}$의 확률 구하기

크기가 n인 표본의 표본평균 $\overline{X}$가 정규분포 $\mathrm{N}\left(m, \dfrac{\sigma^2}{n}\right)$을 따를 때,

$Z=\dfrac{\overline{X}-m}{\dfrac{\sigma}{\sqrt{n}}}$을 이용하여 표준화하고, 표준정규분포표를 이용하여 확률을 구한다.

기본 문제

핵심 개념을 문제로 익히기

1 표본평균의 분포

[1419-1423] 1, 3, 5의 숫자가 각각 적힌 3개의 구슬이 들어 있는 주머니를 모집단으로 하고, 이 주머니에서 크기가 2인 표본을 복원추출할 때, 나온 표본의 평균을 $\overline{X}$라 하자. 다음 물음에 답하시오.

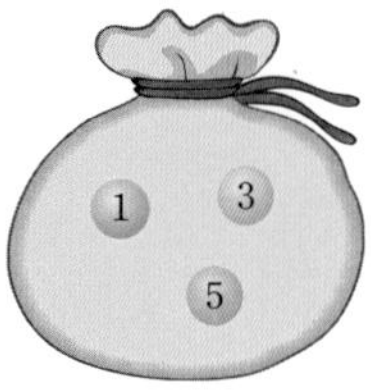

1419 표본이 $(1, 3)$일 때, $\overline{X}$의 값을 구하시오.

1420 확률변수 $\overline{X}$가 가질 수 있는 값을 구하시오.

1421 $\overline{X}=3$이 되는 표본의 개수를 구하시오.

1422 $\mathrm{P}(\overline{X}=3)$을 구하시오.

1423 $\overline{X}$를 확률변수로 하는 확률분포표를 완성하시오.

$\overline{X}$	1	2	3			합계
$\mathrm{P}(\overline{X}=\overline{x})$	$\frac{1}{9}$	$\frac{2}{9}$				1

2 표본평균의 평균, 분산, 표준편차

[1424-1427] 모집단 $\{0, 2, 4\}$에서 크기가 2인 표본을 임의로 복원추출할 때, 표본평균 $\overline{X}$에 대하여 다음 물음에 답하시오.

1424 표본평균 $\overline{X}$의 확률분포표를 완성하시오.

$\overline{X}$						합계
$\mathrm{P}(\overline{X}=\overline{x})$						1

1425 $\mathrm{P}(1\leq\overline{X}\leq3)$을 구하시오.

1426 표본평균 $\overline{X}$의 평균 $\mathrm{E}(\overline{X})$를 구하시오.

1427 표본평균 $\overline{X}$의 분산 $\mathrm{V}(\overline{X})$를 구하시오.

[1428-1430] 모평균이 m, 모표준편차가 σ인 모집단에서 임의 추출한 크기가 100인 표본의 표본평균 $\overline{X}$에 대하여 다음을 구하시오.

1428 $\mathrm{E}(\overline{X})$

1429 $\mathrm{V}(\overline{X})$

1430 $\sigma(\overline{X})$

[1431-1433] 모평균이 60, 모표준편차가 6인 모집단에서 크기가 4인 표본을 임의추출할 때, 표본평균 $\overline{X}$에 대하여 다음을 구하시오.

1431 $\mathrm{E}(\overline{X})$

1432 $\mathrm{V}(\overline{X})$

1433 $\sigma(\overline{X})$

[1434-1438] 어떤 모집단의 확률변수 X의 확률분포를 표로 나타내면 다음과 같다.

X	1	2	3	합계
$\mathrm{P}(X=x)$	a	$\frac{1}{2}$	$\frac{1}{4}$	1

이 모집단에서 크기가 5인 표본을 임의추출할 때, 표본평균 $\overline{X}$에 대하여 다음을 구하시오.

1434 상수 a의 값

1435 $\mathrm{E}(X)$

1436 $\sigma(X)$

1437 $\mathrm{E}(\overline{X})$

1438 $\sigma(\overline{X})$

[1439-1442] 1부터 5까지 자연수가 각각 하나씩 적힌 카드가 있다. 카드에 적힌 수를 확률변수 X라 하고, 이 카드에서 2장의 카드를 복원추출할 때, 카드에 적힌 수의 평균을 $\overline{X}$라 하자. 다음을 구하시오.

1439 $\mathrm{E}(X)$

1440 $\mathrm{V}(X)$

1441 $\mathrm{E}(\overline{X})$

1442 $\sigma(\overline{X})$

3 표본평균의 분포 – 모집단이 정규분포

[1443-1445] 정규분포 $\mathrm{N}(m,\ \sigma^2)$을 따르는 모집단에서 크기가 n인 표본을 복원추출할 때, 표본평균을 $\overline{X}$라 하자. 다음을 구하시오.

1443 $\mathrm{E}(\overline{X})$

1444 $\mathrm{V}(\overline{X})$

1445 $\sigma(\overline{X})$

해설 261쪽

[1446-1449] 정규분포 $N(50, 10^2)$을 따르는 모집단에서 크기가 25인 표본을 임의추출하여 표본평균을 $\overline{X}$라 할 때, 다음 물음에 답하시오.

1446 표본평균 $\overline{X}$의 평균을 구하시오.

1447 표본평균 $\overline{X}$의 분산을 구하시오.

1448 표본평균 $\overline{X}$의 표준편차를 구하시오.

1449 다음 □ 안에 알맞은 수를 써넣으시오.

> 정규분포 $N(50, 10^2)$을 따르는 모집단에서 크기가 25인 표본을 임의추출할 때, 표본평균 $\overline{X}$의 분포는 정규분포 N(□, □)을 따른다.

1450 평균이 500, 표준편차가 20인 정규분포를 따르는 모집단에서 크기가 100인 표본을 임의추출할 때, 표본평균 $\overline{X}$의 분포는 정규분포 $N(a, b)$를 따른다. a, b의 값을 구하시오.

[1451-1452] 모평균이 150, 모표준편차가 5인 정규분포를 따르는 모집단에서 크기가 100인 표본을 임의추출하여 표본평균을 $\overline{X}$라 할 때, 다음 물음에 답하시오.

1451 표본평균 $\overline{X}$의 평균을 구하시오.

1452 표본평균 $\overline{X}$의 표준편차를 구하시오.

1453 $P(150 \le \overline{X} \le 150.5)$를 오른쪽 표준정규분포표를 이용하여 구하시오.

z	$P(0 \le Z \le z)$
0.5	0.1915
1.0	0.3413
1.5	0.4332
2.0	0.4772

1454 $P(\overline{X} \ge 151)$을 **1453**의 표준정규분포표를 이용하여 구하시오.

1455 $P(\overline{X} \ge 149)$를 **1453**의 표준정규분포표를 이용하여 구하시오.

유형 문제
내신 출제 유형 정복하기

해설 262쪽

유형 01 모집단과 표본

내신 중요도 ■■□□□ 유형 난이도 ★☆☆☆☆

(1) 통계 조사
① 전수조사: 조사의 대상이 되는 자료 전체를 빠짐없이 조사하는 것
② 표본조사: 조사의 대상이 되는 자료의 일부만을 택하여 조사함으로써 자료 전체의 성질을 추측하는 것

(2) 임의추출
모집단에 속하는 각 대상을 같은 확률로 추출하는 방법
① 복원추출: 한 번 추출된 자료를 되돌려 놓고 다음 자료를 추출하는 방법
② 비복원추출: 한 번 추출된 자료를 되돌려 놓지 않고 다음 자료를 추출하는 방법

1456 중요 ●○○○

다음 중 전수조사에 가장 적합한 것은?

① TV 프로그램의 시청률조사
② 건전지의 수명 조사
③ 대통령 선거의 여론 조사
④ 한강의 수질 오염도 조사
⑤ 우리 학교 학생들의 방과후 수업 희망 조사

1457 중요 ●○○○

〈보기〉에서 표본조사를 하는 것이 적당한 것만을 있는 대로 고른 것은?

보기
ㄱ. 학교에서 실시하는 학생들의 키 조사
ㄴ. 방송사에서 하는 여론조사
ㄷ. 어느 전자 회사의 특정 제품의 수명 조사
ㄹ. 인구조사

① ㄱ, ㄴ　② ㄱ, ㄷ　③ ㄴ, ㄷ
④ ㄴ, ㄹ　⑤ ㄷ, ㄹ

1458 ●○○○

숫자 1, 2, 3, 4가 각각 하나씩 적힌 4개의 공이 들어 있는 주머니가 있다. 다음을 구하시오.

(1) 복원추출로 1개씩 2번 꺼내는 방법의 수
(2) 비복원추출로 1개씩 2번 꺼내는 방법의 수
(3) 동시에 2개를 꺼내는 방법의 수

1459 ●●○○

1부터 4까지 자연수가 각각 하나씩 적힌 4개의 공이 들어 있는 주머니에서 3개의 공을 표본으로 임의추출할 때, 1개씩 복원추출하는 경우의 수를 a라 하고, 1개씩 비복원추출하는 경우의 수를 b라 할 때, $a+b$의 값은?

① 56　② 64　③ 72
④ 80　⑤ 88

유형 02 내신 중요도 유형 난이도 ★★★★★

이산확률분포에서 표본평균의 확률

이산확률분포에서 표본평균의 확률은 표본평균의 조건을 만족하는 각 표본이 나오는 확률을 모두 구하여 더한다.

1460 평가원 기출

주머니 속에 1의 숫자가 적혀 있는 공 1개, 2의 숫자가 적혀 있는 공 2개, 3의 숫자가 적혀 있는 공 5개가 들어 있다. 이 주머니에서 임의로 1개의 공을 꺼내어 공에 적혀 있는 수를 확인한 후 다시 넣는다. 이와 같은 시행을 2번 반복할 때, 꺼낸 공에 적혀 있는 수의 평균을 $\overline{X}$라 하자. $P(\overline{X}=2)$의 값은?

① $\frac{5}{32}$ ② $\frac{11}{64}$ ③ $\frac{3}{16}$
④ $\frac{13}{64}$ ⑤ $\frac{7}{32}$

1461 짱중요

1이 적힌 공 2개, 2가 적힌 공 2개, 3이 적힌 공 4개가 들어 있는 주머니에서 임의로 1개의 공을 꺼내 공에 적힌 수를 확인한 후 다시 주머니에 넣는 시행을 2번 반복할 때, 꺼낸 공에 적힌 수의 평균을 $\overline{X}$라고 하자. $P(\overline{X}=2)$의 값을 구하시오.

1462 중요

정육면체 모양의 상자의 각 면에 1, 2, 2, 3, 4, 4의 숫자가 하나씩 적혀 있다. 이 상자를 2회 던질 때, 윗면에 나온 두 수의 평균을 $\overline{X}$라 하자. $P(2\le\overline{X}<3)$은?

① $\frac{1}{3}$ ② $\frac{7}{18}$ ③ $\frac{4}{9}$
④ $\frac{1}{2}$ ⑤ $\frac{5}{9}$

1463

모집단의 확률변수 X의 확률분포를 나타낸 표가 다음과 같다.

X	-2	0	2	합계
$P(X=x)$	$\frac{1}{4}$	$\frac{1}{2}$	$\frac{1}{4}$	1

이 모집단에서 크기가 3인 표본을 임의추출하여 구한 표본평균 $\overline{X}$에 대하여 $P(\overline{X}\ge 2)$는?

① $\frac{1}{64}$ ② $\frac{1}{32}$ ③ $\frac{1}{16}$
④ $\frac{1}{8}$ ⑤ $\frac{1}{4}$

1464 중요

숫자 2가 적힌 공 1개, 숫자 4가 적힌 공 n개가 들어 있는 주머니에서 임의로 1개의 공을 꺼내어 공에 적힌 수를 확인한 후 다시 주머니에 넣는 시행을 2회 반복한다. 꺼낸 공에 적힌 수의 평균을 $\overline{X}$라 할 때, $P(\overline{X}=3)=\frac{3}{8}$이다. 자연수 n의 값을 구하시오.

유형 03 내신 중요도 유형 난이도 ★★☆☆☆

표본평균 $\overline{X}$의 평균, 분산, 표준편차 – 모평균과 모표준편차가 주어질 때

(표본평균의 평균)=(모평균), (표본평균의 분산)=$\frac{(\text{모분산})}{(\text{표본의 크기})}$,

(표본평균의 표준편차)=$\frac{(\text{모표준편차})}{\sqrt{(\text{표본의 크기})}}$이다.

⇨ $E(\overline{X})=E(X)$, $V(\overline{X})=\frac{V(X)}{n}$, $\sigma(\overline{X})=\frac{\sigma(X)}{\sqrt{n}}$

1465 중요 ●○○○

모평균이 200, 모분산이 5^2인 모집단에서 크기가 100인 표본을 임의추출할 때, 표본평균 $\overline{X}$의 평균 a, 표준편차 b에 대하여 ab의 값을 구하시오.

1466 짱중요 ●○○○

모평균이 25, 모표준편차가 4인 모집단에서 임의추출한 크기가 4인 표본의 표본평균을 $\overline{X}$라고 할 때, $E(\overline{X})+V(\overline{X})$의 값을 구하시오.

1467 ●●○○

정규분포 $N(10, 6)$을 따르는 모집단에서 크기가 3인 표본을 임의추출할 때, 표본평균 $\overline{X}$에 대하여 $E(\overline{X}^2)$을 구하시오.

1468 ●●○○

모평균이 10, 모표준편차가 2인 모집단에서 크기가 4인 표본을 임의추출하여 구한 표본평균을 $\overline{X}$라 할 때, $E(3\overline{X}+1)+V(2\overline{X}-3)$의 값은?

① 31 ② 32 ③ 33 ④ 34 ⑤ 35

1469 중요 ●●○○

모집단의 확률변수 X가 정규분포 $N(8, \sigma^2)$을 따른다고 한다. 이 모집단에서 크기가 4인 표본을 임의추출할 때, 표본평균 $\overline{X}$에 대하여 $\sigma(\overline{X})=2$이다. $E(X^2)$을 구하시오.

1470 ●●○○

모평균이 50, 모표준편차가 5인 모집단에서 크기가 25인 표본을 임의추출할 때, 그 표본평균을 $\overline{X}$, 표본표준편차를 S라 하자. 〈보기〉에서 옳은 것만을 있는 대로 고른 것은?

보기
ㄱ. $\overline{X}=50$
ㄴ. S는 확률변수이다.
ㄷ. $\overline{X}$의 표준편차는 1이다.

① ㄱ ② ㄴ ③ ㄷ ④ ㄱ, ㄷ ⑤ ㄴ, ㄷ

1471 ●●○○

모평균이 300, 모분산이 25인 모집단에서 크기가 n인 표본을 임의추출할 때, 표본평균 $\overline{X}$의 평균이 a, 표준편차가 $\frac{1}{3}$이라고 한다. $a-n$의 값을 구하시오.

1472 중요 ●●●○

모표준편차가 $\frac{1}{6}$인 정규분포를 따르는 모집단에서 크기가 n인 표본을 임의추출할 때, 표본평균 $\overline{X}$의 표준편차 $\sigma(\overline{X})$가 $\frac{1}{40}$ 이하가 되는 n의 최솟값을 구하시오.

1473 중요 ●●○○

모평균이 m, 모표준편차가 σ인 모집단에서 크기가 9인 표본을 임의추출할 때, 표본평균 $\overline{X}$의 평균이 10, 표준편차가 2이다. $m+\sigma$의 값은?

① 12 ② 14 ③ 16
④ 18 ⑤ 20

1474 ●●●○

모평균이 m, 모표준편차가 σ인 모집단에서 크기가 16인 표본을 임의추출하여 구한 표본평균을 $\overline{X}$라 하자. $\mathrm{E}(4\overline{X}-1)=15$, $\mathrm{V}(3\overline{X}+2)=36$일 때, $m+\sigma$의 값을 구하시오.

1475 ●●●○

정규분포 $\mathrm{N}(m, \sigma^2)$을 따르는 모집단에서 크기가 10, 20인 표본을 임의추출할 때, 그 표본평균을 각각 $\overline{X_1}$, $\overline{X_2}$라고 한다. 〈보기〉에서 옳은 것만을 있는 대로 고른 것은?

보기

ㄱ. $\overline{X_1}=\overline{X_2}$
ㄴ. $\mathrm{E}(\overline{X_1})=\mathrm{E}(\overline{X_2})$
ㄷ. $\sigma(\overline{X_1})>\sigma(\overline{X_2})$

① ㄱ ② ㄴ ③ ㄱ, ㄴ
④ ㄴ, ㄷ ⑤ ㄱ, ㄴ, ㄷ

1476 중요 ●●●●

평균이 m, 표준편차가 σ인 정규분포를 따르는 모집단에서 크기가 n_1인 표본을 임의추출하여 얻은 표본평균을 $\overline{X}$, 크기가 n_2인 표본을 임의추출하여 얻은 표본평균을 $\overline{Y}$라 할 때, 〈보기〉에서 옳은 것만을 있는 대로 고르시오.

보기

ㄱ. $2n_1=n_2$이면 $\mathrm{E}(\overline{X})=2\mathrm{E}(\overline{Y})$이다.
ㄴ. $n_1<n_2$이면 $\mathrm{V}(\overline{X})>\mathrm{V}(\overline{Y})$이다.
ㄷ. $4n_1=n_2$이면 $\sigma(\overline{X})=2\sigma(\overline{Y})$이다.

유형 04 내신 중요도 유형 난이도 ★★☆☆☆

표본평균 $\overline{X}$의 평균, 분산, 표준편차 –확률분포가 주어질 때

모집단의 확률분포가 주어질 때 표본평균의 평균, 분산, 표준편차는 다음과 같이 구한다.

① 모평균 m, 모분산 σ^2을 구한다.

⇨ $m=\mathrm{E}(X)=\sum_{i=1}^{n} x_i p_i$

$\sigma^2=\mathrm{V}(X)=\mathrm{E}(X^2)-\{\mathrm{E}(X)\}^2$

② 크기가 n인 표본을 임의추출할 때, 표본평균 $\overline{X}$의 평균, 분산, 표준편차를 구한다.

⇨ $\mathrm{E}(\overline{X})=m$, $\mathrm{V}(\overline{X})=\frac{\sigma^2}{n}$, $\sigma(\overline{X})=\frac{\sigma}{\sqrt{n}}$

1477 짱중요 ●○○○

모집단의 확률변수 X의 확률분포를 나타낸 표가 다음과 같다. 이 모집단에서 크기가 8인 표본을 임의추출할 때, 표본평균 $\overline{X}$의 표준편차를 구하시오.

X	0	1	2	합계
$\mathrm{P}(X=x)$	$\frac{1}{4}$	$\frac{1}{2}$	$\frac{1}{4}$	1

1478 ●○○○

모집단의 확률변수 X의 확률분포를 나타낸 표가 다음과 같을 때, 이 모집단에서 크기가 4인 표본을 임의추출하였다. 표본평균을 $\overline{X}$라 할 때, $\mathrm{V}(\overline{X})$를 구하시오.

X	1	2	3	4	5	합계
$\mathrm{P}(X=x)$	$\frac{1}{6}$	$\frac{1}{6}$	$\frac{1}{3}$	$\frac{1}{6}$	$\frac{1}{6}$	1

1479 중요 ●○○○

모집단의 확률변수 X의 확률분포를 나타낸 표가 다음과 같다.

X	1	2	3	4	합계
$\mathrm{P}(X=x)$	$\frac{2}{5}$	$\frac{3}{10}$	a	$\frac{1}{10}$	1

이 모집단에서 크기가 16인 표본을 임의추출할 때, 그 표본평균을 $\overline{X}$라 하자. $\mathrm{E}(\overline{X})+\sigma(\overline{X})$의 값을 구하시오.

1480 ●●○○

모집단의 확률변수 X의 확률분포를 나타낸 표가 다음과 같다.

X	1	2	3	4	5	합계
$\mathrm{P}(X=x)$	$\frac{1}{9}$	$\frac{2}{9}$	$\frac{1}{3}$	$\frac{2}{9}$	$\frac{1}{9}$	1

이 모집단에서 크기가 4인 표본을 임의추출할 때, 표본평균 $\overline{X}$에 대하여 $\mathrm{E}(\overline{X}^2)$은?

① 9 ② $\frac{28}{3}$ ③ $\frac{29}{3}$

④ 10 ⑤ $\frac{31}{3}$

1481 ●●○○

모집단의 확률변수 X의 확률분포를 나타낸 표가 다음과 같다. 이 모집단에서 크기가 n인 표본을 임의추출할 때, 표본평균 $\overline{X}$의 분산은 $\frac{1}{8}$이라고 한다. n의 값을 구하시오.

X	0	1	2	3	합계
$\mathrm{P}(X=x)$	$\frac{1}{8}$	a	a	$\frac{1}{8}$	1

10 표본평균의 분포

1482 중요 교육청 기출 ●●○○

어느 모집단의 확률변수를 표로 나타내면 다음과 같다.

X	0	1	2	합계
$\mathrm{P}(X=x)$	$\frac{1}{3}$	a	b	1

이 모집단에서 크기가 4인 표본을 임의추출하여 구한 표본평균을 $\overline{X}$라 하자. $\mathrm{E}(\overline{X})=\frac{5}{6}$일 때, $a+2b$의 값은?

① $\frac{1}{6}$ ② $\frac{1}{3}$ ③ $\frac{1}{2}$
④ $\frac{2}{3}$ ⑤ $\frac{5}{6}$

1483 짱중요 평가원 기출 ●●○○

어느 모집단의 확률변수 X의 확률분포가 다음 표와 같다.

X	0	2	4	합계
$\mathrm{P}(X=x)$	$\frac{1}{6}$	a	b	1

$\mathrm{E}(X^2)=\frac{16}{3}$일 때, 이 모집단에서 임의추출한 크기가 20인 표본의 표본평균 $\overline{X}$에 대하여 $\mathrm{V}(\overline{X})$의 값은?

① $\frac{1}{60}$ ② $\frac{1}{30}$ ③ $\frac{1}{20}$
④ $\frac{1}{15}$ ⑤ $\frac{1}{12}$

1484 ●●●○

어느 모집단의 확률변수 X의 확률질량함수가

$$\mathrm{P}(X=r)={}_{90}\mathrm{C}_r\left(\frac{1}{3}\right)^r\left(\frac{2}{3}\right)^{90-r}\ (r=0,\ 1,\ 2,\ \cdots,\ 90)$$

이고, 이 모집단에서 크기가 5인 표본을 임의추출하여 구한 표본평균을 $\overline{X}$라 할 때, $\mathrm{E}(\overline{X})\times\mathrm{V}(\overline{X})$의 값을 구하시오.

1485 ●●●○

모집단의 확률변수 X의 확률분포를 나타낸 표가 다음과 같다.

X	1	2	3	4	합계
$\mathrm{P}(X=x)$	$\frac{1}{10}$	$\frac{1}{5}$	$\frac{3}{10}$	$\frac{2}{5}$	1

이 모집단에서 크기가 n인 표본을 임의추출할 때, 표본평균 $\overline{X}$에 대하여 $\mathrm{E}(\overline{X})\times\mathrm{V}(\overline{X})=\frac{1}{4}$이라고 한다. n의 값을 구하시오.

1486 ●●●○

모집단의 확률변수 X의 확률분포를 나타낸 표가 다음과 같다.

X	a	$2a$	$3a$	합계
$\mathrm{P}(X=x)$	$\frac{3}{10}$	$\frac{3}{5}$	$\frac{1}{10}$	1

이 모집단에서 크기가 2인 표본을 임의추출할 때, 그 표본평균을 $\overline{X}$라 하자. $\mathrm{E}(2\overline{X})=\frac{18}{5}$일 때, $\mathrm{P}(\overline{X}=2a)$를 구하시오.

1487 ●●●○

모집단의 확률변수 X의 확률분포를 나타낸 표가 다음과 같다.

X	20	30	40	합계
$\mathrm{P}(X=x)$	$\frac{1}{2}$	a	$\frac{1}{2}-a$	1

이 모집단에서 크기가 2인 표본을 임의추출하여 구한 표본평균을 $\overline{X}$라 하자. $\overline{X}$의 평균이 29일 때, $\mathrm{P}(\overline{X}=30)$을 구하시오.

유형 05 표본평균 $\overline{X}$의 평균, 분산, 표준편차 -모집단이 주어질 때

내신 중요도 ■■■■■ 유형 난이도 ★★★★★

모집단이 주어질 때, 표본평균의 평균, 분산, 표준편차는 다음과 같이 구한다.

① 확률변수 X의 확률분포를 표로 나타낸다.

② 모평균 m, 모분산 σ^2을 구한다.

③ 크기가 n인 표본을 임의추출할 때, 표본평균 $\overline{X}$의 평균, 분산, 표준편차를 구한다.

⇨ $E(\overline{X})=m$, $V(\overline{X})=\dfrac{\sigma^2}{n}$, $\sigma(\overline{X})=\dfrac{\sigma}{\sqrt{n}}$

1488 ●○○○

2, 4, 6, 8의 숫자가 각각 하나씩 적힌 4장의 카드가 있다. 이 카드에서 2장의 카드를 복원추출할 때, 카드에 적힌 숫자의 표본평균 $\overline{X}$의 평균과 분산을 순서대로 적은 것은?

① 5, 2 ② 5, $\dfrac{5}{2}$ ③ 5, 3

④ 5, $\dfrac{7}{2}$ ⑤ 5, 4

1489 짱중요 ●○○○

주머니 속에 1, 2, 2, 3의 숫자가 각각 하나씩 적힌 4개의 공이 들어 있다. 이것을 모집단으로 하여 크기가 2인 표본을 복원추출할 때, 공에 적힌 숫자의 표본평균 $\overline{X}$의 평균과 표준편차의 합은?

① 1 ② $\dfrac{3}{2}$ ③ 2

④ $\dfrac{5}{2}$ ⑤ 3

1490 중요 ●●○○

주머니 속에 1부터 4까지의 자연수가 하나씩 적힌 구슬이 각각 3개씩 들어 있다. 이 주머니에서 3개의 구슬을 복원추출하여 구슬에 적힌 숫자의 평균을 $\overline{X}$라 할 때, $E(4\overline{X}-5)$를 구하시오.

1491 ●●○○

1부터 9까지의 자연수가 각각 하나씩 적힌 9개의 공이 들어 있는 주머니에서 4개의 공을 복원추출하여 그 공에 적힌 숫자의 평균을 $\overline{X}$라 할 때, $V(3\overline{X}+1)$을 구하시오.

1492 ●●●○

1부터 n까지의 자연수가 각각 하나씩 적힌 공 n개가 상자 안에 들어 있다. 이 상자에서 2개의 공을 복원추출할 때, 공에 적힌 숫자의 표본평균 $\overline{X}$의 평균이 3이다. $\overline{X}$의 분산을 구하시오.

1493 짱중요 ●●○○

주머니 속에 1, 1, 2, 2, 2, 3, 3이 각각 하나씩 적힌 7개의 공이 들어 있다. 이 주머니에서 3개의 공을 복원추출하여 공에 적힌 숫자의 평균을 $\overline{X}$라 할 때, $E(\overline{X})\times V(\overline{X})$의 값은?

① $\dfrac{4}{21}$ ② $\dfrac{2}{7}$ ③ $\dfrac{8}{21}$

④ $\dfrac{10}{21}$ ⑤ $\dfrac{4}{7}$

1494 ●●●○

주머니 속에 1, 2, 3의 숫자가 적힌 카드가 각각 1장, 2장, 3장 들어 있다. 이 주머니에서 5장의 카드를 복원추출할 때, 카드에 적힌 숫자의 표본평균 $\overline{X}$에 대하여 $\dfrac{E(\overline{X})}{V(\overline{X})}$의 값은?

① 18　② 19　③ 20
④ 21　⑤ 22

1495 중요 ●●●○

1, 2, 3이 하나씩 적힌 카드가 각각 1장, 2장, 3장씩 있다. 이 중에서 복원추출로 2장의 카드를 뽑아 카드에 적힌 숫자의 평균을 $\overline{X}$라 할 때, $E(\overline{X}^2)=\dfrac{b}{a}$이다. $a+b$의 값을 구하시오.

(단, a, b는 서로소인 자연수이다.)

1496 ●●●○

주머니 속에 1, 3, 5, 7, 9의 숫자가 하나씩 적힌 카드가 각각 3장, 4장, 6장, 4장, n장 들어 있다. 이것을 모집단으로 하여 크기가 5인 표본을 복원추출할 때, 카드에 적힌 숫자의 표본평균 $\overline{X}$의 평균이 5이다. n의 값은?

① 1　② 2　③ 3
④ 4　⑤ 5

유형 06 표본평균의 분포

내신 중요도 ▬▬▬▬▬ 유형 난이도 ★★☆☆☆

모평균이 m, 모표준편차가 σ인 모집단에서 크기가 n인 표본을 임의추출할 때,

(1) 모집단이 정규분포 $N(m, \sigma^2)$을 따르면 표본평균 $\overline{X}$는 정규분포 $N\left(m, \dfrac{\sigma^2}{n}\right)$을 따른다.

(2) 모집단이 정규분포를 따르지 않더라도 표본의 크기 n이 충분히 크면 표본평균 $\overline{X}$는 근사적으로 정규분포 $N\left(m, \dfrac{\sigma^2}{n}\right)$을 따른다.

1497 ●●○○

정규분포 $N(10, 16)$을 따르는 모집단에서 크기가 16인 표본을 임의추출할 때, 표본평균 $\overline{X}$는 정규분포 $N(m, a)$를 따른다. $m+a$의 값을 구하시오.

1498 ●●○○

정규분포 $N(40, 10^2)$을 따르는 모집단에서 크기가 n인 표본을 임의추출할 때, 표본평균 $\overline{X}$는 정규분포 $N\left(40, \dfrac{1}{4}\right)$을 따른다. n의 값을 구하시오.

1499 ●●○○

모평균이 300, 모표준편차가 σ인 모집단에서 크기가 50인 표본을 임의추출할 때, 표본평균 $\overline{X}$는 정규분포 $N\left(k, \dfrac{1}{2}\right)$을 따른다. $k+\sigma$의 값을 구하시오.

1500 ●●○○

정규분포 $N(m, \sigma^2)$을 따르는 모집단에서 표본의 크기를 각각 n_1, n_2로 하는 두 표본평균을 각각 $\overline{X_1}$, $\overline{X_2}$라 할 때, 다음 설명 중 옳은 것은? (단, $n_1>1$, $n_2>1$)

① 표본평균 $\overline{X_1}$는 정규분포 $N(m, \sigma^2)$을 따른다.
② 표본평균 $\overline{X_2}$는 정규분포 $N\left(m, \dfrac{\sigma^2}{\sqrt{n_2}}\right)$을 따른다.
③ $n_1<n_2$이면 $E(\overline{X_1})<E(\overline{X_2})$이다.
④ $n_1<n_2$이면 $V(\overline{X_1})<V(\overline{X_2})$이다.
⑤ $n_1<n_2$이면 $\sigma(\overline{X_1})>\sigma(\overline{X_2})$이다.

1501 ●●●○

확률변수 X가 정규분포 $N(m, \sigma^2)$을 따르는 모집단에서 크기가 n_1, n_2인 표본을 임의추출할 때, 표본평균을 각각 $\overline{X_1}$, $\overline{X_2}$라 하자. 확률변수 $\overline{X_1}$, $\overline{X_2}$는 정규분포를 따르고 정규분포곡선은 그림과 같다. 〈보기〉에서 옳은 것만을 있는 대로 고른 것은?

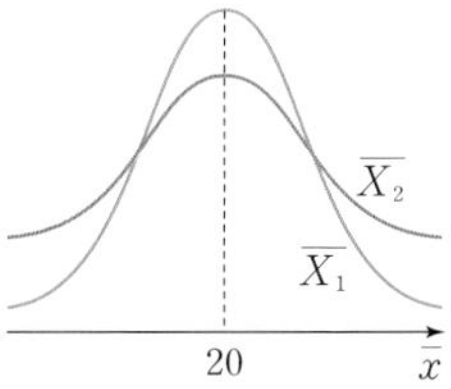

보기
ㄱ. $E(\overline{X_1})=E(\overline{X_2})=20$
ㄴ. $V(\overline{X_1})>V(\overline{X_2})$
ㄷ. $\sigma(\overline{X_1})\le\sigma(X)$
ㄹ. $n_1>n_2$

① ㄱ, ㄹ ② ㄴ, ㄷ ③ ㄷ, ㄹ
④ ㄱ, ㄴ, ㄷ ⑤ ㄱ, ㄷ, ㄹ

유형 07 내신 중요도 ▬▬▬▬▬ 유형 난이도 ★★★☆☆

표본평균 $\overline{X}$의 확률 구하기

표본평균의 확률은 다음과 같이 구한다.
① 표본평균 $\overline{X}$가 따르는 정규분포 $N\left(m, \dfrac{\sigma^2}{n}\right)$을 구한다.
② 표본평균 $\overline{X}$를 $Z=\dfrac{\overline{X}-m}{\dfrac{\sigma}{\sqrt{n}}}$으로 표준화한다.
③ 표준정규분포표를 이용하여 확률을 구한다.

1502 ●○○○

모평균이 50, 모표준편차가 5인 정규분포를 따르는 모집단에서 100개의 표본을 임의추출하여 그 표본평균을 $\overline{X}$라 할 때, $P(\overline{X}\ge50.5)$를 위의 표준정규분포표를 이용하여 구하시오.

z	$P(0\le Z\le z)$
0.5	0.19
1.0	0.34
1.5	0.43

1503 중요 ●●○○

모평균이 30, 모표준편차가 6인 정규분포를 따르는 모집단에서 크기가 9인 표본을 임의추출할 때, 표본평균이 26.08 이상 33.3 이하일 확률을 위의 표준정규분포표를 이용하여 구하면?

z	$P(0\le Z\le z)$
1.65	0.450
1.96	0.475
2.58	0.495

① 0.450 ② 0.475 ③ 0.495
④ 0.925 ⑤ 0.945

1504 짱중요 ●●○○

A고등학교 학생의 몸무게는 평균이 70 kg, 표준편차가 20 kg인 정규분포를 따른다고 한다. 이 학교의 학생 중에서 100명을 임의추출하여 몸무게를 조사할 때, 그 표본평균이 74 kg 이상일 확률을 위의 표준정규분포표를 이용하여 구하시오.

z	$P(0\le Z\le z)$
1.0	0.3413
1.5	0.4332
2.0	0.4772
2.5	0.4938

1505 짱중요 ●●○○

수생 고등학교 학생 전체의 키는 평균이 160 cm, 표준편차가 8 cm인 정규분포를 따른다. 이 고등학교 학생 전체를 모집단으로 16명을 임의추출할 때, 키의 평균이 156 cm 이상 162 cm 이하일 확률을 위의 표준정규분포표를 이용하여 구하시오.

z	$P(0\le Z\le z)$
0.5	0.1915
1.0	0.3413
1.5	0.4332
2.0	0.4772

1506 짱중요 ●●○○

어느 전구 회사에서 생산하는 전구의 수명은 평균이 2000시간, 표준편차가 200시간인 정규분포를 따른다고 한다. 이 회사에서 생산된 제품 중에서 400개를 임의추출하여 수명을 조사할 때, 표본평균이 1990시간 이하일 확률을 구하시오.

(단, $P(0\le Z\le 1)=0.3413$으로 계산한다.)

1507 ●●○○

모평균이 100, 모표준편차가 20인 정규분포를 따르는 모집단에서 크기가 n인 표본을 임의추출하여 구한 표본평균을 $\overline{X}$라 하자. 함수 $y=f(n)$을

$f(n)=P(100\le \overline{X}\le 120)$이라 할 때, $f(4)-f(1)$의 값을 위의 표준정규분포표를 이용하여 구하시오.

z	$P(0\le Z\le z)$
0.5	0.1915
1.0	0.3413
1.5	0.4332
2.0	0.4772

1508 ●●○○

어떤 모집단의 확률변수 X가 정규분포 $N(m,\ \sigma^2)$을 따르고 이 모집단의 확률밀도함수 $y=f(x)$가

$f(x+30)=f(50-x)$

를 만족시킨다. 이 모집단에서 크기가 16인 표본을 임의추출할 때, 표본평균을 $\overline{X}$라 하자. $V(\overline{X})=4$일 때, $P(32\le X\le 44)$를 오른쪽 표준정규분포표를 이용하여 구하시오.

z	$P(0\le Z\le z)$
0.5	0.1915
1.0	0.3413
1.5	0.4332
2.0	0.4772

1509 ●●○○

확률변수 Z가 표준정규분포 $N(0,\ 1)$을 따를 때, $P(0\le Z\le 1.5)=\alpha$, $P(0\le Z\le 2.5)=\beta$라고 한다. 모평균이 250, 모표준편차가 40인 정규분포를 따르는 모집단에서 크기가 100인 표본을 임의추출하여 표본평균을 $\overline{X}$라 할 때, $P(256\le \overline{X}\le 260)$을 α, β를 이용하여 나타낸 것은?

① $\dfrac{\alpha+\beta}{10}$ ② $\dfrac{\beta-\alpha}{10}$ ③ $\beta-\alpha$

④ $1-\alpha-\beta$ ⑤ $\dfrac{1}{2}+\alpha-\beta$

1510 ●●●○

어느 농장에서 재배한 포도 1송이의 무게는 평균이 500 g, 표준편차가 30 g인 정규분포를 따른다고 한다. 이 농장에서 포도 9송이씩 한 상자에 담아 판매한다고 할 때, 이 상자들 중에서 임의로 뽑은 한 상자에 담긴 9송이의 포도의 무게의 합을 확률변수 G라 하자. 〈보기〉에서 옳은 것만을 있는 대로 고른 것은?

(단, $\mathrm{P}(|Z|\le 1)=0.68$, $\mathrm{P}(|Z|\le 2)=0.96$으로 계산한다.)

보기

ㄱ. 확률변수 G의 평균은 4500 g이다.
ㄴ. 확률변수 G의 표준편차는 10 g이다.
ㄷ. $\mathrm{P}(G\le 4320)=0.02$

① ㄱ ② ㄱ, ㄴ ③ ㄱ, ㄷ
④ ㄴ, ㄷ ⑤ ㄱ, ㄴ, ㄷ

1511 중요 평가원 기출 ●●●○

어떤 모집단의 분포가 $\mathrm{N}(m,\ 10^2)$을 따르고, 이 정규분포의 확률밀도함수 $f(x)$의 그래프와 구간별 확률은 아래와 같다.

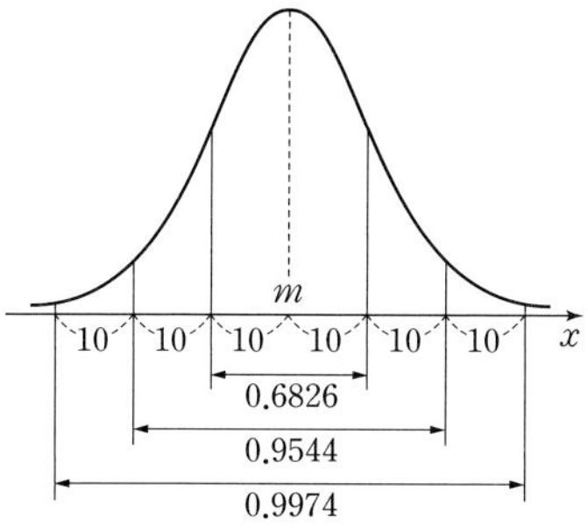

확률밀도함수 $f(x)$는 모든 실수 x에 대하여

$f(x)=f(100-x)$

를 만족한다. 이 모집단에서 크기 25인 표본을 임의추출할 때의 표본평균을 $\overline{X}$라 하자. $\mathrm{P}(44\le \overline{X}\le 48)$의 값은?

① 0.1359 ② 0.1574 ③ 0.1965
④ 0.2350 ⑤ 0.2718

유형 08 조건을 만족하는 확률, 개수 구하기

내신 중요도 ■■■■■ 유형 난이도 ★★★☆☆

(1) 조건에 맞는 확률
확률분포에서 표본을 추출할 때, 주어진 조건을 따르는 표본평균 $\overline{X}$의 범위를 찾아서 확률을 구한다.
(2) 조건에 맞는 개수
조건을 따르는 표본평균 $\overline{X}$의 범위를 찾아서 확률을 구한 후 (전체 개수)×(확률)을 이용하여 구한다.

1512 ●●●○

모평균이 10, 모표준편차가 1인 정규분포를 따르는 어떤 모집단에서 표본을 임의로 100개 추출하여 표본평균을 조사하였다. 표본평균이 모평균보다 1 % 이상 크게 나타날 확률을 위의 표준정규분포표를 이용하여 구하시오.

z	$\mathrm{P}(0\le Z\le z)$
1.0	0.3413
1.5	0.4332
2.0	0.4772
2.5	0.4938

1513 중요 교육청 기출 ●●●○

A 고등학교 학생의 몸무게는 평균이 60 kg, 표준편차가 6 kg인 정규분포를 이룬다고 한다. 적재중량이 549 kg 이상이 되면 경고음을 내도록 설계되어 있는 엘리베이터에 A 고등학교 학생 중 임의추출한 9명이 탑승하였을 때, 경고음이 울릴 확률을 위의 표준정규분포표를 이용하여 구하면?

z	$\mathrm{P}(0\le Z\le z)$
0.5	0.1915
1.0	0.3413
1.5	0.4332
2.0	0.4772

① 0.1587 ② 0.1915 ③ 0.3085
④ 0.3413 ⑤ 0.4332

1514 평가원 기출

세계핸드볼연맹에서 공인한 여자 일반부용 핸드볼 공을 생산하는 회사가 있다. 이 회사에서 생산된 핸드볼 공의 무게는 평균 350g, 표준편차 16g인 정규분포를 따른다고 한다. 이 회사는 일정한 기간 동안 생산된 핸드볼 공 중에서 임의로 추출된 핸드볼 공 64개의 무게의 평균이 346g 이하이거나 355g 이상이면 생산 공정에 문제가 있다고 판단한다. 이 회사에서 생산 공정에 문제가 있다고 판단할 확률을 위의 표준정규분포표를 이용하여 구한 것은?

z	$P(0\le Z\le z)$
2.00	0.4772
2.25	0.4878
2.50	0.4938
2.75	0.4970

① 0.0290 ② 0.0258 ③ 0.0184
④ 0.0152 ⑤ 0.0092

1515 중요

어느 공장에서 생산하는 초콜릿 1개의 무게는 평균 50g, 표준편차 8g인 정규분포를 따른다고 한다. 이 공장에서 생산된 초콜릿 16개를 한 상자에 포장하는데, 한 상자의 무게가 720g 이하면 불량품으로 판정한다고 한다. 이 공장에서 생산된 3000개의 초콜릿 상자 중 불량품으로 판정되는 상자의 개수를 위의 표준정규분포표를 이용하여 구하시오.

(단, 상자의 무게는 무시한다.)

z	$P(0\le Z\le z)$
0.5	0.19
1.0	0.34
1.5	0.43
2.0	0.48
2.5	0.49

1516 중요

하루에 5000개의 빵을 생산하는 어느 제빵공장에서 생산되는 빵 한 개의 무게는 평균 78g, 표준편차가 5g인 정규분포를 따른다고 한다. 이 빵을 25개씩 무게가 100g인 상자에 담아 전체 무게가 2000g 이상인 상자들을 제과점에 납품하려고 할 때, 이 제빵공장에서 하루에 납품할 수 있는 상자의 개수를 구하시오.

z	$P(0\le Z\le z)$
0.5	0.19
1.0	0.34
1.5	0.43
2.0	0.48

유형 09 표본의 크기 구하기

내신 중요도 ▬▬▬▬▬ 유형 난이도 ★★★★☆

표본평균 $\overline{X}$가 정규분포 $N\left(m, \dfrac{\sigma^2}{n}\right)$을 따를 때,

$P(m\le\overline{X}\le a)=k$이면 $P\left(0\le Z\le \dfrac{a-m}{\dfrac{\sigma}{\sqrt{n}}}\right)=k$

⇨ 표준정규분포표에서 이를 만족시키는 값을 찾는다.

참고

① $P(Z\le k)<0.5$이면 $k<0$
⇨ $P(Z\le k)=0.5-P(k\le Z\le 0)$
$=0.5-P(0\le Z\le -k)$

② $P(Z\le k)>0.5$이면 $k>0$
⇨ $P(Z\le k)=0.5+P(0\le Z\le k)$

③ $P(Z\ge k)<0.5$이면 $k>0$
⇨ $P(Z\ge k)=0.5-P(0\le Z\le k)$

④ $P(Z\ge k)>0.5$이면 $k<0$
⇨ $P(Z\ge k)=0.5+P(k\le Z\le 0)$
$=0.5+P(0\le Z\le -k)$

1517

정규분포 $N(10, 12^2)$을 따르는 모집단에서 크기가 n인 표본을 임의추출하여 그 표본평균을 $\overline{X}$라 할 때, $P(10\le\overline{X}\le 13)=0.4332$이다. n의 값을 위의 표준정규분포표를 이용하여 구하시오.

z	$P(0\le Z\le z)$
0.5	0.1915
1.0	0.3413
1.5	0.4332
2.0	0.4772

1518

모평균이 64, 모표준편차가 7인 정규분포를 따르는 모집단에서 임의추출한 크기가 n인 표본평균을 $\overline{X}$라 할 때,

$P\left(\overline{X}\ge 71+\dfrac{7}{\sqrt{n}}\right)=0.01$을 만족시키는 n의 값을 위의 표준정규분포표를 이용하여 구하면?

z	$P(0\le Z\le z)$
1.0	0.34
2.0	0.48
3.0	0.49

① 2 ② 3 ③ 4
④ 5 ⑤ 6

1519

●●●○

어느 공장에서 생산되는 농구공의 무게는 평균이 600 g, 표준편차가 20 g인 정규분포를 따른다고 한다. 이 공장에서 생산된 농구공 n개를 임의추출하여 무게를 달아 보았을 때, 평균이 595 g 이상 610 g 이하일 확률이 0.8185이다. n의 값을 위의 표준정규분포표를 이용하여 구하시오.

z	$P(0\le Z\le z)$
1.0	0.3413
1.5	0.4332
2.0	0.4772

1520

●●●○

정규분포 N(8, 4)를 따르는 모집단에서 크기가 n인 표본을 임의추출할 때, 표본평균 $\overline{X}$에 대하여 $P(\overline{X}\ge 9)\le 0.1587$이 성립한다. n의 최솟값을 오른쪽 표준정규분포표를 이용하여 구하시오.

z	$P(0\le Z\le z)$
0.5	0.1915
1.0	0.3413
1.5	0.4332
2.0	0.4772

1521 짱중요

●●●○

정규분포 N(100, 64)를 따르는 모집단에서 크기가 n인 표본을 임의추출하여 그 표본평균을 $\overline{X}$라 할 때, $P(98\le \overline{X}\le 102)\ge 0.98$을 만족시키는 n의 최솟값을 위의 표준정규분포표를 이용하여 구하면?

z	$P(0\le Z\le z)$
1.50	0.433
1.96	0.475
2.33	0.490
2.50	0.494

① 57　② 67　③ 77
④ 87　⑤ 97

1522 중요

●●●○

어느 과일 가게에서 파는 사과의 무게는 평균이 300 g, 표준편차가 50 g인 정규분포를 따른다고 한다. 이 가게에서 파는 사과 중 임의추출된 n개의 사과의 무게의 평균을 $\overline{X}$라 할 때, $P(|\overline{X}-300|\le 10)\ge 0.76$이 되도록 하는 n의 최솟값을 위의 표준정규분포표를 이용하여 구하시오.

z	$P(0\le Z\le z)$
1.0	0.34
1.2	0.38
1.4	0.42
1.6	0.45

1523 중요

●●●○

정규분포 N(84, 64)를 따르는 모집단에서 크기가 n인 표본을 임의추출할 때, 표본평균 $\overline{X}$에 대하여

$P\left(\overline{X}\le 76+\frac{8}{\sqrt{n}}\right)\ge 0.025$라고 한다. 자연수 n의 최댓값을 구하시오. (단, $P(0\le Z\le 1.96)=0.475$로 계산한다.)

1524 중요

●●●○

어느 음료수 공장에서 생산되는 음료수 캔 한 개의 무게는 평균이 280 g, 표준편차가 20 g인 정규분포를 따른다고 한다. 이 공장에서 생산된 음료수 캔 n개를 임의추출하여 측정한 무게의 평균을 $\overline{X}$라 하자. $P(|\overline{X}-280|\le 5)\ge 0.8664$를 만족시키는 자연수 n의 최솟값을 위의 표준정규분포표를 이용하여 구하시오.

z	$P(0\le Z\le z)$
0.5	0.1915
1.0	0.3413
1.5	0.4332
2.0	0.4772

1525

대중교통을 이용하여 출근하는 어느 지역 직장인의 월 교통비는 평균이 8이고 표준편차가 1.2인 정규분포를 따른다고 한다. 대중교통을 이용하여 출근하는 이 지역 직장인 중 임의추출한 n명의 월 교통비의 표본평균을 $\overline{X}$라 할 때,

$$P(7.76 \le \overline{X} \le 8.24) \ge 0.6826$$

이 되기 위한 n의 최솟값을 오른쪽 표준정규분포표를 이용하여 구하시오. (단, 교통비의 단위는 만 원이다.)

z	$P(0 \le Z \le z)$
0.5	0.1915
1.0	0.3413
1.5	0.4332
2.0	0.4772

1526 중요

정규분포 $N(m,\ 1^2)$을 따르는 모집단에서 크기가 n인 표본을 임의추출하여 구한 표본평균을 $\overline{X}$라 할 때, 함수 $f(m)$을

$$f(m) = P\left(\overline{X} \le \frac{4}{\sqrt{n}}\right)$$

라 하자. $f(1) \ge 0.8413$, $f(4) \le 0.0228$을 모두 만족시키는 자연수 n의 개수를 표준정규분포표를 이용하여 구하시오.

z	$P(0 \le Z \le z)$
0.5	0.1915
1.0	0.3413
1.5	0.4332
2.0	0.4772

유형 10 표본평균의 확률에서 미지수 구하기

내신 중요도 ■■■■■ 유형 난이도 ★★★★☆

확률변수 X가 정규분포 $N(m,\ \sigma^2)$을 따를 때,

표본평균 $\overline{X}$는 정규분포 $N\left(m,\ \frac{\sigma^2}{n}\right)$을 따른다.

⇨ $P(a \le \overline{X} \le b) = P\left(\frac{a-m}{\frac{\sigma}{\sqrt{n}}} \le Z \le \frac{b-m}{\frac{\sigma}{\sqrt{n}}}\right)$

1527

어떤 공장에서 생산되는 호스의 길이 X는 정규분포 $N(2000,\ 100^2)$을 따른다고 한다. 이 제품 중 임의추출한 100개의 호스의 길이의 평균을 $\overline{X}$라 할 때, $P(a \le \overline{X} \le 2015) = 0.241$을 만족시키는 상수 a의 값을 위의 표준정규분포표를 이용하여 구하시오. (단, 단위는 m이다.)

z	$P(0 \le Z \le z)$
0.5	0.192
1.0	0.341
1.5	0.433
2.0	0.477

1528 짱중요

어느 공장에서 생산되는 건전지의 수명은 평균이 60시간, 표준편차가 4시간인 정규분포를 따른다고 한다. 이 공장에서 생산된 건전지 중에서 크기가 16인 표본을 임의추출하여 건전지의 수명에 대한 표본평균을 $\overline{X}$라 할 때, $P(\overline{X} \ge a) = 0.02$를 만족시키는 상수 a의 값을 구하시오. (단, $P(0 \le Z \le 2) = 0.48$로 계산한다.)

해설 278쪽

1529 짱중요 교육청 기출 ●●●○

어느 제과점에서 판매되는 찹쌀 도넛의 무게는 평균이 70, 표준편차가 2.5인 정규분포를 따른다고 한다. 이 제과점에서 판매되는 찹쌀 도넛 중 16개를 임의추출하여 조사한 무게의 표본평균을 $\overline{X}$라 하자.

z	$P(0 \le Z \le z)$
1.0	0.3413
1.5	0.4332
2.0	0.4772
2.5	0.4938

$$P(|\overline{X} - 70| \le a) = 0.9544$$

를 만족시키는 상수 a의 값을 위의 표준정규분포표를 이용하여 구한 것은? (단, 무게의 단위는 g이다.)

① 1.00   ② 1.25   ③ 1.50
④ 2.00   ⑤ 2.25

1530 평가원 기출 ●●●○

어느 학교의 체육대회에서 학급 대항 멀리뛰기 시합을 하는데, 각 학급에서 임의추출한 학생 4명이 멀리뛰기 기록에 대한 표본평균 $\overline{X}$가 상수 L보다 크면 이 학급은 예선을 통과한 것으로 한다. 어느 학급 학생들의 멀리뛰기 기록은 평균 196.8, 표준편차 10인 정규분포를 따른다고 한다. 이 학급이 예선을 통과할 확률이 0.8770일 때, 상수 L의 값을 오른쪽 표준정규분포표를 이용하여 구한 것은?

z	$P(0 \le Z \le z)$
1.07	0.3577
1.16	0.3770
1.18	0.3810
1.27	0.3980

(단, 멀리뛰기 기록의 단위는 cm이다.)

① 190   ② 191   ③ 192
④ 193   ⑤ 194

1531 짱중요 ●●●○

어느 세제 공장에서 생산되는 세제 A의 무게는 평균이 800 g, 표준편차가 14 g인 정규분포를 따른다고 한다. 이 공장에서는

z	$P(0 \le Z \le z)$
1.88	0.47
2.05	0.48
2.33	0.49

생산 시스템의 이상 여부를 점검하기 위하여 하루에 생산된 세제 A 중에서 크기가 49인 표본을 임의추출하여 얻은 세제의 무게에 대한 표본평균을 $\overline{X}$라 하자. $\overline{X}$가 상수 c보다 작으면 생산 시스템에 이상이 있는 것으로 판단하고 생산 시스템을 점검한다. 이 공장에서 생산 시스템에 이상이 있다고 판단될 확률이 0.02라 할 때, c의 값을 위의 표준정규분포표를 이용하여 구하면?

① 771.3   ② 784.7   ③ 787.1
④ 791.5   ⑤ 795.9

1532 ●●●●

어느 양식장에서 양식되는 전복 1마리의 무게는 평균이 140 g, 표준편차가 12 g인 정규분포를 따른다고 한다. 전복 9마리를 한 상자에 넣어 판매하려고 할 때, 한 상자의 무게가 상위 5 % 이내에 해당하는 것을 1등급으로 판매한다. 1등급으로 판매되는 한 상자의 최소 무게를 구하시오.

(단, $P(0 \le Z \le 1.65) = 0.45$, $P(0 \le Z \le 1.96) = 0.475$로 계산하고, 상자의 무게는 생각하지 않는다.)

1533 ●●●●

평균이 50, 표준편차가 6인 정규분포를 따르는 모집단에서 크기가 4인 표본을 임의로 추출하여 그 표본평균을 $\overline{X}$라 하자. 표준정규분포를 따르는 확률변수 Z에 대하여

$$2P(\overline{X} \ge a) = 1 + P(|Z| \le b)$$

가 성립할 때, $a + 3b$의 값을 구하시오. (단, $b > 0$)

유형 11 표본평균의 확률에서 평균, 표준편차 구하기

내신 중요도 ■■■■■ 유형 난이도 ★★★★☆

$P(a\le\overline{X}\le b)=P\left(\dfrac{a-m}{\frac{\sigma}{\sqrt{n}}}\le Z\le\dfrac{b-m}{\frac{\sigma}{\sqrt{n}}}\right)$을 이용하여 미지수 m 또는 σ의 값을 구하자.

1534 중요 평가원 기출 ●●○○

어느 학교 학생들의 통학 시간은 평균이 50분, 표준편차가 σ분인 정규분포를 따른다. 이 학교 학생들을 대상으로 16명을 임의추출하여 조사한 통학 시간의 표본평균을 $\overline{X}$라 하자. $P(50\le\overline{X}\le 56)=0.4332$일 때, σ의 값을 위의 표준정규분포표를 이용하여 구하시오.

z	$P(0\le Z\le z)$
1.0	0.3413
1.5	0.4332
2.0	0.4772

1535 중요 평가원 기출 ●●○○

어느 회사에서 일하는 플랫폼 근로자의 일주일 근무 시간은 평균이 m시간, 표준편차가 5시간인 정규분포를 따른다고 한다. 이 회사에서 일하는 플랫폼 근로자 중에서 임의추출한 36명의 일주일 근무 시간의 표본평균이 38시간 이상일 확률을 위의 표준정규분포표를 이용하여 구한 값이 0.9332일 때, m의 값은?

z	$P(0\le Z\le z)$
0.5	0.1915
1.0	0.3413
1.5	0.4332
2.0	0.4772

① 38.25 ② 38.75 ③ 39.25
④ 39.75 ⑤ 40.25

1536 중요 평가원 기출 ●●○○

어느 약품 회사가 생산하는 약품 1병의 용량은 평균이 m, 표준편차가 10인 정규분포를 따른다고 한다. 이 회사가 생산한 약품 중에서 임의로 추출한 25병의 용량의 표본평균이 2000 이상일 확률이 0.9772일 때, m의 값을 위의 표준정규분포표를 이용하여 구한 것은?

(단, 용량의 단위는 mL이다.)

z	$P(0\le Z\le z)$
1.5	0.4332
2.0	0.4772
2.5	0.4938
3.0	0.4987

① 2003 ② 2004 ③ 2005
④ 2006 ⑤ 2007

1537 ●●○○

정규분포 $N(10,\ \sigma^2)$을 따르는 모집단에서 크기가 9인 표본을 임의추출하여 구한 표본평균 $\overline{X}$가

$P(\overline{X}\le 8)=P(Z\ge 3)$

일 때, 모표준편차 σ의 값을 구하시오.

(단, Z는 표준정규분포를 따르는 확률변수이다.)

1538 평가원 기출 ●●●○

어느 공장에서 생산되는 제품의 길이 X는 평균이 m이고, 표준편차가 4인 정규분포를 따른다고 한다.
$P(m\le X\le a)=0.3413$일 때, 이 공장에서 생산된 제품 중에서 임의추출한 제품 16개의 길이의 표본평균이 $a-2$ 이상일 확률을 위의 표준정규분포표를 이용하여 구한 것은?

(단, a는 상수이고, 길이의 단위는 cm이다.)

z	$P(0\le Z\le z)$
1.0	0.3413
1.5	0.4332
2.0	0.4772

① 0.0228 ② 0.0668 ③ 0.0919
④ 0.1359 ⑤ 0.1587

1539 평가원 기출

어느 지역 신생아의 출생 시 몸무게 X가 정규분포를 따르고

$$P(X \geq 3.4)=\frac{1}{2},\ P(X \leq 3.9)+P(Z \leq -1)=1$$

이다. 이 지역 신생아 중에서 임의추출한 25명의 출생 시 몸무게의 표본평균을 $\overline{X}$라 할 때, $P(\overline{X} \geq 3.55)$의 값을 오른쪽 표준정규분포표를 이용하여 구한 것은? (단, 몸무게의 단위는 kg이고, Z는 표준정규분포를 따르는 확률변수이다.)

z	$P(0 \leq Z \leq z)$
1.0	0.3413
1.5	0.4332
2.0	0.4772
2.5	0.4938

① 0.0062 ② 0.0228 ③ 0.0668
④ 0.1587 ⑤ 0.3413

1540 평가원 기출

정규분포 $N(50,\ 8^2)$을 따르는 모집단에서 크기가 16인 표본을 임의추출하여 구한 표본평균을 $\overline{X}$, 정규분포 $N(75,\ \sigma^2)$을 따르는 모집단에서 크기가 25인 표본을 임의추출하여 구한 표본평균을 $\overline{Y}$라 하자. $P(\overline{X} \leq 53)+P(\overline{Y} \leq 69)=1$일 때, $P(\overline{Y} \geq 71)$의 값을 위의 표준정규분포표를 이용하여 구한 것은?

z	$P(0 \leq Z \leq z)$
1.0	0.3413
1.5	0.4332
2.0	0.4772
2.5	0.4938

① 0.8413 ② 0.8644 ③ 0.8849
④ 0.9192 ⑤ 0.9452

유형 **12** 표본평균 $\overline{X}$, $\overline{Y}$의 확률 구하기

내신 중요도 ■■■■■ 유형 난이도 ★★★★★

정규분포가 다르게 주어지는 경우 또는 m, σ, n의 값 중 한 개만 다르게 주어지는 경우가 있다. 두 표본평균 $\overline{X}$, $\overline{Y}$의 확률을 각각 구하여 비교해 보자.

1541 중요

정규분포 $N(68,\ 8^2)$을 따르는 모집단에서 크기가 64인 표본을 임의추출하여 구한 표본평균을 $\overline{X}$, 정규분포 $N(m,\ 9^2)$을 따르는 모집단에서 크기가 36인 표본을 임의추출하여 구한 표본평균을 $\overline{Y}$라 하자. $P(\overline{X} \leq 70)=P(\overline{Y} \geq 50)$일 때, $P(\overline{X} \geq 67)+P(\overline{Y} \leq k)=1$을 만족시키는 상수 k의 값을 구하시오.

1542 중요 평가원 기출

정규분포 $N(50,\ 8^2)$을 따르는 모집단에서 크기가 16인 표본을 임의추출하여 구한 표본평균을 $\overline{X}$, 정규분포 $N(75,\ \sigma^2)$을 따르는 모집단에서 크기가 25인 표본을 임의추출하여 구한 표본평균을 $\overline{Y}$라 하자. $P(\overline{X} \leq 53)+P(\overline{Y} \leq 69)=1$일 때, $P(\overline{Y} \geq 71)$의 값을 위의 표준정규분포표를 이용하여 구한 것은?

z	$P(0 \leq Z \leq z)$
1.0	0.3413
1.5	0.4332
2.0	0.4772
2.5	0.4938

① 0.8413 ② 0.8644 ③ 0.8849
④ 0.9192 ⑤ 0.9452

1543 평가원 기출

정규분포 $N(0, 4^2)$을 따르는 모집단에서 크기가 9인 표본을 임의추출하여 구한 표본평균을 $\overline{X}$, 정규분포 $N(3, 2^2)$을 따르는 모집단에서 크기가 16인 표본을 임의추출하여 구한 표본평균을 $\overline{Y}$라 하자. $P(\overline{X} \geq 1) = P(\overline{Y} \leq a)$를 만족시키는 상수 a의 값을 구하시오.

z	$P(0 \leq Z \leq z)$
1.0	0.3413
1.5	0.4332
2.0	0.4772

1544 중요

정규분포 $N(m, \sigma^2)$을 따르는 모집단에서 크기가 n인 표본을 임의추출하여 구한 표본평균을 $\overline{X}$라 하자. $\sigma=k$일 때의 확률을 $f(k)=P\left(\overline{X} \geq m+\frac{2}{\sqrt{n}}\right)$라 할 때, $f(2)+f(4)$의 값을 구하시오. (단, $P(0 \leq Z \leq 0.5)=1.1915$, $P(0 \leq Z \leq 1)=0.3413$)

1545 평가원 기출

어느 회사에서는 생산되는 제품을 1000개씩 상자에 넣어 판매한다. 이때, 상자에서 임의로 추출한 16개 제품의 무게의 표본평균이 12.7 이상이면 그 상자를 정상 판매하고, 12.7 미만이면 할인 판매한다. A 상자에 들어 있는 제품의 무게는 평균 16, 표준편차 6인 정규분포를 따르고, B 상자에 들어 있는 제품의 무게는 평균 10, 표준편차 6인 정규분포를 따른다고 할 때, A 상자가 할인 판매될 확률이 p, B 상자가 정상 판매될 확률이 q이다. $p+q$의 값을 위의 표준정규분포표를 이용하여 구하시오. (단, 무게의 단위는 g이다.)

z	$P(0 \leq Z \leq z)$
1.6	0.4452
1.8	0.4641
2.0	0.4772
2.2	0.4861

1546

어느 공장에서 생산되는 제품의 무게가 정규분포 $N(11, 2^2)$을 따른다고 하자. A와 B 두 사람이 크기가 4인 표본을 각각 독립적으로 임의추출하였다. A와 B가 추출한 표본의 평균이 모두 10g 이상 14g 이하가 될 확률을 위의 표준정규분포표를 이용하여 구하시오.

z	$P(0 \leq Z \leq z)$
1	0.3413
2	0.4772
3	0.4987

1547

어느 회사에서 생산되는 제품을 1000개씩 상자에 넣어 판매한다. 상자에서 임의로 추출한 16개의 제품의 무게의 평균이 12.7 이상이면 그 상자를 정상 판매하고, 12.7 미만이면 할인 판매한다. A상자에 들어 있는 제품의 무게는 평균이 16, 표준편차가 6인 정규분포를 따르고, B상자에 들어 있는 제품의 무게는 평균이 10, 표준편차가 6인 정규분포를 따른다고 할 때, A상자가 할인 판매될 확률이 p, B상자가 정상 판매될 확률이 q이다. $p+q$의 값을 위의 표준정규분포표를 이용하여 구하시오. (단, 무게의 단위는 g이다.)

z	$P(0 \leq Z \leq z)$
1.6	0.4452
1.8	0.4641
2.0	0.4772
2.2	0.4861

해설 285쪽

1548

다음 중 전수조사가 적합한 것을 모두 고르시오.

ㄱ. 핸드폰 매장의 재고 조사
ㄴ. 대한민국의 초미세먼지 조사
ㄷ. 우리나라의 인구 주택 총조사
ㄹ. 공장에서 생산되는 전구의 수명 조사

1549

모표준편차가 12인 모집단에서 크기가 n인 표본을 임의추출할 때, 표본평균 $\overline{X}$의 표준편차가 1 이하가 되도록 하는 n의 최솟값을 구하시오.

1550

정규분포 $\mathrm{N}(75,\ 10^2)$을 따르는 어떤 모집단에서 크기가 25인 표본을 임의추출할 때, $\mathrm{E}(\overline{X})+\sigma(\overline{X})$의 값을 구하시오.

1551 서술형

모집단의 확률변수 X의 확률분포를 표로 나타내면 다음과 같다.

X	1	2	3	계
$\mathrm{P}(X=x)$	a	b	$\frac{2}{5}$	1

이 모집단에서 크기가 2인 표본을 임의추출하여 구한 표본평균 $\overline{X}$에 대하여 $\mathrm{E}(\overline{X})=\frac{11}{5}$일 때, $\mathrm{V}(\overline{X})$의 값을 구하시오.

(단, a, b는 상수이다.)

1552

1, 2, 3, 4의 숫자가 각각 하나씩 적힌 공이 4개 들어 있는 주머니에서 복원추출로 2개의 공을 꺼낼 때, 공에 적힌 숫자의 평균을 $\overline{X}$라 하자. $\mathrm{E}(\overline{X})\times\mathrm{V}(\overline{X})$의 값은?

① $\frac{21}{16}$ ② $\frac{23}{16}$ ③ $\frac{25}{16}$
④ $\frac{27}{16}$ ⑤ $\frac{29}{16}$

1553

어떤 공장에서 생산되는 제품의 무게는 평균이 400 g, 표준편차가 10 g인 정규분포를 따른다고 한다. 이 중에서 25개의 제품을 뽑아 측정한 무게의 표본평균이 402 g 이하일 확률을 위의 표준정규분포표를 이용하여 구하시오.

z	$\mathrm{P}(0\le Z\le z)$
0.5	0.19
1.0	0.34
1.5	0.43
2.0	0.48

1554

어느 농장에서 생산되는 달걀 한 개의 무게는 평균이 85 g, 표준편차가 12 g인 정규분포를 따른다고 한다. 이 농장에서는 한 상자에 달걀을 임의로 9개씩 넣고, 그 무게가 693 g 이하이면 불량품으로 분류한다. 이 농장에서 생산한 10000개의 달걀 상자 중에서 불량품으로 판정되는 상자의 개수를 구하시오.

z	$P(0 \le Z \le z)$
1.2	0.38
1.5	0.43
1.8	0.46
2.0	0.48
2.3	0.49

1555

어느 공장에서 생산되는 건전지의 수명은 평균 m시간, 표준편차 3시간인 정규분포를 따른다고 한다. 이 공장에서 생산된 건전지 중에서 크기가 n인 표본을 임의추출하여 건전지의 수명에 대한 표본평균을 $\overline{X}$라 하자. $P(m-0.5 \le \overline{X} \le m+0.5) \le 0.9876$을 만족시키는 표본의 크기 n의 최댓값을 위의 표준정규분포표를 이용하여 구하시오.

z	$P(0 \le Z \le z)$
1.0	0.3413
1.5	0.4332
2.0	0.4772
2.5	0.4938

1556

정규분포 $N(120,\ 10^2)$을 따르는 모집단에서 크기가 25인 표본을 임의로 추출할 때, 그 표본평균 $\overline{X}$에 대하여 $P(115 \le \overline{X} \le k) = 0.9710$이 성립한다. 상수 k의 값을 위의 표준정규분포표를 이용하여 구하시오.

z	$P(0 \le Z \le z)$
1.0	0.3413
1.5	0.4332
2.0	0.4772
2.5	0.4938

1557

어느 회사에서 생산한 야구공 한 개의 무게는 mg, 표준편차는 15 g인 정규분포를 따른다. 이 회사에서 생산한 야구공 중에서 n개를 임의추출하여 구한 표본평균을 $\overline{X}$라 하자.
$P(|\overline{X}-m| \le 7.5) = 0.9876$일 때, 표본의 크기 n의 값을 구하시오.

z	$P(0 \le Z \le z)$
1.0	0.3413
1.5	0.4332
2.0	0.4772
2.5	0.4938
3.0	0.4987

1558 서술형

어느 공장에서 생산한 제품 A의 무게는 평균이 400 g, 표준편차가 20 g인 정규분포를 따르며, 제품 B의 무게는 평균이 200 g, 표준편차가 12 g인 정규분포를 따른다. 이 공장에서 생산한 제품 A 중 임의추출한 n개의 무게의 표본평균을 $\overline{X}$, 이 공장에서 생산한 제품 B 중 임의 추출한 m개의 무게의 표본평균을 $\overline{Y}$라 하자. $P(\overline{X} \ge 404) = 0.1587$일 때,
$P(\overline{Y} \ge 203) \ge P(\overline{X} \ge 404)$이기 위한 $n+m$의 최댓값을 위의 표준정규분포표를 이용하여 구하시오.

z	$P(0 \le Z \le z)$
0.5	0.1915
1.0	0.3413
1.5	0.4332
2.0	0.4772
2.5	0.4938

1559

모집단의 확률변수 X가 정규분포 $N(100,\ 5^2)$을 따를 때, 이 모집단에서 크기가 16인 표본을 임의추출하여 구한 평균을 $\overline{X}$라고 하자. $P(X \ge 108) = P(\overline{X} < a)$를 만족시키는 상수 a의 값을 구하시오.

고난도 문제

일등급 go! go!

해설 288쪽

Level 1

1560

크기가 N인 모집단에서 크기가 n인 표본을 복원추출하는 방법의 수가 125, 1개씩 연속적으로 n개를 비복원추출하는 방법의 수가 60, 한꺼번에 n개를 비복원추출하는 방법의 수가 10일 때 자연수 N과 n의 합을 구하시오. (단, $N>n$)

1561

어떤 모집단의 확률변수 X의 확률질량함수가

$$P(X=x)={}_{360}C_x\frac{5^x}{6^{360}}\ (x=0,\ 1,\ 2,\ \cdots,\ 360)$$

이고, 이 모집단에서 크기가 100인 표본을 임의추출하여 구한 표본평균을 $\overline{X}$라 할 때, $E(\overline{X})\times V(\overline{X})$의 값은?

① 110　② 120　③ 130
④ 140　⑤ 150

1562

다음은 어떤 모집단의 확률변수 X의 확률분포를 표로 나타낸 것이다.

X	1	2	3	합계
$P(X=x)$	0.5	0.3	0.2	1

이 모집단에서 크기가 2인 표본을 임의추출할 때, 표본평균 $\overline{X}$의 확률분포를 표로 나타내면 다음과 같다.

$\overline{X}$	1	1.5	2	2.5	3	합계
$P(\overline{X}=\overline{x})$	0.25	a	b	0.12	0.04	1

$a+V(\overline{X})$의 값을 구하시오.

1563

z	$P(0\le Z\le z)$
1.0	0.34
1.64	0.45

어떤 제과점에서 만드는 과자 한 개의 무게는 평균이 20 g, 표준편차가 2 g인 정규분포를 따른다고 한다. 이 제과점에서는 과자 16개를 한 상자에 담아서 판매하는데, 한 상자의 무게가 306.88 g 이하이거나 333.12 g 이상이면 반품된다고 한다. 어느 날 이 제과점에서 출하한 과자 상자 100개 중에서 반품된 상자가 7개 이하일 확률을 위의 표준정규분포표를 이용하여 구하시오. (단, 상자의 무게는 생각하지 않는다.)

1564

정규분포 $N(m, \sigma^2)$을 따르는 모집단에서 크기가 n_1, n_2 $(n_1<n_2)$인 표본을 임의추출하였을 때, 그 표본평균을 각각 $\overline{X_1}$, $\overline{X_2}$라 하자. 표본평균 $\overline{X_1}$, $\overline{X_2}$에 대한 확률분포를 나타내는 함수를 각각 $y=f(x)$, $y=g(x)$라 할 때, 두 함수 $y=f(x)$, $y=g(x)$의 그래프의 모양으로 알맞은 것을 그림에서 찾아 차례대로 나열한 것은?

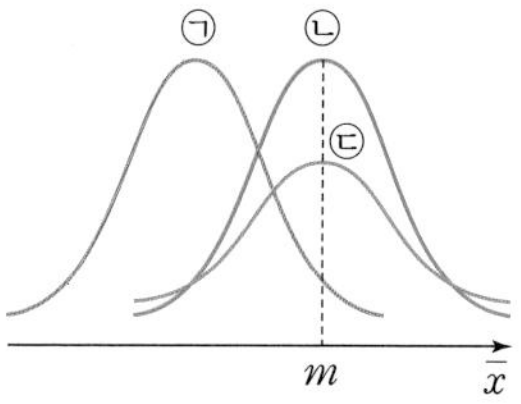

① ㉠, ㉡ ② ㉡, ㉠ ③ ㉠, ㉢
④ ㉡, ㉢ ⑤ ㉢, ㉡

1565

모집단의 확률변수 X가 정규분포 $N(10, 2^2)$을 따른다. 이 모집단에서 크기가 4인 표본을 복원추출하여 그 표본평균을 $\overline{X}$라 할 때, $P(X\geq a)=P(\overline{X}\geq b)$를 만족시키는 두 실수 a, b의 관계로 옳은 것은?

① $a+b=0$ ② $a-b=0$ ③ $|a|+|b|=2$
④ $a^2+b^2=1$ ⑤ $a-2b+10=0$

1566

정규분포 $N(30, 10^2)$을 따르는 모집단에서 크기가 100인 표본을 임의추출할 때, 그 표본평균을 $\overline{X}$라 하자. 〈보기〉에서 옳은 것만을 있는 대로 고르시오.

(단, $P(0\leq Z\leq 1)=0.34$, $P(0\leq Z\leq 2)=0.48$로 계산한다.)

보기

ㄱ. 표본평균 $\overline{X}$는 평균이 30, 표준편차가 1인 정규분포를 따른다.

ㄴ. $P(29\leq \overline{X}\leq 32)=0.82$

ㄷ. 표본의 크기가 $\frac{1}{4}$배가 되면 표본평균 $\overline{X}$의 표준편차는 4로 늘어난다.

Level 2

1567

다음은 어떤 모집단의 확률분포를 표로 나타낸 것이고, 세 수 a, b, c는 이 순서대로 등차수열을 이룬다.

X	1	2	3	합계
$\mathrm{P}(X=x)$	a	b	c	1

이 모집단에서 크기가 4인 표본을 임의추출하여 구한 표본평균을 $\overline{X}$라 하자. $\mathrm{E}(2\overline{X}-1)=\frac{7}{2}$일 때, $\overline{X}$의 분산을 구하시오.

1568

모평균이 5, 모분산이 2인 정규분포를 따르는 모집단에서 크기가 n인 표본을 임의추출할 때, 표본평균 $\overline{X}$에 대하여 $f(n)=\mathrm{E}(\overline{X}^2-5\overline{X}+1)$이 성립한다. $y=f(n)$의 그래프의 개형은?

①
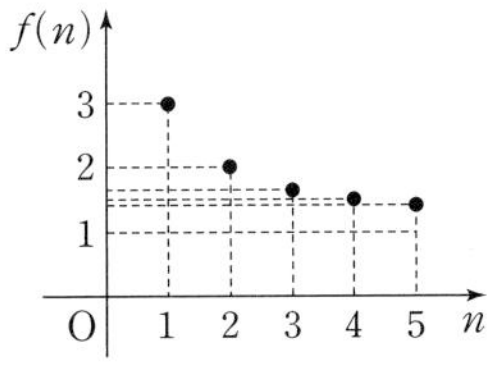

②
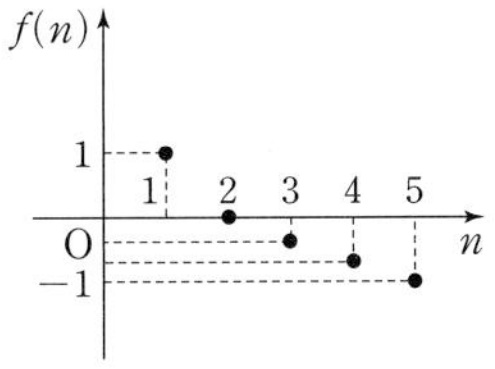

③
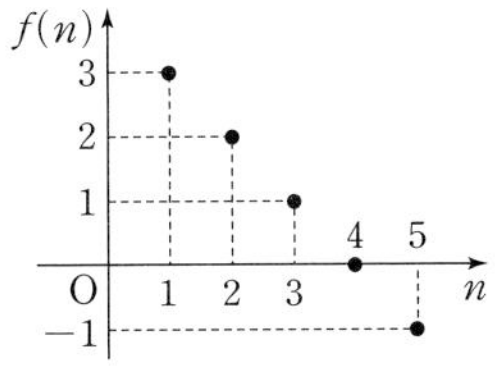

④
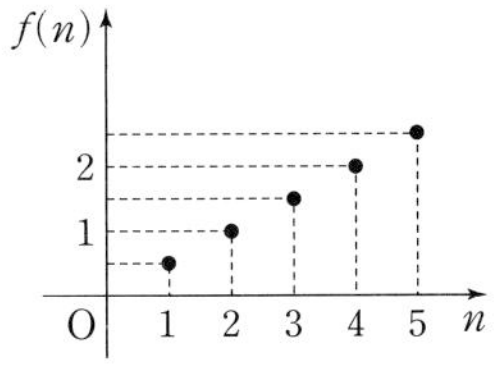

⑤
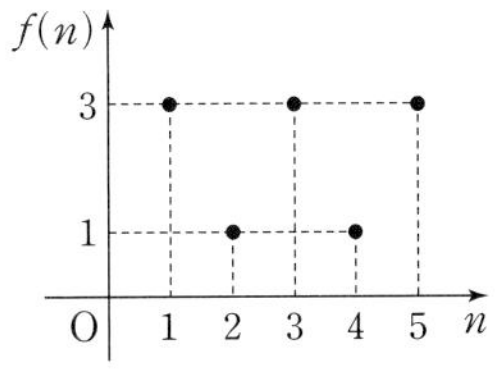

1569

주머니 안에 숫자 1이 적힌 공이 1개, 숫자 2가 적힌 공이 2개, $\cdots$, 숫자 n이 적힌 공이 n개 들어 있다. 이 주머니에서 n개의 공을 복원추출할 때, 공에 적힌 숫자의 표본평균을 $\overline{X}$라 하자.

$\mathrm{V}(\overline{X})=\frac{1}{4}$을 만족시키는 자연수 n의 값을 구하시오.

1570

모평균이 m인 정규분포를 따르는 모집단에서 크기가 n인 표본을 임의추출하여 그 표본평균을 $\overline{X_n}$라 하고, 표본평균 $\overline{X_n}$의 표준편차를 $f(n)$이라 할 때, 〈보기〉에서 옳은 것만을 있는 대로 고르시오.

보기

ㄱ. n의 값이 증가하면 $f(n)$의 값은 감소한다.
ㄴ. 모표준편차는 $4f(4)$의 값과 같다.
ㄷ. $P(|\overline{X_n}-m| \le f(n))$의 값은 n의 값에 관계없이 항상 일정하다.

1571

어느 통조림 공장에서 생산하는 통조림 1개의 무게를 확률변수 X라 하면 X는 정규분포 $N(m, \sigma^2)$을 따르고, $P(|X-m| \le 6)=0.9544$, $P(X \le 153)=0.8413$을 만족시킨다. 이 공장에서 생산하는 통조림 중에서 임의추출한 9개의 무게의 평균을 $\overline{X}$라 할 때, $P(\overline{X} \ge 151)$을 위의 표준정규분포표를 이용하여 구하시오. (단, 무게의 단위는 g이다.)

z	$P(0 \le Z \le z)$
1.0	0.3413
1.5	0.4332
2.0	0.4772
2.5	0.4938
3.0	0.4987

1572 평가원 기출

어느 공장에서 생산되는 제품의 길이 X는 평균이 m이고, 표준편차가 4인 정규분포를 따른다고 한다.

z	$P(0 \le Z \le z)$
1.0	0.3413
1.5	0.4332
2.0	0.4772

$P(m \le X \le a)=0.3413$일 때, 이 공장에서 생산된 제품 중에서 임의추출한 제품 16개의 길이의 표본평균이 $a-2$ 이상일 확률을 위의 표준정규분포표를 이용하여 구한 것은? (단, a는 상수이고, 길이의 단위는 cm이다.)

① 0.0228 ② 0.0668 ③ 0.0919
④ 0.1359 ⑤ 0.1587

해설 291쪽

1573 교육청 기출

정규분포 $N(10, 2^2)$을 따르는 모집단에서 임의추출한 크기가 n인 표본의 표본평균을 $\overline{X}$, 표준정규분포를 따르는 확률변수를 Z라 하자. 〈보기〉에서 옳은 것만을 있는 대로 고르시오.

(단, a, b는 상수이다.)

보기

ㄱ. $V(\overline{X})=\frac{4}{n}$

ㄴ. $P(\overline{X}\le 10-a)=P(\overline{X}\ge 10+a)$

ㄷ. $P(\overline{X}\ge a)=P(Z\le b)$이면 $a+\frac{2}{\sqrt{n}}b=10$이다.

Level 3

1574 평가원 기출

모평균 75, 모표준편차 5인 정규분포를 따르는 모집단에서 임의추출한 크기 25인 표본의 표본평균을 $\overline{X}$라 하자. 표준정규분포를 따르는 확률변수 Z에 대하여 양의 상수 c가

$P(|Z|>c)=0.06$을 만족시킬 때, 〈보기〉에서 옳은 것만을 있는 대로 고르시오.

보기

ㄱ. $P(Z>a)=0.05$인 상수 a에 대하여 $c>a$이다.

ㄴ. $P(\overline{X}\le c+75)=0.97$

ㄷ. $P(\overline{X}>b)=0.01$인 상수 b에 대하여 $c<b-75$이다.

해설 293쪽

1575

어느 공장에서 생산되는 제품의 무게 X는 평균이 60 g, 표준편차가 5 g인 정규분포를 따른다고 한다. 제품의 무게가 50 g 이하인 제품은 불량품으로 판정한다. 이 공장에서 생산된 제품 중에서 2500개를 임의로 추출할 때, 2500개 무게의 평균을 $\overline{X}$, 불량품의 개수를 Y라 하자. 위의 표준정규분포표를 이용하여 옳은 것만을 〈보기〉에서 있는 대로 고르시오.

z	$\mathrm{P}(0 \le Z \le z)$
0.5	0.19
1.0	0.34
1.5	0.43
2.0	0.48
2.5	0.49

보기

ㄱ. $\mathrm{P}(\overline{X} \ge 60) = \frac{1}{2}$

ㄴ. $\mathrm{P}(Y \ge 57) = \mathrm{P}(\overline{X} \le 59.9)$

ㄷ. 임의의 양수 k에 대하여
$\mathrm{P}(60-k \le X \le 60+k) > \mathrm{P}(60-k \le \overline{X} \le 60+k)$

1576

평가원 기출

어느 지역 학생들의 1일 인터넷 사용시간 X는 평균이 m분, 표준편차가 30분인 정규분포를 따른다. 이 지역 학생들을 대상으로 9명을 임의추출하여 조사한 1일 인터넷 사용시간의 표본평균을 $\overline{X}$라 하자. 함수 $G(k)$, $H(k)$를

$$G(k) = \mathrm{P}(X \le m+30k),$$
$$H(k) = \mathrm{P}(\overline{X} \ge m-30k)$$

라 할 때, 옳은 것만을 〈보기〉에서 있는 대로 고른 것은?

보기

ㄱ. $G(0) = H(0)$

ㄴ. $G(3) = H(1)$

ㄷ. $G(1) + H(-1) = 1$

① ㄱ ② ㄷ ③ ㄱ, ㄴ
④ ㄴ, ㄷ ⑤ ㄱ, ㄴ, ㄷ

11 모평균의 추정

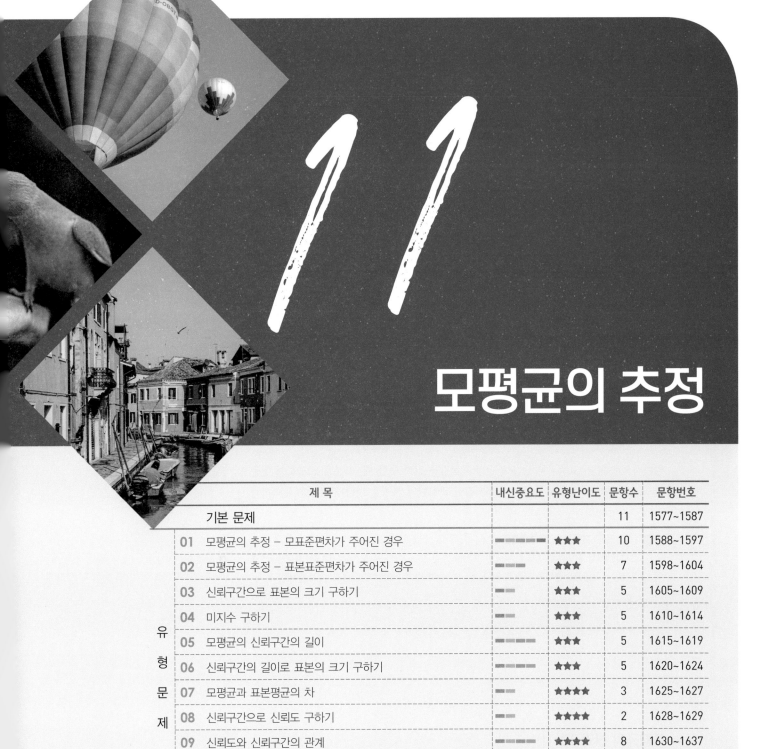

		제 목	내신중요도	유형난이도	문항수	문항번호
		기본 문제			11	1577~1587
유형 문제	01	모평균의 추정 – 모표준편차가 주어진 경우	■■■■■	★★★	10	1588~1597
	02	모평균의 추정 – 표본표준편차가 주어진 경우	■■■	★★★	7	1598~1604
	03	신뢰구간으로 표본의 크기 구하기	■■	★★★	5	1605~1609
	04	미지수 구하기	■■	★★★	5	1610~1614
	05	모평균의 신뢰구간의 길이	■■■■	★★★	5	1615~1619
	06	신뢰구간의 길이로 표본의 크기 구하기	■■■■	★★★	5	1620~1624
	07	모평균과 표본평균의 차	■■	★★★★	3	1625~1627
	08	신뢰구간으로 신뢰도 구하기	■■	★★★★	2	1628~1629
	09	신뢰도와 신뢰구간의 관계	■■■■	★★★★	8	1630~1637
	10	표본의 크기와 신뢰구간의 관계	■■■■	★★★★★	6	1638~1643
	11	신뢰구간을 이용하는 $\overline{X}$의 확률	■■■■	★★★★★	5	1644~1648
	12	신뢰구간의 성질	■■■■	★★★★★	6	1649~1654
		적중 문제			12	1655~1666
		고난도 문제			13	1667~1679

11 모평균의 추정

1. 추정

일반적으로 평균, 표준편차 등 모집단의 특정값을 알지 못할 때, 표본을 조사하여 얻은 정보를 이용하여 모평균, 모표준편차와 같이 모집단의 특성을 나타내는 값을 추측하는 것을 추정이라 한다.

참고 표본평균, 표본분산, 표본표준편차

모집단에서 임의추출한 크기가 n인 표본을 X_1, X_2, X_3, $\cdots$, X_n이라 할 때, 표본평균, 표본분산, 표본표준편차를 기호로 각각 $\overline{X}$, S^2, S와 같이 나타내고 다음과 같이 정의한다.

$$\overline{X}=\frac{1}{n}(X_1+X_2+X_3+\cdots+X_n)$$

$$S^2=\frac{1}{n-1}\{(X_1-\overline{X})^2+(X_2-\overline{X})^2+(X_3-\overline{X})^2+\cdots+(X_n-\overline{X})^2\}$$

$$S=\sqrt{S^2}$$

- 표본분산에서 $n-1$로 나누는 것은 표본분산과 모분산의 차이를 줄이기 위함이다.

2. 모평균의 신뢰구간 (1)

정규분포 $\mathrm{N}(m,\ \sigma^2)$을 따르는 모집단에서 크기가 n인 표본의 표본평균 $\overline{X}$의 값이 $\overline{x}$일 때, 모평균 m의 신뢰구간은

(1) 신뢰도 95 %: $\overline{x}-1.96\frac{\sigma}{\sqrt{n}}\le m\le\overline{x}+1.96\frac{\sigma}{\sqrt{n}}$

(2) 신뢰도 99 %: $\overline{x}-2.58\frac{\sigma}{\sqrt{n}}\le m\le\overline{x}+2.58\frac{\sigma}{\sqrt{n}}$

참고 모평균을 추정할 때, 모표준편차 σ의 값이 주어지지 않은 경우 표본의 크기 n이 충분히 크면($n\ge30$) 모표준편차 σ와 표본표준편차 S의 실제 값인 s가 거의 같아지므로 σ 대신 s를 사용한다.

- **신뢰도 95 %의 신뢰구간의 의미**
  모평균 m의 신뢰도 95 %의 신뢰구간이라는 말은 크기가 n인 표본을 임의추출하는 일을 반복하여 각각의 모평균 m에 대한 신뢰구간을 만들 때, 이들 중에서 모평균 m을 포함할 확률이 약 95 %라는 뜻이다.

3. 모평균의 신뢰구간 (2)

정규분포 $\mathrm{N}(m,\ \sigma^2)$을 따르는 모집단에서 크기가 n인 표본의 표본평균 $\overline{X}$의 값이 $\overline{x}$이고, $\mathrm{P}(-k\le Z\le k)=\dfrac{\alpha}{100}$일 때, 신뢰도 α %인 모평균 m의 신뢰구간은

$$\overline{x}-k\frac{\sigma}{\sqrt{n}}\le m\le \overline{x}+k\frac{\sigma}{\sqrt{n}}\ \ (\text{단},\ k>0)$$

모평균과 표본평균의 차

정규분포 $\mathrm{N}(m,\ \sigma^2)$을 따르는 모집단에서 크기가 n인 표본을 임의추출하여 신뢰도 α%로 모평균을 추정할 때, 모평균 m과 표본평균 $\overline{X}$의 차는

$$|\overline{X}-m|\le k\frac{\sigma}{\sqrt{n}}$$

$\left(\text{단},\ \mathrm{P}(|Z|\le k)=\dfrac{\alpha}{100}\right)$

4. 신뢰구간의 길이

정규분포 $\mathrm{N}(m,\ \sigma^2)$을 따르는 모집단에서 크기가 n인 표본을 임의추출하여 모평균을 추정할 때, 신뢰구간의 길이는

(1) 신뢰도 95 % : $2\times 1.96\dfrac{\sigma}{\sqrt{n}}$

(2) 신뢰도 99 % : $2\times 2.58\dfrac{\sigma}{\sqrt{n}}$

참고 모평균 m을 추정한 신뢰구간이 $a\le m\le b$일 때, 신뢰구간의 길이는 $b-a$이다.

신뢰구간의 성질

① 표본의 크기가 일정할 때 ⇨ 신뢰도가 높아지면 신뢰구간의 길이는 길어지고, 신뢰도가 낮아지면 신뢰구간의 길이는 짧아진다.

② 신뢰도가 일정할 때 ⇨ 표본의 크기가 커지면 신뢰구간의 길이는 짧아지고, 표본의 크기가 작아지면 신뢰구간의 길이는 길어진다.

기본 문제

핵심 개념을 문제로 익히기

해설 294쪽

1 모평균의 신뢰구간

1577 다음은 정규분포 $\mathrm{N}(m, \sigma^2)$을 따르는 모집단에서 크기가 n인 표본을 임의추출하였을 때, 모평균 m에 대한 신뢰도 95 %의 신뢰구간을 구하는 과정이다. (가), (나)에 알맞은 수나 식을 써넣으시오.

> 표준정규분포표에서
> $\mathrm{P}(-1.96 \le Z \le 1.96)=0.95$이므로
> $\mathrm{P}\left(-1.96 \le \dfrac{\overline{X}-m}{\boxed{(가)}} \le \boxed{(나)}\right)=0.95$
> 따라서 모평균 m에 대한 신뢰도 95 %의 신뢰구간은
> $-1.96 \times \boxed{(가)} \le \overline{X}-m \le \boxed{(나)} \times \boxed{(가)}$
> $\therefore \overline{X}-1.96 \times \boxed{(가)} \le m \le \overline{X}+\boxed{(나)} \times \boxed{(가)}$

[1578-1579] 정규분포 $\mathrm{N}(m, \sigma^2)$을 따르는 모집단에서 크기가 4인 표본의 표본평균 $\overline{X}$의 값이 30일 때, 모평균 m에 대한 신뢰도 95 %의 신뢰구간은

$$30-1.96\frac{6}{\sqrt{n}} \le m \le 30+1.96\frac{6}{\sqrt{n}}$$

이다. 다음 값을 구하시오.

(단, $\mathrm{P}(|Z| \le 1.96)=0.95$로 계산한다.)

1578 σ의 값

1579 n의 값

[1580-1581] 정규분포 $\mathrm{N}(m, 10^2)$을 따르는 모집단에서 크기가 25인 표본을 임의추출할 때, 표본평균이 20이다. 다음을 구하시오.
(단, $\mathrm{P}(|Z| \le 1.96)=0.95$, $\mathrm{P}(|Z| \le 2.58)=0.99$로 계산한다.)

1580 모평균 m에 대한 신뢰도 95 %의 신뢰구간

1581 모평균 m에 대한 신뢰도 99 %의 신뢰구간

[1582-1583] 모평균이 m, 모표준편차가 5인 정규분포를 따르는 모집단에서 임의추출한 표본의 표본평균이 100일 때, 다음을 구하시오. (단, $\mathrm{P}(|Z| \le 1.96)=0.95$로 계산한다.)

1582 표본의 크기가 4일 때, 모평균 m에 대한 신뢰도 95 %의 신뢰구간

1583 표본의 크기가 100일 때, 모평균 m에 대한 신뢰도 95 %의 신뢰구간

2 신뢰구간의 길이

[1584-1585] 정규분포 $\mathrm{N}(m, 5^2)$을 따르는 모집단에서 n개의 표본을 임의추출하여 모평균을 신뢰도 95 %로 추정할 때, 신뢰구간의 길이는 $2 \times 1.96\dfrac{\sigma}{4}$이다. 다음 값을 구하시오.

(단, $\mathrm{P}(|Z| \le 1.96)=0.95$로 계산한다.)

1584 σ의 값

1585 n의 값

[1586-1587] 모표준편차가 12인 모집단에서 크기가 9인 표본을 임의추출할 때, 다음을 구하시오.
(단, $\mathrm{P}(|Z| \le 1.96)=0.95$, $\mathrm{P}(|Z| \le 2.58)=0.99$로 계산한다.)

1586 모평균 m에 대한 신뢰도 95 %의 신뢰구간의 길이

1587 모평균 m에 대한 신뢰도 99 %의 신뢰구간의 길이

유형 문제

내신 출제 유형 정복하기

유형 01 모평균의 추정 – 모표준편차가 주어진 경우

내신 중요도 ▬▬▬▬▬ 유형 난이도 ★★★☆☆

정규분포 $N(m, \sigma^2)$을 따르는 모집단에서 크기가 n인 표본의 표본평균 $\overline{X}$의 값이 $\overline{x}$이면 모평균 m에 대한 신뢰도 $\alpha\,\%$의 신뢰구간은

$$\overline{x}-k\frac{\sigma}{\sqrt{n}} \le m \le \overline{x}+k\frac{\sigma}{\sqrt{n}} \left(\text{단, } P(|Z|\le k)=\frac{\alpha}{100}\right)$$

1588 중요 ●●○○

모평균이 m, 모표준편차가 12인 정규분포를 따르는 모집단에서 크기가 36인 표본을 임의추출하여 구한 표본평균이 70이다. 이 표본을 이용하여 얻은 모평균 m에 대한 신뢰도 99 %의 신뢰구간을 구하시오. (단, $P(|Z|\le 2.58)=0.99$로 계산한다.)

1589 짱중요 ●●○○

어느 고등학교 3학년 학생들의 영어 점수는 표준편차가 20점인 정규분포를 따른다고 한다. 이 중에서 100명을 임의추출하여 조사한 결과 평균이 60점일 때, 3학년 학생 전체의 영어 점수의 평균 m에 대한 신뢰도 95 %의 신뢰구간은?

(단, $P(|Z|\le 2)=0.95$로 계산한다.)

① $54\le m\le 66$ ② $56\le m\le 62$
③ $56\le m\le 64$ ④ $58\le m\le 62$
⑤ $58\le m\le 64$

해설 295쪽

1590 짱중요 ●●○○

육상부의 100 m 달리기 기록은 표준편차가 1.5초인 정규분포를 따른다고 한다. 이 육상부의 25명의 기록을 조사한 결과 그 평균이 15.3초였을 때, 이 육상부의 100 m 달리기 기록의 평균 m에 대한 신뢰도 99 %의 신뢰구간은?

(단, $P(-2.6\le Z\le 2.6)=0.99$로 계산한다.)

① $12.7\le m\le 17.9$ ② $13.8\le m\le 16.8$
③ $14.31\le m\le 16.29$ ④ $14.52\le m\le 16.08$
⑤ $15\le m\le 15.7$

1591 평가원 기출 ●●○○

어느 마을에서 수확하는 수박의 무게는 평균이 m kg, 표준편차가 1.4 kg인 정규분포를 따른다고 한다. 이 마을에서 수확한 수박 중에서 49개를 임의추출하여 얻은 표본평균을 이용하여, 이 마을에서 수확하는 수박의 무게의 평균 m에 대한 신뢰도 95%의 신뢰구간을 구하면 $a\le m\le 7.992$이다. a의 값은? (단, Z가 표준정규분포를 따르는 확률변수일 때, $P(|Z|\le 1.96)=0.95$로 계산한다.)

① 7.198 ② 7.208 ③ 7.218
④ 7.228 ⑤ 7.238

1592 평가원 기출 ●●○○

어느 농가에서 생산하는 석류의 무게는 평균이 m, 표준편차가 40인 정규분포를 따른다고 한다. 이 농가에서 생산하는 석류 중에서 임의추출한, 크기가 64인 표본을 조사하였더니 석류 무게의 표본평균의 값이 $\overline{x}$이었다. 이 결과를 이용하여, 이 농가에서 생산하는 석류 무게의 평균 m에 대한 신뢰도 99 %의 신뢰구간을 구하면 $\overline{x}-c\le m\le \overline{x}+c$이다. c의 값은? (단, 무게의 단위는 g이고, Z가 표준정규분포를 따르는 확률변수일 때
$P(0\le Z\le 2.58)=0.495$로 계산한다.)

① 25.8 ② 21.5 ③ 17.2
④ 12.9 ⑤ 8.6

1593 ●●○○

A고등학교 3학년 학생들의 수학 점수는 표준편차가 5점인 정규분포를 따른다고 한다. 이 중에서 100명을 임의추출하여 조사한 결과 평균이 42점이고, A고등학교 3학년 학생 전체의 수학 점수의 평균 m에 대한 신뢰도 99 %의 신뢰구간이 $a \le m \le b$일 때, a의 값을 구하시오.

z	$\mathrm{P}(0 \le Z \le z)$
1.96	0.475
2.17	0.485
2.58	0.495

1594 중요 ●●●○

표준편차가 3인 정규분포를 따르는 모집단에서 9개의 표본을 임의추출하여 그 값을 조사하였더니 다음과 같았다. 모평균 m에 대한 신뢰도 95 %의 신뢰구간은?

(단, $\mathrm{P}(|Z| \le 1.96) = 0.95$로 계산한다.)

10, 11, 12, 8, 9, 9, 11, 10, 10

① $9.02 \le m \le 10.98$
② $8.71 \le m \le 11.29$
③ $8.04 \le m \le 11.96$
④ $7.42 \le m \le 12.58$
⑤ $7.06 \le m \le 12.94$

1595 교육청 기출 ●●●○

어느 지역에서 생산되는 귤의 당도는 평균이 m이고 표준편차가 1.5인 정규분포를 따른다고 한다. 다음 표는 이 지역에서 생산된 귤 중에서 임의로 9개를 추출하여 당도를 측정한 결과를 나타낸 것이다.

(단위: 브릭스)

당도	10	11	12	13	합계
귤의 개수	4	2	2	1	9

이 결과를 이용하여 이 지역에서 생산되는 귤의 당도의 평균 m을 신뢰도 95 %로 추정한 신뢰구간을 구하시오.

(단, $\mathrm{P}(0 \le Z \le 1.96) = 0.475$로 계산한다.)

1596 ●●●○

정규분포 $\mathrm{N}(m,\ 10^2)$을 따르는 어느 모집단에서 25개의 표본 $x_1,\ x_2,\ \cdots,\ x_{25}$를 임의추출하였더니 $\sum_{k=1}^{25} x_k = 375$이었다. 모평균 m에 대한 신뢰도 95 %의 신뢰구간을 구하시오.

(단, $\mathrm{P}(0 \le Z \le 2) = 0.475$로 계산한다.)

1597 ●●●●

어느 공장에서 생산되는 제품의 길이는 모표준편차가 $\frac{1}{1.96}$ m인 정규분포를 따른다고 한다. 이 공장에서 생산되는 제품 중에서 임의추출한 10개 제품의 길이를 측정하여 표본평균을 구하였다. 이 표본평균을 이용하여 구한 제품의 길이의 모평균에 대한 신뢰도 95 %의 신뢰구간을 $[\alpha,\ \beta]$라 하자. α와 β가 이차방정식 $10x^2 - 100x + k = 0$의 두 근일 때, 상수 k의 값을 구하시오.

(단, $\mathrm{P}(0 \le Z \le 1.96) = 0.475$로 계산한다.)

유형 02 내신 중요도 유형 난이도 ★★★

모평균의 추정 – 표본표준편차가 주어진 경우

(1) 표본의 크기가 충분히 크면 모표준편차 대신 표본표준편차를 사용할 수 있다.

(2) 정규분포를 따르는 모집단에서 크기가 n인 표본의 표본평균 $\overline{X}$의 값이 $\overline{x}$, 표본표준편차 S의 값이 s이면 모평균 m에 대한 신뢰도 α %의 신뢰구간은

$$\overline{x}-k\frac{s}{\sqrt{n}}\le m\le \overline{x}+k\frac{s}{\sqrt{n}}\ \left(\text{단, } \mathrm{P}(|Z|\le k)=\frac{\alpha}{100}\right)$$

1598 짱중요 ●●○○

어느 공장에서 생산되는 통조림 400개를 임의추출하여 그 무게를 조사하였더니 평균이 200 g, 표준편차가 20 g이었다. 이 공장에서 생산되는 통조림의 무게는 정규분포를 따른다고 할 때, 위의 표준정규분포표를 이용하여 통조림 무게의 평균 m을 신뢰도 95 %로 추정한 신뢰구간은?

z	$\mathrm{P}(0\le Z\le z)$
1.64	0.450
1.96	0.475

① $198.04\le m\le 201.96$ ② $196.08\le m\le 203.92$
③ $195.42\le m\le 204.58$ ④ $194.48\le m\le 205.52$
⑤ $193.64\le m\le 206.34$

1599 짱중요 ●●○○

어느 고등학교의 3학년 학생 중에서 100명을 임의추출하여 수학 성적을 조사한 결과 평균이 70점, 표준편차가 4점이었다. 이 학교 3학년 전체 학생들의 수학 성적은 정규분포를 따른다고 할 때, 전체 학생들의 수학 성적에 대한 평균 m을 신뢰도 95 %로 추정한 신뢰구간을 구하시오.

(단, $\mathrm{P}(-1.96\le Z\le 1.96)=0.95$로 계산한다.)

1600 중요 ●●○○

어느 지역의 고등학생의 몸무게는 정규분포를 따른다고 한다. 이 지역 고등학생 81명을 임의추출하여 몸무게를 조사하였더니 평균이 56.5 kg, 표준편차가 9 kg이었다. 이 지역 고등학생의 몸무게의 평균 m에 대한 신뢰도 99 %의 신뢰구간을 구하시오.

(단, $\mathrm{P}(|Z|\le 2.58)=0.99$로 계산한다.)

1601 ●●○○

전구를 대량 생산하고 있는 공장이 있다. 어느 날 생산된 전구 중에서 100개의 전구를 임의추출하여 수명을 조사한 결과 평균이 1000시간, 표준편차가 50시간이었다. 이 공장에서 생산한 전구의 수명은 정규분포를 따른다고 할 때, 전구 전체의 평균 수명 m에 대한 신뢰도 95 %의 신뢰구간을 추정하였을 때 신뢰구간에 포함되는 자연수 m의 개수를 구하시오.

(단, $\mathrm{P}(|Z|\le 1.96)=0.95$로 계산한다.)

1602 중요 교육청 기출 ●●○○

전국연합학력평가 후 응시생 1600명을 임의로 추출하여 가채점하였더니 수리영역 점수의 표준편차가 16점이었다. 수험생 전체 수리영역의 평균점수 m을 95 %의 신뢰도로 추정한 신뢰구간이 $\alpha\le m\le\beta$일 때, $\beta-\alpha$의 값은? (단, $\mathrm{P}(0\le Z\le 1.96)=0.475$)

① 0.784 ② 1.568 ③ 2.352
④ 3.136 ⑤ 3.920

1603 ●●○○

S공장에서 생산된 치약의 무게는 정규분포를 따른다고 한다. 이 공장에서 생산된 치약 중에서 100개를 임의추출하여 무게를 잰 결과 평균이 80 g, 표준편차가 20 g이었다. 위의 표준정규분포표를 이용하여 이 공장에서 생산된 치약의 무게의 평균 m을 신뢰도 97 %로 추정한 신뢰구간이 $k_1 \le m \le k_2$일 때, k_2의 값을 구하시오.

z	$P(0 \le Z \le z)$
1.82	0.4656
1.96	0.4750
2.17	0.4850
2.58	0.4951

1604 중요 ●●●●

정규분포를 따르는 모집단에서 64개의 임의추출한 표본을 $X_1, X_2, X_3, \cdots, X_{64}$라고 할 때,

$$\sum_{n=1}^{64} X_n = 576,\ \sum_{n=1}^{64} X_n^{\,2} = 5751$$

이었다. 이 모집단의 평균 m을 신뢰도 95 %로 추정한 신뢰구간이 $\alpha \le m \le \beta$일 때, $\alpha+\beta$의 값을 구하시오.

(단, $P(0 \le Z \le 2) = 0.475$로 계산한다.)

유형 03 신뢰구간으로 표본의 크기 구하기

내신 중요도 ▬▬▬▬▬ 유형 난이도 ★★★★★

정규분포 $N(m, \sigma^2)$을 따르는 모집단에서 크기가 n인 표본의 표본평균 $\overline{X}$의 값을 $\overline{x}$라 할 때, 모평균 m의 신뢰구간을 $a \le m \le b$라 하면

⇨ $k\dfrac{\sigma}{\sqrt{n}} = \overline{x} - a = b - \overline{x}$에서 $\sqrt{n} = \dfrac{k\sigma}{\overline{x}-a} = \dfrac{k\sigma}{b-\overline{x}}$

1605 짱중요 ●●○○

어느 회사 직원들의 한 해 출장 횟수는 표준편차가 4회인 정규분포를 따르는데 이 회사 직원 중에서 n명을 임의추출하여 한 해 동안 출장을 다녀온 횟수를 조사하였더니 평균이 12회였다. 이 회사 직원들의 한 해 출장 횟수의 평균 m을 신뢰도 95 %로 추정한 신뢰구간이 $10 \le m \le 14$일 때, n의 값을 구하시오.

(단, $P(|Z| \le 2) = 0.95$로 계산한다.)

1606 중요 평가원 기출 ●●○○

어느 회사 직원들의 하루 여가 활동 시간은 모평균이 m, 모표준편차가 10인 정규분포를 따른다고 한다. 이 회사 직원 중 n명을 임의추출하여 신뢰도 95 %로 추정한 모평균 m에 대한 신뢰구간이 [38.08, 45.92]일 때, n의 값은? (단, 시간의 단위는 분이고, Z가 표준정규분포를 따르는 확률변수일 때 $P(0 \le Z \le 1.96) = 0.475$로 계산한다.)

① 25 ② 36 ③ 49
④ 64 ⑤ 81

1607

●●○○

A학교 학생들의 국어 성적은 정규분포를 따른다고 한다. 이 학교 전체 학생 중에서 n명을 임의추출하여 국어 성적을 조사한 결과 평균이 60점, 표준편차가 20점이었다. 전체 학생들의 국어 성적의 평균 m에 대한 신뢰도 99 %의 신뢰구간이 $57.42 \le m \le 62.58$일 때, n의 값을 구하시오.
(단, n은 충분히 큰 수이고, $P(|Z| \le 2.58) = 0.99$로 계산한다.)

1608 중요

●●○○

어느 공장에서 생산되는 컬링 스톤을 일정한 세기로 빙판 위에 던질 때, 미끄러지는 거리는 정규분포를 따른다고 한다. 이 공장에서 생산된 컬링 스톤 중에서 임의추출한 n개에 대하여 미끄러지는 거리를 측정하였더니 평균이 $\bar{x}$ m, 표준편차가 13 m이었다. 이를 이용하여 이 공장에서 생산되는 컬링 스톤 전체의 미끄러지는 거리의 평균을 신뢰도 95 %로 추정한 신뢰구간이 [119.04, 122.96]일 때, $n+\bar{x}$의 값을 구하시오. (단, n은 충분히 큰 수이고, $P(0 \le Z \le 1.96) = 0.475$로 계산한다.)

1609

●●●○

정규분포를 이루는 모집단의 표준편차를 σ라 할 때, 이 모집단에서 추출한 크기가 n인 표본의 표본평균 $\overline{X}$의 값을 $\bar{x}$라고 한다. 신뢰도 99 %로 추정한 모평균 m의 신뢰구간이 $\bar{x} - 0.1\sigma \le m \le \bar{x} + 0.1\sigma$가 되도록 하는 n의 값을 구하시오.
(단, $P(0 \le Z \le 3) = 0.495$로 계산한다.)

유형 04 미지수 구하기

내신 중요도 ■■■■■ 유형 난이도 ★★★☆☆

정규분포 $N(m, \sigma^2)$을 따르는 모집단에서 크기가 n인 표본의 표본평균 $\overline{X}$의 값을 $\bar{x}$라 할 때, 모평균 m의 신뢰구간을 $a \le m \le b$라 하면

⇨ $\bar{x} = \dfrac{a+b}{2}$, $a = \bar{x} - k\dfrac{\sigma}{\sqrt{n}}$, $b = \bar{x} + k\dfrac{\sigma}{\sqrt{n}}$

1610 중요

●●○○

어느 고등학교에서 실시한 수학 학력 진단 테스트의 점수는 정규분포를 따른다고 한다. 이 학교 학생 121명을 임의추출하여 수학 학력 진단 테스트 점수를 조사하였더니 평균이 60점, 표준편차가 a점이었다. 이 고등학교 학생 전체에 대한 수학 학력 진단 테스트 점수의 평균 m을 신뢰도 99 %로 추정한 신뢰구간이 $54 \le m \le 66$일 때, a의 값은?
(단, $P(|Z| \le 3) = 0.99$로 계산한다.)

① 22 ② 23 ③ 24
④ 25 ⑤ 26

1611 평가원 기출

●●○○

어느 음식점을 방문한 고객의 주문 대기 시간은 평균이 m분, 표준편차가 σ분인 정규분포를 따른다고 한다. 이 음식점을 방문한 고객 중 64명을 임의추출하여 얻은 표본평균을 이용하여, 이 음식점을 방문한 고객의 주문 대기 시간의 평균 m에 대한 신뢰도 95 %의 신뢰구간을 구하면 $a \le m \le b$이다. $b-a=4.9$일 때, σ의 값을 구하시오. (단, Z가 표준정규분포를 따르는 확률변수일 때, $P(|Z| \le 1.96) = 0.95$로 계산한다.)

1612 중요 평가원 기출 ●●●○

어느 회사에서 생산하는 음료수 1병에 들어 있는 칼슘 함유량은 모평균이 m, 모표준편차가 σ인 정규분포를 따른다고 한다. 이 회사에서 생산한 음료수 16병을 임의추출하여 칼슘 함유량을 측정한 결과 표본평균이 12.34이었다. 이 회사에서 생산한 음료수 1병에 들어 있는 칼슘 함유량의 모평균 m에 대한 신뢰도 95 %의 신뢰구간이 $11.36 \le m \le a$일 때, $a+\sigma$의 값을 구하시오. (단, $\mathrm{P}(0 \le Z \le 1.96) = 0.475$로 계산하고, 칼슘 함유량의 단위는 mg이다.)

1613 평가원 기출 ●●●○

어느 회사에서 생산하는 초콜릿 한 개의 무게는 평균이 m, 표준편차가 σ인 정규분포를 따른다고 한다. 이 회사에서 생산하는 초콜릿 중에서 임의추출한, 크기가 49인 표본을 조사하였더니 초콜릿 무게의 표본평균의 값이 $\overline{x}$이었다. 이 결과를 이용하여, 이 회사에서 생산하는 초콜릿 한 개의 무게의 평균 m에 대한 신뢰도 95 %의 신뢰구간을 구하면 $1.73 \le m \le 1.87$이다.

$\dfrac{\sigma}{\overline{x}} = k$일 때, $180k$의 값을 구하시오.

(단, 무게의 단위는 g이고, Z가 표준정규분포를 따르는 확률변수일 때 $\mathrm{P}(0 \le Z \le 1.96) = 0.475$로 계산한다.)

1614 중요 ●●●●

표준편차가 σ로 알려진 정규분포를 따르는 모집단에서 크기가 n인 표본을 임의추출하여 얻은 모평균 m에 대한 신뢰도 80 %의 신뢰구간이 [107.2, 132.8]이었다. 같은 표본을 이용하여 얻은 모평균 m에 대한 신뢰도 96 %의 신뢰구간에 속하는 자연수의 개수를 위의 표준정규분포표를 이용하여 구하시오.

z	$\mathrm{P}(0 \le Z \le z)$
1.28	0.40
2.06	0.48
2.56	0.49

유형 05 모평균의 신뢰구간의 길이

내신 중요도 ▬▬▬▬ 유형 난이도 ★★★☆☆

정규분포 $\mathrm{N}(m, \sigma^2)$을 따르는 모집단에서 크기가 n인 표본을 임의추출할 때, 모평균 m을 신뢰도 α %로 추정한 신뢰구간의 길이는 $2 \times k\dfrac{\sigma}{\sqrt{n}}$이다. $\left(\text{단, } \mathrm{P}(|Z| \le k) = \dfrac{\alpha}{100}\right)$

(1) 신뢰도 95 %의 신뢰구간의 길이 ⇨ $2 \times 1.96\dfrac{\sigma}{\sqrt{n}}$

(2) 신뢰도 99 %의 신뢰구간의 길이 ⇨ $2 \times 2.58\dfrac{\sigma}{\sqrt{n}}$

1615 ●●○○

정규분포 $\mathrm{N}(m, 50^2)$을 따르는 모집단에서 크기가 49인 표본을 임의추출하여 신뢰도 95 %로 추정한 모평균 m의 신뢰구간의 길이를 구하시오. (단, $\mathrm{P}(|Z| \le 1.96) = 0.95$로 계산한다.)

1616 짱중요 ●●○○

어느 공장에서 파이프 1개의 길이는 모표준편차가 2 m인 정규분포를 따른다고 한다. 이 회사에서 생산된 파이프 64개를 임의추출하여 측정한 길이의 평균은 50 m이었다. 이 회사에서 생산된 파이프 1개의 길이의 평균 m을 신뢰도 99 %로 추정할 때, 신뢰구간의 길이를 구하시오.

(단, $\mathrm{P}(|Z| \le 2.58) = 0.99$로 계산한다.)

1617 중요 ●●○○

어느 농장에서 수확한 망고의 무게는 표준편차가 15 g인 정규분포를 따른다고 한다. 이 농장에서 수확한 망고 100개를 임의추출하여 무게를 조사하였더니 평균 무게가 300 g이었다. 이 농장에서 수확한 전체 망고의 평균 무게 m의 신뢰도 95 %의 신뢰구간이 $a \le m \le b$일 때, $b-a$의 값을 구하시오.

(단, $P(0 \le Z \le 1.96) = 0.475$로 계산한다.)

1618 ●●●○

모집단에서 크기가 1000인 표본을 임의추출하여 신뢰도 95 %로 모평균을 추정하였더니 신뢰구간의 길이는 20이 되었다. 표본의 크기를 4000으로 하여 신뢰도 99 %로 모평균을 추정할 때, 신뢰구간의 길이를 구하시오.

(단, $P(|Z| \le 2) = 0.95$, $P(|Z| \le 3) = 0.99$이다.)

1619 ●●●●

정규분포 $N(m, 3^2)$을 따르는 모집단에서 크기가 $n(n+1)$인 표본을 임의추출하여 신뢰도 95 %로 모평균을 추정하였을 때, 그 신뢰구간의 길이를 l_n이라고 한다. $\sum_{n=1}^{15} l_n^{\,2}$의 값을 구하시오.

(단, $P(|Z| \le 2) = 0.95$로 계산한다.)

유형 06 신뢰구간의 길이로 표본의 크기 구하기

내신 중요도 ■■■■■ 유형 난이도 ★★★☆☆

정규분포 $N(m, \sigma^2)$을 따르는 모집단에서 크기가 n인 표본의 표본평균 $\overline{X}$의 값을 $\overline{x}$라 할 때, 모평균 m의 신뢰구간의 길이를 l이라 하면 $l = 2k\frac{\sigma}{\sqrt{n}}$이므로

⇨ $\sqrt{n} = \frac{2k\sigma}{l}$

1620 ●●●○

어느 고등학교 3학년 학생들의 모의고사 점수는 표준편차가 40점인 정규분포를 따른다고 한다. 이 고등학교 3학년 학생들의 모의고사 점수의 평균을 신뢰도 95 %로 추정한 신뢰구간의 길이가 4가 되도록 하려면 몇 명의 성적을 조사해야 하는지 구하시오.

(단, $P(|Z| \le 2) = 0.95$로 계산한다.)

1621 짱중요 ●●●○

어떤 공장에서 생산된 제품 한 개의 무게는 표준편차가 5 g인 정규분포를 따른다고 한다. 모평균 m을 신뢰도 99 %로 추정할 때, 신뢰구간의 길이가 0.3 이하가 되도록 하기 위한 표본의 크기 n의 최솟값을 구하시오.

(단, $P(0 \le Z \le 2.58) = 0.495$로 계산한다.)

1622

분산이 2인 정규분포를 따르는 모집단에서 크기가 n인 표본을 임의추출하여 신뢰도 95 %로 모평균 m을 추정하려고 한다. 오른쪽 표준정규분포표를 이용하여 신뢰구간의 길이가 2 이하가 되도록 하는 n의 최솟값을 구하시오.

z	$P(0\le Z\le z)$
1.65	0.450
1.96	0.475
2.33	0.490
2.58	0.495

1623 짱중요

어느 제약회사에서 생산하는 알약 1개의 무게는 표준편차가 40 mg인 정규분포를 따른다고 한다. 이 회사에서 생산하는 알약의 평균 무게를 신뢰도 99 %로 추정한 모평균 m에 대한 신뢰구간이 $a\le m\le b$일 때, $b-a\le 40$이 되도록 하는 표본의 크기 n의 최솟값을 구하시오.

(단, $P(0\le Z\le 2.58)=0.495$로 계산한다.)

1624

정규분포 $N(m,\ \sigma^2)$을 따르는 모집단에서 크기가 n인 표본을 임의추출하여 구한 표본평균을 $\overline{X}$라 하자. 모평균 m에 대한 신뢰도 95 %의 신뢰구간의 길이가 $\frac{1}{2}\sigma$ 이하일 때, 표본의 크기 n의 최솟값을 구하시오. (단, $P(|Z|\le 2)=0.95$로 계산한다.)

유형 07 모평균과 표본평균의 차

내신 중요도 ▬▬▬▬ 유형 난이도 ★★★★☆

신뢰도에 따른 상수 k, 모표준편차 σ, 표본의 크기 n이 주어지면 모평균과 표본평균의 차는

$$|\overline{X}-m|\le k\frac{\sigma}{\sqrt{n}}$$

1625 중요

모표준편차가 15인 정규분포를 따르는 모집단의 평균을 신뢰도 99 %로 추정할 때, 모평균과 표본평균의 차를 3 이하로 하려면 표본의 크기를 얼마 이상으로 해야 하는지 구하시오.

(단, $P(|Z|\le 3)=0.99$로 계산한다.)

1626 중요

우리나라 신생아들의 몸무게는 표준편차가 0.4 kg인 정규분포를 따른다고 한다. 전체 신생아의 몸무게의 평균 m을 신뢰도 95 %로 추정할 때, 모평균 m과 표본평균 $\overline{X}$의 값 $\overline{x}$의 차가 0.05 이하가 되도록 하려면 적어도 몇 명의 몸무게를 조사해야 하는가?

(단, $P(|Z|\le 1.96)=0.95$로 계산한다.)

① 242명 ② 244명 ③ 246명
④ 248명 ⑤ 250명

1627 중요

어느 도시에 거주하는 고등학교 3학년 남학생의 몸무게의 분포는 표준편차가 4 kg인 정규분포를 따른다고 한다. 이 도시의 고등학교 3학년 남학생의 몸무게의 평균을 신뢰도 99 %로 추정할 때, 표본평균 $\overline{X}$의 값 $\overline{x}$와 모평균 m의 차를 1 kg 이하로 하려면 표본의 크기를 최소한 몇 명으로 해야 하는지 구하시오.

(단, $P(|Z|\le 3)=0.99$로 계산한다.)

유형 **08** 신뢰구간으로 신뢰도 구하기

내신 중요도 ■■■■□□ 유형 난이도 ★★★★☆

정규분포 $N(m, \sigma^2)$을 따르는 모집단에서 크기가 n인 표본의 표본평균 $\overline{X}$의 값을 $\overline{x}$라 할 때, 신뢰도 $\alpha\%$로 추정한 모평균 m의 신뢰구간은

(1) 신뢰도 95 %일 때: $\overline{x}-1.96\dfrac{\sigma}{\sqrt{n}} \leq m \leq \overline{x}+1.96\dfrac{\sigma}{\sqrt{n}}$

(2) 신뢰도 99 %일 때: $\overline{x}-2.58\dfrac{\sigma}{\sqrt{n}} \leq m \leq \overline{x}+2.58\dfrac{\sigma}{\sqrt{n}}$

1628
●●●○

어느 고등학교 학생 전체에서 100명을 추출하여 성적을 조사하였더니 평균이 200점, 표준편차가 50점인 정규분포를 따르고 있었다. 전체 학생의 성적의 평균 m을 신뢰도 $\alpha\%$로 추정하였더니 신뢰구간이 $190.6 \leq m \leq 209.4$이었을 때, α의 값은?

(단, $P(0 \leq Z \leq 1.88) = 0.47$로 계산한다.)

① 92   ② 94   ③ 95

④ 96   ⑤ 98

⭐ 1629 중요
●●●●

어느 고등학교 3학년 학생의 800 m 달리기 기록은 정규분포를 따른다고 한다. 이 학교 학생 100명을 임의추출하여 800 m 달리기 기록을 조사하였더니 표준편차가 50초이었다. 이 학교 3학년 학생 전체의 800 m 달리기 기록의 평균 m을 신뢰도 $\alpha\%$로 추정한 신뢰구간의 길이가 16일 때, α의 값을 위의 표준정규분포표를 이용하여 구하시오.

z	$P(0 \leq Z \leq z)$
1.6	0.445
2	0.477
2.2	0.486

유형 **09** 신뢰도와 신뢰구간의 관계

내신 중요도 ■■■■■■ 유형 난이도 ★★★★☆

정규분포 $N(m, \sigma^2)$을 따르는 모집단에서 크기가 n인 표본을 임의추출할 때, 모평균 m을 신뢰도 $\alpha\%$로 추정한 신뢰구간의 길이는

⇨ 표본의 크기가 같고 신뢰도가 각각 α_1, α_2일 때,

$\alpha_1 < \alpha_2$이면 $k_1 < k_2$이므로 $k_1\dfrac{\sigma}{\sqrt{n}} < k_2\dfrac{\sigma}{\sqrt{n}}$

$\left(\text{단, } P(|Z| \leq k_1) = \dfrac{\alpha_1}{100}, \ P(|Z| \leq k_2) = \dfrac{\alpha_2}{100}\right)$

1630
●●○○

정규분포를 따르는 모집단의 평균을 크기가 n인 표본의 평균을 이용하여 추정하려고 한다. 신뢰도 99 %로 추정한 신뢰구간의 길이가 l일 때, 오른쪽 표준정규분포표를 이용하여 신뢰도 61 %로 추정한 신뢰구간의 길이를 구하면?

z	$P(0 \leq Z \leq z)$
0.28	0.110
0.86	0.305
1.28	0.400
2.58	0.495

① $\dfrac{1}{3}l$ ② $\dfrac{1}{2}l$ ③ l

④ $2l$ ⑤ $3l$

1631
●●○○

어느 고등학교 학생의 수학 점수는 정규분포를 따른다고 한다. 이 학교에서 100명의 학생을 임의추출하여 수학 점수를 조사하였더니 평균이 70점, 표준편차가 15점이었다. 전체 학생들의 수학 점수의 평균 m을 신뢰도 99 %, 95 %로 각각 추정할 때, 두 신뢰구간의 길이의 차를 구하시오.

(단, $P(|Z| \leq 2) = 0.95$, $P(|Z| \leq 3) = 0.99$로 계산한다.)

1632 중요 ●●○○

정규분포를 따르는 모집단에서 임의추출한 n개의 표본으로 모평균을 신뢰도 98 %로 추정하면 신뢰구간의 길이가 l이고, 신뢰도 68 %로 추정하면 신뢰구간의 길이가 al이다. 오른쪽 표준정규분포표를 이용하여 a의 값을 구하시오.

z	$\mathrm{P}(0\le Z\le z)$
0.5	0.19
1.0	0.34
1.5	0.43
2.0	0.47
2.5	0.49

(단, a는 상수이다.)

1633 중요 ●●●○

정규분포를 따르는 모집단의 평균을 크기가 n인 표본의 평균을 이용하여 추정하려고 한다. 신뢰도 98 %로 추정한 신뢰구간의 길이가 l일 때, 신뢰도 α %로 추정한 신뢰구간의 길이는 $\frac{l}{2}$이다. 위의 표준정규분포표를 이용하여 α의 값을 구하시오.

z	$\mathrm{P}(0\le Z\le z)$
1.42	0.42
1.68	0.45
2.08	0.48
2.84	0.49

1634 중요 ●●●○

분산이 σ^2인 정규분포를 따르는 모집단에서 크기가 n인 표본을 임의추출하여 모평균 m을 추정한 후 신뢰구간의 길이를 구하고자 한다. 위의 표준정규분포표를 이용하여 구한 모평균 m에 대한 신뢰도 73.72 %의 신뢰구간의 길이가 l이고, 모평균 m에 대한 신뢰도 α %의 신뢰구간의 길이는 $2l$이다. α의 값을 구하시오.

z	$\mathrm{P}(0\le Z\le z)$
1.12	0.3686
1.69	0.4545
2.24	0.4875

1635 짱중요 ●●●○

정규분포 $\mathrm{N}(m,\ \sigma^2)$을 따르는 모집단에서 크기가 n인 표본을 임의추출하여 모평균 m을 신뢰도 80 %로 추정하였더니 신뢰구간의 길이가 $2k$이었다. 같은 표본을 이용하여 신뢰도 α %로 모평균 m을 추정하였더니 신뢰구간의 길이가 $4k$가 되었다. 위의 표준정규분포표를 이용하여 α의 값을 구하시오.

z	$\mathrm{P}(0\le Z\le z)$
1.28	0.40
1.34	0.41
2.06	0.48
2.56	0.49

1636 ●●●○

표준편차가 4인 정규분포를 따르는 모집단에서 256개의 표본을 임의추출하여 신뢰도 α %로 모평균 m을 추정하였더니 신뢰구간의 길이가 0.3이었다. 같은 표본을 이용하여 신뢰도 2α %로 모평균 m을 추정할 때, 위의 표준정규분포표를 이용하여 신뢰구간의 길이를 구하시오.

z	$\mathrm{P}(0\le Z\le z)$
0.6	0.23
1.2	0.38
1.8	0.46
2.4	0.49

1637 중요 평가원 기출 ●●●●

어느 지역 주민들의 하루 여가 활동 시간은 평균이 m분, 표준편차가 σ분인 정규분포를 따른다고 한다. 이 지역 주민 중 16명을 임의추출하여 구한 하루 여가 활동 시간의 표본평균이 75분일 때, 모평균 m에 대한 신뢰도 95%의 신뢰구간이 $a\le m\le b$이다. 이 지역 주민 중 16명을 다시 임의추출하여 구한 하루 여가 활동 시간의 표본평균이 77분일 때, 모평균 m에 대한 신뢰도 99%의 신뢰구간이 $c\le m\le d$이다. $d-b=3.86$을 만족시키는 σ의 값을 구하시오. (단, Z가 표준정규분포를 따르는 확률변수일 때, $\mathrm{P}(|Z|\le 1.96)=0.95$, $\mathrm{P}(|Z|\le 2.58)=0.99$로 계산한다.)

해설 304쪽

유형 10 내신 중요도 ■■■■■ 유형 난이도 ★★★★★

표본의 크기와 신뢰구간의 관계

정규분포 $N(m, \sigma^2)$을 따르는 모집단에서 크기가 n인 표본을 임의추출할 때, 모평균 m을 신뢰도 α %로 추정한 신뢰구간의 길이는 $2\times k\frac{\sigma}{\sqrt{n}}$ $\left(단, P(|Z|\le k)=\frac{\alpha}{100}\right)$

⇨ 신뢰도가 같고 표본의 크기가 각각 n_1, n_2일 때, 두 신뢰구간의 길이의 비는 $\frac{1}{\sqrt{n_1}}:\frac{1}{\sqrt{n_2}}$

1638 ●●●○

표준편차가 5인 정규분포를 따르는 모집단에서 100개의 표본을 임의추출하여 모평균을 추정하였더니 신뢰구간의 길이가 3이었다. 같은 모집단에서 새로운 표본을 임의추출하여 같은 신뢰도로 모평균을 추정할 때, 신뢰구간의 길이가 2가 되도록 하는 표본의 크기를 구하시오.

1639 짱중요 ●●●○

모표준편차가 σ인 정규분포를 따르는 모집단에서 100개의 표본을 임의추출하여 95 %의 신뢰도로 모평균을 추정하였더니 신뢰구간의 길이가 l이었다. 같은 모집단에서 400개의 표본을 임의추출하여 95 %의 신뢰도로 모평균을 추정한다고 할 때, 신뢰구간의 길이는? (단, $P(0\le Z\le 1.96)=0.475$로 계산한다.)

① $\frac{1}{4}l$ ② $\frac{1}{2}l$ ③ l
④ $2l$ ⑤ $4l$

1640 중요 ●●●○

정규분포를 따르는 모집단에서 크기가 n인 표본을 임의추출하여 신뢰도 95 %로 모평균을 추정하였더니 신뢰구간의 길이가 $2l$이었다. 표본의 크기를 $4n$으로 하여 신뢰도 99 %로 모평균을 추정할 때, 신뢰구간의 길이는?

(단, $P(|Z|\le 2)=0.95$, $P(|Z|\le 3)=0.99$로 계산한다.)

① l ② $\frac{3}{2}l$ ③ $2l$
④ $\frac{5}{2}l$ ⑤ $3l$

1641 ●●●●

정규분포를 따르는 모집단에서 크기가 n인 표본과 크기가 $16n$인 표본을 임의추출하여 신뢰도 99 %로 모평균을 추정하려고 한다. 표본의 크기가 n인 경우의 신뢰구간의 길이는 표본의 크기가 $16n$인 경우의 신뢰구간의 길이의 몇 배인가?

(단, $P(|Z|\le 2.58)=0.99$로 계산한다.)

① 2배 ② 3배 ③ 4배
④ 6배 ⑤ 8배

1642 중요 ●●●●

어느 학교 학생들의 하루 독서 시간은 평균이 m분, 표준편차가 σ분인 정규분포를 따른다고 한다. 이 학교 학생 중 49명을 임의추출하여 조사한 하루 독서 시간의 표본평균이 72분일 때, 모평균 m에 대한 신뢰도 95 %의 신뢰구간이 $a \le m \le b$이다.
이 학교 학생 중 16명을 다시 임의추출하여 구한 하루 독서 시간의 표본평균이 75분일 때, 모평균 m에 대한 신뢰도 99 %의 신뢰구간이 $c \le m \le d$이다. $d-b=5.19$를 만족시키는 σ의 값을 구하시오. (단, $P(|Z| \le 1.96)=0.95$, $P(|Z| \le 2.58)=0.99$로 계산한다.)

1643 ●●●●

정규분포 $N(m, \sigma^2)$을 따르는 모집단에서 크기가 n인 표본을 임의추출하여 신뢰도 95 %로 모평균을 추정할 때의 신뢰구간의 길이를 l이라 하자. 같은 신뢰도로 모평균을 추정할 때의 신뢰구간의 길이를 $\frac{l}{k}$로 하기 위한 표본의 크기를 $f(k)$라 할 때, $f(1)+f(2)+f(3)+\cdots+f(20)$의 값은?

(단, $P(|Z| \le 1.96)=0.95$로 계산한다.)

① $2790n$ ② $2810n$ ③ $2830n$
④ $2850n$ ⑤ $2870n$

유형 11 신뢰구간을 이용하는 $\overline{X}$의 확률

내신 중요도 ■■■■■ 유형 난이도 ★★★★★

정규분포 $N(m, \sigma^2)$을 따르는 모집단에서 크기가 n인 표본의 표본평균 $\overline{X}$의 값을 $\overline{x}$라 할 때, $P(|Z| \le k)=\frac{\alpha}{100}$이면

$$\Rightarrow P\left(\left|\frac{\overline{x}-m}{\frac{\sigma}{\sqrt{n}}}\right| \le k\right)=\frac{\alpha}{100}$$

1644 ●●●○

정규분포 $N(m, \sigma^2)$을 따르는 모집단에서 크기가 n인 표본을 임의추출하여 구한 표본평균을 $\overline{X}$라 하자. 모평균 m에 대한 신뢰도 95 %의 신뢰구간의 길이가 11.76일 때, $P(\overline{X} \ge m+5.88)$을 구하시오. (단, $P(|Z| \le 1.96)=0.95$로 계산한다.)

1645 중요 ●●●○

정규분포 $N(m, 9^2)$을 따르는 모집단에서 크기가 n인 표본을 임의추출할 때, 표본평균과 모평균의 차가 2 이하일 확률은 0.96이다. 자연수 n의 값을 구하시오.

(단, $P(0 \le Z \le 2)=0.48$로 계산한다.)

1646

평균이 m, 분산이 4인 정규분포를 따르는 모집단에서 크기가 n인 표본을 임의추출하여 얻은 표본평균을 $\overline{X}$라고 할 때, $|\overline{X}-m| \le \frac{1}{5}$인 확률이 95 % 이상이 되게 하는 n의 최솟값을 구하시오. (단, $P(-1.96 \le Z \le 1.96)=0.95$이다.)

1647 중요 평가원 기출

어느 나라에서 작년에 운행된 택시의 연간 주행거리는 모평균이 m인 정규분포를 따른다고 한다. 이 나라에서 작년에 운행된 택시 중에서 16대를 임의추출하여 구한 연간 주행거리의 표본평균이 $\overline{x}$이고, 이 결과를 이용하여 신뢰도 95 %로 추정한 m에 대한 신뢰구간이 $[\overline{x}-c,\ \overline{x}+c]$이었다. 이 나라에서 작년에 운행된 택시 중에서 임의로 1대를 선택할 때, 이 택시의 연간 주행거리가 $m+c$ 이하일 확률을 오른쪽 표준정규분포표를 이용하여 구한 것은?
(단, 주행거리의 단위는 km이다.)

z	$P(0 \le Z \le z)$
0.49	0.1879
0.98	0.3365
1.47	0.4292
1.96	0.4750

① 0.6242 ② 0.6635 ③ 0.6879
④ 0.8365 ⑤ 0.9292

1648 평가원 기출

어느 공장에서 생산하는 제품의 무게는 모평균이 m, 모표준편차가 $\frac{1}{2}$인 정규분포를 따른다고 한다. 이 공장에서 생산한 제품 중에서 25개를 임의추출하여 신뢰도 95 %로 추정한 모평균 m에 대한 신뢰구간이 $[a, b]$일 때, $P(|Z| \le c)=0.95$를 만족시키는 c를 a, b로 나타낸 것은?
(단, 무게의 단위는 g이고, 확률변수 Z는 표준정규분포를 따른다.)

① $3(b-a)$ ② $\frac{7}{2}(b-a)$ ③ $4(b-a)$
④ $\frac{9}{2}(b-a)$ ⑤ $5(b-a)$

유형 12 신뢰구간의 성질

내신 중요도 ■■■■■ 유형 난이도 ★★★★★

모평균 m의 신뢰구간 $\overline{x}-k\frac{\sigma}{\sqrt{n}} \le m \le \overline{x}+k\frac{\sigma}{\sqrt{n}}$에서
(1) 신뢰도가 높아지면 k의 값이 커지므로 신뢰구간의 길이는 길어진다.
(2) n의 값이 커질수록 신뢰구간의 길이는 짧아진다.

1649 중요

정규분포 $N(m, \sigma^2)$을 따르는 모집단에서 표본을 추출하여 모평균을 추정하려고 할 때, 모평균 m에 대한 신뢰구간의 설명으로 옳은 것만을 〈보기〉에서 있는 대로 고른 것은?

보기
ㄱ. 표본평균이 커지면 신뢰구간의 길이는 길어진다.
ㄴ. 표본의 크기가 일정할 때, 신뢰도를 높이면 신뢰구간의 길이는 길어진다.
ㄷ. 신뢰도가 일정할 때, 표본의 크기를 크게 하면 신뢰구간의 길이는 짧아진다.

① ㄱ ② ㄴ ③ ㄱ, ㄴ
④ ㄱ, ㄷ ⑤ ㄴ, ㄷ

1650 중요

정규분포 $N(m, \sigma^2)$을 따르는 모집단에서 임의추출한 크기가 n인 표본평균 $\overline{X}$에서 모평균 m을 신뢰도 α %로 추정할 때, 다음 중 신뢰구간의 길이가 가장 긴 것은?
(단, $P(|Z| \le 1.96)=0.95$, $P(|Z| \le 2.58)=0.99$로 계산한다.)

① $n=200$, $\alpha=95$ ② $n=200$, $\alpha=99$
③ $n=250$, $\alpha=95$ ④ $n=400$, $\alpha=95$
⑤ $n=400$, $\alpha=99$

11 모평균의 추정

해설 309쪽

1651 평가원 기출 ●●●○

정규분포를 따르는 모집단에서 표본을 임의추출하여 모평균을 추정하려고 한다. 〈보기〉에서 옳은 것을 모두 고른 것은?

보기
ㄱ. 표본평균 $\overline{X}$의 분산은 표본의 크기에 반비례한다.
ㄴ. 동일한 표본을 사용할 때, 신뢰도 99 %인 신뢰구간은 신뢰도 95 %의 신뢰구간을 포함한다.
ㄷ. 신뢰도가 일정할 때, 표본의 크기가 작을수록 신뢰구간이 짧아진다.

① ㄱ ② ㄴ ③ ㄱ, ㄴ
④ ㄴ, ㄷ ⑤ ㄱ, ㄴ, ㄷ

1652 중요 ●●●●

평균이 m이고, 표준편차가 σ인 정규분포를 따르는 모집단에서 크기가 n인 표본을 임의추출하여 모평균을 추정할 때, 〈보기〉에서 옳은 것만을 있는 대로 고른 것은?
(단, $\mathrm{P}(|Z|\le 1.96)=0.95$, $\mathrm{P}(|Z|\le 2.58)=0.99$로 계산한다.)

보기
ㄱ. 표본평균 $\overline{X}$의 평균은 m이고, 표준편차는 $\dfrac{\sigma}{\sqrt{n}}$이다.
ㄴ. 신뢰도가 일정할 때, 표본의 크기가 작을수록 신뢰구간의 길이는 길어진다.
ㄷ. 동일한 표본을 사용할 때, 신뢰도 95 %의 신뢰구간은 신뢰도 99 %의 신뢰구간을 포함한다.

① ㄱ ② ㄴ ③ ㄷ
④ ㄱ, ㄴ ⑤ ㄴ, ㄷ

1653 ●●●●

A, B, C, D 네 도시의 기혼 남성의 결혼 연령을 조사하기 위하여 각 도시에서 표본을 추출하여 조사한 자료가 다음과 같았다.

	A	B	C	D
표본평균	33	29	33	29
표준편차	3	2	2	3
표본의 크기	100	256	256	100

각 도시 기혼 남성의 결혼 연령의 분포는 정규분포를 따른다고 할 때, 모평균의 신뢰구간에 대한 〈보기〉의 설명 중에서 옳은 것만을 있는 대로 고르시오. (단, $\mathrm{P}(0\le Z\le 1.96)=0.475$, $\mathrm{P}(0\le Z\le 2.58)=0.495$로 계산한다.)

보기
ㄱ. 신뢰도 95 %로 추정한 B와 C의 신뢰구간의 길이는 같다.
ㄴ. 신뢰도 95 %로 추정한 A의 신뢰구간의 길이가 신뢰도 99 %로 추정한 C의 신뢰구간의 길이보다 길다.
ㄷ. 신뢰도 95 %로 추정한 B의 신뢰구간의 길이가 신뢰도 95 %로 추정한 D의 신뢰구간의 길이보다 짧다.

1654 평가원 기출 ●●●●

어떤 두 직업에 종사하는 전체 근로자 중 한 직업에서 표본 A를 추출하고 또 다른 직업에서 표본 B를 추출하여 월급을 조사하였더니 다음과 같은 결과를 얻었다.

표본	표본의 크기	평균	표준편차	신뢰도(%)	모평균의 추정
A	n_1	240	12	α	$237\le m\le 243$
B	n_2	230	10	α	$228\le m\le 232$

(단위는 만 원이고, 표본 A, B의 월급 분포는 정규분포를 이룬다.)

위 자료에 대한 설명으로 옳은 것만을 〈보기〉에서 있는 대로 고른 것은?

보기
ㄱ. 표본 A보다 표본 B의 분포가 더 고르다.
ㄴ. 표본 A의 크기가 표본 B의 크기보다 작다.
ㄷ. 신뢰도를 α보다 크게 하면 신뢰구간의 길이도 길어진다.

① ㄱ ② ㄱ, ㄴ ③ ㄱ, ㄷ
④ ㄴ, ㄷ ⑤ ㄱ, ㄴ, ㄷ

적중 문제
시험에 잘 나오는 문제로 점검하기

해설 311쪽

1655

표준편차가 10인 정규분포를 따르는 모집단에서 크기가 400인 표본을 임의추출하여 구한 표본평균이 70이었다. 모평균 m에 대한 신뢰도 99 %의 신뢰구간이 $70-a\le m\le 70+a$일 때, a의 값은? (단, $\mathrm{P}(0\le Z\le 2.58)=0.495$로 계산한다.)

① 0.98 ② 1.29 ③ 1.96
④ 2.58 ⑤ 2.94

1656

어느 과수원에서 재배한 복숭아의 무게는 평균 m g, 표준편차 25 g인 정규분포를 따른다고 한다. 이 과수원에서 임의추출한 복숭아 100개의 무게의 합이 42 kg일 때, 이 과수원에서 재배한 복숭아의 무게의 모평균 m에 대한 신뢰도 95 %의 신뢰구간은?
(단, $\mathrm{P}(0\le Z\le 2)=0.475$로 계산한다.)

① $400\le m\le 440$ ② $405\le m\le 435$ ③ $410\le m\le 430$
④ $415\le m\le 425$ ⑤ $417\le m\le 423$

1657

전국 고등학교 야구 대회에 참가한 선수들의 몸무게는 정규분포를 따른다고 한다. 이 선수들 중에서 100명을 임의추출하여 몸무게를 조사하였더니 평균이 70 kg, 표준편차가 10 kg이었다. 이 대회에 참가한 전체 선수들의 몸무게의 평균 m에 대한 신뢰도 99 %의 신뢰구간은?
(단, $\mathrm{P}(0\le Z\le 2.58)=0.495$로 계산한다.)

① $68.04\le m\le 71.96$ ② $67.42\le m\le 72.58$
③ $67.06\le m\le 72.94$ ④ $66.08\le m\le 73.92$
⑤ $64.84\le m\le 75.16$

1658

어떤 고등학교 남학생의 몸무게는 정규분포를 따른다고 한다. 이 학교 남학생 중에서 400명을 임의추출하여 몸무게를 조사하였더니 평균이 a kg, 표준편차가 10 kg이었다. 이 학교 전체 남학생 몸무게의 평균 m에 대한 신뢰도 95 %의 신뢰구간이 $63.52\le m\le b$일 때, $a+b$의 값을 구하시오.
(단, $\mathrm{P}(|Z|\le 1.96)=0.95$로 계산한다.)

1659 서술형

어느 도시의 고등학교 1학년 남학생의 몸무게는 정규분포를 따른다고 한다. 이 도시의 고등학교 1학년 남학생 n명을 임의추출하여 몸무게를 조사하였더니 평균이 56 kg, 표준편차가 5 kg이었다. 이 도시의 고등학교 1학년 남학생 전체에 대한 몸무게의 평균 m을 신뢰도 95 %로 추정한 신뢰구간이 $54.6\le m\le 57.4$일 때, n의 값을 구하시오.
(단, n은 충분히 큰 수이고, $\mathrm{P}(0\le Z\le 1.96)=0.475$로 계산한다.)

1660

어느 고등학교 2학년 학생들의 몸무게는 표준편차가 10인 정규분포를 따른다고 한다. 이 학생들 중에서 100명을 임의추출하여 전체 학생의 몸무게의 평균 m을 신뢰도 95 %로 추정할 때, 신뢰구간의 길이를 구하시오.
(단, $\mathrm{P}(|Z|\le 1.96)=0.95$로 계산한다.)

1661

표준편차가 6인 정규분포를 따르는 모집단에서 크기가 n인 표본을 임의추출하여 모평균 m을 신뢰도 99 %로 추정할 때, 신뢰구간의 길이가 0.6 이하가 되도록 하기 위한 n의 최솟값을 구하시오.

(단, $\mathrm{P}(|Z|\le 3)=0.99$로 계산한다.)

1662

표준편차가 10인 정규분포를 따르는 모집단의 평균을 99 %의 신뢰도로 추정할 때, 모평균 m과 표본평균 $\overline{X}$의 차가 1 이하가 되도록 하려면 적어도 몇 개의 표본을 조사해야 하는지 구하시오.

(단, $\mathrm{P}(|Z|\le 3)=0.99$로 계산한다.)

1663

표준편차가 3인 정규분포를 따르는 모집단에서 324개의 표본을 임의추출하여 신뢰도 a %로 모평균 m을 추정하였더니 신뢰구간의 길이가 0.2이었다. 같은 표본을 이용하여 신뢰도 $2a$ %로 모평균 m을 추정할 때, 위의 표준정규분포표를 이용하여 신뢰구간의 길이를 구하시오.

z	$\mathrm{P}(0\le Z\le z)$
0.6	0.23
1.2	0.38
1.8	0.46
2.4	0.49

1664

정규분포 $\mathrm{N}(m,\ \sigma^2)$을 따르는 모집단에서 크기가 n인 표본을 임의추출하여 신뢰도 95 %로 모평균을 추정하였더니 신뢰구간의 길이가 $8l$이었다. 표본의 크기를 $9n$으로 하여 신뢰도 99 %로 모평균을 추정할 때, 신뢰구간의 길이는?

(단, $\mathrm{P}(|Z|\le 2)=0.95$, $\mathrm{P}(|Z|\le 3)=0.99$로 계산한다.)

① $\sqrt{3}\,l$ ② $2l$ ③ $2\sqrt{2}\,l$
④ $3l$ ⑤ $4l$

1665 서술형

모표준편차가 σ인 정규분포를 따르는 모집단에서 임의추출한 크기가 n인 표본의 표본평균이 $\overline{x}$이고, 이를 이용하여 구한 모평균 m에 대한 신뢰도 95 %의 신뢰구간이 $\overline{x}-c\le m\le \overline{x}+c$이다. 이 모집단에서 임의추출한 크기가 2500인 표본의 표본평균을 $\overline{X}$라 하면

$$\mathrm{P}\left(\overline{X}\ge m+\frac{1}{4}c\right)=0.0071$$

이다. n의 값을 오른쪽 표준정규분포표를 이용하여 구하시오.

z	$\mathrm{P}(0\le Z\le z)$
1.22	0.3888
1.96	0.4750
2.45	0.4929
2.58	0.4951

1666

정규분포 $\mathrm{N}(m,\ \sigma^2)$을 따르는 모집단에서 임의추출한 표본평균 $\overline{X}$로부터 모평균 m을 추정할 때, 신뢰구간의 길이는 표본의 크기 n과 신뢰도 α %에 따라 변한다. 다음 중 신뢰구간의 길이가 가장 긴 것은?

(단, $\mathrm{P}(|Z|\le 1.96)=0.95$, $\mathrm{P}(|Z|\le 2.58)=0.99$로 계산한다.)

① $n=49,\ \alpha=99$ ② $n=64,\ \alpha=95$
③ $n=64,\ \alpha=99$ ④ $n=81,\ \alpha=95$
⑤ $n=81,\ \alpha=99$

고난도 문제
일등급 go! go!

Level 1

해설 314쪽

1667

모평균이 m, 모표준편차가 1인 정규분포를 따르는 모집단에서 크기가 16인 표본을 임의추출하여 구한 표본평균의 값이 $\overline{x}$이다. 모평균이 9일 때, 이 표본을 이용하여 얻은 모평균에 대한 신뢰도 95 %의 신뢰구간에 모평균이 포함되도록 하는 $\overline{x}$의 최댓값을 M이라 하자. $100M$의 값은?

(단, $\mathrm{P}(|Z|\le 1.96)=0.95$로 계산한다.)

① 946 ② 947 ③ 948 ④ 949 ⑤ 950

1668

정규분포 $\mathrm{N}(m,\ 6^2)$을 따르는 모집단에서 크기가 36인 표본을 임의추출하여 신뢰도 x %로 모평균 m을 추정한 신뢰구간이 $\alpha\le m\le\beta$일 때, $f(x)=\beta-\alpha$라고 하자. 상수 x_1, x_2에 대하여 $f(x_1)=3$, $f(x_2)=4$일 때, 오른쪽 표준정규분포표를 이용하여 x_2-x_1의 값을 구하시오.

z	$\mathrm{P}(0\le Z\le z)$
1.0	0.3413
1.5	0.4332
2.0	0.4772
2.5	0.4938

1669

정규분포 $\mathrm{N}(m_1,\ 10^2)$을 따르는 모집단 A와 정규분포 $\mathrm{N}(m_2,\ 10^2)$을 따르는 모집단 B가 있다. 모집단 A에서 표본 x_1, x_2, $\cdots$, x_{100}을 임의추출하여 신뢰도 95 %로 추정한 m_1의 신뢰구간이 $48.04\le m_1\le 51.96$이었다. 모집단 B에서 표본 y_1, y_2, $\cdots$, y_{100}을 임의추출한 결과 $9\sum_{k=1}^{100}x_k=10\sum_{k=1}^{100}y_k$가 성립할 때, 신뢰도 99 %로 추정한 m_2의 신뢰구간에 속하는 모든 정수의 합을 구하시오. (단, $\mathrm{P}(|Z|\le 1.96)=0.95$, $\mathrm{P}(|Z|\le 2.58)=0.99$로 계산한다.)

1670

어느 자동판매기에서 판매되는 음료수의 용량은 표준편차가 6 mL인 정규분포를 따른다고 한다. 이 자동판매기에서 판매되는 전체 음료수의 평균 용량을 신뢰도 95 %로 추정할 때, 모평균과 표본평균의 차가 3 mL 이하가 되도록 하는 표본의 크기의 최솟값을 구하시오. (단, $\mathrm{P}(-2\le Z\le 2)=0.95$로 계산한다.)

Level 2

1671

어느 나라에서 작년에 운행된 택시의 연간 주행거리는 모평균이 m인 정규분포를 따른다고 한다. 이 나라에서 작년에 운행된 택시 중에서 36대를 임의추출하여 구한 연간 주행거리의 표본평균이 $\bar{x}$이고, 이 결과를 이용하여 신뢰도 99 %로 추정한 모평균 m에 대한 신뢰구간이 $[\bar{x}-c,\ \bar{x}+c]$이었다. 이 나라에서 작년에 운행된 택시 중에서 임의로 1대를 선택할 때, 이 택시의 연간 주행거리가 $m+c$ 이하일 확률을 위의 표준정규분포표를 이용하여 구하시오.

z	$P(0\le Z\le z)$
0.43	0.166
0.98	0.336
1.96	0.475
2.58	0.495

(단, 주행거리의 단위는 km이다.)

1672

정규분포 $N(m,\ \sigma^2)$을 따르는 모집단에서 임의추출한 크기가 n인 표본의 표본평균 $\overline{X}$의 값이 $\bar{x}$일 때, 신뢰도 80 %의 신뢰구간 $\bar{x}-k\frac{\sigma}{\sqrt{n}}\le m\le \bar{x}+k\frac{\sigma}{\sqrt{n}}$ 내에 모평균 m이 포함되는지를 확인하는 실험을 50회 반복한 결과 40회 포함되었다. 표본의 크기 n은 변함없이 구간의 길이를 $\frac{3}{2}$배 늘여 늘어난 구간 내에 모평균 m이 몇 회나 포함되는지 확인하는 실험을 100회 반복한다고 할 때, 모평균 m이 늘어난 구간 내에 몇 회 속하는지를 위의 표준정규분포표를 이용하여 구하시오. (단, k는 상수이다.)

z	$P(0\le Z\le z)$
1.28	0.40
1.92	0.47

1673

정규분포 $N(m,\ 3^2)$을 따르는 모집단에서 임의추출한 크기 12인 표본과 크기 7인 표본의 표본평균을 각각 $\overline{X_A}$, $\overline{X_B}$라 하고, $\overline{X_A}$와 $\overline{X_B}$의 분포를 이용하여 추정한 모평균 m에 대한 신뢰도 95 %의 신뢰구간을 각각 $[a,\ b]$, $[c,\ d]$라 하자. 〈보기〉에서 옳은 것만을 있는 대로 고른 것은?

보기

ㄱ. $V(\overline{X_A})<V(\overline{X_B})$
ㄴ. $P(\overline{X_A}\le m+2)>P(\overline{X_B}\le m+2)$
ㄷ. $a+d>b+c$

① ㄱ ② ㄷ ③ ㄱ, ㄴ
④ ㄴ, ㄷ ⑤ ㄱ, ㄴ, ㄷ

1674

표준편차가 5인 모집단에서 A, B 두 사람이 각각 다음과 같은 방법으로 모평균 m을 추정하려고 한다.

A : 표본의 크기가 n_1이고 신뢰도가 α_1 %이다.
B : 표본의 크기가 n_2이고 신뢰도가 α_2 %이다.

A가 추정한 신뢰구간을 $a\le m\le b$, B가 추정한 신뢰구간을 $c\le m\le d$라 할 때, 〈보기〉에서 옳은 것만을 있는 대로 고른 것은?

보기

ㄱ. $n_1=n_2$이고 $\alpha_1<\alpha_2$이면 $b-a<d-c$이다.
ㄴ. $n_1<n_2$이고 $\alpha_1=\alpha_2$이면 $a<c$, $d<b$이다.
ㄷ. $n_1<n_2$이고 $\alpha_1<\alpha_2$이면 $b-a<d-c$이다.

① ㄱ ② ㄴ ③ ㄷ
④ ㄱ, ㄴ ⑤ ㄱ, ㄷ

1675

정규분포 $N(m, \sigma^2)$을 따르는 모집단에서 크기가 n인 표본을 임의추출하여 모평균을 추정하려고 한다. 신뢰도 95 %로 추정한 신뢰구간의 길이를 l이라 할 때, 〈보기〉에서 옳은 것만을 있는 대로 고른 것은?
(단, $P(0 \le Z \le 2)=0.475$, $P(0 \le Z \le 3)=0.495$로 계산한다.)

보기

ㄱ. $l=\dfrac{4\sigma}{\sqrt{n}}$

ㄴ. 신뢰도 99 %로 추정한 신뢰구간의 길이는 $\dfrac{3}{2}l$이다.

ㄷ. 신뢰도 99 %로 추정할 때, 신뢰구간의 길이가 $3l$이 되려면 표본의 크기는 $6n$이어야 한다.

① ㄱ ② ㄷ ③ ㄱ, ㄴ
④ ㄴ, ㄷ ⑤ ㄱ, ㄴ, ㄷ

1676

평가원 기출

어느 자동차 회사에서 생산하는 전기 자동차의 1회 충전 주행 거리는 평균이 m이고 표준편차가 σ인 정규분포를 따른다고 한다.
이 자동차 회사에서 생산한 전기 자동차 100대를 임의추출하여 얻은 1회 충전 주행 거리의 표본평균이 $\overline{x_1}$일 때, 모평균 m에 대한 신뢰도 95 %의 신뢰구간이 $a \le m \le b$이다.
이 자동차 회사에서 생산한 전기 자동차 400대를 임의추출하여 얻은 1회 충전 주행 거리의 표본평균이 $\overline{x_2}$일 때, 모평균 m에 대한 신뢰도 99 %의 신뢰구간이 $c \le m \le d$이다.
$\overline{x_1}-\overline{x_2}=1.34$이고 $a=c$일 때, $b-a$의 값은? (단, 주행 거리의 단위는 km이고, Z가 표준정규분포를 따르는 확률변수일 때 $P(|Z| \le 1.96)=0.95$, $P(|Z| \le 2.58)=0.99$로 계산한다.)

① 5.88 ② 7.84 ③ 9.80
④ 11.76 ⑤ 13.72

Level 3

1677

평가원 기출

평균이 m이고 표준편차가 5인 정규분포를 따르는 모집단이 있다. 어느 조사에서 크기 n인 표본을 임의추출하여 얻은 모평균에 대한 신뢰도 95 %의 신뢰구간이 $[a, b]$일 때, 조사비용과 추정의 정확도에 따른 수익이 다음과 같다고 한다.

비용: $10n$, 수익: $10^{\frac{2}{b-a}}$

n이 100의 배수일 때, 수익이 비용보다 크게 되는 n의 최솟값을 오른쪽 표를 이용하여 구한 것은?
(단, Z가 표준정규분포를 따르는 확률변수일 때, $P(0 \le Z \le 1.96)=0.4750$이다.)

n	$\dfrac{\sqrt{n}}{1+\log n}$
1600	9.51
1700	9.75
1800	9.97
1900	10.19
2000	10.40

① 1600 ② 1700 ③ 1800
④ 1900 ⑤ 2000

해설 317쪽

1678 평가원 기출

모집단 A는 정규분포 $\mathrm{N}(m_1, \sigma^2)$을 따르고, 모집단 B는 정규분포 $\mathrm{N}\left(m_2, \left(\frac{\sigma}{2}\right)^2\right)$을 따른다. 모집단 A에서 크기 n_1, 모집단 B에서 크기 n_2인 표본을 각각 임의추출할 때의 표본평균을 각각 $\overline{X_A}$, $\overline{X_B}$라 하자. 〈보기〉에서 옳은 것만을 있는 대로 고른 것은?

(단, n_1, n_2는 1보다 큰 자연수이다.)

보기

ㄱ. $m_1=m_2$이면 $\mathrm{E}(\overline{X_A})=\mathrm{E}(\overline{X_B})$이다.

ㄴ. 표본평균 $\overline{X_B}$는 정규분포 $\mathrm{N}\left(m_2, \left(\frac{\sigma}{2}\right)^2\right)$을 따른다.

ㄷ. $n_1=4n_2$일 때, m_1에 대한 신뢰도 95 %의 신뢰구간이 $[a, b]$이고, m_2에 대한 신뢰도 95 %의 신뢰구간이 $[c, d]$이면, $b-a=d-c$이다.

① ㄱ ② ㄷ ③ ㄱ, ㄷ
④ ㄴ, ㄷ ⑤ ㄱ, ㄴ, ㄷ

1679 평가원 기출

어느 고등학교 학생들의 1개월 자율학습실 이용 시간은 평균이 m, 표준편차가 5인 정규분포를 따른다고 한다. 이 고등학교 학생 25명을 임의추출하여 1개월 자율학습실 이용 시간을 조사한 표본평균이 $\overline{x_1}$일 때, 모평균 m에 대한 신뢰도 95%의 신뢰구간이 $80-a\le m\le 80+a$이었다. 또 이 고등학교 학생 n명을 임의추출하여 1개월 자율학습실 이용 시간을 조사한 표본평균이 $\overline{x_2}$일 때, 모평균 m에 대한 신뢰도 95%의 신뢰구간이 다음과 같다.

$$\frac{15}{16}\overline{x_1}-\frac{5}{7}a\le m\le \frac{15}{16}\overline{x_1}+\frac{5}{7}a$$

$n+\overline{x_2}$의 값은? (단, 이용 시간의 단위는 시간이고, Z가 표준정규분포를 따르는 확률변수일 때, $\mathrm{P}(0\le Z\le 1.96)=0.475$로 계산한다.)

① 121 ② 124 ③ 127
④ 130 ⑤ 133

빠른 정답 확인

01 여러 가지 순열

본책 004~032쪽

0001 10, 10, 9	0002 6, 6, 5, 120
0003 720	0004 6
0005 5040	0006 1440
0007 3600	0008 6
0009 360	0010 240
0011 20	0012 25
0013 32	0014 4
0015 ${}_6\Pi_2$	0016 ${}_3\Pi_5$
0017 81	0018 32
0019 64	0020 10000
0021 20	0022 30
0023 5040	0024 6
0025 28	

0026 ④	0027 6	0028 ③
0029 ④	0030 ③	0031 24
0032 24	0033 144	0034 96
0035 12	0036 144	0037 48
0038 12	0039 ②	0040 4
0041 90	0042 30	0043 144
0044 ①	0045 180	0046 ①
0047 ②	0048 ③	0049 20
0050 366	0051 11	0052 ③
0053 24	0054 240	0055 ②
0056 $\frac{1}{2}$	0057 1024	0058 81
0059 ①	0060 ②	0061 ③
0062 80	0063 ②	0064 ②
0065 228	0066 211	0067 ③
0068 1215	0069 243	0070 ②
0071 ④	0072 ④	0073 ③
0074 84	0075 540	0076 232
0077 ⑤	0078 ④	0079 ④
0080 500	0081 360	0082 210
0083 38	0084 40	0085 600
0086 ③	0087 ①	0088 ④
0089 340	0090 ③	0091 144
0092 560	0093 840	0094 10
0095 120	0096 30	0097 ⑤
0098 ⑤	0099 ②	0100 420
0101 ②	0102 10	0103 10
0104 90	0105 ④	0106 28
0107 51	0108 21	0109 14
0110 40	0111 35	0112 12
0113 86	0114 24	0115 40
0116 164	0117 20	0118 84
0119 46	0120 41	0121 127
0122 ②	0123 ①	0124 ①
0125 ⑤	0126 40	0127 ③
0128 ②	0129 240	0130 75
0131 ①	0132 31	0133 64
0134 ④	0135 1350	
0136 144	0137 ⑤	0138 ⑤
0139 72	0140 243	0141 450
0142 84	0143 10	0144 120
0145 32	0146 102	0147 15
0148 576	0149 180	0150 200
0151 ③	0152 825	0153 240
0154 ②	0155 ③	0156 ①
0157 72	0158 296	0159 25
0160 136	0161 6720	0162 ①
0163 100	0164 36	

02 중복조합과 이항정리

본책 036~066쪽

0165 10	0166 10
0167 15	0168 21
0169 8	0170 2
0171 ${}_3H_5$	0172 ${}_4H_{10}$
0173 6	0174 9
0175 3	0176 6
0177 5	0178 36
0179 84	0180 7
0181 21	0182 7
0183 21	0184 10
0185 -10	0186 80
0187 160	0188 6
0189 $a=4$, $b=6$	0190 32
0191 62	

0192 21	0193 ④	0194 15
0195 ③	0196 5	0197 ③
0198 5	0199 21	0200 ②
0201 ④	0202 30	0203 189
0204 45	0205 20	0206 ③
0207 45	0208 ③	0209 35
0210 20	0211 ⑤	0212 15
0213 70	0214 35	0215 ④
0216 210	0217 20	0218 315
0219 ③	0220 20	0221 6
0222 18	0223 ⑤	0224 60
0225 ①	0226 13	0227 45
0228 20	0229 55	0230 36
0231 ②	0232 210	0233 288
0234 56	0235 84	0236 70
0237 ④	0238 258	0239 220

0240 225
0241 96
0242 126
0243 84
0244 ⑤
0245 104
0246 80
0247 50
0248 34
0249 ①
0250 ②
0251 ②
0252 (1) 64 (2) 24 (3) 4 (4) 20
0253 70
0254 70
0255 11
0256 18
0257 60
0258 75
0259 ⑤
0260 525
0261 ③
0262 24
0263 -480
0264 4
0265 ①
0266 3
0267 -160
0268 5
0269 165
0270 ④
0271 ③
0272 ⑤
0273 26
0274 ⑤
0275 ④
0276 20
0277 10
0278 14
0279 ⑤
0280 ②
0281 10
0282 ②
0283 64
0284 5
0285 ③
0286 15
0287 ③
0288 1210
0289 ③
0290 455
0291 ②
0292 ③
0293 ③
0294 10
0295 14
0296 $\frac{1}{2}$
0297 ④
0298 15
0299 10
0300 ⑤
0301 ④
0302 256
0303 600
0304 22
0305 6
0306 2^{30}
0307 20
0308 210
0309 16
0310 ④
0311 379
0312 21
0313 ②
0314 55
0315 ⑤
0316 ④
0317 ③
0318 126
0319 18
0320 120
0321 120
0322 60
0323 20
0324 2
0325 1001
0326 ⑤
0327 5320
0328 6
0329 ⑤
0330 34
0331 ⑤
0332 864
0333 80
0334 5
0335 360
0336 ⑤
0337 362
0338 336
0339 32
0340 40
0341 37
0342 6
0343 462
0344 12
0345 ⑤
0346 ③
0347 ②
0348 126
0349 96

03 확률의 뜻과 성질

본책 070~094쪽

0350 $\{1, 2, 3, 4, 5, 6\}$
0351 $\{1\}, \{2\}, \{3\}, \{4\}, \{5\}, \{6\}$
0352 $\{2, 4, 6\}$
0353 $\{2, 4, 6, 8, 10, 12\}$
0354 $\{3, 6, 9, 12\}$
0355 $\{2, 3, 4, 6, 8, 9, 10, 12\}$
0356 $\{6, 12\}$
0357 $\{1, 3, 5, 7, 9, 11\}$
0358 $\{5, 10\}$
0359 $\{1, 2, 4, 8\}$
0360 $\{1, 2, 4, 5, 8, 10\}$
0361 $\varnothing$
0362 $\{3, 5, 6, 7, 9, 10\}$
0363 $\{5, 10\}$
0364 $\{3, 6, 7, 9\}$
0365 $\frac{1}{36}$
0366 $\frac{1}{6}$
0367 $\frac{1}{12}$
0368 $\frac{5}{36}$
0369 $\frac{1}{9}$
0370 $\frac{5}{6}$
0371 $\frac{1}{4}$
0372 24
0373 6
0374 $\frac{1}{4}$
0375 $\frac{3}{5}$
0376 $\frac{1}{10}$
0377 $\frac{3}{10}$
0378 $\frac{3}{5}$
0379 (1) $\{1, 2, 3, 4, 5, 6\}$ (2) $\varnothing, \{4\}, \{5\}, \{4, 5\}$ (3) $\{1, 2, 4, 5\}$
0380 ④
0381 ④
0382 8
0383 39
0384 $\frac{1}{5}$
0385 $\frac{1}{6}$
0386 $\frac{1}{6}$
0387 ①
0388 $\frac{3}{25}$
0389 6
0390 $\frac{1}{4}$
0391 ③
0392 ③
0393 $\frac{1}{3}$
0394 $\frac{17}{36}$
0395 $\frac{55}{216}$
0396 ④
0397 $\frac{1}{6}$
0398 $\frac{5}{12}$
0399 $\frac{7}{12}$
0400 $\frac{1}{4}$
0401 (1) $\frac{1}{4}$ (2) $\frac{1}{2}$ (3) $\frac{1}{2}$ (4) $\frac{1}{6}$
0402 $\frac{1}{35}$
0403 $\frac{4}{15}$
0404 ④
0405 8
0406 ①
0407 $\frac{1}{4}$
0408 $\frac{2}{9}$
0409 $\frac{1}{5}$
0410 $\frac{1}{2}$
0411 ④
0412 $\frac{4}{105}$
0413 ⑤
0414 $\frac{1}{3}$
0415 $\frac{3}{8}$
0416 $\frac{9}{25}$
0417 $\frac{66}{125}$
0418 ④
0419 ⑤
0420 $\frac{2}{3}$
0421 $\frac{1}{35}$
0422 ③
0423 $\frac{1}{3}$
0424 $\frac{10}{21}$
0425 $\frac{10}{21}$
0426 $\frac{7}{10}$
0427 ④
0428 ③
0429 3
0430 6
0431 $\frac{2}{5}$
0432 ②
0433 4
0434 ⑤
0435 ②

0436 ③
0437 $\frac{11}{63}$
0438 ④
0439 $\frac{3}{38}$
0440 ③
0441 $\frac{2}{7}$
0442 6
0443 $\frac{2}{3}$
0444 $\frac{2}{9}$
0445 $\frac{33}{100}$
0446 ②
0447 ③
0448 ③
0449 ⑤
0450 $\frac{42}{143}$
0451 $\frac{81}{176}$
0452 34
0453 $\frac{7}{15}$
0454 27
0455 $\frac{4}{7}$
0456 $\frac{9}{56}$
0457 31
0458 $\frac{1}{10}$
0459 13
0460 $\frac{15}{512}$
0461 $\frac{5}{54}$
0462 32
0463 ①
0464 ①
0465 $\frac{5}{64}$
0466 $\frac{2}{35}$
0467 $\frac{12}{625}$
0468 35
0469 55
0470 1
0471 ③
0472 ①
0473 $\frac{7}{3}$
0474 $\frac{1}{4}$
0475 ④
0476 0.45
0477 8
0478 ①
0479 $\frac{35}{216}$
0480 ①
0481 $\frac{5}{12}$
0482 ③
0483 $\frac{3}{10}$
0484 $\frac{13}{28}$
0485 15
0486 $\frac{11}{60}$
0487 $\frac{3}{7}$
0488 $\frac{2}{25}$
0489 11
0490 $\frac{2}{3}$
0491 ①
0492 $\frac{27}{10}$
0493 $\frac{3}{4}$
0494 $\frac{1}{125}$
0495 $\frac{1}{2}$
0496 ①
0497 ④
0498 12
0499 $\frac{3}{14}$
0500 ④
0501 33
0502 ③
0503 $\frac{4}{9}$

04 덧셈정리와 조건부확률

본책 098~126쪽

0504 $\frac{2}{3}$
0505 $\frac{1}{20}$
0506 $\frac{11}{12}$
0507 $\frac{1}{10}$
0508 $\frac{4}{5}$
0509 0
0510 1
0511 $\frac{5}{6}$
0512 $\frac{1}{4}$
0513 $\frac{2}{3}$
0514 $\frac{2}{3}$
0515 $\frac{1}{12}$
0516 $\frac{7}{8}$
0517 $\frac{9}{14}$
0518 $\frac{1}{4}$
0519 $\frac{2}{3}$
0520 $\frac{1}{2}$
0521 $\frac{1}{2}$
0522 $\frac{1}{2}$
0523 $\frac{2}{3}$
0524 $\frac{1}{10}$
0525 $\frac{1}{3}$
0526 $\frac{1}{5}$
0527 0.15
0528 0.35
0529 0.75
0530 ⑤
0531 ②
0532 ④
0533 ④
0534 $\frac{1}{5}$
0535 $\frac{4}{15}$
0536 $\frac{5}{6}$
0537 $\frac{2}{3}$
0538 $\frac{1}{2}$
0539 $\frac{1}{3}$
0540 $\frac{11}{12}$
0541 50%
0542 41
0543 ④
0544 $\frac{1}{10}$
0545 $\frac{13}{28}$
0546 ①
0547 ④
0548 ③
0549 ②
0550 73
0551 $\frac{13}{25}$
0552 47
0553 $\frac{1}{2}$
0554 ④
0555 ②
0556 ①
0557 $\frac{2}{5}$
0558 $\frac{1}{2}$
0559 $\frac{9}{14}$
0560 $\frac{17}{24}$
0561 ④
0562 ④
0563 2
0564 5
0565 ④
0566 ③
0567 ⑤
0568 ①
0569 ④
0570 $\frac{57}{64}$
0571 $\frac{5}{6}$
0572 79
0573 $\frac{3}{4}$
0574 ⑤
0575 $\frac{5}{8}$
0576 $\frac{29}{38}$
0577 $\frac{13}{25}$
0578 $\frac{7}{18}$
0579 12
0580 $\frac{2}{3}$
0581 17
0582 ⑤
0583 $\frac{3}{4}$
0584 ③
0585 $\frac{1}{5}$
0586 ①
0587 $\frac{3}{8}$
0588 $\frac{1}{5}$
0589 $\frac{5}{8}$

0590 ② 0591 $\frac{1}{2}$ 0592 ③

0593 ④ 0594 $\frac{1}{3}$ 0595 $\frac{5}{8}$

0596 ⑤ 0597 $\frac{9}{17}$ 0598 ④

0599 4 0600 ⑤ 0601 $\frac{1}{3}$

0602 $\frac{2}{3}$ 0603 $\frac{9}{7}$ 0604 $\frac{49}{40}$

0605 10 0606 $\frac{3}{7}$ 0607 ③

0608 160 0609 ② 0610 ②

0611 ② 0612 ① 0613 ④

0614 $\frac{2}{9}$ 0615 $\frac{3}{25}$ 0616 $\frac{3}{28}$

0617 $\frac{4}{25}$ 0618 $\frac{1}{15}$ 0619 ①

0620 $\frac{1}{3}$ 0621 0.34 0622 ③

0623 ⑤ 0624 $\frac{26}{45}$ 0625 ④

0626 $\frac{1}{3}$ 0627 251 0628 118

0629 $\frac{5}{27}$ 0630 62 0631 ⑤

0632 ③ 0633 ⑤ 0634 ④

0635 $\frac{14}{17}$ 0636 ③ 0637 $\frac{6}{19}$

0638 $\frac{2}{9}$ 0639 $\frac{2}{3}$ 0640 $\frac{16}{17}$

0641 $\frac{21}{41}$ 0642 ④ 0643 238

0644 ② 0645 $\frac{4}{13}$ 0646 $\frac{12}{25}$

0647 ④

0648 $\frac{1}{6}$ 0649 ⑤ 0650 ②

0651 $\frac{7}{20}$ 0652 $\frac{29}{38}$ 0653 $\frac{3}{10}$

0654 $\frac{1}{3}$ 0655 $\frac{1}{4}$ 0656 73

0657 ③ 0658 0.49 0659 ①

0660 31 0661 ② 0662 65

0663 $\frac{1}{3}$ 0664 ② 0665 $\frac{6}{13}$

0666 ③ 0667 $\frac{4}{125}$ 0668 68

0669 ④ 0670 ③ 0671 48

0672 35 0673 ④ 0674 ②

0675 ④ 0676 ⑤ 0677 229

0678 $\frac{16}{25}$

05 독립과 독립시행의 확률

본책 130~156쪽

0679 $\frac{1}{2}$ 0680 $\frac{1}{3}$

0681 $\frac{1}{4}$ 0682 $\frac{3}{4}$

0683 $\frac{3}{4}$ 0684 $\mathrm{P}(B)=\frac{2}{5}$, $\mathrm{P}(B|A)=\frac{2}{5}$

0685 $\mathrm{P}(B)=\frac{2}{5}$, $\mathrm{P}(B|A)=\frac{1}{4}$ 0686 $\frac{1}{3}$

0687 $\frac{1}{3}$ 0688 독립

0689 $\frac{3}{50}$ 0690 $\frac{1}{20}$

0691 종속 0692 독립

0693 종속 0694 독립

0695 종속 0696 $\frac{8}{15}$

0697 $\frac{1}{4}$ 0698 3, $\frac{2}{3}$

0699 4, 2 0700 $\frac{1}{3}$

0701 $\frac{2}{9}$ 0702 $\frac{1}{4}$

0703 $\frac{54}{125}$ 0704 $\frac{80}{243}$

0705 ⑤ 0706 ② 0707 $\frac{1}{3}$

0708 ② 0709 ⑤ 0710 ④

0711 $\frac{4}{7}$ 0712 ③ 0713 0.3

0714 ⑤ 0715 $\frac{2}{3}$ 0716 $\frac{3}{10}$

0717 ① 0718 $\frac{17}{20}$ 0719 $\frac{1}{8}$

0720 ⑤ 0721 ② 0722 ③

0723 ㄴ 0724 ㄱ, ㄴ, ㄷ 0725 ㄱ, ㄴ, ㄷ

0726 ③ 0727 ② 0728 ㄴ

0729 ㄷ 0730 ② 0731 ㄱ, ㄴ, ㄷ

0732 ㄱ, ㄴ, ㄷ 0733 ③ 0734 ④

0735 11 0736 $\frac{1}{8}$ 0737 13

0738 ① 0739 ① 0740 19

0741 $\frac{19}{25}$ 0742 $\frac{1}{2}$ 0743 0.976

0744 ⑤ 0745 $\frac{1}{5}$ 0746 ④

0747 6 0748 75 0749 120

0750 3 0751 50 0752 12

0753 $\frac{256}{625}$ 0754 ④ 0755 9

0756 283 0757 $\frac{8}{243}$ 0758 $\frac{32}{243}$

0759 ③ 0760 ② 0761 ③

0762 ⑤ 0763 ⑤ 0764 ②

0765 $\frac{11}{32}$ 0766 ① 0767 $\frac{256}{729}$

0768 ③ 0769 $\frac{23}{48}$ 0770 ④

0771 ⑤ 0772 $\frac{61}{125}$ 0773 $\frac{21}{32}$

0774 5 0775 249 0776 ③

0777 ③
0778 $\frac{5}{16}$
0779 ④
0780 $\frac{81}{125}$
0781 $\frac{8}{9}$
0782 $\frac{27}{32}$
0783 $\frac{32}{81}$
0784 $\frac{3}{16}$
0785 ②
0786 ⑤
0787 $\frac{8}{27}$
0788 ④
0789 ④
0790 ③
0791 $\frac{5}{8}$
0792 $\frac{364}{729}$
0793 165
0794 ③
0795 ③
0796 ①
0797 ④
0798 ⑤
0799 $\frac{12}{43}$
0800 ①
0801 $\frac{7}{10}$
0802 ④
0803 ㄴ
0804 ②
0805 160
0806 $\frac{8}{729}$
0807 $\frac{23}{48}$
0808 ①
0809 $\frac{3}{16}$
0810 $\frac{3}{16}$
0811 $\frac{205}{512}$
0812 $\frac{1}{4}$
0813 ③
0814 ④
0815 $\frac{2}{5}$
0816 590
0817 $\frac{47}{128}$
0818 ④
0819 ⑤
0820 12
0821 ③
0822 137
0823 13
0824 ③
0825 27
0826 $\frac{3}{32}$
0827 ②
0828 ④

06 확률변수와 확률분포

본책 160~182쪽

0829 $0, 1, 2, \frac{1}{4}, \frac{1}{2}$
0830 $0, 1, 2, 3, 4, 5$
0831 $0, 1, 2, 3$
0832 $0, 1, 2$
0833 해설 참조
0834 해설 참조
0835 해설 참조
0836 $\frac{1}{8}$
0837 $\frac{3}{4}$
0838 $a=\frac{1}{8}, b=1$
0839 $\frac{1}{4}$
0840 $\frac{1}{4}$
0841 $\frac{5}{8}$
0842 $\frac{3}{8}$
0843 $\frac{1}{10}$
0844 $\frac{3}{5}$
0845 $\frac{7}{10}$
0846 1
0847 1
0848 $\frac{1}{2}$
0849 $\frac{1}{8}$
0850 $\frac{1}{4}$
0851 $\frac{1}{3}$
0852 $\frac{1}{18}$
0853 $\frac{1}{4}$
0854 $\frac{5}{9}$
0855 $\frac{3}{4}$
0856 $\frac{1}{16}$
0857 ㄴ, ㄹ
0858 ⑤
0859 ④
0860 3
0861 12, 14, 16, 18
0862 2, 4, 6, 8, 10
0863 $\frac{7}{6}$
0864 ③
0865 $\frac{1}{6}$
0866 $\frac{19}{9}$
0867 1
0868 $\frac{1}{2}$
0869 ⑤
0870 ⑤
0871 ⑤
0872 ④
0873 $\frac{7}{9}$
0874 $\frac{1}{5}$
0875 $\frac{5}{12}$
0876 $\frac{3}{4}$
0877 ③
0878 $\frac{6}{11}$
0879 $\frac{2}{3}$
0880 $\frac{5}{24}$
0881 6
0882 $\frac{1}{2}$
0883 $\frac{3}{5}$
0884 $\frac{1}{5}$
0885 $\frac{1}{7}$
0886 ①
0887 $\frac{2}{3}$
0888 $\frac{3}{5}$
0889 $\frac{5}{36}$
0890 7
0891 6
0892 $-\frac{1}{8}$
0893 $\frac{4}{5}$
0894 ③
0895 $\frac{1}{2}$
0896 ②
0897 $\frac{1}{7}$
0898 $\frac{1}{8}$
0899 20
0900 ④
0901 1
0902 $\frac{1}{6}$
0903 3
0904 ③
0905 ④
0906 $\frac{3}{8}$
0907 ①
0908 $\frac{9}{2}$
0909 25
0910 ④
0911 ③

0912 $\frac{5}{9}$　0913 $\frac{1}{16}$　0914 ②
0915 $\frac{7}{8}$　0916 $\frac{1}{6}$　0917 $\frac{2}{5}$
0918 ①　0919 $\frac{11}{36}$　0920 ④
0921 $\frac{1}{8}$　0922 ①　0923 ⑤
0924 ②　0925 ④　0926 ⑤
0927 $\frac{5}{9}$　0928 ①　0929 $\frac{7}{12}$
0930 $\frac{13}{18}$　0931 $\frac{3}{8}$　0932 ㄱ, ㄷ
0933 ③　0934 $\frac{1}{3}$　0935 $\frac{3}{10}$
0936 ④　0937 $\frac{5}{6}$　0938 $\frac{5}{6}$
0939 $\frac{2}{5}$　0940 $\frac{5}{9}$　0941 $\frac{3\sqrt{2}}{4}$
0942 $\frac{1}{16}$　0943 $\frac{3}{4}$　0944 $\frac{1}{8}$
0945 ③　0946 ①　0947 $\frac{7}{9}$
0948 5　0949 $\frac{4}{5}$　0950 $\frac{7}{10}$
0951 1　0952 $\frac{8}{27}$　0953 125
0954 10　0955 ㄱ, ㄷ　0956 ③
0957 ㄱ, ㄷ　0958 ⑤

07 이산확률변수의 평균과 표준편차

본책 186~210쪽

0959 x_ip_i　0960 x_i-m
0961 $\{\mathrm{E}(X)\}^2$　0962 $\mathrm{V}(X)$
0963 $\frac{1}{8}$　0964 $\frac{3}{8}$
0965 $\frac{5}{2}$　0966 $\frac{1}{2}$
0967 $\frac{\sqrt{2}}{2}$　0968 해설 참조
0969 $\frac{3}{4}$　0970 1
0971 $\frac{1}{2}$　0972 $\frac{\sqrt{2}}{2}$
0973 $\frac{5}{6}$　0974 2
0975 $\frac{1}{3}$　0976 116
0977 15　0978 25
0979 4, 5　0980 16
0981 4　0982 9
0983 4　0984 6
0985 $\mathrm{E}(Y)=-4$, $\sigma(Y)=2$　0986 $\mathrm{E}(Z)=4$, $\sigma(Z)=\frac{2}{5}$
0987 $\frac{8}{3}$　0988 $\frac{7}{2}$　0989 $\frac{3}{4}$
0990 ③　0991 ④　0992 4
0993 2　0994 $\frac{45}{11}$　0995 55

0996 $\frac{77}{48}$　0997 9　0998 $\frac{1}{12}$
0999 1　1000 $\frac{6}{5}$　1001 $\frac{35}{18}$
1002 $\frac{5}{4}$　1003 $\frac{10}{7}$　1004 ③
1005 105　1006 ③　1007 3000원
1008 ③　1009 $\frac{35}{9}$　1010 200
1011 7　1012 ④　1013 $\frac{15}{4}$
1014 $\frac{\sqrt{11}}{4}$　1015 $\frac{39}{4}$　1016 ①
1017 ③　1018 5　1019 ③
1020 $\frac{23}{12}$　1021 ②　1022 ①
1023 10　1024 $\frac{1}{2}$　1025 1
1026 ⑤　1027 $\frac{8}{9}$　1028 $\frac{\sqrt{10}}{3}$
1029 ①　1030 $\frac{\sqrt{5}}{3}$　1031 ②
1032 $\frac{9}{25}$　1033 $\frac{2\sqrt{6}}{7}$　1034 $\frac{14}{9}$
1035 $\frac{1}{5}$　1036 ④　1037 $\frac{1}{4}$
1038 35　1039 2　1040 13
1041 ③　1042 4　1043 ③
1044 ④　1045 ④　1046 22
1047 ③　1048 ④　1049 ⑤
1050 14　1051 5　1052 ⑤
1053 ③　1054 ⑤　1055 2
1056 14　1057 6　1058 20
1059 ④　1060 13　1061 12850원
1062 14　1063 6　1064 11
1065 44　1066 30　1067 $3\sqrt{2}$
1068 28　1069 30　1070 7
1071 $\frac{15}{16}$　1072 ②　1073 $\frac{117}{4}$
1074 36　1075 ①　1076 $6\sqrt{10}$
1077 8　1078 ④　1079 4
1080 25　1081 $\frac{25}{3}$　1082 38
1083 15　1084 ㄱ, ㄴ
1085 $\frac{7}{3}$　1086 $\frac{5}{3}$　1087 ③
1088 ④　1089 $\frac{\sqrt{11}}{2}$　1090 $\frac{\sqrt{10}}{5}$
1091 (1) 해설 참조 (2) $\frac{6}{5}$ (3) $\frac{\sqrt{14}}{5}$　1092 ②
1093 2　1094 105　1095 9
1096 (1) $\frac{39}{20}$ (2) $45+3\sqrt{5}$
1097 $\frac{19}{16}$　1098 28　1099 ③
1100 ⑤　1101 $51-5\sqrt{5}$　1102 ⑤
1103 5　1104 6　1105 $\frac{28}{27}$
1106 $3\sqrt{2}$　1107 250　1108 216
1109 $\frac{64}{9}$　1110 4　1111 3

08 이항분포

본책 215~238쪽

1112 $B\left(50, \frac{1}{2}\right)$　**1113** $B\left(30, \frac{1}{6}\right)$

1114 $B\left(10, \frac{1}{3}\right)$　**1115** $B\left(100, \frac{1}{4}\right)$

1116 $B\left(25, \frac{3}{5}\right)$　**1117** $B\left(30, \frac{1}{3}\right)$

1118 $B\left(5, \frac{1}{3}\right)$　**1119** $B\left(4, \frac{1}{6}\right)$

1120 $B\left(3, \frac{3}{10}\right)$　**1121** $\frac{2}{5}$, $\frac{2}{5}$

1122 $\frac{1}{4}$　**1123** $\frac{2}{3}$, 20

1124 $\frac{4}{5}$, $\frac{4}{5}$　**1125** 10, $\frac{1}{3}$

1126 $\frac{3}{5}$, $5-x$　**1127** 20, 3

1128 $P(X=x)={}_{12}C_x\left(\frac{1}{4}\right)^x\left(\frac{3}{4}\right)^{12-x}$ $(x=0, 1, 2, \cdots, 12)$

1129 $\left(\frac{3}{4}\right)^{12}$　**1130** $1-\left(\frac{3}{4}\right)^{12}$

1131 2　**1132** $\frac{8}{5}$

1133 $\frac{2\sqrt{10}}{5}$　**1134** 185

1135 40　**1136** $5\sqrt{10}$

1137 $\frac{1}{3}$　**1138** 4

1139 2　**1140** 36

1141 8　**1142** $6\sqrt{2}$

1143 $B\left(3, \frac{1}{2}\right)$　**1144** $\frac{3}{2}$

1145 $\frac{27}{4}$　**1146** $\frac{\sqrt{3}}{2}$

1147 $P(X=x)={}_{3}C_x\left(\frac{1}{2}\right)^x\left(\frac{1}{2}\right)^{3-x}$ $(x=0, 1, 2, 3)$

1148 $\frac{3}{8}$

1149 $\frac{80}{243}$　**1150** $\frac{109}{99}$　**1151** 0.99328

1152 20　**1153** ④　**1154** $\frac{1}{32}$

1155 ④　**1156** 22　**1157** 3

1158 87　**1159** 116　**1160** 5

1161 20　**1162** ⑤　**1163** ①

1164 32　**1165** 64　**1166** 100

1167 ④　**1168** ①　**1169** 154

1170 40　**1171** ③　**1172** 310

1173 12　**1174** 54　**1175** 11

1176 9　**1177** ③　**1178** ③

1179 ④　**1180** ④　**1181** 100

1182 ③　**1183** $\frac{17}{4}$　**1184** 5

1185 $\frac{35}{64}$　**1186** $\frac{11}{16}$　**1187** 50

1188 45　**1189** 600　**1190** ③

1191 ②　**1192** 20　**1193** ②

1194 190　**1195** ②　**1196** $\frac{9}{4}$

1197 ③　**1198** ③　**1199** 23

1200 3　**1201** 20　**1202** ④

1203 ①　**1204** ④　**1205** 139

1206 12　**1207** 30　**1208** 40

1209 1630　**1210** 3642　**1211** 33

1212 ③　**1213** ①　**1214** 82

1215 29　**1216** ①　**1217** 29

1218 $30\sqrt{10}$　**1219** $E(2X-10)=38$, $V(2X-10)=64$

1220 ②　**1221** 1770　**1222** 30

1223 $\frac{155}{9}$　**1224** 320　**1225** ①

1226 ⑤　**1227** ③　**1228** ⑤

1229 103　**1230** ⑤　**1231** ③

1232 ④　**1233** 415　**1234** 67

1235 16

1236 $\frac{11}{32}$　**1237** 24　**1238** ①

1239 154　**1240** ④　**1241** 24

1242 17　**1243** 200　**1244** 17

1245 ④　**1246** 16　**1247** 17

1248 ①　**1249** ④　**1250** 405

1251 281　**1252** 7　**1253** 47

1254 ①　**1255** 3　**1256** 30

1257 17　**1258** $\frac{27}{5}$　**1259** 412

1260 $\frac{21}{2}$　**1261** 40　**1262** 266

1263 227

09 정규분포

본책 242~270쪽

1264 $N(2, 5^2)$　**1265** $N(10, 3^2)$

1266 $<$　**1267** $>$

1268 a　**1269** $a+b$

1270 $b-a$　**1271** $a=0$, $b=2$

1272 $a=-3$, $b=1$　**1273** $P(Z\geq 0)$

1274 $P(0.5\leq Z\leq 2)$　**1275** $P(-1\leq Z\leq 1.5)$

1276 0.4772　**1277** 0.1359

1278 0.7745　**1279** 0.0668

1280 0.8185　**1281** 0.8413

1282 $N(24, 4^2)$　**1283** $N(60, 6^2)$

1284 $B\left(100, \frac{1}{2}\right)$　**1285** 평균: 50, 표준편차: 5

1286 $N(50, 5^2)$　**1287** 0.0228

1288 0.84

1289 ⑤　**1290** 30　**1291** 15

1292 14　**1293** ②　**1294** 8

1295 32　**1296** ㄱ, ㄴ　**1297** ③

1298 ①　**1299** ④　**1300** ②

1301 ⑤　**1302** 3　**1303** 0.0228

1304 ②　**1305** ①　**1306** $\frac{2}{5}$

1307 $\frac{1}{6}$　**1308** ③　**1309** 74

1310 0.9772
1311 0.8185
1312 0.7745
1313 ①
1314 ⑤
1315 0.86
1316 0.3494
1317 65
1318 24
1319 $\frac{2}{5}$
1320 110
1321 ④
1322 0.9104
1323 ②
1324 ①
1325 ④
1326 ②
1327 85
1328 ②
1329 10
1330 ②
1331 ③
1332 0.9772
1333 10
1334 12
1335 ②
1336 0.3232
1337 ③
1338 ③
1339 ④
1340 ③
1341 ②
1342 0.6826
1343 ①
1344 ③
1345 ②
1346 0.82
1347 365개
1348 70등
1349 73
1350 162
1351 28
1352 795
1353 ②
1354 ⑤
1355 88점
1356 91
1357 ⑤
1358 96
1359 4.21
1360 ⑤
1361 ⑤
1362 96
1363 2
1364 ②
1365 ⑤
1366 0.8413
1367 ④
1368 ④
1369 ④
1370 0.84
1371 0.9938
1372 ③
1373 0.8413
1374 0.1587
1375 0.8413
1376 23
1377 0.818
1378 ⑤
1379 0.8185
1380 ①
1381 0.8185
1382 0.9104
1383 30
1384 186
1385 220
1386 312
1387 223
1388 0.16
1389 ③
1390 336
1391 0.16
1392 0.98
1393 ④
1394 ⑤
1395 0.84
1396 ③
1397 89
1398 ②
1399 364
1400 90점
1401 0.4772
1402 0.1574
1403 57
1404 $\frac{247}{256}$
1405 64
1406 59
1407 ④
1408 ㄱ, ㄴ
1409 ㄱ, ㄷ
1410 55
1411 ㄱ, ㄷ
1412 ③
1413 ③
1414 28
1415 $\frac{4}{9}$
1416 ③
1417 155
1418 ④

10 표본평균의 분포

본책 274~302쪽

1419 2
1420 1, 2, 3, 4, 5
1421 3
1422 $\frac{1}{3}$
1423 해설 참조
1424 해설 참조
1425 $\frac{7}{9}$
1426 2
1427 $\frac{4}{3}$
1428 m
1429 $\frac{\sigma^2}{100}$
1430 $\frac{\sigma}{10}$
1431 60
1432 9
1433 3
1434 $\frac{1}{4}$
1435 2
1436 $\frac{\sqrt{2}}{2}$
1437 2
1438 $\frac{\sqrt{10}}{10}$
1439 3
1440 2
1441 3
1442 1
1443 m
1444 $\frac{\sigma^2}{n}$
1445 $\frac{\sigma}{\sqrt{n}}$
1446 50
1447 4
1448 2
1449 50, 2^2
1450 $a=500$, $b=4$
1451 150
1452 $\frac{1}{2}$
1453 0.3413
1454 0.0228
1455 0.9772
1456 ⑤
1457 ③
1458 (1) 16 (2) 12 (3) 6
1459 ⑤
1460 ⑤
1461 $\frac{5}{16}$
1462 ②
1463 ①
1464 3
1465 100
1466 29
1467 102
1468 ⑤
1469 80
1470 ⑤
1471 75
1472 45
1473 ③
1474 12
1475 ④
1476 ㄴ, ㄷ
1477 $\frac{1}{4}$
1478 $\frac{5}{12}$
1479 $\frac{9}{4}$
1480 ②
1481 6
1482 ⑤
1483 ④
1484 120
1485 12
1486 $\frac{21}{50}$
1487 $\frac{41}{100}$
1488 ②
1489 ④
1490 5
1491 15
1492 1
1493 ③
1494 ④
1495 121
1496 ③
1497 11
1498 400
1499 305
1500 ⑤
1501 ⑤
1502 0.16
1503 ④
1504 0.0228
1505 0.8185
1506 0.1587
1507 0.1359
1508 0.5328
1509 ③
1510 ③
1511 ②
1512 0.1587
1513 ③
1514 ①
1515 30
1516 196
1517 36
1518 ③

1519 16
1520 4
1521 ④
1522 36
1523 8
1524 36
1525 25
1526 7
1527 2005
1528 62
1529 ②
1530 ②
1531 ⑤
1532 1319.4 g
1533 50
1534 16
1535 ③
1536 ②
1537 2
1538 ①
1539 ③
1540 ①
1541 $\frac{103}{2}$
1542 ①
1543 $\frac{21}{8}$
1544 0.4672
1545 0.0498
1546 0.7056
1547 0.0498
1548 ㄱ, ㄷ
1549 144
1550 77
1551 $\frac{7}{25}$
1552 ③
1553 0.84
1554 200
1555 225
1556 124
1557 25
1558 41
1559 98
1560 8
1561 ⑤
1562 0.605
1563 0.16
1564 ⑤
1565 ⑤
1566 ㄱ, ㄴ
1567 $\frac{29}{192}$
1568 ①
1569 4
1570 ㄱ, ㄷ
1571 0.1587
1572 ①
1573 ㄱ, ㄴ, ㄷ
1574 ㄱ, ㄴ, ㄷ
1575 ㄱ, ㄴ
1576 ③

11 모평균의 추정

본책 306~326쪽

1577 (가): $\frac{\sigma}{\sqrt{n}}$, (나): 1.96
1578 6
1579 4
1580 $16.08 \leq m \leq 23.92$
1581 $14.84 \leq m \leq 25.16$
1582 $95.1 \leq m \leq 104.9$
1583 $99.02 \leq m \leq 100.98$
1584 5
1585 16
1586 15.68
1587 20.64
1588 $64.84 \leq m \leq 75.16$
1589 ③
1590 ④
1591 ②
1592 ④
1593 40.71
1594 ③
1595 $10.02 \leq m \leq 11.98$
1596 $11 \leq m \leq 19$
1597 249
1598 ①
1599 $69.216 \leq m \leq 70.784$
1600 $53.92 \leq m \leq 59.08$
1601 19
1602 ②
1603 84.34
1604 18
1605 16
1606 ①
1607 400
1608 290
1609 900
1610 ①
1611 10
1612 15.32
1613 25
1614 41
1615 28
1616 1.29
1617 5.88
1618 15
1619 135
1620 1600명
1621 7396
1622 8
1623 27
1624 64
1625 225
1626 ③
1627 144명
1628 ②
1629 89
1630 ①
1631 3
1632 $\frac{2}{5}$
1633 84
1634 97.5
1635 98
1636 0.9
1637 12
1638 225
1639 ②
1640 ②
1641 ③
1642 6
1643 ⑤
1644 0.025
1645 81
1646 385
1647 ③
1648 ⑤
1649 ⑤
1650 ②
1651 ③
1652 ④
1653 ㄱ, ㄴ, ㄷ
1654 ⑤
1655 ②
1656 ④
1657 ②
1658 129.98
1659 49
1660 3.92
1661 3600
1662 900
1663 0.6
1664 ⑤
1665 100
1666 ①
1667 ④
1668 8.8
1669 225
1670 16
1671 0.666
1672 94회
1673 ⑤
1674 ①
1675 ③
1676 ②
1677 ③
1678 ③
1679 ②

Take a Break

아름다운 샘 BOOK LIST

개념기본서 수학의 기본을 다지는 최고의 수학 개념기본서

❖ 수학의 샘

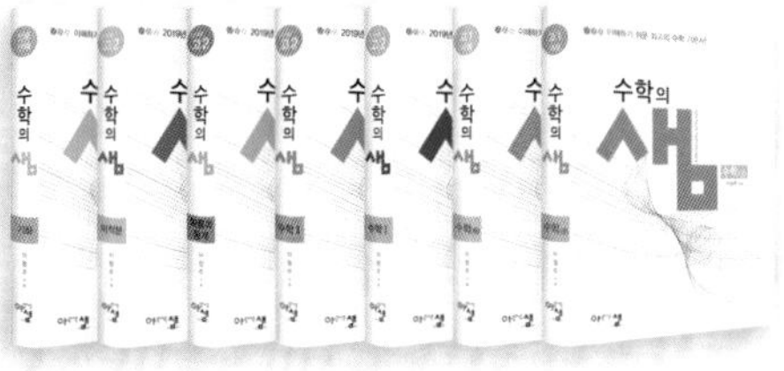

- 수학(상)
- 수학(하)
- 수학 I
- 수학 II
- 확률과 통계
- 미적분
- 기하

Total 내신문제집 한 권으로 끝내는 내신 대비 문제집

❖ Total 짱

- 수학(상)
- 수학(하)
- 수학 I
- 수학 II
- 확률과 통계
- 미적분
- 기하

문제기본서 {기본, 유형}, {유형, 심화}로 구성된 수준별 문제기본서

❖ 아샘 Hi Math

- 수학(상)
- 수학(하)
- 수학 I
- 수학 II
- 확률과 통계
- 미적분
- 기하

❖ 아샘 Hi High

- 수학(상)
- 수학(하)
- 수학 I
- 수학 II
- 확률과 통계
- 미적분

수능 기출유형 문제집 수능 대비하는 수준별·유형별 문제집

❖ 짱 쉬운 유형 / 확장판

- 수학 I
- 수학 II
- 확률과 통계
- 미적분
- 기하

- 수학 I
- 수학 II
- 확률과 통계

❖ 짱 중요한 유형

- 수학 I
- 수학 II
- 확률과 통계
- 미적분
- 기하

❖ 짱 어려운 유형

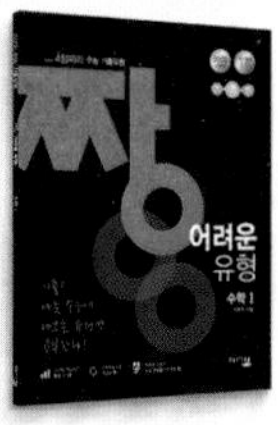

- 수학 I
- 수학 II
- 확률과 통계
- 미적분

중간·기말고사 교재 학교 시험 대비 실전모의고사

❖ 아샘 내신 FINAL (고1 수학, 고2 수학 I , 고2 수학 II)

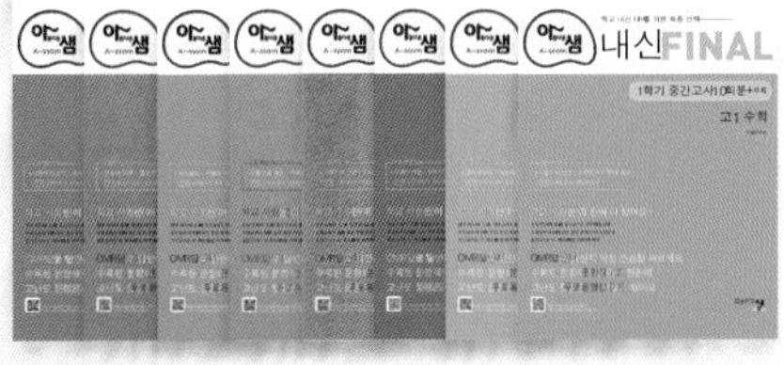

- 1학기 중간고사
- 1학기 기말고사
- 2학기 중간고사
- 2학기 기말고사

수능 실전모의고사 수능 대비 파이널 실전모의고사

❖ 짱 Final 실전모의고사

- 수학 영역

예비 고1 교재 고교 수학의 기본을 다지는 참 쉬운 기본서

❖ 그래 할 수 있어

- 수학(상)
- 수학(하)

내신 기출유형 문제집 내신 대비하는 수준별·유형별 문제집

❖ 짱 쉬운 내신

- 수학(상)
- 수학(하)

❖ 짱 중요한 내신

- 수학(상)
- 수학(하)

한 권으로 끝내는 내신 교재

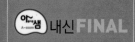

Total 짱

펴낸이/펴낸곳 ㈜아름다운샘
펴낸날 2022년 3월
등록번호 제324-2013-41호

주소 서울시 강동구 상암로 257, 진승빌딩 3층
전화 02-892-7878
팩스 02-892-7874
홈페이지 www.a-ssam.co.kr
교재 내용 문의 02-892-7879 / assam7878@hanmail.net

내신 적중률 1위

한 권으로 끝내는 내신 교재

Total 짱

1679

정답 및 해설

확률과 통계

아름다운샘

아름다운 샘과 함께

수학의 자신감과 최고 실력을 완성!!!!

한 권으로 끝내는 내신 교재

Total 짱

1679

정답 및 해설

확률과 통계

01 여러 가지 순열

본책 004~032쪽

0001

$\dfrac{{}_{10}\mathrm{P}_{10}}{\boxed{10}}=\dfrac{10!}{\boxed{10}}=\boxed{9}\,!$ 　　답 10, 10, 9

0002

$\dfrac{{}_{6}\mathrm{P}_{6}}{\boxed{6}}=\dfrac{6!}{\boxed{6}}=\boxed{5}\,!=\boxed{120}$ 　　답 6, 6, 5, 120

0003

7명이 원탁에 둘러앉는 방법의 수와 같으므로

$\dfrac{{}_{7}\mathrm{P}_{7}}{7}=\dfrac{7!}{7}=(7-1)!=6!=720$ 　　답 720

0004

네 가지 색 A, B, C, D를 원형으로 배열하는 방법의 수와 같으므로

$\dfrac{{}_{4}\mathrm{P}_{4}}{4}=\dfrac{4!}{4}=(4-1)!=3!=6$ 　　답 6

0005

8명이 원탁에 둘러앉는 방법의 수는

$(8-1)!=7!=5040$ 　　답 5040

0006

연석이와 준호를 묶어서 한 명으로 생각하여 7명이 원탁에 둘러앉는 방법의 수는

$(7-1)!=6!=720$

연석이와 준호가 서로 자리를 바꾸는 방법의 수는

$2!=2$

따라서 구하는 방법의 수는

$720\times2=1440$ 　　답 1440

0007

연석이와 준호를 제외한 6명이 원탁에 둘러앉는 방법의 수는

$(6-1)!=5!=120$

6명의 사이사이의 6개의 자리 중 2개의 자리를 택하여 앉으면 되므로 그 방법의 수는

${}_{6}\mathrm{P}_{2}=30$

따라서 구하는 방법의 수는

$120\times30=3600$ 　　답 3600

0008

정사각형 모양의 탁자에 4명이 둘러앉는 방법의 수는 원형의 탁자에 4명이 둘러앉는 방법의 수와 같으므로 구하는 방법의 수는

$(4-1)!=3!=6$ 　　답 6

0009

6명이 원형으로 앉는 방법의 수는 $(6-1)!=5!$

직사각형 모양의 탁자에서는 원형으로 앉는 한 가지 방법에 대하여 그림과 같이 3가지의 서로 다른 경우가 있다.

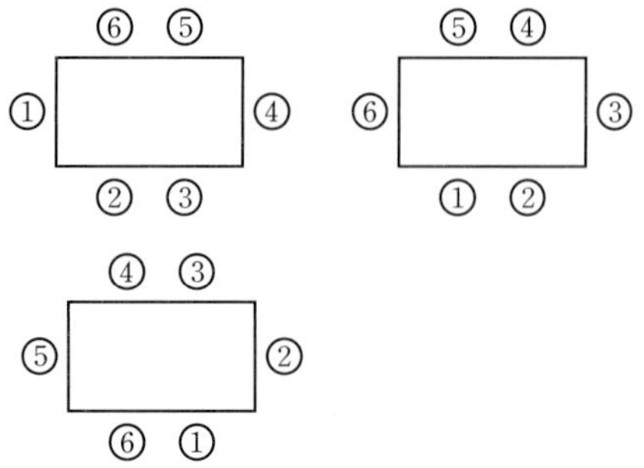

따라서 구하는 방법의 수는

$5!\times3=120\times3=360$ 　　답 360

다른풀이 6명을 일렬로 배열하는 방법의 수는 $6!$

직사각형 모양의 탁자에서는 일렬로 배열하는 한 가지 방법에 대하여 그림과 같이 2가지의 서로 같은 경우가 있다.

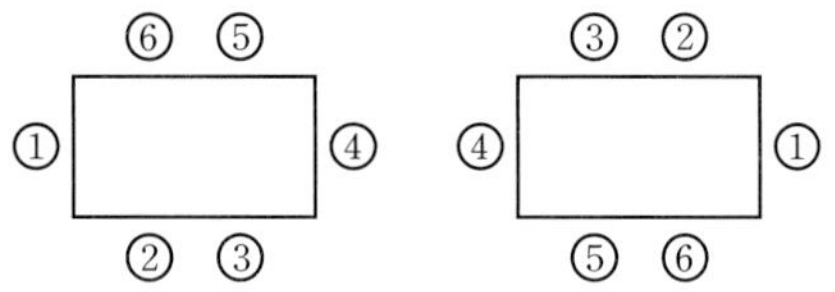

따라서 구하는 방법의 수는

$\dfrac{6!}{2}=\dfrac{720}{2}=360$

0010

6명이 원형으로 앉는 방법의 수는

$(6-1)!=5!$

정삼각형 모양의 탁자에서는 원형으로 앉는 한 가지 방법에 대하여 그림과 같이 2가지의 서로 다른 경우가 있다.

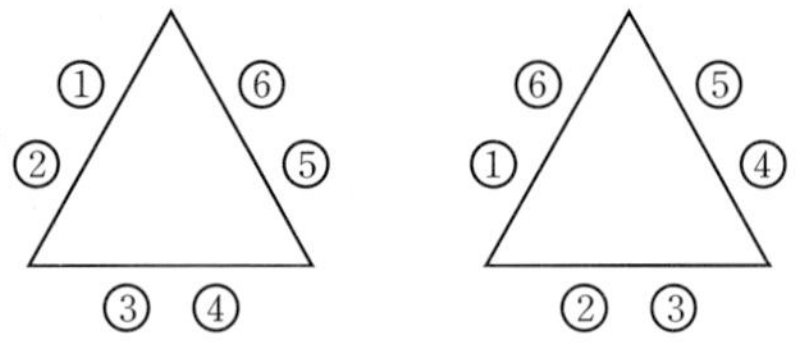

따라서 구하는 방법의 수는

$5!\times2=120\times2=240$ 　　답 240

다른풀이 6명을 일렬로 배열하는 방법의 수는 $6!$

정삼각형 모양의 탁자에서는 일렬로 배열하는 한 가지 방법에 대하여 그림과 같이 3가지의 서로 같은 경우가 있다.

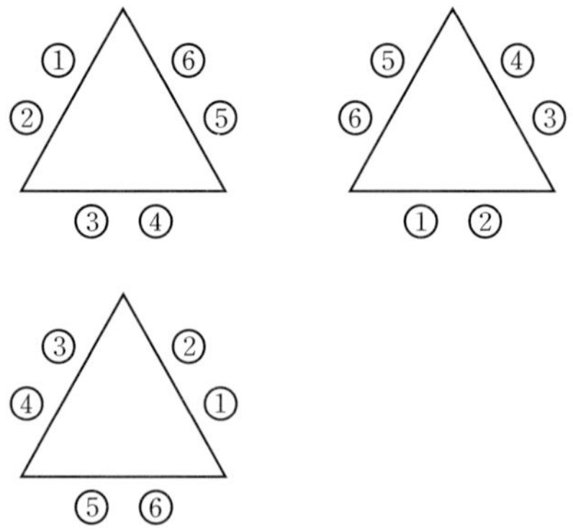

따라서 구하는 방법의 수는

$\dfrac{6!}{3}=\dfrac{720}{3}=240$

0011

${}_5P_2=5\times4=20$ 답 20

0012

${}_5\Pi_2=5^2=25$ 답 25

0013

${}_2\Pi_5=2^5=32$ 답 32

0014

${}_3\Pi_r=3^r=81=3^4\qquad\therefore r=4$ 답 4

0015

서로 다른 6개에서 2개를 택하는 중복순열의 수는

${}_6\Pi_2$ 답 ${}_6\Pi_2$

0016

서로 다른 3개의 상자에 중복을 허용하여 서로 다른 5개의 공을 넣는 방법의 수는

${}_3\Pi_5$ 답 ${}_3\Pi_5$

0017

3개의 문자 a, b, c 중에서 4개를 택하여 일렬로 배열하는 방법의 수는

${}_3\Pi_4=3^4=81$ 답 81

0018

♠ 또는 ♣를 다섯 번 사용하여 일렬로 나열해서 만들 수 있는 무늬의 개수는

${}_2\Pi_5=2^5=32$ 답 32

0019

네 개의 숫자 1, 2, 3, 4에서 중복을 허용하여 만들 수 있는 세 자리 자연수의 개수는

${}_4\Pi_3=4^3=64$ 답 64

0020

10개의 숫자에서 중복을 허용하여 만들 수 있는 4자리의 비밀번호의 개수는

${}_{10}\Pi_4=10^4=10000$ 답 10000

0021

a가 3개 있으므로 일렬로 나열하는 방법의 수는

$\dfrac{5!}{3!}=\dfrac{5\times4\times3\times2\times1}{3\times2\times1}=20$ 답 20

0022

다섯 개의 숫자 중 1이 2개, 3이 2개 있으므로 구하는 다섯 자리 자연수의 개수는

$\dfrac{5!}{2!2!}=\dfrac{5\times4\times3\times2\times1}{2\times1\times2\times1}=30$ 답 30

0023

internet의 여덟 개의 문자를 모두 사용하여 일렬로 배열하는 방법의 수는

$\dfrac{8!}{2!2!2!}=\dfrac{8\times7\times6\times5\times4\times3\times2\times1}{2\times1\times2\times1\times2\times1}$

$=7!=5040$ 답 5040

[0024-0025] 오른쪽으로 한 칸 이동하는 것을 a, 위로 한 칸 이동하는 것을 b라 하면

0024

A지점에서 B지점으로 가는 최단 경로는 a를 2번, b도 2번 거친다.

즉, a, a, b, b를 일렬로 배열하는 방법의 수와 같으므로

$\dfrac{4!}{2!2!}=\dfrac{4\times3\times2\times1}{2\times1\times2\times1}=6$ 답 6

0025

A지점에서 B지점으로 가는 최단 경로는 a를 6번, b를 2번 거친다.

즉, a, a, a, a, a, a, b, b를 일렬로 배열하는 방법의 수와 같으므로

$\dfrac{8!}{6!2!}=\dfrac{8\times7\times6\times5\times4\times3\times2\times1}{6\times5\times4\times3\times2\times1\times2\times1}$

$=28$ 답 28

0026

서로 다른 5개의 접시를 원 모양의 식탁에 일정한 간격을 두고 원형으로 놓는 경우의 수는? (단, 회전하여 일치하는 것은 같은 것으로 본다.)

└• 서로 다른 5개를 원형으로 배열하는 원순열의 수이다.

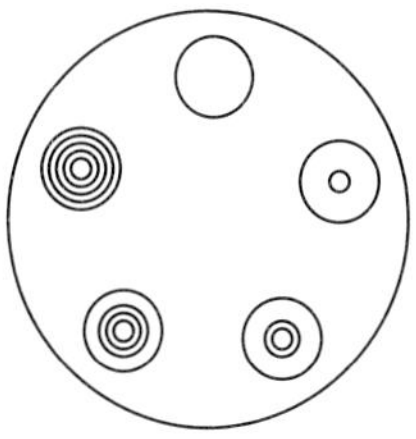

$(5-1)!=4!=24$ 답 ④

0027

4명의 학생을 원형 탁자에 앉히는 방법의 수를 구하시오.

└• 모든 학생들은 서로 구별이 된다.

4명의 학생을 원탁에 앉히는 방법의 수는

$(4-1)!=3!=6$ 답 6

0028

부모를 포함한 6명의 가족이 그림과 같이 크기와 모양이 같은 6개의 의자가 놓여 있는 원형 식탁에 모두 둘러앉을 때, 부모가 이웃하여 앉는 방법의 수는?

└• 부모를 1명으로 묶어서 생각하자.

부모를 1명으로 묶어서 생각하면 5명이 원형 식탁에 둘러앉는 방법의 수는

$(5-1)!=4!$

부모끼리 자리를 바꾸는 방법의 수는 $2!$

따라서 구하는 방법의 수는

$4!\times2!=48$

답 ③

0029

> 8명의 사람이 원형 탁자에 둘러앉을 때, 특정한 3명이 이웃하게 앉는 방법의 수는? 특정한 3명을 1명으로 묶어서 생각하자.

특정한 세 명을 묶어서 1명으로 생각하면 6명이 원형 탁자에 둘러앉는 방법의 수는 $(6-1)!=5!$

특정한 세 명끼리 자리를 바꾸는 방법의 수는 $3!$

따라서 구하는 방법의 수는

$5!\times3!=720$

답 ④

0030

> 유도부원 3명과 축구부원 2명이 원형 식탁에 둘러앉을 때, 축구부원끼리 이웃하지 않게 앉는 방법의 수는?
> 축구부원을 유도부원 사이사이에 배열하자.

유도부원 3명이 원형 식탁에 둘러앉는 방법의 수는

$(3-1)!=2!$

축구부원 2명은 유도부원 사이사이의 3개의 자리에서 2개의 자리를 택하여 앉으면 되므로 그 방법의 수는

${}_3P_2$

따라서 구하는 방법의 수는

$2!\times{}_3P_2=12$

답 ③

0031 남학생 2명을 묶어 1명으로 생각하자.

> 남학생 2명, 여학생 3명 그리고 선생님 1명이 원탁에 둘러앉아 토론식 수업을 하려고 한다. 남학생끼리 이웃하고, 여학생끼리 이웃하게 앉는 방법의 수를 구하시오.

남학생 2명을 묶어 한 명으로, 여학생 3명을 묶어 한 명으로 생각하여 3명이 원탁에 둘러앉는 방법의 수는

$(3-1)!=2!=2$

남학생 2명이 자리를 바꾸는 방법의 수는

$2!=2$

여학생 3명이 자리를 바꾸는 방법의 수는

$3!=6$

따라서 구하는 방법의 수는

$2\times2\times6=24$

답 24

0032

> 부모와 4명의 자녀로 구성된 6명의 가족이 원 모양의 식탁에 둘러앉을 때, 부모가 서로 마주 보고 앉는 경우의 수를 구하시오.
> 한 명만 배치하면 나머지 한 명의 자리도 정해진다.

어머니와 4명의 자녀를 원탁에 앉게 하는 방법의 수는 $4!$

아버지의 자리는 어머니의 맞은 편에 고정되므로

구하는 경우의 수는

$4!=24$

답 24

0033

> 어느 결혼정보회사에서 4명의 남자 회원과 4명의 여자 회원의 만남을 주선하였다. 이 만남에서 남자 회원과 여자 회원이 교대로 원형 탁자에 둘러앉게 하는 방법의 수를 구하시오.
> 남자를 먼저 배치하고 여자를 사이사이에 배열하자.

남자 회원 4명이 원형 탁자에 둘러앉는 방법의 수는

$(4-1)!=3!$

여자 회원 4명은 남자 회원 사이사이의 4개의 자리에 앉으면 되므로 그 방법의 수는 ${}_4P_4=4!$

따라서 구하는 방법의 수는

$3!\times4!=144$

답 144

0034

> 원탁에 네 쌍의 부부가 둘러앉을 때, 부부끼리 이웃하게 앉는 경우의 수를 구하시오.
> 각각의 부부들을 1명으로 묶어서 생각하자.

네 쌍의 부부를 각각 A, B, C, D라 하면 A, B, C, D를 원 주위에 배열하는 방법의 수는 $3!$이며, 네 쌍의 부부 각각이 자리를 정하는 방법의 수는 2^4이므로 구하는 방법의 수는

$3!\times2^4=6\times16=96$

답 96

0035

> 부모와 자녀를 포함하여 5명의 가족이 원형 식탁에 둘러앉을 때, 부모 사이에 한 자녀가 앉는 방법의 수를 구하시오.
> 부모와 한 자녀를 1명으로 묶어서 생각하자.

부모와 한 자녀를 1명으로 묶어서 생각하여 3명이 원형 식탁에 둘러앉는 방법의 수는

$(3-1)!=2!$

부모끼리 자리를 바꾸는 방법의 수는 $2!$

부모 사이에 앉을 수 있는 자녀는 3명이므로 그 방법의 수는 3

따라서 구하는 방법의 수는

$2!\times2!\times3=12$

답 12

0036

선생님 3명과 학생 4명이 원 모양의 탁자에 둘러앉을 때, 선생님과 학생 사이에 적어도 한 명의 학생이 앉는 경우의 수를 구하시오.

→ 선생님을 먼저 배치하고 학생을 사이사이에 배열하자.

선생님 3명을 원탁에 앉히는 경우의 수는

$2!=2$

학생을 2명, 1명, 1명으로 나누어 선생님 사이에 앉히는 경우의 수는

${}_4C_2\times2!\times3!=72$

따라서 구하는 경우의 수는

$2\times72=144$

답 144

0037

여자 3명, 남자 3명이 일정한 간격으로 원형 테이블에 둘러앉을 때, 모든 남자의 맞은편에 각각 여자가 마주 보고 있는 경우의 수를 구하시오.

→ 먼저 남, 녀의 자리를 배치하는 방법을 찾자.

남, 녀의 자리를 배치하는 방법은 다음 두 가지가 있다.

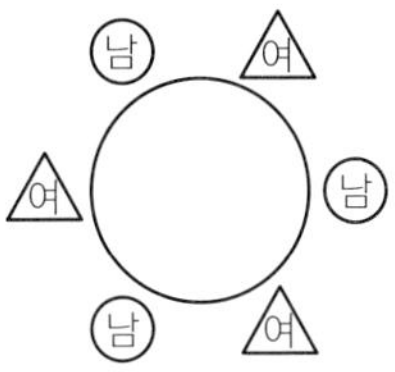

$2!\times3!=12$

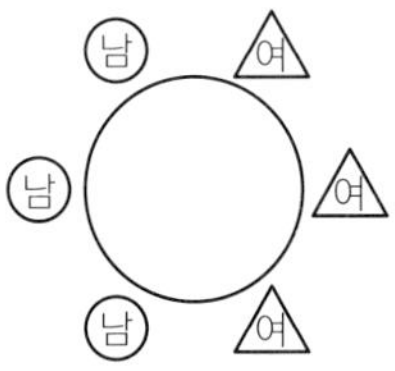

$3!\times3!=36$

$\therefore 12+36=48$

답 48

0038

A, B, C를 포함한 6명을 원형의 탁자에 앉힐 때, A의 양 옆에 B와 C가 앉는 방법의 수를 구하시오.

→ A, B, C를 하나로 묶어 생각하자.

A, B, C를 하나로 보고 원형으로 나열하는 방법의 수는

$(4-1)!=3!=6$

이 각각에 대하여 A의 양 옆에 B와 C가 있어야 하므로 그 방법의 수는 2

따라서 구하는 방법의 수는

$6\times2=12$

답 12

0039

→ 여학생 사이의 남학생은 1명, 2명, 3명임을 이용하자.

여학생 3명과 남학생 6명이 원탁에 같은 간격으로 둘러앉으려고 한다. 각각의 여학생 사이에는 1명 이상의 남학생이 앉고 각각의 여학생 사이에 앉은 남학생의 수는 모두 다르다. 9명의 학생이 모두 앉는 경우의 수가 $n\times6!$일 때, 자연수 n의 값은?

(단, 회전하여 일치하는 것들은 같은 것으로 본다.)

여학생 3명이 원탁에 둘러앉는 경우의 수는 $(3-1)!=2!$

각 경우에 대하여 여학생과 여학생 사이 세 곳에 앉는 남학생의 수는 모두 달라야 하므로 각각 1명, 2명, 3명이고 이를 정하는 경우의 수는 $3!$

남학생을 일렬로 나열하는 경우의 수는 $6!$

따라서 구하는 경우의 수는

$2!\times3!\times6!=12\times6!$

이므로

$n=12$

답 ②

0040

어떤 고등학교 방송반, 신문반, 사진반, 미술반, 연극반, 합창반 반장들이 축제 준비를 위해 원탁에 둘러앉아서 회의를 하려고 한다. 이들 6명이 다음과 같은 조건을 만족하면서 원탁에 둘러앉는 방법의 수를 구하시오.

(가) 방송반과 신문반, 사진반과 미술반, 연극반과 합창반 반장들은 서로 마주 보고 앉도록 한다.
(나) 방송반과 합창반 반장은 이웃하여 앉도록 한다.

→ 방송반 반장을 기준으로 합창반 반장은 왼편 혹은 오른편에 앉을 수 있다.

방송반, 신문반, 사진반, 미술반, 연극반, 합창반 반장들을 각각 A, B, C, D, E, F라 하자.

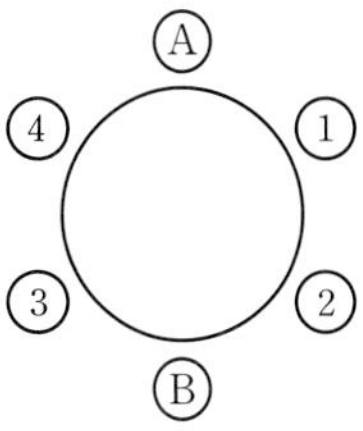

그림과 같이 A를 한 자리에 앉히면 맞은편 자리에는 B가 앉아야 하고, F는 1번 또는 4번 자리에 앉아야 하므로 방법의 수는 2

또 F의 자리가 정해지면 그 맞은편 자리에 E가 앉아야 하고, 나머지 두 자리에 C, D가 앉으면 되므로 방법의 수는 2

따라서 구하는 방법의 수는

$2\times2=4$

답 4

0041

그림과 같이 정사각형을 4등분하였을 때, 서로 다른 6가지의 색 중에서 4가지 색을 선택하여 4개의 영역을 칠하는 방법의 수를 구하시오.
→ 원순열을 이용하여 방법의 수를 구하자.

서로 다른 6가지의 색 중에서 4가지를 선택하는 방법의 수는 ${}_6C_4=15$
4개의 영역에 색을 칠하는 방법의 수는
$(4-1)!=3!$
따라서 구하는 방법의 수는
$15\times3!=90$

답 90

0042

그림과 같이 회전할 수 있는 원판의 다섯 부분 A, B, C, D, E에 서로 다른 5가지의 색을 모두 사용하여 칠하는 방법의 수를 구하시오.
→ A를 제외한 나머지 부분은 원순열을 이용할 수 있다.

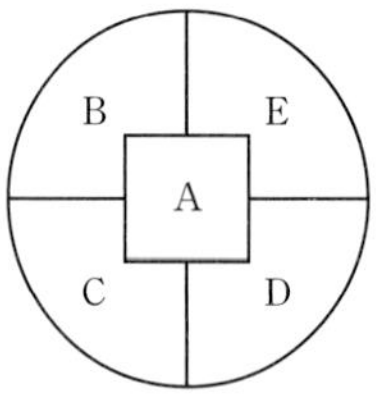

A를 칠하는 방법의 수는 5이고 그 각각에 대하여 나머지 네 부분을 칠하는 방법의 수는 A에 칠한 색을 제외한 4가지의 색을 원형으로 배열하는 원순열의 수이므로
$(4-1)!=3!$
따라서 구하는 방법의 수는
$5\times3!=30$

답 30

0043

→ 옆면을 칠하는 방법은 원순열을 이용하자.

그림과 같이 옆면이 모두 합동인 이등변삼각형으로 이루어진 정오각뿔의 6개의 면에 서로 다른 6가지 색을 모두 사용하여 칠하는 경우의 수를 구하시오.

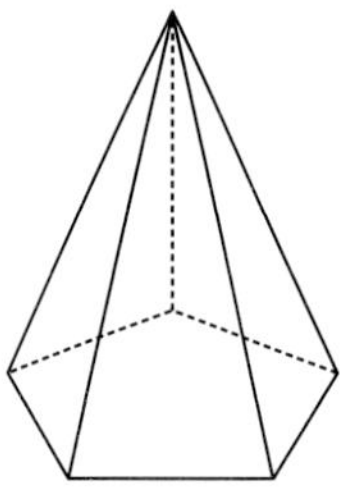

정오각뿔의 밑면을 칠하는 방법의 수는 6가지이고, 나머지 5가지 색으로 옆면을 칠하는 방법의 수는 5개를 원형으로 배열하는 경우의 수와 같으므로
$(5-1)!=4!=24$
따라서 구하는 방법의 수는
$6\times24=144$

답 144

0044

서로 다른 4가지의 색을 모두 사용하여 정사면체의 각 면을 칠하는 방법의 수는?
→ 밑면을 제외한 나머지 3면은 원순열을 이용하자.

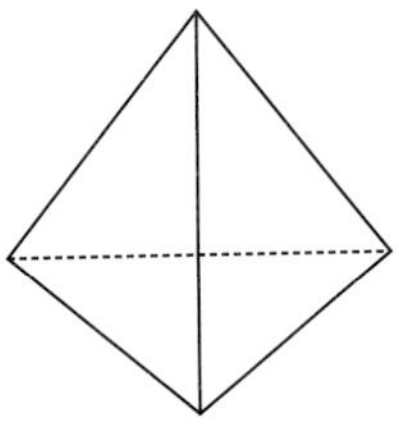

① 2 ② 4
③ 8 ④ 16
⑤ 32

정사면체는 네 면의 모양이 모두 같으므로
4가지의 색 중에서 특정한 색을 밑면에 칠하는 방법의 수는 1
옆면을 칠하는 방법의 수는 밑면에 칠한 색을 제외한 3가지의 색을 원형으로 배열하는 원순열의 수이므로
$(3-1)!=2!$
따라서 구하는 방법의 수는
$1\times2!=2$

답 ①

0045

그림과 같이 6등분한 원의 각 부분에 서로 다른 5가지의 색을 모두 사용하여 칠하려고 한다. 인접한 곳에는 같은 색을 칠하지 않는다고 할 때, 칠하는 방법의 수를 구하시오.
→ 1가지의 색은 두 부분에 칠해짐을 이용하자.

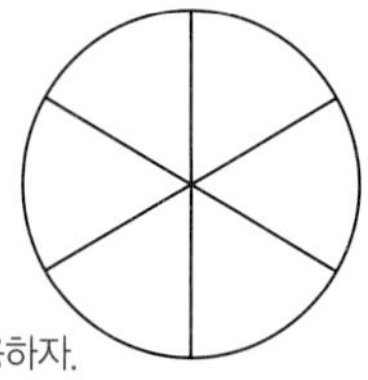

주어진 원의 각 부분에 5가지의 색을 모두 칠하려면 어느 두 부분에는 반드시 같은 색을 칠해야 하므로 그림과 같이 2가지의 경우가 있다.

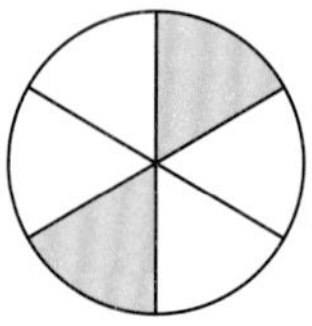
[그림 1]

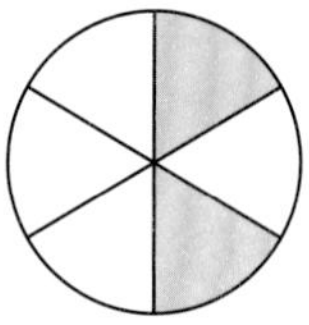
[그림 2]

(i) [그림 1]의 경우
같은 색을 두 부분에 칠하는 방법의 수는 5
그 각각에 대하여 나머지 네 부분을 칠하는 방법의 수는 나머지 4가지의 색을 원형으로 배열하는 방법의 수와 같으므로
$(4-1)!=3!$
4가지의 색을 원형으로 칠하는 한 가지 방법에 대하여 2가지의 서로 다른 경우가 있으므로 구하는 방법의 수는
$5\times3!\times2=60$

(ii) [그림 2]의 경우
같은 색을 두 부분에 칠하는 방법의 수는 5
그 각각에 대하여 나머지 네 부분을 칠하는 방법의 수는 나머지 4가지의 색을 원형으로 배열하는 방법의 수와 같으므로
$(4-1)!=3!$
4가지의 색을 원형으로 칠하는 한 가지 방법에 대하여 4가지의 서로 다른 경우가 있으므로 구하는 방법의 수는
$5\times3!\times4=120$

(i), (ii)에서 구하는 방법의 수는
$60+120=180$

답 180

0046 안쪽 혹은 바깥쪽의 삼각형들만 먼저 기준으로 삼자.

그림과 같이 큰 정사각형을 각 변의 중점끼리 이어 8개의 합동인 직각삼각형으로 나눈 도형이 있다. 서로 다른 8가지의 색을 모두 사용하여 8개의 직각삼각형을 칠하는 방법의 수는?

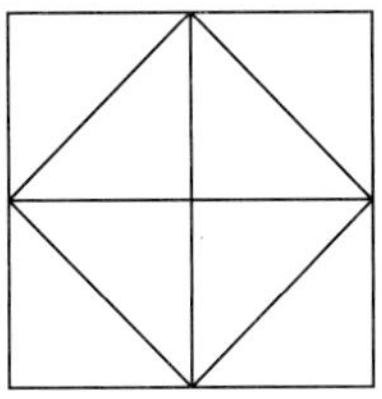

안쪽의 4개의 직각삼각형에 칠하는 방법의 수는 8가지의 색 중에서 4가지의 색을 택하여 원형으로 배열하는 원순열의 수이므로

$\frac{{}_8P_4}{4}$

그 각각에 대하여 나머지 4가지의 색을 바깥쪽의 4개의 직각삼각형에 칠하는 방법의 수는 4!

따라서 구하는 방법의 수는

$\frac{{}_8P_4}{4} \times 4! = 420 \times 24 = 10080$ 답 ①

참고 서로 다른 n개에서 r개를 택하여 원형으로 배열하는 원순열의 수

➡ $\frac{{}_nP_r}{r}$

0047

그림과 같이 서로 접하고 크기가 같은 원 3개와 이 세 원의 중심을 꼭짓점으로 하는 정삼각형이 있다. 원의 내부 또는 정삼각형의 내부에 만들어지는 7개의 영역에 서로 다른 7가지 색을 모두 사용하여 칠하려고 한다. 한 영역에 한 가지 색만을 칠할 때, 색칠한 결과로 나올 수 있는 경우의 수는? (단, 회전하여 일치하는 것은 같은 것으로 본다.)

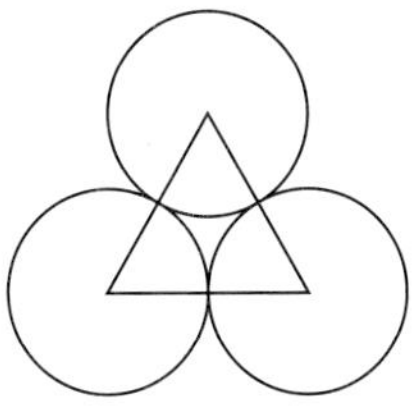

가운데 영역부터 차례로 경우의 수를 구하자.

(i) a에 색칠하는 경우는 7가지

(ii) b, c, d에 색칠하는 경우

a에 칠한 색을 제외한 6가지의 색 중에서 3가지의 색을 택하여 원형으로 배열하는 원순열의 수이므로

${}_6C_3 \times (3-1)! = 40$

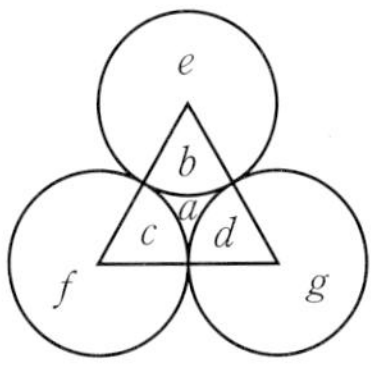

(iii) e, f, g에 색칠하는 경우

a, b, c, d에 서로 다른 색이 칠해져 있으므로 e, f, g에 색칠하는 것은 회전에 의하여 일치하지 않는다.

즉, e, f, g에 색칠하는 경우의 수는

$3! = 6$

(i), (ii), (iii)에서 구하는 경우의 수는

$7 \times 40 \times 6 = 1680$ 답 ②

0048 밑면과 옆면으로 나누어 생각하자.

그림과 같은 정오각기둥의 모든 면을 서로 다른 7가지 색을 모두 사용하여 칠하는 방법의 수는?

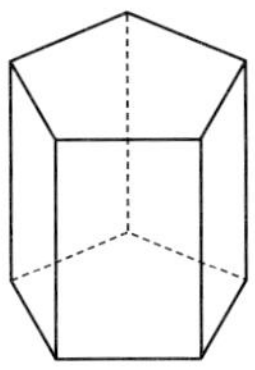

① 144 ② 256
③ 504 ④ 720
⑤ 5040

7가지 색 중에서 두 밑면에 선택하여 칠하는 방법의 수는

${}_7C_2$

나머지 5가지 색을 밑면과 인접한 다섯 개의 옆면에 원형으로 나열하여 칠하는 방법의 수는

$(5-1)! = 4!$

따라서 구하는 방법의 수는

${}_7C_2 \times 4! = 504$ 답 ③

0049

그림과 같은 정삼각기둥의 각 면을 서로 다른 5가지 색을 모두 사용하여 칠하는 방법의 수를 구하시오.

밑면과 옆면으로 나누어 생각하자.

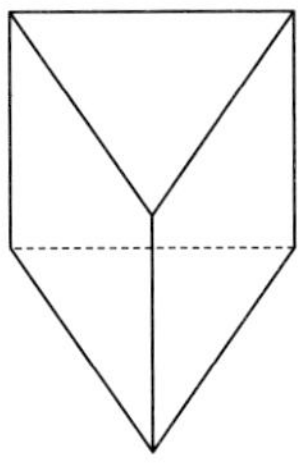

정삼각기둥의 두 밑면은 서로 구분이 되지 않으므로 두 밑면을 칠하는 방법의 수는 $5 \times 4 \times \frac{1}{2} = 10$

옆면에 색을 칠하는 방법의 수는 $(3-1)! = 2!$

따라서 구하는 방법의 수는

$10 \times 2! = 20$ 답 20

참고 두 밑면을 칠하는 방법의 수는 ${}_5C_2 = 10$으로 구할 수도 있다.

0050 원형으로 앉히는 하나의 방법에 대하여 서로 다른 경우의 수를 곱하자.

그림과 같은 정사각형 모양의 A식탁에 4명의 학생을 앉히는 방법의 수를 a, 직사각형 모양의 B식탁에 6명의 학생을 앉히는 방법의 수를 b라 하자. $a+b$의 값을 구하시오.

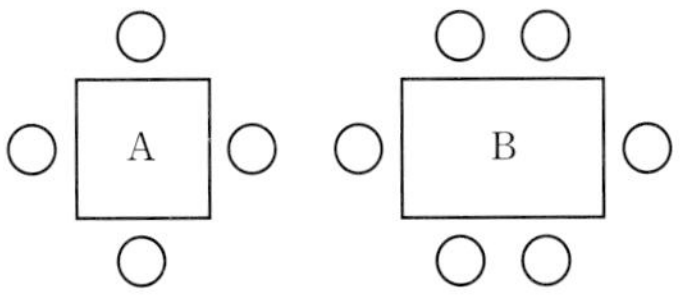

(i) A식탁에 4명의 학생을 앉힐 때, 구하는 방법의 수는 4명을 원형으로 앉히는 방법의 수와 같으므로 $(4-1)! = 3! = 6$

(ii) B식탁에 6명의 학생을 앉힐 때, 6명을 원형으로 앉히는 방법의 수는 $(6-1)! = 5!$

B식탁에서는 원형으로 앉는 한 가지 방법에 대하여 그림과 같이 3가지의 서로 다른 경우가 있다.

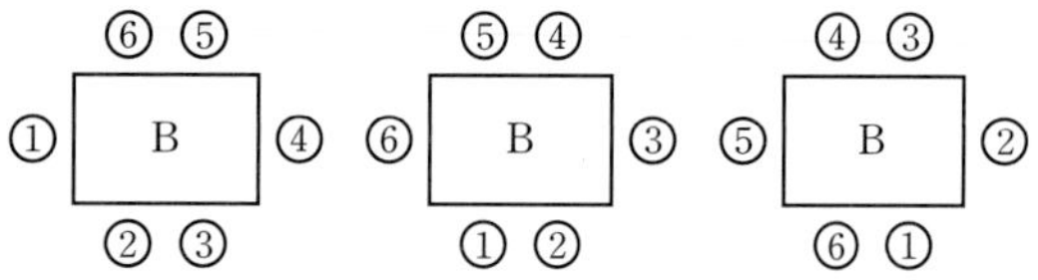

즉, 구하는 방법의 수는

$5!\times3=360$

(i), (ii)에서 $a=6$, $b=360$이므로

$a+b=366$ 답 366

0051

그림과 같은 정육각형 모양의 식탁에 12명이 둘러앉는 방법의 수가 $2\times a!$일 때, 상수 a의 값을 구하시오.

원형으로 앉히는 하나의 방법에 대하여 2가지의 서로 다른 방법이 있다.

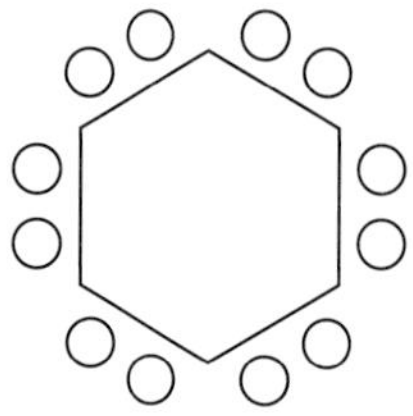

12명이 원형으로 앉는 방법의 수는

$(12-1)!=11!$

정육각형 모양의 식탁에서는 원형으로 앉는 한 가지 방법에 대하여 그림과 같이 2가지의 서로 다른 경우가 있다.

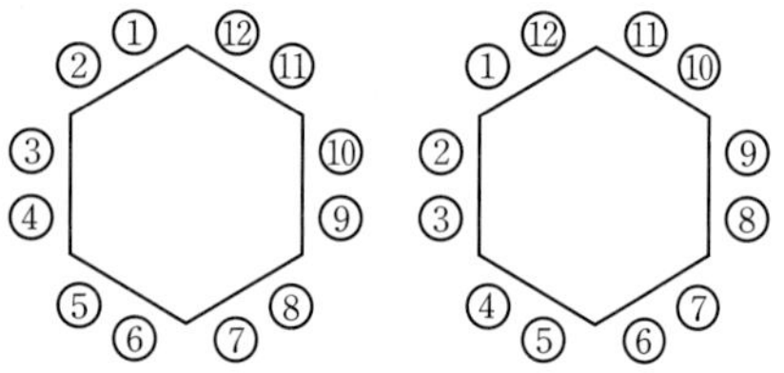

따라서 구하는 방법의 수는 $2\times11!$

$\therefore a=11$ 답 11

0052

한 사람을 기준으로 몇 가지의 앉는 방법이 있는지 구하자.

그림과 같은 직사각형 모양의 탁자에 10명의 학생을 앉히는 방법의 수는?

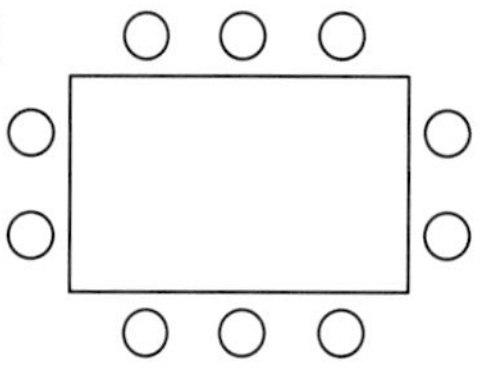

① $9!$ ② $9!\times2$ ③ $9!\times5$ ④ $10!\times3$ ⑤ $10!\times5$

먼저 10명을 원형으로 앉히는 방법의 수는 $(10-1)!=9!$

그런데 직사각형 모양의 탁자에서는 원형으로 앉는 한 가지 방법에 대하여 그림과 같이 5가지의 서로 다른 경우가 있다.

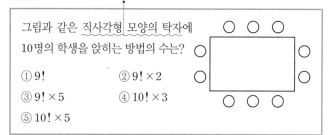

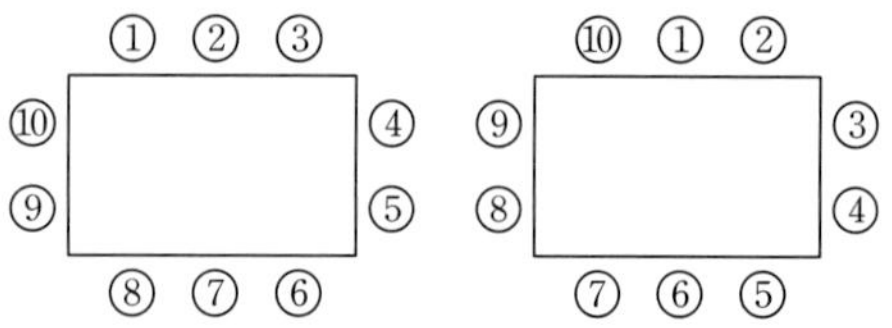

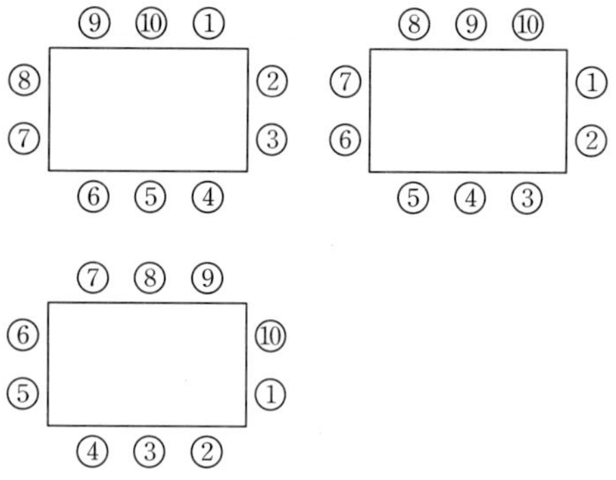

따라서 구하는 방법의 수는 $9!\times5$ 답 ③

0053

그림과 같은 직사각형 모양의 탁자에 5개의 의자가 놓여 있다. 여학생 3명과 남학생 2명을 앉힐 때, 남학생끼리 마주 보도록 앉히는 방법의 수를 구하시오.

남학생은 긴 편의 탁자에만 앉을 수 있다.

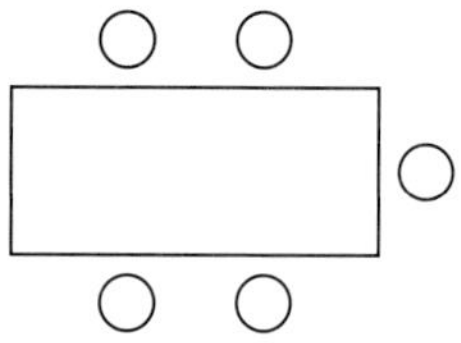

남학생 중에서 1명이 앉을 수 있는 자리는 4개이고, 다른 남학생 1명은 그 맞은편에 앉아야 한다.

나머지 3개의 자리에 여학생 3명을 앉히는 방법의 수는 $3!$

따라서 구하는 방법의 수는

$4\times3!=24$ 답 24

0054

감독, 코치와 8명의 선수로 구성된 10명의 농구팀이 그림과 같이 정오각형 모양의 식탁에 둘러 앉아 회의를 하려고 한다. 감독, 코치가 서로 이웃하여 앉는 경우의 수를 a라 할 때, $\dfrac{a}{6\times7\times8}$의 값을 구하시오. (단, 회전하여 일치하는 것은 같은 것으로 보며, 정오각형의 꼭짓점을 사이에 두고 앉는 것은 이웃하는 것으로 보지 않는다.)

감독과 코치를 앉히면 나머지 선수들의 배열은 일렬로 배열하는 것과 같다.

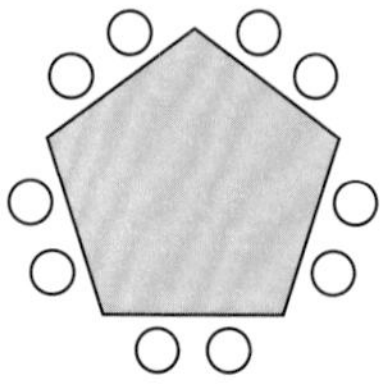

일단 감독, 코치를 이웃한 자리에 앉히는 방법의 수는 $2!$

그 후에 나머지 선수를 앉히는 방법의 수는 $8!$

따라서 구하는 경우의 수는

$a=2\times8!$

$\therefore \dfrac{a}{6\times7\times8}=\dfrac{2\times8!}{6\times7\times8}=2\times5\times4\times3\times2\times1=240$

답 240

0055

> 어느 대학교 수시모집에서 토론식 면접을 진행하기 위하여 남학생 4명과 여학생 4명을 그림과 같이 정사각형 모양의 탁자에 배열된 8개의 의자에 앉히려고 한다. 붙어 있는 의자에는 반드시 남녀가 1명씩 앉도록 할 때, 이들 8명이 앉을 수 있는 모든 방법의 수는?
>
> 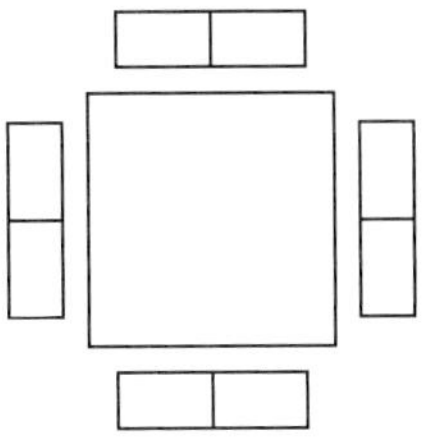
>
> └• 먼저 남자를 원형으로 배열하자.

먼저 남학생 4명을 앉히는 방법의 수는

$(4-1)!=3!$

나머지 의자에 여학생 4명을 앉히는 방법의 수는

$4!$

붙어 있는 의자에서 남녀가 자리를 바꾸는 방법의 수는

$2\times2\times2\times2=16$

따라서 구하는 방법의 수는

$3!\times4!\times16=2304$ 답 ②

0056

> 그림과 같은 정육각형 모양의 탁자에 12명의 사람을 앉히는 방법의 수를 $a\times12!$이라 할 때, 상수 a의 값을 구하시오.
>
> └• 한 사람을 기준으로 몇 가지의 앉는 방법이 있는지 구하자.
>
> 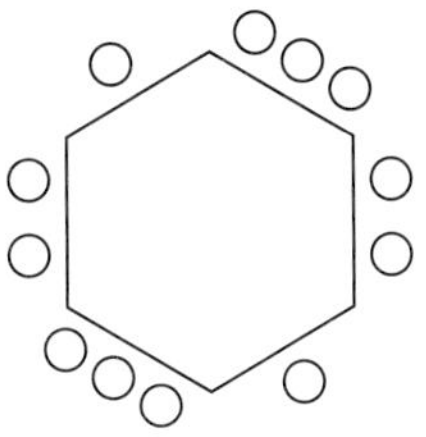

12명을 원형으로 앉히는 방법의 수는

$(12-1)!=11!$

주어진 정육각형 모양의 탁자에서는 원형으로 앉는 한 가지 방법에 대하여 그림과 같이 6가지의 서로 다른 경우가 있다.

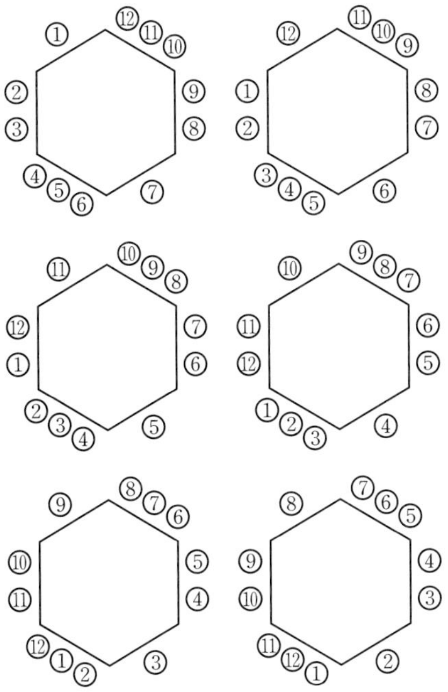

즉, 구하는 방법의 수는

$11!\times6=\frac{1}{2}\times12!$ $\quad\therefore a=\frac{1}{2}$ 답 $\frac{1}{2}$

0057

> ○, ×만으로 답을 하는 10개의 문제에서 나올 수 있는 답안의 개수를 구하시오.
>
> └• 각 문제 하나당 2가지의 경우가 존재한다.

각 문제마다 ○, ×의 2가지의 답이 나올 수 있으므로 서로 다른 2개에서 중복을 허락하여 10개를 택하는 중복순열이다.

$\therefore {}_2\Pi_{10}=2^{10}=1024$ 답 1024

0058

> 4명의 학생이 세 가지 아이템 A, B, C 중에서 각각 한 개씩 선택하는 모든 경우의 수를 구하시오.
>
> └• 한 사람에 3가지의 경우가 존재한다.

${}_3\Pi_4=3^4=81$ 답 81

0059

> └• 연필 1자루에 4가지의 경우가 존재한다.
>
> 서로 다른 종류의 연필 5자루를 4명의 학생 A, B, C, D에게 남김없이 나누어 주는 방법의 수는?
>
> (단, 연필을 받지 못하는 학생이 있을 수 있다.)

서로 다른 종류의 연필 5자루를 4명의 학생 A, B, C, D에게 남김없이 나누어 주는 방법의 수는 A, B, C, D에서 중복을 허락하여 5개를 택하는 중복순열의 수이므로

${}_4\Pi_5=4^5=1024$ 답 ①

0060

> 열쇠로 문을 열 때에는 열쇠에 인식되는 지점이 있어서 이 지점에서 열쇠를 깎은 깊이에 따라 인식이 되어 문이 열린다고 한다. 그림과 같이 열쇠를 a, b, c의 세 지점에서 각각 4개의 서로 다른 깊이로 깎아서 만든다고 할 때, 만들 수 있는 서로 다른 열쇠의 종류는?
>
> └• 각 지점마다 4개의 깊이를 깎을 수 있다.
>
> 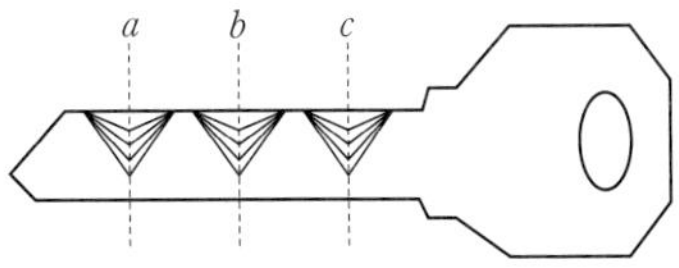
>

a, b, c의 각 지점마다 서로 다른 4개의 깊이로 인식을 하므로 4개 중에서 중복을 허용하여 3개를 택하는 중복순열이다.

$\therefore {}_4\Pi_3=4^3=64$ 답 ②

0061 각 사람들은 4개층 중 1개의 층에 내림을 이용하자.

> 1층에서 5명이 엘리베이터를 타고 출발하였다. 이들은 4층부터 7층까지 중에서 어느 한 층에서 내리며 7층에서는 엘리베이터에 남은 모든 사람들이 내린다. 내리는 모든 방법의 수는? (단, 엘리베이터는 2, 3층에서 멈추지 않으며 어느 한 층에서 모두 내릴 수도 있다.)

각 사람마다 내릴 수 있는 층은 4가지이므로 4개의 층에서 5개를 택하는 중복순열이다.

$\therefore {}_4\Pi_5=4^5=1024$ 답 ③

0062

> 서로 다른 과일 5개를 3개의 그릇 A, B, C에 남김없이 담으려고 할 때, 그릇 A에는 과일 2개만 담는 방법의 수를 구하시오.
> (단, 과일을 하나도 담지 않은 그릇이 있을 수 있다.)
> 먼저 A그릇에 담길 과일 2개를 정하자.

서로 다른 과일 5개 중에서 그릇 A에 2개를 담는 방법의 수는

${}_5C_2=\frac{5\times4}{2\times1}=10$

이 각각에 대하여 나머지 3개의 과일을 두 개의 그릇 B, C에 담는 방법의 수는 ${}_2\Pi_3=2^3=8$

따라서 구하는 방법의 수는

$10\times8=80$ 답 80

0063 먼저 A, B그릇에 담길 과일 2개를 정하자.

> 서로 다른 과일 5개를 네 접시 A, B, C, D에 남김없이 담으려고 할 때, 두 접시 A와 B에는 과일이 한 개씩만 담기는 경우의 수는? (단, 빈 접시가 있어도 된다.)

서로 다른 5개의 과일 중에서 2개를 택하여 두 접시 A, B에 담는 경우의 수는 서로 다른 5개에서 2개를 택하는 순열의 수이므로

${}_5P_2=5\times4=20$

이 각각에 대하여 나머지 과일 3개를 두 접시 C, D에 담는 경우의 수는 서로 다른 2개에서 3개를 택하는 중복순열의 수이므로

${}_2\Pi_3=2^3=8$

따라서 구하는 경우의 수는

$20\times8=160$ 답 ②

0064

> A, B, C, D, E의 다섯 도시를 경유하는 버스가 승객 10명을 태우고 A도시를 출발하여 세 도시 B, C, D를 순서대로 거쳐서 E도시에 도착할 예정이다. 10명의 승객 중에서 특정한 두 명은 같은 도시에 내리지 않는다고 할 때, 10명의 승객이 네 도시 B, C, D, E에 내리는 방법의 수는?
> 전체 경우의 수에서 특정한 두명이 같은 도시에 내리는 경우의 수를 빼자.

특정한 두 명은 같은 도시에 내릴 수 없으므로 모든 경우의 수에서 특정한 두 명이 같은 도시에 내리는 경우의 수를 빼면 된다.

각 승객마다 내릴 수 있는 도시는 B, C, D, E의 4곳이므로 4곳에서 10곳을 택하는 중복순열이다.

$\therefore {}_4\Pi_{10}=4^{10}$

한편, 특정한 두 명이 같은 도시에 내리는 방법의 수는 9명의 승객이 네 도시에 내리는 방법의 수와 같으므로

${}_4\Pi_9=4^9$

따라서 구하는 방법의 수는

${}_4\Pi_{10}-{}_4\Pi_9=4^{10}-4^9=3\times4^9=3\times2^{18}$ 답 ②

0065

> 1, 2, 3, 4, 5의 숫자가 각각 하나씩 적힌 5개의 공을 3개의 상자 A, B, C에 넣으려고 한다. 어느 상자에도 넣어진 공에 적힌 수의 합이 13 이상이 되는 경우가 없도록 하는 방법의 수를 구하시오.
> (단, 빈 상자의 경우에는 넣어진 공에 적힌 수의 합을 0으로 한다.)
> 전체 경우의 수에서 숫자의 합이 13이상인 경우의 수를 빼자.

3개의 상자 A, B, C에 서로 다른 5개의 공을 임의로 넣는 경우는 3개의 상자에서 5개를 택하는 중복순열이므로

${}_3\Pi_5=3^5=243$

상자에 있는 공에 적힌 숫자의 합이 13 이상인 상자가 존재하는 방법의 수는 다음과 같다.

(i) 세 상자 중에서 어느 한 상자에 1, 3, 4, 5가 들어가고 2는 나머지 두 상자 중에서 어느 하나에 들어가는 방법의 수는
$3\times2=6$

(ii) 세 상자 중에서 어느 한 상자에 2, 3, 4, 5가 들어가고 1은 나머지 두 상자 중에서 어느 하나에 들어가는 방법의 수는
$3\times2=6$

(iii) 세 상자 중에서 어느 한 상자에 1, 2, 3, 4, 5가 들어가는 방법의 수는 3

따라서 구하는 방법의 수는

$243-(6+6+3)=228$ 답 228

0066

> 집합 $U=\{1, 2, 3, 4, 5\}$의 공집합이 아닌 두 부분집합 A, B에 대하여 $A\subset B$를 만족하는 순서쌍 (A, B)의 개수를 구하시오.
> 벤다이어그램으로 그리면 3개의 영역이 생김을 이용하자.

$A\subset B$를 벤다이어그램으로 표현하면 오른쪽 그림과 같다.

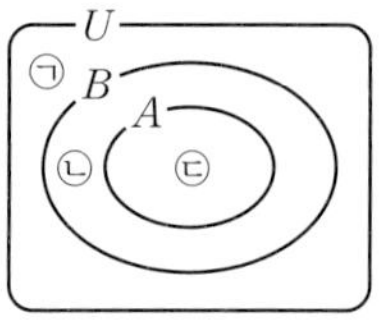

집합 U의 원소를 벤다이어그램에 넣으면 원소가 들어갈 수 있는 곳은 ㉠, ㉡, ㉢의 세 곳이므로 원소를 넣는 경우의 수는 서로 다른 3개에서 중복을 허락하여 5개를 뽑아 일렬로 배열하는 경우의 수와 같으므로 ${}_3\Pi_5=3^5$이다. 한편, 부분집합 A, B가 공집합이 아니므로 ㉢에 원소가 들어가지 않는 경우는 제외해야 한다.

따라서 순서쌍 (A, B)의 개수는 $3^5-2^5=243-32=211$

답 211

0067

집합 $U=\{1, 2, 3, 4, 5, 6\}$의 부분집합 A, B는 다음 두 조건을 만족한다.

(가) $A\neq\varnothing$이고 $B\neq\varnothing$이다.
(나) $A\cap B=\varnothing$이고 $A\cup B=U$이다.

└• 집합 A가 정해지면 집합 B도 자동으로 결정 된다.

이때 집합 A, B로 만들 수 있는 순서쌍 (A, B)의 개수는?

$\{1, 2, 3, 4, 5, 6\}=A\cup B$이고 $A\cap B=\varnothing$, $A\neq\varnothing$, $B\neq\varnothing$이므로
U의 부분집합 중에서 $A\neq\varnothing$이고 $A\neq U$을 만족하는 집합 A의 개수는
$2^6-2=62$
한편, $B=U-A$이므로 집합 B는 집합 A에 따라 유일하게 결정된다.
따라서 순서쌍 (A, B)의 개수는 62이다. 답 ③

0068 벤다이어그램으로 그리면 4개의 영역이 생긴다.

전체집합 $U=\{1, 2, 3, 4, 5, 6\}$의 두 부분집합 A, B에 대하여 $n(A\cap B)=2$가 성립하도록 하는 두 집합 A, B의 순서쌍 (A, B)의 개수를 구하시오.

$n(A\cap B)=2$이므로 6개의 원소 중 2개를 선택하여 $A\cap B$를 만드는 경우의 수는
$${}_6C_2=\frac{6\times5}{2\times1}=15$$
나머지 원소 4개를 세 집합 $A-B$, $B-A$, $(A\cap B)^c$에 나누어 주는 경우의 수는
${}_3\Pi_4=3^4=81$
따라서 구하는 경우의 수는
$15\times81=1215$ 답 1215

0069

파랑, 흰색, 빨강 세 가지의 깃발이 한 개씩 있다. 이 깃발 중에서 하나를 택하여 들어 올리는 시행을 5번하여 만들 수 있는 신호의 수를 구하시오.

한 번의 시행마다 3가지의 경우가 있다.

서로 다른 3개에서 5개를 택하는 중복순열의 수와 같으므로
${}_3\Pi_5=243$ 답 243

0070 1, 2, 3, 4, 5개를 사용하여 만들 수 있는 개수를 모두 더하자.

두 가지 부호 '·', '–'을 5개 이하로 사용하여 만들 수 있는 신호의 개수는? (단, 적어도 한 개 이상의 부호를 사용한다.)

(i) 1개를 사용하여 만들 수 있는 신호의 개수는
${}_2\Pi_1=2^1=2$
(ii) 2개를 사용하여 만들 수 있는 신호의 개수는
${}_2\Pi_2=2^2=4$
(iii) 3개를 사용하여 만들 수 있는 신호의 개수는
${}_2\Pi_3=2^3=8$
(iv) 4개를 사용하여 만들 수 있는 신호의 개수는
${}_2\Pi_4=2^4=16$
(v) 5개를 사용하여 만들 수 있는 신호의 개수는
${}_2\Pi_5=2^5=32$
(i)~(v)에서 구하는 신호의 개수는
$2+4+8+16+32=62$ 답 ②

0071 1, 2, 3, ⋯, 20개를 사용하여 만들 수 있는 개수를 모두 더하자.

다음 표와 같이 두 문자 ㄱ, ㄴ을 중복을 허용하여 20번 이하로 사용할 때, 만들 수 있는 서로 다른 기호의 개수는?

1번	2번	3번	⋯
ㄱ	ㄱㄱ	ㄱㄱㄱ	
ㄴ	ㄱㄴ	ㄱㄱㄴ	
	ㄴㄱ	ㄱㄴㄱ	⋯
	ㄴㄴ	⋮	

두 문자 ㄱ, ㄴ을 중복을 허용하여 20번 이하로 사용할 때, 만들 수 있는 서로 다른 기호의 개수는 중복순열의 수를 이용하여 구할 수 있다.
1번 사용하여 만들 수 있는 기호의 개수는 ${}_2\Pi_1=2$
2번 사용하여 만들 수 있는 기호의 개수는 ${}_2\Pi_2=2^2$
3번 사용하여 만들 수 있는 기호의 개수는 ${}_2\Pi_3=2^3$
⋮
20번 사용하여 만들 수 있는 기호의 개수는 ${}_2\Pi_{20}=2^{20}$
따라서 구하는 기호의 개수는
$$2+2^2+2^3+\cdots+2^{20}=\frac{2(2^{20}-1)}{2-1}=2(2^{20}-1)$$
답 ④

0072

네 개의 숫자 0, 1, 2, 3 중에서 중복을 허용하여 만들 수 있는 세 자리 정수의 개수는?

└• 백의자리에는 0이 올 수 없음에 주의하자.

백의 자리에는 0을 제외한 1, 2, 3이 올 수 있으므로 그 경우의 수는 3이다.
이들 각각에 대하여 십의 자리, 일의 자리에는 0, 1, 2, 3이 모두 중복하여 올 수 있으므로 그 경우의 수는
${}_4\Pi_2=4^2=16$
따라서 구하는 정수의 개수는
$3\times16=48$ 답 ④

0073

다섯 개의 숫자 1, 2, 3, 4, 5 중에서 중복을 허용하여 네 개를 택해 일렬로 나열하여 만든 네 자리 자연수가 5의 배수인 경우의 수는?

일의 자리의 수는 반드시 5가 와야 한다.

일의 자리 수는 5이어야 하고, 나머지 세 자리에는 1, 2, 3, 4, 5가 모두 중복하여 올 수 있으므로 구하는 경우의 수는

${}_5\Pi_3=5^3=125$ 답 ③

0074

> 네 개의 숫자 1, 2, 3, 4로 중복을 허용하여 만들 수 있는 세 자리 이하의 자연수의 개수를 구하시오.
>
> → 1, 2, 3자리의 수를 각각 구해서 더하자.

(i) 한 자리 자연수
일의 자리에 1, 2, 3, 4가 모두 올 수 있으므로 그 개수는 4

(ii) 두 자리 자연수
십의 자리, 일의 자리에 1, 2, 3, 4가 모두 중복하여 올 수 있으므로 그 개수는 ${}_4\Pi_2=4^2=16$

(iii) 세 자리 자연수
백의 자리, 십의 자리, 일의 자리에 1, 2, 3, 4가 모두 중복하여 올 수 있으므로 그 개수는 ${}_4\Pi_3=4^3=64$

(i), (ii), (iii)에서 구하는 자연수의 개수는

$4+16+64=84$ 답 84

0075

> 여섯 개의 숫자 0, 1, 2, 3, 4, 5 중에서 중복을 허용하여 만들 수 있는 네 자리 정수 중에서 짝수의 개수를 구하시오.
>
> → 일의 자리에는 0, 2, 4가 올 수 있다.

천의 자리에는 0을 제외한 1, 2, 3, 4, 5가 올 수 있고, 일의 자리에는 0, 2, 4가 올 수 있으므로 그 경우의 수는

$5\times3=15$

이들 각각에 대하여 백의 자리, 십의 자리에는 0, 1, 2, 3, 4, 5가 모두 중복하여 올 수 있으므로 그 경우의 수는

${}_6\Pi_2=6^2=36$

따라서 구하는 짝수의 개수는

$15\times36=540$ 답 540

0076

> 8의 양의 약수 중에서 중복을 허용하여 4개의 수를 뽑아 네 자리 정수를 만들 때, 두 번 이상 사용된 수가 있는 정수의 개수를 구하시오.
>
> → 전체 경우의 수에서 각 숫자를 한 번씩만 사용한 경우의 수를 구하자.

8의 양의 약수인 1, 2, 4, 8 중에서 중복을 허용하여 만들 수 있는 네 자리 정수의 개수는

${}_4\Pi_4=4^4=256$

1, 2, 4, 8을 각각 한 번씩만 사용하여 만들 수 있는 네 자리 정수의 개수는

${}_4P_4=4!=24$

따라서 구하는 정수의 개수는

$256-24=232$ 답 232

0077

> 여섯 개의 숫자 0, 1, 2, 3, 4, 5로 중복을 허용하여 네 자리 자연수를 만들어 크기가 작은 것부터 순서대로 나열할 때, 500번째에 나열되는 수는?
>
> → 천의 자리의 수를 기준으로 개수를 구하자.

0, 1, 2, 3, 4, 5 중에서 중복을 허용하여 만들 수 있는 네 자리 자연수를 크기가 작은 것부터 나열하면

(i) 1□□□, 2□□□ 꼴
$2\times{}_6\Pi_3=2\times6^3=432$

(ii) 30□□ 꼴
${}_6\Pi_2=6^2=36$

(iii) 310□, 311□, 312□, 313□, 314□ 꼴
$5\times{}_6\Pi_1=30$

(iv) 3150의 1개

(i)~(iv)에서 $432+36+30+1=499$이므로

500번째에 나열되는 수는 3151이다. 답 ⑤

0078

> 중복 사용이 가능한 네 개의 숫자 1, 2, 3, 4 중에서 네 수를 택하여 만들 수 있는 네 자리 자연수 중에서 2422보다 작은 수의 개수는?
>
> → 앞의 숫자부터 차례로 누적하여 구하자.

1, 2, 3, 4 중에서 중복을 허용하여 만들 수 있는 네 자리 자연수 중 2422보다 작은 수는

(i) 1□□□의 꼴
${}_4\Pi_3=4^3=64$

(ii) 21□□, 22□□, 23□□의 꼴
$3\times{}_4\Pi_2=3\times4^2=48$

(iii) 241□의 꼴
${}_4\Pi_1=4$

(iv) 2421의 1개

(i)~(iv)에서 $64+48+4+1=117$이므로

2422보다 작은 수의 개수는 117이다. 답 ④

0079

> 여섯 개의 숫자 0, 1, 2, 3, 4, 5 중에서 중복을 허용하여 만든 자연수를 크기가 작은 순서로 나열할 때, 3000보다 작은 수의 개수는?
>
> → 천의 자리의 수를 기준으로 개수를 구하자.

0, 1, 2, 3, 4, 5 중에서 중복을 허용하여 자연수를 만들 때,

한 자리 수의 개수는 5

두 자리 수의 개수는 십의 자리에 0이 올 수 없으므로

$5\times{}_6\Pi_1=30$

세 자리 수의 개수는 백의 자리에 0이 올 수 없으므로

$5\times{}_6\Pi_2=180$

네 자리 수 중 천의 자리의 숫자가 1인 수의 개수는

$_6\Pi_3=216$
네 자리 수 중 천의 자리의 숫자가 2인 수의 개수는
$_6\Pi_3=216$
따라서 3000보다 작은 수의 개수는
$5+30+180+216+216=647$ 답 ④

0080

5개의 수 0, 1, 2, 3, 4에서 중복을 허용하여 만들 수 있는 자연수를 크기가 작은 수부터 순서대로 나열할 때, 4000은 n번째 수이다. 이때, 자연수 n의 값을 구하시오.
└ 천의 자리의 수를 기준으로 개수를 구하자.

(i) 한 자리 수 : 4가지
(ii) 두 자리 수 : 4×5가지
(iii) 세 자리 수 : 4×5^2가지
(iv) 네 자리 수 : 천의 자리가 1인 수 5^3가지
천의 자리가 2인 수 5^3가지
천의 자리가 3인 수 5^3가지
(i) ~ (iv)에 의하여 4000보다 작은 자연수의 개수는
$4(1+5+25)+125+125+125=499$(개)
$\therefore n=499+1=500$ 답 500

0081

└ 문자 중에서 같은 것이 존재함에 주의하자.

a, b, c, d, d, e의 6개의 문자를 모두 사용하여 일렬로 나열하는 방법의 수를 구하시오.

6개의 문자 중 a가 1개, b가 1개, c가 1개, d가 2개, e가 1개 있으므로
구하는 방법의 수는 $\dfrac{6!}{2!}=360$ 답 360

0082

7개의 문자 A, A, B, B, C, C, C를 일렬로 배열하는 방법의 수를 구하시오.
└ n개 중에서 같은 것이 각각 p개, q개, r개 있을 때 n개를 배열하는 방법은 $\dfrac{n!}{p!q!r}$임을 이용하자.

7개의 문자 중에서 A가 2개, B가 2개, C가 3개이므로 이를 일렬로 배열하는 방법의 수는
$\dfrac{7!}{2!2!3!}=210$ 답 210

0083

6개의 문자 a, a, a, b, b, c 중에서 4개를 선택하여 일렬로 나열하는 방법의 수를 구하시오.
└ 4개를 선택하는 방법을 구하자.

6개의 문자 중 4개를 택하는 방법은 다음과 같다.
(i) a, a, a, b인 경우
$\dfrac{4!}{3!}=4$
(ii) a, a, a, c인 경우
$\dfrac{4!}{3!}=4$
(iii) a, a, b, b인 경우
$\dfrac{4!}{2!2!}=6$
(iv) a, a, b, c인 경우
$\dfrac{4!}{2!}=12$
(v) a, b, b, c인 경우
$\dfrac{4!}{2!}=12$
(i)~(v)에서 구하는 방법의 수는
$4+4+6+12+12=38$ 답 38

0084

a, a, a, b, c, c의 6개의 문자를 일렬로 나열할 때, 문자 c가 서로 이웃하지 않게 배열하는 경우의 수를 구하시오.
└ 전체 경우의 수에서 c가 이웃하는 경우의 수를 빼자.

a, a, a, b, c, c를 나열하는 경우의 수는
$\dfrac{6!}{3!2!}=60$
a, a, a, b, c, c를 나열할 때, c가 이웃하는 경우의 수는
$\dfrac{5!}{3!}=20$
따라서 구하는 경우의 수는
$60-20=40$ 답 40

0085

7개의 문자 a, a, b, b, c, d, e를 일렬로 배열할 때, a끼리 이웃하거나 b끼리 이웃하는 모든 경우의 수를 구하시오.
└ $n(A\cup B)=n(A)+n(B)-n(A\cap B)$임에 유의하자.

(i) a끼리 이웃하는 경우의 수는 a, a를 묶어서 A로 생각하여
A, b, b, c, d, e를 일렬로 배열하면 되므로 $\dfrac{6!}{2!}=360$
(ii) b끼리 이웃하는 경우의 수는 b, b를 묶어서 B로 생각하여
a, a, B, c, d, e를 일렬로 배열하면 되므로 $\dfrac{6!}{2!}=360$
(iii) a끼리 이웃하고, b끼리 이웃하는 경우의 수는 a, a를 묶어서 A로, b, b를 묶어서 B로 생각하여 A, B, c, d, e를 일렬로 배열하면 되므로 $5!=120$
(i), (ii), (iii)에서 구하는 경우의 수는
$360+360-120=600$ 답 600

0086

$n(A\cup B)=n(A)+n(B)-n(A\cap B)$임에 유의하자.

6개의 문자 B, A, N, A, N, A를 이용하여 만든 문자열들을 사전식으로 AAABNN, AAANBN, …과 같이 일렬로 배열할 때, NAAABN은 몇 번째에 오는 문자열인가?

(i) A□□□□□의 꼴
빈칸에 B, N, A, N, A의 5개의 문자를 일렬로 배열하는 방법의 수는
$\frac{5!}{2!2!}=30$

(ii) B□□□□□의 꼴
빈칸에 A, N, A, N, A의 5개의 문자를 일렬로 배열하는 방법의 수는
$\frac{5!}{3!2!}=10$

(i), (ii)에서 $30+10=40$이므로
NAAABN은 41번째에 나온다. 답 ③

0087

흰색 깃발 5개, 파란색 깃발 5개를 일렬로 모두 나열할 때, 양 끝에 흰색 깃발이 놓이는 경우의 수는? (단, 같은 색 깃발끼리는 서로 구별하지 않는다.)
└ 먼저 양 끝에 흰색 깃발을 놓자.

먼저 양 끝에 흰색 깃발을 놓으면 흰색 깃발 3개, 파란색 깃발 5개가 남는다.
따라서 구하는 경우의 수는
$\frac{8!}{3!5!}=56$ 답 ①

0088

7개의 문자 STUDENT를 일렬로 배열할 때, 양 끝에 자음이 오도록 배열하는 경우의 수는?
└ T는 두 개이므로 양 끝에 오는 T의 개수를 기준으로 삼자.

자음은 S, T, D, N, T이므로 양 끝에 자음이 오는 경우의 수는 다음과 같다.

(i) 양 끝에 모두 T가 오는 경우의 수는
$5!=120$

(ii) 한쪽 끝에만 T가 오는 경우의 수는
$2\times{}_3C_1\times5!=720$

(iii) 양 끝에 T가 오지 않는 경우의 수는
${}_3P_2\times\frac{5!}{2!}=360$

(i), (ii), (iii)에서 구하는 경우의 수는
$120+720+360=1200$ 답 ④

0089

7개의 문자 a, b, b, c, c, c, d를 일렬로 나열할 때, 양쪽 끝에는 서로 다른 문자가 오는 경우의 수를 구하시오.
└ 전체 경우의 수에서 양 끝에 같은 문자가 오는 경우의 수를 빼자.

7개의 문자 a, b, b, c, c, c, d를 일렬로 나열하는 경우의 수는
$\frac{7!}{2!3!}=\frac{7\times6\times5\times4}{2}=420$
양쪽 끝에 서로 다른 문자가 오는 경우의 수는
(전체 경우의 수)−(양쪽 끝에 서로 같은 문자가 오는 경우의 수)
양쪽 끝에 올 수 있는 문자는 b, c이므로

(i) 양쪽 끝에 모두 b가 오는 경우
a, c, c, c, d를 일렬로 나열하는 경우의 수는
$\frac{5!}{3!}=5\times4=20$

(ii) 양쪽 끝에 모두 c가 오는 경우
a, b, b, c, d를 일렬로 나열하는 경우의 수는
$\frac{5!}{2!}=5\times4\times3=60$

(i), (ii)에서 양쪽 끝에 서로 같은 문자가 오는 경우의 수는
$20+60=80$
∴ (구하는 경우의 수)$=420-80=340$ 답 340

0090

CECILIA의 7개의 문자를 일렬로 배열할 때, 자음과 모음이 교대로 배열되는 경우의 수는?
└ (모, 자, 모, 자, 모, 자, 모)의 경우가 존재한다.

자음과 모음이 교대로 배열되는 경우는 자음이 C, C, L, 모음이 E, I, I, A이므로 (모, 자, 모, 자, 모, 자, 모)
모음 4개를 배열하는 경우의 수는
$\frac{4!}{2!}=12$
자음 3개를 배열하는 경우의 수는
$\frac{3!}{2!}=3$
따라서 구하는 경우의 수는
$12\times3=36$ 답 ③

0091

4개의 문자 NEED와 4개의 숫자 2, 2, 4, 4를 일렬로 배열할 때, 문자와 숫자가 교대로 오도록 배열하는 경우의 수를 구하시오.
└ 문자를 배열한 뒤 그 사이사이에 숫자를 배열하자.

4개의 문자 N, E, E, D를 일렬로 배열하는 경우의 수는
$\frac{4!}{2!}=12$
4개의 숫자 2, 2, 4, 4를 일렬로 배열하는 경우의 수는
$\frac{4!}{2!2!}=6$

문자와 숫자가 교대로 오도록 배열하려면 문자를 일렬로 배열한 후 그 사이사이에 숫자를 배열하면 되는데 맨 앞에 문자가 올 경우와 숫자가 올 경우 2가지가 있으므로 구하는 경우의 수는

$2\times12\times6=144$

답 144

0092

10개의 문자 s, t, a, t, i, s, t, i, c, s를 모두 한 번씩 사용하여 다음 조건을 만족시키도록 일렬로 나열하는 경우의 수를 구하시오.

(가) 양쪽 끝에 s를 나열한다.
(나) a와 c는 두 개의 i 사이에 나열한다.

→ i, a, c, i를 하나의 문자로 묶어서 생각하자.

s 두 개를 양쪽 끝에 나열하고 남은 문자는

s, t, t, t, a, c, i, i

i 사이에 a와 c가 있어야 하므로 a, c, i, i를 모두 같은 문자로 생각하고 나열하면

$\dfrac{8!}{4!3!}=280$가지

a와 c의 자리가 바뀔 수 있으므로

$280\times2=560$

답 560

0093

→ 빨강, 노랑, 파랑은 순서가 정해져 있다.

그림과 같이 '빨강, 주황, 노랑, 초록, 파랑, 남색, 보라' 색깔의 깃발이 각각 하나씩 있다. 7개의 깃발을 모두 일렬로 배열할 때, 빨강이 노랑의 왼쪽에, 노랑은 파랑의 왼쪽에 위치하도록 하는 경우의 수를 구하시오. (단, 깃발은 한쪽 방향에서만 바라본다.)

빨강, 노랑, 파랑을 모두 검정이라고 생각하면 '검정, 검정, 검정, 주황, 초록, 남색, 보라' 색깔의 깃발을 일렬로 배열하는 방법의 수는

$\dfrac{7!}{3!}=7\times6\times5\times4=840$가지

이제 840가지의 깃발 배열에 대해 3개의 검정 깃발을 왼쪽부터 빨강, 노랑, 파랑 깃발로 교체하면 문제의 조건을 만족한다.

$\therefore$ (구하는 경우의 수)$=840$

답 840

0094

5개의 문자 a_1, a_2, a_3, b_1, b_2를 일렬로 배열할 때, a_2는 a_1의 오른쪽에, a_3은 a_2의 오른쪽에, b_2는 b_1의 왼쪽에 오도록 배열하는 방법의 수를 구하시오.

→ 순서가 정해진 문자의 나열을 같은 것이 있는 문자의 나열로 생각하자.

a_1, a_2, a_3과 b_2, b_1의 순서가 정해져 있으므로 a_1, a_2, a_3과 b_2, b_1을 각각 X, Y로 생각하여 5개의 문자 X, X, X, Y, Y를 일렬로 배열한 후 첫 번째 X는 a_1, 두 번째 X는 a_2, 세 번째 X는 a_3, 첫 번째 Y는 b_2, 두 번째 Y는 b_1로 바꾸면 된다.

따라서 구하는 방법의 수는

$\dfrac{5!}{3!2!}=10$

답 10

0095

알파벳 대문자 A, B, C, D와 소문자 a, b, c, d가 있다. 8개의 알파벳 A, B, C, D, a, b, c, d를 한 번씩만 사용하여 일렬로 나열할 때, A는 a보다 앞에, B는 b보다 뒤에, C와 c는 양 끝, D와 d는 이웃하게 나열하는 경우의 수를 구하시오.

→ 순서가 정해진 문자의 나열을 같은 것이 있는 문자의 나열로 생각하자.

C와 c를 양 끝에 나열하는 경우의 수는 2

한편, A, a와 B, b의 순서가 정해져 있으므로 A, a와 B, b를 각각 X, Y로 생각하고, D, d는 이웃하므로 묶어서 한 문자 Z로 생각하여 X, X, Y, Y, Z를 일렬로 나열한 후, 첫 번째 X는 A, 두 번째 X는 a, 첫 번째 Y는 b, 두 번째 Y는 B로 바꾸면 된다.

$\therefore \dfrac{5!}{2!2!}=30$

D와 d의 자리를 바꾸는 경우의 수는 2

따라서 구하는 경우의 수는

$2\times30\times2=120$

답 120

0096

다섯 개의 숫자 2, 2, 3, 3, 5로 만들 수 있는 다섯 자리 자연수의 개수를 구하시오.

→ 같은 것이 있는 문자의 나열로 생각하자.

구하는 자연수의 개수는 2가 2개, 3이 2개, 5가 1개인 5개의 숫자를 일렬로 배열하는 경우의 수와 같으므로

$\dfrac{5!}{2!2!}=30$

답 30

0097

→ 같은 것이 있는 문자의 나열로 생각하되 맨 앞자리에 0이 오는 경우는 빼주자.

0, 3, 3, 6, 6, 6의 6개의 숫자를 일렬로 배열하여 만들 수 있는 여섯 자리 정수의 개수는?

0이 1개, 3이 2개, 6이 3개이므로 이를 일렬로 배열하는 방법의 수는

$\dfrac{6!}{2!3!}=60$

이 중에서 십만의 자리에 0이 오는 경우를 빼야 하므로 0을 제외한 3, 3, 6, 6, 6의 5개의 숫자를 일렬로 배열하는 방법의 수는

$\dfrac{5!}{2!3!}=10$

따라서 구하는 정수의 개수는

$60-10=50$

답 ⑤

0098

> 0, 1, 1, 1, 2, 3, 3의 일곱 개의 숫자를 모두 사용하여 일곱 자리 자연수를 만들 때, 짝수의 개수는?
> → 일의 자리에 0이 오는 경우와 2가 오는 경우로 나누어 구하자.

(i) 일의 자리에 0이 오는 경우의 수는

$\frac{6!}{3!2!}=60$

(ii) 일의 자리에 2가 오는 경우의 수는 맨 앞자리에 0이 오는 경우의 수를 빼야 하므로

$\frac{6!}{3!2!}-\frac{5!}{3!2!}=60-10=50$

(i), (ii)에서 구하는 짝수의 개수는

$60+50=110$ 답 ⑤

0099

> 7개의 숫자 1, 1, 2, 2, 3, 3, 3을 일렬로 배열할 때, 맨 앞에는 1이 오고 맨 뒤에는 3이 오지 않는 경우의 수는?
> → 1■■■■■1의 꼴과 1■■■■■2의 꼴이 있다.

(i) 1□□□□□1의 꼴

빈칸에 2, 2, 3, 3, 3의 5개의 숫자를 일렬로 배열하는 방법의 수는

$\frac{5!}{2!3!}=10$

(ii) 1□□□□□2의 꼴

빈칸에 1, 2, 3, 3, 3의 5개의 숫자를 일렬로 배열하는 방법의 수는

$\frac{5!}{3!}=20$

(i), (ii)에서 구하는 경우의 수는

$10+20=30$ 답 ②

0100

> 1, 1, 2, 2, 2, 3, 3, 3의 8개의 숫자를 일렬로 나열할 때, 양쪽 끝에는 서로 다른 숫자가 오는 경우의 수를 구하시오.
> → 양쪽 끝에 (1, 2), (1, 3), (2, 3)이 올 수 있다.

(i) 양쪽 끝에 1, 2가 오는 경우의 수는

$2!\times\frac{6!}{2!3!}=120$

(ii) 양쪽 끝에 1, 3이 오는 경우의 수는

$2!\times\frac{6!}{2!3!}=120$

(iii) 양쪽 끝에 2, 3이 오는 경우의 수는

$2!\times\frac{6!}{2!2!2!}=180$

(i), (ii), (iii)에서 구하는 경우의 수는

$120+120+180=420$ 답 420

다른풀이 주어진 8개의 숫자를 일렬로 나열하는 모든 경우의 수는

$\frac{8!}{2!3!3!}=560$

양쪽 끝에 서로 같은 숫자가 오는 경우의 수는 다음과 같다.

(i) 양쪽 끝에 모두 1이 오는 경우의 수는

$\frac{6!}{3!3!}=20$

(ii) 양쪽 끝에 모두 2가 오는 경우의 수는

$\frac{6!}{2!3!}=60$

(iii) 양쪽 끝에 모두 3이 오는 경우의 수는

$\frac{6!}{2!3!}=60$

따라서 구하는 경우의 수는 모든 경우의 수에서 양쪽 끝에 서로 같은 숫자가 오는 경우의 수를 빼면 되므로

$560-(20+60+60)=420$

0101

> 1부터 6까지의 자연수가 하나씩 적혀 있는 6장의 카드가 있다. 이 카드를 모두 한 번씩 사용하여 일렬로 나열할 때, 2가 적혀 있는 카드는 4가 적혀 있는 카드보다 왼쪽에 나열하고 홀수가 적혀 있는 카드는 작은 수부터 크기 순서로 왼쪽부터 나열하는 경우의 수는?
> → 순서가 정해진 카드의 나열을 같은 것이 있는 카드의 나열로 생각하자.

순서가 정해져 있는 카드는 같은 카드로 생각하여 순서를 고려하지 않는다.

짝수가 적혀 있는 카드 중에서 2가 적혀 있는 카드는 4가 적혀 있는 카드보다 왼쪽에 나열되어야 하므로 두 카드를 같은 카드 a, a로 생각할 수 있다. 또, 홀수가 적혀 있는 카드는 작은 수부터 크기 순서로 왼쪽부터 나열되어야 하므로 세 카드 역시 같은 카드 b, b, b로 생각할 수 있다.

따라서 6장의 카드를 주어진 조건에 따라 나열하는 경우의 수는 a, a, b, b, b, 6을 나열하는 경우의 수와 같다.

나열하고 난 후에 a는 순서대로 2, 4로, b는 왼쪽부터 차례로 1, 3, 5로 바꾸면 된다.

따라서 구하는 경우의 수는 6개 중 같은 것이 2개, 3개씩 있는 순열의 수이므로

$\frac{6!}{2!3!}=60$ 답 ②

0102

> 5개의 숫자 1, 2, 3, 4, 4를 모두 사용하여 일렬로 배열할 때, 1, 2, 3이 이 순서로 배열되는 방법의 수를 구하시오.
> → 순서가 정해진 숫자의 나열을 같은 것이 있는 숫자의 나열로 생각하자.

1, 2, 3의 순서가 정해져 있으므로 1, 2, 3을 모두 X로 생각하여 5개의 숫자 X, X, X, 4, 4를 일렬로 배열한 후 첫 번째 X는 1, 두 번째 X는 2, 세 번째 X는 3으로 바꾸면 된다.

따라서 구하는 방법의 수는

$\frac{5!}{3!2!}=10$ 답 10

0103

> 각 자리의 수가 0이 아닌 네 자리 자연수 중에서 각 자리의 수의 합이 6인 자연수의 개수를 구하시오.
>
> └• 각 자리의 수가 (1, 1, 1, 3), (1, 1, 2, 2)의 경우가 있음을 이용하자.

각 자리의 수의 합이 6인 경우는 다음 두 가지 경우이다.

(i) 각 자리의 수가 1, 1, 1, 3인 경우

네 수 1, 1, 1, 3을 나열하는 경우의 수는

$\frac{4!}{3!1!}=4$

(ii) 각 자리의 수가 1, 1, 2, 2인 경우

네 수 1, 1, 2, 2를 나열하는 경우의 수는

$\frac{4!}{2!2!}=6$

(i), (ii)에서 구하는 경우의 수는

$4+6=10$ 답 10

0104

> 1, 3, 3, 5, 6, 6의 6개의 숫자를 일렬로 배열하여 여섯 자리 자연수를 만들 때, 400000보다 큰 자연수의 개수를 구하시오.
>
> └• 십만자리에 5 또는 6이 올 수 있다.

(i) 십만의 자리에 5가 오는 경우

1, 3, 3, 6, 6의 5개의 숫자를 일렬로 배열하는 방법의 수는

$\frac{5!}{2!2!}=30$

(ii) 십만의 자리에 6이 오는 경우

1, 3, 3, 5, 6의 5개의 숫자를 일렬로 배열하는 방법의 수는

$\frac{5!}{2!}=60$

(i), (ii)에서 구하는 자연수의 개수는

$30+60=90$ 답 90

0105

> 한국 선수 3명, 중국 선수 1명, 일본 선수 1명, 미국 선수 1명이 참가한 스키 점프 대회에서 다음 조건을 만족시키는 순서로 점프 순서를 정한다.
>
> └• 순서가 정해진 선수들을 하나로 생각하자.
>
> (가) 중국 선수가 일본 선수보다 먼저 점프한다.
> (나) 일본 선수가 미국 선수보다 먼저 점프한다.
>
> 만들어질 수 있는 점프 순서는 몇 가지인가?

한국 선수 3명을 각각 a_1, a_2, a_3이라 하자.

중국, 일본, 미국의 순서가 정해져 있으므로 중국, 일본, 미국의 선수를 모두 X로 생각하여 6명의 선수 X, X, X, a_1, a_2, a_3을 일렬로 배열한 후 첫 번째 X는 중국, 두 번째 X는 일본, 세 번째 X는 미국으로 바꾸면 된다.

따라서 구하는 점프 순서는

$\frac{6!}{3!}=120$(가지) 답 ④

0106

> 10개의 계단을 올라가야 하는데 한 걸음에 1계단 또는 3계단씩만 올라갈 수 있다고 할 때, 10개의 계단을 올라가는 방법의 수를 구하시오.
>
> └• 3계단은 0, 1, 2, 3번 올라 갈 수 있음을 이용하자.

1계단 올라가는 횟수를 x, 3계단 올라가는 횟수를 y라 하면

$x+3y=10$이어야 한다.

$x=10$, $y=0$인 경우는 1가지

$x=7$, $y=1$인 경우는 $\frac{8!}{7!}=8$가지

$x=4$, $y=2$인 경우 $\frac{6!}{4!\times2!}=15$가지

$x=1$, $y=3$인 경우 $\frac{4!}{3!}=4$가지

따라서 구하는 방법의 수는

$1+8+15+4=28$ 답 28

0107

> ┌• 갑이 이긴 횟수, 비긴 횟수, 진 횟수를 각각 x, y, z라 하자.
>
> 갑, 을 두 사람이 어떤 게임을 해서 다음과 같은 규칙에 따라 사탕을 갖는다고 한다.
>
> (가) 이긴 사람은 3개, 진 사람은 1개의 사탕을 갖는다.
> (나) 비기면 두 사람이 각각 2개씩 사탕을 갖는다.
>
> 갑, 을 두 사람이 이 게임을 다섯 번 해서 20개의 사탕을 10개씩 나누어 갖게 되는 경우의 수를 구하시오.
>
> (단, 사탕은 서로 구별되지 않는다.)

갑이 이긴 횟수, 비긴 횟수, 진 횟수를 각각 x, y, z(x, y, z는 음이 아닌 정수)라 하면 을이 이긴 횟수, 비긴 횟수, 진 횟수는 각각 z, y, x이다.

이긴 사람은 3개, 진 사람은 1개, 비기면 2개의 사탕을 갖고 서로 사탕을 10개씩 나누어 가졌으므로

갑이 얻은 사탕의 개수를 식으로 표현하면

$3x+2y+z=10$ …… ㉠

마찬가지 방법으로 을이 얻은 사탕의 개수를 식으로 표현하면

$x+2y+3z=10$ …… ㉡

두 사람이 이 게임을 다섯 번 했으므로

$x+y+z=5$ …… ㉢

㉠－㉡을 하면 $2x-2z=0$, $x=z$

㉡－㉢을 하면 $y+2z=5$ …… ㉣

㉣을 만족하는 음이 아닌 정수 y, z의 순서쌍 (y, z)는

$(5, 0)$, $(3, 1)$, $(1, 2)$로 총 세 가지이다.

따라서 갑을 기준으로 생각하면 가능한 경우는 두 사람이 5번 비긴 경우, 갑이 1승 3무 1패 한 경우, 갑이 2승 1무 2패 한 경우이다.

(i) 두 사람이 모두 비기는 경우의 수는 1

(ii) 갑이 1승 3무 1패인 경우의 수는 $\frac{5!}{3!}=20$

(iii) 갑이 2승 1무 2패인 경우의 수는 $\frac{5!}{2!2!}=30$

(i) ~ (iii)에서 구하는 경우의 수는 $1+20+30=51$

답 51

0108 두 개씩 꺼내 옮기는 경우는 0, 1, 2, 3번 가능하다.

> 주머니 A에 들어 있는 크기가 같은 흰 공 7개를 주머니 B로 모두 옮겨 담으려고 한다. 한 번에 한 개 또는 두 개씩 꺼내어 옮겨 담는 경우의 수를 구하시오.

(i) 1개씩 7번 옮기는 경우 : 1가지

(ii) 1개씩 5번, 2개씩 1번 옮기는 경우 : $\frac{6!}{5!}=6$(가지)

(iii) 1개씩 3번, 2개씩 2번 옮기는 경우 : $\frac{5!}{3!2!}=10$(가지)

(iii) 1개씩 1번, 2개씩 3번 옮기는 경우 : $\frac{4!}{3!}=4$(가지)

(i) ~ (iv)에 의하여 구하는 경우의 수는

$1+6+10+4=21$

답 21

0109

> 좌표평면 위의 점 P가 다음과 같은 규칙으로 이동한다.
>
> (가) 점 P의 x좌표는 y좌표보다 크거나 같다.
> (나) 점 P는 x축의 방향으로 $+1$만큼 또는 y축의 방향으로 $+1$만큼 이동한다.
>
> 점 P가 점 O(0, 0)에서 출발하여 점 (5, 2)로 이동했을 때, 점 P가 이동할 수 있는 경로의 수를 구하시오.
>
> 실제 경로를 좌표평면 위에 격자점으로 나타내 보자.

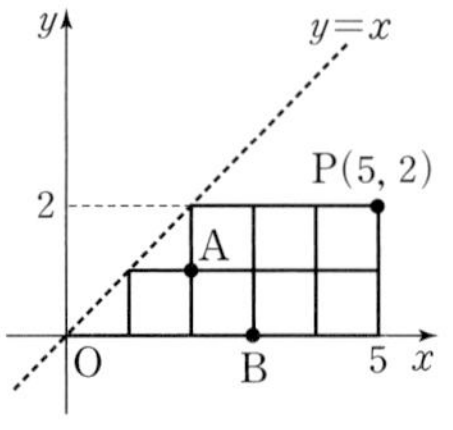

점 P가 이동할 수 있는 경로는 그림과 같은 도로망이고, 주어진 규칙대로 움직이면 점 P는 점 (5, 2)까지 최단 경로로 움직이게 된다.
점 P가 이동할 수 있는 경로의 수는

(i) O → A → P : $2\times\frac{4!}{3!}=8$

(ii) O → B → P : $1\times\frac{4!}{2!2!}=6$

(i), (ii)에서 구하는 경로의 수는

$8+6=14$

답 14

0110

> 그림과 같은 좌표평면 위에서 점 P는 다음과 같은 규칙으로 '이동'한다.
>
> 한 번의 '이동'으로 상하 또는 좌우 방향으로 1만큼 움직이거나 대각선 방향으로 $\sqrt{2}$만큼 움직인다.
>
> 점 P가 원점을 출발하여 4번 '이동'을 시행했을 때, 점 A에 도달하는 방법의 수를 구하시오.
>
> 점 A까지 가는 데 필요한 상하, 좌우, 대각선의 개수를 기준으로 나눠보자.

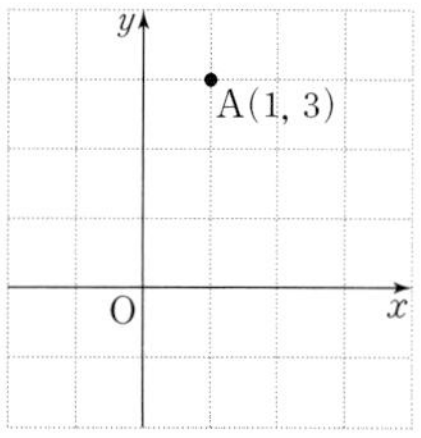

점 P가 원점을 출발하여 4번 '이동'을 시행했을 때, 점 A에 도달하려면 길이가 1인 ↑, →, ← 또는 길이가 $\sqrt{2}$인 ↗, ↖을 사용하여야 하고, 대각선(↗, ↖)을 사용하지 않는 경우, 두 번 사용하는 경우로 나누어 생각하면 구하는 방법은 다음과 같다.

(i) →, ↑, ↑, ↑를 사용하는 경우

$\frac{4!}{3!}=4$(가지)

(ii) ↗, ↗, ↑, ←를 사용하는 경우

$\frac{4!}{2!}=12$(가지)

(iii) ↗, ↖, →, ↑를 사용하는 경우

$4!=24$(가지)

(i), (ii), (iii)에 의하여 구하는 방법의 수는

$4+12+24=40$

답 40

0111 →가 4개, ↑가 3개 있는 문자의 나열과 같다.

> 그림과 같은 도로망을 가진 지역이 있다. A지점에서 출발하여 B지점으로 가는 최단 경로의 수를 구하시오.

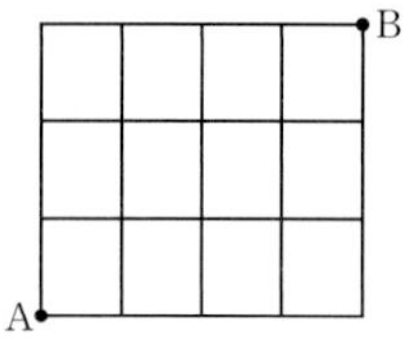

A지점에서 B지점으로 가는 최단 경로의 수는

$\frac{7!}{4!3!}=35$

답 35

0112 A에서 P까지 가는 경로는 (→, →, ↑, ↑)의 나열의 가짓수이다.

> 그림과 같은 도로망을 가진 지역이 있다. A지점에서 출발하여 P지점을 거쳐 B지점으로 가는 최단 경로의 수를 구하시오.

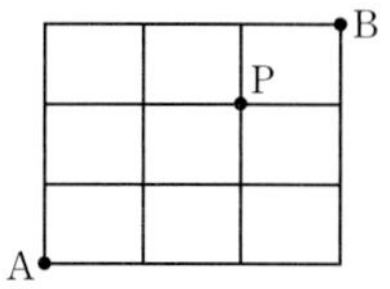

A지점에서 P지점으로 가는 최단 경로의 수는

$\frac{4!}{2!2!}=6$

P지점에서 B지점으로 가는 최단 경로의 수는

$2!=2$

따라서 구하는 최단 경로의 수는

$6\times2=12$

답 12

0113

> 그림과 같은 도로망이 있다. A지점에서 출발하여 P지점을 경유하지 않고 B지점으로 가는 최단 경로의 수를 구하시오.
>
> 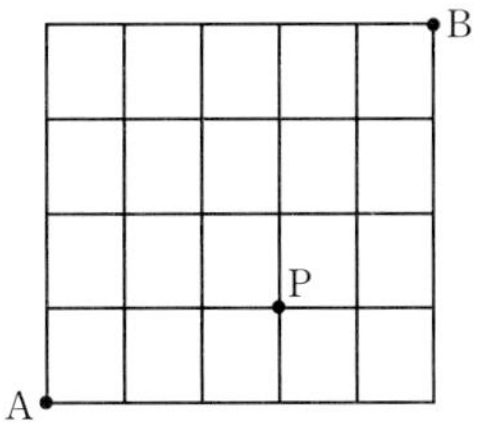
>
>
> ⟶ 전체 경우의 수에서 P지점을 경유하는 경우의 수를 빼자.

A지점에서 P지점을 지나지 않고 B지점으로 가는 최단 경로의 수는

(전체 최단 경로의 수)−(P지점을 지나는 최단 경로의 수)

A지점에서 B지점으로 가는 최단 경로의 수는

$\frac{9!}{5!4!}=126$

A지점에서 P지점을 지나 B지점으로 가는 최단 경로의 수는

$\frac{4!}{3!}\times\frac{5!}{2!3!}=40$

따라서 구하는 최단 경로의 수는

$126-40=86$

답 86

0114

> 그림과 같이 직사각형으로 이루어진 도로망이 있다. A지점에서 B지점까지 최단거리로 갈 때, P와 Q 두 지점을 모두 지나는 경로의 수를 구하시오.
>
> 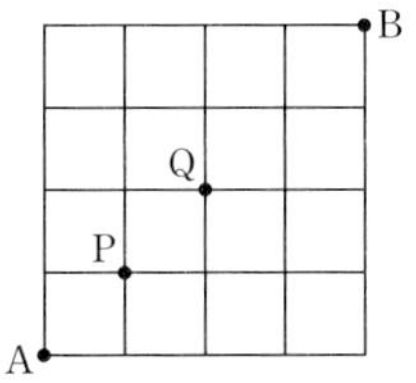
>
>
> ⟶ A → P → Q → B의 경로의 수를 구하자. 각각은 곱의 법칙을 적용하자.

A 지점에서 P 지점으로 가는 경로의 수는 2

P 지점에서 Q 지점으로 가는 경로의 수는 2

Q 지점에서 B 지점으로 가는 경로의 수는 $\frac{4!}{2!2!}=6$

따라서 구하는 경로의 수는 $2\times2\times6=24$

답 24

0115

A → C → B의 경로의 수에서 A → C → D → B의 경로의 수를 빼자.

> 그림과 같은 도로망이 있다. A지점에서 출발하여 C지점은 반드시 지나지만 D지점은 지나지 않고 B지점까지 최단 거리로 가는 방법의 수를 구하시오.
>
> 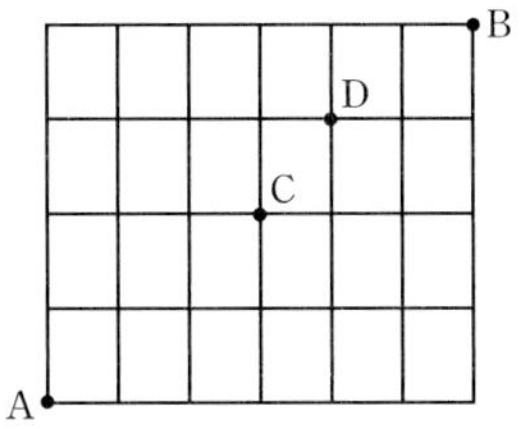
>

A지점에서 C지점까지 최단 거리로 가는 방법의 수는

$\frac{5!}{3!2!}=10$

C지점에서 B지점까지 최단 거리로 가는 방법의 수는

$\frac{5!}{3!2!}=10$

C지점에서 D지점을 지나 B지점까지 최단 거리로 가는 방법의 수는

$2!\times\frac{3!}{2!}=6$

따라서 구하는 방법의 수는

$10\times(10-6)=40$

답 40

0116

> 그림과 같이 직사각형 모양으로 연결된 도로망이 있다. 이 도로망을 따라 A지점에서 출발하여 P지점과 Q지점 중에서 한 지점만을 지나 B지점까지 최단거리로 가는 경우의 수를 구하시오.
>
> 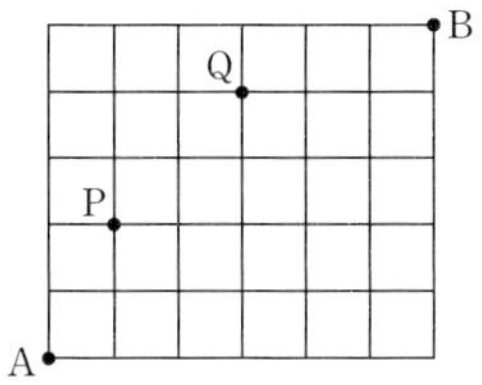
>
>
> ⟶ 여사건의 경우의 수를 이용하자.

(i) A에서 P를 거치고 Q는 거치지 않고 B로 가는 경우의 수

$\frac{3!}{1!2!}\times\left(\frac{8!}{5!3!}-\frac{4!}{2!2!}\times\frac{4!}{3!1!}\right)=96$

(ii) A에서 P를 거치지 않고 Q는 거쳐 B로 가는 경우의 수

$\left(\frac{7!}{3!4!}-\frac{3!}{1!2!}\times\frac{4!}{2!2!}\right)\times\frac{4!}{3!1!}=68$

따라서 구하는 경우의 수는

$96+68=164$

답 164

0117

위로 돌아가는 방법과 아래로 돌아가는 방법이 있음을 이용하자.

> 두 마을 A, B는 그림과 같은 도로망으로 서로 연결 되어 있다. A마을에서 출발하여 B마을까지 가는 최단 경로의 수를 구하시오. (단, 색칠한 지역은 침수되어 지나갈 수 없다.)
>
> 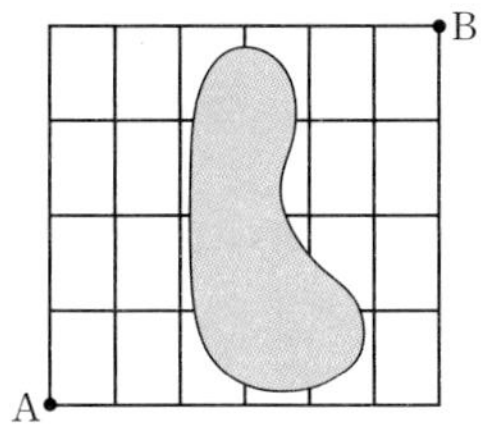
>

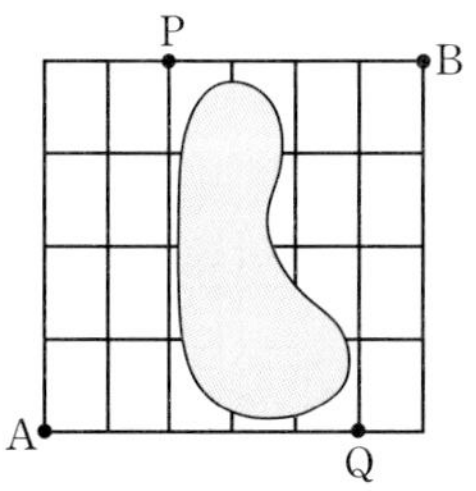

A마을에서 B마을로 가는 최단 경로는 다음과 같이 2가지의 경우로 나누어 생각할 수 있다.

(i) A → P → B의 경우

$\frac{6!}{2!4!}\times1=15$(가지)

(ii) A → Q → B의 경우

$1\times\frac{5!}{4!}=5$(가지)

(i), (ii)에서 구하는 최단 경로의 수는

$15+5=20$

답 20

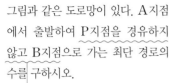

0118

그림과 같은 직선 도로망이 있다. 5개의 지점 P, Q, R, S, T 중 어느 한 지점도 지나지 않고 A 지점에서 B 지점까지 최단거리로 갈 수 있는 모든 경로의 수를 구하시오.

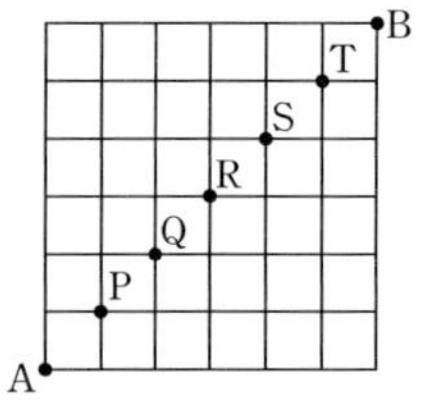

└ 대각선을 기준으로 위쪽 또는 아래쪽으로 갈 수 있다.

조건을 만족하면서 A에서 B까지 최단거리로 가려면 다음 그림에서 어두운 부분을 지나야 한다.

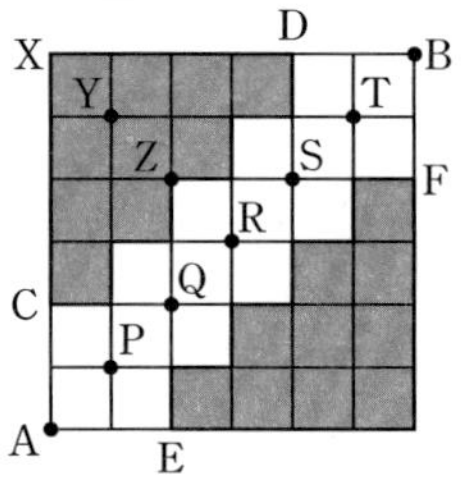

그림에서 C와 D를 거쳐 A에서 B까지 최단거리로 갈 수 있는 경로의 수는

(i) A → C → X → D → B : 1

(ii) A → C → Y → D → B : $1\times\dfrac{4!}{3!}\times\dfrac{4!}{3!}\times1=16$

(iii) A → C → Z → D → B : C → Q → Z, Z → S → D인 경우를 제외해야 하므로

$1\times\left(\dfrac{4!}{2!2!}-1\right)\times\left(\dfrac{4!}{2!2!}-1\right)\times1=25$

(i) ~ (iii)에서 C에서 D까지 최단거리로 갈 수 있는 경로의 수는

$1+16+25=42$

마찬가지로 E에서 F까지 최단거리로 갈 수 있는 경로의 수도 42이다.

따라서 구하는 최단거리로 갈 수 있는 모든 경로의 수는

$42+42=84$

답 84

0119 전체 경우의 수에서 좌회전을 하는 경우의 수를 빼자.

그림과 같이 바둑판 모양의 도로망이 있다. 교차로 P와 교차로 Q를 지날 때에는 직진 또는 우회전은 할 수 있으나 좌회전은 할 수 없다고 한다. 이때 A 지점에서 B 지점까지 최단거리로 가는 방법의 수를 구하시오.

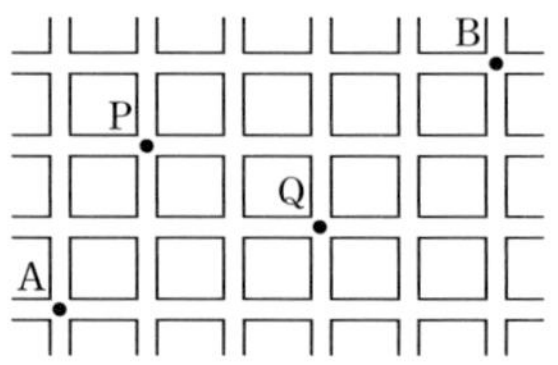

A 지점에서 B 지점까지 최단 경로로 가는 모든 방법의 수는

$\dfrac{8!}{5!3!}=\dfrac{8\cdot7\cdot6}{3\cdot2\cdot1}=56$

이 중에서 교차로 P에서 좌회전을 하는 최단 경로의 수는 1이고, 교차로 Q에서 좌회전을 하는 최단 경로의 수는 $3\times3=9$이다.

따라서 P, Q에서 모두 좌회선을 하는 경우는 없으므로 구하는 경로의 수는 $56-1-9=46$

답 46

0120

그림과 같은 도로망이 있다. P지점에서 Q지점으로 가는 최단 경로의 수를 구하시오.

└ $\overline{PQ}$방향의 반대방향으로 대각선을 그어 만나는 점을 기준으로 삼자.

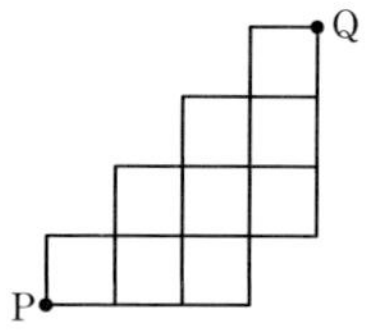

P지점에서 Q지점으로 가는 최단 경로는 그림과 같이 2가지의 경우로 나누어 생각할 수 있다.

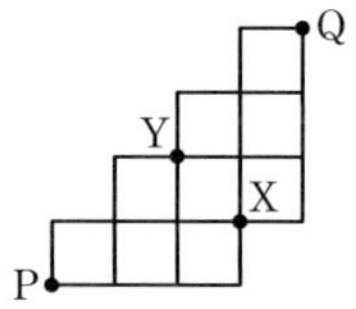

(i) P → X → Q의 경우

$\dfrac{4!}{3!}\times\dfrac{4!}{3!}=16$(가지)

(ii) P → Y → Q의 경우

$\left(\dfrac{4!}{2!2!}-1\right)\times\left(\dfrac{4!}{2!2!}-1\right)=25$(가지)

(i), (ii)에 의하여 구하는 최단 경로의 수는

$16+25=41$

답 41

0121 $\overline{AB}$ 방향의 반대방향으로 대각선을 그어 만나는 점을 기준으로 삼자.

수영이는 그림과 같은 직사각형 모양의 도로망을 따라 A지점을 출발하여 B지점까지 가려고 한다. 수영이가 최단 거리로 갈 수 있는 방법의 수를 구하시오.

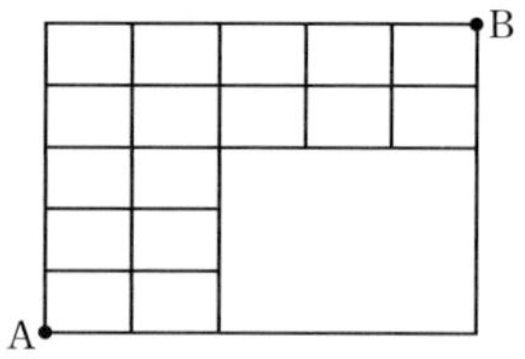

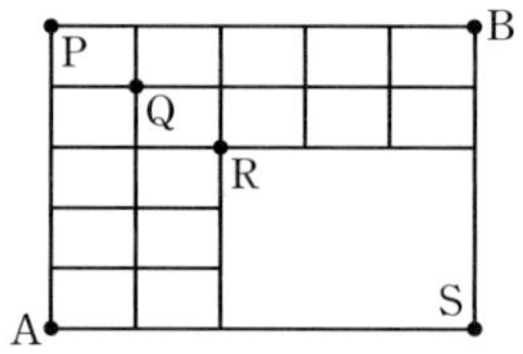

A지점에서 B지점으로 가는 최단 거리는 그림과 같이 4가지의 경우로 나누어 생각할 수 있다.

(i) A → P → B의 경우

1가지

(ii) A → Q → B의 경우

$\dfrac{5!}{4!}\times\dfrac{5!}{4!}=25$(가지)

(iii) A → R → B의 경우

$\dfrac{5!}{2!3!}\times\dfrac{5!}{3!2!}=100$(가지)

(iv) A → S → B의 경우

1가지

(i)~(iv)에서 구하는 방법의 수는

$1+25+100+1=127$

답 127

0122 C지점을 지나지 않으려면 반드시 지나는 점이 존재한다.

그림과 같이 마름모 모양으로 연결된 도로망이 있다. 이 도로망을 따라 A지점에서 출발하여 C지점을 지나지 않고, D지점도 지나지 않으면서 B지점까지 최단 거리로 가는 경우의 수는?

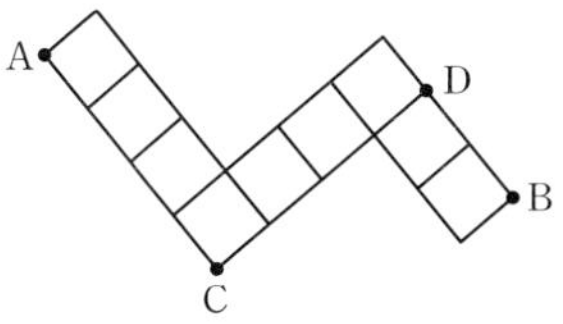

문제에서 주어진 도로망을 다시 나타내면 그림과 같다.

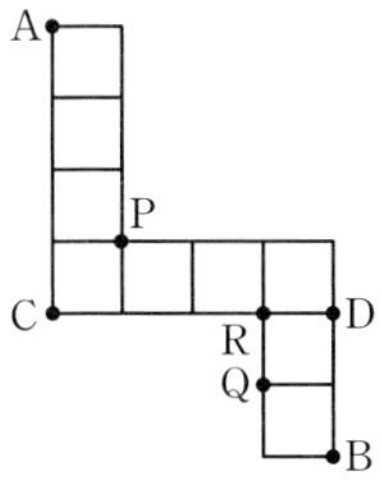

C지점을 지나지 않으면 반드시 P지점을 지나야 하므로 A지점에서 P지점까지 가는 경우의 수는

$\frac{4!}{3!1!}=4$

P지점을 지났을 때, D지점을 지나지 않아야 하므로 Q지점을 지나야 한다.

Q지점을 지나기 위해서는 R지점을 반드시 지나야 한다.

그러므로 P지점에서 R지점을 지나 Q지점까지 가는 경우의 수는

$\frac{3!}{2!1!}\times 1=3$

또 Q지점에서 B지점까지 가는 경우의 수는 2

따라서 구하는 경우의 수는

$4\times 3\times 2=24$ 답 ②

다른풀이

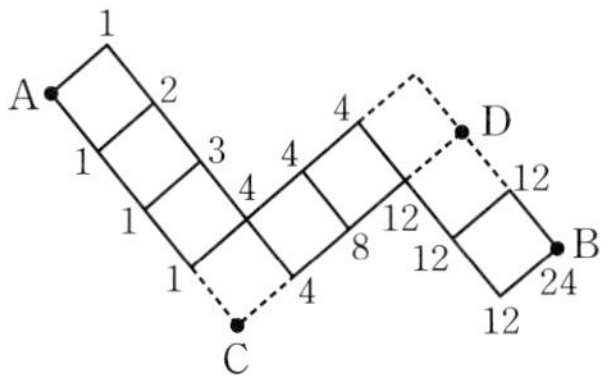

C지점과 D지점을 모두 지나지 않아야 하므로 그림과 같은 도로망을 따라 A지점에서 B지점으로 이동하는 경우의 수를 구하면 24이다.

0123

그림과 같은 도로망에서 A에서 출발하여 B까지 최단거리로 가는 방법의 수는? └• 비어있는 부분에 선분을 그어 직사각형 형태로 생각하자.

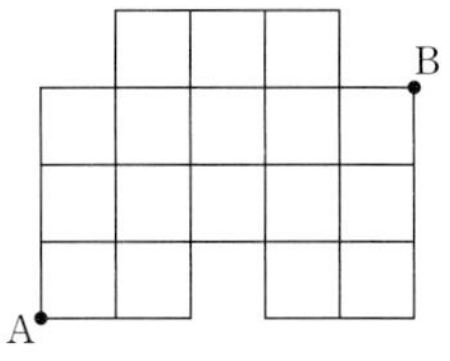

다음 그림과 같이 선분 C를 그리자.

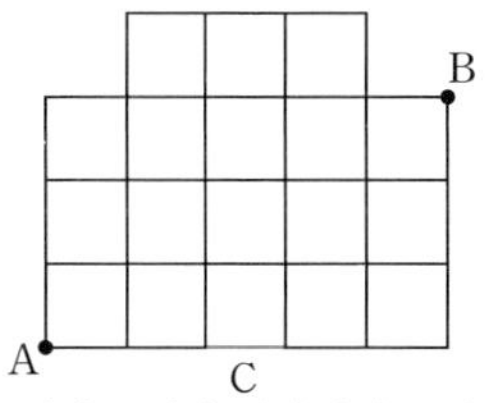

선분 C가 존재할 때 A에서 B까지 최단거리로 가는 방법의 수는

$\frac{8!}{5!3!}=56$

A에서 선분 C를 거쳐서 B까지 최단거리로 가는 방법의 수는

$\frac{5!}{2!3!}=10$

따라서 구하는 경우의 수는

$56-10=46$ 답 ①

0124 • 각 지점까지 최단 거리로 가는 방법의 수를 구하자.

그림과 같은 모양의 도로망이 있다. 지점 A에서 지점 B까지 도로를 따라 최단 거리로 가는 방법의 수는? (단, 가로 방향 도로와 세로 방향 도로는 각각 서로 평행하다.)

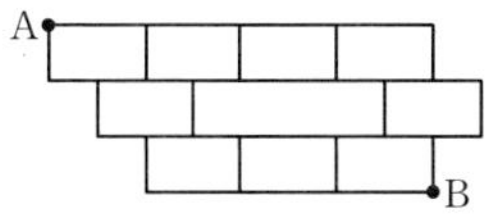

지점 A에서 출발하여 각 지점까지 최단 거리로 가는 방법의 수를 구하면 그림과 같다.

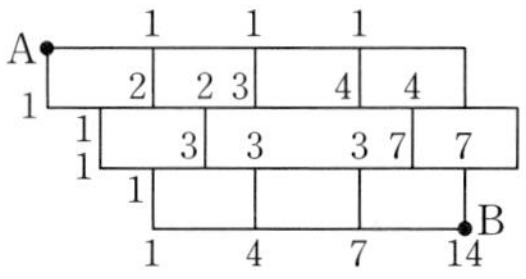

따라서 최단 거리로 가는 방법의 수는 14이다. 답 ①

0125 A에서 B로 이동하려면 가로, 세로, 높이의 방향으로 각각 2번, 1번, 1번 이동해야 한다.

그림과 같이 정육면체 두 개를 붙여 놓은 도형에서 모서리를 따라 최단 거리로 두 꼭짓점 A, B 사이를 한 번 왕복하는 방법의 수는?

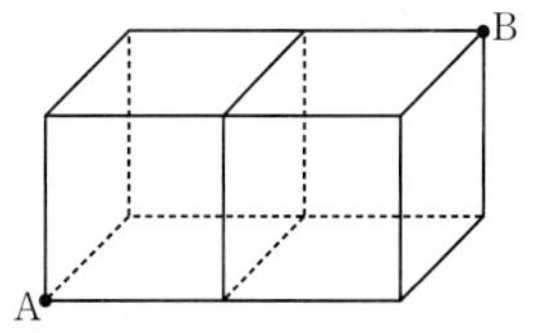

(i) 꼭짓점 A에서 꼭짓점 B로 이동하려면 가로, 세로, 높이의 방향으로 각각 2번, 1번, 1번 이동해야 하므로 최단 경로의 수는

$\frac{4!}{2!}=12$

(ii) 꼭짓점 B에서 꼭짓점 A로 이동하는 최단 경로의 수는 (i)과 마찬가지이므로

$\frac{4!}{2!}=12$

(i), (ii)에서 구하는 방법의 수는

$12\times12=144$

답 ⑤

0126

직사각형 모양의 잔디밭에 산책로가 만들어져 있다. 이 산책로는 그림과 같이 반지름의 길이가 같은 원 8개가 서로 외접하고 있는 형태이다.

→ 각 지점들을 선으로 이어 경로를 구하자.

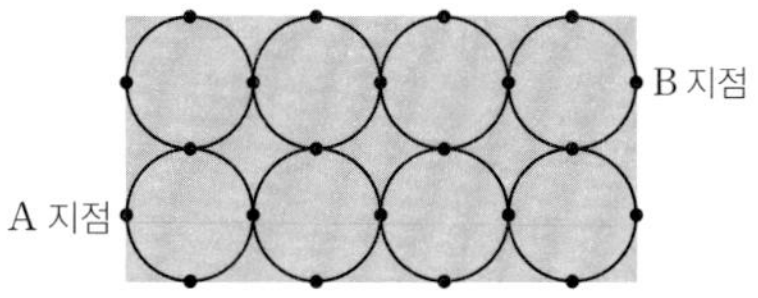

A지점에서 출발하여 산책로를 따라 최단 거리로 B지점에 도착하는 경우의 수를 구하시오. (단, 원 위에 표시된 점은 원과 직사각형 또는 원과 원의 접점을 나타낸다.)

[그림 1]의 A지점에서 출발하여 산책로를 따라 최단 거리로 B지점에 도착하는 경우의 수는 [그림 2]의 A지점에서 출발하여 실선을 따라 최단 거리로 B지점에 도착하는 경우의 수와 같다.

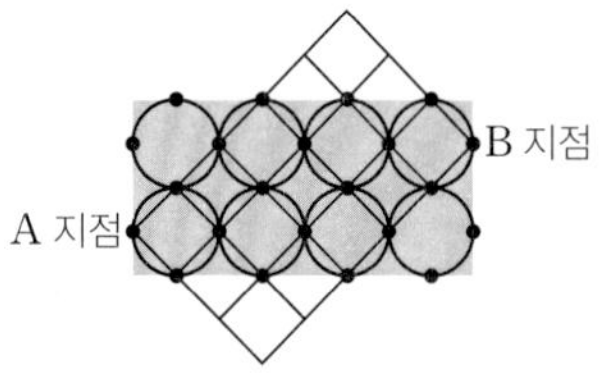

[그림 1]

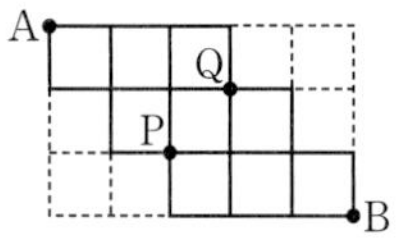

[그림 2]

(i) $A\rightarrow P\rightarrow B: \left(\frac{4!}{2!2!}-1\right)\times\frac{4!}{3!}=5\times4=20$

(ii) $A\rightarrow Q\rightarrow B: \frac{4!}{3!}\times\left(\frac{4!}{2!2!}-1\right)=4\times5=20$

(i), (ii)에서 구하는 경우의 수는

$20+20=40$

답 40

0127

두 집합

$A=\{x\,|\,x$는 10 이하의 짝수$\}$,

$B=\{x\,|\,x$는 10의 양의 약수$\}$

에 대하여 A에서 B로의 함수의 개수는?

→ $n(X)=m$, $n(Y)=n$일 때 함수 $f: X\longrightarrow Y$의 개수는 ${}_{n}\Pi_{m}$이다.

$A=\{2, 4, 6, 8, 10\}$, $B=\{1, 2, 5, 10\}$이므로 구하는 함수의 개수는 집합 B의 원소 1, 2, 5, 10에서 중복을 허용하여 5개(집합 A의 원소의 개수)를 택하는 중복순열의 수와 같으므로

${}_{4}\Pi_{5}=4^5$

답 ③

0128

→ $n(X)=m$, $n(Y)=n$일 때 함수 $f: X\longrightarrow Y$의 개수는 ${}_{n}\Pi_{m}$이다.

두 집합 $X=\{1, 2, 3\}$, $Y=\{1, 2, 3, 4\}$에 대하여 X에서 Y로의 함수 f 중에서 $f(1)\neq1$인 것의 개수는?

X에서 Y로의 함수의 개수는 ${}_{4}\Pi_{3}$

X에서 Y로의 함수 중에서 $f(1)=1$인 함수의 개수는 ${}_{4}\Pi_{2}$

따라서 구하는 함수의 개수는

${}_{4}\Pi_{3}-{}_{4}\Pi_{2}=4^3-4^2$

$=48$

답 ②

0129

집합 $A=\{1, 2, 3, 4\}$에 대하여 A에서 A로의 함수 중에서 치역의 모든 원소의 곱이 짝수인 것의 개수를 구하시오.

→ 치역에 적어도 하나의 짝수가 존재함을 이용하자.

치역의 모든 원소의 곱이 짝수이기 위해서는 치역에 적어도 하나의 짝수가 존재해야 한다.

집합 A에서 집합 A로의 모든 함수의 개수는

${}_{4}\Pi_{4}=4^4=256$

집합 A에서 집합 $\{1, 3\}$으로의 함수의 개수는

${}_{2}\Pi_{4}=2^4=16$

따라서 구하는 함수의 개수는

$256-16=240$

답 240

0130

두 집합 $X=\{1, 2, 3, 4\}$, $Y=\{0, 1, 2, 3, 4\}$에 대하여 X에서 Y로의 함수 f는 $f(1)+f(2)=2$를 만족할 때, 함수 f의 개수를 구하시오.

→ $f(1)$과 $f(2)$가 정해지면 $f(3)$, $f(4)$를 정하는 경우의 수는 ${}_{5}\Pi_{2}$이다.

(i) $f(1)=0$, $f(2)=2$인 경우

${}_{5}\Pi_{2}=5^2=25$

(ii) $f(1)=1$, $f(2)=1$인 경우

${}_{5}\Pi_{2}=5^2=25$

(iii) $f(1)=2$, $f(2)=0$인 경우

${}_{5}\Pi_{2}=5^2=25$

(i), (ii), (iii)에서 구하는 함수 f의 개수는

$25+25+25=75$

답 75

0131

집합 $X=\{1, 2, 3, 4\}$에 대하여 다음 조건을 만족시키는 함수 $f: X\longrightarrow X$의 개수는?

$$f(1)\times f(2)\times f(3)\times f(4)=4$$

함숫값으로 가능한 순서쌍은 $(1, 1, 1, 4)$, $(1, 1, 2, 2)$임을 이용하자.

함숫값의 곱이 4이므로 함숫값에 따라 다음 두 가지 경우로 나눌 수 있다.

(i) 함숫값이 1, 1, 1, 4인 경우

함수 f의 개수는

$\frac{4!}{3!1!}=4$

(ii) 함숫값이 1, 1, 2, 2인 경우

함수 f 의 개수는

$\frac{4!}{2!2!}=6$

(i), (ii)에서 구하는 함수의 개수는

$4+6=10$

답 ①

0132

두 집합 $A=\{a, b, c, d\}$, $B=\{1, 2, 3, 4\}$에 대하여 함수 $f : A \longrightarrow B$가 $f(a)+f(b)+f(c)+f(d)=8$을 만족시킬 때, 함수 f의 개수를 구하시오.

함숫값으로 가능한 순서쌍은 $(1, 1, 2, 4)$, $(1, 1, 3, 3)$, $(1, 2, 2, 3)$, $(2, 2, 2, 2)$임을 이용하자.

$f(a)+f(b)+f(c)+f(d)=8$이므로 집합 B의 원소인 1, 2, 3, 4에서 중복을 허용하여 4개를 택하여 그 합이 8이 되도록 만드는 방법은 다음과 같다.

$(1, 1, 2, 4)$, $(1, 1, 3, 3)$, $(1, 2, 2, 3)$, $(2, 2, 2, 2)$

따라서 함수 f의 개수는

$\frac{4!}{2!}+\frac{4!}{2!2!}+\frac{4!}{2!}+\frac{4!}{4!}=12+6+12+1=31$

답 31

0133

두 집합

$X=\{x | x$는 10 이하의 소수$\}$,

$Y=\{x | x$는 10의 양의 약수$\}$

에 대하여 X에서 Y로의 함수 f 중에서 $f(2)f(3)=10$을 만족시키는 것의 개수를 구하시오.

$f(2)$, $f(3)$으로 가능한 순서쌍은 $(1, 10)$, $(2, 5)$, $(5, 2)$, $(10, 1)$임을 이용하자.

$X=\{2, 3, 5, 7\}$, $Y=\{1, 2, 5, 10\}$이므로

$f(2)f(3)=10$이 되는 경우는

$f(2)=1$, $f(3)=10$ 또는

$f(2)=2$, $f(3)=5$ 또는

$f(2)=5$, $f(3)=2$ 또는

$f(2)=10$, $f(3)=1$

X의 나머지 원소 5, 7에 대응할 수 있는 Y의 원소의 개수는 서로 다른 4개에서 중복을 허용하여 2개를 택하는 중복순열의 수와 같으므로

${}_4\Pi_2=4^2=16$

따라서 구하는 함수 f의 개수는

$4\times16=64$

답 64

0134

두 집합 $X=\{1, 2, 3, 4, 5\}$, $Y=\{x | x$는 18의 양의 약수$\}$일 때, X에서 Y로의 함수 f에 대하여 $f(1)+f(3)$의 값이 홀수인 함수 f의 개수는?

하나는 홀수이고 다른 하나는 짝수이다.

$Y=\{1, 2, 3, 6, 9, 18\}$이므로 $f(1)+f(3)$의 값이 홀수인 경우는 다음과 같다.

(i) $f(1)=$(짝수), $f(3)=$(홀수)

$f(1)$의 값이 될 수 있는 것은 2, 6, 18

$f(3)$의 값이 될 수 있는 것은 1, 3, 9

이므로 그 경우의 수는

$3\times3=9$

X의 나머지 원소 2, 4, 5에 대응할 수 있는 Y의 원소의 개수는 서로 다른 6개에서 중복을 허용하여 3개를 택하는 중복순열의 수와 같으므로

${}_6\Pi_3=6^3=216$

$\therefore 9\times216=1944$

(ii) $f(1)=$(홀수), $f(3)=$(짝수)

(i)과 마찬가지 방법으로 구하면

$9\times216=1944$

(i), (ii)에서 구하는 함수 f의 개수는

$1944+1944=3888$

답 ④

0135

집합 $X=\{1, 2, 3, 4, 5\}$에 대하여 다음 조건을 만족시키는 함수 $f : X \longrightarrow X$의 개수를 구하시오.

(가) 치역의 원소의 개수는 3이다.
(나) 치역의 모든 원소의 곱은 짝수이다.

치역의 원소 중 적어도 하나의 짝수가 존재한다.

치역의 3개의 원소의 곱이 짝수이려면 (홀, 홀, 짝), (홀, 짝, 짝)이어야 한다.

예를 들어 치역의 원소가 1, 3, 4인 경우의 함수의 개수는

정의역이 $X=\{1, 2, 3, 4, 5\}$, 공역이 $\{1, 3, 4\}$인 전체 함수의 개수에서 치역이 1개인 경우와 치역이 2개인 경우를 빼면 되므로

$3^5-3-{}_3C_2(2^5-2)=150$

한편,

치역이 (홀, 홀, 짝)인 경우의 수가 ${}_3C_2\times{}_2C_1=6$

치역이 (홀, 짝, 짝)인 경우의 수가 ${}_3C_1\times{}_2C_2=3$

이므로

구하는 함수의 개수는

$150\times(6+3)=1350$

답 1350

0136

초등학생 2명, 중학생 2명, 고등학생 3명이 원형 탁자에 둘러앉을 때, 초등학생 2명은 이웃하고, 중학생 2명은 이웃하지 않도록 앉는 방법의 수를 구하시오.

초등학생 2명을 묶어 1명으로 생각하자.

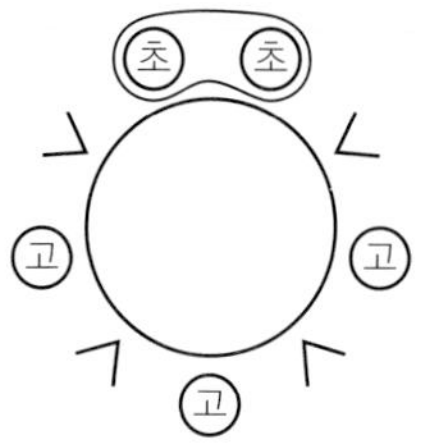

초등학생 2명을 묶어서 한 명으로 생각하면 고등학생 3명을 포함하여 4명이 원형 탁자에 둘러앉는 방법의 수는

$(4-1)!=3!$

초등학생끼리 자리를 바꾸는 방법의 수는 2

중학생 2명은 초등학생과 고등학생 사이사이의 4개의 자리 중에서 2개의 자리에 앉으면 되므로 그 방법의 수는 ${}_4P_2$

따라서 구하는 방법의 수는

$3!\times 2\times {}_4P_2=144$ 답 144

0137

부모를 포함한 6명의 가족이 6개의 의자가 놓여 있는 원형 식탁에 둘러앉을 때, 부모가 이웃하여 앉는 방법의 수를 a, 부모가 마주보고 앉는 방법의 수를 b라 하자. 이때, $a+b$의 값은?

└• 자녀 4명은 부모 사이 4개의 자리에 일렬로 배열하는 경우와 같다.

(i) 부모가 이웃하여 앉는 방법의 수

부모를 1명으로 묶어서 생각하여 5명이 원형 식탁에 둘러앉는 방법의 수는

$(5-1)!=4!$

부모끼리 자리를 바꾸는 방법의 수는

$2!$

즉, 구하는 방법의 수는

$a=4!\times 2!=48$

(ii) 부모가 마주보고 앉는 방법의 수

부모 중에서 한 사람이 자리에 앉으면 다른 한 사람은 그 맞은편에 앉아야 한다.

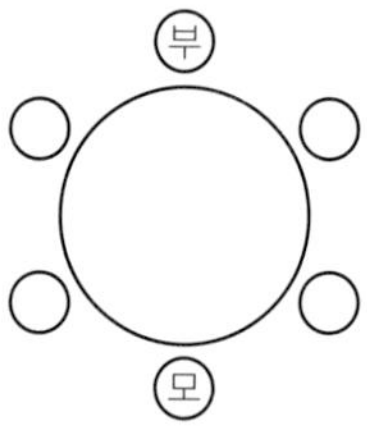

자녀 4명은 부모 사이 2자리씩 4개의 자리에 앉으면 되므로 그 방법의 수는

$b=4!=24$

(i), (ii)에서 $a+b=48+24=72$ 답 ⑤

다른풀이 (ii) 부모 중에서 한 사람의 자리가 결정되면 다른 한 사람은 그 맞은 편으로 자리가 고정되므로 구하는 방법의 수는 5명이 원탁에 둘러앉는 방법의 수와 같다.

$\therefore b=(5-1)!=4!=24$

0138

그림과 같이 크기가 다른 두 원 사이를 6등분한 원판의 각 영역을 구분하여 칠하려고 한다. 서로 다른 7가지의 색을 모두 사용하여 7개의 영역을 칠하는 방법의 수는? (단, 두 원의 중심은 같다.)

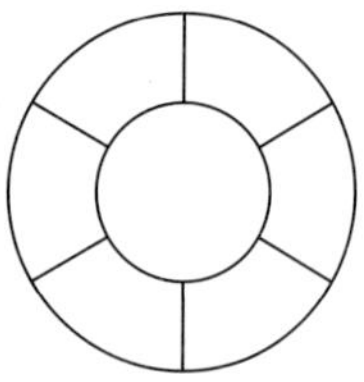

└• 가장자리의 6개 영역에 칠하는 방법은 원순열을 이용하자.

크기가 작은 원을 칠하는 방법의 수는 7

그 각각에 대하여 나머지 6개의 영역을 칠하는 방법의 수는 크기가 작은 원에 칠한 색을 제외한 6가지의 색을 원형으로 배열하는 원순열의 수이므로

$(6-1)!=5!$

따라서 구하는 방법의 수는

$7\times 5!=840$ 답 ⑤

0139

부모와 자녀 4명이 앉을 수 있는 직사각형 모양의 탁자가 있다. 6명을 앉힐 때, 부모를 마주 보게 앉히는 방법의 수를 구하시오.

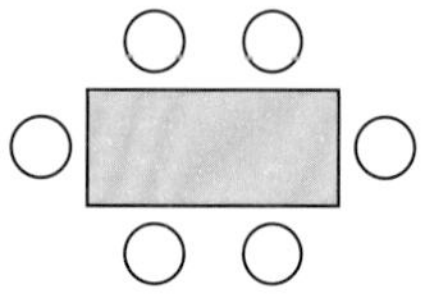

└• 부모를 앉히는 방법의 수는 3가지가 있다.

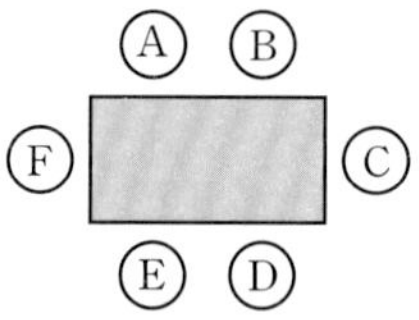

(i) 부모가 A, E에 앉는 경우 : $4!=24$

(ii) 부모가 B, D에 앉는 경우 : $4!=24$

(iii) 부모가 C, F에 앉는 경우 : $4!=24$

$\therefore 24+24+24=72$ 답 72

0140

• 각 유권자마다 3가지의 투표 방법이 존재한다.

5명의 유권자가 3명의 후보 중에서 한 명의 후보에게 각각 투표하는 방법의 수를 구하시오. (단, 투표용지에는 유권자의 이름이 공개되고, 무효는 없는 것으로 한다.)

각 유권자마다 3가지의 투표하는 방법이 있으므로 3명의 후보에서 5명을 택하는 중복순열이다.

$\therefore {}_3\Pi_5=3^5=243$ 답 243

0141 서술형

천의 자리의 수를 기준으로 개수를 구하자. •

다섯 개의 숫자 0, 1, 3, 5, 7 중에서 중복을 허용하여 만든 자연수를 크기가 작은 것부터 차례대로 나열할 때, 5500은 n번째 수이다. 자연수 n의 값을 구하시오.

한 자리 수 : 4
두 자리 수 : $4\times5=20$
세 자리 수 : $4\times5\times5=100$ …… 40%
천의 자리 1인 네 자리 수 : $5^3=125$
천의 자리 3인 네 자리 수 : $5^3=125$
천의 자리 5이고, 백의 자리가 0인 네 자리 수 : $5^2=25$
천의 자리 5이고, 백의 자리가 1인 네 자리 수 : $5^2=25$
천의 자리 5이고, 백의 자리가 3인 네 자리 수 : $5^2=25$ …… 40%
따라서 5500보다 작은 자연수는
$4+20+100+125+125+25+25+25=449$
$\therefore n=449+1=450$ …… 20%

답 450

0142

6개의 문자 a, a, b, b, c, d를 일렬로 나열할 때, 같은 문자가 이웃하지 않도록 나열하는 방법의 수를 구하시오.
└• 전체 경우의 수에서 같은 문자가 이웃하여 나열된 경우의 수를 빼자.

(i) 6개의 문자를 나열하는 방법의 수는
$\frac{6!}{2!2!}=180$
(ii) a가 이웃하는 경우의 수는 2개의 문자 a를 한 문자로 생각하여 5개의 문자를 나열하는 방법의 수와 같으므로
$\frac{5!}{2!}=60$
(iii) b가 이웃하는 경우의 수는 2개의 문자 b를 한 문자로 생각하여 5개의 문자를 나열하는 방법의 수와 같으므로
$\frac{5!}{2!}=60$
(iv) a끼리 이웃하고 b끼리 이웃하는 경우의 수는 2개의 문자 a와 2개의 문자 b를 각각 한 문자로 생각하여 4개의 문자를 나열하는 방법의 수와 같으므로
$4!=24$
(i)~(iv)에서 구하는 방법의 수는
$180-(60+60-24)=84$

답 84

0143

5개의 문자 a, b, c, d, e를 일렬로 배열할 때, a는 b의 왼쪽에, c는 b의 오른쪽에, e는 d의 왼쪽에 놓이도록 배열하는 경우의 수를 구하시오.
└• 순서가 정해진 문자의 나열을 같은 것이 있는 문자의 나열로 생각하자.

a, b, c와 e, d의 순서가 정해져 있으므로 a, b, c와 e, d를 각각 X, Y로 생각하여 5개의 문자 X, X, X, Y, Y를 일렬로 배열한 후 첫 번째 X는 a, 두 번째 X는 b, 세 번째 X는 c, 첫 번째 Y는 e, 두 번째 Y는 d로 바꾸면 된다.
따라서 구하는 경우의 수는
$\frac{5!}{3!2!}=10$

답 10

0144

7개의 숫자 1, 1, 2, 2, 3, 4, 4를 일렬로 나열하여 숫자를 만들 때, 1로 시작하는 숫자 중에서 짝수인 것의 개수를 구하시오.
└• 처음 숫자는 1이고 마지막 숫자는 2 또는 4이다.

(i) 처음 숫자는 1, 마지막 숫자가 2인 경우의 수 : 1, 2, 3, 4, 4를 일렬로 나열하는 경우의 수는
$\frac{5!}{2!}=60$
(ii) 처음 숫자는 1, 마지막 숫자가 4인 경우의 수 : 1, 2, 2, 3, 4를 일렬로 나열하는 경우의 수는
$\frac{5!}{2!}=60$
따라서 구하고자 하는 경우의 수는
$60+60=120$

답 120

0145

전체 경로의 수에서 A → P → B로 가는 경로의 수를 빼자.

그림과 같이 직사각형 모양으로 연결된 도로망이 있다. 이 도로망을 따라 A지점에서 출발하여 P지점을 지나지 않고 B지점까지 최단거리로 가는 경우의 수를 구하시오.

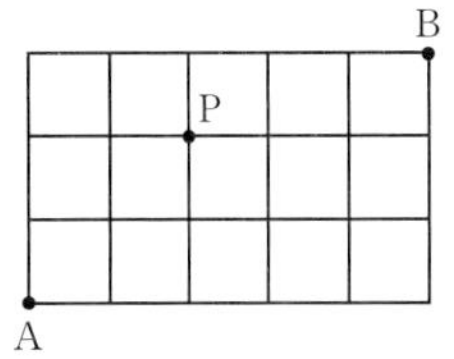

A지점에서 B지점까지 최단 거리로 가는 경우의 수는
$\frac{8!}{5!\times3!}=56$
A지점에서 P지점까지 최단 거리로 가는 경우의 수는
$\frac{4!}{2!\times2!}=6$
P지점에서 B지점까지 최단 거리로 가는 경우의 수는
$\frac{4!}{3!\times1!}=4$
이므로 A지점에서 출발하여 P지점을 지나 B지점까지 최단 거리로 가는 경우의 수는
$6\times4=24$
따라서 구하는 경우의 수는
$56-24=32$

답 32

0146 서술형

그림은 A지점에서 B지점으로 갈 수 있는 경로를 나타낸 것이다. A지점에서 B지점으로 가는 최단 경로의 수를 구하시오.
└• $\overline{AB}$ 방향의 반대방향으로 대각선을 그어 만나는 점을 기준으로 삼자.

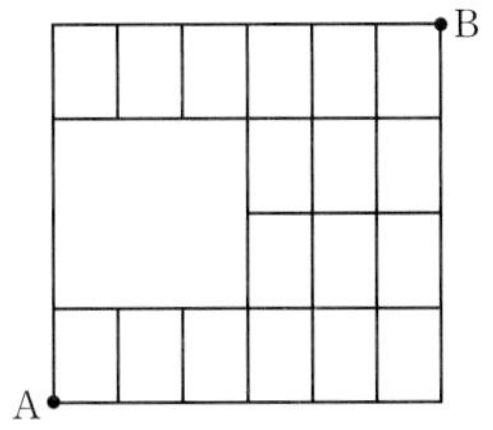

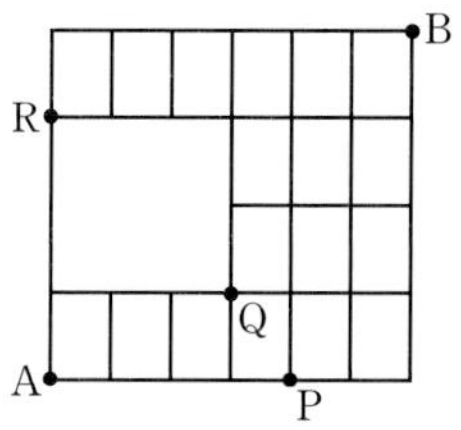

A지점에서 B지점으로 가는 최단 경로의 수는 다음과 같이 3가지의 경우로 나누어 생각할 수 있다.

(i) A → P → B: $1\times\frac{6!}{2!4!}=15$ …… 30%

(ii) A → Q → B: $\frac{4!}{3!}\times\frac{6!}{3!3!}=80$ …… 30%

(iii) A → R → B: $1\times\frac{7!}{6!}=7$

(i), (ii), (iii)에서 구하는 최단 경로의 수는

$15+80+7=102$ …… 40%

답 102

0147

$f(1)$, $f(2)$, $f(3)$으로 가능한 순서쌍은 (1, 5, 5), (2, 4, 5), (3, 3, 5), (3, 4, 4)임을 이용하자.

> 두 집합 $X=\{1, 2, 3\}$, $Y=\{1, 2, 3, 4, 5\}$에 대하여 함수 $f: X \longrightarrow Y$가 있다. $f(1)+f(2)+f(3)=11$을 만족시키는 함수 f의 개수를 구하시오.

$Y=\{1, 2, 3, 4, 5\}$이므로 $f(1)+f(2)+f(3)=11$인 경우는 $f(1)$, $f(2)$, $f(3)$의 값이

(i) 1, 5, 5일 때

$\frac{3!}{2!}=3$

(ii) 2, 4, 5일 때

$3!=6$

(iii) 3, 3, 5일 때

$\frac{3!}{2!}=3$

(iv) 3, 4, 4일 때

$\frac{3!}{2!}=3$

(i)~(iv)에서 구하는 함수 f의 개수는

$3+6+3+3=15$

답 15

0148

> A, B, C, D, E, F, G, H의 8명의 학생이 다음 조건을 만족시키면서 일정한 간격을 두고 원형 탁자에 둘러앉는 경우의 수를 구하시오.
>
> (가) A가 앉은 자리를 1번으로 하고 시계 방향으로 2번부터 8번까지 차례로 자리에 번호를 정한다.
> (나) B는 6번 자리에 앉는다.
> (다) A 바로 옆자리 중 적어도 한 자리에는 D, E, F, G 중에서 앉고, C 바로 옆자리 중 적어도 한 자리에도 D, E, F, G 중에서 앉는다.

C의 위치에 따라 각각의 경우의 수를 구하자.

그림과 같이 A가 앉은 자리를 1번으로 하고 남은 자리는 시계 방향으로 2번부터 8번까지 차례대로 정하고 6번 자리에 B를 앉힌다.

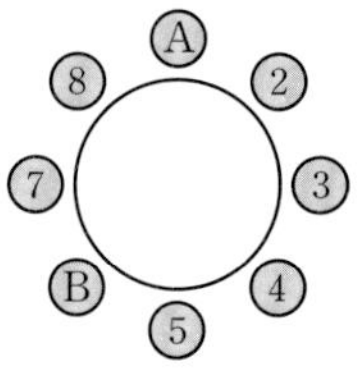

(i) C가 2번 또는 8번 자리에 앉은 경우

C가 2번 자리에 앉으면 D, E, F, G 중에서 2명이 3번과 8번 자리에 앉으면 되고, C가 8번 자리에 앉으면 D, E, F, G 중에서 2명이 2번과 7번 자리에 앉으면 된다. 이때 나머지 3명은 남은 자리에 앉으면 되므로 그 경우의 수는

$2\times{}_4P_2\times3!=144$

(ii) C가 3번 또는 4번 자리에 앉은 경우

D, E, F, G, H는 남은 자리에 앉으면 되므로 그 경우의 수는

$2\times5!=240$

(iii) C가 5번 또는 7번 자리에 앉은 경우

C가 5번 자리에 앉은 경우 D, E, F, G 중에서 1명이 4번 자리에 앉으면 되고, C가 6번 자리에 앉으면 D, E, F, G 중에서 1명이 8번 자리에 앉으면 된다. 이때 나머지 4명은 남은 자리에 앉으면 되므로 그 경우의 수는

$2\times{}_4P_1\times4!=192$

(i), (ii), (iii)에 의하여 구하는 경우의 수는

$144+240+192=576$

답 576

0149

두 밑면을 칠하고 나면 나머지 옆면은 원순열을 이용하자.

> 그림과 같이 가로의 길이, 세로의 길이, 높이가 서로 다른 직육면체가 있다. 서로 다른 6가지 색을 모두 사용하여 직육면체를 칠하는 방법의 수를 구하시오.

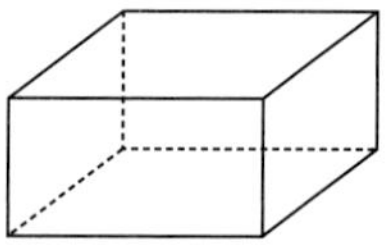

직육면체의 두 밑면은 서로 구분이 되지 않으므로 두 밑면을 칠하는 방법의 수는

$6\times5\times\frac{1}{2}=15$

나머지 4개의 옆면을 칠하는 방법의 수는 원순열의 수에서 서로 다른 2가지의 경우가 있으므로

$(4-1)!\times2=12$

따라서 구하는 방법의 수는

$15\times12=180$

답 180

0150

> 여섯 개의 알파벳 A, B, C, D, E, F 중에서 알파벳 B는 중복을 허락하지 않고 A, C, D, E, F는 중복을 허락하여 3개를 택해 일렬로 나열하는 경우의 수를 구하시오.

알파벳 B가 포함되는 경우와 포함되지 않는 경우로 나누어 생각하자.

알파벳 B를 포함하지 않는 경우와 알파벳 B를 포함하는 경우로 나누면 다음과 같다.

(ⅰ) 알파벳 B를 포함하지 않는 경우

서로 다른 알파벳 A, C, D, E, F 중에서 중복을 허락하여 3개를 택하여 일렬로 나열하면 된다. 그러므로 경우의 수는 서로 다른 5개에서 3개를 택하는 중복순열의 수이므로

${}_5\Pi_3=5^3=125$

(ⅱ) 알파벳 B를 포함하는 경우

우선 서로 다른 알파벳 A, C, D, E, F 중에서 중복을 허락하여 2개를 택하여 일렬로 나열하는 경우의 수는 서로 다른 5개에서 2개를 택하는 중복순열의 수이므로

${}_5\Pi_2=5^2=25$

이 각각에 대하여 그림과 같이 ∨로 표시된 세 곳 중에서 한 곳에 B를 넣으면 되므로 경우의 수는 3

그러므로 경우의 수는

$25\times3=75$

(ⅰ), (ⅱ)에서 구하는 경우의 수는

$125+75=200$ 답 200

0151

두 가지 부호 '·', '—'를 중복 사용하여 일렬로 나열한 신호를 만들 수 있다. 500가지의 서로 다른 신호를 만들 때, 두 부호를 합쳐서 최소한 몇 개를 사용해야 하는가?

└• 1, 2, ⋯, n개를 사용하여 만들 수 있는 신호의 개수를 구하자.

1개를 사용하여 만들 수 있는 신호의 개수는

${}_2\Pi_1=2^1=2$

2개를 사용하여 만들 수 있는 신호의 개수는

${}_2\Pi_2=2^2=4$

3개를 사용하여 만들 수 있는 신호의 개수는

${}_2\Pi_3=2^3=8$

⋮

n개를 사용하여 만들 수 있는 신호의 개수는

${}_2\Pi_n=2^n$

즉, n개까지 사용하여 만들 수 있는 신호의 개수는

$2+4+8+\cdots+2^n=\dfrac{2(2^n-1)}{2-1}=2^{n+1}-2$

한편, 500가지의 서로 다른 신호를 만들어야 하므로

$2^{n+1}-2\ge500 \qquad \therefore 2^{n+1}\ge502$

$2^8=256,\ 2^9=512$이므로

$n+1\ge9 \qquad \therefore n\ge8$

따라서 두 부호를 합쳐서 최소한 8개를 사용해야 한다.

답 ③

0152

다섯 개의 숫자 1, 2, 3, 4, 5로 중복을 허용하여 만들 수 있는 모든 두 자리 자연수의 합을 구하시오.

└• 각 자리의 숫자 1, 2, 3, 4, 5는 모든 두 자리의 수들에서 같은 개수로 존재한다.

1, 2, 3, 4, 5 중에서 중복을 허용하여 만들 수 있는 두 자리 자연수의 개수는 ${}_5\Pi_2=5^2=25$

주어진 다섯 개의 숫자는 모두 일의 자리와 십의 자리에 각각 5번씩 들어간다.

따라서 25개의 두 자리 자연수를 모두 합하면

$(1+2+3+4+5)\times5\times10+(1+2+3+4+5)\times5$

$=(1+2+3+4+5)\times55$

$=825$ 답 825

0153 각 구역의 최단거리를 구하고 곱의 법칙을 이용하자.

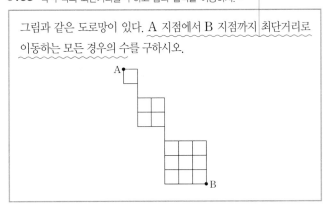

그림과 같은 도로망이 있다. A 지점에서 B 지점까지 최단거리로 이동하는 모든 경우의 수를 구하시오.

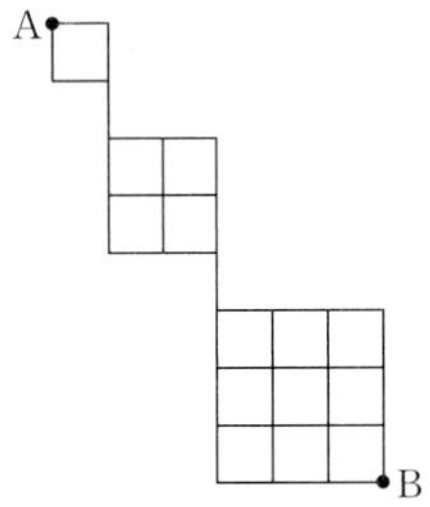

A 지점에서 B 지점까지 최단거리로 가는 경우는 다음 그림에서 A → p → q → r → s → B로 가는 경우이다.

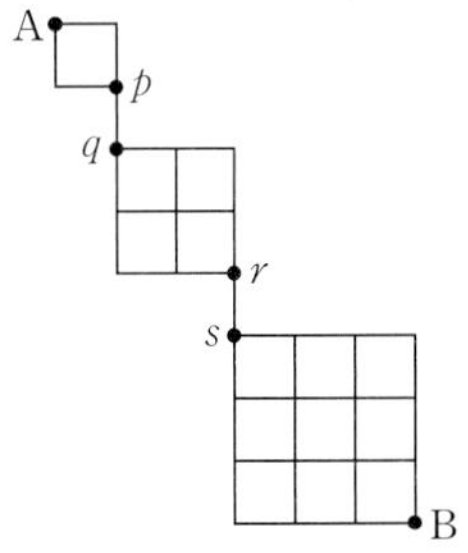

(ⅰ) A → p의 방법의 수 : $\dfrac{2!}{1!1!}=2$

(ⅱ) p → q의 방법의 수 : 1

(ⅲ) q → r의 방법의 수 : $\dfrac{4!}{2!2!}=6$

(ⅳ) r → s의 방법의 수 : 1

(ⅴ) s → B의 방법의 수 : $\dfrac{6!}{3!3!}=20$

(ⅰ) ~ (ⅴ)에서 최단거리로 이동하는 모든 경우의 수는

$2\times1\times6\times1\times20=240$ 답 240

0154

A, B, C, D, E, F, G, H의 8명의 회원 중에서 A, B가 그림과 같이 원탁에 마주 보고 앉아 있다. 나머지 회원들은 다음 조건을 만족하도록 남은 자리에 앉는다고 할 때, 그 방법의 수는?

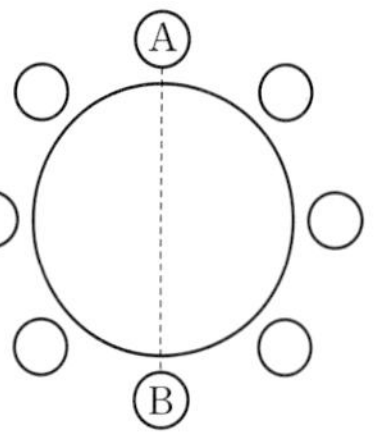

(가) C와 D는 이웃하여 앉는다.
(나) E와 F는 이웃하지 않는다.
(다) G와 H는 A, B를 이은 선분을 기준으로 서로 다른 쪽에 앉아 있다.

→ A, B를 이은 선분을 기준으로 한 쪽에는 C, D와 G 또는 H중 하나가 앉아야 한다.

조건 (가)에 의하여 C, D가 앉을 수 있는 경우는 그림과 같고, 그 각각에 대하여 C, D가 자리를 바꿀 수 있으므로 C, D가 앉는 방법의 수는

$4\times2=8$

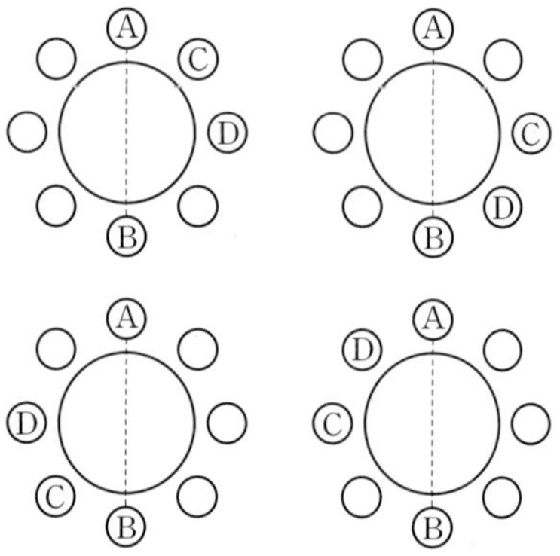

위의 각각의 경우에 대하여 조건 (나), (다)에 의하여 C, D가 앉는 맞은편의 세 자리에 E, G, F 또는 E, H, F가 이 순서대로 앉아야 하고, 그 각각에 대하여 E, F가 자리를 바꿀 수 있으므로 E, F, G, H가 앉는 방법의 수는 $2\times2=4$

따라서 구하는 방법의 수는

$8\times4=32$

답 ②

참고 위 그림의 한 가지 경우에 대하여 E, F, G, H가 앉는 방법은 그림과 같이 4가지가 있다.

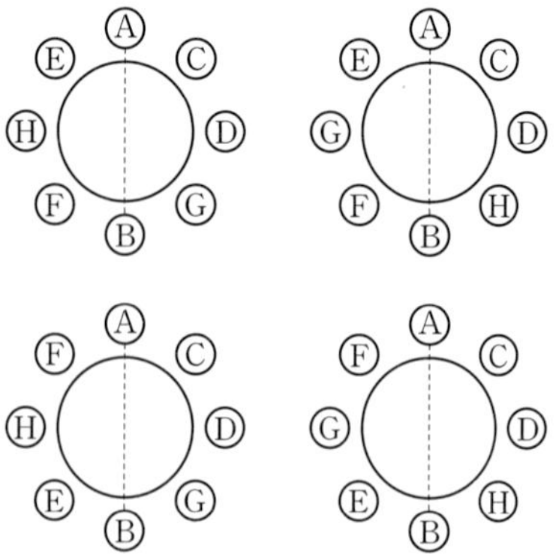

0155

그림과 같이 부채꼴 2개를 붙여 놓은 모양의 탁자에 14명의 학생을 앉히는 방법의 수는?

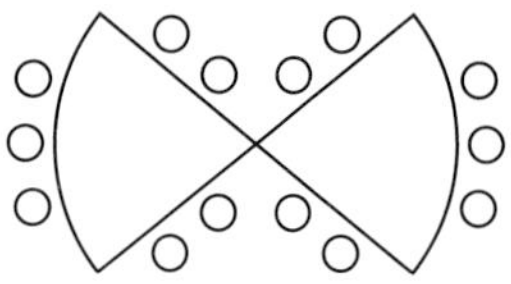

① $13!$ ② $2\times13!$
③ $7\times13!$ ④ $14!$
⑤ $2\times14!$

→ 원형으로 앉는 방법의 수와 다각형으로 배열할 때 서로 다른 경우의 수를 곱한다.

14명을 원형으로 앉히는 방법의 수는

$(14-1)!=13!$

그런데 부채꼴 모양의 탁자는 원형으로 앉는 한 가지 방법에 대하여 서로 다른 경우가 7가지 존재한다.

따라서 구하는 방법의 수는

$7\times13!$

답 ③

0156

→ 전체 경우의 수에서 조건을 만족하지 않는 경우의 수를 빼자. $n(A\cup B)=n(A)+n(B)-n(A\cap B)$임에 유의하자.

세 개의 숫자 1, 3, 5 중에서 중복을 허용하여 네 자리 자연수를 만들 때, 1과 3이 모두 포함되어 있는 자연수의 개수는?

(1과 3이 모두 포함되어 있는 네 자리 자연수의 개수)
=(1, 3, 5로 만든 네 자리 자연수의 개수)
−(1 또는 5로 만든 네 자리 자연수의 개수)
−(3 또는 5로 만든 네 자리 자연수의 개수)
+(5로 만든 네 자리 자연수의 개수)

(i) 1, 3, 5로 만든 네 자리 자연수의 개수

$_3\Pi_4=3^4=81$

(ii) 1 또는 5로 만든 네 자리 자연수의 개수

$_2\Pi_4=2^4=16$

(iii) 3 또는 5로 만든 네 자리 자연수의 개수

$_2\Pi_4=2^4=16$

(iv) 5로 만든 네 자리 자연수는 5555의 1개

(i)~(iv)에서 구하는 자연수의 개수는

$81-16-16+1=50$

답 ①

0157

여섯 개의 숫자 0, 2, 2, 4, 6, 6을 일렬로 배열하여 여섯 자리 자연수를 만들 때, 260462, 426062와 같이 같은 숫자가 서로 이웃하지 않는 자연수의 개수를 구하시오.

→ 전체 경우의 수에서 조건을 만족하지 않는 경우의 수를 빼자. $n(A\cup B)=n(A)+n(B)-n(A\cap B)$임에 유의하자.

6개의 숫자로 여섯 자리 자연수를 만드는 경우의 수는 맨 앞자리에 0이 오는 경우의 수를 빼야 하므로

$\frac{6!}{2!2!}-\frac{5!}{2!2!}=180-30=150$

2끼리 이웃하는 경우의 수는

$\frac{5!}{2!}-\frac{4!}{2!}=60-12=48$

6끼리 이웃하는 경우의 수는

$\frac{5!}{2!}-\frac{4!}{2!}=60-12=48$

2끼리 이웃하고, 6끼리 이웃하는 경우의 수는

$4!-3!=24-6=18$

따라서 같은 숫자가 서로 이웃하지 않는 자연수의 개수는

$150-(48+48-18)=72$

답 72

0158

그림과 같이 이웃한 두 교차로 사이의 거리가 모두 같은 도로망이 있다.

• 집부터 도서관까지 가로로 뻗은 도로를 아래로부터 l_0, l_1, l_2, l_3이라 하자.

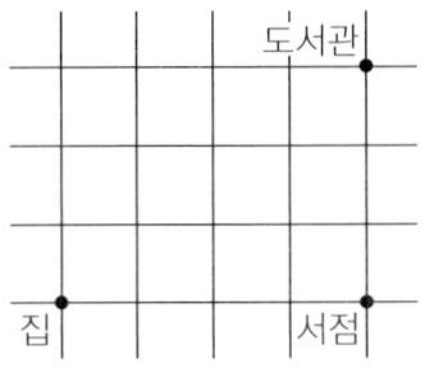

철수가 집에서 도로를 따라 최단 거리로 약속 장소인 도서관으로 가다가 어떤 교차로에서 약속 장소가 서점으로 바뀌었다는 연락을 받고 곧바로 도로를 따라 최단 거리로 서점으로 갔다. 집에서 서점까지 지나 온 길이 같은 경우 하나의 경로로 간주한다. 예를 들어 [그림1]과 [그림2]는 연락받은 위치는 다르나, 같은 경로이다.

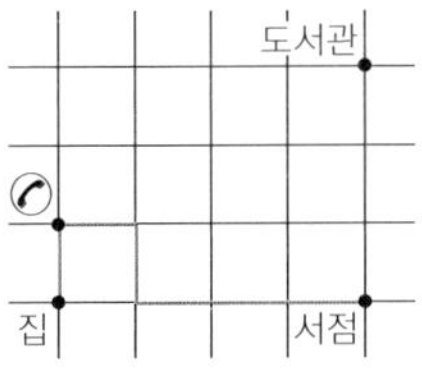

[그림1]

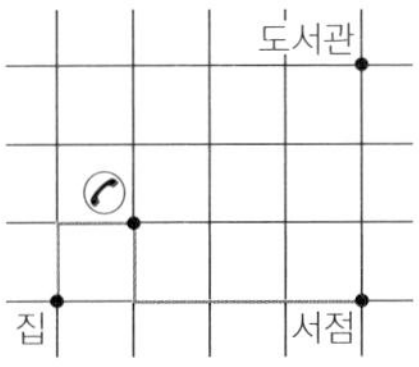

[그림2]

철수가 집에서 서점까지 갈 수 있는 모든 경로의 수를 구하시오.
(단, 철수가 도서관에 도착한 후에 서점으로 가는 경우도 포함한다.)

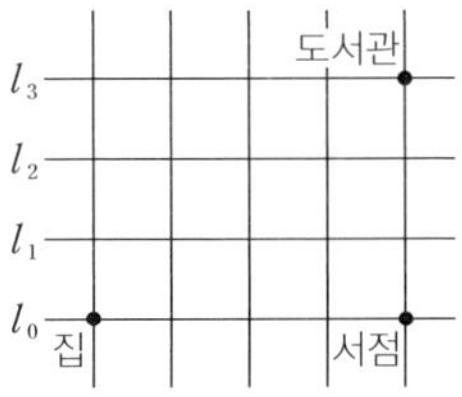

철수가 집에서 서점까지 갈 수 있는 경우는 다음의 네 가지 경우가 있다.

(i) 연락받은 교차로가 l_0에 있는 경우: 1(가지)

(ii) 연락받은 교차로가 l_1에 있는 경우: $\frac{6!}{4!2!}=15$(가지)

(iii) 연락받은 교차로가 l_2에 있는 경우: $\frac{8!}{4!4!}=70$(가지)

(iv) 연락받은 교차로가 l_3에 있는 경우: $\frac{10!}{4!6!}=210$(가지)

(i)~(iv)에서 구하는 경로의 수는

$1+15+70+210=296$

답 296

0159

• 정육면체가 4개가 있다고 가정하고 경우의 수를 구한 뒤 나중에 제외 하자.

그림은 정육면체 3개를 붙여 놓은 것이다. 꼭짓점 A를 출발하여 정육면체의 모서리를 따라 꼭짓점 B로 가는 최단 경로의 수를 구하시오.

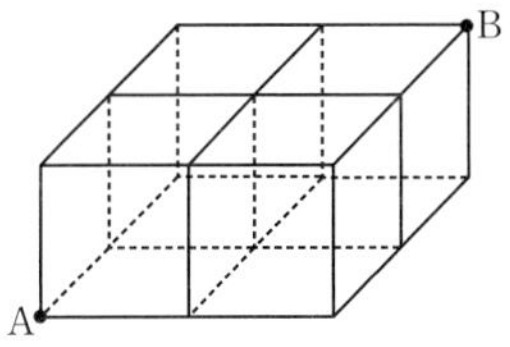

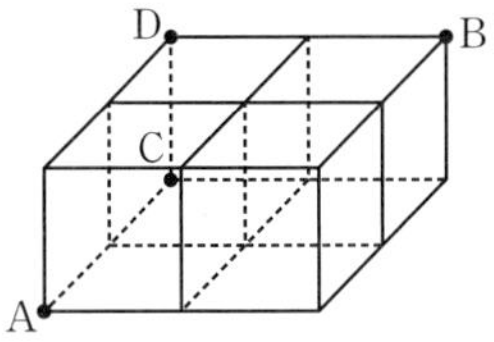

그림과 같이 정육면체 4개를 붙인 경우 꼭짓점 A에서 꼭짓점 B까지 최단 경로로 이동하려면 가로, 세로, 높이의 방향으로 각각 2번, 2번, 1번 이동해야 한다.

$\therefore \frac{5!}{2!2!}=30$

구하는 최단 경로의 수는 꼭짓점 A에서 꼭짓점 C 또는 꼭짓점 D를 거쳐 꼭짓점 B로 가는 최단 경로의 수를 빼면 된다.

$A \to C \to B$, $A \to D \to B$로 가는 최단 경로의 수는 각각

$\frac{3!}{2!}=3$

또 두 꼭짓점 C, D를 모두 거쳐 가는 경우의 1가지가 중복되므로 구하는 최단 경로의 수는

$30-(3+3-1)=25$

답 25

0160

집합 $X=\{1, 2, 3, 4, 5, 6\}$에 대하여 함수 $f: X \longrightarrow X$는 다음 조건을 만족시킨다.

• $f(3)=2$일 때와 $f(3)=4$일 때로 나누어 경우의 수를 구하자.

(가) $f(3)$은 짝수이다.
(나) $x<3$이면 $f(x)<f(3)$이다.
(다) $x>3$이면 $f(x)>f(3)$이다.

함수 f의 개수를 구하시오.

(i) $f(3)=2$인 경우

1, 2는 1로, 4, 5, 6은 3, 4, 5, 6 중에서 하나로 대응되므로 경우의 수는

${}_1\Pi_2 \times {}_4\Pi_3=1\times 4^3=64$

(ii) $f(3)=4$인 경우

1, 2는 1, 2, 3 중에서 하나로, 4, 5, 6은 5, 6 중에서 하나로 대응되므로 경우의 수는

${}_3\Pi_2 \times {}_2\Pi_3=3^2\times 2^3=72$

(iii) $f(3)=6$인 경우는 없다.

따라서 구하는 모든 함수의 개수는

$64+72=136$

답 136

0161

그림과 같이 합동인 정삼각형 2개와 합동인 등변사다리꼴 6개로 이루어진 팔면체가 있다. 팔면체의 각 면에는 한 가지의 색을 칠한다고 할 때, 서로 다른 8개의 색을 모두 사용하여 팔면체의 각 면을 칠하는 경우의 수를 구하시오. (단, 팔면체를 회전시켰을 때 색의 배열이 일치하면 같은 경우로 생각한다.)

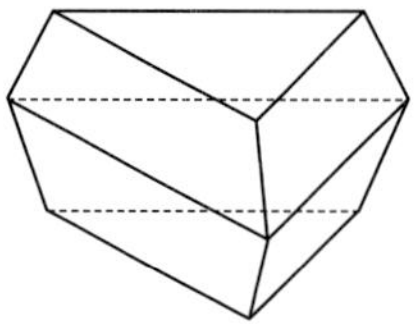

→ 밑면과 위쪽의 옆면을 먼저 칠하면, 아래쪽의 옆면을 칠하는 방법은 회전을 고려하지 않는다.

서로 다른 8개의 색을 사용하여 두 정삼각형에 칠할 때, 두 가지 색을 고르는 경우의 수는

$_8C_2=\frac{8\times7}{2}=28$

우선, 3개의 색을 선택하여 회전을 고려하여 위쪽에 있는 3개의 등변사다리꼴에 색을 칠한 다음, 아래쪽에 있는 3개의 등변사다리꼴에 색을 칠하는 경우의 수는

$_6C_3\times(3-1)!\times3!=\frac{6\times5\times4}{3\times2\times1}\times2\times3\times2$

$=240$

따라서 구하는 경우의 수는

$28\times240=6720$ 답 6720

0162 → 조건을 만족하는 경우는 홀수 1개, 짝수 4개 혹은 홀수 3개, 짝수 2개를 택하는 경우 뿐이다.

숫자 1, 2, 3, 4, 5, 6 중에서 중복을 허락하여 다섯 개를 다음 조건을 만족시키도록 선택한 후, 일렬로 나열하여 만들 수 있는 모든 다섯 자리의 자연수의 개수는?

(가) 각각의 홀수는 선택하지 않거나 한 번만 선택한다.
(나) 각각의 짝수는 선택하지 않거나 두 번만 선택한다.

조건 (가), (나)를 만족시키는 경우는 다음 두 가지 경우뿐이다.

(i) 홀수 1개, 짝수 4개를 택하는 경우
사용할 홀수 1개를 택하는 경우의 수는
$_3C_1=3$
이 각각에 대하여 짝수는 3개 중에서 2개를 택하여 두 번씩 사용해야 하므로 사용할 짝수를 택하는 경우의 수는 $_3C_2=3$
이 각각에 대하여 택한 수 5개를 일렬로 나열하는 경우의 수는
$\frac{5!}{2!2!}=30$
따라서 이 경우의 수는 $3\times3\times30=270$

(ii) 홀수 3개, 짝수 2개를 택하는 경우
짝수는 1개만 택하여 두 번 사용해야 하므로 사용할 짝수 1개를 택하는 경우의 수는 $_3C_1=3$
이 각각에 대하여 택한 수 5개를 일렬로 나열하는 경우의 수는
$\frac{5!}{2!}=60$
따라서 이 경우의 수는 $3\times60=180$

(i), (ii)에서 구하는 자연수의 개수는
$270+180=450$ 답 ①

0163 → 전체 영역을 4개의 영역으로 나누어 계산하자.

그림과 같이 이웃한 두 교차로 사이의 거리가 모두 1인 바둑판 모양의 도로망 위에 한 번 움직일 때마다 길을 따라 1만큼씩 이동하는 로봇이 있다. 로봇은 길을 따라 어느 방향으로도 이동할 수 있지만, 한 번 통과한 지점을 다시 지나지는 않는다. 이 로봇이 O지점에서 출발하여 4번 이동할 때, 가능한 모든 경로의 수를 구하시오.

(단, 출발점과 도착점은 일치하지 않는다.)

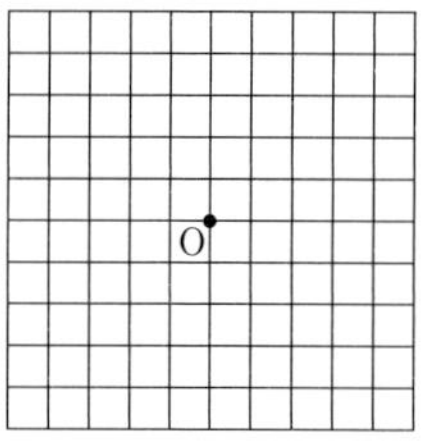

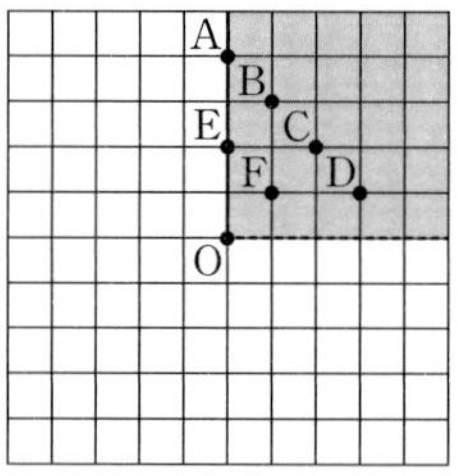

O지점을 출발한 로봇이 전체의 $\frac{1}{4}$인 어두운 부분에서 4번 이동해서 도착할 수 있는 지점은 A, B, C, D, E, F이므로 구하는 경로의 수는 A, B, C, D, E, F에 도착하는 경로의 수에 4배를 하면 된다.

(i) A에 도착하는 경우: 1가지

(ii) B에 도착하는 경우: $\frac{4!}{3!}=4$(가지)

(iii) C에 도착하는 경우: $\frac{4!}{2!2!}=6$(가지)

(iv) D에 도착하는 경우: $\frac{4!}{3!}=4$(가지)

(v) E에 도착하는 경우:
① ↑→↑← ② →↑←↑ ③ →↑↑← ④ ↑←↑→
⑤ ←↑→↑ ⑥ ←↑↑→
의 6가지

(vi) F에 도착하는 경우:
① →→↑← ② ↓→↑↑ ③ ←↑→→ ④ ↑↑→↓
의 4가지

(i)~(vi)에서 구하는 경로의 수는
$(1+4+6+4+6+4)\times4=100$ 답 100

다른풀이 로봇이 O지점에서 →, ←, ↑, ↓의 4가지 방향으로 이동할 수 있으므로 첫 번째로 이동할 수 있는 경로는 4가지이고, 두 번째로 이동할 수 있는 경로는 방금 통과한 지점을 다시 지나지 않도록 첫 번째 이동한 방향과 반대 방향의 경로를 제외한 3가지이다.
마찬가지 방법으로 로봇이 세 번째, 네 번째 이동할 수 있는 경로도 각각 3가지이다. 즉, 로봇이 4번 이동하는 경로의 수는
$4\times3\times3\times3=108$
또 출발점과 도착점이 일치하는 경로는 로봇이 O지점에서 4번 만에 다시 O지점으로 돌아오는 경로의 8가지이다.
따라서 구하는 경로의 수는 로봇이 4번 이동하는 경로의 수에서 출발점과 도착점이 일치하는 경로의 수를 빼면 되므로
$108-8=100$

0164

집합 {1, 2, 3, 4}에서 집합 {1, 2, 3, 4}로의 함수 중에서 다음 조건을 만족시키는 함수 f의 개수를 구하시오.

→ 함수 f의 치역을 $\{a, b\}$라 하자.

(가) 함수 f의 치역의 원소의 개수는 2이다.
(나) 합성함수 $f\circ f$의 치역의 원소의 개수는 1이다.

→ $f(a)=a, f(b)=a$ 또는 $f(a)=b, f(b)=b$이어야 한다.

조건 (가)에서 함수 f의 치역의 원소의 개수는 2이므로
집합 {1, 2, 3, 4}에서 뽑은 치역의 원소를 각각 a, b라 하면 치역이 될 수 있는 집합의 개수는
${}_4C_2=6$
조건 (나)에서 합성함수 $f\circ f$의 치역의 원소의 개수가 1이므로
정의역을 $\{a, b, c, d\}$라 하면
$f(a)=a, f(b)=a$ 또는 $f(a)=b, f(b)=b$이어야 한다.
(ⅰ) $f(a)=a, f(b)=a$인 경우
a, b를 제외한 나머지 두 원소 중에서 적어도 하나는 치역의 원소 b에 대응되어야 하므로
${}_2\Pi_2-1=2^2-1=3$
(ⅱ) $f(a)=b, f(b)=b$인 경우
(ⅰ)과 마찬가지 방법으로 구하면
${}_2\Pi_2-1=2^2-1=3$
따라서 구하는 함수 f의 개수는
$6\times(3+3)=36$ 답 36

02 중복조합과 이항정리

본책 036~066쪽

0165

${}_5C_2=\frac{5\times4}{2\times1}=10$ 답 10

0166

${}_5C_3={}_5C_2=\frac{5\times4}{2\times1}=10$ 답 10

0167

${}_5H_2={}_{5+2-1}C_2={}_6C_2=15$ 답 15

0168

${}_3H_5={}_{3+5-1}C_5={}_7C_5={}_7C_2=21$ 답 21

0169

${}_7H_2={}_{7+2-1}C_2={}_8C_2$이므로
$n=8$ 답 8

0170

${}_nH_8={}_{n+8-1}C_8={}_9C_8$이므로
$n+8-1=9$
$\therefore n=2$ 답 2

0171

서로 다른 3개에서 5개를 택하는 중복조합의 수는
${}_3H_5$ 답 ${}_3H_5$

0172

서로 다른 4종류의 꽃에서 10송이를 택하여 꽃다발을 만드는 방법의 수는
${}_4H_{10}$ 답 ${}_4H_{10}$

0173

3개의 숫자 중에서 서로 다른 두 개를 뽑아 일렬로 배열하는 경우의 수는 서로 다른 3개에서 2개를 택하여 일렬로 배열하는 순열의 수와 같으므로
${}_3P_2=3\times2=6$ 답 6

0174

3개의 숫자 중에서 중복을 허용하여 두 개를 뽑아 일렬로 배열하는 경우의 수는 서로 다른 3개에서 중복을 허용하여 2개를 택하여 일렬로 배열하는 중복순열의 수와 같으므로
${}_3\Pi_2=3^2=9$ 답 9

0175

3개의 숫자 중에서 서로 다른 두 개의 숫자를 뽑는 경우의 수는 서로 다른 3개에서 순서를 생각하지 않고 2개를 택하는 조합의 수와 같으므로
${}_3C_2={}_3C_1=3$ 답 3

0176

3개의 숫자 중에서 중복을 허용하여 두 개를 뽑는 경우의 수는 서로 다

른 3개에서 중복을 허용하여 2개를 택하는 중복조합의 수와 같으므로

$_{3}H_{2}={}_{3+2-1}C_{2}={}_{4}C_{2}=\frac{4\times3}{2\times1}=6$ 답 6

0177

$_{2}H_{4}={}_{2+4-1}C_{4}={}_{5}C_{4}={}_{5}C_{1}=5$ 답 5

0178

서로 다른 3개에서 중복을 허용하여 7개를 택하는 중복조합의 수와 같으므로

$_{3}H_{7}={}_{3+7-1}C_{7}={}_{9}C_{7}={}_{9}C_{2}=36$ 답 36

0179

서로 다른 4개에서 중복을 허용하여 6개를 택하는 중복조합의 수와 같으므로

$_{4}H_{6}={}_{4+6-1}C_{6}={}_{9}C_{6}={}_{9}C_{3}=84$ 답 84

0180

전개식의 각 항은 모두 x^py^q 꼴이고 $p+q=6$ ($p\ge0$, $q\ge0$)이므로 식을 전개할 때, 생기는 서로 다른 항의 개수는 2개의 문자 p, q에서 중복을 허락하여 6개를 뽑는 중복조합의 수와 같다.

$\therefore {}_{2}H_{6}={}_{2+6-1}C_{6}={}_{7}C_{6}={}_{7}C_{1}=7$ 답 7

0181

전개식의 각 항은 모두 $x^py^qz^r$ 꼴이고 $p+q+r=5$ ($p\ge0$, $q\ge0$, $r\ge0$)이므로 식을 전개할 때, 생기는 서로 다른 항의 개수는 3개의 문자 p, q, r에서 중복을 허락하여 5개를 뽑는 중복조합의 수와 같다.

$\therefore {}_{3}H_{5}={}_{3+5-1}C_{5}={}_{7}C_{5}={}_{7}C_{2}=21$ 답 21

0182

음이 아닌 정수해의 개수는 x, y에서 중복을 허락하여 6개를 택하는 중복조합의 수와 같으므로

$_{2}H_{6}={}_{2+6-1}C_{6}={}_{7}C_{6}={}_{7}C_{1}=7$ 답 7

0183

음이 아닌 정수해의 개수는 x, y, z에서 중복을 허락하여 5개를 택하는 중복조합의 수와 같으므로

$_{3}H_{5}={}_{3+5-1}C_{5}={}_{7}C_{5}={}_{7}C_{2}=21$ 답 21

0184

$(x+y)^5$의 전개식의 일반항은

$_{5}C_{r}x^{5-r}y^{r}$

x^2y^3의 계수는 $r=3$일 때이므로

$_{5}C_{3}={}_{5}C_{2}=10$ 답 10

0185

$(x-y)^5$의 전개식의 일반항은

$_{5}C_{r}x^{5-r}(-y)^{r}={}_{5}C_{r}(-1)^{r}x^{5-r}y^{r}$

x^2y^3의 계수는 $r=3$일 때이므로

$_{5}C_{3}\times(-1)^3={}_{5}C_{2}\times(-1)=-10$ 답 -10

0186

$(x+2y)^5$의 전개식의 일반항은

$_{5}C_{r}x^{5-r}(2y)^{r}={}_{5}C_{r}2^{r}x^{5-r}y^{r}$

x^2y^3의 계수는 $r=3$일 때이므로

$_{5}C_{3}\times2^3={}_{5}C_{2}\times8=80$ 답 80

0187

$(2x+1)^6$의 전개식의 일반항은

$_{6}C_{r}(2x)^{6-r}1^{r}={}_{6}C_{r}2^{6-r}x^{6-r}$

x^3의 계수는 $6-r=3$, 즉 $r=3$일 때이므로

$_{6}C_{3}\times2^3={}_{6}C_{3}\times8=160$ 답 160

0188

$\left(x+\frac{1}{x}\right)^4$의 전개식의 일반항은

$_{4}C_{r}x^{4-r}\left(\frac{1}{x}\right)^{r}={}_{4}C_{r}x^{4-2r}$

상수항은 $4-2r=0$, 즉 $r=2$일 때이므로

$_{4}C_{2}=6$ 답 6

0189

$(x+y)^1$ 1 1

$(x+y)^2$ 1 [2] 1

$(x+y)^3$ 1 [3] 3 1

$(x+y)^4$ 1 [4] [6] 4 1

$(x+y)^4=x^4+4x^3y+6x^2y^2+4xy^3+y^4$이므로

$a=4$, $b=6$ 답 $a=4$, $b=6$

참고

$(x+y)^0$ 1

$(x+y)^1$ $_{1}C_{0}$ $_{1}C_{1}$

$(x+y)^2$ $_{2}C_{0}$ $_{2}C_{1}$ $_{2}C_{2}$

$(x+y)^3$ $_{3}C_{0}$ $_{3}C_{1}$ $_{3}C_{2}$ $_{3}C_{3}$

$(x+y)^4$ $_{4}C_{0}$ $_{4}C_{1}$ $_{4}C_{2}$ $_{4}C_{3}$ $_{4}C_{4}$

⋮ ⋮

0190

$(1+x)^5={}_{5}C_{0}+{}_{5}C_{1}x+{}_{5}C_{2}x^2+{}_{5}C_{3}x^3+{}_{5}C_{4}x^4+{}_{5}C_{5}x^5$에서

$x=1$을 대입하면

$_{5}C_{0}+{}_{5}C_{1}+{}_{5}C_{2}+{}_{5}C_{3}+{}_{5}C_{4}+{}_{5}C_{5}=2^5=32$ 답 32

0191

$(1+x)^6={}_{6}C_{0}+{}_{6}C_{1}x+{}_{6}C_{2}x^2+{}_{6}C_{3}x^3+{}_{6}C_{4}x^4+{}_{6}C_{5}x^5+{}_{6}C_{6}x^6$에서

$x=1$을 대입하면

$_{6}C_{0}+{}_{6}C_{1}+{}_{6}C_{2}+{}_{6}C_{3}+{}_{6}C_{4}+{}_{6}C_{5}+{}_{6}C_{6}=2^6=64$

$\therefore {}_{6}C_{1}+{}_{6}C_{2}+{}_{6}C_{3}+{}_{6}C_{4}+{}_{6}C_{5}=64-({}_{6}C_{0}+{}_{6}C_{6})$

$=64-2$

$=62$ 답 62

0192

$_3H_5$의 값을 구하시오.
└ $_nH_r = {}_{n+r-1}C_r$임을 이용하자.

$_3H_5 = {}_{3+5-1}C_5 = {}_7C_5 = {}_7C_2$

$= \dfrac{7\times6}{2} = 21$ 답 21

0193

$_3C_2 + {}_3H_5$의 값은?
└ $_nH_r = {}_{n+r-1}C_r$임을 이용하자.

$_3C_2 = {}_3C_1 = 3$
$_3H_5 = {}_{3+5-1}C_5 = {}_7C_5 = {}_7C_2 = 21$
$\therefore {}_3C_2 + {}_3H_5 = 3+21 = 24$ 답 ④

0194

자연수 r에 대하여 $_2H_r = {}_5C_1$일 때, $_3H_r$의 값을 구하시오.
└ $_nH_r = {}_{n+r-1}C_r$임을 이용하자.

$_2H_r = {}_{2+r-1}C_r = {}_{1+r}C_r = {}_{1+r}C_1 = {}_5C_1$이므로
$r=4$
$\therefore {}_3H_4 = {}_{3+4-1}C_4 = {}_6C_4 = {}_6C_2 = 15$ 답 15

0195

자연수 n에 대하여 $_nH_3 = {}_{n+2}C_4$일 때, n의 값은?
└ $_nC_r = {}_nC_{n-r}$임을 이용하자.

$_nH_3 = {}_{n+2}C_3 = {}_{n+2}C_{n-1} = {}_{n+2}C_4$
이므로
$n-1=4 \quad \therefore n=5$ 답 ③

0196

$_3H_n = 21$일 때, 자연수 n의 값을 구하시오.
└ $_nH_r = {}_{n+r-1}C_r$임을 이용하자.

$_3H_n = {}_{n+2}C_n = {}_{n+2}C_2 = \dfrac{(n+2)(n+1)}{2} = 21$이므로
$n^2+3n-40=0$
$(n-5)(n+8)=0$
n이 자연수이므로 $n=5$ 답 5

0197

등식 $_{11-r}H_r = {}_{13-r}H_{r-2}$를 만족시키는 r의 값은?
└ $_nH_r = {}_{n+r-1}C_r$임을 이용하자.

$_{11-r}H_r = {}_{(11-r)+r-1}C_r = {}_{10}C_r$
$_{13-r}H_{r-2} = {}_{(13-r)+(r-2)-1}C_{r-2} = {}_{10}C_{r-2}$
$\therefore {}_{10}C_r = {}_{10}C_{r-2}$
$_{10}C_r = {}_{10}C_{10-r}$이므로
$10-r=r-2$
$2r=12$
$\therefore r=6$ 답 ③

0198

두 가지 맛의 사탕이 들어 있는 봉지에서 4개의 사탕을 택하는 방법의 수를 구하시오.
중복을 허용하여 4개를 뽑는다.

서로 다른 2개에서 중복을 허용하여 4개를 택하는 방법의 수와 같으므로
$_2H_4 = {}_{2+4-1}C_4 = {}_5C_4 = {}_5C_1 = 5$ 답 5

0199

각 색깔의 구슬의 개수가 5개 이상임을 이용하자.

빨간 구슬 6개, 파란 구슬 5개, 노란 구슬 8개가 들어 있는 상자에서 5개의 구슬을 꺼내는 방법의 수를 구하시오.

각 색깔의 구슬의 개수가 중복을 허락하기에 충분하므로 구하는 방법의 수는
$_3H_5 = {}_{3+5-1}C_5 = {}_7C_5 = {}_7C_2 = 21$ 답 21

0200

사람은 서로 구별된다.

같은 종류의 구슬 7개를 A, B, C의 3명에게 나누어 주는 방법의 수는? (단, 구슬을 받지 못하는 사람이 있을 수 있다.)
└ 구슬은 구별되지 않는다.

A, B, C의 3명에게 7개의 구슬을 나누어 주는 방법의 수는 서로 다른 3개에서 중복을 허용하여 7개를 택하는 중복조합의 수이므로
$_3H_7 = {}_{3+7-1}C_7 = {}_9C_7 = {}_9C_2 = 36$ 답 ②

0201

3개의 문자 x, y, z를 이용하여 만들 수 있는 서로 다른 5차 단항식은 모두 몇 가지인가? (단, 계수는 1이다.)
예를 들어 x를 1번, y를 2번, z를 2번 선택한 경우 xy^2z^2이 된다.

계수가 1인 5차 단항식을 만드는 방법의 수는 x, y, z에서 중복을 허용하여 5개를 택하는 중복조합의 수이므로
$_3H_5 = {}_{3+5-1}C_5 = {}_7C_5 = {}_7C_2 = 21$ 답 ④

0202 ← 각 구슬을 담는 경우의 수를 각각 구하자.

붉은 구슬 4개와 흰 구슬 5개를 서로 다른 2개의 상자에 담는 방법의 수를 구하시오. (단, 빈 상자가 있을 수 있다.)

붉은 구슬 4개를 서로 다른 2개의 상자에 넣는 방법의 수는
$_2H_4={}_{2+4-1}C_4={}_5C_4={}_5C_1=5$
흰 구슬 5개를 서로 다른 2개의 상자에 넣는 방법의 수는
$_2H_5={}_{2+5-1}C_5={}_6C_5={}_6C_1=6$
따라서 구하는 방법의 수는
$5\times6=30$ 답 30

0203 2개의 과일은 각각 3가지의 나누어 주는 방법이 있다.

같은 종류의 사탕 5개와 서로 다른 종류의 과일 2개를 학생 3명에게 남김없이 나누어 주는 경우의 수를 구하시오.
(단, 아무것도 받지 못하는 학생이 있을 수 있다.)

같은 종류의 사탕 5개를 3명에게 나누어 주는 경우의 수
$_3H_5={}_{3+5-1}C_5={}_7C_5=21$
다른 종류의 과일 2개를 3명에게 나누어 주는 경우의 수
$_3\Pi_2=3^2=9$
$\therefore 21\times9=189$ 답 189

0204

레몬 맛, 자두 맛, 포도 맛 사탕 중에서 13개를 사려고 한다. 레몬 맛 사탕은 2개 이상, 포도 맛 사탕은 3개 이상 사는 방법의 수를 구하시오. (단, 각 종류는 13개 이상씩 있다.)
← 먼저 레몬 맛 사탕을 2개, 포도 맛 사탕을 3개 사놓았다고 가정하자.

먼저 레몬 맛 사탕 2개, 포도 맛 사탕을 3개 사고 나면 레몬 맛, 자두 맛, 포도 맛 사탕 3개에서 중복을 허용하여 8개의 사탕을 사면 된다.
따라서 구하는 방법의 수는
$_3H_8={}_{3+8-1}C_8={}_{10}C_8={}_{10}C_2=45$ 답 45

0205 빨간 공은 5개 미만이므로 단순히 중복조합만 사용하면 안 된다.

빨간 공, 파란 공, 노란 공이 각각 4개, 5개, 6개씩 들어 있는 주머니에서 5개의 공을 꺼내는 방법의 수를 구하시오.
(단, 색깔이 같은 공은 구분하지 않는다.)

서로 다른 세 종류의 공에서 중복을 허용하여 5개의 공을 꺼내는 방법의 수는
$_3H_5={}_{3+5-1}C_5={}_7C_5={}_7C_2=21$
빨간 공 4개, 파란 공 5개, 노란 공 6개에서 빨간 공 5개를 택하는 1가지 경우는 절대 일어나지 않으므로 구하는 방법의 수는
$21-1=20$ 답 20

0206

숫자 1, 2, 3, 4에서 중복을 허락하여 6개를 택할 때, 숫자 3이 한 개 이하가 되는 경우의 수는?
← 숫자 3을 0개 혹은 1개 택할 수 있다.

숫자 1, 2, 4의 개수를 각각 a, b, c라 하자.
(i) 숫자 3을 택하지 않는 경우
$a+b+c=6$을 만족시키는 음이 아닌 정수 a, b, c의 순서쌍 (a, b, c)의 개수와 같으므로
$_3H_6={}_{3+6-1}C_6={}_8C_6={}_8C_2=28$
(ii) 숫자 3을 1개 택하는 경우
$a+b+c=5$를 만족시키는 음이 아닌 정수 a, b, c의 순서쌍 (a, b, c)의 개수와 같으므로
$_3H_5={}_{3+5-1}C_5={}_7C_5={}_7C_2=21$
(i), (ii)에서 구하는 경우의 수는
$28+21=49$ 답 ③

0207

회원이 8명인 어느 독서동아리에서 A, B, C 세 권 중 두 권을 다 같이 읽기로 하고, 오른쪽 투표용지에 각자 읽고 싶은 책을 무기명으로 기표하기로 했다. 각 회원이 2권에 기표할 때, 나올 수 있는 경우의 수를 구하시오. ← 1권에 기표하지 않는 경우와 동일하다.

투표용지	
A	
B	
C	

2권에 기표하는 경우의 수는 1곳에 기표하지 않는 경우의 수와 같다.
A+B+C=8
$_3H_8={}_{10}C_8=45$ 답 45

0208

네 개의 자연수 1, 2, 4, 8 중에서 중복을 허락하여 세 수를 선택할 때, 세 수의 곱이 100 이하가 되도록 선택하는 경우의 수는?
← 세 수의 곱이 100 초과인 경우를 구하자.

네 개의 자연수 1, 2, 4, 8 중에서 중복을 허락하여 세 수를 선택하는 경우의 수는
$_4H_3={}_{4+3-1}C_3={}_6C_3=\dfrac{6\times5\times4}{3\times2\times1}=20$
이때, 선택한 세 수의 곱이 100보다 큰 경우는
$(2, 8, 8)$, $(4, 4, 8)$, $(4, 8, 8)$, $(8, 8, 8)$
의 4가지이므로 세 수의 곱이 100 이하가 되도록 선택하는 경우의 수는 $20-4=16$이다. 답 ③

0209

> 네 개의 자연수 2, 3, 5, 7 중에서 중복을 허락하여 8개를 선택할 때, 선택된 8개의 수의 곱이 60의 배수가 되도록 하는 경우의 수를 구하시오.
> └• 60을 소인수분해하자.

자연수 2, 3, 5, 7이 선택되어진 개수를 각각 a, b, c, d라 하면
$a+b+c+d=8$ (단, a, b, c, d는 음이 아닌 정수)
8개의 수의 곱은
$2^a\times3^b\times5^c\times7^d=60k$ (단, k는 자연수)
$2^a\times3^b\times5^c\times7^d=(2^2\times3\times5)\times k$이므로
$a\ge2, b\ge1, c\ge1, d\ge0$
$a'=a-2, b'=b-1, c'=c-1, d'=d$라 하면
$a'+b'+c'+d'=4$ (단, a', b', c', d'은 음이 아닌 정수)
순서쌍 (a, b, c, d)의 개수는 순서쌍 (a', b', c', d')의 개수와 같다.
따라서 구하는 경우의 수는 ${}_4H_4={}_7C_4=35$

답 35

0210

> 4명의 학생에게 동일한 초콜릿 7개를 나누어 주려고 한다. 한 학생에게 적어도 한 개의 초콜릿을 나누어 주는 방법의 수를 구하시오.
> └• 먼저 모든 학생에게 초콜릿을 한 개씩 나누어 주었다고 가정하자.

한 학생에게 적어도 한 개의 초콜릿을 나누어 주어야 하므로 먼저 4명의 학생에게 초콜릿을 한 개씩 나누어 주고 나머지 3개의 초콜릿에서 중복을 허용하여 4명의 학생에게 나누어 주면 된다.
따라서 4명의 학생에서 중복을 허용하여 3명을 택하는 중복조합의 수이므로 구하는 방법의 수는
${}_4H_3={}_{4+3-1}C_3={}_6C_3=20$

답 20

0211

> 같은 종류의 공 6개를 남김없이 서로 다른 3개의 상자에 나누어 넣으려고 한다. 각 상자에 공이 1개 이상씩 들어가도록 나누어 넣는 경우의 수는?
> └• 먼저 모든 상자에 공이 한 개씩 있다고 가정하자.

각 상자에 공이 1개 이상씩 들어가도록 나누어 넣어야 하므로 3개의 상자에 공을 1개씩 미리 넣고 남은 공 3개를 3개의 상자에 넣는다.
따라서 구하는 경우의 수는
${}_3H_3={}_5C_3=10$

답 ⑤

0212

> 양념 치킨, 프라이드 치킨, 간장 치킨 중에서 m개를 주문하는 방법의 수가 36일 때, 양념 치킨, 프라이드 치킨, 간장 치킨을 적어도 하나씩 포함하여 m개를 주문하는 방법의 수를 구하시오.
> └• 먼저 3종류의 치킨을 하나씩 주문하였다고 가정하자.

서로 다른 3개에서 m개를 택하는 중복조합의 수가 36이므로

$${}_3H_m={}_{m+2}C_m={}_{m+2}C_2=\frac{(m+2)(m+1)}{2}=36$$

$(m+2)(m+1)=72$
$m^2+3m-70=0$
$(m+10)(m-7)=0$
$\therefore m=7$ ($\because m>0$)
따라서 3종류의 치킨을 적어도 하나씩 포함하여 7개를 주문하는 방법의 수는 먼저 3종류의 치킨을 1개씩 주문하고 4개의 치킨을 더 주문해야 하므로 서로 다른 3개에서 4개를 택하는 중복조합의 수와 같다.
$\therefore {}_3H_4={}_{3+4-1}C_4={}_6C_4={}_6C_2=15$

답 15

0213

> 똑같은 연필 14자루를 다섯 명의 학생 A, B, C, D, E에게 나누어 주는데 1인당 적어도 2자루씩은 나누어 주는 방법의 수를 구하시오.
> 먼저 모든 학생에게 연필을 2자루씩 나누어 주었다고 가정하자.

다섯 명의 학생 A, B, C, D, E에게 2자루씩 먼저 나누어 주고 나머지 4자루를 중복을 허락하여 다섯 명의 학생에게 나누어 주면 된다.
따라서 구하는 방법의 수는 서로 다른 5개 중에서 중복을 허락하여 4개를 택하는 중복조합의 수이므로
${}_5H_4={}_{5+4-1}C_4={}_8C_4=70$

답 70

0214

> 준수네 가족 6명은 볼링 경기를 하러 갔다. 볼링공은 빨간색, 파란색, 보라색, 초록색의 4종류가 각각 10개씩 있었고, 이 중에서 6개의 공을 선택하려고 할 때, 빨간색 볼링공이 적어도 2개 이상 포함되도록 선택하는 방법의 수를 구하시오.
> 먼저 빨간색 공을 2개 선택했다고 가정하자.

먼저 빨간색 공 2개를 선택했다고 하면 4종류의 공 중에서 중복을 허용하여 4개를 택하는 중복조합의 수이므로
${}_4H_4={}_{4+4-1}C_4={}_7C_4={}_7C_3=35$

답 35

0215

> 빨강, 파랑, 주황, 초록색의 볼펜이 각각 같은 종류로 5개씩 있다. 이 볼펜 중에서 5개를 선택할 때, 2가지 색으로만 선택하는 방법의 수는?
> 4가지 색 중에서 2가지의 색을 선택하는 경우는 조합임을 이용하자.

4가지 색 중에서 2가지 색을 선택하는 방법의 수는 서로 다른 4개에서 2개를 선택하는 조합의 수이므로
${}_4C_2=6$
이 각각에 대하여 2가지 색의 볼펜은 적어도 하나씩 있어야 하므로 우선 하나씩 선택한 후 나머지 3개만을 선택하면 된다.
즉, 서로 다른 2개에서 3개를 택하는 중복조합의 수이므로
${}_2H_3={}_{2+3-1}C_3={}_4C_3={}_4C_1=4$
따라서 구하는 방법의 수는
$6\times4=24$

답 ④

0216

9 이하의 자연수 중에서 중복을 허락하여 6개의 수를 택할 때, 3의 배수를 3번 택하고 1은 적어도 1번 택하는 경우의 수를 구하시오. (단, 택한 수의 순서는 생각하지 않는다.)

먼저 1을 1개 택하고 나머지 2개를 택하자.

3, 6, 9 중에서 중복을 허락하여 3개를 택하는 경우의 수는

${}_3H_3={}_{3+3-1}C_3={}_5C_3={}_5C_2=10$

1, 2, 4, 5, 7, 8 중에서 중복을 허락하여 3개를 택할 때, 1을 적어도 1번 택하는 경우의 수는 먼저 1을 1개 택하고 나머지 2개를 택하면 된다.

$\therefore {}_6H_2={}_{6+2-1}C_2={}_7C_2=21$

따라서 구하는 경우의 수는

$10\times21=210$ 답 210

0217

같은 종류의 사탕 6개와 같은 종류의 초콜릿 5개를 서로 다른 2개의 상자에 넣어서 상품을 만들려고 할 때, 만들 수 있는 상품의 개수를 구하시오.
(단, 각 상자에 사탕과 초콜릿을 적어도 한 개씩은 넣는다.)

2개의 상자에 사탕과 초콜릿을 미리 넣어 놓자.

2개의 상자에 각각 적어도 한 개의 사탕과 한 개의 초콜릿을 넣어야 하므로 나머지 사탕 4개와 초콜릿 3개를 2개의 상자에 넣으면 된다.

사탕 4개를 서로 다른 2개의 상자에 넣는 방법의 수는

${}_2H_4={}_{2+4-1}C_4={}_5C_4={}_5C_1=5$

초콜릿 3개를 서로 다른 2개의 상자에 넣는 방법의 수는

${}_2H_3={}_{2+3-1}C_3={}_4C_3={}_4C_1=4$

따라서 만들 수 있는 상품의 개수는 $5\times4=20$ 답 20

0218

같은 종류의 사탕 7개와 같은 종류의 초콜릿 7개를 세 사람에게 다음 조건을 만족시키도록 모두 나누어 주는 경우의 수를 구하시오.

(가) 각 사람에게 사탕은 적어도 1개씩 나누어 준다.
(나) 초콜릿을 못 받는 사람이 적어도 1명 있다.

모든 사람에게 초콜릿을 적어도 1개씩 나누어 주는 사건의 여사건이다.

(가) 각 사람에게 사탕을 적어도 1개씩 나누어 주는 경우의 수는

${}_3H_4={}_6C_4={}_6C_2=15$

(나) 초콜릿을 못 받는 사람이 적어도 1명 있다. 전체의 경우에서 초콜릿을 적어도 1개씩 나누어 주는 경우를 제외해 주면 되므로

${}_3H_7-{}_3H_4={}_9C_7-{}_6C_4={}_9C_2-{}_6C_2=21$

따라서 구하는 경우의 수는

$15\times21=315$ 답 315

0219

$(a+b+c)^9$의 전개식에서 서로 다른 항의 개수는?

$(a+b+c)^n$의 전개식에서 서로 다른 항의 개수는 ${}_3H_n$임을 이용하자.

$(a+b+c)^9$의 전개식에서 각 항은 $a^xb^yc^z$ 꼴이고 $x+y+z=9$ $(x\geq0, y\geq0, z\geq0)$이므로 구하는 항의 개수는 세 문자 중에서 중복을 허용하여 9개를 택하는 중복조합의 수와 같다.

$\therefore {}_3H_9={}_{3+9-1}C_9={}_{11}C_9={}_{11}C_2=55$ 답 ③

0220

다항식 $(a+b+c+d)^3$의 전개식에서 서로 다른 항의 개수를 구하시오.

$(a+b+c+d)^n$의 전개식에서 서로 다른 항의 개수는 ${}_4H_n$임을 이용하자.

${}_4H_3={}_6C_3=20$ 답 20

0221

$(a+b+c)^n$의 전개식에서 서로 다른 항의 개수는 ${}_3H_n$임을 이용하자.

다항식 $(a+b+c)^n$을 전개하여 동류항끼리 정리하였을 때 나타나는 서로 다른 항의 개수가 28이었다. 자연수 n의 값을 구하시오.

$(a+b+c)^n$의 전개식에서 각 항은 $a^xb^yc^z$ 꼴이고 $x+y+z=n$ $(x\geq0, y\geq0, z\geq0)$이므로 서로 다른 항의 개수는 세 문자 중에서 중복을 허용하여 n개를 택하는 중복조합의 수와 같으므로

${}_3H_n={}_{3+n-1}C_n={}_{n+2}C_n={}_{n+2}C_2=\dfrac{(n+2)(n+1)}{2}=28$

$(n+2)(n+1)=56$

$n^2+3n-54=0$

$(n+9)(n-6)=0$

$\therefore n=6$ ($\because$ n은 자연수) 답 6

0222

다항식 $(a+b+c)^5$의 전개식에서 두 개 이상의 문자가 있는 서로 다른 항의 개수를 구하시오.

전체 경우의 수에서 한 문자만 있는 항의 개수를 빼자.

$(a+b+c)^5$의 전개식에서 서로 다른 항의 개수는 a, b, c 세 문자 중에서 5개를 택하는 중복조합의 수와 같으므로

${}_3H_5={}_{3+5-1}C_5={}_7C_5={}_7C_2=21$

그런데 한 문자만 있는 항은 a^5, b^5, c^5의 3개이므로 두 개 이상의 문자가 있는 서로 다른 항의 개수는

$21-3=18$ 답 18

0223

두 부분으로 나누어 생각하자.

$(a+b)^3(c+d+e)^2$의 전개식에서 서로 다른 항의 개수는?

$(a+b)^3$의 전개식에서 서로 다른 항의 개수는 서로 다른 2개에서 3개를 택하는 중복조합의 수이므로

${}_2H_3={}_{2+3-1}C_3={}_4C_3={}_4C_1=4$

이 각각에 대하여 $(c+d+e)^2$의 전개식에서 서로 다른 항의 개수는 서로 다른 3개에서 2개를 택하는 중복조합의 수이므로

${}_3H_2={}_{3+2-1}C_2={}_4C_2=6$

따라서 구하는 서로 다른 항의 개수는

$4\times6=24$ 답 ⑤

0224

> $(a+b+c)^4(d+e)^3$의 전개식에서 서로 다른 항의 개수를 구하시오.
> └• 두 부분으로 나누어 생각하자.

$(a+b+c)^4$의 전개식에서 각 항은 $a^xb^yc^z$ 꼴이고 $x+y+z=4$ $(x\ge0,$ $y\ge0,$ $z\ge0)$이므로 서로 다른 항의 개수는 세 문자 중에서 중복을 허용하여 4개를 택하는 중복조합의 수와 같다.

$\therefore {}_3H_4={}_{3+4-1}C_4={}_6C_4={}_6C_2=15$

이 각각에 대하여 $(d+e)^3$의 전개식에서 각 항은 d^se^t 꼴이고 $s+t=3$ $(s\ge0,$ $t\ge0)$이므로 서로 다른 항의 개수는 두 문자 중에서 중복을 허용하여 3개를 택하는 중복조합의 수와 같다.

$\therefore {}_2H_3={}_{2+3-1}C_3={}_4C_3={}_4C_1=4$

따라서 구하는 서로 다른 항의 개수는

$15\times4=60$ 답 60

0225 $x=x'+1,$ $y=y'+1,$ $z=z'+1$로 놓으면 $x'+y'+z'=4$임을 이용하자.

> 세 자연수 $x,$ $y,$ z에 대하여 방정식 $x+y+z=7$을 만족시키는 순서쌍 $(x,$ $y,$ $z)$의 개수는?

$x,$ $y,$ z는 자연수이므로 $x\ge1,$ $y\ge1,$ $z\ge1$

$x=x'+1,$ $y=y'+1,$ $z=z'+1$ $(x'\ge0,$ $y'\ge0,$ $z'\ge0)$로 놓으면 주어진 방정식은

$(x'+1)+(y'+1)+(z'+1)=7$에서

$x'+y'+z'=4$

따라서 구하는 순서쌍의 개수는 방정식 $x'+y'+z'=4$에서 음이 아닌 정수해의 순서쌍 $(x',$ $y',$ $z')$의 개수와 같으므로

${}_3H_4={}_{3+4-1}C_4={}_6C_4={}_6C_2=15$ 답 ①

0226
┌• $x,$ $y,$ z 중에서 중복을 허용하여 k개 선택하는 경우임을 이용하자.

> 방정식 $x+y+z=k$를 만족시키는 음이 아닌 정수해의 개수가 105일 때, 자연수 k의 값을 구하시오.

주어진 방정식의 해의 개수는 $x,$ $y,$ z에서 중복을 허용하여 k개를 택하는 중복조합의 수이므로

$${}_3H_k={}_{k+2}C_k={}_{k+2}C_2=\frac{(k+2)(k+1)}{2}=105$$

$(k+2)(k+1)=210$

$k^2+3k-208=0$

$(k+16)(k-13)=0$

$\therefore k=13$ ($\because$ k는 자연수) 답 13

0227 $x=x'+1,$ $y=y'+2,$ $z=z'+3$으로 놓으면 $x'+y'+z'=8$임을 이용하자.

> 방정식 $x+y+z=14$에 대하여 $x\ge1,$ $y\ge2,$ $z\ge3$을 만족시키는 정수해의 개수를 구하시오.

$x\ge1,$ $y\ge2,$ $z\ge3$에서

$x',$ $y',$ z'을 음이 아닌 정수라 하면

$x=x'+1$

$y=y'+2$

$z=z'+3$

$\therefore x'+y'+z'=8$

즉, 구하는 해의 개수는 $x'+y'+z'=8$을 만족시키는 음이 아닌 정수해의 개수와 같다.

따라서 $x',$ $y',$ z'에서 중복을 허용하여 8개를 택하는 중복조합의 수이므로

${}_3H_8={}_{3+8-1}C_8={}_{10}C_8={}_{10}C_2=45$ 답 45

0228

> 다음 조건을 만족시키는 음이 아닌 네 정수 $x,$ $y,$ $z,$ w의 모든 순서쌍 $(x,$ $y,$ $z,$ $w)$의 개수를 구하시오.
>
> (가) $x+y+z+w=6$
> (나) $x\ge3$
>
> └• $x=x'+3$으로 놓으면 $x'+y+z+w=3$임을 이용하자.

음이 아닌 정수 x'에 대하여

$x=x'+3$으로 놓으면

$x+y+z+w=x'+3+y+z+w=6$

$\therefore x'+y+z+w=3$

따라서 구하는 순서쌍의 개수는 $x'+y+z+w=3$을 만족시키는 음이 아닌 정수 $x',$ $y,$ $z,$ w의 순서쌍 $(x',$ $y,$ $z,$ $w)$의 개수와 같으므로

${}_4H_3={}_{4+3-1}C_3={}_6C_3=20$ 답 20

0229
┌• $w=0$일 때와 $w=1$일 때로 나누어 생각하자.

> 방정식 $x+y+z+5w=8$을 만족시키는 음이 아닌 네 정수 $x,$ $y,$ $z,$ w의 순서쌍 $(x,$ $y,$ $z,$ $w)$의 개수를 구하시오.

w의 값에 따라 각각의 경우로 나누면 다음과 같다.

(i) $w=0$일 때,
주어진 방정식은 $x+y+z=8$이고 구하는 순서쌍의 개수는 서로 다른 3개에서 8개를 택하는 중복조합의 수이므로
${}_3H_8={}_{3+8-1}C_8={}_{10}C_8={}_{10}C_2=45$

(ii) $w=1$일 때,
주어진 방정식은 $x+y+z=3$이고 구하는 순서쌍의 개수는 서로 다

른 3개에서 3개를 택하는 중복조합의 수이므로

$_{3}H_{3}={}_{3+3-1}C_{3}={}_{5}C_{3}={}_{5}C_{2}=10$

(i), (ii)에 의하여 구하는 순서쌍의 개수는

$45+10=55$ 답 55

0230

다음 조건을 만족시키는 세 자연수 x, y, z의 모든 순서쌍 (x, y, z)의 개수를 구하시오.

(가) $x+y+z=20$

(나) x, y, z는 모두 2의 배수이다.

• $x=2l, y=2m, z=2n$으로 놓으면 $l+m+n=10$임을 이용하자.

$x=2l, y=2m, z=2n$ (l, m, n은 자연수)이라 하면

$x+y+z=2l+2m+2n=20$에서

$l+m+n=10$

따라서 모든 순서쌍 (x, y, z)의 개수는 l, m, n에서 중복을 허용하여 10개를 택하는 중복조합의 수와 같고, l, m, n은 자연수이므로

$_{3}H_{7}={}_{3+7-1}C_{7}={}_{9}C_{7}={}_{9}C_{2}=36$ 답 36

0231

• $x=2x'+1, y=2y'+1, z=2z'+1$로 놓자.

세 양의 홀수 x, y, z에 대하여 방정식 $x+y+z=51$을 만족시키는 해의 개수는?

음이 아닌 정수 x', y', z'에 대하여 $x=2x'+1, y=2y'+1, z=2z'+1$로 놓으면 주어진 방정식은

$(2x'+1)+(2y'+1)+(2z'+1)=51$

$2(x'+y'+z')=48$

$\therefore x'+y'+z'=24$

즉, 주어진 방정식의 양의 홀수의 해의 개수는 $x'+y'+z'=24$를 만족시키는 음이 아닌 정수해의 개수와 같으므로

$_{3}H_{24}={}_{3+24-1}C_{24}={}_{26}C_{24}={}_{26}C_{2}=325$ 답 ②

0232

다음 조건을 만족시키는 네 자연수 a, b, c, d의 모든 순서쌍 (a, b, c, d)의 개수를 구하시오.

(가) a, b, c, d 중에서 홀수의 개수는 2이다.

(나) $a+b+c+d=14$ • 먼저 홀수인 문자를 정하자.

네 자연수 a, b, c, d 중에서 홀수 2개를 정하는 경우의 수는

$_{4}C_{2}=6$

a, b, c, d 중에서 두 홀수를 각각 $2x+1$, $2y+1$, 두 짝수를 각각 $2z+2$, $2w+2$라 하자. (단, x, y, z, w는 음이 아닌 정수)

$(2x+1)+(2y+1)+(2z+2)+(2w+2)=14$

$\therefore x+y+z+w=4$

즉, x, y, z, w에서 중복을 허용하여 4개를 택하는 중복조합의 수이므로

$_{4}H_{4}={}_{4+4-1}C_{4}={}_{7}C_{4}={}_{7}C_{3}=35$

따라서 모든 순서쌍 (a, b, c, d)의 개수는

$6\times35=210$ 답 210

0233

다음 조건을 만족시키는 정수 x, y, z의 모든 순서쌍 (x, y, z)의 개수를 구하시오.

(가) $|x|+|y|+|z|=10$ • $|x|=a(a>0)$일 때 $x=\pm a$임을 이용하자.

(나) $xyz\neq0$

• $x\neq0$이고 $y\neq0$이고 $z\neq0$임을 이용하자.

조건 (나)에서 $x\neq0, y\neq0, z\neq0$이므로

$|x|, |y|, |z|$는 1 이상의 정수이다.

$|x|=x'+1, |y|=y'+1, |z|=z'+1$ (x', y', z'은 음이 아닌 정수)로 놓으면

$(x'+1)+(y'+1)+(z'+1)=10$에서

$x'+y'+z'=7$

방정식 $x'+y'+z'=7$을 만족시키는 음이 아닌 정수 x', y', z'의 모든 순서쌍 (x', y', z')의 개수는

$_{3}H_{7}={}_{9}C_{7}=\frac{9\times8}{2\times1}=36$이다.

이때 하나의 순서쌍 (x', y', z')에 대하여

$x=\pm(x'+1), y=\pm(y'+1), z=\pm(z'+1)$일 때

방정식 $|x|+|y|+|z|=10$이 성립하므로

모든 순서쌍 (x, y, z)의 개수는

$_{3}H_{7}\times2\times2\times2=36\times2^{3}=288$ 답 288

0234

• $x+y+z=0$부터 $x+y+z=5$까지 해의 개수를 모두 더하자.

부등식 $x+y+z<6$의 음이 아닌 정수인 해의 개수를 구하시오.

$x+y+z=5$일 때, $_{3}H_{5}={}_{7}C_{5}=21$

$x+y+z=4$일 때, $_{3}H_{4}={}_{6}C_{4}=15$

$x+y+z=3$일 때, $_{3}H_{3}={}_{5}C_{3}=10$

$x+y+z=2$일 때, $_{3}H_{2}={}_{4}C_{2}=6$

$x+y+z=1$일 때, $_{3}H_{1}={}_{3}C_{1}=3$

$x+y+z=0$일 때, $_{3}H_{0}={}_{2}C_{0}=1$

따라서 구하는 정수인 해의 개수는

$21+15+10+6+3+1=56$ 답 56

참고 구하는 정수인 해의 개수는

$_{7}C_{2}+{}_{6}C_{2}+{}_{5}C_{2}+{}_{4}C_{2}+{}_{3}C_{2}+{}_{2}C_{2}$

0235

• $a=a'+1, b=b'+1, c=c'+1$로 놓으면 $a'+b'+c'\leq6$임을 이용하자.

부등식 $a+b+c\leq9$를 만족시키는 세 자연수 a, b, c의 모든 순서쌍 (a, b, c)의 개수를 구하시오.

$a+b+c\leq9$를 만족시키는 자연수해의 개수는

$a=a'+1, b=b'+1, c=c'+1$로 놓으면

$a'+b'+c'=0$, $a'+b'+c'=1$, $\cdots$, $a'+b'+c'=6$을 각각 만족시키는 모든 음이 아닌 정수해의 개수와 같다.

$a'+b'+c'=n$ $(n=0, 1, 2, \cdots, 6)$을 만족시키는 음이 아닌 정수해의 개수는

${}_3H_n={}_{3+n-1}C_n={}_{n+2}C_n={}_{n+2}C_2$

따라서 $a'+b'+c'\le 6$을 만족시키는 음이 아닌 정수해의 개수는

${}_2C_2+{}_3C_2+{}_4C_2+\cdots+{}_8C_2=1+3+6+10+15+21+28$

$=84$

답 84

0236 $x+y+z+w=0$부터 $x+y+z+w=4$까지 해의 개수를 모두 더하자.

> 부등식 $x+y+z+w\le 4$에 대하여 x, y, z, w가 모두 음이 아닌 정수인 해의 개수를 구하시오.

$x+y+z+w=0$일 때, ${}_4H_0$

$x+y+z+w=1$일 때, ${}_4H_1$

$x+y+z+w=2$일 때, ${}_4H_2$

$x+y+z+w=3$일 때, ${}_4H_3$

$x+y+z+w=4$일 때, ${}_4H_4$

${}_4H_0+{}_4H_1+{}_4H_2+{}_4H_3+{}_4H_4={}_3C_0+{}_4C_1+{}_5C_2+{}_6C_3+{}_7C_4$

$=1+4+10+20+35$

$=70$

답 70

0237

> $3\le a\le b\le c\le d\le 10$을 만족시키는 네 자연수 a, b, c, d의 모든 순서쌍 (a, b, c, d)의 개수는?
>
> • n개의 자연수에서 r개를 택하여 $a_1\le a_2\le a_3\le\cdots\le a_r$를 만족하는 순서쌍의 개수는 ${}_nH_r$임을 이용하자.

구하는 순서쌍의 개수는 3부터 10까지의 8개의 자연수 중에서 중복을 허락하여 4개를 택하는 중복조합의 수와 같으므로

${}_8H_4={}_{8+4-1}C_4={}_{11}C_4=330$

답 ④

0238

> 주사위를 5회 던져 n번째 나오는 눈을 $a_n(n=1, 2, 3, 4, 5)$이라 하자. $a_1<a_2<a_3<a_4<a_5$인 경우의 수를 m, $a_1\le a_2\le a_3\le a_4\le a_5$인 경우의 수를 n이라 할 때, $m+n$의 값을 구하시오.
>
> • n개의 자연수에서 r개를 택하여 $a_1\le a_2\le a_3\le\cdots\le a_r$를 만족하는 순서쌍의 개수는 ${}_nH_r$임을 이용하자.

$a_1<a_2<a_3<a_4<a_5$인 경우의 수는 주사위의 6개의 수 1, 2, 3, 4, 5, 6에서 5개를 뽑아 크기 순서로 나열하는 경우의 수와 같으므로

1,	2,	3,	4,	5
1,	3,	4,	5,	6
2,	3,	4,	5,	6
		⋮		

$m={}_6C_5={}_6C_1=6$

$a_1\le a_2\le a_3\le a_4\le a_5$인 경우의 수는 주사위의 6개의 수 1, 2, 3, 4, 5, 6에서 중복을 허용하여 5개를 뽑아 크기 순서로 나열하는 경우의 수와 같으므로

1,	1,	1,	1,	1
1,	1,	1,	1,	2
2,	2,	3,	3,	3
		⋮		

$n={}_6H_5={}_{6+5-1}C_5={}_{10}C_5=252$

$\therefore m+n=6+252=258$

답 258

0239

> 다음 조건을 만족시키는 세 자연수 a, b, c의 모든 순서쌍 (a, b, c)의 개수를 구하시오.
>
> (가) a, b, c는 홀수이다.
> (나) $a\le b\le c\le 20$
>
> • 1부터 20까지 10개의 홀수가 존재한다.

구하는 순서쌍의 개수는 1부터 20까지 10개의 홀수 중에서 중복을 허락하여 3개를 택하는 중복조합의 수와 같으므로

${}_{10}H_3={}_{10+3-1}C_3={}_{12}C_3=220$

답 220

0240

> 음이 아닌 네 정수 a, b, c, d에 대하여 부등식 $a\le b\le 4<c<d\le 10$을 만족시키는 모든 순서쌍 (a, b, c, d)의 개수를 구하시오.
>
> • $a\le b\le 4$와 $4<c<d\le 10$으로 나누어 생각하자.

부등식 $a\le b\le 4<c<d\le 10$을 다음과 같이 2가지 경우로 나누어 생각하자.

(i) $a\le b\le 4$를 만족시키는 음이 아닌 정수 a, b의 순서쌍 (a, b)의 개수는 0, 1, 2, 3, 4의 5개의 수 중에서 중복을 허락하여 2개를 뽑는 중복조합의 수와 같으므로

${}_5H_2={}_{5+2-1}C_2={}_6C_2=15$

(ii) $4<c<d\le 10$을 만족시키는 음이 아닌 정수 c, d의 순서쌍 (c, d)의 개수는 5, 6, 7, 8, 9, 10의 6개의 수 중에서 2개를 뽑는 조합의 수와 같으므로

${}_6C_2=15$

(i), (ii)에 의하여 구하는 모든 순서쌍 (a, b, c, d)의 개수는

$15\times 15=225$

답 225

0241

> 다음 조건을 만족시키는 세 자연수 a, b, c의 모든 순서쌍 (a, b, c)의 개수를 구하시오.
>
> (가) $abc=180$ • 180을 소인수분해하자.
> (나) $(a-b)(b-c)(c-a)\ne 0$
>
> • $a\ne b$이고 $b\ne c$이고 $c\ne a$임을 이용하자.

$180=2^2\times 3^2\times 5$이므로

조건 (가)를 만족하는 (a, b, c)의 개수는

$a=2^{x_1}3^{y_1}5^{z_1}$, $b=2^{x_2}3^{y_2}5^{z_2}$, $c=2^{x_3}3^{y_3}5^{z_3}$에서

(단, $i=1, 2, 3$에 대하여 x_i, y_i, z_i는 음이 아닌 정수)

$x_1+x_2+x_3=2$, $y_1+y_2+y_3=2$, $z_1+z_2+z_3=1$

${}_3H_2\times{}_3H_2\times{}_3H_1={}_4C_2\times{}_4C_2\times{}_3C_1=108$ ...... ㉠

조건 (나)는 $a\ne b$, $b\ne c$, $c\ne a$이므로

이를 만족하지 않는 경우는 $a=b$ 또는 $a=c$ 또는 $b=c$이다.

이 중 $a=b=c$인 경우는 존재하지 않는다.

a, b, c 중 두 수가 같은 순서쌍은

(1, 1, 180), (2, 2, 45), (3, 3, 20), (6, 6, 5)
(1, 180, 1), (2, 45, 2), (3, 20, 3), (6, 5, 6)
(180, 1, 1), (45, 2, 2), (20, 3, 3), (5, 6, 6)이므로
조건 (나)를 만족하지 않는 순서쌍의 개수는 12 ······ ㉡
따라서 ㉠, ㉡에 의하여 $108-12=96$

답 96

0242

다음 조건을 만족시키는 자연수 a, b, c의 모든 순서쌍 (a, b, c)의 개수를 구하시오.

(가) a, b, c는 모두 짝수이다.
(나) $a\times b\times c=10^5$ — $10^5=2^5\times5^5$임을 이용하자.

$a\times b\times c=10^5=2^5\times5^5$이므로
$a=2^{x_1}\times5^{y_1}$, $b=2^{x_2}\times5^{y_2}$, $c=2^{x_3}\times5^{y_3}$이라 하자.
a, b, c가 짝수이므로 x_1, x_2, x_3은 자연수이고 y_1, y_2, y_3은 음이 아닌 정수이다.
방정식 $x_1+x_2+x_3=5$의 양의 정수해의 개수는 ${}_3H_{5-3}={}_4C_2=6$
방정식 $y_1+y_2+y_3=5$의 음이 아닌 정수해의 개수는 ${}_3H_5={}_7C_5=21$
따라서 조건을 만족시키는 모든 순서쌍 (a, b, c)의 개수는
$6\times21=126$

답 126

0243

다음 조건을 만족시키는 음이 아닌 정수 x_1, x_2, x_3의 모든 순서쌍 (x_1, x_2, x_3)의 개수를 구하시오.

(가) $n=1$, 2일 때, $x_{n+1}-x_n\geq2$이다.
(나) $x_3\leq10$ — 정리하면 $0\leq x_1\leq x_2-2\leq x_3-4\leq6$임을 이용하자.

조건 (가)에 의하여
$x_1\leq x_2-2$, $x_2\leq x_3-2$
이고, 조건 (나)에 의하여
$x_3\leq10$
이므로
$0\leq x_1\leq x_2-2\leq x_3-4\leq6$
이때 $x_2-2=x_2'$, $x_3-4=x_3'$이라 하면
$0\leq x_1\leq x_2'\leq x_3'\leq6$ ······ ㉠
이고 주어진 조건을 만족시키는 음이 아닌 정수 x_1, x_2, x_3의 모든 순서쌍 (x_1, x_2, x_3)의 개수는 ㉠을 만족시키는 음이 아닌 정수 x_1, x_2', x_3'의 모든 순서쌍 (x_1, x_2', x_3')의 개수와 같다.
따라서 구하는 순서쌍의 개수는 0, 1, 2, …, 6의 7개에서 중복을 허락하여 3개를 택하는 중복조합의 수와 같으므로

$${}_7H_3={}_{7+3-1}C_3={}_9C_3=\frac{9\times8\times7}{3\times2\times1}=84$$

답 84

0244

다음 조건을 만족시키는 음이 아닌 다섯 개의 정수 a, b, c, d, e의 모든 순서쌍 (a, b, c, d, e)의 개수는?

(가) $a+b+c+d+e=7$
(나) $2^a\times2^b=8$ — $2^{a+b}=2^3$임을 이용하자.

조건 (나)에서 $2^a\times2^b=8$, 즉 $2^{a+b}=2^3$이므로
$a+b=3$ ······ ㉠
조건 (가)에서
$a+b+c+d+e=7$ ······ ㉡
㉠을 ㉡에 대입하면
$3+c+d+e=7$
$\therefore c+d+e=4$
(i) 방정식 $a+b=3$을 만족시키는 음이 아닌 정수 a, b의 모든 순서쌍 (a, b)의 개수는 서로 다른 2개에서 중복을 허락하여 3개를 택하는 중복조합의 수와 같으므로
${}_2H_3={}_{2+3-1}C_3={}_4C_3={}_4C_1=4$
(ii) 방정식 $c+d+e=4$를 만족시키는 음이 아닌 정수 c, d, e의 모든 순서쌍 (c, d, e)의 개수는 서로 다른 3개에서 중복을 허락하여 4개를 택하는 중복조합의 수와 같으므로
${}_3H_4={}_{3+4-1}C_4={}_6C_4={}_6C_2=15$
(i), (ii)에서 구하는 순서쌍 (a, b, c, d, e)의 개수는
$4\times15=60$

답 ⑤

0245

다음 조건을 만족시키는 음이 아닌 다섯 개의 정수 a, b, c, d, e의 모든 순서쌍 (a, b, c, d, e)의 개수를 구하시오.

(가) $a+b+c=3(d+e)$ — $d+e=1$일 때와 $d+e=2$일 때로 나누어 생각하자.
(나) $0<a+b+c+d+e\leq10$

조건 (가)에서 $d+e=0$이면 $a+b+c=0$이 되어 조건 (나)를 만족시키지 않는다.
$d+e=1$일 때, $a+b+c=3$이므로 조건 (나)를 만족시킨다.
$d+e=2$일 때, $a+b+c=6$이므로 조건 (나)를 만족시킨다.
$d+e\geq3$이면 $a+b+c\geq9$이므로 조건 (나)를 만족시키지 않는다. 그러므로 각 경우로 나누면 다음과 같다.
(i) $d+e=1$일 때
$a+b+c=3$
이 방정식을 만족시키는 음이 아닌 정수 a, b, c의 순서쌍 (a, b, c)의 개수는 서로 다른 3개에서 3개를 택하는 중복조합의 수이므로
${}_3H_3={}_{3+3-1}C_3={}_5C_3={}_5C_2=10$
이 각각에 대하여 $d+e=1$을 만족시키는 음이 아닌 정수 d, e의 순서쌍 (d, e)의 개수는 2이다.
그러므로 순서쌍 (a, b, c, d, e)의 개수는
$10\times2=20$
(ii) $d+e=2$일 때
$a+b+c=6$

이 방정식을 만족시키는 음이 아닌 정수 a, b, c의 순서쌍 (a, b, c)의 개수는 서로 다른 3개에서 6개를 택하는 중복조합의 수이므로

${}_3H_6 = {}_{3+6-1}C_6 = {}_8C_6 = {}_8C_2 = 28$

이 각각에 대하여 $d+e=2$를 만족시키는 음이 아닌 정수 d, e의 순서쌍 (d, e)의 개수는 서로 다른 2개에서 2개를 택하는 중복조합의 수이므로

${}_2H_2 = {}_{2+2-1}C_2 = {}_3C_2 = {}_3C_1 = 3$

그러므로 순서쌍 (a, b, c, d, e)의 개수는

$28 \times 3 = 84$

(i), (ii)에서 구하는 순서쌍 (a, b, c, d, e)의 개수는

$20 + 84 = 104$ 답 104

0246

서로 다른 4개의 주사위를 동시에 던질 때 나오는 눈의 수의 합이 10인 경우의 수를 구하시오.

→ 주사위의 눈은 1부터 6까지이므로 네 개의 주사위가 1, 1, 1, 7이 될 수는 없다.

4개의 주사위를 동시에 던질 때 나온 눈의 수를 a, b, c, d라 하면

$a+b+c+d=10$을 만족한다.

$1 \le a \le 6$, $1 \le b \le 6$, $1 \le c \le 6$, $1 \le d \le 6$이므로

$a=a'+1$, $b=b'+1$, $c=c'+1$, $d=d'+1$이라 하면

(단, $0 \le a' \le 5$, $0 \le b' \le 5$, $0 \le c' \le 5$, $0 \le d' \le 5$)

$a'+b'+c'+d'=6$

a', b', c', d' 중에서 중복을 허락하여 6개를 택한다.

이때 a', b', c', d'은 5 이하의 정수이므로 한 가지만 6번 택하는 4가지 경우는 제외한다.

따라서 구하는 경우의 수는

${}_4H_6 - 4 = {}_9C_6 - 4 = 80$ 답 80

0247

같은 종류의 주식 10주를 4사람 A, B, C, D에 다음 조건에 맞도록 남김없이 나누어 주는 방법의 수를 구하시오.

(단, D에게는 주식을 주지 않을 수 있다.)

(가) A에게는 1주 이상, B에게는 2주 이상 준다.
(나) C에게는 홀수개의 주식을 준다.

→ c에게 주식을 1, 3, 5, 7개 주는 경우로 나누어 생각하자.

네 사람 A, B, C, D에게 나누어 주는 주식의 개수를 각각 x, y, z, u라 하면

$x+y+z+u=10$($x \ge 1$, $y \ge 2$, z는 홀수, $u \ge 0$)이다.

이때, $x=x'+1$, $y=y'+2$라 하면

$z=1$인 경우 : $x'+y'+u=6$에서 ${}_3H_6 = {}_8C_2 = 28$

$z=3$인 경우 : $x'+y'+u=4$에서 ${}_3H_4 = {}_6C_2 = 15$

$z=5$인 경우 : $x'+y'+u=2$에서 ${}_3H_2 = {}_4C_2 = 6$

$z=7$인 경우 : $x'+y'+u=0$에서 ${}_3H_0 = 1$

$\therefore 28+15+6+1=50$ 답 50

0248

→ $a=2a'+2$(a'은 음이 아닌 정수)라 두자.

네 개의 상자 A, B, C, D에 다음 조건을 만족시키도록 크기와 모양이 같은 야구공 9개를 넣는 경우의 수를 구하시오.

(단, 야구공이 들어 있지 않은 상자가 있을 수 있다.)

(가) A 상자에는 2개 이상 짝수개의 야구공을 넣는다.
(나) B 상자에는 적어도 2개의 야구공을 넣는다.

→ $b=b'+2$(b'은 음이 아닌 정수)라 두자.

주머니 A, B, C, D에 들어가는 야구공의 개수를 각각 a, b, c, d라 하면 $a+b+c+d=9$이다.

$a=2a'+2$, $b=b'+2$라 하면

$2a'+b'+c+d=5$ (단, a', b', c, d는 음이 아닌 정수)

(i) $a'=0$일 때 $b'+c+d=5$

${}_3H_5 = {}_7C_5 = 21$

(ii) $a'=1$일 때 $b'+c+d=3$

${}_3H_3 = {}_5C_3 = 10$

(iii) $a'=2$일 때 $b'+c+d=1$

${}_3H_1 = {}_3C_1 = 3$

따라서 구하는 경우의 수는

$21+10+3=34$ 답 34

0249

어느 수영장에 1번부터 8번까지 8개의 레인이 있다. 3명의 학생이 서로 다른 레인의 번호를 각각 1개씩 선택할 때, 3명의 학생이 선택한 레인의 세 번호 중 어느 두 번호도 연속되지 않도록 선택하는 경우의 수는?

→ 양 끝과 3명의 학생 사이사이의 공간을 기준으로 생각하자.

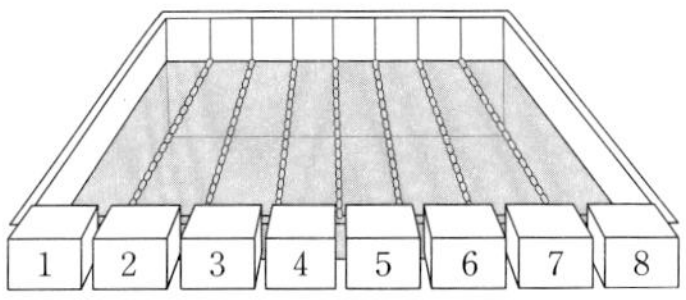

8개의 레인 번호 중 어느 두 번호도 연속되지 않도록 선택한 3개의 레인 번호를 각각 X, Y, Z(X<Y<Z)라 하자.

X, Y, Z를 선택하는 경우의 수는 다음과 같다. X보다 작은 레인 번호의 개수를 a, X보다 크고 Y보다 작은 레인 번호의 개수를 b, Y보다 크고 Z보다 작은 레인 번호의 개수를 c, Z보다 큰 레인 번호의 개수를 d라 하면

$a+b+c+d=5$($a \ge 0$, $b \ge 1$, $c \ge 1$, $d \ge 0$)

$b=b'+1$, $c=c'+1$이라 하면

$a+b'+c'+d=3$($a \ge 0$, $b' \ge 0$, $c' \ge 0$, $d \ge 0$)

${}_4H_3 = {}_6C_3 = 20$

3개의 레인 번호 X, Y, Z를 3명의 학생이 선택하는 경우의 수는 $3!$

따라서 $20 \times 3! = 120$ 답 ①

0250

다음 조건을 만족시키는 네 자리 자연수의 개수는?

(가) 각 자리의 수의 합은 14이다.
(나) 각 자리의 수는 모두 홀수이다.

→ 각 자리의 수를 각각 $2a+1$, $2b+1$, $2c+1$, $2d+1$로 놓자.

네 자리 자연수의 각 자리의 수를 각각 x, y, z, w라 하면
$x+y+z+w=14$
x, y, z, w가 모두 홀수이므로
$x=2a+1$, $y=2b+1$, $z=2c+1$, $w=2d+1$
(단, a, b, c, d는 0 이상 4 이하의 정수)
$(2a+1)+(2b+1)+(2c+1)+(2d+1)=14$
$a+b+c+d=5$
a, b, c, d 중에서 중복을 허락하여 5개를 택한다. 이때 a, b, c, d는 4 이하의 정수이므로 한 가지만 5번 택하는 4가지 경우는 제외한다.

${}_4H_5-4={}_{4+5-1}C_5-4={}_8C_5-4=\frac{8!}{5!3!}-4=52$ 답 ②

0251

네 명의 학생 A, B, C, D에게 같은 종류의 초콜릿 8개를 다음 규칙에 따라 남김없이 나누어 주는 경우의 수는?

(가) 각 학생은 적어도 1개의 초콜릿을 받는다.
(나) 학생 A는 학생 B보다 더 많은 초콜릿을 받는다.

→ 먼저 각 학생은 초콜릿을 1개씩 받았다고 생각하자.

네 명의 학생 A, B, C, D가 받는 초콜릿의 개수를 각각 a, b, c, d라 하면
$a+b+c+d=8$
조건 (가)에서 네 명의 학생이 각각 적어도 1개의 초콜릿을 받으므로 a, b, c, d는 자연수이다.
$a=a'+1$, $b=b'+1$, $c=c'+1$, $d=d'+1$이라 하면
$a'+b'+c'+d'=4$ (단, a', b', c', d'은 음이 아닌 정수이다.)
조건 (나)에서 $a'>b'$이어야 하므로
(i) $b'=0$일 때,
$a'=1$인 경우 $c'+d'=3$이므로 이 경우의 수는
${}_2H_3={}_4C_3=4$
$a'=2$인 경우 $c'+d'=2$이므로 이 경우의 수는
${}_2H_2={}_3C_2=3$
$a'=3$인 경우 $c'+d'=1$이므로 이 경우의 수는
${}_2H_1={}_2C_1=2$
$a'=4$인 경우 $c'+d'=0$이므로 이 경우의 수는 1
(ii) $b'=1$일 때,
$a'=2$인 경우 $c'+d'=1$이므로 이 경우의 수는
${}_2H_1={}_2C_1=2$
$a'=3$인 경우 $c'+d'=0$이므로 이 경우의 수는 1
따라서 구하는 모든 경우의 수는
$10+3=13$ 답 ②

0252

집합 $X=\{a, b, c\}$에서 $Y=\{1, 2, 3, 4\}$로의 함수 f에 대하여 다음을 구하시오.
→ 정의역의 각 원소가 취할 수 있는 경우의 수를 구하자.

(1) 함수의 개수
(2) 일대일함수의 개수
(3) $f(a)<f(b)<f(c)$인 함수의 개수
(4) $f(a)\le f(b)\le f(c)$인 함수의 개수

(1) 서로 다른 4개에서 3개를 택하는 중복순열의 수와 같으므로
${}_4\Pi_3=4^3=64$
(2) 서로 다른 4개에서 3개를 택하는 순열의 수와 같으므로
${}_4P_3=24$
(3) 서로 다른 4개에서 3개를 택하여 작은 것부터 차례대로 $f(a)$, $f(b)$, $f(c)$에 대응시키면 되므로 함수 f의 개수는
${}_4C_3={}_4C_1=4$
(4) 서로 다른 4개에서 3개를 택하는 중복조합의 수와 같으므로
${}_4H_3={}_6C_3=20$

답 (1) 64 (2) 24 (3) 4 (4) 20

0253

두 집합 $A=\{1, 2, 3, 4\}$, $B=\{1, 2, 3, 4, 5\}$에 대하여
$a\in A$, $b\in A$이고 $a<b$이면 $f(a)\ge f(b)$
를 만족시키는 함수 $f: A \longrightarrow B$의 개수를 구하시오.
→ $a<b$이면 $f(a)\ge f(b)$인 함수의 개수는 중복조합을 이용하자.

$a\in A$, $b\in A$이고 $a<b$이면 $f(a)\ge f(b)$를 만족시키는 함수 $f: A\longrightarrow B$의 개수는 집합 B의 원소 중에서 중복을 허락하여 4개를 택하는 중복조합의 수와 같으므로
${}_5H_4={}_{5+4-1}C_4={}_8C_4=70$ 답 70

0254

집합 $A=\{1, 2, 3, 4\}$에서 집합 $B=\{3, 4, 5, 6, 7, 8\}$으로의 함수 f 중에서
$f(1)\le f(2)<f(3)\le f(4)$
를 만족시키는 함수 f의 개수를 구하시오.
→ 먼저 $f(1)\le f(2)\le f(3)\le f(4)$인 함수의 개수를 구하자.

함수 f 중에서 $f(1)\le f(2)\le f(3)\le f(4)$를 만족시키는 함수 f의 개수는 집합 B의 원소에서 중복을 허락하여 4개를 선택한 다음, 작은 것부터 순서대로 1, 2, 3, 4에 대응시키는 경우의 수와 같다.
즉, 서로 다른 6개 중에서 중복을 허락하여 4개를 택하는 중복조합의 수와 같으므로
${}_6H_4={}_{6+4-1}C_4={}_9C_4=126$
같은 방법으로 $f(1)\le f(2)=f(3)\le f(4)$를 만족시키는 함수 f의 개수는 서로 다른 6개 중에서 중복을 허락하여 3개를 택하는 중복조합의 수와 같으므로
${}_6H_3={}_{6+3-1}C_3={}_8C_3=56$
따라서 $f(1)\le f(2)<f(3)\le f(4)$를 만족시키는 함수 f의 개수는
$126-56=70$ 답 70

0255

집합 $X=\{1, 2, 3, 4, 5\}$에 대하여 $f: X \longrightarrow X$ 중에서 다음 조건을 만족시키는 함수 f의 개수를 구하시오.

> (가) $f(1)f(5)=8$ → $f(1)$과 $f(5)$의 가능한 함숫값은 2, 4 또는 4, 2이다.
> (나) $f(2) \le f(3) < f(4) \le f(5)$

(i) $f(1)=2, f(5)=4$일 때,
$f(2) \le f(3) < f(4) \le 4$인 경우는
$f(2) \le f(3) \le f(4) \le 4$인 경우에서
$f(2) \le f(3) = f(4) \le 4$인 경우를 제외하면 된다.
$\therefore {}_4H_3 - {}_4H_2 = {}_6C_3 - {}_5C_2 = 20 - 10 = 10$
(ii) $f(1)=4, f(5)=2$일 때,
$f(2) \le f(3) < f(4) \le 2$인 경우는
$f(2)=f(3)=1$, $f(4)=2$인 1가지 경우이다.
(i), (ii)에 의하여 구하는 함수 f의 개수는 $10+1=11$ 답 11

0256 $a<b$이면 $f(a) \le f(b)$인 함수의 개수는 중복조합을 이용하자.

두 집합 $X=\{1, 2, 3, 4\}$, $Y=\{5, 6, 7, 8, 9\}$에 대하여 다음 조건을 만족시키는 X에서 Y로의 함수 f의 개수를 구하시오.

> (가) $f(3)=7$
> (나) X의 임의의 두 원소 x_1, x_2에 대하여 $x_1 < x_2$이면 $f(x_1) \le f(x_2)$이다.

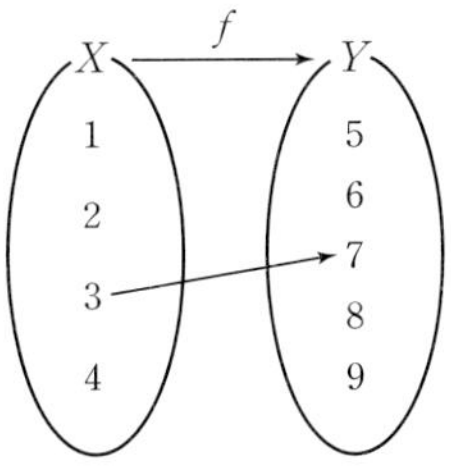

두 조건 (가), (나)에서 $f(1)$, $f(2)$의 값이 될 수 있는 수는 5 또는 6 또는 7이고, $f(1) \le f(2) \le f(3)$이어야 하므로 5, 6, 7의 3개에서 2개를 택하는 중복조합의 수는
${}_3H_2 = {}_{3+2-1}C_2 = {}_4C_2 = 6$
또 $f(4)$의 값이 될 수 있는 수는 7 또는 8 또는 9의 3가지
따라서 구하는 함수 f의 개수는 $6 \times 3 = 18$ 답 18

0257

두 집합 $X=\{1, 2, 3, 4, 5\}$, $Y=\{6, 7, 8, 9, 10\}$에 대하여 함수 $f: X \longrightarrow Y$ 중에서 다음 조건을 만족시키는 함수 f의 개수를 구하시오.

> (가) $f(3)$은 홀수이다. → $f(3)$이 7일 때와 9일 때로 나누어 생각하자.
> (나) 집합 X의 임의의 두 원소 x_1, x_2에 대하여 $x_1 < x_2$이면 $f(x_1) \le f(x_2)$이다.

(i) $f(3)=7$일 때
$f(1)$, $f(2)$가 대응하는 경우의 수는 6, 7 중에서 중복을 허락하여 2개를 뽑는 중복조합의 수와 같고, $f(4)$, $f(5)$가 대응하는 경우의 수는 7, 8, 9, 10 중에서 중복을 허락하여 2개를 뽑는 중복조합의 수와 같으므로
${}_2H_2 \times {}_4H_2 = {}_{2+2-1}C_2 \times {}_{4+2-1}C_2 = {}_3C_2 \times {}_5C_2 = 3 \times 10 = 30$
(ii) $f(3)=9$일 때
$f(1)$, $f(2)$가 대응하는 경우의 수는 6, 7, 8, 9 중에서 중복을 허락하여 2개를 뽑는 중복조합의 수와 같고, $f(4)$, $f(5)$가 대응하는 경우의 수는 9, 10 중에서 중복을 허락하여 2개를 뽑는 중복조합의 수와 같으므로
${}_4H_2 \times {}_2H_2 = {}_{4+2-1}C_2 \times {}_{2+2-1}C_2 = {}_5C_2 \times {}_3C_2 = 10 \times 3 = 30$
(i), (ii)에 의하여 구하는 함수 f의 개수는
$30+30=60$ 답 60

0258

두 집합 $A=\{2, 3, 4, 5, 6, 7\}$, $B=\{1, 2, 3, 4, 5, 6, 7\}$에 대하여 $a \in A$, $b \in A$이고 $a<b$이면 $f(a) \le f(b)$를 만족시키는 함수 $f: A \longrightarrow B$ 중에서 $f(2)f(5)=12$를 만족시키는 함수의 개수를 구하시오. → $f(2)$과 $f(5)$의 가능한 함숫값은 2, 6 또는 3, 4이다.

(i) $f(2)=2$, $f(5)=6$인 경우
$f(2) \le f(3) \le f(4) \le f(5)$이어야 하므로 $f(3)$과 $f(4)$의 값이 될 수 있는 수는 2 또는 3 또는 4 또는 5 또는 6
2, 3, 4, 5, 6의 5개에서 2개를 택하는 중복조합의 수는
${}_5H_2 = {}_6C_2 = 15$
또 $f(5) \le f(6) \le f(7)$이어야 하므로 $f(6)$과 $f(7)$의 값이 될 수 있는 수는 6 또는 7
6, 7의 2개에서 2개를 택하는 중복조합의 수는
${}_2H_2 = {}_3C_2 = 3$
즉, $f(2)=2$, $f(5)=6$인 함수 f의 개수는
$15 \times 3 = 45$
(ii) $f(2)=3$, $f(5)=4$인 경우
$f(2) \le f(3) \le f(4) \le f(5)$이어야 하므로 $f(3)$과 $f(4)$의 값이 될 수 있는 수는 3 또는 4
3, 4의 2개에서 2개를 택하는 중복조합의 수는
${}_2H_2 = {}_3C_2 = 3$
또 $f(5) \le f(6) \le f(7)$이어야 하므로 $f(6)$과 $f(7)$의 값이 될 수 있는 수는 4 또는 5 또는 6 또는 7
4, 5, 6, 7의 4개에서 2개를 택하는 중복조합의 수는
${}_4H_2 = {}_5C_2 = 10$
즉, $f(2)=3$, $f(5)=4$인 함수 f의 개수는
$3 \times 10 = 30$
(i), (ii)에서 구하는 함수의 개수는
$45+30=75$ 답 75

0259

집합 $X=\{1, 3, 5, 7, 9\}$에 대하여 다음 조건을 만족시키는 함수 $f: X \longrightarrow X$의 개수는?

(가) $f(1)<f(3)<f(5)$
(나) $f(7) \le f(9)$

• $a<b$이면 $f(a)<f(b)$인 함수의 개수는 조합을 이용하자.

조건 (가)를 만족시키도록 $f(1)$, $f(3)$, $f(5)$를 결정하는 경우의 수는 서로 다른 5개에서 3개를 택하는 조합의 수이므로

$_5C_3={}_5C_2=10$

이 각각에 대하여 조건 (나)를 만족시키도록 $f(7)$, $f(9)$를 결정하는 경우의 수는 서로 다른 5개에서 2개를 택하는 중복조합의 수이므로

$_5H_2={}_{5+2-1}C_2={}_6C_2=15$

따라서 구하는 함수 f의 개수는

$10\times15=150$

답 ⑤

0260

• 치역에 속하는 3개의 수에 대응하는 집합 X의 원소의 개수를 각각 a, b, c라 하자.

집합 $X=\{1, 2, 3, 4, 5, 6, 7\}$에 대하여 다음 조건을 만족시키는 함수 $f: X \longrightarrow X$의 개수를 구하시오.

(가) 함수 f의 치역의 원소의 개수는 3이다.
(나) 집합 X의 임의의 두 원소 x_1, x_2에 대하여 $x_1<x_2$이면 $f(x_1)\le f(x_2)$이다.

조건 (가)에서 함수 f의 치역에 속하는 집합 X의 원소 3개를 택하는 경우의 수는

$_7C_3=\dfrac{7\times6\times5}{3\times2\times1}=35$ ...... ㉠

치역에 속하는 3개의 수에 각각 대응하는 집합 X의 원소의 개수를 각각 a, b, c라 하고 조건 (나)를 만족시키려면

$a+b+c=7$ (a, b, c는 자연수)

$a'+1=a, b'+1=b, c'+1=c$로 놓으면

$a'+b'+c'=4$ (a', b', c'은 음이 아닌 정수)

이때 순서쌍 (a', b', c')의 개수는

$_3H_4={}_6C_4={}_6C_2=\dfrac{6\times5}{2\times1}=15$ ...... ㉡

㉠, ㉡에서 구하는 함수 f의 개수는 $35\times15=525$

답 525

0261

$(x+y)^{10}$의 전개식에서 x^3y^7의 계수는?

• $(a+b)^n$의 전개식의 일반항은 $_nC_ra^{n-r}b^r$임을 이용하자.

$(x+y)^{10}$의 전개식의 일반항은

$_{10}C_rx^{10-r}y^r$

따라서 x^3y^7의 계수는 $r=7$일 때이므로

$_{10}C_7={}_{10}C_3=120$

답 ③

0262

다항식 $(3x+1)^8$의 전개식에서 x의 계수를 구하시오.

• $(a+b)^n$의 전개식의 일반항은 $_nC_ra^{n-r}b^r$임을 이용하자.

$(3x+1)^8$의 전개식의 일반항은

$_8C_r(3x)^r={}_8C_r3^rx^r$ (단, $r=0, 1, 2, \cdots, 8$)

x의 계수는 $r=1$일 때이므로

$_8C_1\times3=24$

답 24

0263

$\dfrac{1}{2}(x-2y)^{10}$의 전개식에서 x^7y^3의 계수를 구하시오.

• 전개식의 일반항은 $\dfrac{1}{2}{}_{10}C_rx^{10-r}(-2y)^r$임을 이용하자.

$\dfrac{1}{2}(x-2y)^{10}$의 전개식의 일반항은

$\dfrac{1}{2}{}_{10}C_rx^{10-r}(-2y)^r=\dfrac{1}{2}(-2)^r{}_{10}C_rx^{10-r}y^r$

따라서 x^7y^3의 계수는 $r=3$일 때이므로

$\dfrac{1}{2}(-2)^3{}_{10}C_3=-4\times{}_{10}C_3=-480$

답 -480

0264

$(x^2+x)^4$의 전개식에서 x^5의 계수를 구하시오.

• 일반항은 $_4C_r(x^2)^{4-r}x^r$임을 이용하자.

$(x^2+x)^4$의 전개식의 일반항은

$_4C_r(x^2)^{4-r}x^r={}_4C_rx^{8-r}$

$x^{8-r}=x^5$에서

$8-r=5$

$\therefore r=3$

따라서 x^5의 계수는

$_4C_3={}_4C_1=4$

답 4

0265

$x(x^2+y)^5$의 전개식에서 x^3y^4의 계수는?

• $(x^2+y)^5$의 전개식에서 x^2y^4의 계수와 같음을 이용하자.

$x(x^2+y)^5$의 전개식에서 x^3y^4의 계수는

$(x^2+y)^5$의 전개식에서 x^2y^4의 계수와 같다.

$(x^2+y)^5$의 전개식의 일반항은

$_5C_r(x^2)^{5-r}y^r={}_5C_rx^{10-2r}y^r$

$x^{10-2r}y^r=x^2y^4$에서 $r=4$

따라서 x^3y^4의 계수는

$_5C_4={}_5C_1=5$

답 ①

0266

$(ax+2)^4$의 전개식에서 x^2의 계수가 216일 때, 양수 a의 값을 구하시오.
→ 일반항은 ${}_4C_r(ax)^{4-r}2^r$임을 이용하자.

$(ax+2)^4$의 전개식의 일반항은
${}_4C_r(ax)^{4-r}2^r={}_4C_r a^{4-r}2^r x^{4-r}$
$x^{4-r}=x^2$에서 $r=2$
즉, x^2의 계수는
${}_4C_2 a^2\times 2^2=216$
$a^2=9$
$\therefore a=3$ ($\because a>0$)

답 3

0267

→ 일반항은 ${}_6C_r a^{6-r}\times(-1)^r\times x^{6-r}\times y^r$임을 이용하자.

$(ax-y)^6$의 전개식에서 x^2y^4의 계수가 60일 때, x^3y^3의 계수를 구하시오. (단, $a>0$이다.)

$(ax-y)^6$에서 전개식의 일반항은
${}_6C_r\times a^{6-r}\times(-1)^r\times x^{6-r}y^r$
이때, x^2y^4의 계수가 60이므로
$r=4$이면 ${}_6C_4\times a^2=60$
따라서 $15\times a^2=60$, $a^2=4$
$\therefore a=2$ ($\because a>0$)
x^3y^3의 계수는 $r=3$일 때이므로
${}_6C_3\cdot 2^3\cdot(-1)=-160$

답 -160

0268

→ 일반항은 ${}_5C_r x^{5-r}(-a)^r$임을 이용하자.

$(x-a)^5$의 전개식에서 x의 계수와 상수항의 합이 0일 때, 양의 상수 a의 값을 구하시오.

$(x-a)^5$의 전개식의 일반항은
${}_5C_r x^{5-r}(-a)^r$
(i) $x^{5-r}=x$에서 $r=4$
즉, x의 계수는
${}_5C_4(-a)^4=5a^4$
(ii) 상수항은 $5-r=0$일 때이므로
$r=5$
즉, 상수항은
${}_5C_5(-a)^5=-a^5$
x의 계수와 상수항의 합이 0이므로
$5a^4+(-a^5)=0$
$a^4(a-5)=0$
$\therefore a=5$ ($\because a>0$)

답 5

0269

→ 일반항은 ${}_nC_r(-1)^{n-r}x^r$임을 이용하자.

$(x-1)^n$의 전개식에서 x^2의 계수가 -55일 때, x^3의 계수를 구하시오. (단, n은 자연수이다.)

$(x-1)^n$의 전개식의 일반항은
${}_nC_r(-1)^{n-r}x^r$
x^2의 계수는 $r=2$일 때이므로
${}_nC_2(-1)^{n-2}=-55$
$\dfrac{n(n-1)}{2}\times(-1)^{n-2}=-55$
$\therefore n=11$
따라서 x^3의 계수는
${}_{11}C_3(-1)^{11-3}=165$

답 165

0270

$\left(x+\dfrac{1}{3x}\right)^6$의 전개식에서 x^2의 계수는?
→ 일반항은 ${}_6C_r x^{6-r}\left(\dfrac{1}{3x}\right)^r$임을 이용하자.

$\left(x+\dfrac{1}{3x}\right)^6$의 전개식에서 일반항은
${}_6C_r x^{6-r}\left(\dfrac{1}{3x}\right)^r={}_6C_r 3^{-r}x^{6-2r}$
x^2의 계수는 $6-2r=2$에서 $r=2$일 때이므로
${}_6C_2 3^{-2}=15\times\dfrac{1}{9}=\dfrac{5}{3}$

답 ④

0271

$\left(2x^2-\dfrac{1}{x}\right)^6$의 전개식에서 상수항은?
→ 일반항은 ${}_6C_r\,(2x^2)^{6-r}\left(-\dfrac{1}{x}\right)^r$임을 이용하자.

$\left(2x^2-\dfrac{1}{x}\right)^6$의 전개식의 일반항은
${}_6C_r(2x^2)^{6-r}\left(-\dfrac{1}{x}\right)^r={}_6C_r(-1)^r 2^{6-r}x^{12-3r}$
상수항은 $12-3r=0$일 때이므로
$r=4$
따라서 상수항은
${}_6C_4\times(-1)^4\times 2^2=60$

답 ③

0272

$\left(2x+\dfrac{1}{x^2}\right)^4$의 전개식에서 x의 계수는?
→ 일반항은 ${}_4C_r\,(2x)^{4-r}\left(\dfrac{1}{x^2}\right)^r$임을 이용하자.

$\left(2x+\dfrac{1}{x^2}\right)^4$의 일반항은 ${}_4C_r(2x)^{4-r}\left(\dfrac{1}{x^2}\right)^r={}_4C_r 2^{4-r}x^{4-3r}$
이때, $x^{4-3r}=x$에서 $4-3r=1$ $\quad\therefore r=1$
따라서 x의 계수는 ${}_4C_1\times 2^3=32$

답 ⑤

0273

> $\left(x^3+\dfrac{1}{x}\right)^6$의 전개식에서 x^6의 계수를 a, $\dfrac{1}{x^2}$의 계수를 b라 할 때, $a+b$의 값을 구하시오.
>
> → 일반항은 ${}_6C_r\,(x^3)^{6-r}\left(\dfrac{1}{x}\right)^r$임을 이용하자.

$\left(x^3+\dfrac{1}{x}\right)^6$의 전개식에서 일반항은

${}_6C_r(x^3)^{6-r}\left(\dfrac{1}{x}\right)^r={}_6C_r\,x^{18-3r}x^{-r}={}_6C_r\,x^{18-4r}$

x^6의 계수는 $18-4r=6$에서 $r=3$일 때이므로

$a={}_6C_3=20$

$\dfrac{1}{x^2}$의 계수는 $18-4r=-2$에서 $r=5$일 때이므로

$b={}_6C_5=6$

$\therefore a+b=20+6=26$

답 26

0274

> $\left(x-\dfrac{a}{x}\right)^6$의 전개식에서 x^4의 계수가 -12일 때, 상수항은? (단, a는 상수이다.)
>
> → 일반항은 ${}_6C_r\,(x)^{6-r}\left(-\dfrac{a}{x}\right)^r$임을 이용하자.

$\left(x-\dfrac{a}{x}\right)^6=\left\{x+\left(-\dfrac{a}{x}\right)\right\}^6$의 전개식의 일반항은

${}_6C_rx^{6-r}\left(-\dfrac{a}{x}\right)^r={}_6C_r(-a)^rx^{6-2r}$

x^4의 계수는 $6-2r=4$에서 $r=1$일 때이므로

${}_6C_1(-a)=-6a=-12 \qquad \therefore a=2$

따라서 상수항은 $6-2r=0$에서 $r=3$일 때이므로

${}_6C_3(-2)^3=20\times(-8)=-160$

답 ⑤

0275

> $\left(ax^3+\dfrac{2}{x^2}\right)^4$의 전개식에서 x^2의 계수가 96일 때, x^7의 계수는? (단, $a>0$)
>
> → 일반항은 ${}_4C_r\,(ax^3)^{4-r}\left(\dfrac{2}{x^2}\right)^r$임을 이용하자.

$\left(ax^3+\dfrac{2}{x^2}\right)^4$의 전개식의 일반항은

${}_4C_r\,(ax^3)^{4-r}\left(\dfrac{2}{x^2}\right)^r={}_4C_r\,2^ra^{4-r}x^{12-5r}$

$x^{12-5r}=x^2$에서 $r=2$

즉, x^2의 계수는 ${}_4C_2\,2^2a^2=96$

$a^2=4$

$\therefore a=2\ (\because a>0)$

따라서 x^7의 계수는

$x^{12-5r}=x^7$에서 $r=1$이므로

${}_4C_1\,2^12^3=64$

답 ④

0276

> $\left(x+\dfrac{1}{x}\right)^2+\left(x+\dfrac{1}{x}\right)^3+\left(x+\dfrac{1}{x}\right)^4+\left(x+\dfrac{1}{x}\right)^5+\left(x+\dfrac{1}{x}\right)^6$을 전개한 식에서 x^2항의 계수를 구하시오.
>
> → $\left(x+\dfrac{1}{x}\right)^n$의 전개식의 일반항은 ${}_nC_rx^{n-r}\left(\dfrac{1}{x}\right)^r$임을 이용하자.

$\left(x+\dfrac{1}{x}\right)^n$의 전개식에서 일반항은

${}_nC_rx^{n-r}\left(\dfrac{1}{x}\right)^r={}_nC_rx^{n-2r}$ (단, $r=0, 1, \cdots, n$)

$n-2r=2$ ($n=2, 3, 4, 5, 6$)에서

(i) $n=3, 5$일 때,

$n-2r=2$를 만족하는 정수 r의 값이 존재하지 않으므로 x^2항은 존재하지 않는다.

(ii) $n=2, 4, 6$일 때,

$n-2r=2$를 만족하는 r의 값은 각각 0, 1, 2이다.

따라서 x^2항의 계수는

${}_2C_0+{}_4C_1+{}_6C_2=1+4+15=20$

답 20

0277

> $\left(\dfrac{1}{x}+x^2\right)^n$의 전개식에서 x^2의 계수와 x^8의 계수가 같을 때, 자연수 n의 값을 구하시오.
>
> → 일반항은 ${}_nC_r\left(\dfrac{1}{x}\right)^{n-r}(x^2)^r$임을 이용하자.

$\left(\dfrac{1}{x}+x^2\right)^n$의 전개식의 일반항은

${}_nC_r\left(\dfrac{1}{x}\right)^{n-r}(x^2)^r={}_nC_rx^{-n+3r}$

x^2의 계수는 $-n+3r=2$

즉, $r=\dfrac{n+2}{3}$, $n=3k+1$ ($k=0, 1, 2, \cdots$)일 때이므로

${}_nC_{\frac{n+2}{3}}$ ……㉠

x^8의 계수는 $-n+3r=8$

즉, $r=\dfrac{n+8}{3}$, $n=3k'+1$ ($k'=1, 2, \cdots$)일 때이므로

${}_nC_{\frac{n+8}{3}}$ ……㉡

㉠, ㉡이 서로 같으므로

${}_nC_{\frac{n+2}{3}}={}_nC_{\frac{n+8}{3}}$

자연수 n에 대하여 $\dfrac{n+2}{3}\neq\dfrac{n+8}{3}$이므로

$\dfrac{n+2}{3}+\dfrac{n+8}{3}=n$

$2n+10=3n \qquad \therefore n=10$

답 10

0278

> $\left(x+\dfrac{1}{x^n}\right)^{10}$의 전개식에서 상수항이 존재하도록 하는 모든 자연수 n의 값의 합을 구하시오.
>
> → 일반항은 ${}_{10}C_r(x)^{10-r}\left(\dfrac{1}{x^n}\right)^r$임을 이용하자.

$\left(x+\dfrac{1}{x^n}\right)^{10}$의 전개식의 일반항은

${}_{10}C_r \times x^{10-r} \times (x^{-n})^r = {}_{10}C_r \times x^{-nr+10-r}$

이때, 상수항은 $-nr+10-r=0$인 경우이다.

즉, $10-r(n+1)=0$

$r(n+1)=10(0 \le r \le 10)$

$r=\dfrac{10}{n+1}\ (0 \le r \le 10)$

위 식을 만족하는 (n, r)의 순서쌍을 구해보면

$(1, 5), (4, 2), (9, 1)$

따라서 모든 n의 값의 합은

$1+4+9=14$ 답 14

0279

$(1+2x)^6(1-x)$의 전개식에서 x^4의 계수는?

→ $=(1+2x)^6-x(1+2x)^6$임을 이용하자.

$(1+2x)^6(1-x)=(1+2x)^6-x(1+2x)^6$이므로

$(1+2x)^6(1-x)$의 전개식에서 x^4의 계수는

$(1+2x)^6$에서 x^4의 계수와 $-(1+2x)^6$에서 x^3의 계수의 합과 같다.

(i) $(1+2x)^6$의 전개식의 일반항은

${}_6C_r 1^{6-r}(2x)^r = {}_6C_r 2^r x^r$

$x^r=x^4$에서 $r=4$

즉, x^4의 계수는

${}_6C_4 2^4 = {}_6C_2 \times 16 = 240$

(ii) $-(1+2x)^6$의 전개식의 일반항은

$-{}_6C_r 1^{6-r}(2x)^r = -{}_6C_r 2^r x^r$

$x^r=x^3$에서 $r=3$

즉, x^3의 계수는

$-{}_6C_3 2^3 = -{}_6C_3 \times 8 = -160$

(i), (ii)에 의하여 x^4의 계수는

$240-160=80$ 답 ⑤

0280

$\left(x^2-\dfrac{1}{x}\right)\left(x+\dfrac{a}{x^2}\right)^4$의 전개식에서 x^3의 계수가 7일 때, 상수 a의 값은?

→ $\left(x+\dfrac{a}{x^2}\right)^4$의 전개식에서 x항과 x^4항의 계수를 구하자.

$\left(x^2-\dfrac{1}{x}\right)\left(x+\dfrac{a}{x^2}\right)^4$의 전개식에서 x^3의 계수는

$\left(x^2-\dfrac{1}{x}\right)$에서 x^2의 계수 1과 $\left(x+\dfrac{a}{x^2}\right)^4$의 전개식에서 x의 계수를 곱한 것과 $\left(x^2-\dfrac{1}{x}\right)$에서 $\dfrac{1}{x}$의 계수 -1과 $\left(x+\dfrac{a}{x^2}\right)^4$의 전개식에서 x^4의 계수를 곱한 것의 합과 같다.

$\left(x+\dfrac{a}{x^2}\right)^4$의 전개식에서 일반항은

${}_4C_r x^{4-r}\left(\dfrac{a}{x^2}\right)^r = {}_4C_r a^r x^{4-r-2r} = {}_4C_r a^r x^{4-3r}$

x항은 $4-3r=1$, 즉 $r=1$이므로

x의 계수는 ${}_4C_1 a^1 = 4a$

x^4항은 $4-3r=4$, 즉 $r=0$이므로

x^4의 계수는 ${}_4C_0 a^0 = 1$

즉, $\left(x^2-\dfrac{1}{x}\right)\left(x+\dfrac{a}{x^2}\right)^4$의 전개식에서 x^3의 계수는

$1 \times 4a + (-1) \times 1 = 4a-1$

따라서 $4a-1=7$이므로 $a=2$ 답 ②

0281

다음 전개식에서 x^5y^2의 계수를 구하시오.

$$(x-y)^7+(2xy-y^2)(x-y)^5$$

→ 먼저 주어진 식을 인수분해하자.

$(x-y)^7+(2xy-y^2)(x-y)^5$

$=(x-y)^5\{(x-y)^2+(2xy-y^2)\}$

$=x^2(x-y)^5$

$x^2(x-y)^5$의 전개식에서 x^5y^2의 계수는 $(x-y)^5$의 전개식에서 x^3y^2의 계수와 같다.

$(x-y)^5$의 전개식의 일반항은

${}_5C_r x^{5-r}(-y)^r = {}_5C_r (-1)^r x^{5-r} y^r$

$x^{5-r}y^r = x^3y^2$에서 $r=2$

따라서 구하는 x^5y^2의 계수는

${}_5C_2(-1)^2=10$ 답 10

0282

$(1+3x)^4(1-2x)^5$의 전개식에서 x^2의 계수는?

→ 각 전개식의 일반항을 각각 구하자.

$(1+3x)^4$의 전개식의 일반항은

${}_4C_r 1^{4-r}(3x)^r = {}_4C_r 3^r x^r$

$(1-2x)^5$의 전개식의 일반항은

${}_5C_s 1^{5-s}(-2x)^s = {}_5C_s (-2)^s x^s$

즉, $(1+3x)^4(1-2x)^5$의 전개식의 일반항은

${}_4C_r \times {}_5C_s (-2)^s 3^r x^{r+s}$

$x^{r+s}=x^2$에서 $r+s=2$

(i) $r=0$, $s=2$일 때

${}_4C_0 \times {}_5C_2 (-2)^2 3^0 = 40$

(ii) $r=1$, $s=1$일 때

${}_4C_1 \times {}_5C_1 (-2)^1 3^1 = -120$

(iii) $r=2$, $s=0$일 때

${}_4C_2 \times {}_5C_0 (-2)^0 3^2 = 54$

(i), (ii), (iii)에서 구하는 x^2의 계수는

$40+(-120)+54=-26$ 답 ②

0283

각 전개식의 일반항을 구하여 곱하자.

> $\left(x+\frac{1}{x}\right)^5(x^2+1)^3$의 전개식에서 x^9의 계수를 a, x의 계수를 b라 할 때, $a+b$의 값을 구하시오.

$\left(x+\frac{1}{x}\right)^5$의 전개식의 일반항은

${}_5C_r x^r\left(\frac{1}{x}\right)^{5-r}={}_5C_r x^{2r-5}$

$(x^2+1)^3$의 전개식의 일반항은

${}_3C_s 1^{3-s}(x^2)^s={}_3C_s x^{2s}$

즉, $\left(x+\frac{1}{x}\right)^5(x^2+1)^3$의 전개식의 일반항은

${}_5C_r\times{}_3C_s x^{2r+2s-5}$

$x^{2r+2s-5}=x^9$에서

$2r+2s-5=9$

$\therefore r+s=7$

가능한 (r, s)의 순서쌍은 $(5, 2)$, $(4, 3)$이므로 x^9의 계수는

$a={}_5C_5\times{}_3C_2+{}_5C_4\times{}_3C_3=3+5=8$

한편, $x^{2r+2s-5}=x$에서

$2r+2s-5=1$

$\therefore r+s=3$

가능한 (r, s)의 순서쌍은 $(0, 3)$, $(1, 2)$, $(2, 1)$, $(3, 0)$이므로 x의 계수는

$b={}_5C_0\times{}_3C_3+{}_5C_1\times{}_3C_2+{}_5C_2\times{}_3C_1+{}_5C_3\times{}_3C_0$

$=1+15+30+10=56$

$\therefore a+b=8+56=64$

답 64

0284

각각의 전개식의 일반항은 ${}_nC_r(-x)^r$, ${}_{9-n}C_s(x)^s$이다.

> 9 이하의 자연수 n에 대하여 다항식 $(1-x)^n(1+x)^{9-n}$의 전개식에서 x의 계수와 x^2의 계수가 모두 음수가 되는 정수 n의 값을 구하시오.

$(1-x)^n$, $(1+x)^{9-n}$의 전개식에서 일반항은 각각

${}_nC_r(-x)^r$, ${}_{9-n}C_sx^s$

이다.

(i) x의 계수는 2가지 경우이므로

$(-{}_nC_1)\times1+1\times{}_{9-n}C_1=-n+9-n=9-2n$

$9-2n<0$에서 $n>\frac{9}{2}$

(ii) x^2의 계수는 3가지 경우이므로

${}_nC_2\times1+\{(-{}_nC_1)\times{}_{9-n}C_1\}+1\times{}_{9-n}C_2$

$=\frac{n(n-1)}{2}+n(n-9)+\frac{(9-n)(8-n)}{2}$

$=2n^2-18n+36$

$2n^2-18n+36<0$에서

$n^2-9n+18<0$

$(n-3)(n-6)<0$

$3<n<6$

(i), (ii)에 의하여 $n=5$

답 5

0285

> 파스칼의 삼각형을 이용하여
>
> ${}_3C_3+{}_4C_3+{}_5C_3+{}_6C_3+\cdots+{}_{10}C_3$
>
> 을 간단히 하면?
>
> ${}_{n-1}C_{r-1}+{}_{n-1}C_r={}_nC_r$을 이용하여 간단히 하자.
>
> ${}_1C_0$ ${}_1C_1$
> ${}_2C_0$ ${}_2C_1$ ${}_2C_2$
> ${}_3C_0$ ${}_3C_1$ ${}_3C_2$ ${}_3C_3$
> ${}_4C_0$ ${}_4C_1$ ${}_4C_2$ ${}_4C_3$ ${}_4C_4$
> ⋮

${}_{n-1}C_{r-1}+{}_{n-1}C_r={}_nC_r$이므로

${}_3C_3+{}_4C_3+{}_5C_3+{}_6C_3+\cdots+{}_{10}C_3$

$=({}_4C_4+{}_4C_3)+{}_5C_3+{}_6C_3+\cdots+{}_{10}C_3$

$=({}_5C_4+{}_5C_3)+{}_6C_3+\cdots+{}_{10}C_3$

$=({}_6C_4+{}_6C_3)+\cdots+{}_{10}C_3$

⋮

$={}_{10}C_4+{}_{10}C_3$

$={}_{11}C_4={}_{11}C_7$

답 ③

0286

> ${}_2C_0+{}_2C_1+{}_3C_2+{}_4C_3+{}_5C_4$의 값을 구하시오.
>
> ${}_{n-1}C_{r-1}+{}_{n-1}C_r={}_nC_r$을 이용하여 간단히 하자.

${}_{n-1}C_{r-1}+{}_{n-1}C_r={}_nC_r$이므로

${}_2C_0+{}_2C_1+{}_3C_2+{}_4C_3+{}_5C_4={}_3C_1+{}_3C_2+{}_4C_3+{}_5C_4$

$={}_4C_2+{}_4C_3+{}_5C_4$

$={}_5C_3+{}_5C_4$

$={}_6C_4={}_6C_2$

$=15$

답 15

0287

> ${}_2C_2+{}_3C_2+{}_4C_2+\cdots+{}_{20}C_2$의 값은?
>
> ${}_{n-1}C_{r-1}+{}_{n-1}C_r={}_nC_r$을 이용하여 간단히 하자.

${}_2C_2={}_3C_3$이고, ${}_nC_r={}_{n-1}C_{r-1}+{}_{n-1}C_r$이므로

${}_2C_2+{}_3C_2+{}_4C_2+\cdots+{}_{20}C_2$

$={}_3C_3+{}_3C_2+{}_4C_2+{}_5C_2+\cdots+{}_{20}C_2$

$={}_4C_3+{}_4C_2+{}_5C_2+\cdots+{}_{20}C_2$

$={}_5C_3+{}_5C_2+\cdots+{}_{20}C_2$

⋮

$={}_{20}C_3+{}_{20}C_2$

$={}_{21}C_3=1330$

답 ③

0288

> ${}_{10}C_8+{}_{11}C_9+{}_{12}C_{10}+\cdots+{}_{20}C_{18}$의 값을 구하시오.
>
> ${}_{n-1}C_{r-1}+{}_{n-1}C_r={}_nC_r$을 이용하여 간단히 하자.

${}_2C_0+{}_3C_1+\cdots+{}_9C_7+{}_{10}C_8+\cdots+{}_{20}C_{18}={}_{21}C_{18}$

이므로

${}_{10}C_8+\cdots+{}_{20}C_{18}={}_{21}C_{18}-({}_2C_0+{}_3C_1+\cdots+{}_9C_7)$

이때 ${}_2C_0+{}_3C_1+\cdots+{}_9C_7={}_{10}C_7$이므로

${}_{10}C_8+\cdots+{}_{20}C_{18}={}_{21}C_{18}-{}_{10}C_7=1330-120=1210$

답 1210

0289 — • 어두운 부분의 합은 $\sum_{n=2}^{10}=({}_nC_{n-2}+{}_nC_{n-1}+{}_nC_n)$임을 이용하자.

그림과 같은 수의 배열을 파스칼의 삼각형이라고 한다. 어두운 부분의 모든 수들의 합은?

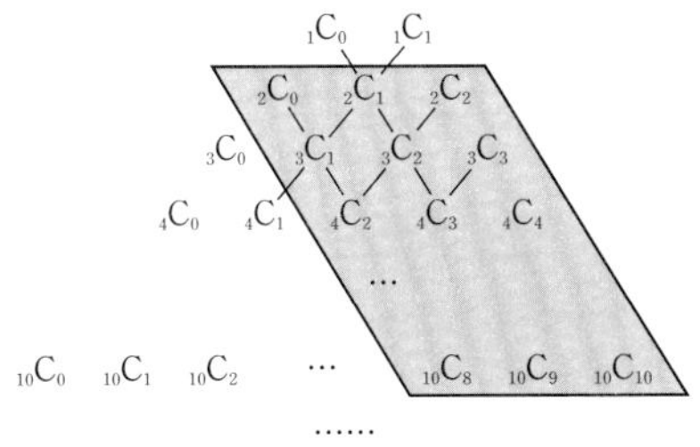

어두운 부분의 합은

$\sum_{n=2}^{10}({}_nC_{n-2}+{}_nC_{n-1}+{}_nC_n)$

$=\sum_{n=2}^{10}({}_nC_2+{}_nC_1+1)$

$=\sum_{n=2}^{10}\left\{\frac{n(n-1)}{2}+n+1\right\}$

$=\sum_{n=2}^{10}\left(\frac{1}{2}n^2+\frac{1}{2}n+1\right)$

$=\sum_{n=1}^{10}\left(\frac{1}{2}n^2+\frac{1}{2}n+1\right)-2$

$=\frac{1}{2}\times\frac{10\times11\times21}{6}+\frac{1}{2}\times\frac{10\times11}{2}+10-2$

$=228$ 답 ③

0290

빨간색, 파란색, 노란색 색연필이 있다. 각 색의 색연필을 적어도 하나씩 포함하여 15개 이하의 색연필을 선택하는 방법의 수를 구하시오. (단, 각 색의 색연필은 15개 이상씩 있고, 같은 색의 색연필은 서로 구별이 되지 않는다.)

• $x=x'+1$, $y=y'+1$, $z=z'+1$로 놓으면 $0\le x'+y'+z'\le 12$임을 이용하자.

선택하는 빨간색, 파란색, 노란색 색연필의 개수를 각각 x, y, z라 하자.
각 색의 색연필을 적어도 하나씩 포함해야 하므로
$x-1=x'$, $y-1=y'$, $z-1=z'$ (단, x', y', z'은 음이 아닌 정수)
전체 색연필의 개수는 15개 이하이므로
$3\le x+y+z\le 15$
$\therefore 0\le x'+y'+z'\le 12$
$x'+y'+z'=0$일 때, ${}_3H_0={}_{3+0-1}C_0={}_2C_0$
$x'+y'+z'=1$일 때, ${}_3H_1={}_{3+1-1}C_1={}_3C_1$
$x'+y'+z'=2$일 때, ${}_3H_2={}_{3+2-1}C_2={}_4C_2$
$\vdots$
$x'+y'+z'=12$일 때, ${}_3H_{12}={}_{3+12-1}C_{12}={}_{14}C_{12}$
구하는 방법의 수는
${}_2C_0+{}_3C_1+{}_4C_2+{}_5C_3+\cdots+{}_{14}C_{12}$
$={}_3C_3+{}_3C_2+{}_4C_2+{}_5C_2+\cdots+{}_{14}C_2$
$=({}_4C_3+{}_4C_2)+{}_5C_2+\cdots+{}_{14}C_2$
$=({}_5C_3+{}_5C_2)+\cdots+{}_{14}C_2$
$\vdots$
$={}_{14}C_3+{}_{14}C_2$
$={}_{15}C_3$
$=\frac{15\times14\times13}{3\times2\times1}=455$ 답 455

다른풀이 선택하는 빨간색, 파란색, 노란색 색연필의 개수를 각각 x, y, z라 하면
$x+y+z\le 15$ …… ㉠
이때 각 색의 색연필을 적어도 하나씩 포함해야 하므로
$x\ge1$, $y\ge1$, $z\ge1$
$x-1=x'$, $y-1=y'$, $z-1=z'$ (단, x', y', z'은 음이 아닌 정수)이라 하면
㉠에서 $x'+y'+z'\le 12$ …… ㉡
㉡에서 $x'+y'+z'=12-w$ (단, w는 음이 아닌 정수)라 하면
$x'+y'+z'+w=12$
따라서 색연필을 선택하는 방법의 수는
위 식의 x', y', z', w의 순서쌍 (x', y', z', w)의 개수와 같으므로
${}_4H_{12}={}_{15}C_{12}={}_{15}C_3=455$

0291

$N={}_{18}C_0+{}_{18}C_1+{}_{18}C_2+\cdots+{}_{18}C_{18}$이라 할 때, $\log_2\sqrt[3]{N}$의 값은?

• $(1+x)^{18}$의 전개식에서 $x=1$을 대입하자.

$(1+x)^{18}={}_{18}C_0+{}_{18}C_1x+{}_{18}C_2x^2+\cdots+{}_{18}C_{18}x^{18}$의 양변에
$x=1$을 대입하면
$2^{18}={}_{18}C_0+{}_{18}C_1+{}_{18}C_2+\cdots+{}_{18}C_{18}$
즉, $N=2^{18}$이므로
$\log_2\sqrt[3]{N}=\log_2 2^6$
$=6\log_2 2=6$ 답 ②

0292

${}_{10}C_2+{}_{10}C_3+{}_{10}C_4+\cdots+{}_{10}C_9$의 값은?

• ${}_{10}C_0+{}_{10}C_1+{}_{10}C_2+\cdots+{}_{10}C_{10}=2^{10}$임을 이용하자.

${}_{10}C_0+{}_{10}C_1+{}_{10}C_2+\cdots+{}_{10}C_9+{}_{10}C_{10}=2^{10}$이므로
${}_{10}C_2+{}_{10}C_3+{}_{10}C_4+\cdots+{}_{10}C_9=2^{10}-{}_{10}C_0-{}_{10}C_1-{}_{10}C_{10}$
$=1024-1-10-1$
$=1012$ 답 ③

0293

${}_{10}C_1-{}_{10}C_2+{}_{10}C_3-\cdots-{}_{10}C_{10}$의 값은?

• $(1+x)^{10}$의 전개식에서 $x=-1$을 대입하자.

${}_nC_0-{}_nC_1+{}_nC_2-{}_nC_3+\cdots+(-1)^n{}_nC_n=0$의 양변에
$n=10$을 대입하면
${}_{10}C_0-{}_{10}C_1+{}_{10}C_2-{}_{10}C_3+\cdots+{}_{10}C_{10}=0$
$\therefore {}_{10}C_1-{}_{10}C_2+{}_{10}C_3-\cdots-{}_{10}C_{10}={}_{10}C_0=1$ 답 ③

0294

$_{11}C_0+_{11}C_1+_{11}C_2+\cdots+_{11}C_{11}=2^{11}$임을 이용하자.

$_{11}C_0+_{11}C_1+_{11}C_2+_{11}C_3+_{11}C_4+_{11}C_5$의 값을 A라 할 때, $\log_2 A$의 값을 구하시오.

$_{11}C_0+_{11}C_1+_{11}C_2+_{11}C_3+_{11}C_4+_{11}C_5$
$+_{11}C_6+_{11}C_7+_{11}C_8+_{11}C_9+_{11}C_{10}+_{11}C_{11}=2^{11}$이고
$_{11}C_0+_{11}C_1+_{11}C_2+_{11}C_3+_{11}C_4+_{11}C_5$
$=_{11}C_6+_{11}C_7+_{11}C_8+_{11}C_9+_{11}C_{10}+_{11}C_{11}$이므로
$2(_{11}C_0+_{11}C_1+_{11}C_2+_{11}C_3+_{11}C_4+_{11}C_5)=2^{11}$
$\therefore\ _{11}C_0+_{11}C_1+_{11}C_2+_{11}C_3+_{11}C_4+_{11}C_5=2^{10}$
$\therefore \log_2 A=\log_2 2^{10}=10$

답 10

0295

$_nC_0+_nC_2+_nC_4+\cdots=_nC_1+_nC_3+_nC_5+\cdots=2^{n-1}$임을 이용하자.

$(_8C_0+_8C_2+_8C_4+_8C_6+_8C_8)\times(_8C_1+_8C_3+_8C_5+_8C_7)=2^n$일 때, 자연수 n의 값을 구하시오.

$_8C_0+_8C_2+_8C_4+_8C_6+_8C_8=2^{8-1}=2^7$
$_8C_1+_8C_3+_8C_5+_8C_7=2^{8-1}=2^7$
즉, $2^7\times2^7=2^n$ $\quad\therefore n=14$

답 14

0296

$\dfrac{_{55}C_1+_{55}C_3+_{55}C_5+\cdots+_{55}C_{55}}{_{55}C_0+_{55}C_1+_{55}C_2+_{55}C_3+\cdots+_{55}C_{55}}$의 값을 구하시오.

$_nC_0+_nC_2+_nC_4+\cdots=_nC_1+_nC_3+_nC_5+\cdots=2^{n-1}$임을 이용하자.

$_{55}C_0+_{55}C_1+_{55}C_2+\cdots+_{55}C_{55}=2^{55}$
$_{55}C_1+_{55}C_3+_{55}C_5+\cdots+_{55}C_{55}=2^{54}$
$\therefore$ (주어진 식)$=\dfrac{2^{54}}{2^{55}}=\dfrac{1}{2}$

답 $\dfrac{1}{2}$

0297

$\log_2\left(\sum_{k=8}^{15} {_{15}C_k}\right)$의 값은?

$_{15}C_0+_{15}C_1+_{15}C_2+\cdots+_{15}C_{15}=2^{15}$임을 이용하자.

$\sum_{k=8}^{15} {_{15}C_k}=_{15}C_8+_{15}C_9+\cdots+_{15}C_{15}$
$_{15}C_k=_{15}C_{15-k}$ $(k=0, 1, 2, \cdots, 15)$이므로
$_{15}C_8+_{15}C_9+\cdots+_{15}C_{15}=_{15}C_0+_{15}C_1+\cdots+_{15}C_7$
한편, $_{15}C_0+_{15}C_1+\cdots+_{15}C_{15}=2^{15}$이므로
$_{15}C_8+_{15}C_9+\cdots+_{15}C_{15}=2^{14}$
$\therefore \log_2\left(\sum_{k=8}^{15} {_{15}C_k}\right)=\log_2 2^{14}=14$

답 ④

0298

다음 부등식을 만족시키는 자연수 n의 최댓값과 최솟값의 합을 구하시오.

$$50<{_nC_0}+{_nC_1}+{_nC_2}+\cdots+{_nC_n}<1000$$

$_nC_0+_nC_1+_nC_2+\cdots+_nC_n=2^n$임을 이용하자.

$_nC_0+_nC_1+_nC_2+\cdots+_nC_n=2^n$이므로
$50<2^n<1000$을 만족하는 n을 구하면 $n=6, 7, 8, 9$이므로
최댓값은 9이고, 최솟값은 6이다.
$\therefore 9+6=15$

답 15

0299

$_nC_0+_nC_1+_nC_2+\cdots+_nC_n=2^n$임을 이용하자.

$_nC_1+2{_nC_2}+3{_nC_3}+\cdots+n{_nC_n}>5000$을 만족시키는 자연수 n의 최솟값을 구하시오.

$_nC_1+2{_nC_2}+3{_nC_3}+\cdots+n{_nC_n}=n\times2^{n-1}$
$n=8$일 때, $8\times2^7=1024$
$n=9$일 때, $9\times2^8=2304$
$n=10$일 때, $10\times2^9=5120$
$\therefore n=10$

답 10

참고 $(1+x)^n=_nC_0+_nC_1x+_nC_2x^2+_nC_3x^3+\cdots+_nC_nx^n$
의 양변을 x에 대하여 미분하면
$n(1+x)^{n-1}=_nC_1+2{_nC_2}x+3{_nC_3}x^2+\cdots+n{_nC_n}x^{n-1}$
양변에 $x=1$을 대입하면
$_nC_1+2{_nC_2}+3{_nC_3}+\cdots+n{_nC_n}=n\times2^{n-1}$

0300

$(1+x)^n=_nC_0+_nC_1x+_nC_2x^2+\cdots+_nC_nx^n$임을 이용하자.

〈보기〉에서 옳은 것만을 있는 대로 고른 것은?

보 기

ㄱ. $_{10}C_0+_{10}C_1+_{10}C_2+\cdots+_{10}C_{10}=2^{10}$
ㄴ. $_7C_0+_7C_2+_7C_4+_7C_6=_7C_1+_7C_3+_7C_5+_7C_7$
ㄷ. $_5C_0-_5C_1+_5C_2-_5C_3+_5C_4-_5C_5=0$

$(1+x)^n=_nC_0+_nC_1x+_nC_2x^2+\cdots+_nC_nx^n$
ㄱ. $n=10$, $x=1$을 대입하면
$2^{10}=_{10}C_0+_{10}C_1+_{10}C_2+\cdots+_{10}C_{10}$ (참)
ㄴ. $_nC_r=_nC_{n-r}$이므로
$_7C_0=_7C_7$, $_7C_1=_7C_6$, $_7C_2=_7C_5$, $_7C_3=_7C_4$
$\therefore\ _7C_0+_7C_2+_7C_4+_7C_6=_7C_1+_7C_3+_7C_5+_7C_7$ (참)
ㄷ. $n=5$, $x=-1$을 대입하면
$0=_5C_0-_5C_1+_5C_2-_5C_3+_5C_4-_5C_5$ (참)
따라서 ㄱ, ㄴ, ㄷ 모두 옳다.

답 ⑤

0301

> 집합 $A=\{x|x$는 9 이하의 자연수$\}$의 부분집합 중에서 원소의 개수가 n개인 부분집합의 개수를 a_n이라 할 때, $a_1+a_3+a_5+a_7+a_9$의 값은?
> └• $a_n={}_9C_n$임을 이용하자.

집합 A의 부분집합 중에서 원소의 개수가 1, 3, 5, 7, 9인 부분집합의 개수는 각각

$a_1={}_9C_1$, $a_3={}_9C_3$, $a_5={}_9C_5$, $a_7={}_9C_7$, $a_9={}_9C_9$

$\therefore a_1+a_3+a_5+a_7+a_9={}_9C_1+{}_9C_3+{}_9C_5+{}_9C_7+{}_9C_9=2^8$

답 ④

0302

> 전체 회원이 9명인 어떤 스포츠 동아리에서 전국 대회에 출전할 대표 팀을 만들려고 한다. 대표 팀에 필요한 인원이 5명 이상이라 할 때, 팀을 만들 수 있는 방법의 수를 구하시오.
> └• ${}_9C_5+{}_9C_6+{}_9C_7+{}_9C_8+{}_9C_9$임을 이용하자.

5명 이상으로 구성된 대표 팀을 만드는 방법의 수는

${}_9C_5+{}_9C_6+\cdots+{}_9C_9$

${}_9C_0+{}_9C_1+\cdots+{}_9C_9=2^9$이고

${}_9C_0+{}_9C_1+\cdots+{}_9C_9=2({}_9C_5+{}_9C_6+\cdots+{}_9C_9)$이므로

${}_9C_5+{}_9C_6+\cdots+{}_9C_9=2^8=256$

답 256

0303

> $A={}_{200}C_0+7{}_{200}C_1+7^2{}_{200}C_2+\cdots+7^{200}{}_{200}C_{200}$이라 할 때, $\log_2 A$의 값을 구하시오.
> └• $(a+b)^n={}_nC_0a^n+{}_nC_1a^{n-1}b+{}_nC_2a^{n-2}b^2+\cdots+{}_nC_nb^n$에서 적절한 a, b를 대입하자.

$(a+b)^{200}={}_{200}C_0a^{200}+{}_{200}C_1a^{200-1}b+{}_{200}C_2a^{200-2}b^2+\cdots+{}_{200}C_{200}b^{200}$

에서 $a=1$, $b=7$을 대입하면

$(1+7)^{200}={}_{200}C_0+{}_{200}C_1\times7+{}_{200}C_2\times7^2+\cdots+{}_{200}C_{200}7^{200}$

$\therefore A=(1+7)^{200}=8^{200}=2^{600}$

$\therefore \log_2 A=\log_2 2^{600}=600$

답 600

0304

$f(n)={}_nC_0+{}_nC_1\left(\frac{1}{9}\right)+{}_nC_2\left(\frac{1}{9}\right)^2+\cdots+{}_nC_n\left(\frac{1}{9}\right)^n$임을 이용하자.

> 자연수 n에 대하여 $f(n)=\sum_{r=0}^{n}{}_nC_r\left(\frac{1}{9}\right)^r$일 때, $\log f(n)>1$을 만족시키는 n의 최솟값을 구하시오.
> (단, $\log 3=0.4771$로 계산한다.)

$$f(n)={}_nC_0+{}_nC_1\left(\frac{1}{9}\right)^1+{}_nC_2\left(\frac{1}{9}\right)^2+\cdots+{}_nC_n\left(\frac{1}{9}\right)^n$$
$$=\left(1+\frac{1}{9}\right)^n=\left(\frac{10}{9}\right)^n$$

$$\log f(n)=\log\left(\frac{10}{9}\right)^n$$
$$=n(\log 10-\log 9)$$
$$=n(1-2\log 3)$$
$$=n(1-2\times0.4771)$$
$$=n(1-0.9542)$$
$$=0.0458n>1$$

$$n>\frac{1}{0.0458}=21.8\ \cdots$$

따라서 구하는 자연수 n의 최솟값은 22이다.

답 22

0305

$(2+x)^n={}_nC_02^n+{}_nC_12^{n-1}x+{}_nC_22^{n-2}x^2+\cdots+{}_nC_nx^n$임을 이용하자.

> $(x+2)^{21}=a_0+a_1x+a_2x^2+\cdots+a_{21}x^{21}$이라 할 때, $\frac{a_r}{a_{r+1}}<1$을 만족시키는 자연수 r의 개수를 구하시오.

$(x+2)^{21}=(2+x)^{21}={}_{21}C_02^{21}+{}_{21}C_12^{21-1}x+{}_{21}C_22^{21-2}x^2$
$+\cdots+{}_{21}C_{21}2^0x^{21}$

$\therefore a_n={}_{21}C_n2^{21-n}\ (n=0, 1, 2, \cdots, 21)$

$$\frac{a_r}{a_{r+1}}=\frac{{}_{21}C_r2^{21-r}}{{}_{21}C_{r+1}2^{20-r}}<1,\ \frac{\frac{21!}{(21-r)!r!}\times2}{\frac{21!}{(20-r)!(r+1)!}}<1$$

$$\frac{r+1}{21-r}<\frac{1}{2},\ 2r+2<21-r,\ 3r<19$$

따라서 자연수 r의 개수는 6이다.

답 6

0306

전개식에서 a_0, a_2, a_4, $\cdots$는 양수이고, a_1, a_3, a_5, $\cdots$는 음수이다.

> $(1-3x)^{15}=a_0+a_1x+a_2x^2+\cdots+a_{15}x^{15}$이라 할 때, $|a_0|+|a_1|+|a_2|+\cdots+|a_{15}|$의 값을 구하시오.

a_0, a_2, a_4, $\cdots$, a_{14}는 양수이고, a_1, a_3, a_5, $\cdots$, a_{15}는 음수이다.

$\therefore |a_0|+|a_1|+|a_2|+\cdots+|a_{15}|$
$=a_0+a_2+a_4+\cdots+a_{14}-(a_1+a_3+a_5+\cdots+a_{15})$

$(1-3x)^{15}=a_0+a_1x+a_2x^2+\cdots+a_{15}x^{15}$에서

$x=1$을 대입하면 $(-2)^{15}=a_0+a_1+a_2+\cdots+a_{15}$ …… ㉠

$x=-1$을 대입하면 $(4)^{15}=a_0-a_1+a_2-\cdots-a_{15}$ …… ㉡

㉠+㉡에서

$-2^{15}+4^{15}=2(a_0+a_2+\cdots+a_{14})$

$-2^{14}+2^{29}=a_0+a_2+\cdots+a_{14}$

㉠−㉡에서

$-2^{14}-2^{29}=a_1+a_3+\cdots+a_{15}$

$\therefore |a_0|+|a_1|+|a_2|+\cdots+|a_{15}|$
$=(-2^{14}+2^{29})-(-2^{14}-2^{29})=2^{29}+2^{29}=2^{30}$

답 2^{30}

0307

> $\sum_{k=0}^{10}({}_{10}C_k)^2={}_nC_{10}$일 때, 자연수 n의 값을 구하시오.
> └• $(1+x)^{2n}=({}_nC_0+{}_nC_1x+{}_nC_2x^2+\cdots+{}_nC_nx^n)^2$임을 이용하자.

$\sum_{k=0}^{10}({}_{10}C_k)^2=({}_{10}C_0)^2+({}_{10}C_1)^2+({}_{10}C_2)^2+\cdots+({}_{10}C_{10})^2$이고

$(1+x)^{20}=(1+x)^{10}(1+x)^{10}$이므로

$(1+x)^{20}$에서 x^{10}의 계수는 ${}_{20}C_{10}$ ······ ㉠

$(1+x)^{10}(1+x)^{10}=({}_{10}C_0+{}_{10}C_1x+\cdots+{}_{10}C_{10}x^{10})\times({}_{10}C_0+{}_{10}C_1x+\cdots+{}_{10}C_{10}x^{10})$

의 전개식에서 x^{10}의 계수는

${}_{10}C_0\times{}_{10}C_{10}+{}_{10}C_1\times{}_{10}C_9+\cdots+{}_{10}C_{10}\times{}_{10}C_0$ ······ ㉡

${}_nC_r={}_nC_{n-r}$이므로 ㉡은

${}_{10}C_0\times{}_{10}C_0+{}_{10}C_1\times{}_{10}C_1+\cdots+{}_{10}C_{10}\times{}_{10}C_{10}$

$=({}_{10}C_0)^2+({}_{10}C_1)^2+\cdots+({}_{10}C_{10})^2$

$={}_{20}C_{10}$ ($\because$ ㉠)

$\therefore n=20$

답 20

0308

> $\sum_{k=0}^{8}({}_{10}C_{10-k}\times{}_{11}C_{8-k})$를 간단히 한 값이 ${}_nC_s$라 할 때, ${}_nC_{s+11}$의 값을 구하시오. (단, s는 10 이하의 자연수이다.)
>
> • $(1+x)^{10}$과 $(1+x)^{11}$의 전개식의 일반항을 이용하자.

$(1+x)^{10}$의 전개식의 일반항은

${}_{10}C_r\times1^{10-r}\times x^r$ ······ ㉠

$(1+x)^{11}$의 전개식의 일반항은

${}_{11}C_r\times1^{11-r}\times x^r$ ······ ㉡

㉠에서 x^k항과 ㉡에서 x^{8-k}항을 곱하면

${}_{10}C_kx^k\cdot1^{10-k}\times{}_{11}C_{8-k}x^{8-k}\cdot1^{3+k}$

$={}_{10}C_{10-k}\times{}_{11}C_{8-k}x^8$

즉, ${}_{10}C_{10-k}\times{}_{11}C_{8-k}$은 다항식 $(1+x)^{10}(1+x)^{11}$에서 x^8항의 계수를 의미한다.

$(1+x)^{10}(1+x)^{11}=(1+x)^{21}$

이므로 x^8항의 계수는 ${}_{21}C_8$이다.

$\therefore {}_nC_{s+11}={}_{21}C_{19}=210$

답 210

0309

> 11^9의 백의 자리, 십의 자리, 일의 자리의 숫자를 각각 a, b, c라 할 때, $a+b+c$의 값을 구하시오.
>
> • $11^9=(1+10)^9$임을 이용하자.

$(1+10)^9={}_9C_0+{}_9C_1\cdot10+{}_9C_2\cdot10^2+{}_9C_3\cdot10^3+\cdots+{}_9C_9\cdot10^9$

$=1+90+3600+\cdots$

에서 백의 자리의 수는 6, 십의 자리의 수는 9, 일의 자리의 수는 1이다.

$\therefore a=6,\ b=9,\ c=1$

$\therefore a+b+c=16$

답 16

0310

> 오늘부터 36^7일째 되는 날이 수요일이라 할 때, 오늘부터 $(1+36)^7$일째 되는 날은 무슨 요일인가?
>
> • $(1+36)^7={}_7C_0+36{}_7C_1+36^2{}_7C_2+\cdots+36^7{}_7C_7$임을 이용하자.

$(1+x)^n={}_nC_0+{}_nC_1x+{}_nC_2x^2+\cdots+{}_nC_nx^n$에서 양변에 $x=36$, $n=7$을 대입하면

$(1+36)^7={}_7C_0+36{}_7C_1+36^2{}_7C_2+\cdots+36^7{}_7C_7$

이 식의 우변의 양 끝의 항인 ${}_7C_0$과 $36^7{}_7C_7$을 제외한 나머지 항은 모두 7의 배수이다.

따라서 ${}_7C_0+36^7{}_7C_7=1+36^7$이고, 오늘부터 36^7일째 되는 날이 수요일이므로 $(1+36)^7$일째 되는 날은 수요일 다음 날인 목요일이다.

답 ④

0311

> 19^{19}을 400으로 나누었을 때의 나머지를 구하시오.
>
> • $19^{19}=(20-1)^{19}$임을 이용하자.

$19^{19}=(20-1)^{19}$이므로 이항정리를 이용하여 전개하면

${}_{19}C_0\,20^{19}(-1)^0+{}_{19}C_1\,20^{18}(-1)^1+{}_{19}C_2\,20^{17}(-1)^2+\cdots+{}_{19}C_{17}\,20^2(-1)^{17}+{}_{19}C_{18}\,20^1(-1)^{18}+{}_{19}C_{19}\,20^0(-1)^{19}$

에서 20^2, 20^3, $\cdots$, 20^{19}은 모두 400의 배수이므로

${}_{19}C_0\,20^{19}(-1)^0+{}_{19}C_1\,20^{18}(-1)^1+\cdots+{}_{19}C_{17}\,20^2(-1)^{17}$

은 400의 배수이다.

따라서 구하는 나머지는

${}_{19}C_{18}\,20^1(-1)^{18}+{}_{19}C_{19}\,20^0(-1)^{19}$

$=380-1=379$

답 379

0312

> 21^{21}을 40으로 나눈 나머지를 구하시오.
>
> • $21^{21}=(1+20)^{21}$임을 이용하자.

$21=1+20$이므로

$(1+x)^n={}_nC_0+{}_nC_1x+{}_nC_2x^2+\cdots+{}_nC_nx^n$의 양변에 $x=20$, $n=21$을 대입하면

$21^{21}=(1+20)^{21}$

$={}_{21}C_0+20{}_{21}C_1+20^2{}_{21}C_2+20^3{}_{21}C_3+\cdots+20^{21}{}_{21}C_{21}$

$=1+20\times21+20^2({}_{21}C_2+20{}_{21}C_3+\cdots+20^{19}{}_{21}C_{21})$

$=421+20^2({}_{21}C_2+20{}_{21}C_3+\cdots+20^{19}{}_{21}C_{21})$

$20^2({}_{21}C_2+20{}_{21}C_3+\cdots+20^{19}{}_{21}C_{21})$에서 $20^2=400$이므로 40의 배수이다.

즉, 21^{21}을 40으로 나눈 나머지는 421을 40으로 나눈 나머지와 같다.

따라서 구하는 나머지는 21이다.

답 21

0313

> $(1+x)+(1+x)^2+(1+x)^3+\cdots+(1+x)^{10}$의 전개식에서 x^3의 계수는?
>
> • 첫째항이 $(1+x)$이고 공비가 $(1+x)$인 등비수열의 합이다.

$(1+x)+(1+x)^2+(1+x)^3+\cdots+(1+x)^{10}$ ······ ㉠

㉠은 첫째항이 $1+x$, 공비가 $1+x$인 등비수열의 첫째항부터 제10항까지의 합이므로

$\frac{(1+x)\{(1+x)^{10}-1\}}{(1+x)-1}=\frac{(1+x)^{11}-x-1}{x}$ ······ ㉡

㉠의 전개식에서 x^3의 계수는 ㉡의 $(1+x)^{11}$의 전개식에서 x^4의 계수와 같다.

$(1+x)^{11}$의 전개식의 일반항은

${}_{11}C_r 1^{11-r} x^r$

$x^r = x^4$에서 $r=4$

따라서 구하는 x^3의 계수는 ${}_{11}C_4 = 330$ 답 ②

0314

첫째항이 $(1+x^2)$이고 공비가 $(1+x^2)$인 등비수열의 합이다.

다항식 $(1+x^2)+(1+x^2)^2+\cdots+(1+x^2)^{10}$의 전개식에서 x^2의 계수를 구하시오.

$(1+x^2)+(1+x^2)^2+\cdots+(1+x^2)^{10}$

$=\dfrac{(1+x^2)\{(1+x^2)^{10}-1\}}{(1+x^2)-1}$

$=\dfrac{(1+x^2)^{11}-x^2-1}{x^2}$

이므로 이 다항식에서 x^2의 계수는 $(1+x^2)^{11}$의 전개식에서 x^4의 계수와 같다.

$(1+x^2)^{11}$의 전개식의 일반항은 ${}_{11}C_r 1^{11-r}(x^2)^r$이므로

$2r=4$에서 $r=2$

따라서 구하는 x^2의 계수는 ${}_{11}C_2 = 55$ 답 55

0315

$(1+x)+2(1+x)^2+3(1+x)^3+\cdots+10(1+x)^{10}$의 전개식에서 x^2의 계수는?

$\sum_{k=1}^{10} = k(1+x)^k$임을 이용하자.

$n(1+x)^n$의 전개식의 일반항은 $n\,{}_nC_r x^r$이므로 x^2의 계수는 $n\,{}_nC_2$이다.

즉, $(1+x)+2(1+x)^2+3(1+x)^3+\cdots+10(1+x)^{10}$의 전개식에서 x^2의 계수는

$$\sum_{n=2}^{10} n\,{}_nC_2 = \sum_{n=2}^{10} \frac{n^2(n-1)}{2} = \sum_{n=2}^{10} \frac{n^3-n^2}{2} = \sum_{n=1}^{10} \frac{n^3-n^2}{2}$$

$$= \frac{1}{2}\left\{\left(\frac{10\times11}{2}\right)^2 - \frac{10\times11\times21}{6}\right\}$$

$$=1320$$

답 ⑤

0316

동일한 7통의 편지를 서로 다른 3개의 우체통 A, B, C에 넣으려고 할 때, 그 방법의 수는?

A, B, C에서 중복을 허락하여 7개를 택하는 경우의 수이다.

서로 다른 3개의 우체통 A, B, C에서 중복을 허용하여 7개를 택하는 중복조합의 수이므로

${}_3H_7 = {}_{3+7-1}C_7 = {}_9C_7 = {}_9C_2 = 36$ 답 ④

0317

사과 주스, 포도 주스, 감귤 주스 중에서 7병을 선택하려고 한다. 사과 주스, 포도 주스, 감귤 주스를 각각 적어도 1병 이상씩 선택하는 방법의 수는? (단, 각 종류의 주스는 7병 이상씩 있다.)

먼저 3종류의 주스를 하나씩 선택하였다고 가정하자.

먼저 사과 주스, 포도 주스, 감귤 주스를 각각 1개씩 선택하고 중복을 허락하여 나머지 4병을 선택하면 된다.

따라서 구하는 방법의 수는 3종류의 주스 중에서 중복을 허용하여 4개를 택하는 중복조합의 수이므로

${}_3H_4 = {}_{3+4-1}C_4 = {}_6C_4 = {}_6C_2 = 15$ 답 ③

0318

딸기 맛 사탕과 포도 맛 사탕을 나누어 주는 방법을 각각 구하자.

같은 종류의 딸기 맛 사탕 5개와 같은 종류의 포도 맛 사탕 5개를 세 명에게 남김없이 나누어 주려고 할 때, 포도 맛 사탕은 각 사람이 적어도 1개씩 받도록 나누어 주는 방법의 수를 구하시오.
(단, 딸기 맛 사탕을 받지 않은 사람이 있을 수 있다.)

딸기 맛 사탕 5개를 3명에게 나누어 주는 방법의 수는 서로 다른 3개에서 중복을 허락하여 5개를 택하는 중복조합의 수이므로

${}_3H_5 = {}_{3+5-1}C_5 = {}_7C_5 = {}_7C_2 = 21$

이 각각에 대하여 포도 맛 사탕 5개를 각 사람이 적어도 1개씩 받도록 나누어 주어야 한다. 우선 각 사람에게 모두 1개씩 나누어 주면 나머지 2개의 포도 맛 사탕을 3명에게 나누어 주는 방법의 수는 서로 다른 3개에서 중복을 허락하여 2개를 택하는 중복조합의 수이므로

${}_3H_2 = {}_{3+2-1}C_2 = {}_4C_2 = 6$

따라서 구하는 방법의 수는 $21\times6=126$ 답 126

0319 서술형

방정식 $a+b+c=6$을 만족시키는 a, b, c에 대하여 음이 아닌 정수해의 개수를 x, 양의 정수해의 개수를 y라 할 때, $x-y$의 값을 구하시오.

$a=a'+1$, $b=b'+1$, $c=c'+1$로 놓으면 $a'+b'+c'=3$임을 이용하자.

(i) 음이 아닌 정수해의 개수

a, b, c에서 중복을 허용하여 6개를 택하는 중복조합의 수와 같으므로

${}_3H_6 = {}_{3+6-1}C_6 = {}_8C_6 = {}_8C_2 = 28$ …… 30%

(ii) 양의 정수해의 개수

$a\ge1$, $b\ge1$, $c\ge1$이므로 a', b', c'을 음이 아닌 정수라 하면

$a=a'+1$, $b=b'+1$, $c=c'+1$

$\therefore a'+b'+c'=3$

즉, 구하는 양의 정수해의 개수는 $a'+b'+c'=3$을 만족시키는 음이 아닌 정수해의 개수와 같다.

따라서 a', b', c'에서 중복을 허용하여 3개를 택하는 중복조합의 수와 같으므로

${}_3H_3 = {}_{3+3-1}C_3 = {}_5C_3 = {}_5C_2 = 10$ …… 50%

(i), (ii)에서 $x=28$, $y=10$이므로

$x-y=18$ …… 20%

답 18

0320

> 부등식 $x+y+z\le 7$을 만족하는 x, y, z가 모두 음이 아닌 정수인 해의 개수를 구하시오.
> → $x+y+z=0$부터 $x+y+z=7$까지 해의 개수를 모두 더하자.

$x+y+z=0$일 때, ${}_3H_0$
$x+y+z=1$일 때, ${}_3H_1$
$x+y+z=2$일 때, ${}_3H_2$
⋮
$x+y+z=7$일 때, ${}_3H_7$
따라서 구하는 정수인 해의 개수는
${}_3H_0+{}_3H_1+{}_3H_2+\cdots+{}_3H_7$
$={}_2C_0+{}_3C_1+{}_4C_2+\cdots+{}_9C_7$
$={}_2C_2+{}_3C_2+{}_4C_2+\cdots+{}_9C_2$
$=1+3+6+10+15+21+28+36$
$=120$ 답 120

다른풀이 $x+y+z+w=7$이라 하면
$x+y+z=0$이면 $w=7$
$x+y+z=1$이면 $w=6$
⋮
$x+y+z=7$이면 $w=0$이므로
구하는 해는
${}_4H_7={}_{10}C_7=120$

0321

> 다음 조건을 만족시키는 네 자연수 a, b, c, d의 모든 순서쌍 (a, b, c, d)의 개수를 구하시오.
>
> (가) a, b, c, d는 소수이다.
> (나) $a\le b=c\le d<20$
>
> → 2, 3, 5, 7, 11, 13, 17, 19의 8개이다.
> → $a\le b\le d<20$을 만족하는 경우의 수를 구하자.

조건 (나)에서 a, b, c, d는 20 미만이고, 조건 (가)에서 a, b, c, d는 소수이므로 20 미만의 소수는 2, 3, 5, 7, 11, 13, 17, 19의 8개이다.
따라서 조건 (나)를 만족시키는 경우의 수는 서로 다른 8개에서 중복을 허락하여 3개를 택하는 중복조합의 수와 같으므로
${}_8H_3={}_{8+3-1}C_3={}_{10}C_3=120$ 답 120

0322

$a<b$이면 $f(a)\le f(b)$인 함수의 개수는 중복조합을 이용하자.

> 두 집합 $A=\{1, 2, 3, 4\}$, $B=\{5, 6, 7\}$에 대하여 함수 $f: A\longrightarrow B$ 중에서 $f(1)\le f(2)\le f(3)\le f(4)$를 만족시키는 함수 f의 개수를 a라 하고, 함수 $g: B\longrightarrow A$ 중에서 $g(5)<g(6)<g(7)$을 만족시키는 함수 g의 개수를 b라 할 때, ab의 값을 구하시오.

함수 $f: A\longrightarrow B$ 중에서 $f(1)\le f(2)\le f(3)\le f(4)$를 만족시키는 순서쌍 $(f(1), f(2), f(3), f(4))$의 개수는 집합 B의 원소 3개에서 중복을 허락하여 4개를 뽑는 중복조합의 수와 같다.
$\therefore a={}_3H_4={}_{3+4-1}C_4={}_6C_4={}_6C_2=15$
또 함수 $g: B\longrightarrow A$ 중에서 $g(5)<g(6)<g(7)$을 만족시키는 순서쌍 $(g(5), g(6), g(7))$의 개수는 집합 A의 원소 4개에서 중복을 허락하지 않고 3개를 뽑는 조합의 수와 같다.
$\therefore b={}_4C_3={}_4C_1=4$
$\therefore ab=15\times 4=60$ 답 60

0323 서술형

> 다항식 $(x+a)^6$의 전개식에서 x^4의 계수가 x^5의 계수의 50배일 때, 양수 a의 값을 구하시오.
> → 전개식의 일반항은 ${}_6C_r a^{6-r}x^r$임을 이용하자.

$(x+a)^6$의 전개식의 일반항은
${}_6C_r a^{6-r}x^r$
x^4의 계수는 $r=4$일 때이므로 ${}_6C_4\times a^2=15a^2$ …… 40%
x^5의 계수는 $r=5$일 때이므로 ${}_6C_5\times a=6a$ …… 30%
x^4의 계수가 x^5의 계수의 50배이므로
$15a^2=50\times 6a$, $a(a-20)=0$
$\therefore a=20$ ($\because a>0$) …… 30%
답 20

0324

> $\left(x-\dfrac{a}{x^2}\right)^6$의 전개식에서 상수항이 60이 되도록 하는 양수 a의 값을 구하시오.
> → 일반항은 ${}_6C_r x^{6-r}\left(-\dfrac{a}{x^2}\right)^r$임을 이용하자.

$\left(x-\dfrac{a}{x^2}\right)^6$의 전개식의 일반항은
${}_6C_r x^{6-r}\left(-\dfrac{a}{x^2}\right)^r={}_6C_r(-a)^r x^{6-3r}$
상수항은 $6-3r=0$일 때이므로 $r=2$
즉, 상수항은 ${}_6C_2(-a)^2=60$
$a^2=4$
$\therefore a=2$ ($\because a>0$) 답 2

0325

> ${}_3C_0+{}_4C_1+{}_5C_2+\cdots+{}_{13}C_{10}$의 값을 구하시오.
> → ${}_3C_0={}_4C_0$, ${}_{n-1}C_{r-1}+{}_{n-1}C_r={}_nC_r$을 이용하여 간단히 하자.

${}_3C_0+{}_4C_1+{}_5C_2+\cdots+{}_{13}C_{10}$
$={}_4C_0+{}_4C_1+{}_5C_2+\cdots+{}_{13}C_{10}$
$={}_5C_1+{}_5C_2+\cdots+{}_{13}C_{10}$
⋮
$={}_{13}C_9+{}_{13}C_{10}$
$={}_{14}C_{10}$
$=1001$ 답 1001

0326

$(1+x)^n={}_nC_0+{}_nC_1x+{}_nC_2x^2+\cdots+{}_nC_nx^n$임을 이용하자.

〈보기〉에서 옳은 것만을 있는 대로 고른 것은?

보기

ㄱ. $2^{10}-1={}_{10}C_0+{}_{10}C_1+{}_{10}C_2+\cdots+{}_{10}C_9$

ㄴ. ${}_5C_0-{}_5C_1+{}_5C_2-{}_5C_3+{}_5C_4-{}_5C_5=0$

ㄷ. ${}_7C_2+{}_7C_4+{}_7C_6={}_7C_1+{}_7C_3+{}_7C_5$

$(1+x)^n={}_nC_0+{}_nC_1x+{}_nC_2x^2+\cdots+{}_nC_nx^n$

ㄱ. $x=1$, $n=10$을 대입하면

$2^{10}={}_{10}C_0+{}_{10}C_1+{}_{10}C_2+\cdots+{}_{10}C_9+{}_{10}C_{10}$

${}_{10}C_{10}=1$이므로

$2^{10}={}_{10}C_0+{}_{10}C_1+{}_{10}C_2+\cdots+{}_{10}C_9+1$

$\therefore 2^{10}-1={}_{10}C_0+{}_{10}C_1+{}_{10}C_2+\cdots+{}_{10}C_9$ (참)

ㄴ. $x=-1$, $n=5$를 대입하면

$0={}_5C_0-{}_5C_1+{}_5C_2-{}_5C_3+{}_5C_4-{}_5C_5$ (참)

ㄷ. $x=-1$, $n=7$을 대입하면

$0={}_7C_0-{}_7C_1+{}_7C_2-\cdots+{}_7C_6-{}_7C_7$

${}_7C_0={}_7C_7$이므로

${}_7C_2+{}_7C_4+{}_7C_6={}_7C_1+{}_7C_3+{}_7C_5$ (참)

따라서 ㄱ, ㄴ, ㄷ 모두 옳다.

답 ⑤

0327

첫째항이 $(1+2x)$이고 공비가 $(1+2x)$인 등비수열의 합이다.

$(1+2x)+(1+2x)^2+(1+2x)^3+\cdots+(1+2x)^{20}$의 전개식에서 x^2의 계수를 구하시오.

$(1+2x)+(1+2x)^2+\cdots+(1+2x)^{20}$의 전개식에서

x^2항의 계수는

${}_2C_2\times2^2+{}_3C_2\times2^2+{}_4C_2\times2^2+\cdots+{}_{20}C_2\times2^2$

$=2^2({}_2C_2+{}_3C_2+{}_4C_2+\cdots+{}_{20}C_2)$

$=2^2\times{}_{21}C_3$

$=5320$

답 5320

0328

x에 대한 이차방정식 $10x^2-{}_{n+1}H_rx-5\times n!\,{}_{n+r}C_r=0$의 두 근이 -5와 6일 때, ${}_nH_r$의 값을 구하시오.

이차방정식의 근과 계수의 관계를 이용하자.

이차방정식의 근과 계수의 관계에 의하여

$\dfrac{{}_{n+1}H_r}{10}=(-5)+6=1$

즉, ${}_{n+1}H_r=10$이므로

${}_{n+r}C_r=10$ ……㉠

$\dfrac{-5\times n!\,{}_{n+r}C_r}{10}=(-5)\times6=-30$

즉, $n!\,{}_{n+r}C_r=60$ ……㉡

㉠을 ㉡에 대입하면

$n!=6=3\times2\times1$

$\therefore n=3$

$n=3$을 ㉠에 대입하면

${}_{r+3}C_r=10$, ${}_{r+3}C_3=10$

$\dfrac{(r+3)(r+2)(r+1)}{6}=10$

$(r+3)(r+2)(r+1)=60=5\times4\times3$

$\therefore r=2$

$\therefore {}_nH_r={}_3H_2={}_4C_2=6$

답 6

0329

$(a+b+c)^4+(b+c+d)^4$의 전개식에서 서로 다른 항의 개수는?

$(b+c)^4$의 전개식의 항은 중복되어 나온다.

$(a+b+c)^4$의 전개식에서 항의 개수는

${}_3H_4={}_6C_4={}_6C_2=15$

$(b+c+d)^4$의 전개식에서 항의 개수는

${}_3H_4={}_6C_4={}_6C_2=15$

$(a+b+c)^4$의 전개식에서 항과 $(b+c+d)^4$의 전개식에서 공통인 항은 $(b+c)^4$의 전개식의 항과 같고, $(b+c)^4$의 전개식에서 서로 다른 항의 개수는

${}_2H_4={}_5C_4={}_5C_1=5$

따라서 구하는 항의 개수는

$15+15-5=25$

답 ⑤

0330

연립방정식

$\begin{cases}a+b+c+d=11\\ d-2e=1\end{cases}$

$1\le d\le8$임을 이용하자.

e의 값으로 가능한 수는 1, 2, 3이다.

을 만족시키는 다섯 개의 자연수 a, b, c, d, e의 모든 순서쌍 (a, b, c, d, e)의 개수를 구하시오.

연립방정식 $\begin{cases}a+b+c+d=11\\ d-2e=1\end{cases}$은 $\begin{cases}a+b+c+d=11\\ d=2e+1\end{cases}$이다.

주어진 다섯 개의 자연수 a, b, c, d, e의 순서쌍 (a, b, c, d, e)의 개수는 e의 값에 따라 각각의 경우로 나누면 다음과 같다.

(i) $e=1$일 때, $d=3$이므로

$a+b+c=8$

즉, 세 자연수 a, b, c의 모든 순서쌍 (a, b, c)의 개수는

${}_3H_5={}_7C_5={}_7C_2=21$

(ii) $e=2$일 때, $d=5$이므로

$a+b+c=6$

즉, 세 자연수 a, b, c의 모든 순서쌍 (a, b, c)의 개수는

${}_3H_3={}_5C_3={}_5C_2=10$

(iii) $e=3$일 때, $d=7$이므로

$a+b+c=4$

즉, 세 자연수 a, b, c의 모든 순서쌍 (a, b, c)의 개수는

${}_3H_1={}_3C_1=3$

(i), (ii), (iii)에서 구하는 순서쌍 (a, b, c, d, e)의 개수는

$21+10+3=34$

답 34

0331

다음 조건을 만족시키는 음이 아닌 정수 a, b, c의 모든 순서쌍 (a, b, c)의 개수는?

(가) $a+b+c=6$
(나) 좌표평면에서 세 점 $(1, a)$, $(2, b)$, $(3, c)$가 한 직선 위에 있지 않다.

• $\frac{b-a}{2-1} \neq \frac{c-b}{3-2}$임을 이용하자.

(나)에서 세 점$(1, a)$, $(2, b)$, $(3, c)$가 한 직선 위에 있지 않으므로

$\frac{b-a}{2-1} \neq \frac{c-b}{3-2}$, $b-a \neq c-b$

$\therefore 2b \neq a+c$

(가)에서 $a+b+c=6$이므로 $b \neq 2$이다.

$a+b+c=6$을 만족시키는 음이 아닌 정수 a, b, c의 순서쌍 (a, b, c)의 개수는

${}_3H_6 = {}_{3+6-1}C_6 = {}_8C_6 = {}_8C_2 = \frac{8 \times 7}{2 \times 1} = 28$

한편, $b=2$일 때, $a+b+c=6$을 만족시키려면 $a+c=4$이어야 한다.

이때, 음이 아닌 정수 a, c의 순서쌍 (a, c)의 개수는

${}_2H_4 = {}_{2+4-1}C_4 = {}_5C_4 = {}_5C_1 = 5$

따라서 구하는 순서쌍 (a, b, c)의 개수는

$28-5=23$

답 ⑤

0332

다음 조건을 만족시키는 정수 x, y, z, w의 모든 순서쌍 (x, y, z, w)의 개수를 구하시오.

(가) $x^2+|y|+|z|+w=14$ • x의 값을 기준으로 경우를 나누자.
(나) $xyz \neq 0$, $w \geq 1$

• $x \neq 0$, $y \neq 0$, $z \neq 0$이므로 $|y| \geq 1$, $|z| \geq 1$이다.

$x \neq 0$, $y \neq 0$, $z \neq 0$에서 $|y| \geq 1$, $|z| \geq 1$이고, $w \geq 1$이므로

(i) $x=1$일 때,

$|y|+|z|+w=13$

${}_3H_{10} = {}_{12}C_2 = 66$

(ii) $x=2$일 때,

$|y|+|z|+w=10$

${}_3H_7 = {}_9C_2 = 36$

(iii) $x=3$일 때,

$|y|+|z|+w=5$

${}_3H_2 = {}_4C_2 = 6$

$\therefore 66+36+6=108$

이때, x, y, z의 부호가 바뀌는 경우의 수는

$2 \times 2 \times 2 = 8$

따라서 구하는 순서쌍 (x, y, z, w)의 개수는

$108 \times 8 = 864$

답 864

0333

다음 조건을 만족시키는 모든 자연수의 개수를 구하시오.

(가) 네 자리의 홀수이다. • 일의 자리의 수는 홀수이다.
(나) 각 자리의 수의 합이 8보다 작다.

• 일의 자리에 가능한 수는 1, 3, 5뿐이다.

조건을 만족시키는 자연수는 각 자리의 수의 합이 8보다 작은 네 자리의 홀수이므로 일의 자리의 수는 1, 3, 5이다.

이 네 자리의 자연수를

$a \times 10^3 + b \times 10^2 + c \times 10 + d$ $(a \neq 0)$이라 하자.

(i) $d=1$인 경우

부등식 $a+b+c \leq 6$ $(a \geq 1)$을 만족시키는 음이 아닌 정수 a, b, c의 순서쌍 (a, b, c)의 개수와 같으므로

$a+b+c=6$ $(a \geq 1)$일 때, ${}_3H_5$

$a+b+c=5$ $(a \geq 1)$일 때, ${}_3H_4$

$\vdots$

$a+b+c=1$ $(a \geq 1)$일 때, ${}_3H_0$

${}_3H_5 + {}_3H_4 + \cdots + {}_3H_0 = {}_7C_5 + {}_6C_4 + \cdots + {}_2C_0$

$= 56$

(ii) $d=3$인 경우

부등식 $a+b+c \leq 4$ $(a \geq 1)$을 만족시키는 음이 아닌 정수 a, b, c의 순서쌍 (a, b, c)의 개수와 같으므로 (i)과 같은 방법으로

${}_3H_3 + {}_3H_2 + {}_3H_1 + {}_3H_0 = {}_5C_3 + {}_4C_2 + {}_3C_1 + {}_2C_0$

$= 20$

(iii) $d=5$인 경우

부등식 $a+b+c \leq 2$ $(a \geq 1)$을 만족시키는 음이 아닌 정수 a, b, c의 순서쌍 (a, b, c)의 개수와 같으므로 (i)과 같은 방법으로

${}_3H_1 + {}_3H_0 = {}_3C_1 + {}_2C_0 = 4$

따라서 조건을 만족시키는 자연수의 개수는 80

답 80

0334

• 전개식의 일반항은 ${}_nC_r(x^2)^{n-r}\left(-\frac{2}{x^3}\right)^r$임을 이용하자.

$\left(x^2+\frac{2}{x^3}\right)^n$의 전개식에서 상수항이 존재하도록 하는 양의 정수 n의 최솟값을 구하시오.

$\left(x^2+\frac{2}{x^3}\right)^n$의 전개식의 일반항은

${}_nC_r(x^2)^{n-r}\left(\frac{2}{x^3}\right)^r = {}_nC_r 2^r x^{2n-5r}$

상수항은 $2n-5r=0$일 때이고, n이 양의 정수이므로 자연수 r에 대하여 $2n=5r$를 만족시키는 n의 값은 5, 10, 15, $\cdots$이다.

따라서 양의 정수 n의 최솟값은 5이다.

답 5

0335

$(a+b-2c)^6$의 전개식에서 $a^2b^2c^2$의 계수를 구하시오.

• $=\{(a+b)-2c\}^6$에서 $(a+b)$를 한 문자로 생각하여 전개하자.

$(a+b-2c)^6 = \{(a+b)-2c\}^6$이므로 $(a+b)$를 한 문자로 생각하면

$\{(a+b)-2c\}^6$의 전개식에서 c^2이 나오는 항은
${}_6C_2(a+b)^4(-2c)^2={}_6C_2(-2)^2(a+b)^4c^2$
또 $(a+b)^4$의 전개식에서 b^2이 나오는 항은
${}_4C_2a^2b^2$
따라서 $a^2b^2c^2$의 계수는
${}_6C_2\times(-2)^2\times{}_4C_2=360$ 답 360

다른풀이 $(a+b-2c)^6$의 전개식의 일반항은
$\frac{6!}{p!q!r!}a^pb^q(-2c)^r=\frac{6!}{p!q!r!}(-2)^ra^pb^qc^r$
$(p+q+r=6,\ p\ge0,\ q\ge0,\ r\ge0)$
$a^2b^2c^2$의 계수는 $p=2,\ q=2,\ r=2$일 때이므로
$\frac{6!}{2!2!2!}(-2)^2=360$

0336

서로 다른 종류의 사탕 3개와 같은 종류의 구슬 7개를 같은 종류의 주머니 3개에 남김없이 나누어 넣으려고 한다. 각 주머니에 사탕과 구슬이 각각 1개 이상씩 들어가도록 나누어 넣는 경우의 수는?

→ 다른 종류의 사탕 3개를 같은 종류의 주머니 3개에 나누어 담으면 주머니는 서로 구별이 된다.

서로 다른 종류의 사탕 3개를 같은 종류의 주머니 3개에 각각 1개씩 나누어 담는 경우의 수는 1이다.
이제 주머니 3개는 서로 다른 종류의 사탕 3개가 각각 1개씩 들어 있으므로 서로 구별이 된다.
따라서 같은 종류의 구슬 7개를 서로 구별이 되는 주머니 3개에 남김없이 나누어 담을 때, 각 주머니에 구슬이 1개 이상씩 들어가도록 나누어 넣는 경우의 수는 서로 다른 주머니 3개에서 중복을 허락하여 $4(=7-3)$개를 택하는 경우의 수와 같으므로
${}_3H_4={}_{3+4-1}C_4={}_6C_4={}_6C_2$
$=\frac{6\times5}{2}=15$
따라서 구하는 경우의 수는 $1\times15=15$ 답 ⑤

0337

다음 조건을 만족시키는 정수 $x,\ y,\ z$의 모든 순서쌍 $(x,\ y,\ z)$의 개수를 구하시오.

(가) $|x|+|y|+|z|=10$
(나) $x\ne0$

→ $y=0,\ z=0$인 경우, $y=0,\ z\ne0$인 경우, $y\ne0,\ z=0$인 경우, $y\ne0,\ z\ne0$인 경우로 나누어 생각하자.

$y,\ z$에 따라 분류하면 다음과 같다.
(i) $y=0,\ z=0$인 경우
$|x|=10$에서 $x=\pm10$
$\therefore$ 2(개)
(ii) $y=0,\ z\ne0$인 경우
$|x|+|z|=10$에서 $x\ne0,\ z\ne0$이므로
$|x|,\ |z|$는 자연수 해를 가지고, $x,\ z$는 양수, 음수 각각 2가지가 있으므로
$\therefore {}_2H_8\times2^2={}_9C_8\times4=36$(개)
(iii) $y\ne0,\ z=0$인 경우
(ii)의 경우와 같으므로 36(개)
(iv) $y\ne0,\ z\ne0$인 경우
$|x|+|y|+|z|=10$에서 $x\ne0,\ y\ne0,\ z\ne0$이므로
$|x|,\ |y|,\ |z|$는 자연수 해를 가지고, $x,\ y,\ z$는 양수, 음수 각각 2가지가 있으므로
$\therefore {}_3H_7\times2^3={}_9C_7\times8=288$(개)
따라서 구하는 순서쌍의 개수는
$2+36+36+288=362$ 답 362

0338

다음 조건을 만족시키는 네 자연수 $x,\ y,\ z,\ w$의 모든 순서쌍 $(x,\ y,\ z,\ w)$의 개수를 구하시오.

(가) $x+y+z+w=21$
(나) $x,\ y,\ z,\ w$ 중에서 2개는 3으로 나눈 나머지가 1이고, 2개는 3으로 나눈 나머지가 2이다.

→ 일반성을 잃지 않고 $x=3x'+1,\ y=3y'+1,\ z=3z'+2,\ w=3w'+2$라 하자. (단, $x',\ y',\ z',\ w'$은 음이 아닌 정수)

조건 (나)에서 네 자연수 $x,\ y,\ z,\ w$ 중에서 3으로 나눈 나머지가 1인 수 2개를 선택하고, 3으로 나눈 나머지가 2인 수 2개를 선택하는 경우의 수는
${}_4C_2\times{}_2C_2=6$ ······㉠
$x,\ y$는 3으로 나눈 나머지가 1인 수, $z,\ w$는 3으로 나눈 나머지가 2인 수라 하면
$x=3x'+1,\ y=3y'+1,\ z=3z'+2,\ w=3w'+2$
(단, $x',\ y',\ z',\ w'$은 음이 아닌 정수이다.)
조건 (가)에서 $x+y+z+w=21$이므로
$(3x'+1)+(3y'+1)+(3z'+2)+(3w'+2)=21$
$\therefore x'+y'+z'+w'=5$
즉, $x',\ y',\ z',\ w'$에서 5개를 선택하는 중복조합의 수이므로
${}_4H_5={}_{4+5-1}C_5={}_8C_5={}_8C_3=56$ ······㉡
㉠, ㉡에서 모든 순서쌍 $(x,\ y,\ z,\ w)$의 개수는
$6\times56=336$ 답 336

0339

다음 조건을 만족시키는 음이 아닌 세 정수 $a,\ b,\ c$의 모든 순서쌍 $(a,\ b,\ c)$의 개수를 구하시오.

(가) $a+b+c=7$
(나) $2^a\times4^b$은 8의 배수이다.

→ 2^{a+2b}이므로 $a+2b\ge3$이어야 한다.

조건 (나)에서
$2^a\times4^b=2^{a+2b}$이고 이 수가 8의 배수이어야 하므로
$a+2b\ge3$
(i) $b=0$일 때
$a\ge3$이어야 하므로
조건 (가)에서 $a=a'+3$ (a'은 음이 아닌 정수)으로 놓으면

$a+b+c=(a'+3)+c=7$

$\therefore a'+c=4$

그러므로 순서쌍 (a, b, c)의 개수는

${}_2H_4={}_5C_4={}_5C_1=5$

(ii) $b=1$일 때

$a\geq1$이어야 하므로

조건 (가)에서 $a=a'+1$ (a'은 음이 아닌 정수)로 놓으면

$a+b+c=(a'+1)+1+c=7$

$\therefore a'+c=5$

그러므로 순서쌍 (a, b, c)의 개수는

${}_2H_5={}_6C_5={}_6C_1=6$

(iii) $b\geq2$일 때

$a\geq0$이면 되므로

조건 (가)에서 $b=b'+2$ (b'은 음이 아닌 정수)로 놓으면

$a+b+c=a+(b'+2)+c=7$

$\therefore a+b'+c=5$

그러므로 순서쌍 (a, b, c)의 개수는

${}_3H_5={}_7C_5={}_7C_2=21$

(i), (ii), (iii)에서 구하는 순서쌍 (a, b, c)의 개수는

$5+6+21=32$ 답 32

0340

> 같은 종류의 공 9개를 서로 다른 주머니 4개에 빈 주머니가 없도록 남김없이 나누어 넣으려고 한다. 각 주머니에 4개 이하의 공이 들어가도록 넣는 방법의 수를 구하시오.
>
> • 전체 경우의 수에서 주머니 하나에 5개 이상의 공이 들어가는 경우의 수를 빼자.

각 주머니에 넣는 공의 개수를 x, y, z, w라 하면 적어도 한 개 이상의 공을 넣어야 하므로

$x+y+z+w=9$ (단, $x\geq1$, $y\geq1$, $z\geq1$, $w\geq1$)

$x=x'+1$, $y=y'+1$, $z=z'+1$, $w=w'+1$이라 하면

$x'+y'+z'+w'=5$ (단, $x'\geq0$, $y'\geq0$, $z'\geq0$, $w'\geq0$)

이 방정식을 만족시키는 음이 아닌 정수 x', y', z', w'의 모든 순서쌍 (x', y', z', w')의 개수는

${}_4H_5={}_8C_5={}_8C_3=56$

각 주머니에 넣는 공의 개수의 최댓값은 4이므로

$x'\leq3$, $y'\leq3$, $z'\leq3$, $w'\leq3$

즉, x', y', z', w' 중에서 어느 하나라도 4 이상인 경우는 제외해야 한다.

x'이 4 이상인 경우의 순서쌍 (x', y', z', w')은

$(4, 1, 0, 0)$, $(4, 0, 1, 0)$, $(4, 0, 0, 1)$, $(5, 0, 0, 0)$의 4가지이고, y', z', w'의 경우도 마찬가지이므로

$4\times4=16$

따라서 각 주머니에 4개 이하의 공이 들어가도록 넣는 방법의 수는

$56-16=40$ 답 40

다른풀이 같은 종류의 공 9개를 4 이하의 개수로 서로 다른 4개의 주머니에 빈 주머니가 없도록 나누어 넣는 경우는 다음과 같다.

(4개, 3개, 1개, 1개)인 경우의 수는 $\frac{4!}{2!}=12$

(4개, 2개, 2개, 1개)인 경우의 수는 $\frac{4!}{2!}=12$

(3개, 3개, 2개, 1개)인 경우의 수는 $\frac{4!}{2!}=12$

(3개, 2개, 2개, 2개)인 경우의 수는 $\frac{4!}{3!}=4$

따라서 구하는 경우의 수는 $12+12+12+4=40$

0341

• 전개식의 일반항은 ${}_nC_r1^{n-r}x^r$임을 이용하자.

> $(1+x)^n$의 전개식에서 x^8, x^9, x^{10}의 계수가 이 순서대로 등차수열을 이루도록 하는 양의 정수 n의 값의 합을 구하시오.

$(1+x)^n$의 전개식의 일반항은 ${}_nC_r1^{n-r}x^r$이므로 x^8, x^9, x^{10}의 계수는 각각 ${}_nC_8$, ${}_nC_9$, ${}_nC_{10}$이고 이 순서대로 등차수열을 이룬다.

즉, ${}_nC_8+{}_nC_{10}=2\times{}_nC_9$ (단, $n\geq10$)

$$\frac{n!}{8!(n-8)!}+\frac{n!}{10!(n-10)!}=2\times\frac{n!}{9!(n-9)!}$$

양변에 $\frac{8!(n-8)!}{n!}$을 곱하면

$$1+\frac{(n-8)(n-9)}{10\times9}=2\times\frac{n-8}{9}$$

$n^2-37n+322=0$

$(n-14)(n-23)=0$

$\therefore n=14$ 또는 $n=23$

따라서 구하는 n의 값의 합은 $14+23=37$ 답 37

0342

x^n의 계수를 a_n이라 하면, $a_{k-1}\leq a_k$이고 $a_k\geq a_{k+1}$이다.

> $(2x+3)^{15}$의 전개식에서 계수가 가장 큰 항은 x^k항이다. 자연수 k의 값을 구하시오.

전개식의 일반항이 ${}_{15}C_k(2x)^k\cdot3^{15-k}$이므로

x^k항의 계수를 a_k라 하면

$a_k={}_{15}C_k2^k\cdot3^{15-k}$

$a_{k-1}={}_{15}C_{k-1}2^{k-1}\cdot3^{16-k}$, $a_{k+1}={}_{15}C_{k+1}2^{k+1}\cdot3^{14-k}$

$a_{k-1}\leq a_k$이고 $a_k\geq a_{k+1}$, 또한 모든 항의 계수는 양수이므로

(i) $a_{k-1}\leq a_k$에서

${}_{15}C_{k-1}2^{k-1}\times3^{16-k}\leq{}_{15}C_k2^k\times3^{15-k}$

$$\frac{15!}{(k-1)!(16-k)!}\times2^{k-1}\times3^{16-k}\leq\frac{15!}{k!(15-k)!}\times2^k\times3^{15-k}$$

$3k\leq2(16-k)$

$\therefore k\leq\frac{32}{5}$

(ii) $a_k\geq a_{k+1}$에서

${}_{15}C_k2^k\times3^{15-k}\geq{}_{15}C_{k+1}2^{k+1}\times3^{14-k}$

$$\frac{15!}{k!(15-k)!}\times2^k\times3^{15-k}\geq\frac{15!}{(k+1)!(14-k)!}\times2^{k+1}\times3^{14-k}$$

$3(k+1)\geq2(15-k)$

$\therefore k\geq\frac{27}{5}$

따라서 $\frac{27}{5}\leq k\leq\frac{32}{5}$를 만족하는 자연수 k는 6이다. 답 6

0343

$(x^2+x+1)\left(x+\frac{1}{x}\right)^{10}$의 전개식에서 상수항을 구하시오.

$\left(x+\frac{1}{x}\right)^{10}$의 전개식의 일반항은 ${}_{10}C_r x^{10-r}\left(\frac{1}{x}\right)^r$임을 이용하자.

$(x^2+x+1)\left(x+\frac{1}{x}\right)^{10}$

$=x^2\left(x+\frac{1}{x}\right)^{10}+x\left(x+\frac{1}{x}\right)^{10}+\left(x+\frac{1}{x}\right)^{10}$

이고, $\left(x+\frac{1}{x}\right)^{10}$의 전개식의 일반항은

${}_{10}C_r x^{10-r}\left(\frac{1}{x}\right)^r={}_{10}C_r x^{10-2r}$

(i) $x^{10-2r}=\frac{1}{x^2}$에서 $r=6$

즉, $\frac{1}{x^2}$의 계수는 ${}_{10}C_6=210$

(ii) $x^{10-2r}=\frac{1}{x}$을 만족시키는 자연수 r는 없다.

(iii) $10-2r=0$에서 $r=5$

즉, 상수항은 ${}_{10}C_5=252$

(i), (ii), (iii)에서 구하는 상수항은

$210+252=462$ 답 462

0344 $=x(x+a)^n-(x+a)^n$이고 각각의 전개식에서 일반항을 구하자.

다항식 $2(x+a)^n$의 전개식에서 x^{n-1}의 계수와 다항식 $(x-1)(x+a)^n$의 전개식에서 x^{n-1}의 계수가 같게 되는 모든 순서쌍 (a, n)에 대하여 an의 최댓값을 구하시오.

(단, a는 자연수이고, n은 $n\geq2$인 자연수이다.)

(i) $2(x+a)^n$의 전개식의 일반항은 $2{}_nC_r a^r x^{n-r}$

$x^{n-r}=x^{n-1}$에서 $r=1$

즉, x^{n-1}의 계수는 $2{}_nC_1 a^1=2an$

(ii) $(x-1)(x+a)^n$에서

$(x+a)^n$의 전개식의 일반항은

${}_nC_s a^s x^{n-s}$

$(x-1)(x+a)^n=x(x+a)^n-(x+a)^n$이므로

$x(x+a)^n$의 전개식에서 x^{n-1}의 계수는 $(x+a)^n$의 전개식에서 x^{n-2}의 계수이다.

$x^{n-s}=x^{n-2}$에서 $s=2$

즉, x^{n-2}의 계수는 ${}_nC_2 a^2=\frac{n(n-1)}{2}a^2$

$x^{n-s}=x^{n-1}$에서 $s=1$

즉, x^{n-1}의 계수는 ${}_nC_1 a^1=an$

따라서 $(x-1)(x+a)^n$의 전개식에서 x^{n-1}의 계수는

$\frac{n(n-1)}{2}a^2-an$

(i), (ii)에서 $2an=\frac{n(n-1)}{2}a^2-an$

$3an=\frac{n(n-1)}{2}a^2$, $3=\frac{n-1}{2}a$

$\therefore a(n-1)=6$

이 식을 만족시키는 모든 경우를 표로 나타내면 다음과 같다.

a	$n-1$	n	an
1	6	7	7
2	3	4	8
3	2	3	9
6	1	2	12

따라서 구하는 an의 최댓값은 12이다. 답 12

0345 첫째항이 $(1+x)$이고 공비가 $(1+x)$인 등비수열의 합이다.

$(1+x)+(1+x)^2+(1+x)^3+\cdots+(1+x)^n$의 전개식에서 x의 계수를 a_n이라 할 때, $\sum_{n=1}^{10}\frac{1}{a_n}$의 합은?

$(1+x)+(1+x)^2+(1+x)^3+\cdots+(1+x)^n$

$=\frac{(1+x)\{(1+x)^n-1\}}{(1+x)-1}=\frac{(1+x)^{n+1}-x-1}{x}$

이므로 이 다항식에서 x의 계수는 $(1+x)^{n+1}$의 전개식에서 x^2의 계수와 같다.

$(1+x)^{n+1}$의 전개식의 일반항은 ${}_{n+1}C_r 1^{n+1-r}x^r$이므로 $r=2$

x^2의 계수는 ${}_{n+1}C_2=\frac{n(n+1)}{2}$이므로 $a_n=\frac{n(n+1)}{2}$

$\therefore \sum_{n=1}^{10}\frac{1}{a_n}=\sum_{n=1}^{10}\frac{2}{n(n+1)}=2\sum_{n=1}^{10}\left(\frac{1}{n}-\frac{1}{n+1}\right)$

$=2\left\{\left(\frac{1}{1}-\frac{1}{2}\right)+\left(\frac{1}{2}-\frac{1}{3}\right)+\cdots+\left(\frac{1}{10}-\frac{1}{11}\right)\right\}$

$=2\left(1-\frac{1}{11}\right)=\frac{20}{11}$ 답 ⑤

0346

학생 A가 숫자 1, 2, 3, 4, 5 중에서 중복을 허락하여 3개를 택하고, 학생 B도 숫자 1, 2, 3, 4, 5 중에서 중복을 허락하여 3개를 택할 때, 두 학생 A와 B가 택한 6개의 숫자가 짝수 2개, 홀수 4개인 경우의 수는?

(단, 각 학생이 택한 3개의 숫자의 순서는 생각하지 않는다.)

한 학생이 짝수 2개를 택한 경우와 두 학생이 각각 짝수 1개씩 택한 경우로 나누어 생각하자.

(i) 한 학생이 짝수 2개를 택하는 경우

짝수 2개를 택한 학생을 선택하는 경우의 수는 서로 다른 2개에서 1개를 택하는 조합의 수이므로

${}_2C_1=2$

이 각각에 대하여 짝수 2개를 정하는 경우의 수는 2, 4 중에서 중복을 허락하여 2개를 택하는 중복조합의 수이므로

${}_2H_2={}_3C_2={}_3C_1=3$

이 각각에 대하여 짝수 2개를 택한 한 학생이 홀수 1, 3, 5 중에서 1개를 택하는 경우의 수는 서로 다른 3개에서 1개를 택하는 조합의 수이므로

${}_3C_1=3$

이 각각에 대하여 짝수를 택하지 않은 학생이 홀수 1, 3, 5 중에서 중복을 허락하여 3개를 택하는 경우의 수는 서로 다른 3개에서 3개를

택하는 중복조합의 수이므로

${}_3H_3={}_5C_3={}_5C_2=10$

그러므로 경우의 수는 $2\times3\times3\times10=180$

(ii) A, B가 각각 짝수 1개를 택하는 경우

A가 짝수 2, 4 중에서 한 개를 택하는 경우의 수는 2

B가 짝수 2, 4 중에서 한 개를 택하는 경우의 수는 2

이 각각에 대하여 A가 홀수 1, 3, 5 중에서 중복을 허락하여 2개를 택하는 경우의 수는 서로 다른 3개에서 2개를 택하는 중복조합의 수이므로

${}_3H_2={}_4C_2=6$

이 각각에 대하여 B가 홀수 1, 3, 5 중에서 중복을 허락하여 2개를 택하는 경우의 수는 서로 다른 3개에서 2개를 택하는 중복조합의 수이므로

${}_3H_2={}_4C_2=6$

그러므로 경우의 수는 $2\times2\times6\times6=144$

(i), (ii)에서 구하는 경우의 수는

$180+144=324$

답 ③

0347

집합 $X=\{1, 2, 3, 4, 5\}$에 대하여 다음 조건을 만족시키는 함수 $f:X\longrightarrow X$의 개수는?

(가) $f(f(4))\neq f(4)$

(나) $f(1)\leq f(2)\leq f(3)\leq f(4)$

• $f(4)\neq4$이다. 따라서 $f(4)$의 함숫값이 1, 2, 3, 5일 때로 나누어 경우의 수를 구하자.

$f(4)=4$이면 $f(f(4))=f(4)$이므로 조건 (가)를 만족시키지 않는다.

$\therefore f(4)\neq4$

(i) $f(4)=1$일 때

조건 (가)에서 $f(1)\neq1$이므로 조건 (나)를 만족시키지 않는다.

(ii) $f(4)=2$일 때

조건 (가)에서 $f(2)\neq2$이므로 조건 (나)에서 $f(1)=f(2)=1$이고, $f(3)$의 값은 1 또는 2이다.

따라서 함수 f의 개수는

$1\times1\times2\times5=10$

(iii) $f(4)=3$일 때

조건 (가)에서 $f(3)\neq3$이므로 조건 (나)에서 $f(1)$, $f(2)$, $f(3)$의 값은 1 또는 2이다.

따라서 함수 f의 개수는

${}_2H_3\times5={}_4C_3\times5=4\times5=20$

(iv) $f(4)=5$일 때

조건 (가)에서 $f(5)\neq5$이므로 조건 (나)에서 $f(1)$, $f(2)$, $f(3)$의 값은 1 또는 2 또는 3 또는 4 또는 5이다.

따라서 함수 f의 개수는

${}_5H_3\times4={}_7C_3\times4=35\times4=140$

(i)~(iv)에서 구하는 함수 f의 개수는

$10+20+140=170$

답 ②

0348

• $(ax+b)^8=a_0+a_1x+a_2x^2+\cdots+a_8x^8$이다.

다항식 $(ax+b)^8$의 전개식에서 x^n의 계수를 a_n ($n=1, 2, 3, \cdots, 8$), 상수항을 a_0이라 하자. 다음 조건을 만족시키는 양의 실수 a, b를 정할 때, $25ab$의 값을 구하시오.

(가) $\log_3(a_0+a_1+a_2+\cdots+a_8)=16$

(나) 세 수 a_0, a_2, a_5는 이 순서대로 등비수열을 이룬다.

• $a_2^2=a_0\times a_5$임을 이용하자.

$(ax+b)^8=a_0+a_1x+a_2x^2+\cdots+a_8x^8$에서 양변에 $x=1$을 대입하면

$(a+b)^8=a_0+a_1+a_2+\cdots+a_8$

$\log_3(a_0+a_1+a_2+\cdots+a_8)=\log_3(a+b)^8$

조건 (가)에서 $\log_3(a_0+a_1+a_2+\cdots+a_8)=16$이므로

$a_0+a_1+a_2+\cdots+a_8=(a+b)^8=3^{16}$

$\therefore a+b=3^2=9$ ······ ㉠

$(ax+b)^8$의 전개식의 일반항은

${}_8C_r(ax)^rb^{8-r}={}_8C_ra^rb^{8-r}x^r$

$a_n={}_8C_na^nb^{8-n}$이므로

$a_0={}_8C_0b^8=b^8$

$a_2={}_8C_2a^2b^6=28a^2b^6$

$a_5={}_8C_5a^5b^3=56a^5b^3$

조건 (나)에서 세 수 a_0, a_2, a_5는 이 순서대로 등비수열을 이루므로

$(28a^2b^6)^2=b^8\times56a^5b^3$

$\therefore a=14b$ ······ ㉡

㉠, ㉡을 연립하여 풀면

$a=\frac{42}{5}$, $b=\frac{3}{5}$

$\therefore 25ab=25\times\frac{42}{5}\times\frac{3}{5}=126$

답 126

0349

방정식 $(a+b+c)(d+e)=35$를 만족시키는 다섯 개의 자연수 a, b, c, d, e의 모든 순서쌍 (a, b, c, d, e)의 개수를 구하시오.

• a, b, c, d, e가 자연수이므로 $a+b+c=5$, $d+e=7$인 경우와 $a+b+c=7$, $d+e=5$인 경우로 나누어 각각의 순서쌍의 개수를 구하자.

a, b, c, d, e가 자연수이므로

$a+b+c\geq3$이고 $d+e\geq2$

$35=5\times7$이므로 다음과 같은 경우로 나눌 수 있다.

(i) $a+b+c=5$, $d+e=7$인 경우

$a=a'+1$, $b=b'+1$, $c=c'+1$ ($a'\geq0$, $b'\geq0$, $c'\geq0$)로 놓으면

$a'+b'+c'=2$

즉, 순서쌍 (a, b, c)의 개수는 서로 다른 3개에서 2개를 택하는 중복조합의 수이므로

${}_3H_2={}_{3+2-1}C_2={}_4C_2=6$

이 각각에 대하여 $d=d'+1$, $e=e'+1$ ($d'\geq0$, $e'\geq0$)로 놓으면

$d'+e'=5$

즉, 순서쌍 (d, e)의 개수는 서로 다른 2개에서 5개를 택하는 중복조

합의 수이므로

$_{2}H_{5}={}_{2+5-1}C_{5}={}_{6}C_{5}={}_{6}C_{1}=6$

그러므로 구하는 순서쌍의 개수는

$6\times6=36$

(ii) $a+b+c=7$, $d+e=5$인 경우

순서쌍 (a, b, c)의 개수는 (i)과 같은 방법으로 하면 서로 다른 3개에서 4개를 택하는 중복조합의 수이므로

$_{3}H_{4}={}_{3+4-1}C_{4}={}_{6}C_{4}={}_{6}C_{2}=15$

이 각각에 대하여 순서쌍 (d, e)의 개수는 (i)과 같은 방법으로 하면 서로 다른 2개에서 3개를 택하는 중복조합의 수이므로

$_{2}H_{3}={}_{2+3-1}C_{3}={}_{4}C_{3}={}_{4}C_{1}=4$

그러므로 구하는 순서쌍의 개수는

$15\times4=60$

(i), (ii)에 의하여 구하는 순서쌍의 개수는

$36+60=96$ 답 96

03 확률의 뜻과 성질

본책 070~094쪽

0350

한 개의 주사위를 던지는 시행에서 일어날 수 있는 모든 가능한 결과는 1, 2, 3, 4, 5, 6의 눈이 나오는 것이므로 표본공간은

$\{1, 2, 3, 4, 5, 6\}$ 답 $\{1, 2, 3, 4, 5, 6\}$

0351

근원사건은 표본공간의 부분집합 중에서 한 개의 원소로 이루어진 집합이므로

$\{1\}, \{2\}, \{3\}, \{4\}, \{5\}, \{6\}$ 답 $\{1\}, \{2\}, \{3\}, \{4\}, \{5\}, \{6\}$

0352

짝수의 눈이 나오는 사건은

$\{2, 4, 6\}$ 답 $\{2, 4, 6\}$

0353

2의 배수가 나오는 사건은

$\{2, 4, 6, 8, 10, 12\}$ 답 $\{2, 4, 6, 8, 10, 12\}$

0354

3의 배수가 나오는 사건은

$\{3, 6, 9, 12\}$ 답 $\{3, 6, 9, 12\}$

0355

2의 배수 또는 3의 배수가 나오는 사건은

$\{2, 3, 4, 6, 8, 9, 10, 12\}$ 답 $\{2, 3, 4, 6, 8, 9, 10, 12\}$

0356

2의 배수이고 3의 배수가 나오는 사건은

$\{6, 12\}$ 답 $\{6, 12\}$

0357

2의 배수가 아닌 수가 나오는 사건은

$\{1, 3, 5, 7, 9, 11\}$ 답 $\{1, 3, 5, 7, 9, 11\}$

0358

5의 배수가 적힌 카드를 뽑는 사건은 $\{5, 10\}$이므로

$A=\{5, 10\}$ 답 $\{5, 10\}$

0359

8의 약수가 적힌 카드를 뽑는 사건은 $\{1, 2, 4, 8\}$이므로

$B=\{1, 2, 4, 8\}$ 답 $\{1, 2, 4, 8\}$

0360

두 사건 A와 B의 합사건은

$A\cup B=\{1, 2, 4, 5, 8, 10\}$ 답 $\{1, 2, 4, 5, 8, 10\}$

0361

두 사건 A와 B의 곱사건은

$A\cap B=\varnothing$ 답 $\varnothing$

0362
사건 B의 여사건은 $\{3, 5, 6, 7, 9, 10\}$이므로
$B^C=\{3, 5, 6, 7, 9, 10\}$ 답 $\{3, 5, 6, 7, 9, 10\}$

0363
$A\cap B^C=A-B$이므로 $A\cap B^C=\{5, 10\}$ 답 $\{5, 10\}$

0364
$A^C\cap B^C=(A\cup B)^C$이므로 $A^C\cap B^C=\{3, 6, 7, 9\}$
답 $\{3, 6, 7, 9\}$

[0365-0371] 서로 다른 두 개의 주사위를 동시에 던지는 시행에서 표본공간 S는
$S=\{(1, 1), (1, 2), (1, 3), \cdots, (6, 5), (6, 6)\}$
이므로 $n(S)=36$

0365
나오는 두 눈의 수가 모두 3인 사건을 A라 하면
$A=\{(3, 3)\}$
이므로 $n(A)=1$
따라서 구하는 확률은
$\mathrm{P}(A)=\dfrac{n(A)}{n(S)}=\dfrac{1}{36}$ 답 $\dfrac{1}{36}$

0366
나오는 두 눈의 수가 서로 같은 사건을 B라 하면
$B=\{(1, 1), (2, 2), (3, 3), (4, 4), (5, 5), (6, 6)\}$
이므로 $n(B)=6$
따라서 구하는 확률은
$\mathrm{P}(B)=\dfrac{n(B)}{n(S)}=\dfrac{6}{36}=\dfrac{1}{6}$ 답 $\dfrac{1}{6}$

0367
나오는 두 눈의 수의 합이 10보다 큰 사건을 C라 하면
$C=\{(5, 6), (6, 5), (6, 6)\}$
이므로 $n(C)=3$
따라서 구하는 확률은
$\mathrm{P}(C)=\dfrac{n(C)}{n(S)}=\dfrac{3}{36}=\dfrac{1}{12}$ 답 $\dfrac{1}{12}$

0368
나오는 두 눈의 수의 합이 8인 사건을 D라 하면
$D=\{(2, 6), (3, 5), (4, 4), (5, 3), (6, 2)\}$
이므로 $n(D)=5$
따라서 구하는 확률은
$\mathrm{P}(D)=\dfrac{n(D)}{n(S)}=\dfrac{5}{36}$ 답 $\dfrac{5}{36}$

0369
나오는 두 눈의 수의 곱이 12인 사건을 E라 하면
$E=\{(2, 6), (3, 4), (4, 3), (6, 2)\}$
이므로 $n(E)=4$
따라서 구하는 확률은
$\mathrm{P}(E)=\dfrac{n(E)}{n(S)}=\dfrac{4}{36}=\dfrac{1}{9}$ 답 $\dfrac{1}{9}$

0370
나오는 두 눈의 수가 서로 다른 사건을 F라 하면
$F=\{(1, 2), (1, 3), (1, 4), (1, 5), (1, 6), \cdots, (6, 5)\}$
이므로 $n(F)=30$
따라서 구하는 확률은
$\mathrm{P}(F)=\dfrac{n(F)}{n(S)}=\dfrac{30}{36}=\dfrac{5}{6}$ 답 $\dfrac{5}{6}$

0371
나오는 두 눈의 수가 4 이상인 사건을 G라 하면
$G=\{(4, 4), (4, 5), (4, 6), \cdots, (6, 6)\}$
이므로 $n(G)=9$
따라서 구하는 확률은
$\mathrm{P}(G)=\dfrac{n(G)}{n(S)}=\dfrac{9}{36}=\dfrac{1}{4}$ 답 $\dfrac{1}{4}$

0372
A, B, C, D 네 사람을 일렬로 세우는 모든 방법의 수는
$4!=24$ 답 24

0373
A를 맨 앞에 세우는 방법의 수는 A를 맨 앞에 고정시키고 나머지 세 사람을 일렬로 세우는 방법의 수와 같으므로
$3!=6$ 답 6

0374
A가 맨 앞에 서는 확률은
$\dfrac{3!}{4!}=\dfrac{6}{24}=\dfrac{1}{4}$ 답 $\dfrac{1}{4}$

0375
한 개의 구슬을 꺼낼 때, 노란 구슬이 나올 확률은 $\dfrac{3}{5}$ 답 $\dfrac{3}{5}$

0376
노란 구슬 3개, 빨간 구슬 2개가 들어 있는 주머니에서 두 개의 구슬을 꺼내는 방법의 수는 ${}_5\mathrm{C}_2$, 빨간 구슬 2개 중에서 2개를 꺼내는 방법의 수는 ${}_2\mathrm{C}_2$이므로 구하는 확률은
$\dfrac{{}_2\mathrm{C}_2}{{}_5\mathrm{C}_2}=\dfrac{1}{10}$ 답 $\dfrac{1}{10}$

0377
노란 구슬 3개 중에서 2개를 꺼내는 방법의 수가 ${}_3\mathrm{C}_2$이므로
구하는 확률은
$\dfrac{{}_3\mathrm{C}_2}{{}_5\mathrm{C}_2}=\dfrac{3}{10}$ 답 $\dfrac{3}{10}$

0378
노란 구슬 3개 중에서 1개, 빨간 구슬 2개 중에서 1개를 꺼내는 방법의 수가 ${}_3\mathrm{C}_1\times{}_2\mathrm{C}_1$이므로
구하는 확률은

$\frac{{}_3C_1 \times {}_2C_1}{{}_5C_2} = \frac{6}{10} = \frac{3}{5}$ 답 $\frac{3}{5}$

0379

한 개의 주사위를 던지는 시행에서 6의 약수가 나오는 사건을 A, 3의 배수가 나오는 사건을 B라고 할 때, 다음 물음에 답하시오.

(1) 표본공간을 구하시오.
(2) 사건 A의 배반사건을 모두 구하시오.
(3) 사건 B의 여사건을 구하시오.

└• 어떤 시행에서 일어날 수 있는 모든 가능한 결과 전체의 집합

(1) 표본공간은
$\{1, 2, 3, 4, 5, 6\}$
(2) 사건 A가 $\{1, 2, 3, 6\}$이므로 그 배반사건은
$\varnothing$, $\{4\}$, $\{5\}$, $\{4, 5\}$
(3) 사건 B가 $\{3, 6\}$이므로 그 여사건은
$\{1, 2, 4, 5\}$

답 (1) $\{1, 2, 3, 4, 5, 6\}$ (2) $\varnothing$, $\{4\}$, $\{5\}$, $\{4, 5\}$ (3) $\{1, 2, 4, 5\}$

0380

1부터 5까지의 숫자가 각각 하나씩 적힌 5장의 카드에서 1장을 꺼낼 때, 적힌 숫자에 대한 다음 사건 중에서 서로 배반사건인 것은?

서로 동시에 일어나지 않는 사건을 찾자. •┘

A: 짝수	B: 소수
C: 6의 약수	D: 완전제곱수

① A와 B ② A와 C ③ B와 C
④ B와 D ⑤ C와 D

$A=\{2, 4\}$, $B=\{2, 3, 5\}$, $C=\{1, 2, 3\}$, $D=\{1, 4\}$
$B \cap D = \varnothing$이므로 서로 배반사건인 것은 B와 D이다.

답 ④

0381

서로 다른 두 개의 주사위를 동시에 던질 때, 나오는 두 눈의 수가 서로 같은 사건을 A, 두 눈의 수의 차가 1인 사건을 B, 두 눈의 수의 합이 6인 사건을 C라 하자. 〈보기〉에서 서로 배반사건인 것만을 있는 대로 고른 것은?

각각의 사건을 집합으로 나타내자. •┘

보기
ㄱ. A와 B ㄴ. A와 C ㄷ. B와 C

$A=\{(1, 1), (2, 2), (3, 3), (4, 4), (5, 5), (6, 6)\}$
$B=\{(1, 2), (2, 3), (3, 4), (4, 5), (5, 6), (6, 5), (5, 4), (4, 3), (3, 2), (2, 1)\}$
$C=\{(1, 5), (2, 4), (3, 3), (4, 2), (5, 1)\}$

ㄱ. $A \cap B = \varnothing$이므로 두 사건 A와 B는 서로 배반사건이다.
ㄴ. $A \cap C = \{(3, 3)\}$이므로 두 사건 A와 C는 서로 배반사건이 아니다.
ㄷ. $B \cap C = \varnothing$이므로 두 사건 B와 C는 서로 배반사건이다.
따라서 서로 배반사건인 것은 ㄱ, ㄷ이다.

답 ④

0382

10 이하의 자연수가 각각 하나씩 적혀 있는 10장의 카드에서 임의로 한 장의 카드를 꺼낼 때, 4의 배수가 적혀 있는 카드를 꺼낼 사건을 A, 홀수가 적혀 있는 카드를 꺼낼 사건을 B라 하자. 두 사건 A, B와 모두 배반인 사건 C의 개수를 구하시오.

└• $A \cap C = \varnothing$, $B \cap C = \varnothing$임을 이용하자.

$A=\{4, 8\}$, $B=\{1, 3, 5, 7, 9\}$이고 사건 C는 두 사건 A, B와 모두 배반인 사건이므로
$A \cap C = \varnothing$, $B \cap C = \varnothing$
$\therefore (A \cup B) \cap C = \varnothing$
즉, $C \subset (A \cup B)^C = \{2, 6, 10\}$이다.
따라서 두 사건 A, B와 모두 배반인 사건 C의 개수는 $(A \cup B)^C$의 부분집합의 개수와 같으므로
$2^3 = 8$

답 8

0383

동전 n개를 던질 때 일어날 수 있는 모든 경우의 수는 2^n임을 이용하자.

서로 다른 n개의 동전을 동시에 던지는 시행에서 표본공간의 원소의 개수가 128이고, 서로 다른 n개의 동전 중에서 표시한 2개의 동전이 앞면이 나오는 사건의 수가 m일 때, $m+n$의 값을 구하시오.

표본공간의 원소의 개수가 128이므로
$2^n = 128 = 2^7$
$\therefore n=7$
7개의 동전 중에서 표시한 2개의 동전이 앞면이 나왔다고 생각하고 나머지 5개로 만들어지는 경우의 수는 $2^5 = 32$이다.
$\therefore m=32$
$\therefore m+n = 32+7 = 39$

답 39

0384

$\frac{(\text{설악산을 희망하는 학생의 수})}{(\text{전체 학생의 수})}$임을 이용하자.

다음 표는 다운이네 반 학생 30명을 대상으로 희망하는 수학여행 장소를 조사한 것이다. 다운이네 반 학생 중 한 명을 뽑아 희망하는 수학여행 장소를 물었을 때, 그 학생이 설악산을 희망하는 학생일 확률을 구하시오.

장소	제주도	설악산	경주
학생 수(명)	17	6	7

총 30명 중 설악산을 희망하는 학생은 6명이므로
$\frac{6}{30} = \frac{1}{5}$

답 $\frac{1}{5}$

0385

> 서로 다른 두 개의 주사위를 동시에 던질 때, 나오는 눈의 수의 합이 7일 확률을 구하시오.
>
> └• 두 주사위의 눈의 합이 7인 순서쌍을 모두 구하자.

두 주사위의 눈의 수의 합이 7인 경우의 수가

(1, 6), (2, 5), (3, 4), (4, 3), (5, 2), (6, 1)으로 6가지

$\therefore \frac{6}{36}=\frac{1}{6}$ 　　답 $\frac{1}{6}$

0386

> 서로 다른 두 개의 주사위를 동시에 던질 때, 나오는 두 눈의 수의 합이 4 이하일 확률을 구하시오.
>
> └• 두 주사위의 눈의 합이 4 이하인 순서쌍을 구하자.

서로 다른 두 개의 주사위를 동시에 던질 때, 일어날 수 있는 모든 경우의 수는 $6\times6=36$

나오는 두 뉴의 수의 합이 4 이하가 되는 경우를 순서쌍으로 나타내면

(1, 1), (1, 2), (1, 3), (2, 1), (2, 2), (3, 1)의 6가지이다.

따라서 구하는 확률은 $\frac{6}{36}=\frac{1}{6}$ 　　답 $\frac{1}{6}$

0387

> 두 개의 주사위 A, B를 동시에 던져 나오는 두 눈의 수를 각각 a, b라 할 때, $|a-b|=2$일 확률은?
>
> └• $|a-b|=2$인 경우를 순서쌍 (a, b)로 나타내자.

두 개의 주사위를 동시에 던질 때 나올 수 있는 모든 경우의 수는

$6\times6=36$

$|a-b|=2$인 경우를 순서쌍 (a, b)로 나타내면

(1, 3), (2, 4), (3, 5), (4, 6), (6, 4), (5, 3), (4, 2), (3, 1)의 8가지이다.

따라서 구하는 확률은 $\frac{8}{36}=\frac{2}{9}$ 　　답 ①

0388

> 1에서 5까지의 숫자가 각각 적힌 5장의 카드 중 두 장을 뽑는 시행에서 처음 뽑은 카드의 숫자를 a, 두 번째 뽑은 카드의 숫자를 b라 할 때, $3a+b>17$이 될 확률을 구하시오.
>
> (단, 처음 뽑은 카드는 다시 집어넣는다.)
>
> └• $3a+b>17$이 되는 경우를 순서쌍 (a, b)로 나타내자.

모든 경우의 수는 $5\times5=25$

$3a+b>17$이 되는 경우를 순서쌍 (a, b)로 나타내면

(5, 3), (5, 4), (5, 5)의 3가지이다.

따라서 구하는 확률은 $\frac{3}{25}$ 　　답 $\frac{3}{25}$

0389

> 흰 공과 검은 공이 합하여 모두 8개가 들어 있는 주머니에서 임의로 1개의 공을 꺼낼 때, 그 공이 흰 공일 확률이 $\frac{1}{4}$이다. 주머니 속에 들어 있는 검은 공의 개수를 구하시오.
>
> 주머니에는 흰 공과 검은 공 밖에 없음을 이용하자. •┘

검은 공의 개수를 x라 하면 흰 공의 개수는 $(8-x)$이므로

$\frac{8-x}{8}=\frac{1}{4}$ 　　$\therefore x=6$

따라서 검은 공의 개수는 6이다. 　　답 6

0390

> 집합 $A=\{a, b, c, d, e, f\}$의 모든 부분집합 중에서 하나의 부분집합을 임의로 택할 때, a와 b가 그 부분집합의 원소일 확률을 구하시오. 　a와 b를 반드시 포함하는 부분집합의 개수를 구하자. •┘

집합 A의 모든 부분집합의 개수는

$2^6=64$

a와 b를 반드시 포함하는 부분집합의 개수는 a와 b를 제외하고 나머지 4개의 원소로 이루어진 집합의 부분집합의 개수와 같으므로

$2^4=16$

따라서 구하는 확률은 $\frac{16}{64}=\frac{1}{4}$ 　　답 $\frac{1}{4}$

0391

> $-2\le m\le 4$인 정수 m에 대하여 이차방정식 $x^2+mx+m=0$이 허근을 가질 확률은?
>
> └• 이차방정식의 판별식을 이용하자.

$-2\le m\le 4$를 만족시키는 정수 m은 $-2, -1, 0, 1, 2, 3, 4$의 7개이다.

이차방정식 $x^2+mx+m=0$이 허근을 가져야 하므로 이 이차방정식의 판별식을 D라 하면

$D=m^2-4m<0$, $m(m-4)<0$

$\therefore 0<m<4$

이를 만족시키는 정수 m은 1, 2, 3의 3개이다.

따라서 구하는 확률은 $\frac{3}{7}$ 　　답 ③

0392

> 한 개의 주사위를 두 번 던질 때 나오는 두 눈의 수를 차례로 a, b라 하자. 이차함수 $f(x)=x^2-6x+5$에 대하여 $f(a)f(b)<0$이 성립할 확률은?
>
> └• 이차함수의 함숫값 중에서 음수인 것과 양수인 것으로 나누자.

한 개의 주사위를 두 번 던질 때 나오는 모든 경우의 수는

$6\times6=36$

이차함수 $f(x)=x^2-6x+5=(x-1)(x-5)$에서

$f(1)=0, f(5)=0$
$f(2)<0, f(3)<0, f(4)<0, f(6)>0$
이므로 $f(a)f(b)<0$을 만족시키는 순서쌍 (a, b)는
$(2, 6), (3, 6), (4, 6), (6, 2), (6, 3), (6, 4)$의 6개이다.
따라서 구하는 확률은 $\frac{6}{36}=\frac{1}{6}$ 답 ③

0393

한 개의 주사위를 두 번 던질 때, 나오는 눈의 수의 차가 2이거나 합이 9일 확률을 구하시오.

• 나오는 눈의 차가 2이면서 눈의 합이 9인 경우는 없다.

전체 경우의 수는 $6\times6=36$
나오는 눈의 수의 차가 2인 경우의 수
$(1, 3), (2, 4), (3, 1), (3, 5), (4, 2), (4, 6), (5, 3), (6, 4)$: 8가지
나오는 눈의 수의 합이 9인 경우의 수
$(3, 6), (4, 5), (5, 4), (6, 3)$: 4가지
$\therefore \frac{8+4}{36}=\frac{1}{3}$ 답 $\frac{1}{3}$

0394

구하는 값들을 집합으로 나타내자. •

서로 다른 두 개의 주사위를 동시에 던질 때, 두 눈의 수의 합이 4의 배수 또는 12의 약수일 확률을 구하시오.

전체 경우의 수는 $6\times6=36$
4의 배수 또는 12의 약수인 값들은 $\{1, 2, 3, 4, 6, 8, 12\}$이다.
합이 1인 경우는 0가지
합이 2인 경우는 1가지
합이 3인 경우는 2가지
합이 4인 경우는 3가지
합이 6인 경우는 5가지
합이 8인 경우는 5가지
합이 12인 경우는 1가지
따라서 구하는 확률은 $\frac{17}{36}$이다. 답 $\frac{17}{36}$

0395

한 개의 주사위를 세 번 던져서 나오는 눈의 수를 차례로 a, b, c라 할 때, $a>b$이고 $a>c$일 확률을 구하시오.

a의 값을 기준으로 나누어 각각의 경우의 수를 구한 뒤 합의 법칙을 적용하자.

$a>b, a>c$를 만족하는 경우는 다음 표와 같다.

a	b	c
2	1	1
3	1, 2	1, 2
4	1, 2, 3	1, 2, 3
5	1, 2, 3, 4	1, 2, 3, 4
6	1, 2, 3, 4, 5	1, 2, 3, 4, 5

즉, 주어진 조건을 만족시키는 경우의 수는
$1\times1+2\times2+3\times3+4\times4+5\times5$
$=1+4+9+16+25$
$=55$
한편, 한 개의 주사위를 세 번 던질 때 나오는 경우의 수는
$6^3=216$
따라서 구하는 확률은 $\frac{55}{216}$ 답 $\frac{55}{216}$

0396

한 개의 주사위를 세 번 던질 때 나오는 눈의 수를 차례로 a, b, c라 하자. 세 수 a, b, c가 $a<b-2\le c$를 만족시킬 확률은?

b의 값을 기준으로 각각의 경우의 수를 구한 뒤 합의 법칙을 적용하자.

$a<b-2\le c$에서 $a\ge1$이므로
$1<b-2$
$3<b\le6$
그러므로 다음 각 경우로 나눌 수 있다.
(i) $b=4$일 때,
$a<2\le c$이므로 순서쌍 (a, b, c)의 개수는 $1\times5=5$
(ii) $b=5$일 때,
$a<3\le c$이므로 순서쌍 (a, b, c)의 개수는 $2\times4=8$
(iii) $b=6$일 때,
$a<4\le c$이므로 순서쌍 (a, b, c)의 개수는 $3\times3=9$
따라서 구하는 확률은
$\frac{5+8+9}{6^3}=\frac{22}{6^3}=\frac{11}{108}$ 답 ④

0397

$(a-2)(b-1)$의 값을 기준으로 각각의 경우의 수를 구한 뒤 합의 법칙을 적용하자.

한 개의 주사위를 두 번 던져서 나오는 두 눈의 수를 차례로 a, b라 할 때, 부등식 $3<(a-2)(b-1)\le6$을 만족시킬 확률을 구하시오.

한 개의 주사위를 두 번 던질 때 일어날 수 있는 모든 경우의 수는
$6\times6=36$
$3<(a-2)(b-1)\le6$ ……㉠
을 만족시키는 경우는 다음과 같다.
(i) $(a-2)(b-1)=4$일 때,

$a-2$	1	2	4
$b-1$	4	2	1

순서쌍 (a, b)는 $(3, 5), (4, 3), (6, 2)$로 이 경우의 수는 3이다.
(ii) $(a-2)(b-1)=5$일 때,

$a-2$	1	5
$b-1$	5	1

순서쌍 (a, b)는 $(3, 6)$으로 이 경우의 수는 1이다.
(iii) $(a-2)(b-1)=6$일 때,

$a-2$	1	2	3	6
$b-1$	6	3	2	1

순서쌍 (a, b)는 $(4, 4)$, $(5, 3)$으로 이 경우의 수는 2이다.

(i), (ii), (iii)에서 ㉠을 만족시키는 경우의 수는

$3+1+2=6$

따라서 구하는 확률은

$\frac{6}{36}=\frac{1}{6}$ 답 $\frac{1}{6}$

0398

두 개의 주사위를 던져서 나오는 눈의 수를 각각 a, b라 할 때, 함수 $f(x)=x^2+ax+b$의 최솟값이 -1 이하일 확률을 구하시오.

→ a의 값을 기준으로 나누어 각각의 경우의 수를 구한 뒤 합의 법칙을 적용하자.

전체 경우의 수는 $6\times6=36$

$f(x)=x^2+ax+b=\left(x+\frac{a}{2}\right)^2+b-\frac{a^2}{4}$

이므로 함수 $f(x)$의 최솟값은 $b-\frac{a^2}{4}$이다.

$b-\frac{a^2}{4}\le-1$에서 $a^2-4b\ge4$

$a=1$, 2일 때 b는 없다.

$a=3$일 때 $b=1$

$a=4$일 때 $b=1, 2, 3$

$a=5$일 때 $b=1, 2, 3, 4, 5$

$a=6$일 때 $b=1, 2, 3, 4, 5, 6$

$\therefore \frac{1+3+5+6}{36}=\frac{15}{36}=\frac{5}{12}$ 답 $\frac{5}{12}$

0399

서로 다른 두 개의 주사위 A, B를 동시에 던져서 나오는 눈의 수를 각각 a, b라 할 때, 좌표평면에서 이차곡선 $(x-a)^2+b=y$와 직선 $y=x$가 만날 확률을 구하시오.

→ 이차방정식의 판별식을 이용하자.

전체 경우의 수는 $6\times6=36$

이차곡선 $(x-a)^2+b=y$와 직선 $y=x$가 만나려면

$(x-a)^2+b=x$가 실근을 가져야 한다.

$x^2+(-2a-1)x+a^2+b=0$

$D=(-2a-1)^2-4(a^2+b)\ge0$

$\therefore a\ge b-\frac{1}{4}$

$b=1$일 때, a는 6개

$b=2$일 때, a는 5개

$b=3$일 때, a는 4개

$b=4$일 때, a는 3개

$b=5$일 때, a는 2개

$b=6$일 때, a는 1개

따라서 구하는 확률은

$\frac{1+2+3+4+5+6}{36}=\frac{21}{36}=\frac{7}{12}$ 답 $\frac{7}{12}$

0400

그림과 같이 한 변의 길이가 1인 정사각형 ABCD의 꼭짓점 A 위에 검은색 바둑돌을 놓고 주사위를 던져서 나온 눈의 수만큼 변을 따라 시계 반대 방향으로 움직인다고 한다. 한 개의 주사위를 두 번 던질 때, 바둑돌이 꼭짓점 A 위에 놓여 있을 확률을 구하시오.

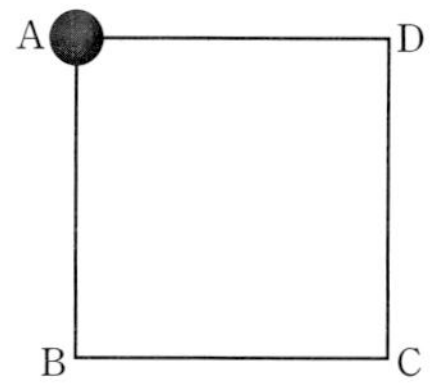

→ 주사위를 두 번 던져 나온 눈의 수의 합이 4의 배수임을 이용하자.

모든 경우의 수는 $6\times6=36$

주사위를 두 번 던져서 나온 두 눈의 수의 합이 4의 배수, 즉 4, 8, 12일 때 바둑돌은 꼭짓점 A 위에 놓인다.

(i) 두 눈의 수의 합이 4인 경우

$(1, 3)$, $(2, 2)$, $(3, 1)$의 3가지

(ii) 두 눈의 수의 합이 8인 경우

$(2, 6)$, $(3, 5)$, $(4, 4)$, $(5, 3)$, $(6, 2)$의 5가지

(iii) 두 눈의 수의 합이 12인 경우

$(6, 6)$의 1가지

(i), (ii), (iii)에 의하여 두 눈의 수의 합이 4의 배수인 경우의 수는

$3+5+1=9$

따라서 구하는 확률은 $\frac{9}{36}=\frac{1}{4}$ 답 $\frac{1}{4}$

0401

→ 각각의 경우를 순열을 이용하여 경우의 수를 구하자.

네 사람 A, B, C, D를 일렬로 세울 때, 다음을 구하시오.

(1) C를 가장 앞에 세울 확률

(2) C와 D를 이웃하여 세울 확률

(3) C와 D를 이웃하지 않게 세울 확률

(4) 양 끝에 C, D를 세울 확률

4명을 일렬로 세우는 방법의 수는 $4!$

(1) C를 가장 앞에 세우고 나머지 3명을 일렬로 세우는 방법의 수는 $3!$

따라서 구하는 확률은

$\frac{3!}{4!}=\frac{1}{4}$

(2) C, D를 묶어서 한 사람으로 생각하여 3명을 일렬로 세우는 방법의 수는 $3!$

C, D가 서로 자리를 바꾸는 방법의 수는 $2!$

따라서 구하는 확률은

$\frac{3!\times2!}{4!}=\frac{1}{2}$

(3) A, B를 일렬로 세우는 방법의 수는 $2!$

A, B의 양 끝과 사이에 C, D를 세우는 방법의 수는 ${}_3P_2$

따라서 구하는 확률은

$\frac{2!\times{}_3P_2}{4!}=\frac{1}{2}$

(4) C, D를 제외한 나머지 두 명을 일렬로 세우는 방법의 수는 $2!$

C, D를 양 끝에 세우는 방법의 수는 $2!$

따라서 구하는 확률은

$\dfrac{2!\times2!}{4!}=\dfrac{1}{6}$

답 (1) $\dfrac{1}{4}$ (2) $\dfrac{1}{2}$ (3) $\dfrac{1}{2}$ (4) $\dfrac{1}{6}$

0402

여학생 4명, 남학생 4명이 한 줄로 설 때, 여학생과 남학생이 번갈아 가며 서게 될 확률을 구하시오.

└• 여학생이 먼저 오는 경우와 남학생이 먼저 오는 경우가 있다.

8명의 학생이 일렬로 서는 방법의 수는 $8!$
여학생과 남학생이 번갈아 가며 서는 경우는
(여, 남, 여, 남, 여, 남, 여, 남) 또는 (남, 여, 남, 여, 남, 여, 남, 여)
여자는 여자끼리, 남자는 남자끼리 자리를 바꿀 수 있으므로 그 방법의 수는 $2\times4!\times4!$
따라서 구하는 확률은

$\dfrac{2\times4!\times4!}{8!}=\dfrac{1}{35}$

답 $\dfrac{1}{35}$

0403

A, B, C, D, E, F의 학생 6명을 일렬로 세울 때, A와 B 사이에 한 명의 학생이 있을 확률을 구하시오.

└• A, B와 사이에 있는 학생을 한 명으로 생각하고 나열하자.

A, B 사이에 한 학생이 놓이는 경우의 수는 4
A, B와 사이에 있는 학생을 한 묶음으로 생각하고 일렬로 세우는 방법의 수는 $4!=24$
A, B가 서로 자리를 바꾸는 방법의 수는 $2!=2$
$\therefore 4\times24\times2=192$
한편, 6명의 학생을 임의로 세우는 모든 방법의 수는 $6!=720$
따라서 구하는 확률은

$\dfrac{192}{720}=\dfrac{4}{15}$

답 $\dfrac{4}{15}$

0404

남자 3명과 여자 5명을 일렬로 세울 때, 남자끼리는 이웃하지 않게 서 있을 확률은?

여자를 먼저 나열하고 그 양 끝과 사이사이에 남자를 배열하자. •┘

8명을 일렬로 세우는 방법의 수는 $8!$
남자끼리는 이웃하지 않게 세우려면 여자 5명을 일렬로 세우고 그 양 끝과 사이사이의 6개의 자리에 남자 3명을 세우면 되므로 그 방법의 수는
$5!\times{}_6P_3$

따라서 구하는 확률은 $\dfrac{5!\times{}_6P_3}{8!}=\dfrac{5}{14}$

답 ④

0405

8개의 문자 c, o, m, p, u, t, e, r를 일렬로 나열할 때, c와 r 사이에 3개의 문자가 들어올 확률은 $\dfrac{n}{m}$이다. $m+n$의 값을 구하시오. (단, m, n은 서로소인 자연수이다.)

└• c■■■r를 묶어서 한 문자로 생각하자.

8개의 문자를 일렬로 나열하는 경우의 수는 $8!$
c와 r 사이에 3개의 문자가 들어오는 경우의 수는
c□□□r를 묶어서 한 문자로 생각하여 4개의 문자를 일렬로 나열하는 경우의 수와 같으므로
$4!\times{}_6P_3\times2!$
따라서 구하는 확률은

$\dfrac{4!\times{}_6P_3\times2!}{8!}=\dfrac{1}{7}$

$\therefore m+n=7+1=8$

답 8

0406

5개의 숫자 1, 2, 3, 4, 5에서 서로 다른 4개의 숫자를 사용하여 네 자리 정수를 만들 때, 5의 배수일 확률은?

└• 일의 자리의 숫자는 반드시 5임을 이용하자.

1, 2, 3, 4, 5에서 서로 다른 4개의 숫자를 사용하여 만든 네 자리 정수의 개수는
${}_5P_4$
5의 배수의 개수는 □□□5 꼴이므로 ${}_4P_3$

따라서 구하는 확률은 $\dfrac{{}_4P_3}{{}_5P_4}=\dfrac{1}{5}$

답 ①

0407

5개의 숫자 1, 2, 3, 4, 5를 한 번씩 사용하여 다섯 자리 자연수를 만들 때, 45000보다 큰 수일 확률을 구하시오.

└• 45■■■꼴 또는 5■■■■꼴의 수임을 이용하자.

1, 2, 3, 4, 5를 한 번씩 사용하여 만든 다섯 자리 자연수의 개수는 $5!$
45000보다 큰 수는 45□□□ 또는 5□□□□ 꼴이므로 그 개수는
$3!+4!$
따라서 구하는 확률은

$\dfrac{3!+4!}{5!}=\dfrac{1}{4}$

답 $\dfrac{1}{4}$

0408

네 개의 숫자 0, 1, 2, 3이 각각 하나씩 적혀 있는 4장의 카드가 있다. 이 카드를 한 줄로 나열하여 네 자리 자연수를 만들 때, 3100보다 클 확률을 구하시오.

└• 31■■꼴 또는 32■■꼴의 수임을 이용하자.

네 개의 숫자 0, 1, 2, 3을 한 줄로 나열하여 만들 수 있는 네 자리 자연

수는 1□□□, 2□□□, 3□□□ 꼴이므로 그 개수는

$3\times3!=18$

3100보다 큰 수는 31□□, 32□□ 꼴이므로 그 개수는

$2\times2!=4$

따라서 구하는 확률은

$\frac{4}{18}=\frac{2}{9}$ 답 $\frac{2}{9}$

0409 조건을 만족하는 학교별 학생들의 좌석번호를 순서쌍으로 나타내자.

A, B, C 세 학교 학생이 2명씩 있다. 이 6명이 그림과 같이 좌석 번호가 지정된 6개의 좌석 중에서 임의로 1개씩 선택하여 앉을 때, 같은 학교의 두 학생끼리는 좌석 번호의 차가 1 또는 10이 되도록 앉게 될 확률을 구하시오.

11	12	13
21	22	23

6명의 학생이 자리에 앉는 모든 방법의 수는 $6!$

좌석을 좌석 번호의 차가 1 또는 10이 되도록 세 묶음으로 나누는 경우는 다음의 세 가지이다.

(i) (11, 21), (12, 22), (13, 23)

(ii) (11, 21), (12, 13), (22, 23)

(iii) (11, 12), (21, 22), (13, 23)

(i)에서 각 묶음별로 학교를 정하는 방법의 수는 $3!$이고, 그 각각에 대하여 각 학교별 좌석에 학생들이 앉는 방법의 수는 2^3이다.

따라서 그 방법의 수는 $3!\times2^3$

(ii), (iii)의 경우도 (i)과 마찬가지로 그 방법의 수는 $3!\times2^3$

따라서 구하는 확률은

$\frac{3\times3!\times2^3}{6!}=\frac{1}{5}$ 답 $\frac{1}{5}$

0410

남학생 3명, 여학생 2명이 원탁에 둘러앉을 때, 여학생끼리 이웃하여 앉게 될 확률을 구하시오.

여학생 2명을 묶어서 1명으로 생각하자.

5명이 원탁에 둘러앉는 방법의 수는 $4!$

여학생 2명을 묶어서 1명으로 생각하면 4명이 원탁에 둘러앉는 방법의 수는 $3!$, 그 각각에 대하여 여학생끼리 서로 자리를 바꾸는 방법의 수는 $2!$이므로 여학생끼리 이웃하여 앉는 방법의 수는 $3!\times2!$

따라서 구하는 확률은

$\frac{3!\times2!}{4!}=\frac{1}{2}$ 답 $\frac{1}{2}$

0411

부모와 자녀를 포함하여 6명의 가족이 원탁에 둘러앉을 때, 부모가 서로 이웃하지 않을 확률은?

자녀들을 먼저 배열한 뒤 그 사이사이에 부모를 앉히자.

6명의 가족이 원탁에 둘러앉는 방법의 수는 $5!$

부모가 서로 이웃하지 않는 방법의 수는 4명의 자녀를 원형으로 배열하고 그 사이사이에 부모를 앉히는 방법의 수와 같으므로

$3!\times{}_4P_2$

따라서 구하는 확률은

$\frac{3!\times{}_4P_2}{5!}=\frac{3}{5}$ 답 ④

0412 B와 D를 먼저 앉힌 뒤 나머지 사람들의 자리를 정하자.

A, B, C, D, E, F, G, H의 8명이 원탁에 둘러앉을 때, B와 D는 서로 마주 보고 앉고, E와 G는 이웃하여 앉게 될 확률을 구하시오.

8명이 원탁에 둘러앉는 방법의 수는 $7!$

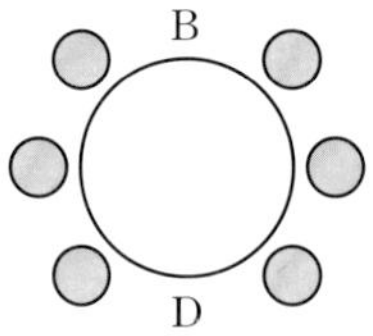

그림과 같이 B, D가 마주 보고 앉을 때, 남은 6개의 자리 중에서 이웃한 2개의 자리를 택하는 방법이 4가지, E, G가 자리를 바꾸는 방법이 2가지이고, 남은 4개의 자리에 A, C, F, H가 앉는 방법이 $4!$가지이다. 즉, B와 D는 서로 마주 보고 앉고 E와 G가 이웃하여 앉는 방법의 수는

$4\times2\times4!$

따라서 구하는 확률은 $\frac{4\times2\times4!}{7!}=\frac{4}{105}$ 답 $\frac{4}{105}$

0413 세 학생을 전체 반에 배정하는 방법의 수는 ${}_{10}\Pi_3$임을 이용하자.

아샘고등학교는 내년도 신입생을 10개 반으로 편성하려고 한다. 신입생을 임의로 반에 배정한다고 할 때, 내년에 아샘고등학교에 입학할 예정인 A, B, C 세 학생이 모두 다른 반에 배정될 확률은? (단, 각 반의 학생 수는 같다.)

A, B, C 세 학생이 10개 반에 배정되는 모든 방법의 수는

${}_{10}\Pi_3=1000$

서로 다른 반에 배정되는 방법의 수는

${}_{10}P_3=720$

따라서 구하는 확률은

$\frac{720}{1000}=\frac{18}{25}$ 답 ⑤

0414

세 개의 숫자 1, 2, 3에서 중복을 허용하여 세 자리 정수를 만들 때, 그 정수가 3의 배수일 확률을 구하시오.

각 자리의 숫자의 합이 3의 배수여야 한다.

세 개의 숫자 1, 2, 3에서 중복을 허용하여 세 자리 정수를 만드는 경우의 수는 ${}_3\Pi_3=27$

이 중에서 3의 배수인 경우는

111, 222, 333, 123, 132, 213, 231, 312, 321의 9가지이다.

따라서 구하는 확률은 $\frac{9}{27}=\frac{1}{3}$ 답 $\frac{1}{3}$

0415

> 0, 1, 2, 3의 네 개의 숫자에서 중복을 허용하여 세 자리 자연수를 만들 때, 3을 포함하지 않을 확률을 구하시오.
>
> └• 맨 앞자리에는 0이 올 수 없음에 주의하자.

0, 1, 2, 3의 네 개의 숫자에서 중복을 허용하여 만들 수 있는 세 자리 자연수의 개수는 맨 앞자리에 0을 제외한 3개의 숫자가 올 수 있고, 나머지 자리에는 4개의 숫자가 중복해서 올 수 있으므로

$3\times{}_4\Pi_2=3\times4^2=48$

3이 포함되지 않는 세 자리 자연수의 개수는 맨 앞자리에는 0을 제외한 2개의 숫자가 올 수 있고, 나머지 자리에는 3을 제외한 3개의 숫자가 중복해서 올 수 있으므로

$2\times{}_3\Pi_2=2\times3^2=18$

따라서 구하는 확률은 $\frac{18}{48}=\frac{3}{8}$ 답 $\frac{3}{8}$

0416

> 상자 안에 1부터 5까지의 자연수가 각각 하나씩 적혀 있는 5개의 공이 있다. 상자에서 1개의 공을 꺼내어 숫자를 확인하고 다시 집어넣는 시행을 3회 반복하여 나오는 세 수를 꺼낸 순서대로 x, y, z라 하자. $(x-y)(y-z)=0$을 만족시킬 확률을 구하시오.
>
> $x=y$또는 $y=z$이고 이것의 여사건은 $x\neq y$이고 $y\neq z$이다.

상자에서 임의로 1개씩 세 개의 공을 꺼낼 때, 나오는 세 수 x, y, z의 순서쌍 (x, y, z)의 개수는

${}_5\Pi_3=5^3=125$

$(x-y)(y-z)\neq0$이려면 $x\neq y$이고 $y\neq z$이어야 하므로 이를 만족시키는 순서쌍 (x, y, z)의 개수는

$5\times4\times4=80$

따라서 $(x-y)(y-z)=0$을 만족시키는 순서쌍 (x, y, z)의 개수는

$125-80=45$이므로

구하는 확률은 $\frac{45}{125}=\frac{9}{25}$ 답 $\frac{9}{25}$

0417

> 집합 $\{1, 2, 3, 4, 5\}$에서 중복을 허용하여 임의로 세 수 a, b, c를 뽑을 때, $a+bc$의 값이 홀수일 확률을 구하시오.
>
> └• a가 짝수일 때와 홀수일 때로 나누어 구하자.

집합 $\{1, 2, 3, 4, 5\}$에서 중복을 허용하여 임의로 세 수 a, b, c를 뽑는 경우의 수는 ${}_5\Pi_3=125$

$a+bc$의 값이 홀수인 경우의 수는 다음과 같다.

(i) a는 짝수이고 bc는 홀수인 경우의 수

a가 짝수인 경우는 2, 4의 2가지이고, bc가 홀수인 경우는 1, 3, 5 중에서 중복을 허용하여 b, c를 뽑는 경우이므로 ${}_3\Pi_2$

$\therefore 2\times{}_3\Pi_2=18$

(ii) a는 홀수이고 bc는 짝수인 경우의 수

a가 홀수인 경우는 1, 3, 5의 3가지이고, bc가 짝수인 경우는 bc의 모든 경우의 수인 $5\times5=25$에서 b와 c 모두 홀수인 경우를 제외하면 되므로 $25-{}_3\Pi_2=16$

$\therefore 3\times16=48$

(i), (ii)에서 $18+48=66$

따라서 구하는 확률은 $\frac{66}{125}$ 답 $\frac{66}{125}$

0418

> 서로 다른 세 개의 주머니에 1부터 5까지의 자연수가 각각 하나씩 적혀 있는 카드 5장씩이 들어 있다. 각 주머니에서 임의로 카드를 한 장씩 뽑을 때, 세 장의 카드에 적힌 수의 최솟값이 3일 확률은?
>
> (3, 3, 3), (3, 3, 4), (3, 3, 5), (3, 4, 4), (3, 4, 5), (3, 5, 5)의 경우가 존재한다.

모든 경우의 수는 ${}_5\Pi_3=125$

세 장의 카드에 적힌 수의 최솟값이 3인 경우의 수는

(3, 3, 3): 1

(3, 3, 4): $\frac{3!}{2!}=3$

(3, 3, 5): $\frac{3!}{2!}=3$

(3, 4, 4): $\frac{3!}{2!}=3$

(3, 4, 5): $3!=6$

(3, 5, 5): $\frac{3!}{2!}=3$

$\therefore 1+3+3+3+6+3=19$

따라서 구하는 확률은 $\frac{19}{125}$ 답 ④

0419

> 6개의 문자 C, H, U, R, C, H를 일렬로 나열할 때, 두 개의 H가 서로 이웃할 확률은?
>
> H를 하나로 묶어 나열하자. •

C, H, U, R, C, H를 일렬로 나열하는 경우의 수는

$\frac{6!}{2!2!}=180$

두 개의 H를 하나로 묶어서 일렬로 나열하는 경우의 수는

$\frac{5!}{2!}=60$

따라서 구하는 확률은 $\frac{60}{180}=\frac{1}{3}$ 답 ⑤

0420

> 영문자 A, B와 숫자 0, 0, 1, 2를 모두 사용하여 임의로 6자리 비밀번호를 만들려고 할 때, 영문자끼리 이웃하지 않을 확률을 구하시오.
>
> 숫자를 먼저 나열한 뒤 양 끝과 그 사이사이에 문자를 배열하자. •

영문자 A, B와 숫자 0, 0, 1, 2를 모두 사용하여 만들 수 있는 6자리 비밀번호의 수는

$\frac{6!}{2!}=360$

영문자끼리 이웃하지 않는 경우의 수는 숫자 0, 0, 1, 2를 배열하고 그 사이사이와 양 끝에 영문자 A, B를 배열하는 경우의 수와 같으므로

$\frac{4!}{2!}\times {}_5P_2=240$

따라서 구하는 확률은 $\frac{240}{360}=\frac{2}{3}$ 답 $\frac{2}{3}$

0421

> 7개의 숫자 1, 1, 1, 1, 2, 3, 3을 한 줄로 나열할 때, 1끼리는 이웃하지 않을 확률을 구하시오.
> └• 1을 먼저 나열한 뒤 그 사이사이에 다른 수를 나열하자.

7개의 숫자 1, 1, 1, 1, 2, 3, 3을 한 줄로 나열하는 경우의 수는

$\frac{7!}{4!2!}=105$

1끼리 이웃하지 않는 경우는 1을 일렬로 나열한 후 그 사이사이의 3개의 자리에 2, 3, 3을 나열하면 되므로 그 경우의 수는

$\frac{3!}{2!}=3$

따라서 구하는 확률은 $\frac{3}{105}=\frac{1}{35}$ 답 $\frac{1}{35}$

0422

> 5개의 문자 a, b, c, d, e를 모두 한 번씩 사용하여 문자열을 만들 때, b, c, d가 이 순서를 유지할 확률은?
> └• b, c, d가 같은 문자인 순열의 경우의 수와 같다.

5개의 문자 a, b, c, d, e를 모두 한 번씩 사용하여 만들 수 있는 문자열의 개수는

$5!=120$

b, c, d의 순서가 일정하므로 b, c, d를 모두 X로 생각하여 5개의 문자 X, X, X, a, e를 일렬로 배열하는 경우의 수는

$\frac{5!}{3!}=20$

따라서 구하는 확률은 $\frac{20}{120}=\frac{1}{6}$ 답 ③

0423 ┌• 모든 경우의 수는 ${}_3\Pi_3$임을 이용하자.

> 세 사람이 가위바위보를 할 때, 단 한 번의 시행에서 한 사람의 승자가 결정될 확률을 구하시오.

모든 방법의 수는 ${}_3\Pi_3=27$

한 사람의 승자가 결정되는 경우는 다음과 같다.

(i) (가위, 보, 보)인 경우

$\frac{3!}{2!}=3$(가지)

(ii) (바위, 가위, 가위)인 경우

$\frac{3!}{2!}=3$(가지)

(iii) (보, 바위, 바위)인 경우

$\frac{3!}{2!}=3$(가지)

(i), (ii), (iii)에 의하여 한 사람의 승자가 결정되는 방법의 수는

$3+3+3=9$

따라서 구하는 확률은

$\frac{9}{27}=\frac{1}{3}$ 답 $\frac{1}{3}$

0424 A → P의 경로수와 P → B의 경로수를 구한 뒤 곱의 법칙을 적용하자.

> 그림과 같은 길을 따라 A지점에서 B지점까지 최단 거리로 가려고 할 때, P지점을 지나가게 될 확률을 구하시오.
>
> 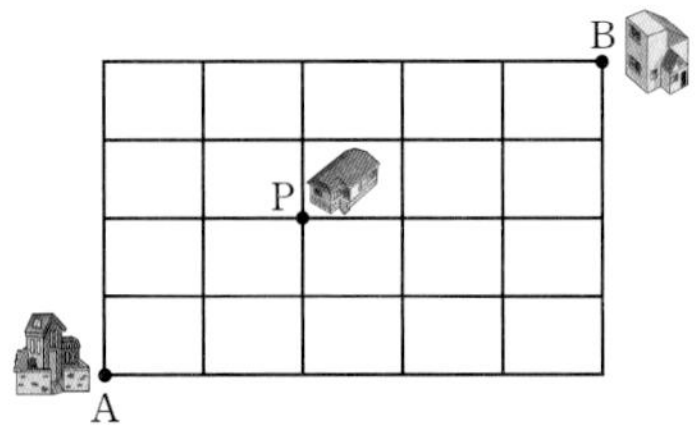
>

A지점에서 B지점까지 최단 거리로 가는 방법의 수는

$\frac{9!}{5!4!}=126$

A지점에서 출발하여 P지점을 지나 B지점까지 최단 거리로 가는 방법의 수는

$\frac{4!}{2!2!}\times\frac{5!}{3!2!}=60$

따라서 구하는 확률은

$\frac{60}{126}=\frac{10}{21}$ 답 $\frac{10}{21}$

0425

> 주머니 속에 흰 구슬 4개와 검은 구슬 5개가 들어 있다. 이 주머니에서 임의로 3개의 구슬을 동시에 꺼낼 때, 흰 구슬 1개와 검은 구슬 2개가 나올 확률을 구하시오.
> └• 순서를 생각하지 않고 뽑는다.

9개의 구슬 중에서 3개를 꺼내는 방법의 수는

${}_9C_3=84$

흰 구슬 4개 중에서 1개, 검은 구슬 5개 중에서 2개를 꺼내는 방법의 수는

${}_4C_1\times{}_5C_2=40$

따라서 구하는 확률은

$\frac{40}{84}=\frac{10}{21}$ 답 $\frac{10}{21}$

0426

1부터 5까지의 자연수가 하나씩 적힌 5장의 카드 중에서 임의로 두 장의 카드를 동시에 뽑을 때, 카드에 적힌 두 수의 곱이 짝수일 확률을 구하시오.

└• 두 수의 곱이 홀수인 사건의 여사건임을 이용하자.

5장 중에서 임의로 두 장의 카드를 택하는 경우의 수는 ${}_5C_2=10$
두 수의 곱이 홀수인 경우는 1, 3, 5에서 두 수를 택하는 경우의 수이므로 ${}_3C_2=3$
따라서 두 수의 곱이 짝수인 경우의 수는 $10-3=7$

$\therefore \frac{7}{10}$ 답 $\frac{7}{10}$

0427

주머니 속에 2부터 8까지의 자연수가 각각 하나씩 적힌 구슬 7개가 있다. 이 주머니에서 임의로 2개의 구슬을 동시에 꺼낼 때, 꺼낸 구슬에 적힌 두 자연수가 서로소일 확률은?

• 두 구슬에 적힌 자연수가 서로소인 경우의 수를 구하자.

7개의 구슬이 들어 있는 주머니에서 임의로 2개의 구슬을 꺼내는 경우의 수는

${}_7C_2=\frac{7\times6}{2}=21$

이때 꺼낸 구슬에 적힌 두 자연수가 서로소인 경우는
(2, 3), (2, 5), (2, 7), (3, 4), (3, 5), (3, 7), (3, 8),
(4, 5), (4, 7), (5, 6), (5, 7), (5, 8), (6, 7), (7, 8)
의 14가지이다.
따라서 구하는 확률은

$\frac{14}{21}=\frac{2}{3}$ 답 ④

0428

A, B를 포함한 8명의 수학 동아리 회원 중에서 수학 체험전에 참가할 5명의 회원을 임의로 뽑을 때, A, B가 모두 뽑힐 확률은?

A, B를 먼저 뽑았다고 가정하자. •┘

8명의 수학 동아리 회원 중에서 수학 체험전에 참가할 5명의 회원을 임의로 뽑는 모든 방법의 수는
${}_8C_5=56$
A, B가 모두 수학 체험전에 참가해야 하므로 A, B를 제외한 6명의 수학 동아리 회원 중에서 3명을 임의로 뽑는 방법의 수는
${}_6C_3=20$
따라서 구하는 확률은

$\frac{20}{56}=\frac{5}{14}$ 답 ③

0429

n개의 당첨 제비가 들어 있는 10개의 제비 중에서 2개를 뽑을 때, 2개가 모두 당첨될 확률이 $\frac{1}{15}$이라고 한다. n의 값을 구하시오.

└• 당첨 제비에서 2개를 뽑는 경우의 수는 ${}_nC_2$임을 이용하자.

10개의 제비에서 2개를 뽑는 경우의 수는 ${}_{10}C_2$이고, n개의 당첨 제비에서 2개를 뽑는 경우의 수는 ${}_nC_2$이므로

$\frac{{}_nC_2}{{}_{10}C_2}=\frac{1}{15}$

즉, ${}_nC_2=\frac{1}{15}\times45$이므로

$\frac{n(n-1)}{2}=3$

$n(n-1)=3\times2$

$\therefore n=3$ 답 3

0430

10명의 학생으로 이루어진 모임에서 대표 2명을 뽑을 때, 남학생과 여학생이 1명씩 뽑힐 확률은 $\frac{8}{15}$이다. 10명의 학생 중에서 여학생의 수를 구하시오. (단, 여학생이 남학생보다 많다.)

└• 여학생의 수를 x라 하면 남학생의 수는 $10-x$이다.

10명의 학생 중에서 대표 2명을 뽑는 방법의 수는 ${}_{10}C_2=45$
여학생의 수를 x라 하면 남학생의 수는 $10-x$이므로 주어진 조건에서
$x>10-x \quad \therefore x>5$
대표 2명을 뽑을 때 남학생과 여학생을 1명씩 뽑는 방법의 수는
${}_xC_1\times{}_{10-x}C_1=x(10-x)$

즉, $\frac{x(10-x)}{45}=\frac{8}{15}$이므로

$x(10-x)=24$, $x^2-10x+24=0$

$(x-4)(x-6)=0$

$\therefore x=6$ ($\because x>5$) 답 6

0431

흰 공 3개, 붉은 공 2개가 들어 있는 주머니에서 2개의 공을 동시에 꺼낼 때, 같은 색의 공이 나올 확률을 구하시오.

└• 흰 공 2개를 꺼내는 경우와 검은 공 2개를 꺼내는 방법의 수를 각각 구하여 합의 법칙을 적용하자.

5개의 공 중에서 2개를 꺼내는 방법의 수는 ${}_5C_2=10$
(i) 흰 공 3개 중에서 2개를 꺼내는 방법의 수는
${}_3C_2=3$
(ii) 붉은 공 2개 중에서 2개를 꺼내는 방법의 수는
${}_2C_2=1$
(i), (ii)에서 같은 색의 공을 꺼내는 방법의 수는
$3+1=4$

따라서 구하는 확률은 $\frac{4}{10}=\frac{2}{5}$ 답 $\frac{2}{5}$

0432

숫자 1이 적힌 카드가 1장, 2가 적힌 카드가 2장, 3이 적힌 카드가 3장, 4가 적힌 카드가 4장 있다. 이 10장의 카드를 모두 섞은 후 두 장의 카드를 임의로 뽑을 때, 두 장의 카드에 적힌 수가 같을 확률은?

└• 2 또는 3 또는 4를 두 장 뽑는 경우가 존재한다.

10장의 카드 중에서 두 장을 뽑는 경우의 수는

${}_{10}C_2=45$

두 장의 카드를 임의로 뽑을 때, 같은 수의 카드를 뽑는 경우의 수는 다음과 같다.

(i) 2가 적힌 카드를 두 장 뽑는 경우의 수는 ${}_2C_2=1$

(ii) 3이 적힌 카드를 두 장 뽑는 경우의 수는 ${}_3C_2=3$

(iii) 4가 적힌 카드를 두 장 뽑는 경우의 수는 ${}_4C_2=6$

(i), (ii), (iii)에서 $1+3+6=10$

따라서 구하는 확률은 $\frac{10}{45}=\frac{2}{9}$ 답 ②

0433

흰 공과 검은 공을 합하여 16개가 들어 있는 주머니에서 임의로 2개의 공을 꺼낼 때, 그 공이 모두 흰 공이거나 모두 검은 공일 확률이 $\frac{1}{2}$이라 한다. 흰 공과 검은 공의 개수의 차를 구하시오.

└• 합의 법칙을 이용하자.

흰 공이 x개, 검은 공이 y개라 하면

$x+y=16$ ······ ㉠

모두 흰 공이거나 모두 검은 공일 확률은

$$\frac{{}_xC_2+{}_yC_2}{{}_{16}C_2}=\frac{1}{2}$$

$$\frac{\frac{x(x-1)}{2}+\frac{y(y-1)}{2}}{120}=\frac{1}{2}$$

$x(x-1)+y(y-1)=120$

$x^2+y^2=136$ ······ ㉡

㉠, ㉡을 연립하여 풀면 $x=6$, $y=10$ 또는 $x=10$, $y=6$

$\therefore |x-y|=4$ 답 4

0434

1부터 9까지의 자연수가 하나씩 적혀 있는 9개의 공이 들어 있는 주머니가 있다. 이 주머니에서 임의로 3개의 공을 동시에 꺼낼 때, 꺼낸 공에 적혀 있는 세 수의 합이 짝수일 확률은?

• (홀수, 홀수, 짝수), (짝수, 짝수, 짝수)의 두 가지 경우의 수를 구하여 합의 법칙을 적용하자.

3개의 공에 적혀 있는 세 수의 합이 짝수가 되는 경우는

(홀수, 홀수, 짝수), (짝수, 짝수, 짝수)의 두 가지 경우이므로

$$\frac{{}_5C_2\cdot{}_4C_1}{{}_9C_3}+\frac{{}_4C_3}{{}_9C_3}=\frac{11}{21}$$ 답 ⑤

0435

흰 공 6개와 빨간 공 4개가 들어 있는 주머니가 있다. 이 주머니에서 임의로 4개의 공을 동시에 꺼낼 때, 꺼낸 4개의 공 중 흰 공의 개수가 3 이상일 확률은?

└• 흰 공의 개수가 3 또는 4일 수 있다.

흰 공의 개수가 3일 확률은

$$\frac{{}_6C_3\times{}_4C_1}{{}_{10}C_4}=\frac{20\times4}{210}=\frac{8}{21}$$

흰 공의 개수가 4일 확률은

$$\frac{{}_6C_4}{{}_{10}C_4}=\frac{15}{210}=\frac{1}{14}$$

따라서 구하는 확률은 $\frac{8}{21}+\frac{1}{14}=\frac{19}{42}$ 답 ②

0436 6개 중에서 순서를 생각하지 않고 3개를 뽑는 경우의 수임을 이용하자.

A, B, C 세 사람이 각각 한 개의 주사위를 한 번씩 던져서 나온 세 눈의 수를 각각 a, b, c라 할 때, $a<b<c$ 또는 $a>b>c$일 확률은?

모든 경우의 수는 ${}_6\Pi_3=216$

(i) $a<b<c$인 경우의 수는 6개의 수 중 3개를 뽑은 것과 같으므로 ${}_6C_3=20$

(ii) $a>b>c$인 경우의 수는 6개의 수 중 3개를 뽑은 것과 같으므로 ${}_6C_3=20$

(i), (ii)에 의하여 $a<b<c$ 또는 $a>b>c$인 경우의 수는

$20+20=40$

따라서 구하는 확률은 $\frac{40}{216}=\frac{5}{27}$ 답 ③

0437

1부터 9까지의 자연수가 하나씩 적혀 있는 9장의 카드가 있다. 이 카드 중에서 임의로 4장의 카드를 택할 때, 택한 카드에 적혀 있는 수 중에서 가장 큰 수와 가장 작은 수의 합이 9일 확률을 구하시오.

└• 가장 큰 수로 가능한 수는 6, 7, 8이다.

9장의 카드 중에서 임의로 4장의 카드를 동시에 택하는 경우의 수는

${}_9C_4=126$

택한 카드에 적혀 있는 수 중에서 가장 큰 수를 M, 가장 작은 수를 m이라 하면 $M+m=9$를 만족시키는 경우의 수는 다음과 같다.

(i) $m=1$, $M=8$일 때

2, 3, 4, 5, 6, 7이 적혀 있는 카드 중에서 두 개를 택해야 하므로 그 경우의 수는 ${}_6C_2=15$

(ii) $m=2$, $M=7$일 때

3, 4, 5, 6이 적혀 있는 카드 중에서 두 개를 택해야 하므로 그 경우의 수는 ${}_4C_2=6$

(iii) $m=3$, $M=6$일 때

4, 5가 적혀 있는 카드 중에서 두 개를 택해야 하므로 그 경우의 수는 ${}_2C_2=1$

따라서 구하는 확률은

$\dfrac{15+6+1}{126}=\dfrac{11}{63}$ 답 $\dfrac{11}{63}$

0438

> 집합 $A=\{1, 2, 3, 4\}$가 있다. A의 부분집합 중에서 임의로 서로 다른 두 집합을 택하였을 때, 한 집합이 다른 집합의 부분집합이 될 확률은?
> 각 집합의 관계를 생각하자.

A의 부분집합의 개수는 $2^4=16$이고, 이 중에서 임의로 서로 다른 두 집합을 택하는 경우의 수는 ${}_{16}C_2=120$

선택한 두 집합을 X, Y라 하고 집합 Y의 원소의 개수에 따라 $X\subset Y$인 관계를 만족시키는 집합 X의 개수를 찾아보면

(i) $n(Y)=4$일 때,
집합 A에서 원소의 개수가 4인 집합 Y를 만들 수 있는 경우의 수는
${}_4C_4=1$
집합 X는 집합 Y의 부분집합 중에서 $X=Y$를 제외한 것이므로
$2^4-1=15$
$\therefore 1\times15=15$

(ii) $n(Y)=3$일 때,
집합 A에서 원소의 개수가 3인 집합 Y를 만들 수 있는 경우의 수는
${}_4C_3=4$
집합 X는 집합 Y의 부분집합 중에서 $X=Y$를 제외한 것이므로
$2^3-1=7$
$\therefore 4\times7=28$

(iii) $n(Y)=2$일 때,
집합 A에서 원소의 개수가 2인 집합 Y를 만들 수 있는 경우의 수는
${}_4C_2=6$
집합 X는 집합 Y의 부분집합 중에서 $X=Y$를 제외한 것이므로
$2^2-1=3$
$\therefore 6\times3=18$

(iv) $n(Y)=1$일 때,
집합 A에서 원소의 개수가 1인 집합 Y를 만들 수 있는 경우의 수는
${}_4C_1=4$
집합 X는 집합 Y의 부분집합 중에서 $X=Y$를 제외한 것이므로
$2-1=1$
$\therefore 4\times1=4$

(i)~(iv)에 의하여
$15+28+18+4=65$

따라서 구하는 확률은 $\dfrac{65}{120}=\dfrac{13}{24}$ 답 ④

0439

> 1부터 20까지의 자연수 중 세 수를 동시에 선택하여 작은 수부터 차례로 나열할 때, 이 세 수가 등차수열을 이룰 확률을 구하시오.
> 등차중항을 기준으로 나누어 각각의 경우의 수를 구한 뒤 합의 법칙을 적용하자.

세 수의 등차중항으로 가능한 값은 2부터 19까지이다.
등차중항의 값이 다음과 같을 때 가능한 세 수는

2일 때 (1, 2, 3) : 1가지
19일 때 (18, 19, 20) : 1가지
3일 때 (1, 3, 5), (2, 3, 4) : 2가지
18일 때 (16, 18, 20), (17, 18, 19) : 2가지
4일 때 (1, 4, 7), (2, 4, 6), (3, 4, 5) : 3가지
17일 때 (14, 17, 20), (15, 17, 19), (16, 17, 18) : 3가지
이와 같은 방법으로
5, 16일 때, 각각 4가지
6, 15일 때, 각각 5가지
⋮
10, 11일 때, 각각 9가지
따라서 확률은

$\dfrac{2+4+6+\cdots+18}{{}_{20}C_3}=\dfrac{90}{{}_{20}C_3}=\dfrac{3}{38}$ 답 $\dfrac{3}{38}$

0440

> 흰 공 3개, 검은 공 4개가 들어 있는 주머니가 있다. 이 주머니에서 임의로 네 개의 공을 동시에 꺼낼 때, 흰 공 2개와 검은 공 2개가 나올 확률은?
> 곱의 법칙을 적용하자.

구하고자 하는 확률은

$$\frac{{}_3C_2\times{}_4C_2}{{}_7C_4}=\frac{{}_3C_1\times{}_4C_2}{{}_7C_3}=\frac{3\times\frac{4\times3}{2\times1}}{\frac{7\times6\times5}{3\times2\times1}}=\frac{18}{35}$$

답 ③

0441

> 대표 2명, 부대표 3명, 부원 4명인 어느 모임에서 대표 2명은 각자 나머지 7명과 모두 악수를 하였다. 그리고 부대표 3명은 각자 나머지 4명의 부원과 모두 악수를 하였다. 이 모임의 9명 중에서 임의로 3명을 택했을 때, 3명이 모두 서로 악수를 나눈 사람들일 확률을 구하시오.
> 세 그룹에서 한 명씩 택하는 경우의 수와 같다.

9명 중에서 임의로 3명을 택하는 방법의 수는
${}_9C_3=84$
서로 악수를 나누지 않은 사람들끼리 모으면 대표 2명, 부대표 3명, 나머지 4명의 세 그룹으로 나누어지므로 뽑힌 3명이 모두 서로 악수를 나눈 사람일 방법의 수는 이 세 그룹에서 한 명씩 택하는 방법의 수 ${}_2C_1\times{}_3C_1\times{}_4C_1=24$와 같다.

따라서 구하는 확률은 $\dfrac{24}{84}=\dfrac{2}{7}$ 답 $\dfrac{2}{7}$

0442

> 5명의 학생 A, B, C, D, E 중에서 임의로 3명을 뽑아 일렬로 세울 때, C, D가 이웃하게 서 있을 확률을 $\frac{q}{p}$라 하자. $p+q$의 값을 구하시오. (단, p, q는 서로소인 자연수이다.)
>
> → 나머지 3명 중에서 1명을 더 뽑아야 한다.

5명의 학생 A, B, C, D, E 중에서 임의로 3명을 뽑아 일렬로 세우는 방법의 수는

${}_5C_3 \times 3! = 60$

5명의 학생 A, B, C, D, E 중에서 임의로 3명을 뽑을 때, C, D가 이미 뽑혔다고 생각하면 A, B, E 중에서 1명을 뽑으면 되고, C, D끼리는 이웃해야 하므로 그 방법의 수는

${}_3C_1 \times 2! \times 2! = 12$

따라서 구하는 확률은 $\frac{12}{60} = \frac{1}{5}$이므로

$p+q=5+1=6$ 답 6

0443 짝수를 두 장 이상 뽑거나 1장인 경우 4또는 8을 뽑아야 한다.

> 1부터 10까지의 자연수가 각각 하나씩 적힌 10장의 카드 중에서 3장을 뽑았을 때, 3장에 적힌 수의 곱이 4의 배수가 될 확률을 구하시오.

10장의 카드 중에서 3장을 뽑는 경우의 수는 ${}_{10}C_3 = 120$

세 수의 곱이 4의 배수가 되는 경우의 수는 다음과 같다.

(i) 짝수만 3개일 때,

${}_5C_3 = 10$

(ii) 짝수 2개와 홀수 1개일 때,

${}_5C_2 \times {}_5C_1 = 50$

(iii) 짝수 1개와 홀수 2개일 때, 짝수는 반드시 4, 8 중에서 1개가 뽑혀야 하므로

${}_2C_1 \times {}_5C_2 = 20$

(i), (ii), (iii)에서 $10+50+20=80$

따라서 구하는 확률은 $\frac{80}{120} = \frac{2}{3}$ 답 $\frac{2}{3}$

0444

> 두 주머니 A와 B에는 숫자 1, 2, 3, 4가 하나씩 적혀 있는 4장의 카드가 각각 들어 있다. 갑은 주머니 A에서, 을은 주머니 B에서 각자 임의로 두 장의 카드를 꺼내어 가진다. 갑이 가진 두 장의 카드에 적힌 수의 합과 을이 가진 두 장의 카드에 적힌 수의 합이 같을 확률을 구하시오.
>
> → 두 사람이 뽑은 숫자가 같을 때와 다를 때로 나누어 생각하자.

갑이 주머니 A에서 두 장의 카드를 꺼내고, 을이 주머니 B에서 두 장의 카드를 꺼내는 경우의 수는

${}_4C_2 \times {}_4C_2 = 36$

갑이 가진 두 장의 카드에 적힌 수의 합과 을이 가진 두 장의 카드에 적힌 수의 합이 같은 경우의 수는 다음과 같다.

(i) 갑과 을이 꺼낸 두 장의 카드에 적힌 숫자가 모두 같을 때,

4장의 카드 중에서 두 장의 카드를 꺼내는 경우의 수와 같으므로

${}_4C_2 = 6$

(ii) 갑과 을이 꺼낸 두 장의 카드에 적힌 숫자가 모두 다를 때,

이 경우는 갑이 가진 두 장의 카드에 적힌 수의 합과 을이 가진 두 장의 카드에 적힌 수의 합이 모두 5가 될 때이다. 즉, 갑이 1과 4가 적힌 카드를 꺼내고 을은 2와 3이 적힌 카드를 꺼내거나 갑이 2와 3이 적힌 카드를 꺼내고 을은 1과 4가 적힌 카드를 꺼낼 때이므로 이 경우의 수는 2이다.

(i), (ii)에서 갑이 가진 두 장의 카드에 적힌 수의 합과 을이 가진 두 장의 카드에 적힌 수의 합이 같은 경우의 수는

$6+2=8$

따라서 구하는 확률은 $\frac{8}{36} = \frac{2}{9}$ 답 $\frac{2}{9}$

0445 집합 X와 Y에 포함된 홀수의 개수를 기준으로 각각의 경우의 수를 구하자.

> 두 집합 $A=\{1, 2, 3, 4, 5\}$, $B=\{6, 7\}$에 대하여 다음 조건을 만족시키는 두 집합 X, Y를 임의로 선택한다. 집합 X에 포함된 홀수의 개수가 집합 Y에 포함된 홀수의 개수보다 클 확률을 구하시오.
>
> (가) $X \subset A$, $n(X)=2$
>
> (나) $Y \subset \{(A-X) \cup B\}$, $n(Y)=2$

전체 경우의 수 : ${}_5C_2 \times {}_5C_2 = 100$

(i) X에 홀수 2개, Y에 홀수 1개

X 원소 선택 : ${}_3C_2 = 3$, Y 원소 선택 : ${}_2C_1 \times {}_3C_1 = 6$

$3 \times 6 = 18$

(ii) X에 홀수 2개, Y에 홀수 0개

X 원소 선택 : ${}_3C_2 = 3$, Y 원소 선택 : ${}_3C_2 = 3$

$3 \times 3 = 9$

(iii) X에 홀수 1개, Y에 홀수 0개

X 원소 선택 : ${}_3C_1 \times {}_2C_1 = 3 \times 2 = 6$, Y 원소 선택 : 1가지

$6 \times 1 = 6$

따라서 구하는 확률은

$\frac{18+9+6}{100} = \frac{33}{100}$ 답 $\frac{33}{100}$

0446

> 남학생 3명과 여학생 3명으로 구성된 과학 동아리가 있다. 이 동아리에서 회원을 임의로 2명씩 3팀으로 나누어 실험을 할 때, 남학생으로만 구성된 팀이 생기게 될 확률은?
>
> → 먼저 남학생 3명 중에서 2명을 뽑아 팀을 만들자.

6명을 2명씩 3팀으로 나누는 방법의 수는

${}_6C_2 \times {}_4C_2 \times {}_2C_2 \times \frac{1}{3!} = 15$

남학생만으로 구성된 팀이 생기는 방법의 수는 남학생 3명 중에서 2명을 택하여 한 팀을 구성하고, 남은 4명으로 2명씩 나누어 2팀을 구성한

방법의 수와 같으므로

${}_3C_2 \times {}_4C_2 \times {}_2C_2 \times \frac{1}{2!} = 9$

따라서 구하는 확률은 $\frac{9}{15} = \frac{3}{5}$ 답 ②

0447

전체 경우의 수는 ${}_6C_2 \times {}_4C_2 \times {}_2C_2 \times \frac{1}{3!} = 15$임을 이용하자.

> 6명의 학생 A, B, C, D, E, F를 임의로 2명씩 짝을 지어 3개의 조로 편성하려고 한다. A와 B는 같은 조에 편성되고, C와 D는 서로 다른 조에 편성될 확률은?

6명의 학생 A, B, C, D, E, F를 임의로 2명씩 짝을 지어 3개의 조로 편성하는 방법의 수는

${}_6C_2 \times {}_4C_2 \times {}_2C_2 \times \frac{1}{3!} = 15$

A와 B는 같은 조에, C와 D는 서로 다른 조에 편성하는 방법은

(A, B), (C, E), (D, F) 또는 (A, B), (C, F), (D, E)

의 2가지이다.

따라서 구하는 확률은 $\frac{2}{15}$ 답 ③

0448

$2^4 - 1$개다.

> 집합 $U = \{1, 2, 3, 4\}$의 공집합이 아닌 모든 부분집합 중에서 임의로 서로 다른 두 부분집합을 택할 때, 두 부분집합이 서로소일 확률은?
>
> 두 부분집합의 개수를 기준으로 나누어 생각하자.

집합 $U = \{1, 2, 3, 4\}$의 공집합이 아닌 부분집합의 개수는

$2^4 - 1 = 15$이므로 서로 다른 두 부분집합을 임의로 택하는 경우의 수는

${}_{15}C_2 = 105$

두 부분집합의 원소의 개수를 a, b $(a \le b)$라 하면 두 부분집합이 서로소인 경우는 다음과 같다.

(i) $a=1$, $b=1$인 경우

두 부분집합이 서로소인 경우의 수는 4개의 원소 중에서 1개를 꺼내고, 남은 3개의 원소 중에서 1개를 꺼내면 같은 경우가 2! 개씩 나타나므로

${}_4C_1 \times {}_3C_1 \times \frac{1}{2!} = 6$

(ii) $a=1$, $b=2$인 경우

두 부분집합이 서로소인 경우의 수는 4개의 원소 중에서 1개를 꺼내고, 남은 3개의 원소 중에서 2개를 꺼내는 경우의 수와 같으므로

${}_4C_1 \times {}_3C_2 = 12$

(iii) $a=1$, $b=3$인 경우

두 부분집합이 서로소인 경우의 수는 4개의 원소 중에서 1개를 꺼내고, 남은 3개의 원소 중에서 3개를 꺼내는 경우의 수와 같으므로

${}_4C_1 \times {}_3C_3 = 4$

(iv) $a=2$, $b-2$인 경우

두 부분집합이 서로소인 경우의 수는 4개의 원소 중에서 2개를 꺼내고, 남은 2개의 원소 중에서 2개를 꺼내면 같은 경우가 2! 개씩 나타나므로 ${}_4C_2 \times {}_2C_2 \times \frac{1}{2!} = 3$

(i)~(iv)에서 두 부분집합이 서로소인 경우의 수는 $6+12+4+3=25$

따라서 구하는 확률은 $\frac{25}{105} = \frac{5}{21}$ 답 ③

0449

> 주영이가 마트에서 귤, 참외, 사과, 배를 구입하려고 한다. 중복을 허용하여 6개를 구입할 때, 배가 3개만 포함될 확률은?
>
> 전체 경우의 수는 ${}_4H_6$개다.

귤, 참외, 사과, 배에서 중복을 허용하여 6개를 구입하는 방법의 수는 서로 다른 4개에서 6개를 택하는 중복조합의 수와 같으므로

${}_4H_6 = {}_9C_6 = {}_9C_3 = 84$

배가 3개만 포함되는 방법의 수는 귤, 참외, 사과 중에서 3개를 택하는 중복조합의 수와 같으므로

${}_3H_3 = {}_5C_3 = {}_5C_2 = 10$

따라서 구하는 확률은 $\frac{10}{84} = \frac{5}{42}$ 답 ⑤

0450

> 똑같은 연필 10자루를 네 명의 학생에게 나누어 줄 때, 모든 학생이 적어도 한 자루의 연필을 받을 확률을 구하시오.
>
> 먼저 모든 학생에게 연필 1자루씩 나누어 주었다고 생각하자.

똑같은 연필 10자루를 네 명의 학생에게 나누어 주는 방법의 수는 서로 다른 4개에서 중복을 허락하여 10개를 택하는 중복조합의 수와 같으므로

${}_4H_{10} = {}_{13}C_{10} = {}_{13}C_3 = 286$

모든 학생이 적어도 한 자루의 연필을 받는 방법의 수는 먼저 네 명의 학생에게 연필 한 자루씩을 나누어 주고 남은 연필 6자루를 네 명의 학생에게 나누어 주는 방법의 수와 같다. 즉, 서로 다른 4개에서 중복을 허락하여 6개를 택하는 중복조합의 수와 같으므로

${}_4H_6 = {}_9C_6 = {}_9C_3 = 84$

따라서 구하는 확률은 $\frac{84}{286} = \frac{42}{143}$ 답 $\frac{42}{143}$

0451

> 집합 $A = \{1, 2, 3, 4, 5\}$의 모든 부분집합 중에서 중복을 허락하여 임의로 2개를 택할 때, 한 집합이 다른 집합의 부분집합일 확률을 구하시오.
>
> 벤 다이어그램으로 나타내면 3개의 영역으로 나눌 수 있다.

집합 A의 부분집합의 개수는 $2^5 = 32$이므로 부분집합 중에서 중복을 허락하여 2개를 선택하는 경우의 수는

${}_{32}H_2 = {}_{33}C_2 = \frac{33 \times 32}{2 \times 1} = 528$

이때 한 집합이 다른 집합의 부분집합이 되는 경우의 수는 그림과 같은 벤다이어그램의 세 영역 C, $B-C$, $A-B$에서 원소 1, 2, 3, 4, 5의 위치를 정하는 경우의 수와 같다.

원소 1의 위치를 정하는 경우의 수는 3이고, 원소 2, 3, 4, 5도 마찬가지이므로 구하는 경우의 수는 $3^5 = 243$

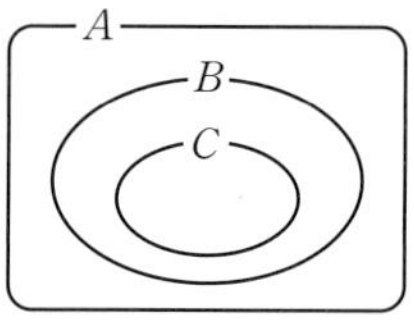

따라서 구하는 확률은 $\frac{243}{528}=\frac{81}{176}$

답 $\frac{81}{176}$

0452

> 한 개의 주사위를 3번 던질 때 나오는 눈의 수를 차례로 a, b, c라 하자. 부등식 $a \le b \le c$를 만족시킬 확률이 $\frac{q}{p}$일 때, $p+q$의 값을 구하시오. (단, p와 q는 서로소인 자연수이다.)
>
> 6개의 수 중에서 중복을 허락하여 3개 뽑는 경우의 수임을 이용하자.

한 개의 주사위를 3번 던질 때 나오는 모든 경우의 수는 $6^3=216$

부등식 $a \le b \le c$를 만족시키는 경우는 1부터 6까지의 6개의 자연수 중에서 중복을 허락하여 3개를 택하는 중복조합의 수와 같으므로

${}_6H_3={}_8C_3=56$

따라서 구하는 확률은 $\frac{56}{216}=\frac{7}{27}$이므로

$p+q=27+7=34$

답 34

0453

중복조합을 이용하자.

> 방정식 $x+y+z=8$을 만족시키는 음이 아닌 정수해의 순서쌍 (x, y, z) 중에서 하나를 임의로 택할 때, x, y, z가 모두 양의 정수로만 이루어질 확률을 구하시오.
>
> $x=x'+1$, $y=y'+1$, $z=z'+1$로 놓으면 $x'+y'+z'=5$임을 이용하자.

방정식 $x+y+z=8$을 만족시키는 음이 아닌 정수해의 개수는 x, y, z에서 중복을 허용하여 8개를 택하는 중복조합의 수와 같으므로

${}_3H_8={}_{10}C_8=45$

x, y, z가 모두 양의 정수이어야 하므로

$x \ge 1$, $y \ge 1$, $z \ge 1$

x', y', z'을 음이 아닌 정수라 하면

$x=x'+1$, $y=y'+1$, $z=z'+1$에서

$x'+y'+z'=5$

이므로 이 방정식을 만족시키는 음이 아닌 정수해의 개수는

${}_3H_5={}_7C_5=21$

따라서 구하는 확률은 $\frac{21}{45}=\frac{7}{15}$

답 $\frac{7}{15}$

0454

> 음이 아닌 정수 x, y, z에 대하여 방정식 $x+y+z=10$의 해의 순서쌍 (x, y, z) 중에서 하나를 택할 때, 순서쌍이 $x \ge 1$, $y \ge 2$, $z \ge 3$을 만족시킬 확률은 $\frac{q}{p}$이다. $p+q$의 값을 구하시오. (단, p, q는 서로소인 자연수이다.)
>
> $x=x'+1$, $y=y'+2$, $z=z'+3$로 놓으면 $x'+y'+z'=4$임을 이용하자.

방정식 $x+y+z=10$을 만족시키는 음이 아닌 정수해의 순서쌍 (x, y, z)의 개수는 서로 다른 3개에서 중복을 허락하여 10개를 택하는 중복조합의 수와 같으므로

${}_3H_{10}={}_{12}C_{10}={}_{12}C_2=66$

$x=x'+1$, $y=y'+2$, $z=z'+3$ $(x' \ge 0, y' \ge 0, z' \ge 0)$으로 놓으면

$x'+y'+z'=4$

따라서 $x \ge 1$, $y \ge 2$, $z \ge 3$을 만족시키는 순서쌍 (x, y, z)의 개수는 $x'+y'+z'=4$를 만족시키는 음이 아닌 정수해의 순서쌍 (x', y', z')의 개수를 구하는 것과 같으므로

${}_3H_4={}_6C_4={}_6C_2=15$

따라서 구하는 확률은 $\frac{15}{66}=\frac{5}{22}$

$\therefore p+q=22+5=27$

답 27

0455

> 한 모서리의 길이가 1인 정육면체에서 서로 다른 두 꼭짓점을 택할 때, 그 거리가 1.1 이상일 확률을 구하시오.
>
> $\sqrt{2}$ 또는 $\sqrt{3}$인 경우가 존재한다.

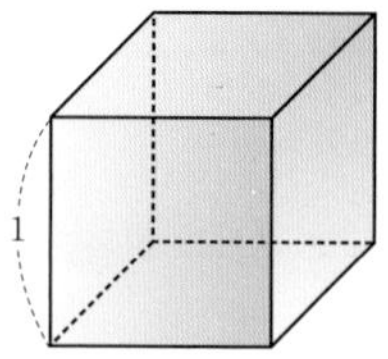

8개의 꼭짓점에서 2개를 택하는 경우의 수는

${}_8C_2=28$

두 꼭짓점 사이의 거리가 될 수 있는 것은 1, $\sqrt{2}$, $\sqrt{3}$이다.

거리가 $\sqrt{2}$ 인 경우는 12가지,

거리가 $\sqrt{3}$ 인 경우는 4가지

이므로 거리가 1.1 이상인 경우의 수는

$12+4=16$

따라서 구하는 확률은 $\frac{16}{28}=\frac{4}{7}$

답 $\frac{4}{7}$

0456

지름을 포함하는 경우와 점 O를 포함하는 경우로 나누자.

> 그림과 같이 반원의 호를 6등분하는 점 7개와 지름의 중점 O가 있다. 이 중에서 임의로 세 점을 뽑아 선분으로 연결했을 때, 그 도형이 직각삼각형이 될 확률을 구하시오.

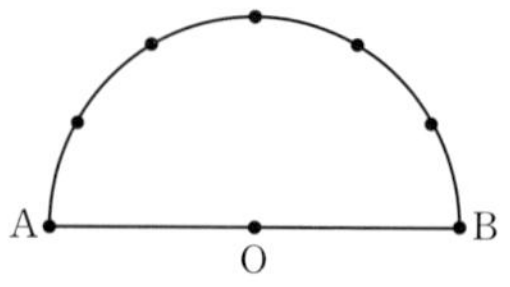

서로 다른 8개의 점에서 3개를 택하는 경우의 수는 ${}_8C_3=56$

세 점을 뽑았을 때, 직각삼각형이 되는 경우는 다음과 같다.

(i) 지름의 양 끝점 A, B를 뽑고 점 O를 제외한 5개의 점 중에 1개의 점을 뽑는 경우의 수는 ${}_5C_1=5$

(ii) 점 O를 뽑고 그림과 같이 직각삼각형이 되도록 나머지 2개의 점을 택하는 경우의 수는 4

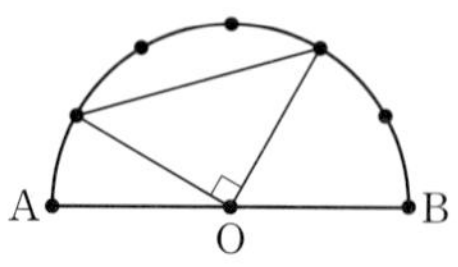

(i), (ii)에 의하여 직각삼각형이 되는 경우의 수는

$5+4=9$

따라서 구하는 확률은 $\frac{9}{56}$

답 $\frac{9}{56}$

0457 원의 지름과 호 위의 한 점을 이은 도형은 직각삼각형임을 이용하자.

> 정팔각형의 꼭짓점 중 임의의 세 점을 택하여 만든 삼각형이 직각삼각형일 때, 그 삼각형이 이등변삼각형일 확률을 $\frac{q}{p}$라 하자. 이때, $10p+q$의 값을 구하시오. (단, p, q는 서로소인 자연수이다.)
>
> └ 직각이등변삼각형임을 의미한다.

정팔각형의 마주보는 두 꼭짓점을 이어 만든 대각선은 정팔각형의 외접원의 지름이므로 나머지 6개의 꼭짓점 어느 것을 선택해도 직각삼각형이 된다. 이 경우의 수는 ${}_4C_1 \times {}_6C_1=24$

직각이등변삼각형이 되는 경우는 마주보는 두 꼭짓점을 이어 만든 대각선의 수직이등분선과 만나는 꼭짓점과 연결해야 하므로 경우의 수는

${}_4C_1 \times 2=8$

따라서 구하는 확률이 $\frac{8}{24}=\frac{1}{3}$이므로 $p=3$, $q=1$

$\therefore 10p+q=31$

답 31

0458 높이가 1이므로 윗변과 아랫변의 합이 6이 되어야 한다.

> 그림과 같이 거리가 1인 두 개의 평행선 위에 거리가 1만큼씩 떨어져 있는 점이 각각 5개씩 있다. 이 중에서 네 개의 점을 연결하여 사각형을 만들 때, 넓이가 3이 될 확률을 구하시오.

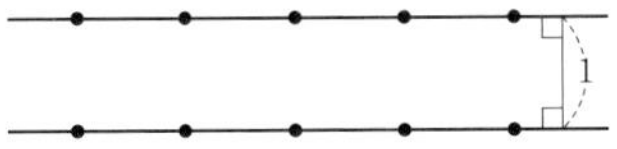

주어진 그림의 아래 직선에서 두 점, 위의 직선에서 두 점을 택하여 연결할 때 사각형이 되므로 만들어지는 모든 사각형의 개수는

${}_5C_2 \times {}_5C_2=100$

윗변과 아랫변의 길이를 각각 a, b라 하면

$\frac{1}{2}(a+b)\times 1=3$에서 $a+b=6$

(i) $a=2$, $b=4$일 때

$a=2$인 경우는 3가지

$b=4$인 경우는 1가지

$\therefore 3\times 1=3$

(ii) $a=3$, $b=3$일 때

$a=3$인 경우는 2가지

$b=3$인 경우는 2가지

$\therefore 2\times 2=4$

(iii) $a=4$, $b=2$일 때

$a=4$인 경우는 1가지

$b=2$인 경우는 3가지

$\therefore 1\times 3=3$

(i), (ii), (iii)에서 넓이가 3인 사각형의 개수는

$3+4+3=10$

따라서 구하는 확률은 $\frac{10}{100}=\frac{1}{10}$

답 $\frac{1}{10}$

0459

> 그림과 같이 수직선 위를 움직이는 점 P가 있다. 한 개의 주사위를 던져 짝수의 눈이 나오면 오른쪽으로 1만큼, 홀수의 눈이 나오면 왼쪽으로 1만큼 점 P가 움직인다. 주사위를 4번 던진 후 원점에서 출발한 점 P가 다시 원점으로 돌아왔을 때, 점 P가 점 A(1)을 들러 왔을 확률은 $\frac{b}{a}$이다. a^2+b^2의 값을 구하시오.
>
> (단, a, b는 서로소인 자연수이다.)

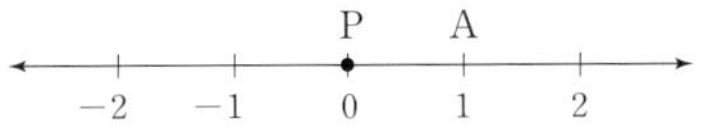

└ (짝, ×, ×, ×)인 경우와 (홀, 짝, 짝, 홀)의 경우가 존재한다.

점 P가 원점으로 다시 돌아오는 경우의 수는 짝수가 2번, 홀수가 2번 나와야 하므로 $\frac{4!}{2!2!}=6$

이 중에서 점 A(1)을 들러 왔을 경우의 수는 다음과 같다.

(i) 짝수가 처음 나오는 경우

(짝, ×, ×, ×)에서 ×, ×, ×에 짝, 홀, 홀을 일렬로 배열하는 경우의 수와 같으므로

$\frac{3!}{2!}=3$

(ii) 홀수가 처음 나오는 경우

(홀, 짝, 짝, 홀)의 1가지

(i), (ii)에서 $3+1=4$

따라서 구하는 확률은 $\frac{4}{6}=\frac{2}{3}$

$\therefore a^2+b^2=3^2+2^2=13$

답 13

0460

> 그림과 같이 좌표평면 위의 원점 O를 출발하여 매초 1만큼 x축의 방향 또는 y축의 방향으로 움직이는 점 P가 있다. 예를 들어 점 P가 원점을 출발하여 3초 후에 점 (1, 0)에 도달하는 경로 중에서 하나는
>
> (0, 0) → (1, 0) → (1, 1) → (1, 0)과 같다. 점 P가 원점을 출발하여 6초 후에 점 (2, 2)에 도달할 확률을 구하시오.
>
> └ x축의 양의 방향으로 2번, y축의 양의 방향으로 2번이면 도착하므로 나머지 두 번은 좌우 왕복 또는 상하 왕복 이동이다.

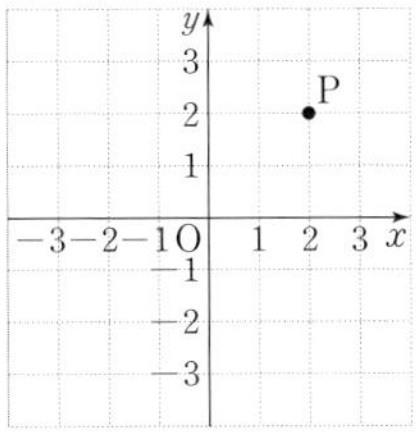

x축의 양의 방향으로 이동하는 사건을 A, 그 횟수를 a,

x축의 음의 방향으로 이동하는 사건을 B, 그 횟수를 b,

y축의 양의 방향으로 이동하는 사건을 C, 그 횟수를 c,

y축의 음의 방향으로 이동하는 사건을 D, 그 횟수를 d라 하자.

모든 경우의 수는 매초 4가지 사건 중에서 한 가지가 일어나므로

$4^6=4096$

한편, 6초 동안에 6번의 이동을 하므로

$a+b+c+d=6$ ······㉠

또한, 점 (0, 0)의 좌표가 점 (2, 2)의 좌표로 이동하므로

$a-b=2$ ······㉡

$c-d=2$ ……ⓒ

ⓐ, ⓑ, ⓒ을 만족시키는 a, b, c, d의 값은 다음과 같다.

(i) $a=3$, $b=1$, $c=2$, $d=0$인 경우

A, A, A, B, C, C를 일렬로 나열하는 경우의 수와 같으므로

$\frac{6!}{3!2!}=60$

(ii) $a=2$, $b=0$, $c=3$, $d=1$인 경우

A, A, C, C, C, D를 일렬로 나열하는 경우의 수와 같으므로

$\frac{6!}{2!3!}=60$

(i), (ii)에서 $60+60=120$

따라서 구하는 확률은 $\frac{120}{4096}=\frac{15}{512}$ 답 $\frac{15}{512}$

0461

> 두 집합 $A=\{1, 2, 3\}$, $B=\{1, 2, 3, 4, 5, 6\}$에 대하여 $f: A \longrightarrow B$인 함수 중에서 하나를 택할 때, 그 함수가 $i\in A$, $j\in A$에 대하여 $i>j$이면 $f(i)>f(j)$를 만족시키는 함수일 확률을 구하시오.
>
> $a>b$이면 $f(a)>f(b)$인 함수의 개수는 조합을 이용하자.

집합 A에서 집합 B로의 함수의 개수는

${}_6\Pi_3=216$

$i>j$이면 $f(i)>f(j)$를 만족시키는 함수는 집합 B의 원소 중에서 3개를 선택하여 작은 순서대로 집합 A의 원소 1, 2, 3에 대응시키면 되므로 함수의 개수는 ${}_6C_3=20$

따라서 구하는 확률은 $\frac{20}{216}=\frac{5}{54}$ 답 $\frac{5}{54}$

0462

> 두 집합 $A=\{3, 4, 5\}$, $B=\{6, 7, 8, 9, 10\}$에 대하여 $f: A \longrightarrow B$인 함수를 만들 때, $x_1\in A$, $x_2\in A$에 대하여 $x_1<x_2$이면 $f(x_1)\le f(x_2)$를 만족시킬 확률이 $\frac{b}{a}$이다. $a+b$의 값을 구하시오. (단, a, b는 서로소인 자연수이다.)
>
> $a<b$이면 $f(a)\le f(b)$인 함수의 개수는 중복조합을 이용하자.

집합 A에서 집합 B로의 함수의 개수는

${}_5\Pi_3=125$

$x_1<x_2$이면 $f(x_1)\le f(x_2)$를 만족시키는 함수는 집합 B의 원소 중에서 중복을 허용하여 3개를 선택한 후 작은 순서대로 집합 A의 원소 3, 4, 5에 대응시키면 되므로 함수의 개수는

${}_5H_3={}_7C_3=35$

따라서 구하는 확률은 $\frac{35}{125}=\frac{7}{25}$이므로

$a+b=25+7=32$ 답 32

0463

> 집합 $A=\{1, 2, 3, 4, 5\}$에서 A로의 일대응대응 중에서 한 개를 선택할 때, 자기 자신으로 대응되는 원소가 3개인 함수일 확률은?
>
> 나머지 2개의 원소는 서로 교차되어야 한다.

일대일대응의 총 개수는 $5!=120$이다.

자기 자신으로 대응되는 원소 3개를 고르는 방법의 수는 ${}_5C_3$이고, 나머지 2개의 원소는 서로 교차하여 대응하므로 대응하는 방법의 수는 1이다.

$\therefore \frac{{}_5C_3\times 1}{120}=\frac{10}{120}=\frac{1}{12}$ 답 ①

0464

> 집합 $X=\{1, 2, 3\}$에 대하여 X에서 X로의 함수를 만들 때, 함숫값의 합이 5가 될 확률은?
>
> 함숫값이 (1, 1, 3) 또는 (1, 2, 2)이 되어야 함을 이용하자.

집합 X에서 집합 X로의 함수의 개수는

${}_3\Pi_3=27$

함숫값의 합이 5인 함수의 개수는 1, 1, 3 또는 1, 2, 2를 일렬로 나열하는 경우의 수와 같으므로

$\frac{3!}{2!}+\frac{3!}{2!}=6$

따라서 구하는 확률은 $\frac{6}{27}=\frac{2}{9}$ 답 ①

0465

> 정의역이 $X=\{1, 2, 3, 4\}$, 공역이 $Y=\{1, 2, 4, 8\}$인 함수 f 중에서 임의로 선택한 한 함수가 $f(1)\times f(2)\times f(3)=f(4)$를 만족시킬 확률을 구하시오.
>
> $f(4)$의 값이 1, 2, 3, 4일 때로 나누어 생각하자.

$f(4)=1$인 경우 $f(1)\times f(2)\times f(3)$은 $1\times1\times1$: 1가지

$f(4)=2$인 경우 $f(1)\times f(2)\times f(3)$은 $1\times1\times2$: $\frac{3!}{2!}=3$가지

$f(4)=4$인 경우 $f(1)\times f(2)\times f(3)$은 $1\times1\times4$ 또는 $1\times2\times2$:

$\frac{3!}{2!}+\frac{3!}{2!}=6$가지

$f(4)=8$인 경우

$f(1)\times f(2)\times f(3)$은 $1\times1\times8$ 또는 $1\times2\times4$ 또는 $2\times2\times2$:

$\frac{3!}{2!}+3!+1=10$가지

한편, 전체 함수의 개수 : 4^4가지

$\frac{1+3+6+10}{4^4}=\frac{20}{4^4}=\frac{5}{64}$ 답 $\frac{5}{64}$

0466

집합 $A=\{1, 2, 3, 4\}$에서 집합 $B=\{1, 2, 3, 4, 5, 6, 7\}$로의 함수 f는 임의의 $x_1 \in X$, $x_2 \in X$에 대하여 $x_1 \neq x_2$이면 $f(x_1) \neq f(x_2)$가 성립한다. 이 함수 중에서 임의로 하나를 선택할 때, 선택한 함수 f가 다음 조건을 만족시킬 확률을 구하시오.

> $a \in A$에 대하여 $f(a)=2a$인 a의 개수는 2이다.

└• $f(1)=2$, $f(2)=4$, $f(3)=6$ 중에서 2개를 고르자.

일대일 함수를 만족하는 전체 경우의 수는

${}_7\mathrm{P}_4=7\times6\times5\times4=840$

조건을 만족하는 경우의 수는

$f(1)=2$, $f(2)=4$, $f(3)=6$ 중에서 두 가지를 고르고 나머지를 고르는 경우의 수는

${}_3\mathrm{C}_2\times4\times4=48$

따라서 구하는 확률은

$\frac{48}{840}=\frac{2}{35}$

답 $\frac{2}{35}$

0467

두 집합 $X=\{1, 2, 3, 4, 5\}$, $Y=\{2, 3, 4, 5, 6\}$에 대하여 함수 $f: X \longrightarrow Y$ 중에서 다음 조건을 만족시키는 함수일 확률을 구하시오.

> (가) 함수 f의 치역의 원소의 개수는 4이다.
> (나) $f(a)=a+1$인 X의 원소 a의 개수는 3이다.

치역의 세 수가 정해지면 정의역의 세 수의 대응도 정해짐을 이용하자.

전체 경우의 수 : 5^5

치역의 원소 4개를 선택하는 경우의 수 : ${}_5\mathrm{C}_4$

고른 4개 중 (나)조건에 맞는 3개를 선택하는 경우의 수 : ${}_4\mathrm{C}_3$

치역의 세 수가 정해지면 정의역의 세 수의 대응이 정해진다. 한편 치역의 나머지 한 수에 대응되는 정의역의 원소도 정해지고, 정의역의 나머지 한 원소만 ${}_4\mathrm{C}_3$으로 택해진 세 원소 중에서 하나에 대응하면 된다.

따라서 구하는 확률은 $\frac{{}_5\mathrm{C}_4\times{}_4\mathrm{C}_3\times1\times3}{5^5}=\frac{12}{625}$

답 $\frac{12}{625}$

0468

두 집합 $X=\{a, b, c\}$, $Y=\{1, 2, 3, 4\}$에 대하여 함수 $f: X \longrightarrow Y$ 중에서 하나를 택할 때, $f(a)<f(b)=f(c)$를 만족시킬 확률을 $\frac{q}{p}$라 하자. $p+q$의 값을 구하시오.

(단, p, q는 서로소인 자연수이다.)

집합 Y의 원소 2개를 뽑아 순서대로 a, b에 대응시키면 된다.

집합 X에서 집합 Y로의 함수 f의 개수는

${}_4\Pi_3=64$

$f(a)<f(b)=f(c)$를 만족시키기 위해서는 집합 Y의 원소 중에서 2개를 뽑아 집합 X의 원소에 대응시키면 되므로 함수의 개수는

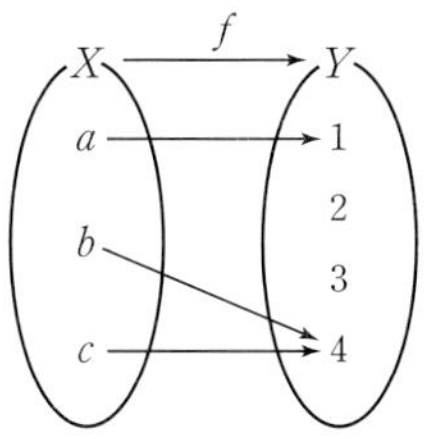

${}_4\mathrm{C}_2=6$

따라서 구하는 확률은 $\frac{6}{64}=\frac{3}{32}$

$\therefore p+q=32+3=35$

답 35

0469

두 집합 $X=\{1, 2, 3, 4\}$, $Y=\{1, 2, 3, 4, 5, 6\}$에 대하여 X에서 Y로의 함수 중에서 임의로 한 개를 택할 때, 이 함수가 다음 조건을 만족시키는 함수 f일 확률은 $\frac{q}{p}$이다. $p+q$의 값을 구하시오.

(단, p, q는 서로소인 자연수이다.)

> (가) X의 임의의 두 원소 x_1, x_2에 대하여 $x_1<x_2$이면 $f(x_1)\leq f(x_2)$이다. • 중복조합을 이용하자.
> (나) $f(2)=4$

└• X의 원소 1은 Y의 원소 1, 2, 3, 4중에서 하나와 대응된다.

집합 X에서 집합 Y로의 함수의 개수는

${}_6\Pi_4=1296$

조건을 만족시키는 함수의 개수는 X의 원소 1을 Y의 원소 1, 2, 3, 4 중에서 하나에 대응시키는 경우의 수 ${}_4\mathrm{C}_1$에 X의 원소 3, 4를 Y의 원소 4, 5, 6 중에서 중복을 허락하여 2개의 수에 대응시키는 경우의 수 ${}_3\mathrm{H}_2$를 곱하여

${}_4\mathrm{C}_1\times{}_3\mathrm{H}_2=4\times{}_4\mathrm{C}_2=24$

따라서 구하는 확률은 $\frac{24}{1296}=\frac{1}{54}$

$\therefore p+q=54+1=55$

답 55

0470

흰 공 3개와 파란 공 2개가 들어 있는 주머니에서 임의로 3개의 공을 동시에 꺼낼 때, 흰 공이 나올 확률을 구하시오.

└• 파란 공은 2개뿐임을 이용하자.

주머니에 들어 있는 5개의 공 중 3개를 꺼내면 파란 공이 2개뿐이므로 꺼낸 3개의 공 중 반드시 1개 이상은 흰 공이다.

따라서 반드시 흰 공이 나오므로 구하는 확률은 1이다.

답 1

0471

표본공간을 S, 공사건을 $\varnothing$라 할 때, 임의의 두 사건 A, B에 대하여 〈보기〉에서 옳은 것만을 있는 대로 고른 것은?

보기

ㄱ. $0 \le \mathrm{P}(A) \le 1$

ㄴ. $\mathrm{P}(S)+\mathrm{P}(\varnothing)=1$ → $P(S)=1$, $P(\varnothing)=0$이다.

ㄷ. $1<\mathrm{P}(S)+\mathrm{P}(A)+\mathrm{P}(B)+\mathrm{P}(\varnothing)<2$

→ $0 \le P(A)+P(B) \le 2$임을 이용하자.

ㄱ. 확률의 기본 성질에 의하여 $0 \le \mathrm{P}(A) \le 1$ (참)

ㄴ. $\mathrm{P}(S)=1$, $\mathrm{P}(\varnothing)=0$이므로

$\mathrm{P}(S)+\mathrm{P}(\varnothing)=1$ (참)

ㄷ. $0 \le \mathrm{P}(A) \le 1$, $0 \le \mathrm{P}(B) \le 1$이므로

$0 \le \mathrm{P}(A)+\mathrm{P}(B) \le 2$

또 $\mathrm{P}(S)=1$, $\mathrm{P}(\varnothing)=0$이므로

$1 \le \mathrm{P}(S)+\mathrm{P}(A)+\mathrm{P}(B)+\mathrm{P}(\varnothing) \le 3$ (거짓)

따라서 옳은 것은 ㄱ, ㄴ이다.

답 ③

0472

→ 거짓임을 보여주는 반례를 찾자.

어떤 시행에서 표본공간 S의 부분집합인 서로 다른 두 사건을 A, B라 할 때, 〈보기〉에서 옳은 것만을 있는 대로 고른 것은?

보기

ㄱ. $A \subset B$이면 $\mathrm{P}(A) \le \mathrm{P}(B)$

ㄴ. $\mathrm{P}(A)+\mathrm{P}(B)=1$이면 두 사건 A와 B는 서로 배반사건이다.

ㄷ. $A \cup B=S$이면 $\mathrm{P}(A)+\mathrm{P}(B)=1$

ㄱ. 두 사건 A, B에 대하여 $A \subset B$이면

$\mathrm{P}(A) \le \mathrm{P}(B)$ (참)

ㄴ. [반례] 한 개의 주사위를 던지는 시행에서 소수의 눈이 나오는 사건을 A, 홀수의 눈이 나오는 사건을 B라 하면

$\mathrm{P}(A)=\frac{1}{2}$, $\mathrm{P}(B)=\frac{1}{2}$이므로

$\mathrm{P}(A)+\mathrm{P}(B)=1$

그런데 $A \cap B=\{3, 5\} \neq \varnothing$이므로 A와 B는 서로 배반사건이 아니다. (거짓)

ㄷ. [반례] $S=\{1, 2, 3, 4, 5, 6\}$,

$A=\{1, 2, 3, 6\}$, $B=\{4, 5, 6\}$이라 하면

$A \cup B=S$이지만

$\mathrm{P}(A)+\mathrm{P}(B)=\frac{4}{6}+\frac{3}{6}=\frac{7}{6} \neq 1$ (거짓)

따라서 옳은 것은 ㄱ뿐이다.

답 ①

0473

표본공간 S의 부분집합인 두 사건 A, B가 일어날 확률 $\mathrm{P}(A)$, $\mathrm{P}(B)$에 대하여 다음 조건이 성립할 때, $3\mathrm{P}(A)+\mathrm{P}(B)$의 값을 구하시오.

(가) $\mathrm{P}(A)-2\mathrm{P}(B)=\mathrm{P}(\varnothing)$ → $P(\varnothing)=0$임을 이용하자.

(나) $\dfrac{\mathrm{P}(A)+\mathrm{P}(B)}{3}=\mathrm{P}(S)-2\mathrm{P}(B)$

→ $P(S)=1$임을 이용하자.

$\mathrm{P}(\varnothing)=0$, $\mathrm{P}(S)=1$이므로

조건 (가)에서 $\mathrm{P}(A)=2\mathrm{P}(B)$ ······㉠

조건 (나)에서 $\mathrm{P}(A)+\mathrm{P}(B)=3-6\mathrm{P}(B)$

$\therefore \mathrm{P}(A)+7\mathrm{P}(B)=3$ ······㉡

㉠을 ㉡에 대입하면 $9\mathrm{P}(B)=3$

$\therefore \mathrm{P}(B)=\frac{1}{3}$

㉠에서 $\mathrm{P}(A)=\frac{2}{3}$

$\therefore 3\mathrm{P}(A)+\mathrm{P}(B)=2+\frac{1}{3}=\frac{7}{3}$

답 $\frac{7}{3}$

0474

→ 총 안타 수는 1루타, 2루타, 3루타, 홈런을 다 더한 것이다.

다음 표는 어느 프로 야구 선수가 올해 기록한 성적이다. 이 선수의 올해 타율을 구하시오. $\left(\text{단, 타율은 } \dfrac{(\text{안타 수})}{(\text{타수})}\text{를 의미한다.}\right)$

타수	안타 수			
	1루타	2루타	3루타	홈런
320	41	23	6	10

총 320타수 중에서 안타 수는

$41+23+6+10=80$

따라서 이 선수의 올해 타율은

$\frac{80}{320}=\frac{1}{4}$

답 $\frac{1}{4}$

0475

주머니 속에 노란 공이 2개, 빨간 공이 3개, 파란 공이 n개 들어 있다. 이 주머니에서 한 개의 공을 꺼내어 색을 확인하고 다시 넣는 시행을 1500번 하였더니 그중 노란 공이 120번 나왔다. n의 값을 추측하면?

→ 노란 공이 나올 통계적 확률은 $\frac{120}{1500}$임을 이용하자.

노란 공이 나올 확률은

$\frac{120}{1500}=\frac{2}{25}$

따라서 $\frac{2}{2+3+n}=\frac{2}{25}$이므로 $n=20$

답 ④

0476 시행 횟수가 커지면 통계적 확률이 수학적 확률에 가까워진다.

다음 표는 어떤 단추를 여러 번 던져서 앞면이 나온 횟수를 조사한 것이다. 이 단추의 앞면이 나올 확률의 근삿값을 소수점 아래 둘째 자리까지 구하시오.

던진 횟수	20	50	100	200	300
앞면이 나온 횟수	10	23	44	91	136

단추를 20번, 50번, 100번, 200번, 300번 던졌을 때, 앞면이 나올 비율은 차례로

$\frac{10}{20}=0.5$, $\frac{23}{50}=0.46$, $\frac{44}{100}=0.44$, $\frac{91}{200}=0.455$,

$\frac{136}{300}=0.453\times\times\times$

즉, 던진 횟수가 많을수록 비율은 0.45에 가까워진다고 할 수 있다.
따라서 앞면이 나올 확률의 근삿값은 0.45이다.

답 0.45

0477

표본공간 $S=\{x|x$는 10 이하의 자연수$\}$에 대하여 두 사건 A, B가 $A=\{x|x$는 10의 약수$\}$, $B=\{x|x$는 10 이하의 홀수$\}$일 때, 두 사건 A, B와 모두 배반인 사건 C의 개수를 구하시오.
→ $A\cap C=\varnothing$, $B\cap C=\varnothing$임을 이용하자.

$A=\{1, 2, 5, 10\}$, $B=\{1, 3, 5, 7, 9\}$이고, 사건 C는 두 사건 A, B와 모두 배반인 사건이므로
$A\cap C=\varnothing$, $B\cap C=\varnothing$
$\therefore (A\cup B)\cap C=\varnothing$
즉, $C\subset(A\cup B)^C=\{4, 6, 8\}$
따라서 두 사건 A, B와 모두 배반인 사건 C의 개수는
$(A\cup B)^C$의 부분집합의 개수와 같으므로
$2^3=8$

답 8

0478

서로 다른 두 개의 주사위를 동시에 던질 때, 나오는 두 눈의 수의 차가 4 이상일 확률은?
→ 두 주사위의 눈의 차가 4 또는 5인 순서쌍을 구하자.

모든 경우의 수는 $6\times6=36$
두 개의 주사위를 던져서 나오는 두 눈의 수를 각각 a, b라 할 때, 두 눈의 수의 차가 4 이상인 경우를 순서쌍 (a, b)로 나타내면
(i) 두 눈의 수의 차가 4인 경우
$(1, 5)$, $(2, 6)$, $(6, 2)$, $(5, 1)$의 4가지
(ii) 두 눈의 수의 차가 5인 경우
$(1, 6)$, $(6, 1)$의 2가지
(i), (ii)에 의하여 두 눈의 수의 차가 4 이상인 경우의 수는
$4+2=6$
따라서 구하는 확률은 $\frac{6}{36}=\frac{1}{6}$

답 ①

0479 서술형

서로 다른 세 개의 주사위 A, B, C를 동시에 던져 나오는 눈의 수를 각각 a, b, c라 할 때, 부등식 $a<b\le c$를 만족시킬 확률을 구하시오.
→ a의 값을 기준으로 나누어 각각의 경우의 수를 구한 뒤 합의 법칙을 적용하자.

$a=1$일 때는 $b=2, 3, 4, 5, 6$이 올 수 있고,
$b=2$일 때 c에 올 수 있는 숫자가 5가지이고
$b=3$일 때 c에 올 수 있는 숫자가 4가지
$b=4$일 때 c에 올 수 있는 숫자가 3가지
⋮
이므로 $a=1$일 때는 $5+4+3+2+1=15$가지 …… 40%
마찬가지로
$a=2$일 때는 $4+3+2+1=10$가지
$a=3$일 때는 $3+2+1=6$가지
$a=4$일 때는 $2+1=3$가지
$a=5$일 때는 1가지 …… 40%
한편, 주사위를 세 번 던질 때 나올 수 있는 경우의 수는
$6\times6\times6=216$가지이다.
$\therefore \frac{15+10+6+3+1}{216}=\frac{35}{216}$ …… 20%

답 $\frac{35}{216}$

0480

다섯 개의 문자 a, b, c, d, e가 각각 적혀 있는 5장의 카드를 일렬로 나열할 때, c, d, e가 적힌 카드가 서로 이웃할 확률은?
→ c, d, e를 하나로 묶어서 생각하자.

다섯 개의 문자 a, b, c, d, e를 일렬로 나열하는 경우의 수는 $5!$
또 c, d, e를 묶어서 한 문자로 생각하면 3개의 문자를 일렬로 나열하는 경우의 수는 $3!$
이 각각의 경우에 c, d, e가 서로 자리를 바꾸는 경우의 수는 $3!$이므로
c, d, e가 서로 이웃하도록 나열하는 경우의 수는 $3!\times3!$
따라서 구하는 확률은
$\frac{3!\times3!}{5!}=\frac{3}{10}$

답 ①

0481

다섯 개의 숫자 0, 1, 2, 3, 4에서 서로 다른 세 개의 숫자를 사용하여 세 자리 자연수를 만들 때, 3의 배수일 확률을 구하시오.
각 자릿수들의 합이 3의 배수임을 이용하자. ←

0, 1, 2, 3, 4에서 서로 다른 세 개의 숫자를 사용하여 만들 수 있는 세 자리 자연수는 1□□, 2□□, 3□□, 4□□ 꼴이므로 그 개수는
$4\times{}_4P_2=48$
3의 배수는 0, 1, 2, 3, 4의 수 중에서 세 수의 합이 3의 배수가 되는 경우이므로
(i) $(0, 1, 2)$일 때 ➡ $2\times{}_2P_2=4$

(ii) $(0, 2, 4)$일 때 ➡ $2\times{}_2P_2=4$
(iii) $(1, 2, 3)$일 때 ➡ $3!=6$
(iv) $(2, 3, 4)$일 때 ➡ $3!=6$
(i)~(iv)에서 3의 배수의 개수는
$4+4+6+6=20$
따라서 구하는 확률은
$\frac{20}{48}=\frac{5}{12}$

답 $\frac{5}{12}$

0482

6개의 문자 B, C, D, E, E, F를 일렬로 나열할 때, 양 끝에 자음이 위치할 확률은?
└• B, C, D 중에서 두 개를 선택해 양 끝에 나열하자.

6개의 문자를 일렬로 나열하는 경우의 수는 $\frac{6!}{2!}=360$
양 끝에 자음이 위치하는 경우의 수는 자음 B, C, D, F 중에서 2개를 택하여 양 끝에 나열하고 나머지 4개의 문자를 일렬로 나열하는 경우의 수와 같으므로
${}_4P_2\times\frac{4!}{2!}=144$
따라서 구하는 확률은 $\frac{144}{360}=\frac{2}{5}$

답 ③

0483

A, B, C, D, E, F의 6명 중에서 3명의 대표를 뽑을 때, A는 포함되고 B는 포함되지 않을 확률을 구하시오.
└• C, D, E, F의 4명 중에서 2명을 뽑는 경우임을 이용하자.

A, B, C, D, E, F의 6명 중에서 3명의 대표를 뽑는 방법의 수는
${}_6C_3=20$
A는 포함되고 B는 포함되지 않는 방법의 수는 C, D, E, F의 4명 중에서 2명을 뽑는 방법의 수와 같으므로
${}_4C_2=6$
따라서 구하는 확률은 $\frac{6}{20}=\frac{3}{10}$

답 $\frac{3}{10}$

0484

남학생 3명, 여학생 5명 중에서 2명을 뽑을 때, 모두 남학생이거나 모두 여학생일 확률을 구하시오.
└• 합의 법칙을 이용하자.

전체 경우의 수 : ${}_8C_2=28$
모두 남학생인 경우의 수 : ${}_3C_2=3$
모두 여학생인 경우의 수 : ${}_5C_2=10$
따라서 구하는 확률은
$\frac{3+10}{28}=\frac{13}{28}$

답 $\frac{13}{28}$

0485 서술형

남녀 학생 합하여 36명인 동아리에서 대표 2명을 임의로 정할 때, 2명이 모두 남학생이거나 모두 여학생일 확률이 $\frac{1}{2}$이라고 한다. 이때 남학생의 수를 구하시오.
(단, 남학생의 수는 여학생 수보다 적다.)
└• 남학생의 수를 x명이라 하고 조건에 맞는 방정식을 세우자.

남학생의 수를 x명이라 하면, 여학생의 수는 $36-x$
두 명 모두 남학생이거나 모두 여학생일 확률은
$\frac{{}_xC_2}{{}_{36}C_2}+\frac{{}_{36-x}C_2}{{}_{36}C_2}=\frac{1}{2}$ …… 50%
$\frac{x(x-1)+(36-x)(35-x)}{36\times35}=\frac{1}{2}$
$x^2-x+x^2-71x+1260=630$
$2x^2-72x+630=0$
$x^2-36x+315=0$ …… 30%
$(x-21)(x-15)=0$
$\therefore x=15$ ($\because x<18$) …… 20%

답 15

0486

0부터 9까지의 숫자가 각각 하나씩 적혀 있는 10장의 카드가 있다. 이 중에서 3장의 카드를 동시에 꺼낼 때, 적혀 있는 숫자들 중에서 가장 큰 수를 a, 가장 작은 수를 b라 하자. $a-b\le3$일 확률을 구하시오.
└• $a-b=2$일 때와 $a-b=3$일 때 경우의 수를 각각 구하여 합의 법칙을 적용하자.

10장의 카드 중에서 3장을 뽑는 경우의 수는 ${}_{10}C_3=120$
$a-b\le3$을 만족시키는 경우는 다음과 같다.
(i) $a-b=2$일 때, 3개의 숫자가 연속되어야 하므로
순서쌍 (a, b)로 나타내면
$(2, 0), (3, 1), (4, 2), \cdots, (9, 7)$의 8가지
(ii) $a-b=3$일 때, 순서쌍 (a, b)로 나타내면
$(3, 0), (4, 1), (5, 2), (6, 3), (7, 4), (8, 5), (9, 6)$의 7가지이고, 각 경우마다 a, b를 제외한 나머지 수는 2가지씩 있으므로
$7\times2=14$
(i), (ii)에서 $8+14=22$
따라서 구하는 확률은 $\frac{22}{120}=\frac{11}{60}$

답 $\frac{11}{60}$

0487

정팔각형의 8개의 꼭짓점 중에서 임의로 세 꼭짓점을 연결하여 만든 삼각형이 이등변삼각형이 될 확률을 구하시오.
└• 이등변삼각형이 되는 모양을 기준으로 각 경우의 수를 구하자.

정팔각형의 세 꼭짓점을 이어 만들 수 있는 삼각형의 개수는

$_8C_3=56$

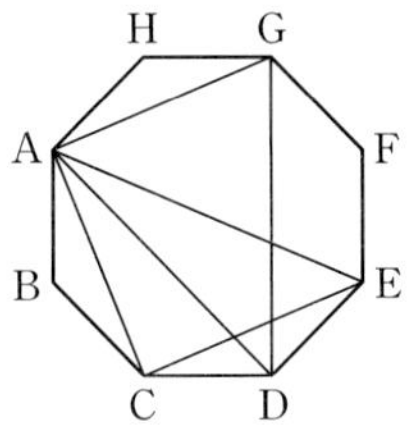

그림과 같이 정팔각형에서 이등변삼각형은

△ABC와 합동인 삼각형 8개,

△ACE와 합동인 삼각형 8개,

△ADG와 합동인 삼각형 8개

이므로 이등변삼각형의 개수는

$8+8+8=24$

따라서 구하는 확률은 $\frac{24}{56}=\frac{3}{7}$

답 $\frac{3}{7}$

0488

> 두 집합 $A=\{1, 2, 3\}$, $B=\{1, 2, 3, 4, 5\}$에 대하여 $f: A \longrightarrow B$인 함수 중에서 하나를 택할 때, 그 함수가 $i\in A$, $j\in A$에 대하여 $i<j$이면 $f(i)<f(j)$를 만족시키는 함수일 확률을 구하시오.
>
> $a<b$이면 $f(a)<f(b)$인 함수의 개수는 조합을 이용하자.

집합 A에서 집합 B로의 함수의 개수는

$_5\Pi_3=125$

$i<j$이면 $f(i)<f(j)$를 만족시키는 함수는 집합 B의 원소 중에서 3개를 선택하여 작은 순서대로 집합 A의 원소 1, 2, 3에 대응시키면 되므로 함수의 개수는

$_5C_3=10$

따라서 구하는 확률은 $\frac{10}{125}=\frac{2}{25}$

답 $\frac{2}{25}$

0489

> 모자를 쓴 네 사람이 실내에 들어와 모자를 한 곳에 벗어놓은 후, 나갈 때는 놓여 있던 모자를 임의로 하나씩 착용하였다. 네 사람 모두 자신의 모자를 착용하지 않게 될 확률은 $\frac{q}{p}$이다. $p+q$의 값을 구하시오. (단, p, q는 서로소인 자연수이다.)
>
> 네 사람과 네 모자를 특정한 문자로 놓고 조건을 만족하는 수형도를 그리자.

네 사람을 각각 A, B, C, D라 하고 각각의 모자를 a, b, c, d라 할 때, 네 사람이 모두 자신의 모자를 착용하지 않는 경우를 수형도로 나타내면

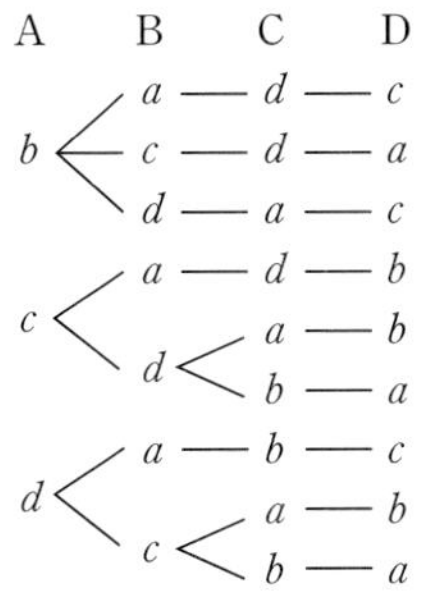

와 같이 9가지이므로 구하는 확률은 $\frac{9}{4!}=\frac{3}{8}$이다.

따라서 $p+q=11$이다.

답 11

0490

직선 $y=mx+n$이 제1사분면을 지나려면 $m>0$이거나 $n>0$임을 이용하자.

> 한 개의 주사위를 두 번 던져 첫 번째 나온 눈의 수를 a, 두 번째 나온 눈의 수를 b라고 한다. $f(x)=(5-a)x+1$, $g(x)=(b-3)x-3$일 때, 직선 $y=(f\circ g)(x)$가 제1사분면을 지날 확률을 구하시오.

한 개의 주사위를 두 번 던져서 나올 수 있는 모든 경우의 수는

$6\times6=36$

$(f\circ g)(x)=(5-a)(b-3)x+3a-14$이므로

직선 $y=(f\circ g)(x)$가 제1사분면을 지나는 경우는

$3a-14<0$이고 $(5-a)(b-3)>0$

또는 $3a-14>0$

(i) $a=1$일 때, $b=4, 5, 6$ ➡ 3가지

(ii) $a=2$일 때, $b=4, 5, 6$ ➡ 3가지

(iii) $a=3$일 때, $b=4, 5, 6$ ➡ 3가지

(iv) $a=4$일 때, $b=4, 5, 6$ ➡ 3가지

(v) $a=5$일 때, $b=1, 2, 3, 4, 5, 6$ ➡ 6가지

(vi) $a=6$일 때, $b=1, 2, 3, 4, 5, 6$ ➡ 6가지

(i)~(vi)에서 $3+3+3+3+6+6=24$

따라서 구하는 확률은

$\frac{24}{36}=\frac{2}{3}$

답 $\frac{2}{3}$

0491

두 수의 합이 짝수가 되려면 두 수 모두 짝수이거나 두 수 모두 홀수임을 이용하자.

> 1부터 9까지의 자연수 중에서 임의로 서로 다른 4개의 수를 선택하여 네 자리의 자연수를 만들 때, 백의 자리의 수와 십의 자리의 수의 합이 짝수가 될 확률은?

9개의 자연수 중에서 서로 다른 4개의 수를 택하여 만들 수 있는 네 자리의 자연수의 개수는

$_9P_4=9\cdot8\cdot7\cdot6$

(i) 백의 자리의 수와 십의 자리의 수가 모두 짝수인 경우의 수는

$_4P_2\times{}_7P_2=4\cdot3\cdot7\cdot6$

(ii) 백의 자리의 수와 십의 자리의 수가 모두 홀수인 경우의 수는

$_5P_2\times{}_7P_2=5\cdot4\cdot7\cdot6$

따라서 백의 자리의 수와 십의 자리의 수의 합이 짝수인 경우의 수는

$4\cdot3\cdot7\cdot6+5\cdot4\cdot7\cdot6=7\cdot6\cdot4(3+5)=7\cdot6\cdot4\cdot8$

따라서 구하는 확률은

$\frac{7\cdot6\cdot4\cdot8}{9\cdot8\cdot7\cdot6}=\frac{4}{9}$

답 ①

0492

$(1, 2, 3)$, $(2, 3, 4)$, $\cdots$, $(n-2, n-1, n)$의 $(n-2)$가지가 있다.

> 1에서 n까지의 자연수가 각각 하나씩 적혀 있는 n장의 카드가 있다. 이 중에서 3장의 카드를 동시에 꺼낼 때, 꺼낸 3장의 카드에 적힌 수가 연속인 자연수일 확률을 P_n이라고 한다. $\sum_{n=3}^{20}P_n$의 값을 구하시오.

n장의 카드 중에서 3장을 꺼내는 경우의 수는 $_nC_3$

세 장의 카드에 적힌 수가 연속인 자연수일 경우는
(1, 2, 3), (2, 3, 4), (3, 4, 5), ⋯, $(n-2, n-1, n)$의
$(n-2)$가지이므로

$$\mathrm{P}_n=\frac{n-2}{{}_n\mathrm{C}_3}=\frac{n-2}{\frac{n(n-1)(n-2)}{6}}=\frac{6}{n(n-1)}$$

$$\therefore \sum_{n=3}^{20}\mathrm{P}_n=\sum_{n=3}^{20}\frac{6}{n(n-1)}=6\sum_{n=3}^{20}\left(\frac{1}{n-1}-\frac{1}{n}\right)$$

$$=6\left\{\left(\frac{1}{2}-\frac{1}{3}\right)+\left(\frac{1}{3}-\frac{1}{4}\right)+\cdots+\left(\frac{1}{19}-\frac{1}{20}\right)\right\}$$

$$=6\left(\frac{1}{2}-\frac{1}{20}\right)=\frac{27}{10}$$

답 $\frac{27}{10}$

0493

$\frac{\text{(조건을 만족하는 영역의 넓이)}}{\text{(전체 영역의 넓이)}}$임을 이용하자.

> 반지름이 길이가 6이고 중심이 O인 원의 내부에 점 P가 있을 때, $3\le\overline{\mathrm{OP}}\le 6$일 확률을 구하시오.

반지름의 길이가 6인 원의 넓이는 36π
반지름의 길이가 3인 원의 넓이는 9π
$3\le\overline{\mathrm{OP}}\le 6$을 만족하는 점 P가 존재하는 영역은 도형에서 색칠한 부분과 같다.

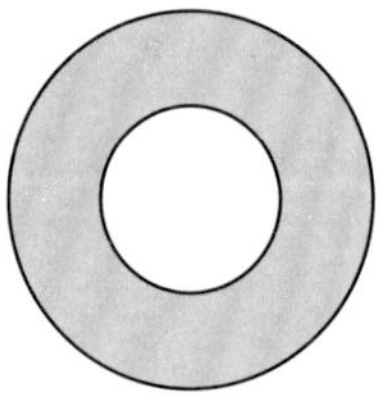

따라서 구하는 확률은

$$\frac{36\pi-9\pi}{36\pi}=\frac{27\pi}{36\pi}=\frac{3}{4}$$

답 $\frac{3}{4}$

0494

> 집합 $X=\{-2, -1, 0, 1, 2\}$에 대하여 X에서 X로의 함수 f 중에서 임의로 하나의 함수를 택할 때, 이 함수가 $x\in X$인 모든 x에 대하여 $f(x)=-f(-x)$를 만족시키는 함수일 확률을 구하시오.

$f(a)$의 값을 정하면 $f(-a)$의 값이 자동으로 결정된다.

집합 $X=\{-2, -1, 0, 1, 2\}$에 대하여 X에서 X로의 함수 f의 개수는
${}_5\Pi_5=5^5$
$x\in X$인 모든 x에 대하여 $f(x)=-f(-x)$를 만족시키는 함수 f의 개수는 다음과 같다.
(i) $f(-2)=f(-1)=f(0)=f(1)=f(2)=0$일 때, 1가지
(ii) $f(-1)=f(0)=f(1)=0$일 때,
$f(-2)=-2, f(2)=2$ 또는
$f(-2)=2, f(2)=-2$ 또는
$f(-2)=-1, f(2)=1$ 또는
$f(-2)=1, f(2)=-1$
인 경우의 4가지
(iii) $f(-2)=f(0)=f(2)=0$일 때,
$f(-1)=-1, f(1)=1$ 또는
$f(-1)=1, f(1)=-1$ 또는
$f(-1)=-2, f(1)=2$ 또는
$f(-1)=2, f(1)=-2$
인 경우의 4가지
(iv) $f(0)=0$일 때,
$f(-2)$가 -2, -1, 1, 2 중에서 하나의 값을 가질 수 있고, 이때 $f(2)$의 값은 정해진다. 또한, $f(-1)$도 -2, -1, 1, 2 중에서 하나의 값을 가질 수 있고, 이때 $f(1)$의 값도 정해지므로 구하는 경우의 수는
$4\times4=16$
(i)~(iv)에서 주어진 조건을 만족시키는 함수의 개수는
$1+4+4+16=25$
따라서 구하는 확률은

$$\frac{25}{5^5}=\frac{1}{5^3}=\frac{1}{125}$$

답 $\frac{1}{125}$

0495

> 1부터 10까지의 자연수가 각각 하나씩 적힌 10개의 구슬이 주머니에 들어 있다. 이 주머니에서 임의로 한 개의 구슬을 꺼내어 그 구슬에 적힌 수를 m이라 할 때, 직선 $y=m$과 포물선 $y=-x^2+5x-\frac{3}{4}$이 만나도록 하는 수가 적힌 구슬을 꺼낼 확률을 구하시오.

좌표평면에 이차함수의 그래프와 직선 $y=m$을 그리자.

$$y=-x^2+5x-\frac{3}{4}$$
$$=-\left(x-\frac{5}{2}\right)^2+\frac{11}{2}$$

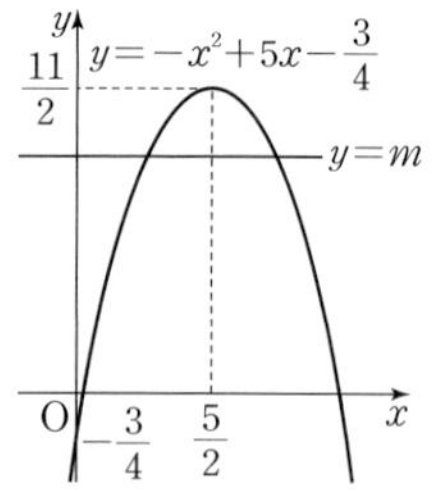

즉, 주어진 포물선과 직선 $y=m$이 만나려면 m은 1, 2, 3, 4, 5 중에서 하나가 되면 되므로 구하는 확률은

$$\frac{5}{10}=\frac{1}{2}$$

답 $\frac{1}{2}$

0496

공차의 크기를 기준으로 조건을 만족하는 각각의 경우의 수를 구하자.

> 1부터 15까지의 자연수 중에서 서로 다른 세 수를 택하여 택한 순서대로 나열할 때, 세 수가 나열된 순서대로 등차수열이 될 확률은?

공차가 1인 경우는 13가지
(1, 2, 3), (2, 3, 4), ⋯, (13, 14, 15)
공차가 2인 경우는 11가지
(1, 3, 5), (2, 4, 6), ⋯, (11, 13, 15)
⋮
공차가 7인 경우는 1가지 (1, 8, 15)
마찬가지 방법으로 공차가 -1, -2, ⋯, -7인 경우도 각각 13, 11, ⋯, 1가지이다.

따라서 $\frac{(13+11+\cdots+1)\times2}{{}_{15}\mathrm{P}_3}=\frac{7}{195}$이다.

답 ①

0497

> 좌표평면 위에 두 점 A(0, 4), B(0, −4)가 있다. 한 개의 주사위를 두 번 던질 때 나오는 눈의 수를 차례로 m, n이라 하자.
> 점 $C\left(m\cos\frac{n\pi}{3}, m\sin\frac{n\pi}{3}\right)$에 대하여 삼각형 ABC의 넓이가 12보다 작을 확률은?
> ↳ 점 A와 점 B가 모두 y축 위에 있으므로 점 C의 x좌표의 절댓값이 삼각형의 높이임을 이용하자.

주사위를 두 번 던져서 나올 수 있는 경우의 수는 $6^2=36$이다.
$\overline{AB}=8$이고 점 C에서 직선 AB에 내린 수선의 발을 H라 하면 선분 CH의 길이는 점 C의 x좌표의 절댓값과 같다. 즉,

$\overline{CH}=\left|m\cos\frac{n\pi}{3}\right|$

삼각형 ABC의 넓이를 S라 하면 m은 자연수이므로

$S=\frac{1}{2}\times 8\times\left|m\cos\frac{n\pi}{3}\right|=4m\left|\cos\frac{n\pi}{3}\right|$

$n=1, 2, 3, 4, 5, 6$일 때 $\left|\cos\frac{n\pi}{3}\right|$의 값은

각각 $\frac{1}{2}, \frac{1}{2}, 1, \frac{1}{2}, \frac{1}{2}, 1$이므로

m의 값에 따라 $S<12$인 경우를 구해 보자.

(i) $m=1, 2$일 때
$4m\le 8$이므로 $1\le n\le 6$일 때 $S<12$이고, 순서쌍 (m, n)의 개수는 $2\times 6=12$이다.

(ii) $m=3, 4, 5$일 때
$12\le 4m\le 20$이므로 $\left|\cos\frac{n\pi}{3}\right|<1$
즉, $n=1, 2, 4, 5$일 때 $S<12$이고, 순서쌍 (m, n)의 개수는 $3\times 4=12$이다.

(iii) $m=6$일 때
$S=24\left|\cos\frac{n\pi}{3}\right|$이므로 $S<12$가 될 수 없다.

(i), (ii), (iii)에서 $S<12$인 경우의 수는 $12+12=24$

따라서 구하는 확률은 $\frac{24}{36}=\frac{2}{3}$

답 ④

0498

> 주머니 안에 1부터 8까지의 자연수가 각각 하나씩 적혀 있는 8개의 공이 들어 있다. 이 주머니에서 임의로 세 개의 공을 동시에 꺼낼 때, 꺼낸 공에 적혀 있는 수를 각각 a, b, c $(a<b<c)$라 하자. $\frac{bc}{a}$가 자연수일 확률은 $\frac{q}{p}$이다. $p+q$의 값을 구하시오.
> (단, p, q는 서로소인 자연수이다.)
> • 전체 경우의 수는 ${}_8C_3$이다.
> ↳ a의 값을 기준으로 조건을 만족하는 b, c의 값을 구하자.

8개의 공 중에서 임의로 세 개의 공을 동시에 꺼내는 경우의 수는

${}_8C_3=56$

a의 값에 따라 $\frac{bc}{a}$가 자연수가 되는 경우의 수는 다음과 같다.

(i) $a=1$일 때,
7개의 공 중에서 2개를 꺼내는 경우의 수와 같으므로 ${}_7C_2=21$

(ii) $a=2$일 때,
3, 4, 5, 6, 7, 8이 적혀 있는 6개의 공 중에서 적어도 1개의 짝수가 적힌 공을 꺼내는 경우의 수는 전체 경우의 수에서 홀수가 적힌 공만 2개 꺼내는 경우의 수를 뺀 수와 같으므로
${}_6C_2-{}_3C_2=15-3=12$

(iii) $a=3$일 때,
4, 5, 6, 7, 8이 적혀 있는 5개의 공 중에서 6이 적힌 공과 나머지 한 개의 공을 꺼내는 경우의 수와 같으므로
$1\times{}_4C_1=4$

(iv) $a=4$일 때,
5, 6, 7, 8이 적혀 있는 4개의 공 중에서 8이 적힌 공과 나머지 한 개의 공을 꺼내는 경우의 수와 같으므로
$1\times{}_3C_1=3$

(v) $a=5, 6$일 때,
조건을 만족시키는 경우는 없다.

(i)~(v)에서 $\frac{bc}{a}$가 자연수가 되는 경우의 수는

$21+12+4+3=40$

따라서 구하는 확률은 $\frac{40}{56}=\frac{5}{7}$

$\therefore p+q=7+5=12$

답 12

0499

> 1부터 9까지의 자연수가 각각 하나씩 적혀 있는 9개의 구슬을 임의로 3개씩 3묶음으로 나누어 상자 A, B, C에 각각 한 묶음씩 넣을 때, 각 상자에 들어 있는 세 구슬에 적혀 있는 수의 합이 모두 홀수일 확률을 구하시오.
> • 전체 경우의 수는 ${}_8C_3$이다.
> • 홀수가 적혀있는 구슬의 수가 홀수 개임을 이용하자.

9개의 구슬을 임의로 3개씩 3묶음으로 나누어 상자 A, B, C에 넣는 경우의 수는

${}_9C_3\times{}_6C_3\times{}_3C_3\times\frac{1}{3!}\times 3!=84\times 20=1680$

상자에 들어 있는 세 구슬에 적혀 있는 수의 합이 홀수가 되려면 세 상자에 들어 있는 구슬이 다음과 같아야 한다.

(홀수 3개), (홀수 1개, 짝수 2개), (홀수 1개, 짝수 2개) ······㉠

(i) 홀수 1, 3, 5, 7, 9를 3개, 1개, 1개로 나누는 경우의 수는
${}_5C_3\times{}_2C_1\times{}_1C_1\times\frac{1}{2!}=10$

(ii) 짝수 2, 4, 6, 8을 2개, 2개로 나누는 경우의 수는
${}_4C_2\times{}_2C_2\times\frac{1}{2!}=3$

(i)에서 나눈 홀수 1개, 홀수 1개와 (ii)에서 짝수 2개, 짝수 2개로 (홀수 1개, 짝수 2개), (홀수 1개, 짝수 2개)인 두 묶음을 만드는 경우의 수는 2이다.

따라서 9개의 구슬로 ㉠과 같이 3묶음으로 나누는 경우의 수는 $10\times 3\times 2=60$이고, 이 3묶음을 상자 A, B, C에 넣는 경우의 수는 $3!$이므로 구하는 확률은

$\frac{60\times 3!}{1680}=\frac{3}{14}$

답 $\frac{3}{14}$

0500

한 변의 길이가 1인 정사각형 12개를 그림과 같이 배치하여 나타나는 24개의 꼭짓점들 중 임의로 2개의 점을 선택하여 선분을 만들 때, 선분의 길이가 $\sqrt{10}$일 확률은?

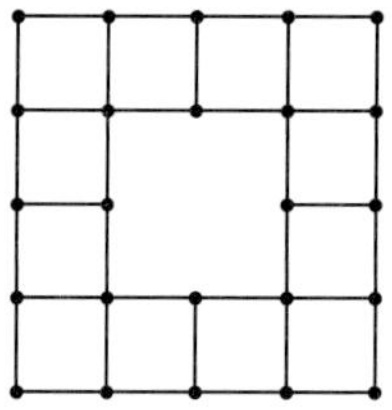

두 점 사이의 간격이 가로로 3, 세로로 1이거나, 세로로 3, 가로로 1임을 이용하자.

24개의 꼭짓점 중에서 임의의 두 점을 택하는 경우의 수는

${}_{24}C_2=276$

두 점 사이의 거리가 $\sqrt{10}$인 두 점은 그림과 같이 가로로 3, 세로로 1만큼 또는 세로로 3, 가로로 1만큼 떨어진 점이다.

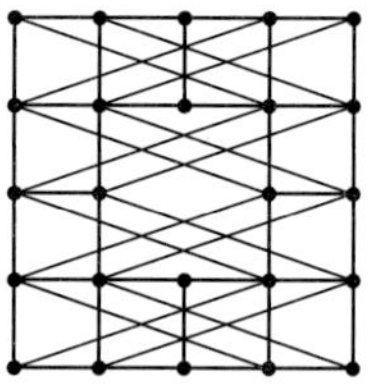

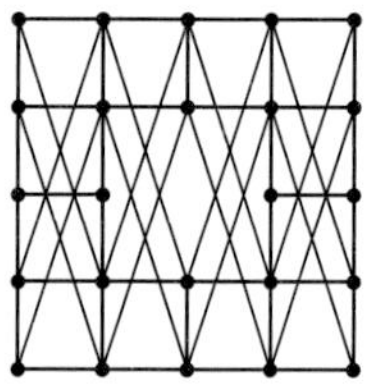

(i) 두 점이 가로로 3, 세로로 1만큼 떨어진 경우의 수는

$4\times4=16$

(ii) 두 점이 세로로 3, 가로로 1만큼 떨어진 경우의 수는

$4\times4=16$

(i), (ii)에서 $16+16=32$

따라서 구하는 확률은 $\dfrac{32}{276}=\dfrac{8}{69}$

답 ④

0501

전체 경우의 수는 5!이다.

3명씩 탑승한 두 대의 자동차 A, B가 어느 휴게소에서 만났다. 이들 6명은 연료절약을 위해 좌석수가 6개인 자동차 B에 모두 승차하려고 한다. 자동차 B의 운전자는 자리를 바꾸지 않고 나머지 5명은 임의로 앉을 때, 처음부터 자동차 B에 탔던 2명이 모두 처음 좌석이 아닌 다른 좌석에 앉게 될 확률은 $\dfrac{q}{p}$이다. $p+q$의 값을 구하시오. (단, p, q는 서로소인 자연수이다.)

B에 탔던 2명을 기준으로 경우의 수를 구하자.

5명이 5개의 좌석에 앉는 방법의 수는 $5!=120$

(i) 자동차 B에 탔던 2명끼리 자리를 바꾸어 앉고 나머지 3개의 좌석에 자동차 A에서 온 3명이 자리에 앉는 방법의 수는 $3!=6$

(ii) 자동차 B에 탔던 2명이 자신들이 앉지 않았던 3개의 좌석에 앉는 방법의 수는 ${}_3P_2$, 그 각각의 경우에 대하여 자동차 A에서 온 사람이 앉는 방법의 수는 3!이므로

${}_3P_2\times3!=36$

(iii) 자동차 B에 탔던 2명 중에서 한 명은 다른 한 명 자리로 가고 나머지 한 명은 비었던 3자리에 앉는 방법의 수는

$2\times{}_3P_1\times3!=36$

(i), (ii), (iii)에서 $6+36+36=78$

따라서 구하는 확률은 $\dfrac{78}{120}=\dfrac{13}{20}$

$\therefore p+q=20+13=33$

답 33

0502

집합 $\{1, 2, 3, \cdots, 100\}$에서 중복을 허용하여 임의로 두 수 a, b를 뽑을 때, 3^a+7^b의 일의 자리의 수가 0일 확률은?=

3^a의 일의 자리 숫자는 $\{3, 9, 7, 1\}$의 반복이고,
7^b의 일의 자리 숫자는 $\{7, 9, 3, 1\}$의 반복임을 이용하자.

$\{1, 2, 3, \cdots, 100\}$에서 중복을 허용하여 임의로 두 수를 택하는 경우의 수는 ${}_{100}\Pi_2=100^2$

$A_r=\{x\,|\,x=4m+r,\ m$은 0 이상의 정수, $r=1, 2, 3, 4\}$

$A_r\subset\{1, 2, \cdots, 100\}$이라 하면

$A_1=\{1, 5, 9, \cdots, 93, 97\}$

$A_2=\{2, 6, 10, \cdots, 94, 98\}$

$A_3=\{3, 7, 11, \cdots, 95, 99\}$

$A_4=\{4, 8, 12, \cdots, 96, 100\}$

$\therefore n(A_1)=n(A_2)=n(A_3)=n(A_4)=25$

3^a의 일의 자리의 수는

$a\in A_1$, $a\in A_2$, $a\in A_3$, $a\in A_4$일 때 각각 3, 9, 7, 1이고,

7^b의 일의 자리의 수는

$b\in A_1$, $b\in A_2$, $b\in A_3$, $b\in A_4$일 때 각각 7, 9, 3, 1이므로

3^a+7^b의 일의 자리의 수가 0인 경우의 수는 순서쌍 (a, b)가

(i) $a\in A_1$, $b\in A_1$인 경우: 25×25

(ii) $a\in A_2$, $b\in A_4$인 경우: 25×25

(iii) $a\in A_3$, $b\in A_3$인 경우: 25×25

(iv) $a\in A_4$, $b\in A_2$인 경우: 25×25

(i)~(iv)에서 $(25\times25)\times4=25^2\times4$

따라서 구하는 확률은 $\dfrac{25^2\times4}{100^2}=\dfrac{1}{4}$

답 ③

0503

$f(1)f(2)f(3)$의 값으로 가능한 6의 배수는 6, 12, 18임을 이용하자.

집합 $X=\{1, 2, 3\}$에서 X로의 함수 중에서 임의로 선택한 함수를 f라 할 때, $f(1)f(2)f(3)$의 값이 6의 배수일 확률을 구하시오.

집합 X에서 X로의 함수의 개수는

${}_3\Pi_3=3^3=27$

$f(1)f(2)f(3)$의 값이 6의 배수인 경우는 다음과 같다.

(i) $f(1)f(2)f(3)=6$인 경우

$6=1\times2\times3$이므로 이 경우를 만족시키는 함수 f의 개수는 1, 2, 3을 일렬로 나열하는 경우의 수와 같으므로 $3!=6$

(ii) $f(1)f(2)f(3)=12$인 경우

$12=2\times2\times3$이므로 이 경우를 만족시키는 함수 f의 개수는 2, 2, 3을 일렬로 나열하는 경우의 수와 같으므로 $\dfrac{3!}{2!}=3$

(iii) $f(1)f(2)f(3)=18$인 경우

$18=2\times3\times3$이므로 이 경우를 만족시키는 함수 f의 개수는 2, 3, 3을 일렬로 나열하는 경우의 수와 같으므로 $\dfrac{3!}{2!}=3$

(i), (ii), (iii)에 의하여 경우의 수는 $6+3+3=12$

따라서 구하는 확률은 $\dfrac{12}{27}=\dfrac{4}{9}$

답 $\dfrac{4}{9}$

04 덧셈정리와 조건부확률

본책 098~126쪽

0504

$P(A\cup B)=P(A)+P(B)-P(A\cap B)$

$=\frac{1}{3}+\frac{2}{5}-\frac{1}{15}=\frac{2}{3}$ 답 $\frac{2}{3}$

0505

$P(A\cup B)=P(A)+P(B)-P(A\cap B)$에서

$\frac{9}{20}=\frac{3}{10}+\frac{1}{5}-P(A\cap B)$

$\therefore P(A\cap B)=\frac{1}{20}$ 답 $\frac{1}{20}$

0506

서로 배반사건인 두 사건 A, B에 대하여

$P(A\cap B)=0$

$\therefore P(A\cup B)=P(A)+P(B)$

$=\frac{1}{4}+\frac{2}{3}=\frac{11}{12}$ 답 $\frac{11}{12}$

[0507-0510] $A=\{2, 4, 6, 8, 10\}$, $B=\{2, 3, 5, 7\}$, $C=\{1, 3, 5, 7, 9\}$이므로

$P(A)=\frac{5}{10}=\frac{1}{2}$, $P(B)=\frac{4}{10}=\frac{2}{5}$, $P(C)=\frac{5}{10}=\frac{1}{2}$

0507

$A\cap B=\{2\}$이므로 $P(A\cap B)=\frac{1}{10}$ 답 $\frac{1}{10}$

0508

$P(A\cup B)=P(A)+P(B)-P(A\cap B)$

$=\frac{1}{2}+\frac{2}{5}-\frac{1}{10}=\frac{4}{5}$ 답 $\frac{4}{5}$

0509

$A\cap C=\varnothing$이므로 $P(A\cap C)=0$ 답 0

0510

두 사건 A, C는 서로 배반사건이므로

$P(A\cup C)=P(A)+P(C)$

$=\frac{1}{2}+\frac{1}{2}=1$ 답 1

0511

$P(A^C)=1-P(A)$

$=1-\frac{1}{6}=\frac{5}{6}$ 답 $\frac{5}{6}$

0512

$P(A^C\cap B^C)=P((A\cup B)^C)$

$=1-P(A\cup B)$

$=1-\frac{3}{4}=\frac{1}{4}$ 답 $\frac{1}{4}$

0513

$P(A\cap B^C)=P(A)-P(A\cap B)$

$=\frac{5}{6}-\frac{1}{6}$

$=\frac{2}{3}$ 답 $\frac{2}{3}$

0514

$P((A\cap B)^C)=1-P(A\cap B)=\frac{5}{6}$이므로

$P(A\cap B)=\frac{1}{6}$

$\therefore P(A\cup B)=P(A)+P(B)-P(A\cap B)$

$=\frac{1}{3}+\frac{1}{2}-\frac{1}{6}=\frac{2}{3}$ 답 $\frac{2}{3}$

0515

$P(B^C)=1-P(B)=\frac{3}{4}$이므로

$P(B)=\frac{1}{4}$

$P(A\cup B)=P(A)+P(B)-P(A\cap B)$에서

$\frac{1}{2}=\frac{1}{3}+\frac{1}{4}-P(A\cap B)$

$\therefore P(A\cap B)=\frac{1}{12}$ 답 $\frac{1}{12}$

0516

세 개의 동전이 모두 앞면이 나오는 확률은

$\frac{1}{2}\times\frac{1}{2}\times\frac{1}{2}=\frac{1}{8}$

따라서 적어도 한 개가 뒷면이 나올 확률은

$1-\frac{1}{8}=\frac{7}{8}$ 답 $\frac{7}{8}$

0517

2개의 인형을 동시에 꺼낼 때 2개 모두 불량품이 아닐 확률은

$\frac{{}_5C_2}{{}_8C_2}=\frac{5}{14}$

따라서 적어도 한 개가 불량품일 확률은

$1-\frac{5}{14}=\frac{9}{14}$ 답 $\frac{9}{14}$

0518

$P(A\cup B)=P(A)+P(B)-P(A\cap B)$에서

$\frac{5}{8}=\frac{3}{8}+\frac{1}{2}-P(A\cap B)$

$\therefore P(A\cap B)=\frac{1}{4}$ 답 $\frac{1}{4}$

0519

$P(B|A)=\frac{P(A\cap B)}{P(A)}=\frac{\frac{1}{4}}{\frac{3}{8}}=\frac{2}{3}$ 답 $\frac{2}{3}$

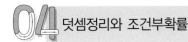

0520

$$P(A|B)=\frac{P(A\cap B)}{P(B)}=\frac{\frac{1}{4}}{\frac{1}{2}}=\frac{1}{2}$$ 답 $\frac{1}{2}$

0521

홀수의 눈이 나오는 사건을 A라 하면 $A=\{1, 3, 5\}$이므로
구하는 확률은

$P(A)=\frac{3}{6}=\frac{1}{2}$ 답 $\frac{1}{2}$

0522

소수의 눈이 나오는 사건을 B라 하면 $B=\{2, 3, 5\}$이므로
구하는 확률은

$P(B)=\frac{3}{6}=\frac{1}{2}$ 답 $\frac{1}{2}$

0523

홀수의 눈이 나왔을 때, 그것이 소수일 확률은 사건 A가 일어났을 때, 사건 B가 일어날 확률이다.
$A\cap B=\{3, 5\}$이므로

$P(A\cap B)=\frac{2}{6}=\frac{1}{3}$

$$\therefore P(B|A)=\frac{P(A\cap B)}{P(A)}=\frac{\frac{1}{3}}{\frac{1}{2}}=\frac{2}{3}$$ 답 $\frac{2}{3}$

[0524-0526] $A=\{3, 6, 9\}$, $B=\{2, 4, 6, 8, 10\}$이므로

$P(A)=\frac{3}{10}$, $P(B)=\frac{5}{10}=\frac{1}{2}$

0524

$A\cap B=\{6\}$이므로

$P(A\cap B)=\frac{1}{10}$ 답 $\frac{1}{10}$

0525

$$P(B|A)=\frac{P(A\cap B)}{P(A)}$$
$$=\frac{\frac{1}{10}}{\frac{3}{10}}=\frac{1}{3}$$ 답 $\frac{1}{3}$

0526

$$P(A|B)=\frac{P(A\cap B)}{P(B)}$$
$$=\frac{\frac{1}{10}}{\frac{1}{2}}=\frac{1}{5}$$ 답 $\frac{1}{5}$

0527

$P(A\cap B)=P(A)P(B|A)$
$=0.3\times0.5=0.15$ 답 0.15

0528

$P(A\cup B)=P(A)+P(B)-P(A\cap B)$
$=0.3+0.2-0.15=0.35$ 답 0.35

0529

$$P(A|B)=\frac{P(A\cap B)}{P(B)}$$
$$=\frac{0.15}{0.2}=0.75$$ 답 0.75

0530

> 두 사건 A, B에 대하여
> $P(A)+P(B)=\frac{7}{9}$, $P(A\cap B)=\frac{2}{9}$
> 일 때, $P(A\cup B)$의 값은?
> → $P(A\cup B)=P(A)+P(B)-P(A\cap B)$임을 이용하자.

$P(A\cup B)=P(A)+P(B)-P(A\cap B)$
$=\frac{7}{9}-\frac{2}{9}=\frac{5}{9}$ 답 ⑤

0531

> 두 사건 A, B에 대하여
> $P(A)=\frac{1}{2}$, $P(A\cap B)=\frac{1}{4}$, $P(A\cup B)=\frac{7}{12}$
> 일 때, $P(B)$는?
> → $P(A\cup B)=P(A)+P(B)-P(A\cap B)$임을 이용하자.

$P(A\cup B)=P(A)+P(B)-P(A\cap B)$에서

$\frac{7}{12}=\frac{1}{2}+P(B)-\frac{1}{4}$

$\therefore P(B)=\frac{1}{3}$ 답 ②

0532

> 두 사건 A, B가 서로 배반사건이고 → $P(A\cap B)=0$
> $P(A)=\frac{1}{3}$, $P(B)=\frac{1}{4}$
> 일 때, $P(A\cup B)$는?

두 사건 A, B가 서로 배반사건이므로 $P(A\cap B)=0$
$\therefore P(A\cup B)=P(A)+P(B)$
$=\frac{1}{3}+\frac{1}{4}=\frac{7}{12}$ 답 ④

0533

> 두 사건 A와 B는 서로 배반사건이고
>
> $\mathrm{P}(A)=\mathrm{P}(B)$, $\mathrm{P}(A)\mathrm{P}(B)=\frac{1}{9}$
>
> 일 때, $\mathrm{P}(A\cup B)$의 값은? └• 두 식을 연립하여 $\mathrm{P}(A)$의 값을 구하자.

$\mathrm{P}(A)=\mathrm{P}(B)$, $\mathrm{P}(A)\mathrm{P}(B)=\frac{1}{9}$에서

$\{\mathrm{P}(A)\}^2=\frac{1}{9}$

$\therefore \mathrm{P}(A)=\mathrm{P}(B)=\frac{1}{3}$

따라서 두 사건 A와 B가 배반사건이므로

$\mathrm{P}(A\cup B)=\mathrm{P}(A)+\mathrm{P}(B)=\frac{1}{3}+\frac{1}{3}=\frac{2}{3}$

답 ④

0534

> 표본공간 S의 두 사건 A와 B는 서로 배반사건이고
>
> $A\cup B=S$, $\mathrm{P}(A)=4\mathrm{P}(B)$
>
> 일 때, $\mathrm{P}(B)$를 구하시오.
>
> └• $\mathrm{P}(A\cup B)=1$이다.

두 사건 A와 B는 서로 배반사건이므로

$\mathrm{P}(A\cap B)=0$

$A\cup B=S$이므로 $\mathrm{P}(A\cup B)=1$

$\mathrm{P}(A)=4\mathrm{P}(B)$이므로

$$\begin{aligned}\mathrm{P}(A\cup B)&=\mathrm{P}(A)+\mathrm{P}(B)\\&=4\mathrm{P}(B)+\mathrm{P}(B)\\&=5\mathrm{P}(B)=1\end{aligned}$$

$\therefore \mathrm{P}(B)=\frac{1}{5}$

답 $\frac{1}{5}$

0535

> 서로 배반사건이 아닌 두 사건 A, B에 대하여
>
> $\mathrm{P}(A)=\frac{2}{3}$, $\mathrm{P}(B)=\frac{3}{5}$
>
> 이 성립할 때, $\mathrm{P}(A\cap B)$의 최솟값을 구하시오.
>
> └• $\mathrm{P}(A\cup B)\le 1$임을 이용하자.

$\mathrm{P}(A\cup B)=\mathrm{P}(A)+\mathrm{P}(B)-\mathrm{P}(A\cap B)$에서

$\mathrm{P}(A\cup B)=\frac{2}{3}+\frac{3}{5}-\mathrm{P}(A\cap B)$

$\mathrm{P}(A\cup B)\le 1$이므로

$\frac{2}{3}+\frac{3}{5}-\mathrm{P}(A\cap B)\le 1$

$\therefore \mathrm{P}(A\cap B)\ge \frac{4}{15}$

따라서 $\mathrm{P}(A\cap B)$의 최솟값은 $\frac{4}{15}$이다.

답 $\frac{4}{15}$

0536

> 한 개의 주사위를 던질 때, 6의 약수 또는 소수의 눈이 나오는 확률을 구하시오.
>
> └• $\mathrm{P}(A\cup B)=\mathrm{P}(A)+\mathrm{P}(B)-\mathrm{P}(A\cap B)$임을 이용하자.

6의 약수의 눈이 나오는 사건을 A, 소수의 눈이 나오는 사건을 B라 하면

$A=\{1, 2, 3, 6\}$, $B=\{2, 3, 5\}$, $A\cap B=\{2, 3\}$이므로

$\mathrm{P}(A)=\frac{4}{6}$, $\mathrm{P}(B)=\frac{3}{6}$, $\mathrm{P}(A\cap B)=\frac{2}{6}$

$$\begin{aligned}\therefore \mathrm{P}(A\cup B)&=\mathrm{P}(A)+\mathrm{P}(B)-\mathrm{P}(A\cap B)\\&=\frac{4}{6}+\frac{3}{6}-\frac{2}{6}=\frac{5}{6}\end{aligned}$$

답 $\frac{5}{6}$

0537

> 1에서 12까지의 번호가 각각 하나씩 적힌 12개의 공이 들어 있는 주머니에서 한 개의 공을 꺼낼 때, 2의 배수 또는 3의 배수가 적힌 공이 나올 확률을 구하시오.
>
> └• 6의 배수는 2의 배수이면서 3의 배수이다.

2의 배수가 적힌 공이 나오는 사건을 A, 3의 배수가 적힌 공이 나오는 사건을 B라 하면

$A=\{2, 4, 6, 8, 10, 12\}$, $B=\{3, 6, 9, 12\}$, $A\cap B=\{6, 12\}$

이므로

$\mathrm{P}(A)=\frac{6}{12}$, $\mathrm{P}(B)=\frac{4}{12}$, $\mathrm{P}(A\cap B)=\frac{2}{12}$

$$\begin{aligned}\therefore \mathrm{P}(A\cup B)&=\mathrm{P}(A)+\mathrm{P}(B)-\mathrm{P}(A\cap B)\\&=\frac{6}{12}+\frac{4}{12}-\frac{2}{12}=\frac{2}{3}\end{aligned}$$

답 $\frac{2}{3}$

0538

> 어느 반 학생 36명 중에서 방과후 수업에 참여하는 학생은 20명, 야간 자율 학습에 참여하는 학생은 28명이고, 방과후 수업과 야간 자율 학습에 모두 참여하지 않는 학생은 6명이다. 이 반에서 임의로 한 학생을 택할 때, 그 학생이 방과후 수업과 야간 자율 학습에 모두 참여하는 학생일 확률을 구하시오.
>
> └• $\mathrm{P}(A\cap B)=\mathrm{P}(A)+\mathrm{P}(B)-\mathrm{P}(A\cup B)$임을 이용하자.

이 반에서 임의로 한 학생을 택할 때, 방과후 수업에 참여하는 학생일 사건을 A, 야간 자율 학습에 참여하는 학생일 사건을 B라 하면

$\mathrm{P}(A)=\frac{20}{36}$, $\mathrm{P}(B)=\frac{28}{36}$, $\mathrm{P}(A\cup B)=1-\frac{6}{36}=\frac{30}{36}$

$$\begin{aligned}\therefore \mathrm{P}(A\cap B)&=\mathrm{P}(A)+\mathrm{P}(B)-\mathrm{P}(A\cup B)\\&=\frac{20}{36}+\frac{28}{36}-\frac{30}{36}=\frac{1}{2}\end{aligned}$$

답 $\frac{1}{2}$

0539

1, 2, 3의 숫자가 각각 하나씩 적힌 3개의 공이 들어 있는 주머니가 있다. 임의로 1개의 공을 꺼내어 공에 적힌 숫자를 확인한 뒤 넣는 일을 3번 반복할 때, 꺼낸 공에 적힌 세 수가 모두 같거나 세 수의 합이 6일 확률을 구하시오.

└• $\mathrm{P}(A\cup B)=\mathrm{P}(A)+\mathrm{P}(B)-\mathrm{P}(A\cap B)$임을 이용하자.

공을 3번 꺼낼 때 나올 수 있는 모든 경우의 수는
$3\times3\times3=27$
꺼낸 공에 적힌 세 수가 모두 같은 사건을 A, 세 수의 합이 6인 사건을 B라 하면
$A=\{(1, 1, 1), (2, 2, 2), (3, 3, 3)\}$,
$B=\{(1, 2, 3), (1, 3, 2), (2, 1, 3), (2, 3, 1), (3, 1, 2),$
$(3, 2, 1), (2, 2, 2)\}$,
$A\cap B=\{(2, 2, 2)\}$
이므로
$\mathrm{P}(A)=\frac{3}{27}$, $\mathrm{P}(B)=\frac{7}{27}$, $\mathrm{P}(A\cap B)=\frac{1}{27}$
$\therefore \mathrm{P}(A\cup B)=\mathrm{P}(A)+\mathrm{P}(B)-\mathrm{P}(A\cap B)$
$=\frac{3}{27}+\frac{7}{27}-\frac{1}{27}=\frac{1}{3}$

답 $\frac{1}{3}$

0540

• $\mathrm{P}(A\cap B)=\frac{1}{4}$임을 이용하자.

어느 마을에서 사과를 생산하는 농가는 전체의 $\frac{2}{3}$, 배를 생산하는 농가는 전체의 $\frac{1}{2}$이고, 사과와 배를 모두 생산하는 농가는 전체의 $\frac{1}{4}$이다. 이 마을에서 한 농가를 임의로 골랐을 때, 이 농가가 사과 또는 배를 생산하는 농가일 확률을 구하시오.

한 농가가 사과를 생산하는 사건을 A, 배를 생산하는 사건을 B라 하면
$\mathrm{P}(A)=\frac{2}{3}$, $\mathrm{P}(B)=\frac{1}{2}$, $\mathrm{P}(A\cap B)=\frac{1}{4}$
$\therefore \mathrm{P}(A\cup B)=\mathrm{P}(A)+\mathrm{P}(B)-\mathrm{P}(A\cap B)$
$=\frac{2}{3}+\frac{1}{2}-\frac{1}{4}=\frac{11}{12}$

답 $\frac{11}{12}$

0541

• $\mathrm{P}(A)=0.4$　　• $\mathrm{P}(A\cap B)=0.2$

내일 눈이 올 확률이 40%, 내일과 모레 모두 눈이 올 확률은 20%이다. 내일 또는 모레 눈이 올 확률이 70%일 때, 모레 눈이 올 확률은 몇 %인지 구하시오.

내일 눈이 오는 사건을 A, 모레 눈이 오는 사건을 B라 하면
$\mathrm{P}(A)=0.4$, $\mathrm{P}(A\cap B)=0.2$, $\mathrm{P}(A\cup B)=0.7$
$\mathrm{P}(A\cup B)=\mathrm{P}(A)+\mathrm{P}(B)-\mathrm{P}(A\cap B)$에서
$0.7=0.4+\mathrm{P}(B)-0.2$
$\therefore \mathrm{P}(B)=0.5$
따라서 모레 눈이 올 확률은 50%이다.

답 50%

0542

각 사건의 원소를 순서쌍으로 나타내자. •

서로 다른 두 주사위 A, B를 던질 때, 주사위 A의 눈의 수가 주사위 B의 눈의 수보다 3만큼 크거나 주사위 A의 눈의 수가 주사위 B의 눈의 수의 2배일 확률은 $\frac{n}{m}$이다. $m+n$의 값을 구하시오. (단, m, n은 서로소인 자연수이다.)

두 개의 주사위를 던질 때 나올 수 있는 모든 경우의 수는 $6\times6=36$
주사위 A의 눈의 수가 주사위 B의 눈의 수보다 3만큼 큰 사건을 C, 주사위 A의 눈의 수가 주사위 B의 눈의 수의 2배인 사건을 D라 하면
$C=\{(4, 1), (5, 2), (6, 3)\}$,
$D=\{(2, 1), (4, 2), (6, 3)\}$, $C\cap D=\{(6, 3)\}$
이므로 $\mathrm{P}(C)=\frac{3}{36}$, $\mathrm{P}(D)=\frac{3}{36}$, $\mathrm{P}(C\cap D)=\frac{1}{36}$
$\therefore \mathrm{P}(C\cup D)=\mathrm{P}(C)+\mathrm{P}(D)-\mathrm{P}(C\cap D)$
$=\frac{3}{36}+\frac{3}{36}-\frac{1}{36}=\frac{5}{36}$
$\therefore m+n=36+5=41$

답 41

0543

한 개의 주사위를 세 번 던질 때, 나오는 세 눈의 수를 차례로 a, b, c라 하자. 세 수 a, b, c가 등식 $(a-b)(b-2c)=0$을 만족시킬 확률은?

$a=b$ 또는 $b=2c$임을 이용하자. •

한 개의 주사위를 세 번 던질 때, 일어날 수 있는 모든 경우의 수는
$6\times6\times6=216$
$(a-b)(b-2c)=0$에서 $a=b$ 또는 $b=2c$
$a=b$인 사건을 A, $b=2c$인 사건을 B라 하면 등식 $(a-b)(b-2c)=0$을 만족시키는 사건은 $A\cup B$이다.

(i) $a=b$를 만족시키는 순서쌍 (a, b)는
$(1, 1), (2, 2), (3, 3), (4, 4), (5, 5), (6, 6)$이고, 이 6가지의 각 경우에 대하여 c의 경우의 수는 6이다.
따라서 순서쌍 (a, b, c)의 개수는 $6\times6=36$이므로
$\mathrm{P}(A)=\frac{36}{216}$

(ii) $b=2c$를 만족시키는 순서쌍 (b, c)는
$(2, 1), (4, 2), (6, 3)$이고, 이 3가지의 각 경우에 대하여 a의 경우의 수는 6이다.
따라서 순서쌍 (a, b, c)의 개수는 $3\times6=18$이므로
$\mathrm{P}(B)=\frac{18}{216}$

(iii) $a=b=2c$를 만족시키는 순서쌍 (a, b, c)는
$(2, 2, 1), (4, 4, 2), (6, 6, 3)$의 3가지이므로
$\mathrm{P}(A\cap B)=\frac{3}{216}$

(i), (ii), (iii)에서 구하는 확률은
$\mathrm{P}(A\cup B)=\mathrm{P}(A)+\mathrm{P}(B)-\mathrm{P}(A\cap B)$
$=\frac{36}{216}+\frac{18}{216}-\frac{3}{216}=\frac{17}{72}$

답 ④

0544

> 어느 선풍기 공장에서 생산된 선풍기 중에서 보증 기간 동안 날개 부분에 문제가 발생할 확률은 $\frac{1}{20}$이고, 전기 부분에 문제가 발생할 확률은 $\frac{1}{10}$이었다. 이 공장에서 생산된 선풍기를 하나 샀을 때, 보증 기간 동안에 날개 또는 전기 부분에 문제가 발생할 확률의 최솟값을 구하시오.
>
> └• $\mathrm{P}(A\cap B)$이 최대일 때, 최솟값을 갖는다.

보증 기간 동안에 선풍기의 날개 부분에 문제가 발생하는 사건을 A, 전기 부분에 문제가 발생하는 사건을 B라 하면

$\mathrm{P}(A)=\frac{1}{20}$, $\mathrm{P}(B)=\frac{1}{10}$

$\mathrm{P}(A\cup B)=\mathrm{P}(A)+\mathrm{P}(B)-\mathrm{P}(A\cap B)$

$=\frac{1}{20}+\frac{1}{10}-\mathrm{P}(A\cap B)$

$=\frac{3}{20}-\mathrm{P}(A\cap B)$

$0\le\mathrm{P}(A\cap B)\le\mathrm{P}(A)$이므로

$\mathrm{P}(A\cap B)=\frac{1}{20}$일 때, $\mathrm{P}(A\cup B)$가 최소이다.

따라서 $\mathrm{P}(A\cup B)$의 최솟값은

$\frac{3}{20}-\frac{1}{20}=\frac{1}{10}$ 답 $\frac{1}{10}$

0545

> 상자 속에 크기와 모양이 같은 흰 공 3개, 검은 공 5개가 들어 있다. 이 상자에서 임의로 2개의 공을 꺼낼 때, 2개 모두 같은 색의 공일 확률을 구하시오.
>
> 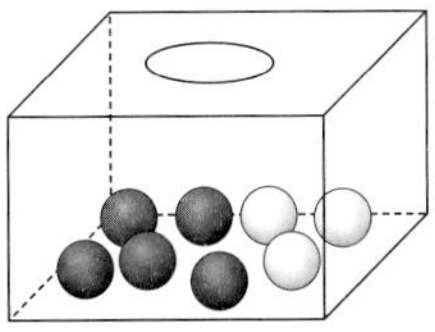
>
> └• 2개 모두 흰 공이거나 2개 모두 검은 공인 경우이다.

8개의 공에서 2개를 꺼내는 모든 방법의 수는 ${}_8\mathrm{C}_2$

2개 모두 흰 공이 나오는 사건을 A, 2개 모두 검은 공이 나오는 사건을 B라 하면

$\mathrm{P}(A)=\frac{{}_3\mathrm{C}_2}{{}_8\mathrm{C}_2}=\frac{3}{28}$, $\mathrm{P}(B)=\frac{{}_5\mathrm{C}_2}{{}_8\mathrm{C}_2}=\frac{5}{14}$

그런데 두 사건 A, B는 서로 배반사건이므로 구하는 확률은

$\mathrm{P}(A\cup B)=\mathrm{P}(A)+\mathrm{P}(B)$

$=\frac{3}{28}+\frac{5}{14}=\frac{13}{28}$ 답 $\frac{13}{28}$

0546

> 수학 경시대회에 출전할 학교 대표 2명을 선발하는 시험에 1, 2, 3학년 학생이 각각 3명, 5명, 7명 참가하였다. 대표로 뽑힌 두 학생이 모두 같은 학년일 확률은? (단, 모든 학생의 실력은 같다.)
>
> └• 두 학생이 모두 같은 학년인 경우는 서로 배반사건임을 이용하자.

15명에서 대표 2명을 뽑는 방법의 수는 ${}_{15}\mathrm{C}_2$

대표로 뽑힌 두 학생이 모두 1학년인 사건을 A, 2학년인 사건을 B, 3학년인 사건을 C라 하면

$\mathrm{P}(A)=\frac{{}_3\mathrm{C}_2}{{}_{15}\mathrm{C}_2}=\frac{6}{210}$

$\mathrm{P}(B)=\frac{{}_5\mathrm{C}_2}{{}_{15}\mathrm{C}_2}=\frac{20}{210}$

$\mathrm{P}(C)=\frac{{}_7\mathrm{C}_2}{{}_{15}\mathrm{C}_2}=\frac{42}{210}$

그런데 세 사건 A, B, C는 서로 배반사건이므로 구하는 확률은

$\frac{6}{210}+\frac{20}{210}+\frac{42}{210}=\frac{34}{105}$ 답 ①

0547

> 서로 다른 두 개의 주사위를 동시에 던질 때, 나오는 두 눈의 수의 합이 6의 배수일 확률은?
>
> └• 두 눈의 수의 합이 6이거나 12인 경우이다.

두 개의 주사위를 던질 때 나올 수 있는 모든 경우의 수는

$6\times6=36$

두 눈의 수의 합이 6인 사건을 A, 두 눈의 수의 합이 12인 사건을 B라 하면

$A=\{(1, 5), (2, 4), (3, 3), (4, 2), (5, 1)\}$

$B=\{(6, 6)\}$

이므로

$\mathrm{P}(A)=\frac{5}{36}$, $\mathrm{P}(B)=\frac{1}{36}$

그런데 두 사건 A, B는 서로 배반사건이므로 구하는 확률은

$\mathrm{P}(A\cup B)=\mathrm{P}(A)+\mathrm{P}(B)=\frac{5}{36}+\frac{1}{36}=\frac{1}{6}$ 답 ④

0548

> 서로 다른 2개의 주사위를 동시에 던질 때, 나오는 두 눈의 수의 합이 5이거나 차가 2일 확률은?
>
> └• 두 조건을 동시에 만족하는 경우는 없는 배반사건이다.

두 개의 주사위를 던질 때 나올 수 있는 모든 경우의 수는

$6\times6=36$

두 눈의 수의 합이 5인 사건을 A, 두 눈의 수의 차가 2인 사건을 B라 하면

$A=\{(1, 4), (2, 3), (3, 2), (4, 1)\}$,

$B=\{(1, 3), (3, 1), (2, 4), (4, 2), (3, 5), (5, 3), (4, 6), (6, 4)\}$

이므로

$\mathrm{P}(A)=\frac{4}{36}=\frac{1}{9}$, $\mathrm{P}(B)=\frac{8}{36}=\frac{2}{9}$

그런데 두 사건 A, B는 서로 배반사건이므로 구하는 확률은

$\mathrm{P}(A\cup B)=\mathrm{P}(A)+\mathrm{P}(B)$

$=\frac{1}{9}+\frac{2}{9}=\frac{1}{3}$ 답 ③

0549

흰 공 6개, 파란 공 4개가 들어 있는 주머니에서 임의로 3개의 공을 꺼낼 때, 흰 공 2개, 파란 공 1개가 나오거나 흰 공 1개, 파란 공 2개가 나올 확률은?
→ A, B가 서로 배반사건이면 $P(A\cup B)=P(A)+P(B)$임을 이용하자.

10개의 공에서 3개를 꺼내는 모든 방법의 수는 ${}_{10}C_3$

(ⅰ) 흰 공 2개, 파란 공 1개가 나올 확률은

$\frac{{}_6C_2\times{}_4C_1}{{}_{10}C_3}=\frac{1}{2}$

(ⅱ) 흰 공 1개, 파란 공 2개가 나올 확률은

$\frac{{}_6C_1\times{}_4C_2}{{}_{10}C_3}=\frac{3}{10}$

(ⅰ), (ⅱ)는 서로 배반사건이므로 구하는 확률은

$\frac{1}{2}+\frac{3}{10}=\frac{4}{5}$

답 ②

0550

노란 구슬 5개, 파란 구슬 5개가 들어 있는 주머니에서 4개의 구슬을 꺼낼 때, 노란 구슬의 개수가 2 이하일 확률이 $\frac{n}{m}$이다. $m+n$의 값을 구하시오. (단, m, n은 서로소인 자연수이다.)
→ 노란 구슬이 2개, 1개, 0개인 경우로 나누어 생각하자.

주머니에 있는 10개의 구슬 중에서 4개를 꺼내는 모든 방법의 수는 ${}_{10}C_4$

(ⅰ) 노란 구슬이 2개, 파란 구슬이 2개일 확률은

$\frac{{}_5C_2\times{}_5C_2}{{}_{10}C_4}=\frac{10}{21}$

(ⅱ) 노란 구슬이 1개, 파란 구슬이 3개일 확률은

$\frac{{}_5C_1\times{}_5C_3}{{}_{10}C_4}=\frac{5}{21}$

(ⅲ) 노란 구슬이 0개, 파란 구슬이 4개일 확률은

$\frac{{}_5C_0\times{}_5C_4}{{}_{10}C_4}=\frac{1}{42}$

(ⅰ), (ⅱ), (ⅲ)에서 세 사건은 서로 배반사건이므로 구하는 확률은

$\frac{10}{21}+\frac{5}{21}+\frac{1}{42}=\frac{31}{42}$

$\therefore m+n=42+31=73$

답 73

0551

0, 1, 2, 3, 4, 5의 숫자 중에서 세 수를 사용하여 각 자리의 숫자가 모두 다른 세 자리 정수를 만들 때, 그 수가 짝수일 확률을 구하시오.
→ 일의 자리의 숫자가 0, 2, 4인 경우로 나눌 수 있다.

각 자리의 숫자가 모두 다른 세 자리 정수 전체의 개수는

$5\times{}_5P_2=100$

(ⅰ) 일의 자리의 숫자가 0일 확률

$\frac{{}_5P_2}{100}=\frac{1}{5}$

(ⅱ) 일의 자리의 숫자가 2일 확률

$\frac{4\times4}{100}=\frac{4}{25}$

(ⅲ) 일의 자리의 숫자가 4일 확률

$\frac{4\times4}{100}=\frac{4}{25}$

(ⅰ), (ⅱ), (ⅲ)에서 세 사건은 서로 배반사건이므로 구하는 확률은

$\frac{1}{5}+\frac{4}{25}+\frac{4}{25}=\frac{13}{25}$

답 $\frac{13}{25}$

0552

그림과 같이 원 위에 같은 간격으로 0부터 6까지의 숫자가 쓰여 있다. 한 개의 주사위를 2번 던져서 나온 두 눈의 수의 합만큼 0에서 출발하여 화살표 방향으로 바둑돌을 움직인다고 할 때, 바둑돌이 0 또는 5에 있을 확률이 $\frac{n}{m}$이라고 한다. $m+n$의 값을 구하시오. (단, m, n은 서로소인 자연수이다.)
→ 나온 두 눈의 수의 합이 5, 7, 12인 경우가 있다는 것을 이용하자.

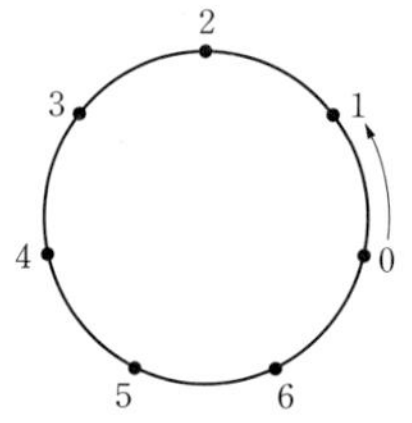

바둑돌이 0에 있는 경우는 주사위를 2번 던져서 나온 두 눈의 수의 합이 7이 되어야 하고, 바둑돌이 5에 있는 경우는 주사위를 2번 던져서 나온 두 눈의 수의 합이 5 또는 12가 되어야 한다.

(ⅰ) 나온 두 눈의 수의 합이 5인 경우는

(1, 4), (2, 3), (3, 2), (4, 1)의 4가지이다.

(ⅱ) 나온 두 눈의 수의 합이 7인 경우는

(1, 6), (2, 5), (3, 4), (4, 3), (5, 2), (6, 1)

의 6가지이다.

(ⅲ) 나온 두 눈의 수의 합이 12인 경우는

(6, 6)의 1가지이다.

(ⅰ), (ⅱ), (ⅲ)에서 세 사건은 서로 배반사건이므로 구하는 확률은

$\frac{4}{36}+\frac{6}{36}+\frac{1}{36}=\frac{11}{36}$

$\therefore m+n=36+11=47$

답 47

0553

두 사건 A, B에 대하여

$P(A)=\frac{1}{3}$, $P(B)=\frac{1}{4}$, $P(A^C\cup B^C)=\frac{11}{12}$

일 때, $P(A\cup B)$를 구하시오.
→ $P(A^C\cup B^C)=1-P(A\cap B)$임을 이용하자.

$P(A^C\cup B^C)=P((A\cap B)^C)=\frac{11}{12}$이므로

$P(A\cap B)=1-P((A\cap B)^C)$

$=1-\frac{11}{12}=\frac{1}{12}$

$\therefore P(A\cup B)=P(A)+P(B)-P(A\cap B)$

$=\frac{1}{3}+\frac{1}{4}-\frac{1}{12}=\frac{1}{2}$

답 $\frac{1}{2}$

0554

두 사건 A, B에 대하여

$$\mathrm{P}(A^C\cap B^C)=\frac{1}{6},\ \mathrm{P}(A\cap B^C)=\frac{1}{2}$$

일 때, $\mathrm{P}(B^C)$은?

→ $\mathrm{P}(A^C\cap B^C)=1-\mathrm{P}(A\cup B)$임을 이용하자.

$\mathrm{P}(A^C\cap B^C)=\frac{1}{6}$에서 $\mathrm{P}((A\cup B)^C)=\frac{1}{6}$

$1-\mathrm{P}(A\cup B)=\frac{1}{6}$

$\therefore \mathrm{P}(A\cup B)=\frac{5}{6}$

또 $\mathrm{P}(A\cap B^C)=\frac{1}{2}$이므로

$\mathrm{P}(B)=\mathrm{P}(A\cup B)-\mathrm{P}(A\cap B^C)=\frac{5}{6}-\frac{1}{2}=\frac{1}{3}$

$\therefore \mathrm{P}(B^C)=1-\mathrm{P}(B)=1-\frac{1}{3}=\frac{2}{3}$

답 ④

0555

두 사건 A, B에 대하여

$$\mathrm{P}(A^C)=\frac{2}{3},\ \mathrm{P}(A^C\cap B)=\frac{1}{4}$$

일 때, $\mathrm{P}(A\cup B)$의 값은? (단, A^C은 A의 여사건이다.)

→ $\mathrm{P}(A\cup B)=\mathrm{P}(A)+\mathrm{P}(B-A)$임을 이용하자.

$\mathrm{P}(A^C)=\frac{2}{3}$이므로 $\mathrm{P}(A)=1-\frac{2}{3}=\frac{1}{3}$

$A\cup B=A\cup(A^C\cap B)$이고

$A\cap(A^C\cap B)=\varnothing$이므로

$\mathrm{P}(A\cup B)=\mathrm{P}(A)+\mathrm{P}(A^C\cap B)$

$=\frac{1}{3}+\frac{1}{4}=\frac{7}{12}$

답 ②

0556

→ $A\cap B=\varnothing$이면 $A-B=A$임을 이용하자.

두 사건 A, B는 서로 배반사건이고

$$\mathrm{P}(A\cap B^C)=\frac{1}{5},\ \mathrm{P}(A^C\cap B)=\frac{1}{4}$$

일 때, $\mathrm{P}(A\cup B)$는?

두 사건 A, B가 서로 배반사건이므로

$\mathrm{P}(A\cap B)=0$

따라서 $A\cap B^C=A$, $A^C\cap B=B$이므로

$\mathrm{P}(A\cap B^C)=\mathrm{P}(A)=\frac{1}{5}$,

$\mathrm{P}(A^C\cap B)=\mathrm{P}(B)=\frac{1}{4}$

$\therefore \mathrm{P}(A\cup B)=\mathrm{P}(A)+\mathrm{P}(B)=\frac{1}{5}+\frac{1}{4}=\frac{9}{20}$

답 ①

0557

→ $\mathrm{P}((A\cup B)^C)=1-\mathrm{P}(A\cup B)$이다.

서로 배반사건인 두 사건 A, B에 대하여

$$\mathrm{P}((A\cup B)^C)=\frac{1}{5},\ \mathrm{P}(A)=3\mathrm{P}(B)$$

가 성립할 때, $\mathrm{P}(A^C)$을 구하시오.

→ $\mathrm{P}(A^C)=1-\mathrm{P}(A)$임을 이용하자.

$\mathrm{P}((A\cup B)^C)=\frac{1}{5}$이므로

$\mathrm{P}(A\cup B)=1-\mathrm{P}((A\cup B)^C)=1-\frac{1}{5}=\frac{4}{5}$

두 사건 A, B는 서로 배반사건이므로 $\mathrm{P}(A\cap B)=0$

$\mathrm{P}(A\cup B)=\mathrm{P}(A)+\mathrm{P}(B)-\mathrm{P}(A\cap B)$에서

$\frac{4}{5}=\mathrm{P}(A)+\mathrm{P}(B)$

$\mathrm{P}(A)=3\mathrm{P}(B)$이므로

$\frac{4}{5}=3\mathrm{P}(B)+\mathrm{P}(B)=4\mathrm{P}(B)$

$\therefore \mathrm{P}(B)=\frac{1}{5}$

따라서 $\mathrm{P}(A)=3\times\frac{1}{5}=\frac{3}{5}$이므로

$\mathrm{P}(A^C)=1-\mathrm{P}(A)=1-\frac{3}{5}=\frac{2}{5}$

답 $\frac{2}{5}$

0558

→ A, B가 서로 배반사건이면 $\mathrm{P}(A\cup B)=\mathrm{P}(A)+\mathrm{P}(B)$ 임을 이용하자.

두 사건 A, B는 서로 배반사건이고

$$\mathrm{P}(A)=\frac{1}{4},\ \mathrm{P}(A)+\mathrm{P}(B)=3\mathrm{P}(A^C\cap B^C)$$

일 때, $\mathrm{P}(B)$를 구하시오.

두 사건 A, B가 서로 배반사건이므로 $\mathrm{P}(A\cap B)=0$

$\therefore \mathrm{P}(A\cup B)=\mathrm{P}(A)+\mathrm{P}(B)$

$\mathrm{P}(A)+\mathrm{P}(B)=3\mathrm{P}(A^C\cap B^C)$에서

$\mathrm{P}(A)+\mathrm{P}(B)=3\mathrm{P}((A\cup B)^C)$이므로

$\mathrm{P}(A\cup B)=3(1-\mathrm{P}(A\cup B))$

$4\mathrm{P}(A\cup B)=3$

$\therefore \mathrm{P}(A\cup B)=\frac{3}{4}$

$\mathrm{P}(A\cup B)=\mathrm{P}(A)+\mathrm{P}(B)=\frac{1}{4}+\mathrm{P}(B)=\frac{3}{4}$

$\therefore \mathrm{P}(B)=\frac{1}{2}$

답 $\frac{1}{2}$

0559

적어도 ~인 사건은 여사건을 생각하자. ←

8개의 제비 중에 당첨 제비가 3개 들어 있다. 이 중에서 2개를 꺼낼 때, 적어도 1개가 당첨 제비일 확률을 구하시오.

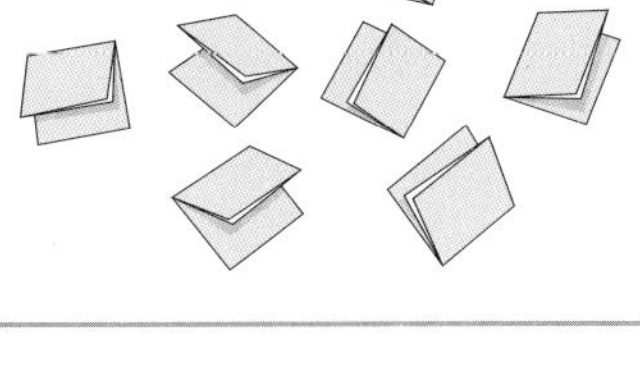

당첨 제비가 적어도 1개인 사건을 A라 하면 A^C은 당첨 제비가 하나도 나오지 않는 사건이므로

$P(A^C)=\frac{{}_5C_2}{{}_8C_2}=\frac{5}{14}$

따라서 구하는 확률은

$P(A)=1-P(A^C)=1-\frac{5}{14}=\frac{9}{14}$

답 $\frac{9}{14}$

0560

어떤 회사에서 만들어지는 제품은 10개 중에 3개가 불량품이라고 한다. 이 회사에서 만든 10개의 제품 중에서 임의로 3개의 제품을 동시에 택할 때, 적어도 하나가 불량품일 확률을 구하시오.

1−(3개가 모두 불량품이 아닐 확률)임을 이용하자.

적어도 하나가 불량품일 사건을 A라 하면 A^C은 3개가 모두 불량품이 아닐 사건이므로

$P(A^C)=\frac{{}_7C_3}{{}_{10}C_3}=\frac{7}{24}$

따라서 구하는 확률은

$P(A)=1-P(A^C)=1-\frac{7}{24}=\frac{17}{24}$

답 $\frac{17}{24}$

0561

빨간 공 4개, 파란 공 3개, 노란 공 3개가 들어 있는 상자에서 2개의 공을 꺼낼 때, 적어도 한 개가 빨간 공일 확률은?

1−(모두 빨간 공이 아닐 확률)임을 이용하자.

적어도 한 개가 빨간 공일 사건을 A라 하면 A^C은 모두 빨간 공이 아닐 사건이므로

$P(A^C)=\frac{{}_6C_2}{{}_{10}C_2}=\frac{1}{3}$

따라서 구하는 확률은

$P(A)=1-P(A^C)=1-\frac{1}{3}=\frac{2}{3}$

답 ④

0562

서로 다른 3개의 동전을 동시에 던지는 시행에서 3개 모두 같은 면이 나오는 사건을 A, 3개 중에서 적어도 2개가 뒷면이 나오는 사건을 B라 할 때, $P(A\cup B)$는?

$P(A\cup B)=P(A)+P(B)-P(A\cap B)$ 임을 이용하자.

3개의 동전을 동시에 던질 때, 일어나는 모든 경우의 수는 $2\times2\times2=8$

앞면이 나오는 경우를 H, 뒷면이 나오는 경우를 T라 하면

(i) 3개 모두 같은 면이 나오는 경우는

(H, H, H), (T, T, T)의 2가지이므로

$P(A)=\frac{2}{8}$

(ii) 3개 중에서 적어도 2개가 뒷면이 나오는 경우는

(H, T, T), (T, H, T), (T, T, H), (T, T, T)의 4가지이므로

$P(B)=\frac{4}{8}$

(iii) 3개 모두 같은 면이면서 적어도 2개가 뒷면이 나오는 경우는

(T, T, T)의 1가지이므로

$P(A\cap B)=\frac{1}{8}$

(i), (ii), (iii)에서

$P(A\cup B)=P(A)+P(B)-P(A\cap B)$

$=\frac{2}{8}+\frac{4}{8}-\frac{1}{8}=\frac{5}{8}$

답 ④

0563

흰 공이 3개, 검은 공이 n개 들어 있는 주머니에서 2개의 공을 동시에 꺼낼 때, 검은 공이 적어도 하나 나올 확률은 $\frac{7}{10}$이다. n의 값을 구하시오.

1−(2개 모두 흰 공이 나올 확률)임을 이용하자.

검은 공이 적어도 하나 나올 사건을 A라 하면 A^C은 2개 모두 흰 공이 나올 사건이므로

$P(A^C)=\frac{{}_3C_2}{{}_{n+3}C_2}$

$P(A)=1-P(A^C)$

$=1-\frac{{}_3C_2}{{}_{n+3}C_2}$

$=1-\frac{6}{(n+3)(n+2)}=\frac{7}{10}$

$(n+3)(n+2)=20=5\times4$

$\therefore n=2$

답 2

0564

9명의 학생 중에서 여학생이 n명 있다. 이 9명의 학생 중에서 임의로 2명의 대표를 선발하였을 때, 적어도 한 명이 여학생일 확률이 $\frac{5}{6}$이다. n의 값을 구하시오.

1−(2명 모두 남학생일 확률)임을 이용하자.

여학생이 n $(0\le n\le9)$명이므로 남학생은 $(9-n)$명이다.

적어도 한 명이 여학생인 사건을 A라 하면 A^C은 2명 모두 남학생인 사건이므로

$P(A^C)=\frac{{}_{9-n}C_2}{{}_9C_2}$

$\therefore P(A)=1-P(A^C)=1-\frac{{}_{9-n}C_2}{{}_9C_2}$

$=1-\frac{(9-n)(8-n)}{9\times8}$

$=\frac{5}{6}$

$(9-n)(8-n)=12=4\times3$

$\therefore n=5$ $(\because 0\le n\le9)$

답 5

0565

서로 다른 세 개의 주사위를 동시에 던질 때, 적어도 두 개의 눈이 같을 확률은?
여사건은 세 개의 눈이 모두 다른 사건이다.

적어도 두 개의 눈이 같은 사건을 A라 하면 A^C은 세 개의 눈이 모두 다른 사건이므로

$P(A^C)=\frac{{}_6P_3}{6^3}=\frac{5}{9}$

따라서 구하는 확률은

$P(A)=1-P(A^C)=1-\frac{5}{9}=\frac{4}{9}$ 답 ④

0566

방정식을 풀면 $x=\frac{a}{2}$ 또는 $x=\frac{a}{5}$임을 이용하자.

집합 $N=\{n|1\le n\le 1000, n$은 자연수$\}$에 대하여 집합 N에서 임의로 한 개의 자연수 a를 꺼냈을 때, 이차방정식 $10x^2-7ax+a^2=0$이 적어도 하나의 정수해를 가질 확률은?
$P(A\cup B)=P(A)+P(B)-P(A\cap B)$임을 이용하자.

$10x^2-7ax+a^2=0$에서

$(2x-a)(5x-a)=0$

$\therefore x=\frac{a}{2}$ 또는 $x=\frac{a}{5}$

이차방정식이 적어도 하나의 정수해를 가지므로 a가 2의 배수일 사건을 A, a가 5의 배수일 사건을 B라 하면 $A\cap B$는 a가 10의 배수일 사건이므로

$P(A)=\frac{500}{1000}=\frac{1}{2}$, $P(B)=\frac{200}{1000}=\frac{1}{5}$

$P(A\cap B)=\frac{100}{1000}=\frac{1}{10}$

$\therefore P(A\cup B)=P(A)+P(B)-P(A\cap B)$

$=\frac{1}{2}+\frac{1}{5}-\frac{1}{10}=\frac{3}{5}$ 답 ③

0567

서로 다른 두 개의 주사위를 동시에 던질 때, 나온 두 눈의 수의 합이 5 이상일 확률은?
1−(두 눈의 수의 합이 5미만일 확률)인 것과 같다.

두 눈의 수의 합이 5 이상인 사건을 A라 하면 A^C은 두 눈의 수의 합이 5 미만인 사건이므로

$A^C=\{(1, 1), (1, 2), (1, 3), (2, 1), (2, 2), (3, 1)\}$

$\therefore P(A^C)=\frac{6}{36}=\frac{1}{6}$

따라서 구하는 확률은

$P(A)=1-P(A^C)=1-\frac{1}{6}=\frac{5}{6}$ 답 ⑤

0568

각 면에 1, 2, 3, 4의 숫자가 하나씩 적혀 있는 정사면체가 있다. 이 정사면체를 두 번 던져서 나온 두 눈의 수의 합이 4 이상일 확률은? (단, 정사면체는 바닥에 놓인 면에 적힌 숫자를 읽는다.)
1−(두 눈의 수의 합이 4 미만일 확률)임을 이용하자.

두 눈의 수의 합이 4 이상인 사건을 A라 하면 A^C은 두 눈의 수의 합이 4 미만인 사건이므로

$A^C=\{(1, 1), (1, 2), (2, 1)\}$

$\therefore P(A^C)=\frac{3}{16}$

따라서 구하는 확률은

$P(A)=1-P(A^C)=1-\frac{3}{16}=\frac{13}{16}$ 답 ①

0569

흰 공 6개, 파란 공 4개가 들어 있는 주머니에서 4개의 공을 꺼낼 때, 흰 공이 2개 이상일 확률은?
여사건은 흰 공이 1개 또는 0개인 사건이다.

10개의 공 중에서 4개를 꺼낼 때, 흰 공이 2개 이상인 사건을 A라 하면 A^C은 흰 공이 1개 또는 모두 파란 공인 사건이다.

(i) 흰 공 1개, 파란 공 3개를 꺼낼 확률은

$\frac{{}_6C_1\times{}_4C_3}{{}_{10}C_4}=\frac{4}{35}$

(ii) 파란 공 4개를 꺼낼 확률은

$\frac{{}_4C_4}{{}_{10}C_4}=\frac{1}{210}$

(i), (ii)에서 $P(A^C)=\frac{4}{35}+\frac{1}{210}=\frac{5}{42}$

따라서 구하는 확률은

$P(A)=1-P(A^C)=1-\frac{5}{42}=\frac{37}{42}$ 답 ④

0570

집합 $S=\{1, 2, 3, 4, 5, 6\}$의 부분집합 중에서 임의로 하나의 부분집합을 택할 때, 원소의 합이 5 이상일 확률을 구하시오.
전체 경우의 수는 2^6이다. 1−(원소의 합이 5 미만일 확률)이다.

집합 $S=\{1, 2, 3, 4, 5, 6\}$의 부분집합의 개수는

$2^6=64$

원소의 합이

합이 0인 경우: $\varnothing$ … 1개

합이 1인 경우: $\{1\}$ … 1개

합이 2인 경우: $\{2\}$ … 1개

합이 3인 경우: $\{1, 2\}, \{3\}$ … 2개

합이 4인 경우: $\{1, 3\}, \{4\}$ … 2개

따라서 구하는 확률은

$1-\frac{1+1+1+2+2}{2^6}=1-\frac{7}{64}=\frac{57}{64}$ 답 $\frac{57}{64}$

0571

> 한 개의 주사위를 두 번 던져서 첫 번째 나온 눈의 수를 a, 두 번째 나온 눈의 수를 b라 할 때, 직선 $y=\frac{b}{a}x$의 기울기가 2 이하일 확률을 구하시오.
>
> $\frac{b}{a}\le 2$인 것보다 $\frac{b}{a}>2$인 것을 찾기가 더 수월하다.

직선 $y=\frac{b}{a}x$의 기울기가 2 이하인 사건을 A라 하면 A^C은 기울기가 2보다 큰 사건이다.

직선의 기울기는 $\frac{b}{a}$이므로 $\frac{b}{a}>2$인 a, b의 순서쌍 (a, b)는

$(1, 3)$, $(1, 4)$, $(1, 5)$, $(1, 6)$, $(2, 5)$, $(2, 6)$의 6가지이다.

$\therefore \mathrm{P}(A^C)=\frac{6}{36}=\frac{1}{6}$

따라서 구하는 확률은

$\mathrm{P}(A)=1-\mathrm{P}(A^C)=1-\frac{1}{6}=\frac{5}{6}$ 답 $\frac{5}{6}$

0572

> 50원, 100원, 500원짜리 동전이 각각 3개씩 모두 9개가 들어 있는 지갑에서 동전 3개를 임의로 꺼낼 때, 꺼낸 모든 동전의 금액의 합이 250원 이상일 확률을 $\frac{q}{p}$라 하자. $p+q$의 값을 구하시오. (단, p, q는 서로소인 자연수이다.)
>
> 꺼낸 동전이 250원 미만인 경우로 구하면 500원짜리 동전은 고려하지 않아도 된다.

9개의 동전 중에서 3개를 임의로 꺼낼 때, 꺼낸 모든 동전의 금액의 합이 250원 미만일 확률은

(i) 50원짜리 동전을 3개 꺼내는 경우

$\frac{{}_3\mathrm{C}_3}{{}_9\mathrm{C}_3}=\frac{1}{84}$

(ii) 50원짜리 동전 2개와 100원짜리 동전 1개를 꺼내는 경우

$\frac{{}_3\mathrm{C}_2\times{}_3\mathrm{C}_1}{{}_9\mathrm{C}_3}=\frac{9}{84}$

(i), (ii)에서 $\frac{1}{84}+\frac{9}{84}=\frac{5}{42}$

따라서 꺼낸 모든 동전의 금액의 합이 250원 이상일 확률은

$1-\frac{5}{42}=\frac{37}{42}$

$\therefore p+q=42+37=79$ 답 79

0573

> 서로 다른 두 개의 주사위를 동시에 던질 때, 나온 두 눈의 수의 곱이 짝수일 확률을 구하시오.
>
> 두 자연수의 곱이 홀수인 경우는 (홀수×홀수) 뿐이므로, 곱이 짝수인 것을 찾는 것보다 더 수월하다.

두 수의 곱이 짝수인 사건을 A라 하면

두 수의 곱이 홀수인 사건은 A^C이므로

$\mathrm{P}(A^C)=\frac{1}{2}\times\frac{1}{2}=\frac{1}{4}$

$\therefore \mathrm{P}(A)=1-\frac{1}{4}=\frac{3}{4}$ 답 $\frac{3}{4}$

0574

> 1−(A, B 모두 뽑히지 않을 확률)임을 이용하자.
>
> A, B를 포함한 8명의 요리 동아리 회원 중에서 요리 박람회에 참가할 5명의 회원을 임의로 뽑을 때, A 또는 B가 뽑힐 확률은?

A 또는 B가 뽑힐 확률은 1에서 A, B 모두 뽑히지 않을 확률을 뺀 값이다.

8명 중 5명을 뽑는 경우의 수는 ${}_8\mathrm{C}_5=56$,

A, B가 모두 뽑히지 않는 경우의 수는 ${}_6\mathrm{C}_5=6$이므로

A 또는 B가 뽑힐 확률은 $1-\frac{6}{56}=\frac{50}{56}=\frac{25}{28}$ 답 ⑤

0575

> 1, 2, 3, 4의 숫자가 각각 적혀 있는 4장의 숫자 카드에서 중복을 허락하여 3장의 카드를 뽑을 때, 나오는 수를 각각 x, y, z라 하자. 이때, $(x-y)(y-z)(z-x)=0$일 확률을 구하시오.
>
> $x=y$ 또는 $y=z$ 또는 $z=x$임을 이용하자.

4장의 숫자 카드에서 중복을 허락하여 3장의 카드를 뽑는 경우의 수는

${}_4\Pi_3=4^3$

$(x-y)(y-z)(z-x)=0$인 사건을 A라 하면

$(x-y)(y-z)(z-x)\ne 0$에서

$\mathrm{P}(A^C)=\frac{{}_4\mathrm{P}_3}{4^3}=\frac{4\times3\times2}{4^3}=\frac{3}{8}$

$\therefore \mathrm{P}(A)=1-\frac{3}{8}=\frac{5}{8}$ 답 $\frac{5}{8}$

0576

> 어느 바둑 동아리 회원의 구성이 표와 같다. 이 회원 중에서 2명의 대표를 임의로 뽑을 때, 여학생이 포함되거나 1학년 학생이 포함될 확률을 구하시오.
>
> 여사건은 2학년 남학생 중에서만 2명을 뽑는 경우이다.
>
> (단위: 명)

학년 \ 성별	남	여	합계
1학년	6	2	8
2학년	10	2	12
합계	16	4	20

여학생이 포함되거나 1학년 학생이 포함되는 사건을 A라 하면

A^C은 2학년 남학생 중에서 2명의 대표가 뽑히는 사건이므로

$\mathrm{P}(A^C)=\frac{{}_{10}\mathrm{C}_2}{{}_{20}\mathrm{C}_2}=\frac{9}{38}$

따라서 구하는 확률은

$\mathrm{P}(A)=1-\mathrm{P}(A^C)=1-\frac{9}{38}=\frac{29}{38}$ 답 $\frac{29}{38}$

0577

> 영희, 지은, 승희는 5개의 특기적성 과목 중에서 한 과목씩 선택하였다. 세 명 중에서 같은 과목을 선택한 사람이 있을 확률을 구하시오.
>
> 1−(세 명 모두 다른 과목을 선택할 확률)임을 이용하자.

같은 과목을 선택한 사람이 있는 사건을 A라 하면 A^C은 모두 다른 과목을 선택한 사건이므로

$P(A^C)=\frac{{}_5P_3}{{}_5\Pi_3}=\frac{12}{25}$

따라서 구하는 확률은

$P(A)=1-P(A^C)=1-\frac{12}{25}=\frac{13}{25}$ 답 $\frac{13}{25}$

0578 1−(1, 2가 모두 뽑히거나 모두 없을 확률)임을 이용하자.

그림과 같이 9장의 카드에 1, 2, 3, ⋯, 9의 번호가 각각 하나씩 적혀 있다. 이것을 잘 섞어서 두 장을 뽑을 때, 1, 2 중에서 어느 카드 하나만 뽑을 확률을 구하시오.

뽑은 두 장 중에서 1과 2가 모두 없는 사건을 A, 1과 2가 모두 뽑힐 사건을 B라 하면

$P(A)=\frac{{}_7C_2}{{}_9C_2}=\frac{7}{12}$, $P(B)=\frac{{}_2C_2}{{}_9C_2}=\frac{1}{36}$

따라서 구하는 확률은

$1-\{P(A)+P(B)\}=1-\left(\frac{7}{12}+\frac{1}{36}\right)=\frac{7}{18}$ 답 $\frac{7}{18}$

0579 1−(같은 숫자가 적혀 있는 공이 이웃할 확률)임을 이용하자.

숫자 1, 2, 3, 4가 하나씩 적혀 있는 흰 공 4개와 숫자 4, 5, 6이 하나씩 적혀 있는 검은 공 3개가 있다. 이 7개의 공을 임의로 일렬로 나열할 때, 같은 숫자가 적혀 있는 공이 서로 이웃하지 않게 나열될 확률은 $\frac{q}{p}$이다. $p+q$의 값을 구하시오.

(단, p와 q는 서로소인 자연수이다.)

7개의 공을 임의로 일렬로 나열할 때, 같은 숫자가 적혀 있는 공이 서로 이웃하지 않게 나열되는 사건을 A라 하면 A의 여사건은 7개의 공을 임의로 일렬로 나열할 때, 같은 숫자가 적혀 있는 공이 서로 이웃하게 나열되는 사건이다.

7개의 공을 일렬로 나열하는 경우의 수는 $7!$이다.

4가 적혀 있는 흰 공과 4가 적혀 있는 검은 공을 하나의 공으로 생각하여 6개의 공을 일렬로 나열하는 경우의 수는 $6!$이고, 이 각각에 대하여 4가 적혀 있는 흰 공과 4가 적혀 있는 검은 공이 서로 위치를 바꿀 수 있으므로 이때의 경우의 수는 $6!\times2!$이다. 이때,

$P(A^C)=\frac{6!\times2!}{7!}=\frac{2}{7}$

이므로

$P(A)=1-P(A^C)=1-\frac{2}{7}=\frac{5}{7}$

따라서 $p=7$, $q=5$이므로

$p+q=7+5=12$ 답 12

0580 $\cos 60°=\frac{1}{2}$이므로 변의 길이의 비가 2 : 1이면 직각삼각형이다.

그림과 같이 두 직선 l, m이 60°의 각을 이루면서 점 O에서 만난다. 점 O로부터 일정한 간격으로 점을 잡고 직선 l 위의 네 점을 A, B, C, D, 직선 m 위의 세 점을 A′, B′, C′이라고 한다. 네 점 A, B, C, D에서 한 점, 세 점 A′, B′, C′에서 한 점을 골라내어 이 두 점과 점 O를 꼭짓점으로 하는 삼각형을 만들 때, 이 삼각형이 직각삼각형이 아닐 확률을 구하시오.

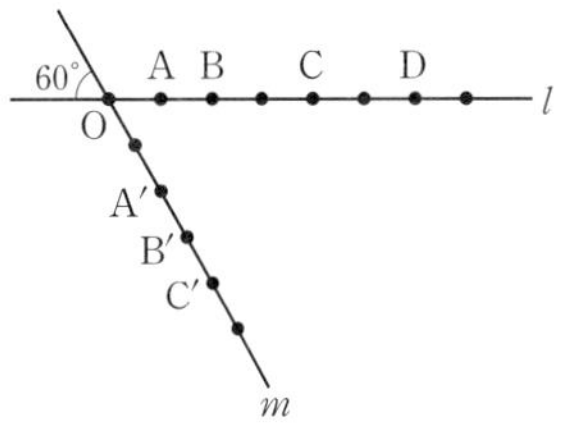

네 점 A, B, C, D에서 한 점, 세 점 A′, B′, C′에서 한 점을 골라내어 이 두 점과 점 O를 꼭짓점으로 하는 삼각형은 모두 12가지이고, 그중 직각삼각형이 되는 경우는

(i) A와 A′을 고른 경우 (ii) B와 C′을 고른 경우

(iii) C와 A′을 고른 경우 (iv) D와 B′을 고른 경우

의 4가지이므로 직각삼각형일 확률은 $\frac{4}{12}=\frac{1}{3}$

따라서 직각삼각형이 아닐 확률은

$1-\frac{1}{3}=\frac{2}{3}$ 답 $\frac{2}{3}$

참고 세 내각의 크기가 각각 30°, 60°, 90°인 직각삼각형의 세 변의 길이의 비

➡ $1:\sqrt{3}:2$

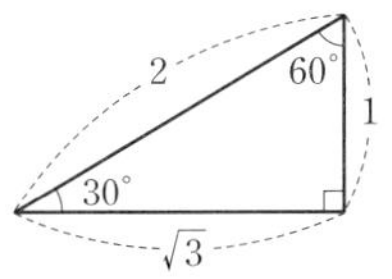

0581 1−(두 점을 연결한 선분의 길이가 유리수일 확률)임을 이용하자.

그림과 같이 한 변의 길이가 1인 정사각형 6개를 붙여 놓은 도형이 있다. 12개의 꼭짓점 중에서 임의의 두 점을 연결한 선분의 길이가 무리수일 확률이 $\frac{a}{b}$일 때, $a+b$의 값을 구하시오.

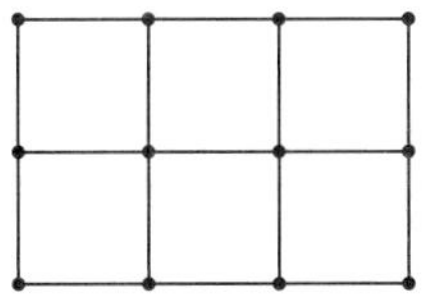

(단, a, b는 서로소인 자연수이다.)

12개의 점 중 두 점을 선택하는 경우의 수는

${}_{12}C_2=66$

같은 행 또는 같은 열에 있는 두 점을 선택할 때에만 선분의 길이가 유리수가 되므로 유리수인 선분의 수는

$3\times{}_4C_2+4\times{}_3C_2=30$

따라서 구하는 확률은

$1-\frac{30}{66}=\frac{6}{11}$ $\therefore a+b=17$ 답 17

0582

두 사건 A, B에 대하여

$$P(A)=\frac{2}{3},\ P(A\cap B^{C})=\frac{1}{4}$$

일 때, $P(B|A)$는? → $P(A\cap B^{C})=P(A)-P(A\cap B)$임을 이용하자.

$P(A\cap B^{C})=P(A)-P(A\cap B)$에서

$P(A\cap B)=P(A)-P(A\cap B^{C})$

$=\frac{2}{3}-\frac{1}{4}=\frac{5}{12}$

$\therefore P(B|A)=\frac{P(A\cap B)}{P(A)}=\frac{\frac{5}{12}}{\frac{2}{3}}=\frac{5}{8}$

답 ⑤

0583

두 사건 A, B에 대하여

$$P(A)=\frac{1}{3},\ P(B)=\frac{1}{2},\ P(A|B)=\frac{1}{6}$$

일 때, $P(A\cup B)$를 구하시오. → $P(A|B)=\frac{P(A\cap B)}{P(B)}$ 임을 이용하자.

$P(A|B)=\frac{P(A\cap B)}{P(B)}$에서

$P(A\cap B)=P(B)P(A|B)=\frac{1}{2}\times\frac{1}{6}=\frac{1}{12}$

$\therefore P(A\cup B)=P(A)+P(B)-P(A\cap B)$

$=\frac{1}{3}+\frac{1}{2}-\frac{1}{12}=\frac{3}{4}$

답 $\frac{3}{4}$

0584

두 사건 A, B에 대하여

$$P(A)=\frac{1}{3},\ P(B|A)=\frac{2}{5},\ P(A^{c}\cap B^{c})=\frac{1}{3}$$

일 때, $P(B)$는? → $P(A\cap B)=P(A)P(B|A)$임을 이용하자.

$P(B|A)=\frac{P(A\cap B)}{P(A)}$에서

$P(A\cap B)=P(A)P(B|A)$

$=\frac{1}{3}\times\frac{2}{5}=\frac{2}{15}$

$P(A^{c}\cap B^{c})=P((A\cup B)^{c})=1-P(A\cup B)=\frac{1}{3}$이므로

$P(A\cup B)=\frac{2}{3}$

$P(A\cup B)=P(A)+P(B)-P(A\cap B)$에서

$\frac{2}{3}=\frac{1}{3}+P(B)-\frac{2}{15}$

$\therefore P(B)=\frac{7}{15}$

답 ③

0585

두 사건 A, B에 대하여

$$P(A^{C})=\frac{1}{5},\ P(B|A)=\frac{3}{4}$$

일 때, $P(A\cap B^{C})$을 구하시오. → $P(A\cap B)=P(A)P(B|A)$임을 이용하자.

$P(A)=1-P(A^{C})=1-\frac{1}{5}=\frac{4}{5}$

$P(B|A)=\frac{P(A\cap B)}{P(A)}$에서

$P(A\cap B)=P(A)P(B|A)=\frac{4}{5}\times\frac{3}{4}=\frac{3}{5}$

$\therefore P(A\cap B^{C})=P(A)-P(A\cap B)$

$=\frac{4}{5}-\frac{3}{5}=\frac{1}{5}$

답 $\frac{1}{5}$

0586

두 사건 A, B에 대하여

$$P(A\cup B)=\frac{5}{8},\ P(B)=\frac{1}{4}$$

일 때, $P(A|B^{C})$의 값은? (단, B^{C}은 B의 여사건이다.) → $P(A|B^{C})=\frac{P(A\cap B^{C})}{P(B^{C})}$ 임을 이용하자.

$P(A|B^{C})=\frac{P(A\cap B^{C})}{P(B^{C})}$이다.

그런데,

$P(A\cup B)=P(A)+P(B)-P(A\cap B)$

에서

$P(A\cap B^{C})=P(A)-P(A\cap B)$

$=P(A\cup B)-P(B)$

$=\frac{5}{8}-\frac{1}{4}=\frac{3}{8}$

이고,

$P(B^{C})=1-P(B)=\frac{3}{4}$이다.

$\therefore P(A|B^{C})=\frac{P(A\cap B^{C})}{P(B^{C})}$

$=\frac{\frac{3}{8}}{\frac{3}{4}}=\frac{1}{2}$

답 ①

0587

→ $P(A\cup B)=P(A)+P(B)-P(A\cap B)$임을 이용하자.

두 사건 A, B에 대하여

$$P(A\cup B)=2P(A),\ P(B|A)=\frac{3}{5}$$

일 때, $P(A|B)$를 구하시오. → $P(A\cap B)=P(A)P(B|A)$ 임을 이용하자.

$P(B|A)=\frac{P(A\cap B)}{P(A)}=\frac{3}{5}$이므로

$P(A\cap B)=\frac{3}{5}P(A)$

$P(A\cup B)=P(A)+P(B)-P(A\cap B)=2P(A)$

이므로 $P(A)+P(B)-\frac{3}{5}P(A)=2P(A)$

$\therefore P(B)=\frac{8}{5}P(A)$

$\therefore P(A|B)=\frac{P(A\cap B)}{P(B)}=\frac{\frac{3}{5}P(A)}{\frac{8}{5}P(A)}=\frac{3}{8}$ 답 $\frac{3}{8}$

0588

> 두 사건 A, B에 대하여 ← $P(A\cap B)=P(A)P(B|A)$임을 이용하자.
>
> $P(A)=\frac{2}{5}$, $P(B)=\frac{2}{3}$, $P(B|A)=\frac{5}{6}$
>
> 일 때, $P(A|B^C)$을 구하시오.

$P(B^C)=1-P(B)=1-\frac{2}{3}=\frac{1}{3}$

$P(B|A)=\frac{P(A\cap B)}{P(A)}$에서

$P(A\cap B)=P(A)P(B|A)$

$=\frac{2}{5}\times\frac{5}{6}=\frac{1}{3}$

$P(A\cap B^C)=P(A)-P(A\cap B)$

$=\frac{2}{5}-\frac{1}{3}=\frac{1}{15}$

$\therefore P(A|B^C)=\frac{P(A\cap B^C)}{P(B^C)}=\frac{\frac{1}{15}}{\frac{1}{3}}=\frac{1}{5}$ 답 $\frac{1}{5}$

0589

> 두 사건 A, B가 서로 배반사건이고 ← $P(A\cap B)=0$이다.
>
> $P(A)=\frac{3}{5}$, $P(B)=\frac{1}{4}$ ← $P(A^C)=1-P(A)$임을 이용하자.
>
> 일 때, $P(B|A^C)$을 구하시오.

$P(A^C)=1-P(A)=1-\frac{3}{5}=\frac{2}{5}$

두 사건 A, B가 서로 배반사건이므로

$P(A\cap B)=0$

즉, $P(A^C\cap B)=P(B)-P(A\cap B)=P(B)=\frac{1}{4}$

$\therefore P(B|A^C)=\frac{P(A^C\cap B)}{P(A^C)}=\frac{\frac{1}{4}}{\frac{2}{5}}=\frac{5}{8}$ 답 $\frac{5}{8}$

0590

> 두 사건 A, B에 대하여 ← $P(B^C|A)=\frac{P(B^C\cap A)}{P(A)}$임을 이용하자.
>
> $P(A\cap B)=\frac{1}{8}$, $P(B^C|A)=2P(B|A)$
>
> 일 때, $P(A)$의 값은? (단, B^C은 B의 여사건이다.)

$P(B^C|A)=2P(B|A)$에서

$\frac{P(A\cap B^C)}{P(A)}=2\times\frac{P(A\cap B)}{P(A)}$

$P(A\cap B^C)=2\times P(A\cap B)$

$=2\times\frac{1}{8}\ \left(\because P(A\cap B)=\frac{1}{8}\right)$

$=\frac{1}{4}$

$\therefore P(A)=P(A\cap B^C)+P(A\cap B)$

$=\frac{1}{4}+\frac{1}{8}$

$=\frac{3}{8}$ 답 ②

0591

> 한 개의 주사위를 던져서 나오는 눈의 수가 6의 약수일 때, 그 수가 홀수일 확률을 구하시오. ← $\frac{(6\text{의 약수이면서 홀수의 개수})}{(6\text{의 약수의 개수})}$임을 이용하자.

6의 약수는 1, 2, 3, 6이고,

이 중에서 홀수는 1, 3이므로

6의 약수 중 홀수일 확률은

$\frac{2}{4}=\frac{1}{2}$ 답 $\frac{1}{2}$

0592

> 한 개의 주사위를 두 번 던질 때 나오는 눈의 수를 차례로 a, b라 하자. 두 수의 곱 ab가 6의 배수일 때, 이 두 수의 합 $a+b$가 7일 확률은? ← $\frac{(\text{두 수의 곱이 6의 배수이면서 합이 7일 확률})}{(\text{두 수의 곱이 6의 배수일 확률})}$임을 이용하자.

ab가 6의 배수인 사건을 E, $a+b=7$인 사건을 F라 하면

구하는 확률은 $P(F|E)=\frac{P(E\cap F)}{P(E)}$이다.

$b=3$인 경우 ab가 6의 배수가 되는 순서쌍 (a, b)는

$(2, 3)$, $(4, 3)$, $(6, 3)$

이므로 a, b 중 하나가 3인 경우의 수는

$3\times2=6$

$b=6$인 경우 ab가 6의 배수가 되는 순서쌍 (a, b)는

$(1, 6)$, $(2, 6)$, $(4, 6)$, $(5, 6)$, $(6, 6)$

이므로 a, b 중 적어도 하나가 6인 경우의 수는

$4\times2+1=9$

즉 $P(E)=\frac{6+9}{36}=\frac{5}{12}$

이때, $a+b=7$인 경우는

$(3, 4)$, $(4, 3)$, $(1, 6)$, $(6, 1)$

이므로 $P(E\cap F)=\frac{4}{36}=\frac{1}{9}$

따라서 $P(F|E)=\frac{P(E\cap F)}{P(E)}$

$=\frac{\frac{1}{9}}{\frac{5}{12}}=\frac{4}{15}$ 답 ③

0593

> 한 개의 주사위를 2번 던질 때 첫 번째 나온 눈의 수를 a, 두 번째 나온 눈의 수를 b라 하자. 두 수 a, b의 곱 ab가 짝수일 때, a와 b가 모두 짝수일 확률은?
>
> $\dfrac{(a\text{와 } b\text{가 모두 짝수일 확률})}{(ab\text{가 짝수일 확률})}$임을 이용하자.

한 개의 주사위를 두 번 던져서 나온 두 눈의 수의 곱이 짝수인 사건을 A, 한 개의 주사위를 두 번 던져서 나온 두 눈의 수가 모두 짝수인 사건을 B라 하자.

$\mathrm{P}(A)=1-\mathrm{P}(A^C)=1-\dfrac{3\times3}{36}=\dfrac{3}{4}$

$\mathrm{P}(A\cap B)=\dfrac{3\times3}{36}=\dfrac{1}{4}$

따라서 $\mathrm{P}(B|A)=\dfrac{\mathrm{P}(A\cap B)}{\mathrm{P}(A)}=\dfrac{1}{3}$

답 ④

0594

> 집합 $A=\{1, 2, 3, 4, 5\}$의 부분집합 중에서 임의로 동시에 두 개를 선택하려고 한다. 선택한 두 부분집합의 원소의 개수가 각각 2개였을 때, 이 두 부분집합의 교집합이 공집합일 확률을 구하시오.
>
> → 원소의 개수가 2개인 부분집합은 10개이다.
>
> → $\{1, 2, 3, 4, 5\}$ 중에서 원소 (2개, 2개)를 뽑는 경우와 같다.

집합 A의 부분집합 중에서 원소가 2개인 것의 개수는

${}_5\mathrm{C}_2=10$

10개의 부분집합 중 2개를 선택하는 경우의 수는

${}_{10}\mathrm{C}_2=45$

선택한 2개의 부분집합의 교집합이 공집합인 경우의 수는

${}_5\mathrm{C}_2\times{}_3\mathrm{C}_2\times\dfrac{1}{2!}=15$

따라서 구하는 확률은

$\dfrac{15}{45}=\dfrac{1}{3}$

답 $\dfrac{1}{3}$

0595

> 3학년 전체 학생에 대한 남학생의 비율이 48 %인 어느 고등학교에서 이들 학생을 대상으로 수시모집 응시여부를 조사하였다. 그 결과 응시를 희망한 남학생은 3학년 전체 학생의 30 %가 되었다. 이 학교 3학년 전체 학생 중에서 임의로 뽑은 한 학생이 남학생이었다면 이 학생이 수시모집 응시를 희망했을 확률을 구하시오.
>
> → $\mathrm{P}(A\cap B)=0.3$
>
> → $\mathrm{P}(A)=0.48$

남학생을 뽑는 사건을 A, 수시모집 응시를 희망한 학생을 뽑는 사건을 B라 하면

$\mathrm{P}(A)=\dfrac{48}{100}$, $\mathrm{P}(A\cap B)=\dfrac{30}{100}$

따라서 구하는 확률은

$\mathrm{P}(B|A)=\dfrac{\mathrm{P}(A\cap B)}{\mathrm{P}(A)}=\dfrac{\frac{30}{100}}{\frac{48}{100}}=\dfrac{5}{8}$

답 $\dfrac{5}{8}$

0596

> 주머니에 1부터 8까지의 자연수가 하나씩 적힌 8개의 공이 들어 있다. 이 주머니에서 임의로 3개의 공을 동시에 꺼낼 때, 꺼낸 3개의 공에 적힌 수를 a, b, c $(a<b<c)$라 하자. $a+b+c$가 짝수일 때 a가 홀수일 확률은?
>
> $\dfrac{(a\text{가 홀수이고 } a+b+c\text{가 짝수일 확률})}{(a+b+c\text{가 짝수일 확률})}$임을 이용하자.

모든 경우의 수는 ${}_8\mathrm{C}_3=56$이다.

$a+b+c$가 짝수인 사건을 A, a가 홀수인 사건을 B라 하면 사건 A는 세 수 a, b, c가 모두 짝수이거나 하나만 짝수인 사건이다.

세 수 a, b, c가 모두 짝수인 경우의 수는 ${}_4\mathrm{C}_3=4$, 하나만 짝수인 경우의 수는 ${}_4\mathrm{C}_1\times{}_4\mathrm{C}_2=24$이므로

$\mathrm{P}(A)=\dfrac{4+24}{56}=\dfrac{1}{2}$

사건 $A\cap B$는 $a+b+c$가 짝수이면서 a가 1, 3, 5 중 하나인 사건이다.

$a=1$인 경우의 수는 ${}_3\mathrm{C}_1\times{}_4\mathrm{C}_1=12$,

$a=3$인 경우의 수는 ${}_2\mathrm{C}_1\times{}_3\mathrm{C}_1=6$,

$a=5$인 경우의 수는 ${}_1\mathrm{C}_1\times{}_2\mathrm{C}_1=2$이므로

$\mathrm{P}(A\cap B)=\dfrac{12+6+2}{56}=\dfrac{5}{14}$

따라서 구하는 확률은

$\mathrm{P}(B|A)=\dfrac{\mathrm{P}(A\cap B)}{\mathrm{P}(A)}=\dfrac{\frac{5}{14}}{\frac{1}{2}}=\dfrac{5}{7}$

답 ⑤

0597

> 흰 공 3개, 검은 공 4개가 들어 있는 주머니가 있다. 이 주머니에서 임의로 4개의 공을 동시에 꺼내는 시행에서 꺼낸 흰 공과 검은 공의 개수를 각각 m, n이라 하자. 이 시행에서 $3m\geq n$일 때, 꺼낸 흰 공의 개수가 2일 확률을 구하시오.
>
> → $3m<n$인 사건의 여사건으로 구하자.

$\begin{cases} m+n=4 \\ 3m\geq n \end{cases}$을 연립하여 풀면

$3m\geq 4-m$에서 $m\geq 1$

이것에 대한 여사건은 $m=0$일 때, 즉 $m=0$, $n=4$일 때이다.

여사건의 확률이

$\dfrac{{}_4\mathrm{C}_4}{{}_7\mathrm{C}_4}=\dfrac{1}{\frac{7\times6\times5}{3\times2\times1}}=\dfrac{1}{35}$에서

$3m\geq n$인 사건을 A라고 하면

$\mathrm{P}(A)=1-\dfrac{1}{35}=\dfrac{34}{35}$

한편, 흰 공의 개수가 2인 사건을 B라고 하면

$\mathrm{P}(A\cap B)=\dfrac{{}_3\mathrm{C}_2\times{}_4\mathrm{C}_2}{{}_7\mathrm{C}_4}=\dfrac{3\times6}{35}=\dfrac{18}{35}$

따라서 구하는 확률은

$\mathrm{P}(B|A)=\dfrac{\mathrm{P}(A\cap B)}{\mathrm{P}(A)}=\dfrac{\frac{18}{35}}{\frac{34}{35}}=\dfrac{9}{17}$

답 $\dfrac{9}{17}$

0598

한 변의 길이가 3인 정육면체 ABCD－EFGH가 있다.

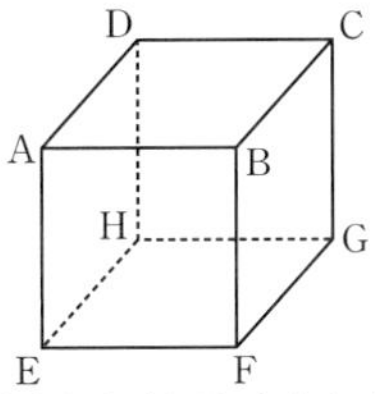

선분의 길이가 유리수인 사건의 여사건이다.

정육면체의 꼭짓점 중에서 임의의 서로 다른 두 점을 연결한 선분의 길이가 무리수일 때, 그 선분의 길이가 $3\sqrt{3}$일 확률은?

선분의 길이가 $3\sqrt{3}$인 경우의 수는 4이다.

두 점 사이의 거리가 무리수일 사건을 A라 하고 두 점 사이의 거리가 $3\sqrt{3}$일 사건을 B라 하자.

정육면체의 꼭짓점 중 서로 다른 두 점을 택하는 모든 경우의 수는

$${}_8C_2=\frac{8\times7}{2}=28$$

두 점 사이의 거리가 유리수인 경우의 수는 $3\times8\div2=12$이므로 무리수인 경우의 수는 16

두 점 사이의 거리가 $3\sqrt{3}$인 경우의 수는 4

$P(A)=\frac{4}{7}$이고 $P(A\cap B)=\frac{1}{7}$이다.

따라서 $P(B|A)=\frac{P(A\cap B)}{P(A)}=\frac{1}{4}$ 답 ④

0599

딸기 맛 사탕 4개, 포도 맛 사탕 3개가 들어 있는 정육면체 모양의 상자가 n개 있고, 딸기 맛 사탕 3개, 포도 맛 사탕 4개가 들어 있는 원기둥 모양의 상자가 한 개 있다. 상자를 임의로 택하여 사탕 2개를 한꺼번에 꺼냈더니 2개 모두 딸기 맛 사탕일 때, 택한 상자가 원기둥 모양이었을 확률이 $\frac{1}{9}$이다. n의 값을 구하시오.

딸기 맛 사탕을 2개 꺼내는 확률은 정육면체 모양의 상자에서 2개 꺼내는 확률과 원기둥 모양의 상자에서 2개 꺼내는 확률의 합이다.

정육면체 모양의 상자를 택하는 사건을 A, 원기둥 모양의 상자를 택하는 사건을 B라 하고, 딸기 맛 사탕 2개를 꺼내는 사건을 E라 하면

$$P(A\cap E)=P(A)P(E|A)=\frac{n}{n+1}\times\frac{{}_4C_2}{{}_7C_2}=\frac{2n}{7(n+1)}$$

$$P(B\cap E)=P(B)P(E|B)=\frac{1}{n+1}\times\frac{{}_3C_2}{{}_7C_2}=\frac{1}{7(n+1)}$$

$$\therefore P(E)=P(A\cap E)+P(B\cap E)=\frac{2n}{7(n+1)}+\frac{1}{7(n+1)}=\frac{2n+1}{7(n+1)}$$

$P(B|E)=\frac{P(B\cap E)}{P(E)}=\frac{1}{9}$이므로

$$\frac{\frac{1}{7(n+1)}}{\frac{2n+1}{7(n+1)}}=\frac{1}{9},\ \frac{1}{2n+1}=\frac{1}{9}$$

$\therefore n=4$ 답 4

0600

14개의 공에 각각 검은색과 흰색 중 한 가지 색이 칠해져 있고, 자연수가 하나씩 적혀 있다. 각각의 공에 칠해져 있는 색과 적혀 있는 수에 따라 분류한 공의 개수는 다음과 같다.

(단위: 개)

구분	검은색	흰색	합계
홀수	5	3	8
짝수	4	2	6
합계	9	5	14

14개의 공 중에서 임의로 선택한 한 개의 공이 검은색일 때, 이 공에 적혀 있는 수가 짝수일 확률은?

$\frac{\text{(짝수인 검은색 공을 선택할 확률)}}{\text{(검은색 공을 선택할 확률)}}$임을 이용하자.

임의로 선택한 한 개의 공이 검은색일 사건을 A, 공에 적혀 있는 수가 짝수일 사건을 B라 하면

$P(A)=\frac{9}{14}$, $P(A\cap B)=\frac{4}{14}$이므로

$$P(B|A)=\frac{P(A\cap B)}{P(A)}=\frac{\frac{4}{14}}{\frac{9}{14}}=\frac{4}{9}$$ 답 ⑤

0601

다음은 회사 직원 25명을 대상으로 희망하는 야유회 장소를 조사하여 나타낸 표이다.

성별 \ 장소	산	바다
남자	7	6
여자	8	4

이 회사에서 임의로 택한 한 직원이 바다를 희망한 직원인 사건을 A, 여자 직원인 사건을 B라 할 때, $P(A|B)$의 값을 구하시오.

$\frac{\text{(바다를 희망한 여직원을 선택할 확률)}}{\text{(여직원을 선택할 확률)}}$임을 이용하자.

$P(A\cap B)=\frac{n(A\cap B)}{25}=\frac{4}{25}$, $P(B)=\frac{n(B)}{25}=\frac{12}{25}$

$\therefore P(A|B)=\frac{P(A\cap B)}{P(A)}=\frac{4}{12}=\frac{1}{3}$ 답 $\frac{1}{3}$

0602

다음 표와 같은 인원으로 구성된 어떤 동아리 학생 20명 중에서 임의로 한 명을 뽑았다. 뽑힌 학생이 3학년일 때, 이 학생이 남학생일 확률을 구하시오.

$\dfrac{(\text{3학년 남학생이 뽑힐 확률})}{(\text{3학년 학생이 뽑힐 확률})}$ 임을 이용하자.

(단위: 명)

학년 \ 성별	남	여	합계
1학년	5	3	8
2학년	3	3	6
3학년	4	2	6
합계	12	8	20

3학년 학생을 뽑는 사건을 A, 남학생을 뽑는 사건을 B라 하면

$P(A)=\dfrac{3}{10}$, $P(A\cap B)=\dfrac{1}{5}$

따라서 구하는 확률은

$$P(B|A)=\frac{P(A\cap B)}{P(A)}=\frac{\frac{1}{5}}{\frac{3}{10}}=\frac{2}{3}$$

답 $\dfrac{2}{3}$

다른풀이 전사건을 S라 하면

$$P(B|A)=\frac{n(A\cap B)}{n(A)}=\frac{4}{6}=\frac{2}{3}$$

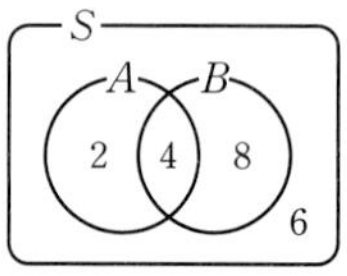

0603

$\dfrac{(\text{자전거 통학 남학생을 뽑을 확률})}{(\text{자전거 통학 학생을 뽑을 확률})}$ 임을 이용하자.

남녀 60명인 어느 반에서 학교 통학 방법을 조사하였더니 다음 표와 같은 결과가 나왔다.

(단위: 명)

성별 \ 통학 방법	자전거	비자전거	합계
남	24	16	40
여	11	9	20
합계	35	25	60

이 반에서 남학생 1명을 임의로 뽑을 때, 그 학생이 자전거로 통학하는 학생일 확률을 a, 또 이 반에서 자전거로 통학하는 학생 1명을 임의로 뽑을 때, 그 학생이 남학생일 확률을 b라고 한다. $a+b$의 값을 구하시오.

남학생을 뽑는 사건을 A, 자전거로 통학하는 학생을 뽑는 사건을 B라 하면

$P(A)=\dfrac{40}{60}$, $P(B)=\dfrac{35}{60}$, $P(A\cap B)=\dfrac{24}{60}$

이므로

$$a=P(B|A)=\frac{P(A\cap B)}{P(A)}=\frac{\frac{24}{60}}{\frac{40}{60}}=\frac{3}{5}$$

$$b=P(A|B)=\frac{P(A\cap B)}{P(B)}=\frac{\frac{24}{60}}{\frac{35}{60}}=\frac{24}{35}$$

$\therefore a+b=\dfrac{3}{5}+\dfrac{24}{35}=\dfrac{9}{7}$

답 $\dfrac{9}{7}$

0604

인원이 28명인 어느 학급에서 안경을 쓴 학생을 조사하였더니 다음 표와 같았다.

(단위: 명)

성별 \ 구분	안경 착용	안경 미착용	합계
남자	8	10	18
여자	4	6	10
합계	12	16	28

이 학급에서 임의로 1명을 뽑을 때, 뽑힌 학생이 남자일 사건을 A, 안경을 쓴 학생일 사건을 B라 하자.

$P(A|B^C)+P(B^C|A^C)$의 값을 구하시오.

뽑힌 학생이 여자일 사건은 A^C, 안경 미착용자인 사건은 B^C이다.

여자를 뽑을 사건은 A^C, 안경을 쓰지 않은 학생을 뽑을 사건은 B^C이므로

$$P(A|B^C)=\frac{P(A\cap B^C)}{P(B^C)}=\frac{\frac{10}{28}}{\frac{16}{28}}=\frac{5}{8}$$

$$P(B^C|A^C)=\frac{P(A^C\cap B^C)}{P(A^C)}=\frac{\frac{6}{28}}{\frac{10}{28}}=\frac{3}{5}$$

$\therefore P(A|B^C)+P(B^C|A^C)=\dfrac{5}{8}+\dfrac{3}{5}=\dfrac{49}{40}$

답 $\dfrac{49}{40}$

0605

휴대 전화의 메인 보드 또는 액정 화면 고장으로 서비스센터에 접수된 200건에 대하여 접수 시기를 품질보증 기간 이내, 이후로 구분한 결과는 다음과 같다.

(단위: 건)

구분	메인 보드 고장	액정 화면 고장	합계
품질보증 기간 이내	90	50	140
품질보증 기간 이후	a	b	60

접수된 200건 중에서 임의로 선택한 1건이 액정 화면 고장건일 때, 이 건의 접수 시기가 품질보증 기간 이내일 확률이 $\dfrac{2}{3}$이다. $a-b$의 값을 구하시오. (단, 메인 보드와 액정 화면 둘 다 고장인 경우는 고려하지 않는다.)

$\dfrac{(\text{기간 이내의 액정 화면 고장일 확률})}{(\text{액정 화면 고장일 확률})}$ 임을 이용하자.

접수된 200건 중 임의로 선택한 1건이 액정 화면 고장건일 때, 이 건의 접수 시기가 품질보증기간 이내일 확률이 $\dfrac{2}{3}$이므로 $\dfrac{50}{50+b}=\dfrac{2}{3}$이다.

$\therefore b=25$

$\therefore a=60-25=35$

$\therefore a-b=10$

답 10

0606

어느 학급은 남학생 18명, 여학생 16명으로 이루어져 있다. 이 학급의 모든 학생은 중국어와 일본어 중에서 한 과목만 수업을 받는다고 한다. 남학생 중에서 중국어 수업을 받는 학생은 12명이고, 여학생 중에서 일본어 수업을 받는 학생은 7명이다. 이 학급에서 임의로 뽑은 한 학생이 중국어 수업을 받는다고 할 때, 이 학생이 여학생일 확률을 구하시오.

└• 사건을 A와 A^C, B와 B^C로 나누고 표로 만들어서 풀자.

주어진 조건을 표로 나타내면 다음과 같다.

(단위: 명)

과목 \ 성별	남학생	여학생	합계
중국어	12	9	21
일본어	6	7	13
합계	18	16	34

이 학급에서 임의로 뽑은 한 학생이 중국어 수업을 받을 사건을 A, 여학생일 사건을 B라 하면

$\mathrm{P}(A)=\frac{21}{34}$, $\mathrm{P}(A\cap B)=\frac{9}{34}$

따라서 구하는 확률은

$$\mathrm{P}(B|A)=\frac{\mathrm{P}(A\cap B)}{\mathrm{P}(A)}=\frac{\frac{9}{34}}{\frac{21}{34}}=\frac{3}{7}$$

답 $\frac{3}{7}$

0607

어느 학급은 35명으로 이루어져 있다. 이 학급의 모든 학생 중에서 대학수학능력시험 사회탐구 영역에서 경제를 선택한 학생은 24명, 세계사를 선택한 학생은 15명이고, 경제와 세계사 중에서 어느 것도 선택하지 않은 학생은 4명이다. 이 학급에서 한 명의 학생을 뽑을 때, 이 학생이 경제와 세계사를 모두 선택하였을 확률은?

└• $\mathrm{P}(A\cap B)$임을 이용하자.

경제를 선택하는 사건을 A, 세계사를 선택하는 사건을 B라 하면

$\mathrm{P}(A)=\frac{24}{35}$, $\mathrm{P}(B)=\frac{15}{35}$, $\mathrm{P}((A\cup B)^C)=\frac{4}{35}$이므로

$\mathrm{P}(A\cup B)=1-\mathrm{P}((A\cup B)^C)$

$=1-\frac{4}{35}=\frac{31}{35}$

$\mathrm{P}(A\cup B)=\mathrm{P}(A)+\mathrm{P}(B)-\mathrm{P}(A\cap B)$에서

$\frac{31}{35}=\frac{24}{35}+\frac{15}{35}-\mathrm{P}(A\cap B)$

$\therefore \mathrm{P}(A\cap B)=\frac{8}{35}$

답 ③

0608

어느 학교의 전체 학생은 300명이고 이 학교의 학생 중 동아리에 가입한 남학생은 50명, 동아리에 가입한 여학생은 60명이다. 이 학교의 학생 중 임의로 뽑은 한 명의 학생이 여학생일 때, 동아리에 가입하지 않았을 확률은 $\frac{5}{8}$이다. 이 학교의 여학생 수를 구하시오.

└• 동아리에 가입하지 않은 여학생의 수를 x라 하자.

학생 수의 구성을 표로 나타내면

	남학생	여학생	합계
동아리 가입	50	60	A
동아리 미가입		x	B
		$60+x$	300

$A=110$, $B=190$

이 학교의 학생 중 임의로 뽑은 한 명의 학생이 여학생일 때, 동아리에 가입했을 확률은

$\frac{x}{60+x}=\frac{5}{8}$

$8x=5x+300$

$\therefore x=100$

따라서 이 학교 여학생의 수는

$60+100=160$

답 160

0609

어느 전자 회사는 전자제품 총 생산량의 40 %를 해외에 수출하고 있는데, 해외로 수출하는 휴대 전화가 전자제품 총 생산량의 12 %라고 한다. 전자제품 중에서 임의로 하나를 택한 것이 수출하는 제품일 때, 이 제품이 휴대 전화일 확률은?

└• $\frac{(\text{수출하는 핸드폰을 택할 확률})}{(\text{수출하는 제품을 택할 확률})}$임을 이용하자.

수출하는 제품을 택할 사건을 A, 휴대 전화를 택할 사건을 B라 하면

$\mathrm{P}(A)=0.4$, $\mathrm{P}(A\cap B)=0.12$

따라서 구하는 확률은

$$\mathrm{P}(B|A)=\frac{\mathrm{P}(A\cap B)}{\mathrm{P}(A)}=\frac{0.12}{0.4}=0.3$$

답 ②

0610

여학생이 40명이고 남학생이 60명인 어느 학교 전체 학생을 대상으로 축구와 야구에 대한 선호도를 조사하였다. 이 학교 학생의 70 %가 축구를 선택하였으며, 나머지 30 %는 야구를 선택하였다. 이 학교의 학생 중 임의로 뽑은 1명이 축구를 선택한 남학생일 확률은 $\frac{2}{5}$이다.

└• 뽑은 1명이 여학생인 사건을 A, 축구를 선택한 학생인 사건을 B라 하면 $\frac{2}{5}=\mathrm{P}(B\cap A^C)$이다.

이 학교의 학생 중 임의로 뽑은 1명이 야구를 선택한 학생일 때, 이 학생이 여학생일 확률은? (단, 조사에서 모든 학생들은 축구와 야구 중 한 가지만 선택하였다.)

$\mathrm{P}(A|B^C)$를 구하자. •┘

전체 학생이 100명이므로 축구를 선택한 학생은 70명, 야구를 선택한

학생은 30명이다.
이 학교 전체 학생을 여학생과 남학생, 축구를 선택한 학생과 야구를 선택한 학생으로 나누어 표로 나타내면 다음과 같다.

	축구	야구	합계
여학생	a	b	40
남학생	c	d	60
합계	70	30	100

이 학교의 학생 중 임의로 뽑은 1명이 여학생인 사건을 A라 하면 남학생인 사건은 A^C이고, 축구를 선택한 학생인 사건을 B라 하면 야구를 선택한 학생인 사건은 B^C이다.

이때, 임의로 뽑은 1명이 축구를 선택한 남학생일 확률이 $\frac{2}{5}$이므로

$\mathrm{P}(B\cap A^C)=\frac{c}{100}=\frac{2}{5}$

에서 $c=40$

$a+c=70$에서 $a=30$

$c+d=60$에서 $d=20$

$a+b=40$에서 $b=10$

따라서 이 학교의 학생 중 임의로 뽑은 1명이 야구를 선택한 학생일 때, 이 학생이 여학생일 확률은

$$\mathrm{P}(A|B^C)=\frac{\mathrm{P}(A\cap B^C)}{\mathrm{P}(B^C)}=\frac{\frac{10}{100}}{\frac{30}{100}}=\frac{1}{3}$$

답 ②

0611

• 남학생과 여학생 그리고 K자격증의 유무를 기준으로 전체를 100(%)으로 하여 표를 만들어서 풀자.

> 남학생 수와 여학생 수의 비가 2 : 3인 어느 고등학교에서 전체 학생의 70 %가 K자격증을 가지고 있고, 나머지 30 %는 가지고 있지 않다. 이 학교의 학생 중에서 임의로 한 명을 선택할 때, 이 학생이 K자격증을 가지고 있는 남학생일 확률이 $\frac{1}{5}$이다. 이 학교의 학생 중에서 임의로 선택한 학생이 K자격증을 가지고 있지 않을 때, 이 학생이 여학생일 확률은?

남학생을 선택하는 사건을 A, 여학생을 선택하는 사건을 B, 자격증 K를 가지고 있는 학생을 선택하는 사건을 C라고 하면

$\mathrm{P}(A)=\frac{2}{5}$, $\mathrm{P}(B)=\frac{3}{5}$, $\mathrm{P}(C)=\frac{7}{10}$

또한, $\mathrm{P}(A\cap C)=\frac{1}{5}$이므로

$\mathrm{P}(A)=\mathrm{P}(A\cap C)+\mathrm{P}(A\cap C^C)$

$\frac{2}{5}=\frac{1}{5}+\mathrm{P}(A\cap C^C)$

$\therefore \mathrm{P}(A\cap C^C)=\frac{1}{5}$

따라서 $\mathrm{P}(C^C)=1-\mathrm{P}(C)=\frac{3}{10}$이므로

$\mathrm{P}(C^C)=\mathrm{P}(A\cap C^C)+\mathrm{P}(B\cap C^C)$

$\frac{3}{10}=\frac{1}{5}+\mathrm{P}(B\cap C^C)$

$\therefore \mathrm{P}(B\cap C^C)=\frac{1}{10}$

$$\therefore \mathrm{P}(B|C^C)=\frac{\mathrm{P}(B\cap C^C)}{\mathrm{P}(C^C)}=\frac{\frac{1}{10}}{\frac{3}{10}}=\frac{1}{3}$$

답 ②

0612

• 기존의 L사와 S사 그리고 올해의 L사와 S사를 기준으로 표를 만들어서 풀자.

> 어느 도시에서 올해에 새 휴대 전화로 바꾸어 구입하는 사람을 대상으로 구매 실태를 조사하였다. 조사 결과에 따르면 대상자의 30 %가 L사 제품을 사용하던 사람이었다. 그리고 L사 제품을 사용하던 사람의 60 %는 올해에도 L사 제품을 구입하였고, S사 제품을 사용하던 사람의 80 %는 올해에도 S사 제품을 구입하였다. 이 도시의 대상자 중에서 임의로 한 사람을 택하였더니 올해에 S사 제품을 구입한 사람이었을 때, 이 사람이 L사 제품을 사용하던 사람이었을 확률은? (단, 휴대 전화 종류는 L사 제품과 S사 제품의 2가지뿐이라고 가정한다.)

2018년에 S사 제품을 구입한 사건을 A, L사 제품을 사용하던 사건을 B라 하면

S사 제품을 사용하던 사건은 B^C이므로

$\mathrm{P}(A\cap B)=\mathrm{P}(B)\mathrm{P}(A|B)=0.3\times0.4=0.12$

$\mathrm{P}(A\cap B^C)=\mathrm{P}(B^C)\mathrm{P}(A|B^C)=0.7\times0.8=0.56$

$\mathrm{P}(A)=\mathrm{P}(A\cap B)+\mathrm{P}(A\cap B^C)=0.12+0.56=0.68$

따라서 구하는 확률은

$$\mathrm{P}(B|A)=\frac{\mathrm{P}(A\cap B)}{\mathrm{P}(A)}=\frac{0.12}{0.68}=\frac{3}{17}$$

답 ①

0613

• 의사가 암이라 진단할 여부와 실제 암에 걸렸을 여부를 기준으로 표를 만들어서 풀자.

> 어떤 의사가 암에 걸린 사람을 암에 걸렸다고 진단할 확률은 98 %이고, 암에 걸리지 않은 사람을 암에 걸리지 않았다고 진단할 확률은 92 %라고 한다. 이 의사가 실제로 암에 걸린 사람 400명과 실제로 암에 걸리지 않은 사람 600명을 진찰하여 암에 걸렸는지 아닌지를 진단하였다. 이들 1000명 중 임의로 한 사람을 택했을 때, 그 사람이 암에 걸렸다고 진단받은 사람일 확률은?

택한 한사람이 암에 걸린 사람이고, 이 사람이 암에 걸렸다고 진단받을 사건을 A 라 하면,

$\mathrm{P}(A)=\frac{400}{1000}\times\frac{98}{100}=\frac{392}{1000}$

택한 한 사람이 암에 걸리지 않은 사람이고, 이 사람이 암에 걸렸다고 진단 받을 사건을 B라 하면,

$\mathrm{P}(B)=\frac{600}{1000}\times\left(1-\frac{92}{100}\right)=\frac{48}{1000}$

구하는 확률은 $\mathrm{P}(A\cup B)$이고, A, B는 배반사건이므로

$\mathrm{P}(A\cup B)=\frac{392}{1000}+\frac{48}{1000}=\frac{44}{100}$

따라서 44 %이다.

답 ④

0614

> 같은 모양의 흰 공 3개와 빨간 공 7개가 들어 있는 주머니 속에서 공을 한 개씩 두 번 꺼낸다고 한다. 첫 번째 꺼낸 공이 흰 공일 때, 두 번째 꺼낸 공도 흰 공일 확률을 구하시오. (단, 꺼낸 공은 다시 넣지 않는다.)
>
> • 확률의 곱셈정리에 의하여 $\mathrm{P}(A\cap B)=\mathrm{P}(A)\mathrm{P}(B|A)$임을 이용하자.

첫 번째 꺼낸 공이 흰 공일 사건을 A, 두 번째 꺼낸 공이 흰 공일 사건을 B라 하면

$\mathrm{P}(A)=\frac{3}{10}$, $\mathrm{P}(A\cap B)=\frac{3}{10}\times\frac{2}{9}=\frac{1}{15}$

따라서 구하는 확률은

$\mathrm{P}(B|A)=\frac{\mathrm{P}(A\cap B)}{\mathrm{P}(A)}=\frac{\frac{1}{15}}{\frac{3}{10}}=\frac{2}{9}$ 답 $\frac{2}{9}$

0615

어느 동아리의 전체 회원은 모두 25명이고, 이 중에서 9명이 여학생이다. 이 동아리에서 한 사람씩 차례로 두 명을 뽑을 때, 뽑힌 두 명이 모두 여학생일 확률을 구하시오.

└• 확률의 곱셈정리에 의하여 $\mathrm{P}(A\cap B)=\mathrm{P}(A)\mathrm{P}(B|A)$임을 이용하자.

첫 번째 뽑힌 사람이 여학생일 사건을 A, 두 번째 뽑힌 사람이 여학생일 사건을 B라 하면

$\mathrm{P}(A)=\frac{9}{25}$, $\mathrm{P}(B|A)=\frac{8}{24}=\frac{1}{3}$

따라서 구하는 확률은

$\mathrm{P}(A\cap B)=\mathrm{P}(A)\mathrm{P}(B|A)=\frac{9}{25}\times\frac{1}{3}=\frac{3}{25}$ 답 $\frac{3}{25}$

0616

갑은 8개 중 3개인 당첨제비를 뽑아야 하고, 그 다음 을은 7개 중 2개인 당첨제비를 뽑아야 한다.

8개의 제비 중 당첨 제비가 3개 들어 있는 상자에서 갑, 을 두 사람이 갑, 을의 순서로 제비를 한 개씩 뽑을 때, 두 사람 모두 당첨 제비를 뽑을 확률을 구하시오.

(단, 뽑은 제비는 다시 넣지 않는다.)

갑이 당첨 제비를 뽑는 사건을 A, 을이 당첨 제비를 뽑는 사건을 B라 하면

$\mathrm{P}(A)=\frac{3}{8}$, $\mathrm{P}(B|A)=\frac{2}{7}$

따라서 구하는 확률은

$\mathrm{P}(A\cap B)=\mathrm{P}(A)\mathrm{P}(B|A)$

$=\frac{3}{8}\times\frac{2}{7}=\frac{3}{28}$ 답 $\frac{3}{28}$

0617

어느 고등학교의 동아리 연합 체육대회에 참석한 학생 중에서 2학년 학생이 전체의 40 %이고, 이들 2학년의 남녀 구성비는 3 : 2라고 한다. 추첨을 통해 행운상을 받을 때, 2학년 여학생이 받을 확률을 구하시오.

└• $\mathrm{P}(A\cap B)=\mathrm{P}(A)\mathrm{P}(B|A)$임을 이용하자.

행운상을 받는 학생이 2학년일 사건을 A, 여학생일 사건을 B라 하면

$\mathrm{P}(A)=\frac{40}{100}=\frac{2}{5}$, $\mathrm{P}(B|A)=\frac{2}{5}$

따라서 구하는 확률은

$\mathrm{P}(A\cap B)=\mathrm{P}(A)\mathrm{P}(B|A)=\frac{2}{5}\times\frac{2}{5}=\frac{4}{25}$ 답 $\frac{4}{25}$

0618

어떤 자물쇠에 맞는 2개의 열쇠가 포함되어 있는 10개의 열쇠 뭉치에서 하나씩 차례로 확인하여 이 자물쇠에 맞는 2개의 열쇠가 모두 발견되면 확인하는 작업을 끝내려고 한다. 네 번째에서 확인이 끝날 확률을 구하시오.

└• 세 번째까지 맞는 열쇠 1개를 발견하고 네 번째에서 맞는 열쇠를 발견해야 한다.

네 번째에 확인 작업이 끝나려면 세 번째까지 맞는 열쇠를 1개 발견하고 네 번째에서 맞는 열쇠를 발견해야 한다.

세 번째까지 맞는 열쇠를 1개 발견하는 사건을 A, 네 번째에 맞는 열쇠를 발견하는 사건을 B라 하면

$\mathrm{P}(A)=\frac{{}_{2}\mathrm{C}_{1}\times{}_{8}\mathrm{C}_{2}}{{}_{10}\mathrm{C}_{3}}=\frac{7}{15}$, $\mathrm{P}(B|A)=\frac{1}{7}$

따라서 구하는 확률은

$\mathrm{P}(A\cap B)=\mathrm{P}(A)\mathrm{P}(B|A)=\frac{7}{15}\times\frac{1}{7}=\frac{1}{15}$ 답 $\frac{1}{15}$

0619

흰 공 3개와 검은 공 n개가 들어 있는 주머니에서 2개의 공을 순서대로 1개씩 꺼낼 때, 첫 번째는 흰 공이 나오고, 두 번째는 검은 공이 나올 확률이 $\frac{3}{10}$이 되는 모든 n의 값의 합은?

(단, 꺼낸 공은 다시 넣지 않는다.)

┌• 사건 A라 하자.

└• 사건 B라 하자.

첫 번째에 흰 공이 나오는 사건을 A, 두 번째에 검은 공이 나오는 사건을 B라 하면

$\mathrm{P}(A)=\frac{3}{n+3}$, $\mathrm{P}(B|A)=\frac{n}{n+2}$

$\therefore \mathrm{P}(A\cap B)=\mathrm{P}(A)\mathrm{P}(B|A)$

$=\frac{3}{n+3}\times\frac{n}{n+2}$

$=\frac{3n}{(n+3)(n+2)}$

즉, $\frac{3n}{(n+3)(n+2)}=\frac{3}{10}$이므로

$(n+3)(n+2)=10n$, $n^2-5n+6=0$

$(n-2)(n-3)=0$ $\quad\therefore n=2$ 또는 $n=3$

따라서 모든 n의 값의 합은 5이다. 답 ①

0620

9장의 복권 중에서 당첨 복권이 3장 들어 있는 주머니에서 처음에 갑이 한 장을 뽑고, 다음에 을이 한 장을 뽑을 때, 을이 당첨 복권을 뽑을 확률을 구하시오. (단, 뽑은 복권은 다시 넣지 않는다.)

└• 갑이 당첨 복권을 뽑고 을이 당첨 복권을 뽑을 확률과 갑이 당첨 복권을 뽑지 않고 을이 당첨 복권을 뽑을 확률을 더한 것과 같다.

갑과 을이 당첨 복권을 뽑는 사건을 각각 A, B라 하면 갑이 당첨 복권을 뽑고 을도 당첨 복권을 뽑을 확률은 $\mathrm{P}(A\cap B)$이고, 갑이 당첨 복권을 뽑지 않고 을은 당첨 복권을 뽑을 확률은

$\mathrm{P}(A^C\cap B)$이다.

따라서 구하는 확률은

$P(B)=P(A\cap B)+P(A^C\cap B)$
$=P(A)P(B|A)+P(A^C)P(B|A^C)$
$=\frac{3}{9}\times\frac{2}{8}+\frac{6}{9}\times\frac{3}{8}$
$=\frac{1}{12}+\frac{1}{4}=\frac{1}{3}$

답 $\frac{1}{3}$

0621

비가 온 다음 날에 비가 올 확률은 0.4이고, 비가 오지 않은 날의 다음 날에 비가 올 확률은 0.3이라고 한다. 월요일에 비가 왔을 때, 같은 주 수요일에 비가 올 확률을 구하시오.

→ 화요일에 비가 오고 수요일에 비가 오는 확률과 화요일에 비가 오지 않고 수요일에 비가 오는 확률을 더하자.

화요일에 비가 오는 사건을 A, 수요일에 비가 오는 사건을 B라 하면 구하는 확률은

$P(B)=P(A\cap B)+P(A^C\cap B)$
$=P(A)P(B|A)+P(A^C)P(B|A^C)$
$=0.4\times0.4+0.6\times0.3$
$=0.16+0.18=0.34$

답 0.34

0622

A, B가 순서대로 과녁에 화살을 쏠 때, A가 쏜 화살이 명중할 경우 B가 쏜 화살도 명중할 확률은 0.6, A가 쏜 화살이 명중하지 못했을 경우 B가 쏜 화살이 명중할 확률은 0.7이라고 한다. 명중할 확률이 0.4인 A가 먼저 화살을 쏠 때, B가 화살을 쏘아 과녁에 명중시킬 확률은?

→ $P(B)=P(A\cap B)+P(A^C\cap B)$임을 이용하자.

A가 쏜 화살이 명중할 사건을 A, B가 쏜 화살이 명중할 사건을 B라 하면 구하는 확률은

$P(B)=P(A\cap B)+P(A^C\cap B)$
$=P(A)P(B|A)+P(A^C)P(B|A^C)$
$=0.4\times0.6+0.6\times0.7$
$=0.24+0.42=0.66$

답 ③

0623

→ 주머니 A에서 꺼낸 공이 흰 공일 때와 검은 공일 때로 나누어 각각 구해서 더하자.

주머니 A에는 흰 공 2개와 검은 공 3개가 들어 있고, 주머니 B에는 흰 공 1개와 검은 공 3개가 들어 있다. 주머니 A에서 임의로 1개의 공을 꺼내어 흰 공이면 흰 공 2개를 주머니 B에 넣고 검은 공이면 검은 공 2개를 주머니 B에 넣은 후, 주머니 B에서 임의로 1개의 공을 꺼낼 때 꺼낸 공이 흰 공일 확률은?

(i) 주머니 A에서 꺼낸 공이 흰 공인 경우

$\frac{2}{5}\times\frac{3}{6}=\frac{1}{5}$

(ii) 주머니 A에서 꺼낸 공이 검은 공인 경우

$\frac{3}{5}\times\frac{1}{6}=\frac{1}{10}$

따라서 구하고자 하는 확률은

$\frac{1}{5}+\frac{1}{10}=\frac{3}{10}$

답 ⑤

0624

흰 공 3개와 검은 공 2개가 들어 있는 주머니가 있다. 1개의 주사위를 던져서 2 이하의 눈이 나오면 흰 공 1개를 주머니에 넣고, 3 이상의 눈이 나오면 검은 공 1개를 주머니에 넣은 후 이 주머니에서 임의로 2개의 공을 동시에 꺼낼 때, 서로 다른 색의 공이 나올 확률을 구하시오.

→ 주사위를 던져 2 이하의 눈이 나올 때와 3 이상의 눈이 나올 때로 나누어 각각 구해서 더하자.

주사위를 던져서 2 이하의 눈이 나오는 사건을 A, 주머니에서 서로 다른 색의 공이 나오는 사건을 B라 하자.

(i) 주사위를 던져서 2 이하의 눈이 나오는 경우

$P(A)=\frac{2}{6}=\frac{1}{3}$

주사위를 던져서 2 이하의 눈이 나오면 주머니에 흰 공을 1개 넣는다. 따라서 흰 공 4개와 검은 공 2개가 들어 있는 주머니에서 흰 공 1개, 검은 공 1개를 꺼내야 하므로

$P(B|A)=\frac{{}_4C_1\times{}_2C_1}{{}_6C_2}=\frac{8}{15}$

$\therefore P(A\cap B)=P(A)P(B|A)$
$=\frac{1}{3}\times\frac{8}{15}=\frac{8}{45}$

(ii) 주사위를 던져서 3 이상의 눈이 나오는 경우

$P(A^C)=\frac{4}{6}=\frac{2}{3}$

주사위를 던져서 3 이상의 눈이 나오면 주머니에 검은 공을 1개 넣는다.

따라서 흰 공 3개와 검은 공 3개가 들어 있는 주머니에서 흰 공 1개, 검은 공 1개를 꺼내야 하므로

$P(B|A^C)=\frac{{}_3C_1\times{}_3C_1}{{}_6C_2}=\frac{3}{5}$

$\therefore P(A^C\cap B)=P(A^C)P(B|A^C)$
$=\frac{2}{3}\times\frac{3}{5}=\frac{2}{5}$

(i), (ii)에 의하여 구하는 확률은

$P(B)=P(A\cap B)+P(A^C\cap B)$
$=\frac{8}{45}+\frac{2}{5}=\frac{26}{45}$

답 $\frac{26}{45}$

0625

상자 A에는 빨간 공 3개와 검은 공 5개가 들어 있고, 상자 B는 비어 있다. 상자 A에서 임의로 2개의 공을 꺼내어 빨간 공이 나오면 [실행 1]을, 빨간 공이 나오지 않으면 [실행 2]를 할 때, 상자 B에 있는 빨간 공의 개수가 1일 확률은?

[실행 1] 꺼낸 공을 상자 B에 넣는다.
[실행 2] 꺼낸 공을 상자 B에 넣고, 상자 A에서 임의로 2개의 공을 더 꺼내어 상자 B에 넣는다.

• 처음에 빨간 공 1개, 검은 공 1개를 뽑는다.
• 처음에 검은 공 2개를 뽑고 두 번째 빨간 공 1개, 검은 공 1개를 뽑는다.

주어진 실행에 의하여 상자 B에 있는 빨간 공의 개수가 1인 경우는 다음과 같다.

(i) 빨간 공 1개, 검은 공 1개를 뽑은 경우

$\dfrac{{}_3C_1 \times {}_5C_1}{{}_8C_2} = \dfrac{15}{28}$

(ii) 검은 공 2개 뽑은 후 빨간 공 1개, 검은 공 1개인 경우

$\dfrac{{}_5C_2}{{}_8C_2} \times \dfrac{{}_3C_1 \times {}_3C_1}{{}_6C_2} = \dfrac{6}{28}$

(i), (ii)에 의해 $\dfrac{15}{28} + \dfrac{6}{28} = \dfrac{21}{28} = \dfrac{3}{4}$이다.

답 ④

0626

두 개의 정육면체 모양의 상자 A, B가 있다. A는 6개의 면에 각각 1, 1, 2, 2, 3, 3의 숫자가 적혀 있고, B는 6개의 면에 각각 1, 2, 2, 3, 3, 3의 숫자가 적혀 있다. A, B를 동시에 던져 바닥과 닿는 면에 해당하는 두 수의 합이 4가 될 확률을 구하시오.

• 두 수를 순서쌍으로 나타내면 (1, 3), (2, 2), (3, 1)의 경우임을 이용하자.

합이 4가 되는 두 수를 순서쌍으로 나타내면
(1, 3), (2, 2), (3, 1)

(i) A에서 1, B에서 3이 나올 확률은 $\dfrac{2}{6} \times \dfrac{3}{6} = \dfrac{6}{36}$

(ii) A에서 2, B에서 2가 나올 확률은 $\dfrac{2}{6} \times \dfrac{2}{6} = \dfrac{4}{36}$

(iii) A에서 3, B에서 1이 나올 확률은 $\dfrac{2}{6} \times \dfrac{1}{6} = \dfrac{2}{36}$

(i), (ii), (iii)은 서로 배반사건이므로 구하는 확률은

$\dfrac{6}{36} + \dfrac{4}{36} + \dfrac{2}{36} = \dfrac{1}{3}$

답 $\dfrac{1}{3}$

0627

• 철수를 기준으로 (패승패승승) 순서이어야 한다.

철수와 영희는 볼링 시합에서 두 게임을 연속하여 이기는 사람이 우승하기로 하였다. 매 게임마다 철수가 영희를 이길 확률이 $\dfrac{2}{3}$라고 할 때, 다섯 번째 게임에서 철수가 우승할 확률은 $\dfrac{q}{p}$ (p, q는 서로소인 자연수)이다. 이때, $p+q$의 값을 구하시오.

(단, 비기는 경우는 없다.)

이긴 게임을 ○, 진 게임을 ×로 나타낼 때, 5번째 게임에서 철수가 우승하기 위해서는 ×, ○, ×, ○, ○이어야 하므로 구하는 확률은

$\dfrac{1}{3} \times \dfrac{2}{3} \times \dfrac{1}{3} \times \dfrac{2}{3} \times \dfrac{2}{3} = \dfrac{8}{243}$

$\therefore p+q = 8+243 = 251$

답 251

0628

A, B 두 사람이 탁구 시합을 할 때, 한 사람이 먼저 세 세트를 이기거나 연속하여 두 세트를 이기면 승리하기로 한다. 각 세트에서 A가 이길 확률은 $\dfrac{1}{3}$이고, B가 이길 확률은 $\dfrac{2}{3}$이다. 첫 세트에서 A가 이겼을 때, 이 시합에서 A가 승리할 확률은 $\dfrac{q}{p}$이다. $p+q$의 값을 구하시오. (단, p와 q는 서로소인 자연수이다.)

• A가 승리하는 모든 경우의 확률을 구하고 확률의 덧셈정리를 이용하자.

각 세트에서 A가 이기는 것을 ○, B가 이기는 것을 ×라 하면 A가 승리하는 경우와 그 확률은 다음과 같다.

○ : $\dfrac{1}{3}$

×○○ : $\dfrac{2}{3} \times \dfrac{1}{3} \times \dfrac{1}{3}$

×○×○ : $\dfrac{2}{3} \times \dfrac{1}{3} \times \dfrac{2}{3} \times \dfrac{1}{3}$

따라서 A가 승리할 확률은

$\dfrac{1}{3} + \dfrac{2}{3^3} + \dfrac{4}{3^4} = \dfrac{27+6+4}{81} = \dfrac{37}{81}$

$\therefore p+q = 81+37 = 118$

답 118

0629

세 명이 가위바위보 게임을 하여 우승자를 1명만 결정하려고 한다. 우승자 1명이 결정되지 않았을 때에는 이긴 사람들 또는 비긴 사람들끼리 가위바위보를 다시 실시한다. 세 번째의 가위바위보에서 1명의 우승자가 결정될 확률을 구하시오.

• 세 번의 시합 동안 게임을 하는 인원의 수를 나타내면 (3, 3, 3), (3, 3, 2), (3, 2, 2)가 있음을 이용하자.

세 번째 경기에서 이길 확률은

첫 번째, 두 번째 경기에서 비기고 마지막에 한 명이 이길 확률

$\dfrac{1}{3} \times \dfrac{1}{3} \times \dfrac{1}{3} = \dfrac{1}{3^3}$

첫 번째 경기에서 비기고 두 번째 경기에서 두 명이 이기고 마지막에 한 명이 이길 확률

$\dfrac{1}{3} \times \dfrac{1}{3} \times \dfrac{2}{3} = \dfrac{2}{3^3}$

첫 번째 경기에서 두 명이 이기고 두 번째 경기에서 비기고 마지막에 한 명이 이길 확률

$\dfrac{1}{3} \times \dfrac{1}{3} \times \dfrac{2}{3} = \dfrac{2}{3^3}$

따라서 구하는 확률은

$\dfrac{1}{3^3} + \dfrac{2}{3^3} + \dfrac{2}{3^3} = \dfrac{5}{27}$

답 $\dfrac{5}{27}$

0630 $\mathrm{P}(A)=\mathrm{P}(A\cap B)+\mathrm{P}(A\cap B^C)$임을 이용하자.

> 어떤 게임에 A, B, C 세 팀이 출전하였다. 과거의 승률에 따르면 A팀이 B팀을 이길 확률은 0.7, B팀이 C팀을 이길 확률은 0.2, C팀이 A팀을 이길 확률은 0.4이었다. 이 승률에 따라 그림과 같은 대진표로 경기를 진행할 때, A팀이 우승할 확률은 p이다. $100p$의 값을 구하시오. (단, 비기는 경우는 없다.)
>
> 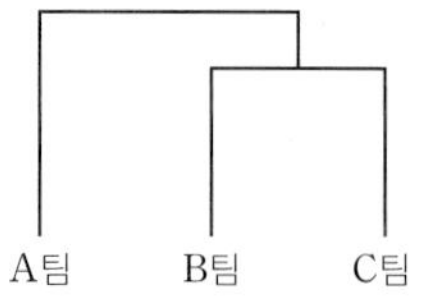
>

A팀이 우승할 확률은 다음 두 가지이다.

(i) B팀이 C팀을 이기고, A팀이 B팀을 이길 때
확률은 $0.2\times0.7=0.14$

(ii) C팀이 B팀을 이기고, A팀이 C팀을 이길 때
확률은 $0.8\times0.6=0.48$

따라서 구하는 확률은 $p=0.14+0.48=0.62$이다.

$\therefore 100p=100\times0.62=62$

답 62

0631 준결승에서 시합을 하는 경우와 결승에서 시합을 하는 경우가 있다.

> 3학년에 7개의 반이 있는 어느 고등학교에서 토너먼트 방식으로 축구 시합을 하려고 하는데 이미 1반은 부전승으로 결정되어 있다. 다음과 같은 형태의 대진표를 만들어 시합을 할 때, 1반과 2반이 축구 시합을 할 확률은? $\left(\text{단, 각 반이 시합에서 이길 확률은 모두 }\frac{1}{2}\text{이고, 기권하는 반은 없다고 한다.}\right)$
>
> 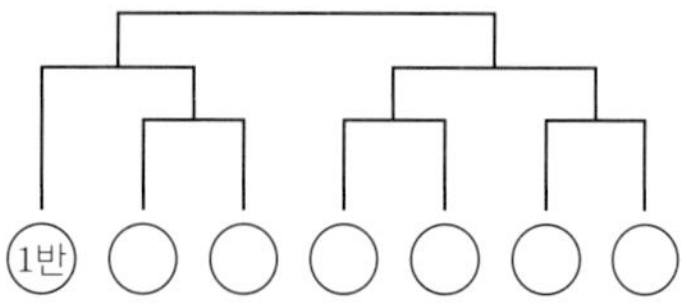
>

(i) 1반과 2반이 준결승에서 시합을 할 경우
대진표가 옆 그림과 같이 작성되고 2반은 상대방을 한 번 이겨야 한다.

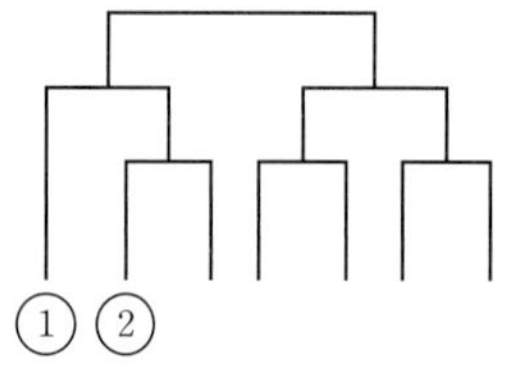

➡ $\frac{1}{3}\times\frac{1}{2}=\frac{1}{6}$

(ii) 1반과 2반이 결승에서 시합을 할 경우
대진표가 옆 그림과 같이 작성되고 1반은 1번, 2반은 2번 상대방을 이겨야 한다.

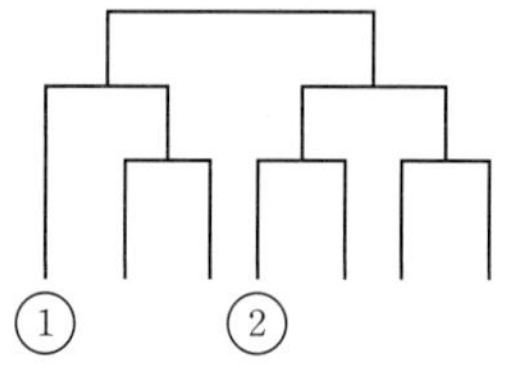

➡ $\frac{2}{3}\times\frac{1}{2}\times\frac{1}{2}\times\frac{1}{2}=\frac{1}{12}$

(i), (ii)에 의하여

$\frac{1}{6}+\frac{1}{12}=\frac{1}{4}$

답 ⑤

0632 어른을 뽑는 사건을 A, 여자를 뽑는 사건을 B라 하자.

> 어느 프로야구 경기의 관중 중에서 80 %가 어른이고, 55 %가 남자이며 여자 중에서 20 %가 어린 아이이다. 관중 중에서 어른 한 명을 택했을 때, 그 사람이 여자일 확률은?

어른을 뽑는 사건을 A, 여자를 뽑는 사건을 B라 하면

$\mathrm{P}(A\cap B)=\mathrm{P}(B)\mathrm{P}(A|B)$

$=0.45\times0.8=0.36$

따라서 구하는 확률은

$\mathrm{P}(B|A)=\frac{\mathrm{P}(A\cap B)}{\mathrm{P}(A)}=\frac{0.36}{0.8}=0.45$

답 ③

0633

> 어느 학교 전체 학생의 60 %는 버스로, 나머지 40 %는 걸어서 등교하였다. 버스로 등교한 학생의 $\frac{1}{20}$이 지각하였고, 걸어서 등교한 학생의 $\frac{1}{15}$이 지각하였다. 이 학교 전체 학생 중 임의로 선택한 1명의 학생이 지각하였을 때, 이 학생이 버스로 등교하였을 확률은?
>
> 선택한 학생이 지각하는 사건을 A, 학생이 버스로 등교하는 사건을 B라 하자.

선택한 한 학생이 지각하는 사건을 A, 학생이 버스로 등교하는 사건을 B라고 하면 구하는 확률은 $\mathrm{P}(B|A)$이다.

$\mathrm{P}(A)=\mathrm{P}(A\cap B)+\mathrm{P}(A\cap B^C)$

$=\mathrm{P}(B)\mathrm{P}(A|B)+\mathrm{P}(B^C)\mathrm{P}(A|B^C)$

$=\frac{3}{5}\times\frac{1}{20}+\frac{2}{5}\times\frac{1}{15}$

$=\frac{17}{300}$

따라서 $\mathrm{P}(B|A)=\frac{\mathrm{P}(A\cap B)}{\mathrm{P}(A)}=\frac{\frac{3}{100}}{\frac{17}{300}}=\frac{9}{17}$

답 ⑤

0634

> 어느 지역에 거주하는 자동차 운전자 중에서 보험 가입자와 미가입자가 자동차 사고를 일으킬 확률은 각각 10 %, 20 %이고, 이 지역의 자동차 운전자 중에서 보험에 가입한 운전자의 비율은 80 %라고 한다. 어느 날 자동차 사고가 일어났을 때, 사고를 일으킨 운전자가 보험 가입자일 확률은?
>
> $\frac{(\text{보험 가입자가 사고를 일으킬 확률})}{(\text{사고를 일으킬 확률})}$임을 이용하자.

자동차 운전자가 보험에 가입하는 사건을 A, 자동차 사고를 일으키는 사건을 B라 하면

$\mathrm{P}(A\cap B)=\mathrm{P}(A)\mathrm{P}(B|A)=0.8\times0.1=0.08$

$\mathrm{P}(A^C\cap B)=\mathrm{P}(A^C)\mathrm{P}(B|A^C)=0.2\times0.2=0.04$

$\therefore \mathrm{P}(B)=\mathrm{P}(A\cap B)+\mathrm{P}(A^C\cap B)$

$=0.08+0.04=0.12$

따라서 구하는 확률은

$\mathrm{P}(A|B)=\frac{\mathrm{P}(A\cap B)}{\mathrm{P}(B)}=\frac{0.08}{0.12}=\frac{2}{3}$

답 ④

0635 $\mathrm{P}(E)=\mathrm{P}(A\cap E)+\mathrm{P}(B\cap E)$임을 이용하자.

> 어느 의류 회사에서는 같은 디자인의 제품을 두 공장 P, Q에서 나누어 생산하고 있다. 공장 P에서는 옷 전체 생산량의 30 %, 공장 Q에서는 70 %를 생산하고 두 공장 P, Q의 불량률은 각각 1 %, 2 % 이다. 판매된 옷 한 벌이 불량으로 반품되었을 때, 이 옷이 공장 Q에서 생산된 제품일 확률을 구하시오.
>
> 조건부 확률 $\mathrm{P}(A|B)=\dfrac{\mathrm{P}(A\cap B)}{\mathrm{P}(B)}$임을 이용하자.

공장 P에서 생산된 제품인 사건을 A, 공장 Q에서 생산된 제품인 사건을 B라 하고, 불량품인 사건을 E라 하면

$\mathrm{P}(A\cap E)=\mathrm{P}(A)\mathrm{P}(E|A)=0.3\times0.01=0.003$

$\mathrm{P}(B\cap E)=\mathrm{P}(B)\mathrm{P}(E|B)=0.7\times0.02=0.014$

$\therefore \mathrm{P}(E)=\mathrm{P}(A\cap E)+\mathrm{P}(B\cap E)$

$=0.003+0.014=0.017$

따라서 구하는 확률은

$\mathrm{P}(B|E)=\dfrac{\mathrm{P}(B\cap E)}{\mathrm{P}(E)}=\dfrac{0.014}{0.017}=\dfrac{14}{17}$ 　　답 $\dfrac{14}{17}$

0636

> 올림픽 경기에 참가한 세 양궁 선수 갑, 을, 병이 10점에 화살을 명중시킬 확률이 각각 $\frac{3}{4}$, $\frac{2}{3}$, $\frac{2}{5}$라고 한다. 세 명이 동시에 하나의 과녁을 향해 쏘았더니 한 개의 화살이 10점에 맞았을 때, 이 화살이 갑이 명중시킨 화살일 확률은?
>
> $\dfrac{\text{(갑이 쏜 화살만 명중할 확률)}}{\text{(1개의 화살만 명중할 확률)}}$임을 이용하자.

갑, 을, 병이 10점에 화살을 명중시키는 사건을 각각 A, B, C라 하고, 한 개의 화살만 10점에 명중하는 사건을 E라 하면

$\mathrm{P}(A\cap E)=\dfrac{3}{4}\times\dfrac{1}{3}\times\dfrac{3}{5}=\dfrac{3}{20}$

$\mathrm{P}(B\cap E)=\dfrac{1}{4}\times\dfrac{2}{3}\times\dfrac{3}{5}=\dfrac{1}{10}$

$\mathrm{P}(C\cap E)=\dfrac{1}{4}\times\dfrac{1}{3}\times\dfrac{2}{5}=\dfrac{1}{30}$

$\mathrm{P}(E)=\mathrm{P}(A\cap E)+\mathrm{P}(B\cap E)+\mathrm{P}(C\cap E)$

$=\dfrac{3}{20}+\dfrac{1}{10}+\dfrac{1}{30}=\dfrac{17}{60}$

따라서 구하는 확률은

$\mathrm{P}(A|E)=\dfrac{\mathrm{P}(A\cap E)}{\mathrm{P}(E)}=\dfrac{\frac{3}{20}}{\frac{17}{60}}=\dfrac{9}{17}$ 　　답 ③

0637 각 장소에서 우산을 잃어버렸을 사건을 각각 A, B, C라 하면 이들은 서로 배반사건이고 구하려는 확률은 $\dfrac{\mathrm{P}(B)}{\mathrm{P}(A)+\mathrm{P}(B)+\mathrm{P}(C)}$임을 이용하자.

> 어느 장소에 들를 때마다 세 번에 한 번 꼴로 우산을 잃어버리는 버릇이 있는 K군이 어느 날에 우산을 가지고 집을 나서서 학교, 도서관, 서점을 차례로 들러 집에 돌아와 보니 우산이 없었다. 우산을 도서관에서 잃어버렸을 확률을 구하시오.

학교, 도서관, 서점에서 우산을 잃어버렸을 사건을 각각 A, B, C라 하고 세 곳 중 한 곳에서 우산을 잃어버렸을 사건을 E라 하면

$\mathrm{P}(A)=\dfrac{1}{3}$, $\mathrm{P}(B)=\dfrac{2}{3}\times\dfrac{1}{3}=\dfrac{2}{9}$

$\mathrm{P}(C)=\left(\dfrac{2}{3}\right)^2\times\dfrac{1}{3}=\dfrac{4}{27}$

$\therefore \mathrm{P}(E)=\mathrm{P}(A)+\mathrm{P}(B)+\mathrm{P}(C)$

$=\dfrac{1}{3}+\dfrac{2}{9}+\dfrac{4}{27}=\dfrac{19}{27}$

따라서 구하는 확률은

$\mathrm{P}(B|E)=\dfrac{\mathrm{P}(B\cap E)}{\mathrm{P}(E)}=\dfrac{\mathrm{P}(B)}{\mathrm{P}(E)}=\dfrac{\frac{2}{9}}{\frac{19}{27}}=\dfrac{6}{19}$ 　　답 $\dfrac{6}{19}$

0638

> 3개의 당첨 제비가 들어 있는 10개의 제비 중에서 철수, 영희의 순서로 제비를 한 개씩 뽑는다. 영희가 당첨 제비를 뽑았을 때, 철수도 당첨 제비를 뽑았을 확률을 구하시오.
> (단, 뽑은 제비는 다시 넣지 않는다.)
>
> 철수와 영희가 당첨 제비를 뽑는 사건을 A, B라 하면 $\mathrm{P}(B)=\mathrm{P}(A\cap B)+\mathrm{P}(A^C\cap B)$임을 이용하자.

철수, 영희가 당첨 제비를 뽑는 사건을 각각 A, B라 하면

$\mathrm{P}(A\cap B)=\mathrm{P}(A)\mathrm{P}(B|A)$

$=\dfrac{3}{10}\times\dfrac{2}{9}=\dfrac{1}{15}$

$\mathrm{P}(A^C\cap B)=\mathrm{P}(A^C)\mathrm{P}(B|A^C)$

$=\dfrac{7}{10}\times\dfrac{3}{9}=\dfrac{7}{30}$

$\therefore \mathrm{P}(B)=\mathrm{P}(A\cap B)+\mathrm{P}(A^C\cap B)$

$=\dfrac{1}{15}+\dfrac{7}{30}=\dfrac{3}{10}$

따라서 구하는 확률은

$\mathrm{P}(A|B)=\dfrac{\mathrm{P}(A\cap B)}{\mathrm{P}(B)}=\dfrac{\frac{1}{15}}{\frac{3}{10}}=\dfrac{2}{9}$ 　　답 $\dfrac{2}{9}$

0639

> 당첨 제비 2개를 포함한 5개의 제비 중에서 한 개를 꺼내어 친구에게 보여 주었더니 당첨 제비라고 하였다. 그 친구는 4번에 1번 꼴로 거짓말을 한다고 할 때, 꺼낸 것이 당첨 제비일 확률을 구하시오.
>
> 당첨 제비를 꺼내는 사건을 A, 친구가 당첨 제비라고 말하는 사건을 E라 하면 구하는 확률은 $\mathrm{P}(A|E)=\dfrac{\mathrm{P}(A\cap E)}{\mathrm{P}(E)}$임을 이용하자.

당첨 제비를 꺼내는 사건을 A, 당첨 제비를 꺼내지 않는 사건을 B라 하고, 친구가 당첨 제비라고 말하는 사건을 E라 하면

$\mathrm{P}(A\cap E)=\mathrm{P}(A)\mathrm{P}(E|A)$

$=\dfrac{2}{5}\times\dfrac{3}{4}=\dfrac{6}{20}$

$\mathrm{P}(B\cap E)=\mathrm{P}(B)\mathrm{P}(E|B)$

$=\dfrac{3}{5}\times\dfrac{1}{4}=\dfrac{3}{20}$

$P(E)=P(A\cap E)+P(B\cap E)$

$=\frac{6}{20}+\frac{3}{20}=\frac{9}{20}$

따라서 구하는 확률은

$P(A|E)=\frac{P(A\cap E)}{P(E)}=\frac{\frac{6}{20}}{\frac{9}{20}}=\frac{2}{3}$ 답 $\frac{2}{3}$

0640

어느 거짓말 탐지기의 정확도는 80 %이다. 즉, 참말을 참이라고 판정할 확률과 거짓말을 거짓이라고 판정할 확률이 모두 0.8이다. 거짓말을 할 확률이 $\frac{1}{5}$인 어떤 사람이 한 말에 대해 거짓말 탐지기가 참이라고 판정했을 때, 실제로 그 사람이 참말을 했을 확률을 구하시오.

→ $\frac{\text{(참말을 탐지기가 참이라고 할 확률)}}{\text{(탐지기가 참이라고 할 확률)}}$ 임을 이용하자.

(i) 사람이 거짓말을 하고 탐지기가 참이라고 했을 경우

$\frac{1}{5}\times\frac{2}{10}=\frac{1}{25}$

(ii) 사람이 참을 말하고 탐지기가 참이라고 했을 경우

$\frac{4}{5}\times\frac{8}{10}=\frac{16}{25}$

따라서 구하는 확률은

$\frac{\frac{16}{25}}{\frac{1+16}{25}}=\frac{16}{17}$ 답 $\frac{16}{17}$

0641

A상자에는 흰 공 3개, 검은 공 2개, B상자에는 흰 공 4개, 검은 공 3개가 들어 있다. 한 개의 상자를 임의로 택하여 한 개의 공을 꺼내었더니 그것이 흰 공이었을 때, 택한 상자가 A상자일 확률을 구하시오.

→ 흰 공이 나올 사건을 E라 할 때, $P(A|E)=\frac{P(A\cap E)}{P(A\cap E)+P(B\cap E)}$ 임을 이용하자.

상자 A, B를 택하는 사건을 각각 A, B라 하고, 흰 공이 나올 사건을 E라 하면

$P(A\cap E)=P(A)P(E|A)=\frac{1}{2}\times\frac{3}{5}=\frac{3}{10}$

$P(B\cap E)=P(B)P(E|B)=\frac{1}{2}\times\frac{4}{7}=\frac{2}{7}$

$P(E)=P(A\cap E)+P(B\cap E)$

$=\frac{3}{10}+\frac{2}{7}=\frac{41}{70}$

따라서 구하는 확률은

$P(A|E)=\frac{P(A\cap E)}{P(E)}=\frac{\frac{3}{10}}{\frac{41}{70}}=\frac{21}{41}$ 답 $\frac{21}{41}$

0642

→ 꺼낸 2개의 공이 모두 검은색인 사건을 E라 하면 $P(B|E)=\frac{P(B\cap E)}{P(A\cap E)+P(B\cap E)}$ 임을 이용하자.

주머니 A에는 검은 구슬 3개가 들어 있고, 주머니 B에는 검은 구슬 2개와 흰 구슬 2개가 들어 있다. 두 주머니 A, B 중 임의로 선택한 하나의 주머니에서 동시에 꺼낸 2개의 구슬이 모두 검은색일 때, 선택된 주머니가 B이었을 확률은?

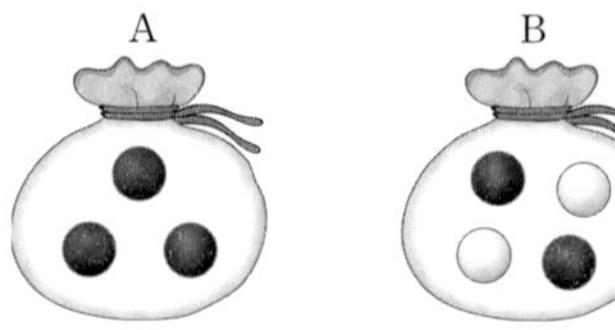

주머니 A를 선택하는 사건을 A, 주머니 B를 선택하는 사건을 B, 꺼낸 2개의 구슬이 모두 검은색일 사건을 E라 하면

$P(A\cap E)=P(A)P(E|A)$

$=\frac{1}{2}\times\frac{{}_3C_2}{{}_3C_2}=\frac{1}{2}\times1=\frac{1}{2}$

$P(B\cap E)=P(B)P(E|B)$

$=\frac{1}{2}\times\frac{{}_2C_2}{{}_4C_2}=\frac{1}{2}\times\frac{1}{6}=\frac{1}{12}$

따라서 두 주머니 A, B 중 임의로 선택한 하나의 주머니에서 동시에 꺼낸 2개의 구슬이 모두 검은색일 확률은

$P(E)=P(A\cap E)+P(B\cap E)$

$=\frac{1}{2}+\frac{1}{12}=\frac{7}{12}$

따라서 하나의 주머니에서 동시에 꺼낸 2개의 구슬이 모두 검은색일 때, 선택된 주머니가 B이었을 확률은

$P(B|E)=\frac{P(B\cap E)}{P(E)}=\frac{\frac{1}{12}}{\frac{7}{12}}=\frac{1}{7}$ 답 ④

0643

→ A주머니에서 흰 공을 꺼내어 B주머니에 넣을 때와 검은 공을 꺼내어 B주머니에 넣을 때로 나누어 구하자.

A 주머니에 흰 공 2개, 검은 공 5개 그리고 B 주머니에 흰 공 3개, 검은 공 4개가 들어 있다. A 주머니에서 한 개의 공을 임의로 꺼내어 B 주머니에 넣은 다음 다시 B 주머니에서 하나의 공을 꺼내기로 한다. B에서 꺼낸 공이 흰 공일 때, A에서 B로 옮겨진 공이 흰 공이었을 확률은 $\frac{q}{p}$이다. $10p+q$의 값을 구하시오.

(단, p와 q는 서로소인 자연수이다.)

B 주머니에서 꺼낸 공이 흰 공일 경우는 다음의 두 가지이므로 확률을 구하면

(i) A 주머니에서 흰 공을 꺼내어 B 주머니에 넣었을 때 흰 공이 나오는 경우

$\frac{{}_2C_1}{{}_7C_1}\times\frac{{}_4C_1}{{}_8C_1}=\frac{2}{7}\times\frac{4}{8}=\frac{8}{56}$

(ii) A 주머니에서 검은 공을 꺼내어 B 주머니에 넣었을 때 흰 공이 나오는 경우

$\frac{{}_5C_1}{{}_7C_1}\times\frac{{}_3C_1}{{}_8C_1}=\frac{5}{7}\times\frac{3}{8}=\frac{15}{56}$

따라서 구하는 확률은

$$\frac{(\text{A에서 B로 옮겨진 공이 흰 공일 경우의 수})}{(\text{B에서 꺼낸 공이 흰 공일 확률})}$$

$$=\frac{\frac{8}{56}}{\frac{8}{56}+\frac{15}{56}}=\frac{8}{23}$$

이때, $p=23$, $q=8$이므로

$10p+q=10\times23+8=238$ 답 238

0644

> 흰 공 2개와 검은 공 3개가 들어 있는 상자에서 갑이 먼저 공 1개를 꺼낸 후 다시 넣지 않고 을이 나머지 4개 중에서 1개를 꺼냈다. 을이 꺼낸 공이 흰 공이었을 때, 갑이 꺼낸 공도 흰 공일 확률은?
>
> → 갑이 흰 공을 꺼내는 사건을 A, 을이 흰 공을 꺼내는 사건을 B라 하면, $\mathrm{P}(E)=\mathrm{P}(A\cap E)+\mathrm{P}(A^C\cap E)$ $=\mathrm{P}(A)\mathrm{P}(E|A)+\mathrm{P}(A^C)\mathrm{P}(E|A^C)$ 임을 이용하자.

갑이 흰 공을 꺼내는 사건을 A, 을이 흰 공을 꺼내는 사건을 E라 하면

$\mathrm{P}(A\cap E)=\mathrm{P}(A)\mathrm{P}(E|A)=\frac{2}{5}\times\frac{1}{4}=\frac{1}{10}$

$\mathrm{P}(A^C\cap E)=\mathrm{P}(A^C)\mathrm{P}(E|A^C)=\frac{3}{5}\times\frac{2}{4}=\frac{3}{10}$

$\therefore \mathrm{P}(E)=\mathrm{P}(A\cap E)+\mathrm{P}(A^C\cap E)$

$=\frac{1}{10}+\frac{3}{10}=\frac{2}{5}$

따라서 구하는 확률은

$\mathrm{P}(A|E)=\frac{\mathrm{P}(A\cap E)}{\mathrm{P}(E)}=\frac{\frac{1}{10}}{\frac{2}{5}}=\frac{1}{4}$ 답 ②

0645

> 주머니 A에는 1, 2, 3, 4, 5의 숫자가 하나씩 적혀 있는 5장의 카드가 들어 있고, 주머니 B에는 6, 7, 8, 9, 10의 숫자가 하나씩 적혀 있는 5장의 카드가 들어 있다. 두 주머니 A, B에서 임의로 각각 한 장씩의 카드를 꺼냈다. 꺼낸 2장의 카드에 적혀 있는 두 수의 합이 홀수일 때, 주머니 A에서 꺼낸 카드에 적혀 있는 수가 짝수일 확률을 구하시오.
>
> → 한 장은 짝수 다른 한 장은 홀수임을 이용하자.
>
> → $\mathrm{P}(E)=\mathrm{P}(A\cap E)+\mathrm{P}(B\cap E)$임을 이용하자.

두 주머니 A, B에서 꺼낸 카드에 적혀 있는 수가 짝수인 사건을 각각 A, B라 하고, 2장의 카드에 적혀 있는 두 수의 합이 홀수인 사건을 E라 하면

$\mathrm{P}(A\cap E)=\mathrm{P}(A)\mathrm{P}(E|A)=\frac{2}{5}\times\frac{{}_2\mathrm{C}_1}{{}_5\mathrm{C}_1}=\frac{4}{25}$

$\mathrm{P}(B\cap E)=\mathrm{P}(B)\mathrm{P}(E|B)=\frac{3}{5}\times\frac{{}_3\mathrm{C}_1}{{}_5\mathrm{C}_1}=\frac{9}{25}$

$\mathrm{P}(E)=\mathrm{P}(A\cap E)+\mathrm{P}(B\cap E)$

$=\frac{4}{25}+\frac{9}{25}=\frac{13}{25}$

따라서 구하는 확률은

$\mathrm{P}(A|E)=\frac{\mathrm{P}(A\cap E)}{\mathrm{P}(E)}=\frac{\frac{4}{25}}{\frac{13}{25}}=\frac{4}{13}$ 답 $\frac{4}{13}$

0646

> → A, B가 꺼낸 공의 색깔의 순서쌍은 (흰, 흰), (흰, 검), (검, 흰)이 가능하다.
>
> 흰 공 3개, 검은 공 4개가 들어 있는 주머니에서 A, B, C 세 사람이 차례로 임의로 한 개씩 공을 꺼낸다. A, B 중 적어도 한 명이 검은 공을 꺼내지 못했을 때, A, B, C 세 사람 중 한 명만 흰 공을 꺼낼 확률을 구하시오. (단, 꺼낸 공은 다시 넣지 않는다.)
>
> → A, B, C가 꺼낸 공의 색깔의 순서쌍은 (흰, 검, 검), (검, 흰, 검)만 가능하다.

A, B, C 세 사람이 조건에 맞게 공을 꺼내는 각 경우의 확률은 아래와 같다.

(흰, 흰, 흰) : $\frac{3}{7}\times\frac{2}{6}\times\frac{1}{5}=\frac{1}{35}$

(흰, 흰, 검) : $\frac{3}{7}\times\frac{2}{6}\times\frac{4}{5}=\frac{4}{35}$

(흰, 검, 흰) : $\frac{3}{7}\times\frac{4}{6}\times\frac{2}{5}=\frac{4}{35}$

(흰, 검, 검) : $\frac{3}{7}\times\frac{4}{6}\times\frac{3}{5}=\frac{6}{35}$

(검, 흰, 흰) : $\frac{4}{7}\times\frac{3}{6}\times\frac{2}{5}=\frac{4}{35}$

(검, 흰, 검) : $\frac{4}{7}\times\frac{3}{6}\times\frac{3}{5}=\frac{6}{35}$

따라서 구하는 확률은

$$\frac{\frac{6+6}{35}}{\frac{1+4+4+6+4+6}{35}}=\frac{12}{25}$$ 답 $\frac{12}{25}$

0647

> → $\frac{1}{3}$의 확률로 A에서 공을 꺼낸다.
>
> 주머니 A에는 1, 2, 3, 4, 5의 숫자가 하나씩 적혀 있는 5장의 카드가 들어 있고, 주머니 B에는 1, 2, 3, 4, 5, 6의 숫자가 하나씩 적혀 있는 6장의 카드가 들어 있다. 한 개의 주사위를 한 번 던져서 나온 눈의 수가 3의 배수이면 주머니 A에서 임의로 카드를 한 장 꺼내고, 3의 배수가 아니면 주머니 B에서 임의로 카드를 한 장 꺼낸다. 주머니에서 꺼낸 카드에 적힌 수가 짝수일 때, 그 카드가 주머니 A에서 꺼낸 카드일 확률은?
>
> → $\frac{(\text{A주머니에서 짝수 카드를 뽑을 확률})}{(\text{짝수 카드를 뽑을 확률})}$ 임을 이용하자.

주머니에서 꺼낸 카드가 짝수일 경우를 모두 구하면 다음의 두 가지 경우이다.

(i) 주사위가 3 또는 6이 나오고, A 주머니에서 짝수가 나올 확률은

$\frac{2}{6}\times\frac{2}{5}=\frac{2}{15}$

(ii) 주사위가 1 또는 2 또는 4 또는 5가 나오고, B 주머니에서 짝수가 나올 확률은

$\frac{4}{6}\times\frac{3}{6}=\frac{1}{3}$

따라서 구하는 확률은

$$\frac{\frac{2}{15}}{\frac{2}{15}+\frac{1}{3}}=\frac{2}{7}$$

답 ④

0648

• $P(A\cup B)=P(A)+P(B)-P(A\cap B)$임을 이용하자.

> 서로 배반사건이 아닌 두 사건 A, B에 대하여
>
> $P(A)=\frac{1}{4}$, $P(B^C)=\frac{7}{12}$, $P(A\cup B)=\frac{1}{2}$
>
> 일 때, $P(A\cap B)$를 구하시오. • $P(B^C)=1-P(B)$임을 이용하자.

$P(B^C)=1-P(B)=\frac{7}{12}$

이므로

$P(B)=\frac{5}{12}$

$P(A\cup B)=P(A)+P(B)-P(A\cap B)$에서

$\frac{1}{2}=\frac{1}{4}+\frac{5}{12}-P(A\cap B)$

$\therefore P(A\cap B)=\frac{1}{6}$

답 $\frac{1}{6}$

0649

> 1부터 30까지의 자연수가 각각 하나씩 적힌 30장의 카드에서 1장의 카드를 꺼낼 때, 적힌 숫자가 2의 배수이거나 5의 배수일 확률은?
>
> • $P(A\cup B)=P(A)+P(B)-P(A\cap B)$임을 이용하자.

꺼낸 카드에 적힌 숫자가 2의 배수인 사건을 A, 5의 배수인 사건을 B라 하면 $A\cap B$는 10의 배수인 사건이다.

즉, $n(A)=15$, $n(B)=6$, $n(A\cap B)=3$이므로

$P(A)=\frac{15}{30}$, $P(B)=\frac{6}{30}$, $P(A\cap B)=\frac{3}{30}$

$\therefore P(A\cup B)=P(A)+P(B)-P(A\cap B)$

$=\frac{15}{30}+\frac{6}{30}-\frac{3}{30}=\frac{3}{5}$

답 ⑤

0650

> 필통 속에 노란색 연필이 4개, 파란색 연필이 3개 들어 있다. 이 필통에서 동시에 3개의 연필을 꺼낼 때, 모두 같은 색의 연필이 나올 확률은?
>
> • A, B가 서로 배반사건이면 $P(A\cup B)=P(A)+P(B)$임을 이용하자.

모두 7개의 연필에서 동시에 3개를 꺼내는 방법의 수는 ${}_7C_3$

(i) 노란색 연필 3개가 나올 확률

노란색 연필 3개가 나오는 방법의 수는 ${}_4C_3$이므로

$\frac{{}_4C_3}{{}_7C_3}=\frac{4}{35}$

(ii) 파란색 연필 3개가 나올 확률

파란색 연필 3개가 나오는 방법의 수는 ${}_3C_3$이므로

$\frac{{}_3C_3}{{}_7C_3}=\frac{1}{35}$

(i), (ii)에서 두 사건은 서로 배반사건이므로 구하는 확률은

$\frac{4}{35}+\frac{1}{35}=\frac{5}{35}=\frac{1}{7}$

답 ②

0651 서술형

> 16개의 제비 중에 당첨 제비가 3개 들어 있는 주머니에서 한꺼번에 2개의 제비를 뽑았을 때, 적어도 1개가 당첨 제비일 확률을 구하시오. 1−(모두 당첨 제비가 아닐 확률)임을 이용하자. •

적어도 1개가 당첨 제비일 사건을 A라 하면 A^C은 모두 당첨 제비가 아닐 사건이므로 …… 20%

$P(A^C)=\frac{{}_{13}C_2}{{}_{16}C_2}=\frac{13}{20}$ …… 50%

따라서 구하는 확률은

$P(A)=1-P(A^C)=1-\frac{13}{20}=\frac{7}{20}$ …… 30%

답 $\frac{7}{20}$

0652

> 1부터 20까지의 자연수가 각각 하나씩 적힌 20개의 구슬이 들어 있는 주머니가 있다. 이 주머니에서 임의로 두 개의 구슬을 뽑을 때, 구슬에 적힌 두 수의 곱이 짝수일 확률을 구하시오.
>
> • 두 자연수의 곱이 홀수인 경우는 (홀수×홀수) 뿐이므로, 곱이 짝수인 것을 찾는 것보다 더 수월하다.

구슬에 적힌 두 수의 곱이 짝수인 사건을 A라 하면

구슬에 적힌 두 수의 곱이 홀수인 사건은 A^C이므로

$P(A^C)=\frac{{}_{10}C_2}{{}_{20}C_2}=\frac{45}{190}=\frac{9}{38}$

$\therefore P(A)=1-\frac{9}{38}=\frac{29}{38}$

답 $\frac{29}{38}$

0653

> 두 사건 A, B에 대하여
>
> $P(A)=\frac{1}{2}$, $P(A|B)=\frac{1}{6}$, $P(A\cup B)=\frac{3}{4}$
>
> 일 때, $P(B)$를 구하시오.
>
> • $P(A\cap B)=P(B)P(A|B)$임을 이용하자.

$P(A|B)=\frac{P(A\cap B)}{P(B)}$에서

$P(A\cap B)=P(B)P(A|B)=\frac{1}{6}P(B)$

$P(A\cup B)=P(A)+P(B)-P(A\cap B)$에서

$\frac{3}{4}=\frac{1}{2}+P(B)-\frac{1}{6}P(B)$

$\therefore P(B)=\frac{3}{10}$

답 $\frac{3}{10}$

0654

7명의 학생 중에서 3명은 1월생이고, 4명은 2월생이다. 이 중에서 2명을 선발하였더니 2명의 생일이 같은 달이었을 때, 2명의 생일이 1월일 확률을 구하시오.

$\dfrac{(\text{생일이 1월인 학생을 2명 뽑을 확률})}{(\text{생일이 같은 달인 학생을 2명 뽑을 확률})}$ 임을 이용하자.

1월생을 2명 뽑는 사건을 A, 2월생을 2명 뽑는 사건을 B, 생일이 같은 달인 학생을 2명 뽑는 사건을 C라 하면

$\mathrm{P}(A)=\dfrac{{}_3\mathrm{C}_2}{{}_7\mathrm{C}_2}=\dfrac{1}{7}$

$\mathrm{P}(B)=\dfrac{{}_4\mathrm{C}_2}{{}_7\mathrm{C}_2}=\dfrac{2}{7}$

$\mathrm{P}(C)=\mathrm{P}(A)+\mathrm{P}(B)=\dfrac{3}{7}$

따라서 구하는 확률은

$\mathrm{P}(A|C)=\dfrac{\mathrm{P}(A\cap C)}{\mathrm{P}(C)}=\dfrac{\mathrm{P}(A)}{\mathrm{P}(C)}$

$=\dfrac{\frac{1}{7}}{\frac{3}{7}}=\dfrac{1}{3}$

답 $\dfrac{1}{3}$

다른풀이 1월생을 2명 뽑는 사건을 A, 2월생을 2명 뽑는 사건을 B, 생일이 같은 달인 학생을 2명 뽑는 사건을 C라 하면

$n(A)={}_3\mathrm{C}_2=3$, $n(B)={}_4\mathrm{C}_2=6$,

$n(C)=n(A)+n(B)=9$

$\therefore \mathrm{P}(A|C)=\dfrac{n(A\cap C)}{n(C)}$

$=\dfrac{n(A)}{n(C)}=\dfrac{1}{3}$

0655

다음은 남학생 20명, 여학생 15명으로 이루어진 어느 반에서 동생이 있는지 없는지를 조사한 후 그 결과를 표로 나타낸 것이다.

(단위: 명)

성별 \ 동생	있다	없다	합계
남학생	5	15	20
여학생	8	7	15
합계	13	22	35

이 반에서 임의로 남학생 한 명을 뽑을 때, 그 학생에게 동생이 있을 확률을 구하시오.

$\dfrac{(\text{동생이 있는 남학생을 뽑을 확률})}{(\text{남학생을 뽑을 확률})}$ 임을 이용하자.

남학생을 뽑는 사건을 A, 동생이 있는 학생을 뽑는 사건을 B라 하면

$\mathrm{P}(A)=\dfrac{20}{35}$, $\mathrm{P}(A\cap B)=\dfrac{5}{35}$

따라서 구하는 확률은

$\mathrm{P}(B|A)=\dfrac{\mathrm{P}(A\cap B)}{\mathrm{P}(A)}=\dfrac{\frac{5}{35}}{\frac{20}{35}}=\dfrac{1}{4}$

답 $\dfrac{1}{4}$

다른풀이 전사건을 S라 하면

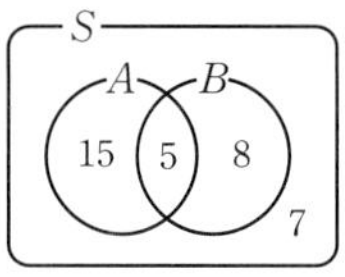

$\therefore \mathrm{P}(B|A)=\dfrac{n(A\cap B)}{n(A)}=\dfrac{5}{20}=\dfrac{1}{4}$

0656 서술형

빽소니 차량이 자가용인 사건을 A, 뺑소니 차량이 업무용인 사건을 B, 목격자가 뺑소니 차량이 자가용이라 증언한 사건을 E라 하면 $\mathrm{P}(E)=\mathrm{P}(A\cap E)+\mathrm{P}(B\cap E)$

어느 도시에서 야간에 뺑소니 사건이 일어났다. 이 도시 전체 차량의 80 %는 자가용이고, 20 %는 영업용이다. 그런데 한 목격자가 뺑소니 차량을 자가용이라고 증언하였다. 이 증언의 타당성을 알아보기 위해 사고와 동일한 상황에서 그 목격자가 자가용 차량과 영업용 차량을 구별할 수 있는 능력을 측정해 본 결과 바르게 구별할 확률이 90 %이었을 때, 목격자가 본 뺑소니 차량이 실제로 자가용일 확률은 $\dfrac{q}{p}$이다. $p+q$의 값을 구하시오.

(단, p, q는 서로소인 자연수이고, 모든 차량이 뺑소니 사건을 일으킬 가능성은 같다고 가정한다.)

$\mathrm{P}(A|E)=\dfrac{\mathrm{P}(A\cap E)}{\mathrm{P}(E)}$ 임을 이용하자.

뺑소니 차량이 자가용인 사건을 A, 뺑소니 차량이 영업용인 사건을 B라 하고, 목격자가 뺑소니 차량이 자가용이라 증언한 사건을 E라 하면

$\mathrm{P}(A\cap E)=\mathrm{P}(A)\mathrm{P}(E|A)=\dfrac{80}{100}\times\dfrac{90}{100}=\dfrac{72}{100}$ …… 30%

$\mathrm{P}(B\cap E)=\mathrm{P}(B)\mathrm{P}(E|B)=\dfrac{20}{100}\times\dfrac{10}{100}=\dfrac{2}{100}$ …… 30%

$\mathrm{P}(E)=\mathrm{P}(A\cap E)+\mathrm{P}(B\cap E)$

$=\dfrac{72}{100}+\dfrac{2}{100}=\dfrac{74}{100}$

따라서 구하는 확률은

$\mathrm{P}(A|E)=\dfrac{\mathrm{P}(A\cap E)}{\mathrm{P}(E)}=\dfrac{\frac{72}{100}}{\frac{74}{100}}=\dfrac{36}{37}$

$\therefore p+q=37+36=73$ …… 40%

답 73

0657

갑은 8개 중 5개인 파란 공을 뽑아야 하고, 그 다음 을은 7개 중 4개인 파란 공을 뽑아야 한다.

파란 공 5개, 노란 공 3개가 들어 있는 주머니에서 갑, 을 두 사람이 갑, 을의 순서로 공을 한 개씩 꺼낼 때, 두 사람 모두 파란 공을 꺼낼 확률은? (단, 꺼낸 공은 다시 넣지 않는다.)

갑이 파란 공을 꺼내는 사건을 A, 을이 파란 공을 꺼내는 사건을 B라 하면

$\mathrm{P}(A)=\dfrac{5}{8}$, $\mathrm{P}(B|A)=\dfrac{4}{7}$

따라서 구하는 확률은

$\mathrm{P}(A\cap B)=\mathrm{P}(A)\mathrm{P}(B|A)=\dfrac{5}{8}\times\dfrac{4}{7}=\dfrac{5}{14}$

답 ③

0658

> 어떤 야구팀이 다른 팀과의 시합에서 비가 오면 이길 확률이 0.7, 비가 오지 않으면 이길 확률이 0.4라고 한다. 그동안 시합이 열리는 날의 30 %는 비가 왔다고 할 때, 이 팀이 한 번의 시합에서 다른 팀을 이길 확률을 구하시오.
>
> └• 비가 오는 사건을 A, 시합에서 이기는 사건을 B라 하면 $\mathrm{P}(B)=\mathrm{P}(A\cap B)+\mathrm{P}(A^C\cap B)$임을 이용하자.

시합이 열리는 날에 비가 올 사건을 A, 한 번의 시합에서 다른 팀을 이기는 사건을 B라 하면 구하는 확률은

$$\begin{aligned}\mathrm{P}(B)&=\mathrm{P}(A\cap B)+\mathrm{P}(A^C\cap B)\\&=\mathrm{P}(A)\mathrm{P}(B|A)+\mathrm{P}(A^C)\mathrm{P}(B|A^C)\\&=0.3\times0.7+0.7\times0.4=0.49\end{aligned}$$

답 0.49

0659

> 상자에 흰 공 3개와 검은 공 2개가 들어 있다. 민호가 먼저 임의로 1개의 공을 꺼낸 후 다시 넣지 않았고, 다음에 창민이가 남은 4개의 공 중에서 임의로 1개의 공을 꺼냈다. 창민이가 꺼낸 공이 흰 공이었을 때, 민호가 먼저 꺼냈던 공도 흰 공일 확률은?
>
> └• 민호가 꺼낸 공이 흰 공, 검은 공일 사건을 각각 A, B라 하고, 창민이가 꺼낸 공이 흰 공일 사건을 E라 하면 $\mathrm{P}(E)=\mathrm{P}(A\cap E)+\mathrm{P}(B\cap E)$임을 이용하자.

민호가 꺼낸 공이 흰 공, 검은 공일 사건을 각각 A, B라 하고, 창민이가 꺼낸 공이 흰 공일 사건을 E라 하면

$$\mathrm{P}(A\cap E)=\mathrm{P}(A)\mathrm{P}(E|A)=\frac{3}{5}\times\frac{2}{4}=\frac{3}{10}$$

$$\mathrm{P}(B\cap E)=\mathrm{P}(B)\mathrm{P}(E|B)=\frac{2}{5}\times\frac{3}{4}=\frac{3}{10}$$

$$\begin{aligned}\mathrm{P}(E)&=\mathrm{P}(A\cap E)+\mathrm{P}(B\cap E)\\&=\frac{3}{10}+\frac{3}{10}=\frac{3}{5}\end{aligned}$$

따라서 구하는 확률은

$$\mathrm{P}(A|E)=\frac{\mathrm{P}(A\cap E)}{\mathrm{P}(E)}=\frac{\frac{3}{10}}{\frac{3}{5}}=\frac{1}{2}$$

답 ①

0660

└• (~ 또는)인 경우는 확률의 덧셈정리 $\mathrm{P}(A\cup B)=\mathrm{P}(A)+\mathrm{P}(B)-\mathrm{P}(A\cap B)$를 이용하자.

> 1부터 6까지의 자연수 중에서 서로 다른 네 수를 택한 후 나열하여 만들 수 있는 네 자리 자연수 중에서 임의로 택한 자연수의 천의 자리, 백의 자리, 십의 자리, 일의 자리의 수를 각각 a, b, c, d라 할 때, $a>b>c$ 또는 $b>c>d$를 만족시킬 확률은 $\frac{q}{p}$이다. $p+q$의 값을 구하시오. (단, p와 q는 서로소인 자연수이다.)

1부터 6까지의 자연수 중에서 서로 다른 네 수를 택한 후 나열하여 만들 수 있는 네 자리 자연수의 개수는 ${}_6\mathrm{P}_4$

임의로 택한 네 자리의 자연수가 $a>b>c$를 만족시키는 사건을 A, $b>c>d$를 만족시키는 사건을 B라 하면 $a>b>c$ 또는 $b>c>d$를 만족시킬 확률은 $\mathrm{P}(A\cup B)$이다.

(i) $a>b>c$를 만족시킬 확률

1부터 6까지의 자연수 중에서 세 개를 택하여 큰 수부터 차례로 a, b, c라 하고, 남은 3개의 자연수 중에서 한 개를 택하여 d라 하면 되므로 이 경우의 수는 ${}_6\mathrm{C}_3\times3$

$$\therefore \mathrm{P}(A)=\frac{{}_6\mathrm{C}_3\times3}{{}_6\mathrm{P}_4}=\frac{1}{6}$$

(ii) $b>c>d$를 만족시킬 확률

1부터 6까지의 자연수 중에서 세 개를 택하여 큰 수부터 차례로 b, c, d라 하고, 남은 3개의 자연수 중에서 한 개를 택하여 a라 하면 되므로 이 경우의 수는 ${}_6\mathrm{C}_3\times3$

$$\therefore \mathrm{P}(B)=\frac{{}_6\mathrm{C}_3\times3}{{}_6\mathrm{P}_4}=\frac{1}{6}$$

(iii) $a>b>c>d$를 만족시킬 확률

1부터 6까지의 자연수 중에서 네 개를 택하여 큰 수부터 차례로 a, b, c, d라 하면 되므로 이 경우의 수는 ${}_6\mathrm{C}_4$

$$\therefore \mathrm{P}(A\cap B)=\frac{{}_6\mathrm{C}_4}{{}_6\mathrm{P}_4}=\frac{{}_6\mathrm{C}_2}{{}_6\mathrm{P}_4}=\frac{1}{24}$$

(i), (ii), (iii)에서 구하는 확률은

$$\begin{aligned}\mathrm{P}(A\cup B)&=\mathrm{P}(A)+\mathrm{P}(B)-\mathrm{P}(A\cap B)\\&=\frac{1}{6}+\frac{1}{6}-\frac{1}{24}=\frac{7}{24}\end{aligned}$$

따라서 $p=24$, $q=7$이므로

$p+q=24+7=31$

답 31

0661

└• 2의 숫자가 적힌 카드를 x장, -1의 숫자가 적힌 카드를 y장 뽑았다고 하자.

> 주머니 속에 2의 숫자가 적힌 카드가 3장, -1의 숫자가 적힌 카드가 3장 들어 있다. 주사위를 한 번 던져 나오는 눈의 수만큼 주머니 속에서 카드를 꺼낼 때, 꺼낸 카드에 적힌 숫자의 총합을 X라 하자. X가 4일 확률은?
>
> └• $2x-y=4$인 경우이다.

2의 숫자가 적힌 카드를 x장, -1의 숫자가 적힌 카드를 y장 뽑았다고 하면 $X=4$이므로

$$\begin{cases}0\le x\le3,\ 0\le y\le3 & \cdots\cdots ㉠\\ 2x-y=4 & \cdots\cdots ㉡\\ 1\le x+y\le6 & \cdots\cdots ㉢\end{cases}$$

㉠, ㉡, ㉢의 세 식을 동시에 만족시키는 x, y의 값은

$x=2$, $y=0$ 또는 $x=3$, $y=2$

(i) $x=2$, $y=0$일 때는 주사위를 한 번 던져 2의 눈이 나오고, 2의 숫자가 적힌 카드가 2장 나오는 경우이므로 그 확률은

$$\frac{1}{6}\times\frac{{}_3\mathrm{C}_2}{{}_6\mathrm{C}_2}=\frac{1}{30}$$

(ii) $x=3$, $y=2$일 때는 주사위를 한 번 던져 5의 눈이 나오고, 2의 숫자가 적힌 카드가 3장, -1의 숫자가 적힌 카드가 2장 나오는 경우이므로 그 확률은

$$\frac{1}{6}\times\frac{{}_3\mathrm{C}_3\times{}_3\mathrm{C}_2}{{}_6\mathrm{C}_5}=\frac{1}{12}$$

(i), (ii)에서 두 사건은 서로 배반사건이므로 구하는 확률은

$$\frac{1}{30}+\frac{1}{12}=\frac{7}{60}$$

답 ②

0662

> 흰 공 5개와 검은 공 3개가 들어 있는 주머니에서 임의로 1개씩 공을 꺼내는 시행을 반복하여 검은 공 3개가 모두 나오면 이 시행을 멈추기로 할 때, 5번 이상 공을 꺼낼 확률은 p이다. $70p$의 값을 구하시오. (단, 꺼낸 공은 다시 넣지 않는다.)
>
> • 5번 미만으로 공을 꺼낼 사건의 여사건이다.

주어진 사건을 A라 하면, 구하는 확률은 $\mathrm{P}(A)=1-\mathrm{P}(A^C)$이다.

1회	2회	3회	4회	
●	●	●		$\frac{3}{8}\times\frac{2}{7}\times\frac{1}{6}=\frac{1}{56}$
○	●	●	●	$\frac{5}{8}\times\frac{3}{7}\times\frac{2}{6}\times\frac{1}{5}=\frac{1}{56}$
●	○	●	●	$\frac{3}{8}\times\frac{5}{7}\times\frac{2}{6}\times\frac{1}{5}=\frac{1}{56}$
●	●	○	●	$\frac{3}{8}\times\frac{2}{7}\times\frac{5}{6}\times\frac{1}{5}=\frac{1}{56}$

$\mathrm{P}(A^C)=\frac{1}{14}$이므로 $p=\mathrm{P}(A)=\frac{13}{14}$이다.

$\therefore 70p=65$

답 65

0663

> 두 사건 A, B에 대하여
>
> $\mathrm{P}(A)=\frac{1}{3}$, $\mathrm{P}(A|B)=\frac{1}{2}$, $\mathrm{P}(B|A)=\frac{1}{4}$
>
> 일 때, $\mathrm{P}((A\cap B^C)\cup(B\cap A^C))$을 구하시오.
>
> • $\mathrm{P}(A|B)=\frac{\mathrm{P}(A\cap B)}{\mathrm{P}(B)}$임을 이용하자.
>
> • $=\{\mathrm{P}(A)-\mathrm{P}(A\cap B)\}+\{\mathrm{P}(B)-\mathrm{P}(A\cap B)\}$임을 이용하자.

$\mathrm{P}(B|A)=\frac{\mathrm{P}(A\cap B)}{\mathrm{P}(A)}$에서

$\mathrm{P}(A\cap B)=\mathrm{P}(A)\mathrm{P}(B|A)$

$=\frac{1}{3}\times\frac{1}{4}=\frac{1}{12}$

$\mathrm{P}(A|B)=\frac{\mathrm{P}(A\cap B)}{\mathrm{P}(B)}$에서

$\mathrm{P}(B)=\frac{\mathrm{P}(A\cap B)}{\mathrm{P}(A|B)}=\frac{\frac{1}{12}}{\frac{1}{2}}=\frac{1}{6}$

$A\cap B^C$, $B\cap A^C$은 서로 배반사건이므로

$\mathrm{P}((A\cap B^C)\cap(B\cap A^C))=0$

$\therefore \mathrm{P}((A\cap B^C)\cup(B\cap A^C))$

$=\mathrm{P}(A\cap B^C)+\mathrm{P}(B\cap A^C)$

$=\{\mathrm{P}(A)-\mathrm{P}(A\cap B)\}+\{\mathrm{P}(B)-\mathrm{P}(A\cap B)\}$

$=\left(\frac{1}{3}-\frac{1}{12}\right)+\left(\frac{1}{6}-\frac{1}{12}\right)=\frac{1}{3}$

답 $\frac{1}{3}$

0664

• $\frac{(\text{두 점의 } y\text{좌표가 모두 2일 확률})}{(\text{두 점의 } y\text{좌표가 같을 확률})}$임을 이용하자.

> 다음 조건을 만족시키는 좌표평면 위의 점 (a, b) 중에서 임의로 서로 다른 두 점을 택한다. 택한 두 점의 y좌표가 같을 때, 이 두 점의 y좌표가 2일 확률은?
>
> 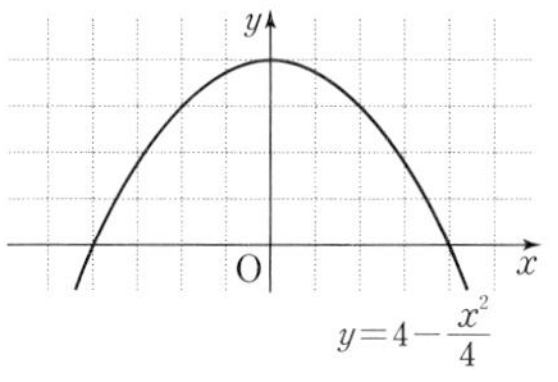
>
>
> (가) a, b는 정수이다. (나) $0<b<4-\frac{a^2}{4}$
>
> • $b=1$일 때 a는 7개, $b=2$일 때 a는 5개, $b=3$일 때 a는 3개가 가능하다.

주어진 조건에서 점 (a, b)는 곡선 $y=4-\frac{x^2}{4}$과 x축 사이의 점이다.

즉, 15개의 점 중에서 서로 다른 두 점을 택하는 방법의 수는

${}_{15}\mathrm{C}_2=105$

y좌표가 1인 두 점을 택하는 방법의 수는 ${}_7\mathrm{C}_2=21$

y좌표가 2인 두 점을 택하는 방법의 수는 ${}_5\mathrm{C}_2=10$

y좌표가 3인 두 점을 택하는 방법의 수는 ${}_3\mathrm{C}_2=3$

택한 두 점의 y좌표가 같은 사건을 A, 택한 두 점의 y좌표가 2인 사건을 B라 하면

$\mathrm{P}(A)=\frac{21+10+3}{105}=\frac{34}{105}$

$\mathrm{P}(A\cap B)=\frac{10}{105}$

따라서 구하는 확률은

$\mathrm{P}(B|A)=\frac{\mathrm{P}(A\cap B)}{\mathrm{P}(A)}=\frac{\frac{10}{105}}{\frac{34}{105}}=\frac{5}{17}$

답 ②

0665

• 각각의 확률이 동일하지 않음에 주의하자.

> 세 사람 A, B, C가 한 번의 시행으로 승부를 결정하는 가위바위보 게임을 하려고 한다. 오른쪽 표는 이 세 사람이 게임을 할 때 '가위, 바위, 보'를 낼 각각의 확률을 나타낸 것이다. C가 혼자 이겼다고 할 때, '보'를 내어 이겼을 확률을 구하시오.

	A	B	C
가위	$\frac{1}{5}$	$\frac{1}{2}$	$\frac{1}{4}$
바위	$\frac{3}{5}$	$\frac{1}{3}$	$\frac{1}{2}$
보	$\frac{1}{5}$	$\frac{1}{6}$	$\frac{1}{4}$

> • $\frac{(\text{C가 혼자 보를 내어 이길 확률})}{(\text{C가 혼자 이길 확률})}$임을 이용하자.

C가 가위, 바위, 보를 내는 사건을 각각 A, B, C라 하고, C가 혼자 이기는 사건을 E라 하면

$\mathrm{P}(A\cap E)=\frac{1}{4}\times\frac{1}{5}\times\frac{1}{6}=\frac{1}{120}$

$\mathrm{P}(B\cap E)=\frac{1}{2}\times\frac{1}{5}\times\frac{1}{2}=\frac{1}{20}$

$\mathrm{P}(C\cap E)=\frac{1}{4}\times\frac{3}{5}\times\frac{1}{3}=\frac{1}{20}$

$\mathrm{P}(E)=\mathrm{P}(A\cap E)+\mathrm{P}(B\cap E)+\mathrm{P}(C\cap E)$

$=\frac{1}{120}+\frac{1}{20}+\frac{1}{20}=\frac{13}{120}$

따라서 구하는 확률은

$$P(C|E)=\frac{P(C\cap E)}{P(E)}=\frac{\frac{1}{20}}{\frac{13}{120}}=\frac{6}{13}$$

답 $\frac{6}{13}$

0666

{2, 3, 4, 5, 6}으로 주사위의 눈을 정하는 사건과 {1, 2, 3, 4, 5}만으로 주사위의 눈을 정하는 사건을 생각하자.

> 주사위 한 개를 n번 던지는 시행에서 나온 눈의 수들 중에서 가장 큰 수를 a_n, 가장 작은 수를 b_n이라 하자. 예를 들어 주사위를 한 번 던지는 시행에서 나온 눈의 수가 3이면 $a_1=b_1=3$이고, 주사위를 두 번 던지는 시행에서 나온 두 눈의 수가 4, 6이면 $a_2=6$, $b_2=4$이다. $a_n-b_n<5$가 될 확률을 p_n이라 할 때, $\sum_{n=1}^{10}p_n$의 값은?
>
> └ 최소의 수가 1, 최대의 수가 6만 아니면 된다.

주사위 한 개를 n번 던지는 시행에서 나오는 모든 경우의 수는 6^n
임의의 자연수 n에 대하여 a_n과 b_n은 1, 2, 3, 4, 5, 6 중에서 하나이므로 $a_n=6$이고, $b_n=1$인 경우를 제외하면 $a_n-b_n<5$를 만족시킨다.
1을 제외한 2, 3, 4, 5, 6의 5개의 수로 n개의 주사위의 눈의 수를 정하는 사건을 A, 6을 제외한 1, 2, 3, 4, 5의 5개의 수로 n개의 주사위의 눈의 수를 정하는 사건을 B라 하면 $A\cap B$는 1과 6을 제외한 2, 3, 4, 5의 4개의 수로 n개의 주사위의 눈의 수를 정하는 사건이므로 사건 $A\cup B$는 $a_n-b_n<5$를 만족시키는 경우와 같다.

즉, $P(A)=\frac{5^n}{6^n}$, $P(B)=\frac{5^n}{6^n}$, $P(A\cap B)=\frac{4^n}{6^n}$에서

$$P(A\cup B)=P(A)+P(B)-P(A\cap B)$$
$$=\frac{5^n}{6^n}+\frac{5^n}{6^n}-\frac{4^n}{6^n}=\frac{2\times5^n-4^n}{6^n}$$

따라서 $p_n=\frac{2\times5^n-4^n}{6^n}$이므로

$$\sum_{n=1}^{10}p_n=\sum_{n=1}^{10}\frac{2\times5^n-4^n}{6^n}$$
$$=2\sum_{n=1}^{10}\left(\frac{5}{6}\right)^n-\sum_{n=1}^{10}\left(\frac{2}{3}\right)^n$$
$$=2\times\frac{\frac{5}{6}\left\{1-\left(\frac{5}{6}\right)^{10}\right\}}{1-\frac{5}{6}}-\frac{\frac{2}{3}\left\{1-\left(\frac{2}{3}\right)^{10}\right\}}{1-\frac{2}{3}}$$
$$=10\left\{1-\left(\frac{5}{6}\right)^{10}\right\}-2\left\{1-\left(\frac{2}{3}\right)^{10}\right\}$$
$$=8-10\left(\frac{5}{6}\right)^{10}+2\left(\frac{2}{3}\right)^{10}$$

답 ③

0667

> 주머니 안에 1, 2, 3, 4, 5의 숫자가 각각 하나씩 적혀 있는 5개의 공이 들어 있다. 이 주머니에서 임의로 한 개의 공을 꺼내어 공에 적힌 숫자를 확인한 뒤 다시 주머니에 넣는 일을 4번 반복할 때, 꺼낸 공에 적혀 있는 수를 차례로 a, b, c, d라 하자. 네 수 a, b, c, d가 다음 세 식을 모두 만족시킬 확률을 구하시오.
>
> $b^2+c^2=20$, $a\le b$, $c\le d$
>
> └ (b, c)로 가능한 순서쌍은 $(2, 4)$, $(4, 2)$임을 이용하자.

서로 다른 5개의 공 중에서 중복을 허락하여 차례로 4개의 공을 꺼내는 경우의 수는 ${}_5\Pi_4=5^4$
$b^2+c^2=20$에서
$b=2$, $c=4$ 또는 $b=4$, $c=2$
$b=2$, $c=4$이고 $a\le b$, $c\le d$인 사건을 A,
$b=4$, $c=2$이고 $a\le b$, $c\le d$인 사건을 B라 하면
$b^2+c^2=20$이고 $a\le b$, $c\le d$인 사건은 $A\cup B$이다.

(i) $b=2$, $c=4$일 때,
$a\le b$, $c\le d$를 만족시키는 a의 값은 1, 2이고 d의 값은 4, 5이다.
따라서 이 조건을 만족시키는 경우의 수는 $2\times2=4$이므로
$P(A)=\frac{4}{5^4}$

(ii) $b=4$, $c=2$일 때,
$a\le b$, $c\le d$를 만족시키는 a의 값은 1, 2, 3, 4이고 d의 값은 2, 3, 4, 5이다. 따라서 이 조건을 만족시키는 경우의 수는 $4\times4=16$이므로 $P(B)=\frac{16}{5^4}$

(i), (ii)에서 두 사건 A, B는 서로 배반사건이므로

$$P(A\cup B)=P(A)+P(B)=\frac{4}{5^4}+\frac{16}{5^4}=\frac{4}{125}$$

답 $\frac{4}{125}$

0668

> 다음 좌석표에서 2행 2열 좌석을 제외한 8개의 좌석에 여학생 4명과 남학생 4명을 1명씩 임의로 배정할 때, 적어도 2명의 남학생이 서로 이웃하게 배정될 확률은 p이다. $70p$의 값을 구하시오. (단, 2명이 같은 행의 바로 옆이나 같은 열의 바로 앞뒤에 있을 때 이웃한 것으로 본다.)
>
> | | 1열 | 2열 | 3열 |
> |---|---|---|---|
> | 1행 | | | |
> | 2행 | | ╳ | |
> | 3행 | | | |
>
> └ 남학생 4명이 모두 서로 이웃하지 않는 사건의 여사건임을 이용하자.

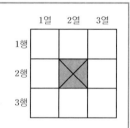

적어도 2명의 남학생이 서로 이웃하는 사건의 여사건은 어느 남학생도 이웃하지 않는 경우이다.
즉, 그림과 같이 남학생 4명을
(1, 1), (1, 3), (3, 1), (3, 3)
또는
(1, 2), (2, 1), (2, 3), (3, 2)
에 배정하고 나머지 자리에 여학생 4명을 배정하면 된다.

남	여	남
여		여
남	여	남

여	남	여
남		남
여	남	여

$\therefore p=1-\frac{4!\times4!}{8!}\times2=\frac{34}{35}$
$\therefore 70p=68$

답 68

0669

확률이 모두 양수인 세 사건 A, B, C에 대하여 〈보기〉에서 옳은 것만을 있는 대로 고른 것은?

→ $A\subset D$이다.
→ 거짓임을 보이는 반례를 생각하자.

보기

ㄱ. $\mathrm{P}(A)\le\mathrm{P}(B)$이면 $\mathrm{P}(A|C)\le\mathrm{P}(B|C)$이다.

ㄴ. $A\cup B=D$인 사건 D에 대하여 $\mathrm{P}(A|C)\le\mathrm{P}(D|C)$이다.

ㄷ. $A\cap B=E$인 사건 E에 대하여 $\mathrm{P}(E|C)\le\mathrm{P}(A|C)$이다.

→ $E\subset A$이다.

ㄱ. [반례] 표본공간 S가 $S=\{1, 2, 3, 4, 5, 6\}$일 때,
$A=\{3, 6\}$, $B=\{2, 4, 6\}$, $C=\{1, 3, 5\}$라 하면

$\mathrm{P}(A)=\frac{1}{3}$, $\mathrm{P}(B)=\frac{1}{2}$, $\mathrm{P}(C)=\frac{1}{2}$,

$\mathrm{P}(A\cap C)=\frac{1}{6}$, $\mathrm{P}(B\cap C)=0$

이므로

$$\mathrm{P}(A|C)=\frac{\mathrm{P}(A\cap C)}{\mathrm{P}(C)}=\frac{\frac{1}{6}}{\frac{1}{2}}=\frac{1}{3}$$

$$\mathrm{P}(B|C)=\frac{\mathrm{P}(B\cap C)}{\mathrm{P}(C)}=0$$

즉, $\mathrm{P}(A)\le\mathrm{P}(B)$이지만
$\mathrm{P}(A|C)>\mathrm{P}(B|C)$ (거짓)

ㄴ. $A\cup B=D$에서 $A\subset D$이므로
$(A\cap C)\subset(D\cap C)$
$\therefore \mathrm{P}(A\cap C)\le\mathrm{P}(D\cap C)$
즉, $\frac{\mathrm{P}(A\cap C)}{\mathrm{P}(C)}\le\frac{\mathrm{P}(D\cap C)}{\mathrm{P}(C)}$ ($\because$ $\mathrm{P}(C)>0$)이므로
$\mathrm{P}(A|C)\le\mathrm{P}(D|C)$ (참)

ㄷ. $A\cap B=E$에서 $E\subset A$이므로
$(E\cap C)\subset(A\cap C)$
$\therefore \mathrm{P}(E\cap C)\le\mathrm{P}(A\cap C)$
$\therefore \mathrm{P}(E|C)\le\mathrm{P}(A|C)$ ($\because$ ㄴ) (참)

따라서 옳은 것은 ㄴ, ㄷ이다.

답 ④

0670

→ 조건을 만족하는 경우의 수는 ${}_4\mathrm{C}_2\times{}_4\mathrm{C}_1$이다.

주머니에 1, 2, 3, 4의 숫자가 각각 하나씩 적힌 흰 공 4개와 3, 5, 7, 9의 숫자가 각각 하나씩 적힌 검은 공 4개가 들어 있다. 이 주머니에서 임의로 3개의 공을 동시에 꺼낸다. 꺼낸 3개의 공이 흰 공 2개, 검은 공 1개일 때, 꺼낸 검은 공에 적힌 수가 꺼낸 흰 공 2개에 적힌 수의 합보다 클 확률은?

→ 검은 공이 3, 5, 7, 9일 때 흰 공 2개에 적힌 수의 합보다 큰 경우의 수를 구하자.

주머니에서 임의로 꺼낸 3개의 공 중에서 흰 공이 2개, 검은 공이 1개일 확률은

$$\frac{{}_4\mathrm{C}_2\times{}_4\mathrm{C}_1}{{}_8\mathrm{C}_3}=\frac{24}{56}$$

검은 공에 적힌 수가 흰 공 2개에 적힌 수의 합보다 큰 경우는 다음 표와 같다.

흰 공에 적힌 두 수	검은 공에 적힌 수
1, 2	5 또는 7 또는 9
1, 3	5 또는 7 또는 9
1, 4	7 또는 9
2, 3	7 또는 9
2, 4	7 또는 9
3, 4	9

따라서 검은 공에 적힌 수가 흰 공 2개에 적힌 두 수의 합보다 클 확률은

$$\frac{3+3+2+2+2+1}{{}_8\mathrm{C}_3}=\frac{13}{56}$$

따라서 구하는 확률은 $\dfrac{\frac{13}{56}}{\frac{24}{56}}=\frac{13}{24}$

답 ③

0671

자연수 n $(n\ge3)$에 대하여 집합 A를

$A=\{(x, y)\,|\,1\le x\le y\le n,\ x$와 y는 자연수$\}$

라 하자. 집합 A에서 임의로 선택된 한 개의 원소 (a, b)에 대하여 b가 3의 배수일 때, $a=b$일 확률이 $\frac{1}{9}$이 되도록 하는 모든 자연수 n의 값의 합을 구하시오.

→ $n=3k$ 또는 $n=3k+1$ 또는 $n=3k+2$ (k는 자연수)일 때 b가 3의 배수가 되는 경우의 수를 구하자.

$n=3k$ 또는 $n=3k+1$ 또는 $n=3k+2$ (k는 자연수)일 때 b가 3의 배수인 사건의 수는

$$3+6+9+\cdots+3k=3(1+2+3+\cdots+k)$$
$$=\frac{3}{2}k(k+1)$$

이 중에서 $a=b$인 사건의 수는 k이므로

$$\frac{k}{\frac{3}{2}k(k+1)}=\frac{1}{9},\ \frac{2}{k+1}=\frac{1}{3}$$

따라서 모든 자연수 n의 값의 합은
$15+16+17=48$

답 48

0672

→ 각 조건을 만족하도록 표를 만들어 생각하자.

A여자고등학교의 학생 비율은 1, 2학년이 각각 40 %이고 3학년은 20 %이다. 이 학생들에게 여자대학교에 진학할 의향이 있는지를 조사하였더니 1학년은 30 %, 2학년은 10 %, 3학년은 15 %가 졸업 후 여자대학교에 진학하기를 희망한다고 답하였다. 여자대학교에 진학하기를 희망하는 학생 중에서 1명을 택하였을 때, 그 학생이 1학년이거나 2학년 학생일 확률은 $\frac{n}{m}$이다. $m+n$의 값을 구하시오. (단, m, n은 서로소인 자연수이다.)

→ $\mathrm{P}((A\cup B)|E)=\frac{\mathrm{P}((A\cup B)\cap E)}{\mathrm{P}(E)}$임을 이용하자.

A여자고등학교 학생 중에서 1명을 택할 때, 뽑힌 학생이 1학년인 사건을 A, 2학년인 사건을 B, 3학년인 사건을 C, 여자대학교에 진학하려는 학생인 사건을 E라 하면

$P(A\cap E)=P(A)P(E|A)=0.4\times 0.3=0.12$
$P(B\cap E)=P(B)P(E|B)=0.4\times 0.1=0.04$
$P(C\cap E)=P(C)P(E|C)=0.2\times 0.15=0.03$
$P(E)=P(A\cap E)+P(B\cap E)+P(C\cap E)$
$=0.12+0.04+0.03=0.19$

따라서 구하는 확률은

$$P(A\cup B|E)=\frac{P((A\cup B)\cap E)}{P(E)}$$
$$=\frac{P(A\cap E)+P(B\cap E)}{P(E)}\ (\because A\cap B=\varnothing)$$
$$=\frac{0.12+0.04}{0.19}=\frac{16}{19}$$

$\therefore m+n=19+16=35$ 답 35

다른풀이

여자대학교 \ 학생	1학년	2학년	3학년	합계
희망	12	4	3	19
비희망	28	36	17	81
합계	40	40	20	100

$$P(A\cup B|E)=\frac{n((A\cup B)\cap E)}{n(E)}=\frac{12+4}{19}=\frac{16}{19}$$

$\therefore m+n=19+16=35$

0673

• 남학생의 수를 x라 하면 여학생의 수는 $320-x$이다.

> 어느 학교의 전체 학생 320명을 대상으로 수학동아리 가입여부를 조사한 결과 남학생의 60 %와 여학생의 50 %가 수학동아리에 가입하였다고 한다. 이 학교의 수학동아리에 가입한 학생 중 임의로 1명을 선택할 때 이 학생이 남학생일 확률을 p_1, 이 학교의 수학동아리에 가입한 학생 중 임의로 1명을 선택할 때 이 학생이 여학생일 확률을 p_2라 하자. $p_1=2p_2$일 때, 이 학교의 남학생의 수는?
>
> • 수학동아리에 가입한 학생의 수는 $0.6x+0.5(320-x)$임을 이용하자.

이 학교의 남학생의 수를 x라 하면 여학생의 수는 $320-x$
수학동아리에 가입한 남학생의 수는 $0.6x$
수학동아리에 가입한 여학생의 수는 $0.5(320-x)$이다.
따라서 수학동아리에 가입한 전체 학생 수는
$0.6x+160-0.5x=0.1x+160$이므로

$p_1=\dfrac{0.6x}{0.1x+160}$, $p_2=\dfrac{160-0.5x}{0.1x+160}$이다.

이때, $p_1=2p_2$이므로 $\dfrac{0.6x}{0.1x+160}=\dfrac{320-x}{0.1x+160}$

$0.6x=320-x$, $1.6x=320$

$\therefore x=\dfrac{320}{0.6}=200$(명) 답 ④

0674

• B주머니에 있는 흰 구슬의 수를 x라 하면 검은 구슬의 수는 $10-x$이다.

> 주머니 A에는 흰 구슬이 4개, 검은 구슬이 6개 들어 있고, 주머니 B에는 흰 구슬과 검은 구슬을 합하여 10개가 들어 있다. 주머니 A에서 한 개의 구슬을 꺼내어 주머니 B에 넣고 잘 섞은 다음, 주머니 B에서 한 개의 구슬을 꺼낼 때 그것이 흰 구슬일 확률은 $\frac{2}{5}$이다. 이때, 주머니 B에 처음 들어 있던 흰 구슬의 개수는?
>
> • 주머니 A에서 흰 구슬을 꺼낼 때와 검은 구슬을 꺼낼 때로 나누어 생각하자.

주머니 B에 있는 흰 구슬의 개수를 x라 하면

(ⅰ) 주머니 A에서 흰 구슬을 꺼내는 경우

흰 구슬을 꺼낼 확률이 $\frac{2}{5}$이고 이때, 주머니 B에는 흰 구슬 $x+1$, 검은 구슬 $10-x$개가 들어 있으므로 주머니 B에서 흰 구슬을 꺼낼 확률은

$\dfrac{2}{5}\times\dfrac{x+1}{11}$

(ⅱ) 주머니 A에서 검은 구슬을 꺼내는 경우

검은 구슬을 꺼낼 확률이 $\frac{3}{5}$이고 이때, 주머니 B에는 흰 구슬 x, 검은 구슬 $11-x$개가 들어 있으므로 주머니 B에서 흰 구슬을 꺼낼 확률은

$\dfrac{3}{5}\times\dfrac{x}{11}$

따라서 구하는 확률은

$\dfrac{2}{5}\times\dfrac{x+1}{11}+\dfrac{3}{5}\times\dfrac{x}{11}=\dfrac{2}{5}$이므로 $\dfrac{5x+2}{55}=\dfrac{2}{5}$

$\therefore x=4$ 답 ②

0675

> 각각 3명의 선수로 구성된 A팀과 B팀이 있다. 각 팀 3명의 순번을 1, 2, 3번으로 정하고 다음 규칙에 따라 경기를 한다.
>
> (가) A팀 1번 선수와 B팀 1번 선수가 먼저 대결한다.
> (나) 대결에서 승리한 선수는 상대 팀의 다음 순번 선수와 대결한다.
> (다) 어느 팀이든 3명이 모두 패하면 경기가 종료된다.
>
> A팀의 2번 선수가 승리한 횟수가 1일 확률은?
> (단, 각 선수가 승리할 확률은 $\frac{1}{2}$이고 무승부는 없다.)
>
> • A팀의 1번 선수가 2승 1패, 1승 1패, 1패한 세 가지의 경우로 나누어 구하자.

A팀 2번 선수가 승리한 횟수가 1인 경우는

(ⅰ) A팀 1번 선수가 2승 1패하고 2번 선수가 1승한 경우

$\left(\dfrac{1}{2}\right)^3\times\dfrac{1}{2}=\dfrac{1}{16}$

(ⅱ) A팀 1번 선수가 1승 1패하고 2번 선수가 1승 1패한 경우

$\left(\dfrac{1}{2}\right)^2\times\left(\dfrac{1}{2}\right)^2=\dfrac{1}{16}$

(ⅲ) A팀 1번 선수가 1패하고 2번 선수가 1승 1패한 경우

$\dfrac{1}{2}\times\left(\dfrac{1}{2}\right)^2=\dfrac{1}{8}$

따라서 (i), (ii), (iii)에 의해 구하는 확률은

$\frac{1}{16}+\frac{1}{16}+\frac{1}{8}=\frac{4}{16}=\frac{1}{4}$ 답 ④

0676

• 먼저 A와 B가 다른 조에 배정되는 경우의 수를 구하자.

A, B, C, D 4명이 그림과 같은 대진표에 따라 경기를 한다. 이들은 숫자 1, 2, 3, 4가 각각 한 개씩 적힌 카드가 들어 있는 주머니에서 카드를 임의로 하나씩 꺼내어 나온 번호에 위치한다.

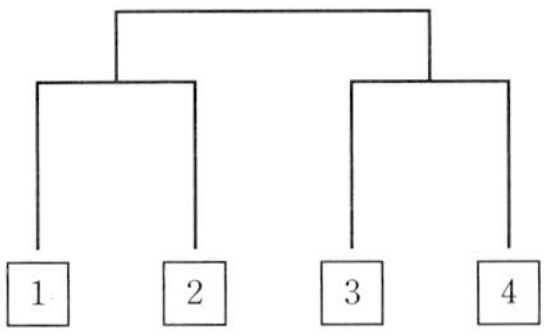

A가 C, D와 경기할 때 이길 확률이 모두 $\frac{2}{3}$이고, B가 C, D와 경기할 때 이길 확률이 모두 $\frac{1}{2}$이라고 하자. 이때, A와 B가 결승에서 만날 확률은?

• A와 B가 모두 준결승에서 승리하여야 한다.

A가 1이 적힌 카드를 꺼내면 B는 3 또는 4가 적힌 카드를 꺼내야 하므로 B가 카드를 꺼내는 경우의 수는 2이고, C, D가 각각 카드를 꺼내는 방법도 2가지이므로 경우의 수는 $2\times2=4$

A가 2, 3, 4가 적힌 카드를 꺼내는 경우도 마찬가지이므로 A, B가 첫 번째 대진에서 만나지 않는 경우의 수는 $4\times4=16$

첫 번째 대진에서 A, B가 만나지 않을 확률은 $\frac{16}{24}=\frac{2}{3}$

구하는 확률은 $\frac{2}{3}\times\frac{2}{3}\times\frac{1}{2}=\frac{2}{9}$ 답 ⑤

0677

집합 $X=\{1, 2, 3, 4\}$에서 집합 $Y=\{-2, -1, 0, 1\}$로의 함수 중에서 임의로 선택한 함수를 $y=f(x)$라 할 때, $f(1)f(2)f(3)=0$ 또는 $f(4)\geq0$이 성립할 확률이 $\frac{q}{p}$이다. $p+q$의 값을 구하시오.

(단, p, q는 서로소인 자연수이다.)

• $f(1)f(2)f(3)\neq0$이고 $f(4)<0$인 경우의 여사건임을 이용하자.

집합 X에서 집합 Y로의 함수의 개수는

${}_4\Pi_4=4^4$

$f(1)f(2)f(3)=0$ 또는 $f(4)\geq0$을 만족시키는 사건을 A라 하면 사건 A의 여사건 A^C은

$f(1)f(2)f(3)\neq0$이고 $f(4)<0$

(i) $f(1)f(2)f(3)\neq0$인 경우

$f(1)$, $f(2)$, $f(3)$의 값은 0이 될 수 없으므로 집합 $\{-2, -1, 1\}$의 원소 중에서 결정되어야 한다.

따라서 $f(1)f(2)f(3)\neq0$을 만족시키도록 $f(1)$, $f(2)$, $f(3)$의 값을 정하는 경우의 수는

${}_3\Pi_3=3^3$

(ii) $f(4)<0$인 경우

$f(4)$의 값은 집합 $\{-2, -1\}$의 원소 중에서 결정되어야 하므로 $f(4)<0$을 만족시키도록 $f(4)$의 값을 정하는 경우의 수는 2

(i), (ii)에 의하여

$\mathrm{P}(A^C)=\frac{3^3\times2}{4^4}=\frac{27}{128}$

$\therefore \mathrm{P}(A)=1-\mathrm{P}(A^C)$

$=1-\frac{27}{128}=\frac{101}{128}$

따라서 $p=128$, $q=101$이므로

$p+q=229$ 답 229

0678

두 사람 중에서 어느 한 사람이 연속하여 2번 이기면 끝나는 게임에서 갑, 을 두 사람이 각각 이길 확률은 다음 표와 같다.

게임 / 확률	첫 번째 게임	갑이 이긴 다음의 게임	을이 이긴 다음의 게임
갑이 이길 확률	$\frac{2}{3}$	$\frac{2}{3}$	$\frac{1}{4}$
을이 이길 확률	$\frac{1}{3}$	$\frac{1}{3}$	$\frac{3}{4}$

이 시합에서 $2n$번째 게임에서 승부가 났다고 할 때, 갑이 승자일 확률을 구하시오. (단, $n\geq2$)

• 갑이 $2n$번째 게임에서 승리하려면 반드시 (갑, 을, 갑, 을, $\cdots$, 갑, 을, 갑, 갑) 순서로 이겨야 한다.

• $\frac{(2n\text{번째 게임에서 갑이 승리할 확률})}{(2n\text{번째 게임에서 갑 또는 을이 승리할 확률})}$임을 이용하자.

$2n$번째에서 갑이 승자가 되는 것은 각 게임에서 (갑, 을, 갑, 을, $\cdots$, 갑, 을, 갑, 갑)으로 이길 때이므로

$\frac{2}{3}\times\frac{1}{3}\times\frac{1}{4}\times\frac{1}{3}\times\frac{1}{4}\times\frac{1}{3}\times\cdots\times\frac{1}{4}\times\frac{2}{3}=\frac{2}{3}\times\left(\frac{1}{3}\times\frac{1}{4}\right)^{n-1}\times\frac{2}{3}$

$=\frac{4}{9}\times\left(\frac{1}{12}\right)^{n-1}$ $(n\geq2)$

$2n$번째에서 을이 승자가 되는 것은 각 게임에서 (을, 갑, 을, 갑, $\cdots$, 을, 갑, 을, 을)로 이길 때이므로

$\frac{1}{3}\times\frac{1}{4}\times\frac{1}{3}\times\frac{1}{4}\times\frac{1}{3}\times\frac{1}{4}\times\cdots\times\frac{1}{3}\times\frac{3}{4}=\frac{1}{3}\times\left(\frac{1}{4}\times\frac{1}{3}\right)^{n-1}\times\frac{3}{4}$

$=\frac{1}{4}\times\left(\frac{1}{12}\right)^{n-1}$ $(n\geq2)$

따라서 $2n$번째 게임에서 승부가 났을 때, 갑이 승자일 확률은

$$\frac{\frac{4}{9\times12^{n-1}}}{\frac{4}{9\times12^{n-1}}+\frac{1}{4\times12^{n-1}}}=\frac{\frac{4}{9}}{\frac{4}{9}+\frac{1}{4}}=\frac{16}{25}$$ 답 $\frac{16}{25}$

05 독립과 독립시행의 확률

본책 130~156쪽

0679

두 사건 A, B가 서로 독립이므로

$P(A\cap B)=P(A)P(B)$

$=\frac{3}{4}\times\frac{2}{3}=\frac{1}{2}$

답 $\frac{1}{2}$

0680

$P(B^C)=1-P(B)$

$=1-\frac{2}{3}=\frac{1}{3}$

답 $\frac{1}{3}$

0681

두 사건 A, B가 서로 독립이므로 두 사건 A, B^C도 서로 독립이다.

$\therefore P(A\cap B^C)=P(A)P(B^C)$

$=\frac{3}{4}\times\frac{1}{3}=\frac{1}{4}$

답 $\frac{1}{4}$

0682

두 사건 A, B가 서로 독립이므로

$P(A|B)=\frac{P(A\cap B)}{P(B)}=\frac{P(A)P(B)}{P(B)}$

$=P(A)=\frac{3}{4}$

답 $\frac{3}{4}$

0683

두 사건 A, B가 서로 독립이므로 두 사건 A, B^C도 서로 독립이다.

$\therefore P(A|B^C)=\frac{P(A\cap B^C)}{P(B^C)}=\frac{P(A)P(B^C)}{P(B^C)}$

$=P(A)$

$=\frac{3}{4}$

답 $\frac{3}{4}$

0684

꺼낸 공을 다시 넣으면

$P(B)=\frac{2}{5}$

$P(B|A)=\frac{P(A\cap B)}{P(A)}=\frac{\frac{2}{5}\times\frac{2}{5}}{\frac{2}{5}}=\frac{2}{5}$

답 $P(B)=\frac{2}{5}$, $P(B|A)=\frac{2}{5}$

0685

꺼낸 공을 다시 넣지 않으면

$P(B)=\frac{2}{5}\times\frac{1}{4}+\frac{3}{5}\times\frac{2}{4}=\frac{2}{5}$

$P(B|A)=\frac{P(A\cap B)}{P(A)}=\frac{\frac{2}{5}\times\frac{1}{4}}{\frac{2}{5}}=\frac{1}{4}$

답 $P(B)=\frac{2}{5}$, $P(B|A)=\frac{1}{4}$

0686

$A=\{2, 4, 6\}$, $B=\{3, 4, 5, 6\}$이므로

$P(A)=\frac{3}{6}=\frac{1}{2}$, $P(B)=\frac{4}{6}=\frac{2}{3}$

$\therefore P(A)P(B)=\frac{1}{2}\times\frac{2}{3}=\frac{1}{3}$

답 $\frac{1}{3}$

0687

$A\cap B=\{4, 6\}$이므로

$P(A\cap B)=\frac{2}{6}=\frac{1}{3}$

답 $\frac{1}{3}$

0688

$P(A\cap B)=P(A)P(B)$이므로 두 사건 A, B는 서로 독립이다.

답 독립

0689

$A=\{3, 6, 9, 12, 15, 18\}$, $B=\{5, 10, 15, 20\}$이므로

$P(A)=\frac{6}{20}=\frac{3}{10}$, $P(B)=\frac{4}{20}=\frac{1}{5}$

$\therefore P(A)P(B)=\frac{3}{10}\times\frac{1}{5}=\frac{3}{50}$

답 $\frac{3}{50}$

0690

$A\cap B=\{15\}$이므로

$P(A\cap B)=\frac{1}{20}$

답 $\frac{1}{20}$

0691

$P(A\cap B)\neq P(A)P(B)$이므로 두 사건 A, B는 서로 종속이다.

답 종속

0692

$P(A\cap B)=\frac{1}{3}$

$P(A)P(B)=\frac{2}{3}\times\frac{1}{2}=\frac{1}{3}$

$P(A\cap B)=P(A)P(B)$이므로 두 사건 A, B는 서로 독립이다.

답 독립

0693

$P(A\cap B)=\frac{1}{5}$

$P(A)P(B)=\frac{1}{3}\times\frac{3}{4}=\frac{1}{4}$

$P(A\cap B)\neq P(A)P(B)$이므로 두 사건 A, B는 서로 종속이다.

답 종속

0694

$A=\{2, 4, 6\}$, $B=\{3, 6\}$

$A\cap B=\{6\}$

$P(A\cap B)=\frac{1}{6}$

$P(A)P(B)=\frac{1}{2}\times\frac{1}{3}=\frac{1}{6}$

$P(A\cap B)=P(A)P(B)$이므로 두 사건 A, B는 서로 독립이다.

답 독립

0695

$A=\{2, 4, 6\}$, $C=\{4\}$

$A\cap C=\{4\}$

$\mathrm{P}(A\cap C)=\frac{1}{6}$

$\mathrm{P}(A)\mathrm{P}(C)=\frac{1}{2}\times\frac{1}{6}=\frac{1}{12}$

$\mathrm{P}(A\cap C)\neq\mathrm{P}(A)\mathrm{P}(C)$이므로 두 사건 A, C는 서로 종속이다.

답 종속

0696

윤주와 도현이가 수학문제를 맞히는 사건을 각각 A, B라 하면

$\mathrm{P}(A)=\frac{4}{5}$, $\mathrm{P}(B)=\frac{2}{3}$이고, 두 사건 A, B는 서로 독립이므로

$\mathrm{P}(A\cap B)=\mathrm{P}(A)\mathrm{P}(B)=\frac{4}{5}\times\frac{2}{3}=\frac{8}{15}$ 답 $\frac{8}{15}$

0697

주사위의 소수의 눈이 나오는 사건을 A, 동전의 앞면이 나오는 사건을 B라 하면

$\mathrm{P}(A)=\frac{3}{6}=\frac{1}{2}$, $\mathrm{P}(B)=\frac{1}{2}$

이고, 두 사건 A, B는 서로 독립이므로

$\mathrm{P}(A\cap B)=\mathrm{P}(A)\mathrm{P}(B)=\frac{1}{2}\times\frac{1}{2}=\frac{1}{4}$ 답 $\frac{1}{4}$

0698

(사건 A가 3번 일어날 확률)$={}_{10}\mathrm{C}_{\boxed{3}}\left(\frac{1}{3}\right)^3\left(\boxed{\frac{2}{3}}\right)^7$ 답 3, $\frac{2}{3}$

0699

(사건 A가 4번 일어날 확률)$={}_{10}\mathrm{C}_4\left(\frac{1}{3}\right)^4\left(\frac{2}{3}\right)^6$

$={}_{10}\mathrm{C}_4\frac{1}{3^4}\times\frac{2^6}{3^6}$

$={}_{10}\mathrm{C}_{\boxed{4}}\frac{\boxed{2}^6}{3^{10}}$ 답 4, 2

0700

$A=\{1, 5\}$이므로 $\mathrm{P}(A)=\frac{2}{6}=\frac{1}{3}$ 답 $\frac{1}{3}$

0701

주사위를 1번 던질 때 사건 A가 일어날 확률이 $\frac{1}{3}$이므로 사건 A가 일어나지 않을 확률은 $\frac{2}{3}$이다.

따라서 주사위를 3번 던질 때, 사건 A가 2번 일어날 확률은

${}_3\mathrm{C}_2\left(\frac{1}{3}\right)^2\left(\frac{2}{3}\right)^1=3\times\frac{1}{9}\times\frac{2}{3}=\frac{2}{9}$ 답 $\frac{2}{9}$

0702

동전 한 개를 던질 때 앞면, 뒷면이 나올 확률이 각각 $\frac{1}{2}$이므로

한 개의 동전을 4번 던질 때, 앞면이 3번 나올 확률은

${}_4\mathrm{C}_3\left(\frac{1}{2}\right)^3\left(\frac{1}{2}\right)^1=4\times\frac{1}{8}\times\frac{1}{2}=\frac{1}{4}$ 답 $\frac{1}{4}$

0703

A팀이 이길 확률은 $\frac{3}{5}$이므로 A팀이 질 확률은 $\frac{2}{5}$이다.

따라서 3번의 경기를 할 때, A팀이 2번 이길 확률은

${}_3\mathrm{C}_2\left(\frac{3}{5}\right)^2\left(\frac{2}{5}\right)^1=3\times\frac{9}{25}\times\frac{2}{5}=\frac{54}{125}$ 답 $\frac{54}{125}$

0704

상자에서 한 개의 공을 꺼낼 때 파란 공이 나올 확률은 $\frac{3}{9}=\frac{1}{3}$이므로

파란 공이 나오지 않을 확률은 $\frac{2}{3}$이다.

따라서 공을 5번 반복해서 꺼낼 때, 파란 공이 2번 나올 확률은

${}_5\mathrm{C}_2\left(\frac{1}{3}\right)^2\left(\frac{2}{3}\right)^3=10\times\frac{1}{9}\times\frac{8}{27}=\frac{80}{243}$ 답 $\frac{80}{243}$

0705

> 두 사건 A, B가 서로 독립이고 $\mathrm{P}(A)=\frac{1}{4}$, $\mathrm{P}(B)=\frac{2}{3}$일 때,
> $\mathrm{P}(A\cap B)$는?
> └ 두 사건 A, B가 독립이면 $\mathrm{P}(A\cap B)=\mathrm{P}(A)\mathrm{P}(B)$임을 이용하자.

두 사건 A, B가 서로 독립이므로

$\mathrm{P}(A\cap B)=\mathrm{P}(A)\mathrm{P}(B)=\frac{1}{4}\times\frac{2}{3}=\frac{1}{6}$ 답 ⑤

0706

> 두 사건 A, B가 서로 독립이고 $\mathrm{P}(B)=\frac{3}{5}$, $\mathrm{P}(A\cap B)=\frac{1}{5}$일 때, $\mathrm{P}(A\cup B)$는?
> └ $\mathrm{P}(A\cup B)=\mathrm{P}(A)+\mathrm{P}(B)-\mathrm{P}(A\cap B)$임을 이용하자.

두 사건 A, B가 서로 독립이므로

$\mathrm{P}(A\cap B)=\mathrm{P}(A)\mathrm{P}(B)=\frac{3}{5}\mathrm{P}(A)=\frac{1}{5}$

$\therefore \mathrm{P}(A)=\frac{1}{3}$

$\therefore \mathrm{P}(A\cup B)=\mathrm{P}(A)+\mathrm{P}(B)-\mathrm{P}(A\cap B)$

$=\frac{1}{3}+\frac{3}{5}-\frac{1}{5}=\frac{11}{15}$ 답 ②

0707 ─ 두 사건 A, B가 독립이면 $\mathrm{P}(A\cap B)=\mathrm{P}(A)\mathrm{P}(B)$임을 이용하자.

> 서로 독립인 두 사건 A, B에 대하여 $\mathrm{P}(A)=\frac{1}{2}$,
> $\mathrm{P}(A\cup B)=\frac{2}{3}$일 때, $\mathrm{P}(B)$를 구하시오.

두 사건 A, B가 서로 독립이므로

$\mathrm{P}(A\cap B)=\mathrm{P}(A)\mathrm{P}(B)$

즉, $\mathrm{P}(A\cup B)=\mathrm{P}(A)+\mathrm{P}(B)-\mathrm{P}(A)\mathrm{P}(B)$에서

$\frac{2}{3}=\frac{1}{2}+\mathrm{P}(B)-\frac{1}{2}\mathrm{P}(B)$

$\therefore \mathrm{P}(B)=\frac{1}{3}$ 답 $\frac{1}{3}$

0708 두 사건 A, B가 독립이면 A, B^C도 독립임을 이용하자.

> 두 사건 A, B가 서로 독립이고 $P(A)=\frac{1}{3}$, $P(B)=\frac{1}{3}$일 때, $P(A\cap B^C)$은?

두 사건 A, B가 서로 독립이므로 두 사건 A, B^C도 서로 독립이다.

$\therefore P(A\cap B^C)=P(A)P(B^C)$
$=P(A)\{1-P(B)\}$
$=\frac{1}{3}\left(1-\frac{1}{3}\right)=\frac{2}{9}$

답 ②

0709 두 사건 A, B가 독립이면 A, B^C도 독립임을 이용하자.

> 서로 독립인 두 사건 A, B에 대하여 $P(B)=\frac{1}{3}$, $P(A\cap B^C)=\frac{1}{2}$일 때, $P(A\cap B)$는?

두 사건 A, B가 서로 독립이므로 두 사건 A, B^C도 서로 독립이다. 즉,

$P(A\cap B^C)=P(A)P(B^C)$
$=P(A)\{1-P(B)\}$
$=\frac{2}{3}P(A)=\frac{1}{2}$

$\therefore P(A)=\frac{3}{4}$

$\therefore P(A\cap B)=P(A)P(B)$
$=\frac{3}{4}\times\frac{1}{3}=\frac{1}{4}$

답 ⑤

0710 $P(A\cap B^C)=P(A\cup B)-P(B)$임을 이용하자.

> 두 사건 A, B가 서로 독립이고 $P(A\cap B^C)=\frac{1}{4}$, $P(A\cup B)=\frac{3}{4}$일 때, $P(A)$는?

$P(A\cap B^C)=P(A\cup B)-P(B)$에서

$\frac{1}{4}=\frac{3}{4}-P(B)$ $\quad\therefore P(B)=\frac{1}{2}$

두 사건 A, B가 서로 독립이므로

$P(A\cap B)=P(A)P(B)$

즉, $P(A\cup B)=P(A)+P(B)-P(A)P(B)$에서

$\frac{3}{4}=P(A)+\frac{1}{2}-\frac{1}{2}P(A)$

$\therefore P(A)=\frac{1}{2}$

답 ④

0711

> 두 사건 A, B가 서로 독립이고 $P(A^C\cap B)=\frac{1}{3}$, $P(A^C\cap B^C)=\frac{1}{4}$일 때, $P(B)$를 구하시오.
>
> $P(A^C\cap B^C)=P((A\cup B)^C)=1-P(A\cup B)$임을 이용하자.

$P(A^C\cap B^C)=1-P(A\cup B)=\frac{1}{4}$

$\therefore P(A\cup B)=\frac{3}{4}$

$P(A^C\cap B)=P(A\cup B)-P(A)$에서

$\frac{1}{3}=\frac{3}{4}-P(A)$

$\therefore P(A)=\frac{5}{12}$

두 사건 A, B가 서로 독립이면 두 사건 A^C, B도 서로 독립이므로

$P(A^C\cap B)=P(A^C)P(B)=\{1-P(A)\}P(B)$
$=\frac{7}{12}P(B)=\frac{1}{3}$

$\therefore P(B)=\frac{4}{7}$

답 $\frac{4}{7}$

0712

> 두 사건 A와 B는 서로 독립이고,
> $P(A)=P(B)$, $P(A)+P(B)=\frac{2}{3}$
> 일 때, $P(A\cap B)$의 값은? 두 식을 연립하여 $P(A)$를 구하자.

$P(A)=P(B)$이고 $P(A)+P(B)=\frac{2}{3}$이므로

$P(A)=P(B)=\frac{1}{3}$

두 사건 A와 B가 서로 독립이므로

$P(A\cap B)=P(A)P(B)=\left(\frac{1}{3}\right)^2=\frac{1}{9}$

답 ③

0713 $P(A\cap B)=P(A)P(B)$임을 이용하자.

> 두 사건 A, B에 대하여 $P(A\cup B)$의 값을 구하는데 갑은 두 사건이 서로 독립이라고 생각하여 0.6이라 하였고, 을은 두 사건이 서로 배반사건이라 생각하여 0.7이라고 하였다.
> $|P(A)-P(B)|$의 값을 구하시오.
> $P(A\cap B)=0$임을 이용하자.

(i) 갑의 경우 두 사건이 서로 독립이므로

$P(A\cap B)=P(A)P(B)$

즉, $P(A\cup B)=P(A)+P(B)-P(A)P(B)$에서

$0.6=P(A)+P(B)-P(A)P(B)$ ……㉠

(ii) 을의 경우 두 사건이 서로 배반사건이므로

$P(A\cap B)=0$

즉, $P(A\cup B)=P(A)+P(B)$에서

$0.7=P(A)+P(B)$ ……㉡

㉡−㉠을 하면 $P(A)P(B)=0.1$ ……㉢

㉡, ㉢에서

$|P(A)-P(B)|^2=\{P(A)+P(B)\}^2-4P(A)P(B)$
$=0.49-0.4=0.09$

$\therefore |P(A)-P(B)|=0.3$

답 0.3

0714 $\mathrm{P}(A\cap B)=\mathrm{P}(A)\mathrm{P}(B)$

> 두 사건 A와 B는 서로 독립이고,
>
> $\mathrm{P}(A)=\frac{3}{8}$, $\mathrm{P}(B|A)=\frac{2}{3}$
>
> 일 때, $\mathrm{P}(A\cup B)$의 값은? $\mathrm{P}(B|A)=\frac{\mathrm{P}(A\cap B)}{\mathrm{P}(A)}$

두 사건 A와 B는 서로 독립이므로

$\mathrm{P}(B|A)=\frac{\mathrm{P}(A\cap B)}{\mathrm{P}(A)}=\frac{\mathrm{P}(A)\mathrm{P}(B)}{\mathrm{P}(A)}$

$=\mathrm{P}(B)=\frac{2}{3}$

따라서

$\mathrm{P}(A\cup B)=\mathrm{P}(A)+\mathrm{P}(B)-\mathrm{P}(A\cap B)$

$=\mathrm{P}(A)+\mathrm{P}(B)-\mathrm{P}(A)\mathrm{P}(B)$

$=\frac{3}{8}+\frac{2}{3}-\frac{1}{4}=\frac{19}{24}$

답 ⑤

0715

> 두 사건 A, B가 서로 독립이고 $\mathrm{P}(A^C)=\frac{1}{4}$, $\mathrm{P}(A\cap B)=\frac{1}{2}$
>
> 일 때, $\mathrm{P}(B|A^C)$의 값을 구하시오.
>
> 두 사건 A, B가 독립이면 A^C, B도 독립임을 이용하자.

$\mathrm{P}(A)=\frac{3}{4}$이고

$\mathrm{P}(A\cap B)=\mathrm{P}(A)\mathrm{P}(B)=\frac{3}{4}\,\mathrm{P}(B)=\frac{1}{2}$이므로

$\mathrm{P}(B)=\frac{2}{3}$

$\mathrm{P}(B|A^C)=\frac{\mathrm{P}(B\cap A^C)}{\mathrm{P}(A^C)}=\frac{\frac{2}{3}\times\frac{1}{4}}{\frac{1}{4}}=\frac{2}{3}$

답 $\frac{2}{3}$

0716 $\mathrm{P}(A\cup B)=\mathrm{P}(A)+\mathrm{P}(B)-\mathrm{P}(A\cap B)$임을 이용하자.

> 두 사건 A와 B는 서로 독립이고 $\mathrm{P}(A\cup B)=\frac{1}{2}$,
>
> $\mathrm{P}(A|B)=\frac{3}{8}$일 때, $\mathrm{P}(A\cap B^C)$을 구하시오.
>
> 두 사건 A, B가 독립이면 A, B^C도 독립임을 이용하자.

두 사건 A, B가 서로 독립이므로

$\mathrm{P}(A\cap B)=\mathrm{P}(A)\mathrm{P}(B)$

$\therefore \mathrm{P}(A|B)=\frac{\mathrm{P}(A\cap B)}{\mathrm{P}(B)}=\frac{\mathrm{P}(A)\mathrm{P}(B)}{\mathrm{P}(B)}$

$=\mathrm{P}(A)=\frac{3}{8}$

$\mathrm{P}(A\cup B)=\mathrm{P}(A)+\mathrm{P}(B)-\mathrm{P}(A)\mathrm{P}(B)$에서

$\frac{1}{2}=\frac{3}{8}+\mathrm{P}(B)-\frac{3}{8}\mathrm{P}(B)$

$\therefore \mathrm{P}(B)=\frac{1}{5}$

두 사건 A, B^C도 서로 독립이므로

$\mathrm{P}(A\cap B^C)=\mathrm{P}(A)\mathrm{P}(B^C)$

$=\mathrm{P}(A)\{1-\mathrm{P}(B)\}$

$=\frac{3}{8}\left(1-\frac{1}{5}\right)=\frac{3}{10}$

답 $\frac{3}{10}$

0717

> 서로 독립인 두 사건 A, B에 대하여
>
> $\mathrm{P}(A|B)=\mathrm{P}(B|A)=\frac{3}{4}$
>
> 이 성립할 때, $\mathrm{P}(A\cup B)$는?
>
> 두 사건 A, B가 독립이면 $\mathrm{P}(A|B)=\frac{\mathrm{P}(A)\mathrm{P}(B)}{\mathrm{P}(B)}=\mathrm{P}(A)$,
>
> $\mathrm{P}(B|A)=\frac{\mathrm{P}(B)\mathrm{P}(A)}{\mathrm{P}(A)}=\mathrm{P}(B)$임을 이용하자.

두 사건 A, B가 서로 독립이므로

$\mathrm{P}(A\cap B)=\mathrm{P}(A)\mathrm{P}(B)$

$\therefore \mathrm{P}(A|B)=\frac{\mathrm{P}(A\cap B)}{\mathrm{P}(B)}=\frac{\mathrm{P}(A)\mathrm{P}(B)}{\mathrm{P}(B)}$

$=\mathrm{P}(A)=\frac{3}{4}$

$\mathrm{P}(B|A)=\frac{\mathrm{P}(A\cap B)}{\mathrm{P}(A)}=\frac{\mathrm{P}(A)\mathrm{P}(B)}{\mathrm{P}(A)}$

$=\mathrm{P}(B)=\frac{3}{4}$

따라서 $\mathrm{P}(A\cap B)=\mathrm{P}(A)\mathrm{P}(B)=\frac{9}{16}$이므로

$\mathrm{P}(A\cup B)=\mathrm{P}(A)+\mathrm{P}(B)-\mathrm{P}(A\cap B)$

$=\frac{3}{4}+\frac{3}{4}-\frac{9}{16}=\frac{15}{16}$

답 ①

0718 A, B가 독립이면 $\mathrm{P}(A\cap B)=\mathrm{P}(A)\mathrm{P}(B)$임을 이용하자.

> 서로 독립인 두 사건 A와 B에 대하여 $\mathrm{P}(A\cup B)=\frac{3}{5}$,
>
> $\mathrm{P}(A)\mathrm{P}(B)=\frac{1}{4}$일 때, $\mathrm{P}(A|B^C)+\mathrm{P}(B|A^C)$의 값을 구하시오.
>
> A, B가 독립이면 A와 B^C, A^C와 B도 독립임을 이용하자.

A, B가 서로 독립이므로

$\mathrm{P}(A\cap B)=\mathrm{P}(A)\times\mathrm{P}(B)=\frac{1}{4}$

$\mathrm{P}(A\cup B)=\mathrm{P}(A)+\mathrm{P}(B)-\mathrm{P}(A\cap B)$에서

$\frac{3}{5}=\mathrm{P}(A)+\mathrm{P}(B)-\frac{1}{4}$

$\therefore \mathrm{P}(A)+\mathrm{P}(B)=\frac{17}{20}$

A, B가 독립이면 A와 B^C, A^C과 B도 서로 독립이다.

$\therefore \mathrm{P}(A|B^C)+\mathrm{P}(B|A^C)=\mathrm{P}(A)+\mathrm{P}(B)=\frac{17}{20}$

답 $\frac{17}{20}$

0719 $A\cap C=\varnothing$, $B\cap C=\varnothing$임을 이용하자.

세 사건 A, B, C에 대하여 A와 B는 서로 독립이고, A와 C, B와 C는 각각 서로 배반사건이다. 세 사건 A, B, C가 일어날 확률이 각각 $\mathrm{P}(A)=\frac{1}{3}$, $\mathrm{P}(B)=\frac{1}{4}$, $\mathrm{P}(C)=\frac{5}{12}$일 때, $\mathrm{P}(A|(B\cup C))$를 구하시오.

$\frac{\mathrm{P}(A\cap(B\cup C))}{\mathrm{P}(B\cup C)}=\frac{\mathrm{P}((A\cap B)\cup(A\cap C))}{\mathrm{P}(B\cup C)}$임을 이용하자.

$$\begin{aligned}\mathrm{P}(A|(B\cup C))&=\frac{\mathrm{P}(A\cap(B\cup C))}{\mathrm{P}(B\cup C)}\\&=\frac{\mathrm{P}((A\cap B)\cup(A\cap C))}{\mathrm{P}(B\cup C)}\\&=\frac{\mathrm{P}(A\cap B)}{\mathrm{P}(B)+\mathrm{P}(C)}\ (\because A\cap C=\varnothing,\ B\cap C=\varnothing)\\&=\frac{\mathrm{P}(A)\mathrm{P}(B)}{\mathrm{P}(B)+\mathrm{P}(C)}\ (\because A,\ B\text{는 서로 독립사건})\\&=\frac{\frac{1}{3}\times\frac{1}{4}}{\frac{1}{4}+\frac{5}{12}}=\frac{1}{8}\end{aligned}$$

답 $\frac{1}{8}$

0720 각 사건들을 집합의 원소나열법으로 나타내자.

한 개의 주사위를 던질 때, 홀수의 눈이 나오는 사건을 A, 소수의 눈이 나오는 사건을 B, 2 이하의 눈이 나오는 사건을 C라 하자. 〈보기〉에서 서로 독립인 것을 모두 고른 것은?

두 사건 A, B가 $\mathrm{P}(A\cap B)=\mathrm{P}(A)\mathrm{P}(B)$이면 서로 독립이다.

보기

ㄱ. A와 B ㄴ. B와 C ㄷ. A와 C

$A=\{1, 3, 5\}$, $B=\{2, 3, 5\}$, $C=\{1, 2\}$이므로
$A\cap B=\{3, 5\}$, $B\cap C=\{2\}$, $A\cap C=\{1\}$

ㄱ. $\mathrm{P}(A)=\frac{1}{2}$, $\mathrm{P}(B)=\frac{1}{2}$, $\mathrm{P}(A\cap B)=\frac{1}{3}$이므로
$\mathrm{P}(A\cap B)\neq\mathrm{P}(A)\mathrm{P}(B)$
즉, 두 사건 A와 B는 서로 종속이다.

ㄴ. $\mathrm{P}(B)=\frac{1}{2}$, $\mathrm{P}(C)=\frac{1}{3}$, $\mathrm{P}(B\cap C)=\frac{1}{6}$이므로
$\mathrm{P}(B\cap C)=\mathrm{P}(B)\mathrm{P}(C)$
즉, 두 사건 B와 C는 서로 독립이다.

ㄷ. $\mathrm{P}(A)=\frac{1}{2}$, $\mathrm{P}(C)=\frac{1}{3}$, $\mathrm{P}(A\cap C)=\frac{1}{6}$이므로
$\mathrm{P}(A\cap C)=\mathrm{P}(A)\mathrm{P}(C)$
즉, 두 사건 A와 C는 서로 독립이다.

따라서 서로 독립인 것은 ㄴ, ㄷ이다.

답 ⑤

0721

한 개의 주사위를 던져 4 이하의 눈이 나오는 사건을 A, 짝수의 눈이 나오는 사건을 B라 할 때, 〈보기〉에서 옳은 것만을 있는 대로 고른 것은? $A=\{1, 2, 3, 4\}$, $B=\{2, 4, 6\}$

보기

ㄱ. 두 사건 A, B는 서로 독립이다.
ㄴ. 두 사건 A^C, B는 서로 독립이다. $A^C=\{5, 6\}$
ㄷ. 두 사건 A, B^C은 서로 종속이다. $B^C=\{1, 3, 5\}$

$A=\{1, 2, 3, 4\}$, $B=\{2, 4, 6\}$이므로
$A\cap B=\{2, 4\}$
$\therefore \mathrm{P}(A)=\frac{2}{3}$, $\mathrm{P}(B)=\frac{1}{2}$, $\mathrm{P}(A\cap B)=\frac{1}{3}$

ㄱ. $\mathrm{P}(A\cap B)=\mathrm{P}(A)\mathrm{P}(B)$이므로
두 사건 A, B는 서로 독립이다. (참)

ㄴ. $A^C=\{5, 6\}$이므로
$A^C\cap B=\{6\}$
$\therefore \mathrm{P}(A^C)=\frac{1}{3}$, $\mathrm{P}(A^C\cap B)=\frac{1}{6}$
즉, $\mathrm{P}(A^C\cap B)=\mathrm{P}(A^C)\mathrm{P}(B)$이므로
두 사건 A^C, B는 서로 독립이다. (참)

ㄷ. $B^C=\{1, 3, 5\}$이므로
$A\cap B^C=\{1, 3\}$
$\therefore \mathrm{P}(B^C)=\frac{1}{2}$, $\mathrm{P}(A\cap B^C)=\frac{1}{3}$
즉, $\mathrm{P}(A\cap B^C)=\mathrm{P}(A)\mathrm{P}(B^C)$이므로
두 사건 A, B^C은 서로 독립이다. (거짓)

따라서 옳은 것은 ㄱ, ㄴ이다.

답 ②

다른풀이 ㄱ. $\mathrm{P}(A)=\frac{2}{3}$, $\mathrm{P}(B)=\frac{1}{2}$, $\mathrm{P}(A\cap B)=\frac{1}{3}$이므로
$\mathrm{P}(A\cap B)=\mathrm{P}(A)\mathrm{P}(B)$
즉, 두 사건 A, B는 서로 독립이다. (참)
ㄴ. ㄱ에서 두 사건 A, B가 서로 독립이므로 A^C, B도 서로 독립이다. (참)
ㄷ. ㄱ에서 두 사건 A, B가 서로 독립이므로 A, B^C도 서로 독립이다. (거짓)

0722 각 사건들을 집합의 원소나열법으로 나타내자.

1, 2, 3, 4가 적힌 면은 빨간색, 5, 6이 적힌 면은 파란색이 칠해진 주사위가 있다. 이 주사위를 한 번 던질 때, 홀수의 눈이 나오는 사건을 A, 6의 약수의 눈이 나오는 사건을 B, 빨간색 면이 나오는 사건을 C, 파란색이 면이 나오는 사건을 D라 하자. 〈보기〉에서 서로 독립인 것만을 있는 대로 고른 것은?

두 사건 A, B가 $\mathrm{P}(A\cap B)=\mathrm{P}(A)\mathrm{P}(B)$이면 서로 독립이다.

보기

ㄱ. A와 B ㄴ. A와 C ㄷ. B와 D

$A=\{1, 3, 5\}$, $B=\{1, 2, 3, 6\}$, $C=\{1, 2, 3, 4\}$, $D=\{5, 6\}$
이므로

$A\cap B=\{1, 3\}$, $A\cap C=\{1, 3\}$, $B\cap D=\{6\}$

ㄱ. $P(A\cap B)=\frac{2}{6}=\frac{1}{3}$, $P(A)P(B)=\frac{3}{6}\times\frac{4}{6}=\frac{1}{3}$

$\therefore P(A\cap B)=P(A)P(B)$

즉, 두 사건 A와 B는 서로 독립이다.

ㄴ. $P(A\cap C)=\frac{2}{6}=\frac{1}{3}$, $P(A)P(C)=\frac{3}{6}\times\frac{4}{6}=\frac{1}{3}$

$\therefore P(A\cap C)=P(A)P(C)$

즉, 두 사건 A와 C는 서로 독립이다.

ㄷ. $P(B\cap D)=\frac{1}{6}$, $P(B)P(D)=\frac{4}{6}\times\frac{2}{6}=\frac{2}{9}$

$\therefore P(B\cap D)\neq P(B)P(D)$

즉, 두 사건 B와 D는 서로 종속이다.

따라서 서로 독립인 것은 ㄱ, ㄴ이다. 답 ③

0723

서로 다른 두 개의 주사위를 동시에 던질 때,

사건 A: 나오는 두 눈의 수의 합이 10 이상

사건 B: 두 눈의 수의 곱의 약수의 개수가 3

사건 C: 두 눈의 수의 곱의 약수의 개수가 홀수

라 하자. 〈보기〉에서 옳은 것을 있는 대로 모두 고르시오.

(각 사건들의 확률을 각각 구하자.)

보기

ㄱ. A와 B는 서로 배반사건이다. (→ $P(A\cap B)=0$이어야 한다.)

ㄴ. B와 C는 서로 종속이다.

ㄷ. A와 C는 서로 독립이다.

(두 사건 A, B가 $P(A\cap B)\neq P(A)P(B)$이면 서로 종속이다.)

사건 A는 '나오는 두 눈의 수의 합이 10 이상'이므로

$A=\{(4, 6), (5, 5), (5, 6), (6, 4), (6, 5), (6, 6)\}$

사건 B는 '두 눈의 수의 곱의 약수의 개수가 3'이므로

두 눈의 수의 곱이 소수의 제곱이어야 한다.

$B=\{(1, 4), (2, 2), (3, 3), (4, 1), (5, 5)\}$

사건 C는 '두 눈의 수의 곱의 약수의 개수가 홀수'이므로

두 눈의 수의 곱이 어떤 수의 제곱이어야 한다.

$C=\{(1, 1), (1, 4), (2, 2), (3, 3), (4, 1), (4, 4), (5, 5), (6, 6)\}$

ㄱ. $A\cap B=\{(5, 5)\}$이므로 배반사건이 아니다. (거짓)

ㄴ. $P(B)=\frac{5}{36}$, $P(C)=\frac{2}{9}$, $P(B\cap C)=\frac{5}{36}$

$P(B\cap C)\neq P(B)P(C)$이므로 종속이다. (참)

ㄷ. $P(A)=\frac{1}{6}$, $P(C)=\frac{2}{9}$, $P(A\cap C)=\frac{1}{18}$

$P(A\cap C)\neq P(A)P(C)$이므로 종속이다. (거짓)

따라서 옳은 것은 ㄴ뿐이다. 답 ㄴ

0724

(각 사건들의 확률을 각각 구하자.)

1부터 10까지의 자연수가 각각 하나씩 적힌 10개의 카드 중에서 임의로 한 개의 카드를 선택할 때, 홀수가 적힌 카드가 나오는 사건을 A, 소수가 적힌 카드가 나오는 사건을 B, 5의 배수가 적힌 카드가 나오는 사건을 C라 하자. 〈보기〉에서 옳은 것을 있는 대로 모두 고르시오.

(두 사건 A, B가 $P(A\cap B)\neq P(A)P(B)$이면 서로 종속이다.)

보기

ㄱ. A와 B는 서로 종속이다.

ㄴ. B와 C는 서로 종속이다.

ㄷ. A와 C는 서로 독립이다.

$A=\{1, 3, 5, 7, 9\}$, $B=\{2, 3, 5, 7\}$, $C=\{5, 10\}$

$A\cap B=\{3, 5, 7\}$, $B\cap C=\{5\}$, $C\cap A=\{5\}$이므로

ㄱ. $P(A\cap B)=\frac{3}{10}$, $P(A)\times P(B)=\frac{1}{2}\times\frac{2}{5}=\frac{1}{5}$

$P(A\cap B)\neq P(A)\times P(B)$이므로

A와 B는 서로 종속이다. (참)

ㄴ. $P(B\cap C)=\frac{1}{10}$, $P(B)\times P(C)=\frac{2}{5}\times\frac{1}{5}=\frac{2}{25}$

$P(B\cap C)\neq P(B)\times P(C)$이므로

B와 C는 서로 종속이다. (참)

ㄷ. $P(A\cap C)=\frac{1}{10}$, $P(A)\times P(C)=\frac{1}{2}\times\frac{1}{5}=\frac{1}{10}$

$P(A\cap C)=P(A)\times P(C)$이므로

A와 C는 서로 독립이다. (참)

따라서 옳은 것은 ㄱ, ㄴ, ㄷ이다. 답 ㄱ, ㄴ, ㄷ

0725

(각 사건들의 확률을 각각 구하자.)

서로 다른 3개의 동전을 동시에 던질 때, 앞면이 나오는 동전이 1개 이하인 사건을 A, 동전 3개가 모두 같은 면이 나오는 사건을 B라 하자. 〈보기〉에서 옳은 것만을 있는 대로 고르시오.

보기

ㄱ. $P(A)=\frac{1}{2}$ ㄴ. $P(A\cap B)=\frac{1}{8}$

ㄷ. 두 사건 A와 B는 서로 독립이다.

(두 사건 A, B가 $P(A\cap B)=P(A)P(B)$이면 서로 독립이다.)

서로 다른 3개의 동전을 동시에 던질 때 모든 경우의 수는 8이고, 동전의 앞면을 H, 뒷면을 T라 하면

$A=\{HTT, THT, TTH, TTT\}$, $B=\{HHH, TTT\}$

ㄱ. $P(A)=\frac{4}{8}=\frac{1}{2}$ (참)

ㄴ. $A\cap B=\{TTT\}$이므로 $P(A\cap B)=\frac{1}{8}$ (참)

ㄷ. $P(A)P(B)=\frac{1}{2}\times\frac{1}{4}=\frac{1}{8}$이므로

$P(A\cap B)=P(A)P(B)$

즉, 두 사건 A와 B는 서로 독립이다. (참)

따라서 ㄱ, ㄴ, ㄷ 모두 옳다. 답 ㄱ, ㄴ, ㄷ

0726

1부터 10까지의 자연수가 각각 하나씩 적힌 10장의 카드 중에서 임의로 한 장을 뽑을 때, n의 배수가 적힌 카드를 뽑는 사건을 A_n이라 하자. 이때 〈보기〉에서 옳은 것을 모두 고른 것은?

보기

ㄱ. A_3과 A_4는 서로 배반사건이다.

ㄴ. $\mathrm{P}(A_4|A_2)=\frac{1}{5}$

ㄷ. A_2와 A_5는 서로 독립이다.

$A_3=\{3, 6, 9\}$, $A_4=\{4, 8\}$임을 이용하자.

$\mathrm{P}(A_4|A_2)=\frac{\mathrm{P}(A_4\cap A_2)}{\mathrm{P}(A_2)}$임을 이용하자.

ㄱ. $A_3=\{3, 6, 9\}$, $A_4=\{4, 8\}$이므로 $A_3\cap A_4=\varnothing$

따라서 A_3과 A_4는 서로 배반사건이다. (참)

ㄴ. $A_2=\{2, 4, 6, 8, 10\}$, $A_4=\{4, 8\}$이므로

$$\mathrm{P}(A_4|A_2)=\frac{\mathrm{P}(A_4\cap A_2)}{\mathrm{P}(A_2)}=\frac{\frac{2}{10}}{\frac{5}{10}}=\frac{2}{5}\text{ (거짓)}$$

ㄷ. $A_5=\{5, 10\}$이므로 $A_2\cap A_5=\{10\}$

$\mathrm{P}(A_2\cap A_5)=\frac{1}{10}$, $\mathrm{P}(A_2)\times\mathrm{P}(A_5)=\frac{1}{2}\times\frac{1}{5}=\frac{1}{10}$

$\mathrm{P}(A_2\cap A_5)=\mathrm{P}(A_2)\mathrm{P}(A_5)$이므로 A_2와 A_5는 서로 독립이다. (참)

답 ③

0727

각 사건들의 확률을 각각 구하자.

1개의 동전을 3회 던져서 첫 번째에 앞면이 나오는 사건을 A, 두 번째에 앞면이 나오는 사건을 B, 3회 중에서 2회만 연속하여 앞면이 나오는 사건을 C라 할 때, 〈보기〉에서 서로 종속인 것만을 있는 대로 고른 것은?

두 사건 A, B가 $\mathrm{P}(A\cap B)\neq\mathrm{P}(A)\mathrm{P}(B)$이면 서로 종속이다.

보기

ㄱ. A와 B　　ㄴ. B와 C　　ㄷ. A와 C

동전을 3회 던질 때 생기는 모든 경우의 수는 8이고,
동전의 앞면을 H, 뒷면을 T라 하면

$A=\{\mathrm{HHH, HHT, HTH, HTT}\}$

$B=\{\mathrm{HHH, HHT, THH, THT}\}$

$C=\{\mathrm{HHT, THH}\}$

$A\cap B=\{\mathrm{HHH, HHT}\}$

$B\cap C=\{\mathrm{HHT, THH}\}$

$A\cap C=\{\mathrm{HHT}\}$

ㄱ. $\mathrm{P}(A)=\frac{1}{2}$, $\mathrm{P}(B)=\frac{1}{2}$, $\mathrm{P}(A\cap B)=\frac{1}{4}$

즉, $\mathrm{P}(A\cap B)=\mathrm{P}(A)\mathrm{P}(B)$이므로
두 사건 A와 B는 서로 독립이다.

ㄴ. $\mathrm{P}(B)=\frac{1}{2}$, $\mathrm{P}(C)=\frac{1}{4}$, $\mathrm{P}(B\cap C)=\frac{1}{4}$

즉, $\mathrm{P}(B\cap C)\neq\mathrm{P}(B)\mathrm{P}(C)$이므로
두 사건 B와 C는 서로 종속이다.

ㄷ. $\mathrm{P}(A)=\frac{1}{2}$, $\mathrm{P}(C)=\frac{1}{4}$, $\mathrm{P}(A\cap C)=\frac{1}{8}$

즉, $\mathrm{P}(A\cap C)=\mathrm{P}(A)\mathrm{P}(C)$이므로
두 사건 A와 C는 서로 독립이다.

따라서 종속인 것은 ㄴ뿐이다.

답 ②

0728

두 사건 A, B에 대하여 〈보기〉에서 옳은 것만을 있는 대로 고르시오. (단, $\mathrm{P}(A)\neq0$, $\mathrm{P}(B)\neq0$)

$\mathrm{P}(A\cap B)=\mathrm{P}(A)\mathrm{P}(B)$이어야 하고 조건에서 $\mathrm{P}(A)\mathrm{P}(B)\neq0$

보기

ㄱ. 두 사건 A, B가 서로 배반사건이면 두 사건 A, B는 서로 독립이다.

두 사건이 서로 배반사건이면 $A\cap B=\varnothing$이다.

ㄴ. 두 사건 A, B가 서로 독립이면 두 사건 A, B^C은 서로 독립이다.

ㄷ. 두 사건 A, B가 서로 독립이면 두 사건 A, B는 서로 배반사건이다.

ㄱ. 두 사건 A, B가 서로 배반사건이면

$\mathrm{P}(A\cap B)=0$이므로

$\mathrm{P}(A\cap B)=0\neq\mathrm{P}(A)\mathrm{P}(B)$

따라서 두 사건 A, B는 서로 독립이 아니다. (거짓)

ㄴ. 두 사건 A, B가 서로 독립이면

$\mathrm{P}(A\cap B)=\mathrm{P}(A)\mathrm{P}(B)$이므로

$$\begin{aligned}\mathrm{P}(A\cap B^C)&=\mathrm{P}(A)-\mathrm{P}(A\cap B)=\mathrm{P}(A)-\mathrm{P}(A)\mathrm{P}(B)\\&=\mathrm{P}(A)\{1-\mathrm{P}(B)\}=\mathrm{P}(A)\mathrm{P}(B^C)\end{aligned}$$

따라서 두 사건 A, B^C은 서로 독립이다. (참)

ㄷ. 두 사건 A, B가 서로 독립이면

$\mathrm{P}(A\cap B)=\mathrm{P}(A)\mathrm{P}(B)$

$\mathrm{P}(A)\neq0$, $\mathrm{P}(B)\neq0$이므로

$\mathrm{P}(A\cap B)\neq0$

즉, 두 사건 A, B는 배반사건이 아니다. (거짓)

따라서 옳은 것은 ㄴ뿐이다.

답 ㄴ

0729

표본공간 S의 공사건이 아닌 세 사건 A, B, C에 대하여 〈보기〉에서 옳은 것만을 있는 대로 고르시오.

거짓임을 보이는 반례를 찾자.

보기

ㄱ. A, B가 서로 배반사건이고 B, C가 서로 배반사건이면 A, C도 서로 배반사건이다.

ㄴ. A, B가 서로 독립이고 B, C가 서로 독립이면 A, C도 서로 독립이다.

ㄷ. A, B가 서로 배반사건이고 B^C, C가 서로 배반사건이면 A, C는 서로 종속이다.

$B^C\cap C=\varnothing$이므로 $C\subset B$

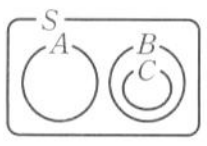

이므로 $A\cap C=\varnothing$

ㄱ. [반례] 표본공간이 $S=\{1, 2, 3, 4\}$일 때,

$A=\{1, 2\}$, $B=\{3\}$, $C=\{1, 4\}$라 하면

두 사건 A와 B, B와 C가 서로 배반사건이지만 두 사건 A와 C는 서로 배반사건이 아니다. (거짓)

ㄴ. [반례] 표본공간이 $S=\{1, 2, 3, 4\}$일 때,

$A=\{1, 2\}$, $B=\{2, 3\}$, $C=\{3, 4\}$라 하면

$\mathrm{P}(A)=\frac{1}{2}$, $\mathrm{P}(B)=\frac{1}{2}$, $\mathrm{P}(C)=\frac{1}{2}$

$\mathrm{P}(A\cap B)=\frac{1}{4}$, $\mathrm{P}(B\cap C)=\frac{1}{4}$, $\mathrm{P}(A\cap C)=0$

즉, 두 사건 A와 B, B와 C는 서로 독립이지만 두 사건 A와 C는 서로 종속이다. (거짓)

ㄷ. $A\cap B=\varnothing$, $B^C\cap C=\varnothing$이므로

$C\subset B$이고 $A\cap C=\varnothing$

즉, 두 사건 A, C가 서로 배반사건이므로 두 사건 A, C는 서로 종속이다. (참)

따라서 옳은 것은 ㄷ뿐이다. 답 ㄷ

참고 (i) 두 사건 A, B가 서로 배반사건이면 A, B는 서로 종속이다.
(ii) 두 사건 A, B가 서로 독립이면 A, B는 서로 배반사건이 아니다.

0730

표본공간 S의 두 사건 A, B에 대하여 〈보기〉에서 옳은 것만을 있는 대로 고른 것은? (단, $\mathrm{P}(A)\neq 0$, $\mathrm{P}(B)\neq 0$)

보기

ㄱ. $A\subset B$이면 $\mathrm{P}(B|A)=1$이다. ($A\cap B=A$임을 이용하자.)

ㄴ. 두 사건 A, B가 서로 배반사건이면 $\mathrm{P}(B|A)=0$이다. ($A\cap B=\varnothing$임을 이용하자.)

ㄷ. 두 사건 A, B가 서로 독립이면 두 사건 A, B는 서로 배반사건이다.

ㄱ. $\mathrm{P}(B|A)=\frac{\mathrm{P}(A\cap B)}{\mathrm{P}(A)}$

$=\frac{\mathrm{P}(A)}{\mathrm{P}(A)}$ ($\because A\subset B$)

$=1$ (참)

ㄴ. 두 사건 A, B가 서로 배반사건이면 $\mathrm{P}(A\cap B)=0$이므로

$\mathrm{P}(B|A)=\frac{\mathrm{P}(A\cap B)}{\mathrm{P}(A)}=0$ (참)

ㄷ. 두 사건 A, B가 서로 독립이면

$\mathrm{P}(A\cap B)=\mathrm{P}(A)\mathrm{P}(B)$

$\mathrm{P}(A)\neq 0$, $\mathrm{P}(B)\neq 0$이므로

$\mathrm{P}(A\cap B)\neq 0$

즉, 두 사건 A, B는 서로 배반사건이 아니다. (거짓)

따라서 옳은 것은 ㄱ, ㄴ이다. 답 ②

참고 두 사건 A, B가 서로 배반사건이면 A, B는 서로 종속이다.
또는
두 사건 A, B가 서로 독립이면 A, B는 서로 배반사건이 아니다.

0731

확률이 0이 아닌 두 사건 A, B가 서로 독립일 때, 〈보기〉에서 옳은 것만을 있는 대로 고르시오.

보기

ㄱ. $\mathrm{P}(A^C|B)=1-\mathrm{P}(A)$ (A, B가 독립이면 $\mathrm{P}(A^C|B)=\mathrm{P}(A^C)$)

ㄴ. $\mathrm{P}(A\cap B)=\mathrm{P}(A|B^C)\mathrm{P}(B|A^C)$ (A, B가 독립이면 $\mathrm{P}(A|B^C)=\mathrm{P}(A)$)

ㄷ. $\mathrm{P}(B)=\mathrm{P}(A)\mathrm{P}(B)+\mathrm{P}(A^C)\mathrm{P}(B)$

두 사건 A와 B가 서로 독립이므로 두 사건 A^C과 B, A와 B^C도 서로 독립이다.

ㄱ. $\mathrm{P}(A^C|B)=\frac{\mathrm{P}(A^C\cap B)}{\mathrm{P}(B)}=\frac{\mathrm{P}(A^C)\mathrm{P}(B)}{\mathrm{P}(B)}$

$=\mathrm{P}(A^C)=1-\mathrm{P}(A)$ (참)

ㄴ. $\mathrm{P}(A|B^C)=\mathrm{P}(A)$, $\mathrm{P}(B|A^C)=\mathrm{P}(B)$

$\therefore \mathrm{P}(A\cap B)=\mathrm{P}(A)\mathrm{P}(B)$

$=\mathrm{P}(A|B^C)\mathrm{P}(B|A^C)$ (참)

ㄷ. $\mathrm{P}(A)\mathrm{P}(B)+\mathrm{P}(A^C)\mathrm{P}(B)$

$=\mathrm{P}(B)\{\mathrm{P}(A)+\mathrm{P}(A^C)\}=\mathrm{P}(B)$ (참)

따라서 ㄱ, ㄴ, ㄷ 모두 옳다. 답 ㄱ, ㄴ, ㄷ

0732

표본공간 S의 두 사건 A, B에 대하여 〈보기〉에서 옳은 것만을 있는 대로 고르시오. (단, 두 사건 A, B는 공사건이 아니다.)

보기

ㄱ. $\mathrm{P}(A|B)=\mathrm{P}(A)$이면 $\mathrm{P}(A\cap B)=\mathrm{P}(A)\mathrm{P}(B)$ (두 사건 A와 B는 서로 독립사건이다.)

ㄴ. $\mathrm{P}(A|B^C)+\mathrm{P}(A^C|B^C)=1$

ㄷ. $\mathrm{P}(A|B)+\mathrm{P}(A^C|B^C)=1$이면 두 사건 A, B는 서로 독립이다. ($\mathrm{P}(A)=\mathrm{P}(A\cap B)+\mathrm{P}(A\cap B^C)$임을 이용하자.)

ㄱ. $\mathrm{P}(A|B)=\mathrm{P}(A)$에서

$\frac{\mathrm{P}(A\cap B)}{\mathrm{P}(B)}=\mathrm{P}(A)$

$\therefore \mathrm{P}(A\cap B)=\mathrm{P}(A)\mathrm{P}(B)$ (참)

ㄴ. $\mathrm{P}(A|B^C)+\mathrm{P}(A^C|B^C)$

$=\frac{\mathrm{P}(A\cap B^C)+\mathrm{P}(A^C\cap B^C)}{\mathrm{P}(B^C)}$

$=\frac{\mathrm{P}(B^C)}{\mathrm{P}(B^C)}=1$ (참)

ㄷ. ㄴ에서 $\mathrm{P}(A|B^C)+\mathrm{P}(A^C|B^C)=1$이므로

$\mathrm{P}(A|B^C)=1-\mathrm{P}(A^C|B^C)$

즉, $\mathrm{P}(A|B)+\mathrm{P}(A^C|B^C)=1$에서

$\mathrm{P}(A|B)=1-\mathrm{P}(A^C|B^C)=\mathrm{P}(A|B^C)$

이므로 두 사건 A, B는 서로 독립이다. (참)

따라서 ㄱ, ㄴ, ㄷ 모두 옳다. 답 ㄱ, ㄴ, ㄷ

0733

두 사건 A, B에 대하여 $0<\mathrm{P}(A)<1$, $0<\mathrm{P}(B)<1$일 때, 〈보기〉에서 옳은 것만을 있는 대로 고른 것은? (단, A^C은 A의 여사건이다.)

→ $\mathrm{P}(A\cap B^C)=0$임을 이용하자.

보기

ㄱ. $\mathrm{P}(A|B^C)=0$이면 $\mathrm{P}(A|B)\mathrm{P}(B)=\mathrm{P}(A)$이다.
ㄴ. 사건 A와 B가 서로 독립이면 사건 A와 B는 서로 배반이다.
ㄷ. 사건 A와 B가 서로 독립이면
$\mathrm{P}(A|B)+\mathrm{P}(A|B^C)=2\mathrm{P}(A)$이다.

→ A, B가 독립이면 $\mathrm{P}(A|B)=\mathrm{P}(A|B^C)=\mathrm{P}(A)$이다.

ㄱ. $\mathrm{P}(A|B^C)=\dfrac{\mathrm{P}(A\cap B^C)}{\mathrm{P}(B^C)}=0$이므로

$\mathrm{P}(A\cap B^C)=0$

$\therefore A\subset B$ ⋯⋯ ㉠

$\mathrm{P}(A|B)\mathrm{P}(B)=\dfrac{\mathrm{P}(A\cap B)}{\mathrm{P}(B)}\times\mathrm{P}(B)=\mathrm{P}(A\cap B)$이고

㉠에 의하여 $\mathrm{P}(A\cap B)=\mathrm{P}(A)$이므로

$\mathrm{P}(A|B)\mathrm{P}(B)=\mathrm{P}(A)$ (참)

ㄴ. 사건 A, B가 서로 독립이므로

$\mathrm{P}(A\cap B)=\mathrm{P}(A)\mathrm{P}(B)$

사건 A, B가 서로 배반일 때는 $\mathrm{P}(A\cap B)=0$인데

$\mathrm{P}(A\cap B)=\mathrm{P}(A)\mathrm{P}(B)>0$이므로

$\mathrm{P}(A\cap B)\neq 0$ (거짓)

ㄷ. 사건 A, B가 서로 독립이므로 A, B^C도 독립이다.

$\mathrm{P}(A\cap B)=\mathrm{P}(A)\mathrm{P}(B)$, $\mathrm{P}(A\cap B^C)=\mathrm{P}(A)\mathrm{P}(B^C)$이 성립하므로

$\mathrm{P}(A|B)=\dfrac{\mathrm{P}(A\cap B)}{\mathrm{P}(B)}=\dfrac{\mathrm{P}(A)\mathrm{P}(B)}{\mathrm{P}(B)}=\mathrm{P}(A)$,

$\mathrm{P}(A|B^C)=\dfrac{\mathrm{P}(A\cap B^C)}{\mathrm{P}(B^C)}=\dfrac{\mathrm{P}(A)\mathrm{P}(B^C)}{\mathrm{P}(B^C)}=\mathrm{P}(A)$

$\therefore \mathrm{P}(A|B)+\mathrm{P}(A|B^C)=\mathrm{P}(A)+\mathrm{P}(A)=2\mathrm{P}(A)$ (참)

따라서 옳은 것은 ㄱ, ㄷ이다.

답 ③

0734

→ $\mathrm{P}(A\cup B\cup C)=\mathrm{P}(A)+\mathrm{P}(B)+\mathrm{P}(C)-\mathrm{P}(A\cap B)-\mathrm{P}(B\cap C)-\mathrm{P}(C\cap A)+\mathrm{P}(A\cap B\cap C)$임을 이용하자.

서로 독립인 세 사건 A, B, C에 대하여 〈보기〉에서 옳은 것만을 있는 대로 고른 것은? (단, $\mathrm{P}(A)\neq 0$, $\mathrm{P}(B)\neq 0$, $\mathrm{P}(C)\neq 0$)

보기

ㄱ. $\mathrm{P}(A\cup B\cup C)=\mathrm{P}(A)+\mathrm{P}(B)+\mathrm{P}(C)$
ㄴ. $\mathrm{P}(A\cap B\cap C)=\mathrm{P}(A)\mathrm{P}(B)\mathrm{P}(C)$
ㄷ. 사건 A와 $B\cup C$는 서로 독립이다.

→ $\mathrm{P}(A\cap B\cap C)=\mathrm{P}(A)\mathrm{P}(B\cap C)$임을 이용하자.

ㄱ. $\mathrm{P}(A\cup B\cup C)$

$=\mathrm{P}(A)+\mathrm{P}(B)+\mathrm{P}(C)-\mathrm{P}(A\cap B)-\mathrm{P}(B\cap C)-\mathrm{P}(C\cap A)+\mathrm{P}(A\cap B\cap C)$

$\therefore \mathrm{P}(A\cup B\cup C)\neq\mathrm{P}(A)+\mathrm{P}(B)+\mathrm{P}(C)$ (거짓)

ㄴ. $\mathrm{P}(A\cap B\cap C)=\mathrm{P}(A\cap(B\cap C))$

$=\mathrm{P}(A)\mathrm{P}(B\cap C)$

$=\mathrm{P}(A)\mathrm{P}(B)\mathrm{P}(C)$ (참)

ㄷ. $\mathrm{P}(A\cap B)=\mathrm{P}(A)\mathrm{P}(B)$, $\mathrm{P}(A\cap C)=\mathrm{P}(A)\mathrm{P}(C)$이므로

$\mathrm{P}(A\cap(B\cup C))=\mathrm{P}((A\cap B)\cup(A\cap C))$

$=\mathrm{P}(A\cap B)+\mathrm{P}(A\cap C)-\mathrm{P}(A\cap(B\cap C))$

$=\mathrm{P}(A)\{\mathrm{P}(B)+\mathrm{P}(C)-\mathrm{P}(B\cap C)\}$

$=\mathrm{P}(A)\mathrm{P}(B\cup C)$ (참)

따라서 옳은 것은 ㄴ, ㄷ이다.

답 ④

0735

어떤 시험에 갑, 을, 병 세 사람이 합격할 확률이 각각 $\dfrac{2}{5}$, $\dfrac{3}{4}$, $\dfrac{1}{3}$이다. 세 사람 모두 합격할 확률이 $\dfrac{a}{b}$일 때, $a+b$의 값을 구하시오. (단, a, b는 서로소인 자연수이다.)

→ 세 사람이 합격하는 사건은 서로 독립임을 이용하자.

갑, 을, 병 세 사람이 합격하는 사건을 각각 A, B, C라 하면 세 사건 A, B, C는 서로 독립이다.

즉, 세 사람이 모두 합격할 확률은

$\mathrm{P}(A\cap B\cap C)=\mathrm{P}(A)\mathrm{P}(B)\mathrm{P}(C)$

$=\dfrac{2}{5}\times\dfrac{3}{4}\times\dfrac{1}{3}=\dfrac{1}{10}$

$\therefore a+b=1+10=11$

답 11

0736

검은 구슬이 5개, 흰 구슬이 3개 들어 있는 A주머니와 검은 구슬이 8개, 흰 구슬이 4개 들어 있는 B주머니에서 각각 하나씩 구슬을 꺼낼 때, 두 주머니 모두에서 흰 구슬을 꺼낼 확률을 구하시오.

→ A주머니에서 흰 공을 꺼내는 사건과 B주머니에서 흰 공을 꺼내는 사건은 서로 독립이다.

A주머니에서 흰 구슬을 꺼내는 사건을 A, B주머니에서 흰 구슬을 꺼내는 사건을 B라 하면 두 사건 A, B는 서로 독립이다.

따라서 구하는 확률은

$\mathrm{P}(A\cap B)=\mathrm{P}(A)\mathrm{P}(B)$

$=\dfrac{3}{8}\times\dfrac{4}{12}=\dfrac{1}{8}$

답 $\dfrac{1}{8}$

0737

→ 준희와 영수가 서로 다른 주머니에서 흰 공을 뽑는 두 사건은 서로 독립임을 이용하자.

주머니 A에는 흰 공 5개, 검은 공 1개가 들어 있고, 주머니 B에는 흰 공 4개, 검은 공 1개가 들어 있다. 준희는 주머니 A에서, 영수는 주머니 B에서 각각 1개의 공을 꺼낼 때, 두 사람 중에서 한 명만 흰 공을 뽑을 확률은 $\dfrac{q}{p}$이다. $p+q$의 값을 구하시오. (단, p, q는 서로소인 자연수이다.)

준희와 영수가 흰 공을 뽑을 사건을 각각 A, B라 하면

$\mathrm{P}(A)=\frac{5}{6}$, $\mathrm{P}(B)=\frac{4}{5}$

두 사람 중에서 한 명만 흰 공을 뽑을 사건은

$(A\cap B^C)\cup(A^C\cap B)$

두 사건 A, B는 서로 독립이므로 두 사건 A, B^C도 서로 독립이고, 두 사건 A^C, B도 서로 독립이다.

$\therefore \mathrm{P}(A\cap B^C)=\mathrm{P}(A)\mathrm{P}(B^C)=\frac{5}{6}\times\frac{1}{5}=\frac{1}{6}$

$\mathrm{P}(A^C\cap B)=\mathrm{P}(A^C)\mathrm{P}(B)=\frac{1}{6}\times\frac{4}{5}=\frac{2}{15}$

그런데 $A\cap B^C$, $A^C\cap B$는 서로 배반사건이므로 구하는 확률은

$\mathrm{P}((A\cap B^C)\cup(A^C\cap B))=\mathrm{P}(A\cap B^C)+\mathrm{P}(A^C\cap B)$

$=\frac{1}{6}+\frac{2}{15}=\frac{3}{10}$

$\therefore p+q=10+3=13$ 답 13

0738

각 문제를 맞히는 사건은 서로 독립이다.

> 3문제로 구성된 시험을 실시한 결과 1번, 2번, 3번 문제의 정답률이 각각 80 %, 50 %, 40 %이었다. 시험에 응시한 사람 중에서 한 사람을 뽑을 때, 그 사람이 2번 문제만 맞혔을 확률은?

1번 문제를 맞히는 사건을 A, 2번 문제를 맞히는 사건을 B, 3번 문제를 맞히는 사건을 C라 하면

$\mathrm{P}(A)=0.8$, $\mathrm{P}(B)=0.5$, $\mathrm{P}(C)=0.4$

세 사건 A, B, C는 서로 독립이므로

A^C, B, C^C도 서로 독립이다.

$\mathrm{P}(A^C\cap B\cap C^C)=\mathrm{P}(A^C)\mathrm{P}(B)\mathrm{P}(C^C)$

$=0.2\times0.5\times0.6$

$=0.06$

따라서 구하는 확률은 6 %이다. 답 ①

0739

> 1부터 7까지의 자연수가 하나씩 적혀 있는 7개의 공이 들어 있는 상자에서 임의로 1개의 공을 꺼내는 시행을 반복할 때, 짝수가 적혀 있는 공을 모두 꺼내면 시행을 멈춘다. 5번째까지 시행을 한 후 시행을 멈출 확률은? (단, 꺼낸 공은 다시 넣지 않는다.)
>
> 4번째까지의 시행에서 홀수가 적힌 공 2개, 짝수가 적힌 공 2개를 뽑아야 한다.

5번째까지 시행을 한 후 시행을 멈추려면 1, 2, 3, 4, 5, 6, 7의 숫자가 적혀 있는 7개의 공에서 4번째 시행까지

2개의 홀수가 적혀 있는 공과 2개의 짝수가 적혀 있는 공을 꺼내고

5번째의 시행에서 짝수가 적혀 있는 공을 꺼내야 한다.

(홀수, 홀수, 짝수, 짝수)를 배열하는 경우의 수는

$\frac{4!}{2!2!}=6$

(홀수, 홀수, 짝수, 짝수)의 순서로 공을 꺼낼 확률은

$\frac{4}{7}\times\frac{3}{6}\times\frac{3}{5}\times\frac{2}{4}$

나머지 5가지 배열의 확률도 동일하다.

5번째에 짝수가 적혀 있는 공을 꺼낼 확률은 $\frac{1}{3}$이므로 구하는 확률은

$6\times\frac{4}{7}\times\frac{3}{6}\times\frac{3}{5}\times\frac{2}{4}\times\frac{1}{3}=\frac{6}{35}$ 답 ①

0740

> 각 면에 1, 1, 1, 2의 숫자가 하나씩 적혀 있는 정사면체 모양의 상자가 있다. 이 상자를 던져서 밑면에 적힌 숫자가 1이면 그림의 영역 A에, 숫자가 2이면 영역 B에 색을 칠하기로 하였다. 두 영역에 색이 모두 칠해질 때까지 이 상자를 계속 던질 때, 3번째에 마칠 확률을 $\frac{q}{p}$라 하자. $p+q$의 값을 구하시오.
>
> 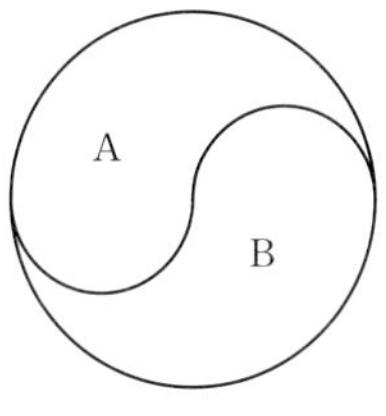
>
>
> (단, p, q는 서로소인 자연수이다.)
>
> A, A, B의 순서로 칠하는 경우와 B, B, A의 순서로 칠하는 경우가 있음을 이용하자.

영역 A에 색을 칠하는 확률은 $\frac{3}{4}$

영역 B에 색을 칠하는 확률은 $\frac{1}{4}$

3번째 시행에서 마치는 경우는 A, A, B의 순서로 칠하거나, B, B, A의 순서로 칠하게 되는 경우이다.

(ⅰ) A, A, B의 순서로 칠하는 확률

$\frac{3}{4}\times\frac{3}{4}\times\frac{1}{4}=\frac{9}{64}$

(ⅱ) B, B, A의 순서로 칠하는 확률

$\frac{1}{4}\times\frac{1}{4}\times\frac{3}{4}=\frac{3}{64}$

(ⅰ), (ⅱ)에서 구하는 확률은

$\frac{9}{64}+\frac{3}{64}=\frac{3}{16}$

$\therefore p+q=16+3=19$ 답 19

0741

> A상자에는 3, 4, 5, 6, 7의 숫자가 하나씩 적혀 있는 5개의 공이 들어 있고, B상자에는 6, 7, 8, 9, 10의 숫자가 하나씩 적혀 있는 5개의 공이 들어 있다. 두 상자 A, B에서 각각 임의로 1개의 공을 꺼낼 때, 꺼낸 두 공에 적혀 있는 수의 곱이 짝수일 확률을 구하시오.
>
> 서로 다른 상자 A, B에서 공을 꺼내는 사건은 서로 독립이다.

두 상자 A, B에서 홀수가 적힌 공을 꺼내는 사건을 각각 A, B라 하고 두 공에 적혀 있는 수의 곱이 짝수일 사건을 C라 하면 그 여사건 C^C은 두 공에 적혀 있는 수의 곱이 홀수인 사건이다.

두 상자 A, B에서 각각 임의로 1개의 공을 꺼낼 때, 모두 홀수가 적힌 공을 꺼내는 사건은 A, B이고 두 사건 A, B가 서로 독립이므로

$\mathrm{P}(A\cap B)=\mathrm{P}(A)\mathrm{P}(B)$

$\mathrm{P}(A)=\frac{3}{5}$, $\mathrm{P}(B)=\frac{2}{5}$이고 두 수의 곱이 홀수이려면 두 수가 모두 홀수이어야 하므로

$\mathrm{P}(C^C)=\mathrm{P}(A)\mathrm{P}(B)=\frac{3}{5}\times\frac{2}{5}=\frac{6}{25}$

따라서 구하는 확률은

$P(C)=1-P(C^C)$

$=1-\frac{6}{25}=\frac{19}{25}$ 답 $\frac{19}{25}$

0742

어떤 프로야구팀의 1번, 2번 두 명의 타자가 한 타석에서 안타를 칠 확률이 각각 $\frac{1}{3}$, $\frac{1}{4}$이라고 한다. 이 두 사람이 한 번씩 타석에 들어설 때, 한 명 이상 안타를 칠 확률을 구하시오.

1−(두 명 모두 안타를 치지 못할 확률)을 구해 보자.

1번 타자가 안타를 치는 사건을 A, 2번 타자가 안타를 치는 사건을 B라 하면 두 사건 A, B는 서로 독립이다.

따라서 구하는 확률은

$1-P(A^C\cap B^C)=1-P(A^C)P(B^C)$

$=1-\frac{2}{3}\times\frac{3}{4}$

$=1-\frac{1}{2}=\frac{1}{2}$ 답 $\frac{1}{2}$

0743

어떤 프로축구팀의 세 선수 A, B, C가 페널티킥을 성공할 확률이 각각 0.8, 0.7, 0.6이다. 이들이 한 번씩 페널티킥을 하였을 때, 적어도 한 명은 성공할 확률을 구하시오.

1−(세 명 모두 페널티킥을 성공하지 못할 확률)을 구해 보자.

세 선수 A, B, C가 페널티킥을 성공하는 사건을 각각 A, B, C라 하면 A, B, C는 서로 독립이므로 A^C, B^C, C^C도 서로 독립이다.

3명의 선수가 모두 페널티킥을 성공하지 못할 확률은

$P(A^C\cap B^C\cap C^C)=P(A^C)P(B^C)P(C^C)$

$=(1-0.8)\times(1-0.7)\times(1-0.6)$

$=0.2\times0.3\times0.4$

$=0.024$

따라서 적어도 한 명은 성공할 확률은

$1-0.024=0.976$ 답 0.976

0744

어떤 제품은 3개의 부품 A, B, C로 만들어진다. 부품 A, B, C가 1년 이내에 고장이 날 확률이 각각 $\frac{1}{2}$, $\frac{1}{3}$, $\frac{1}{4}$이라 할 때, 1년 이내에 이 제품의 어딘가에 고장이 날 확률은?

사건 A, B, C가 서로 독립이면 $P(A^C\cap B^C\cap C^C)=P(A^C)P(B^C)P(C^C)$임을 이용하자.

부품 A, B, C가 고장이 나는 사건을 각각 A, B, C라 하면

세 사건 A, B, C는 서로 독립이므로 A^C, B^C, C^C도 서로 독립이다.

이 제품이 1년 이내에 고장이 나지 않을 확률은

$P(A^C\cap B^C\cap C^C)=P(A^C)P(B^C)P(C^C)$

$=\frac{1}{2}\times\frac{2}{3}\times\frac{3}{4}$

$=\frac{1}{4}$

따라서 구하는 확률은

$P(A\cup B\cup C)=1-P(A^C\cap B^C\cap C^C)$

$=1-\frac{1}{4}$

$=\frac{3}{4}$ 답 ⑤

0745

그림과 같은 전기회로에서 3개의 스위치 A, B, C는 다음 조건을 만족시킨다.

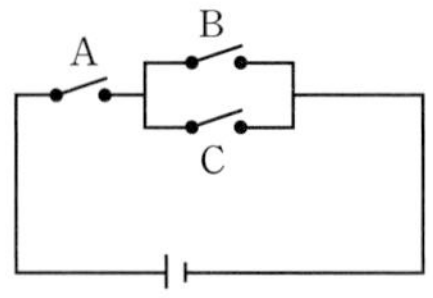

(가) 세 개의 스위치 A, B, C는 서로 독립적으로 작동한다.

(나) A, B, C가 닫혀 있을 확률은 각각 $\frac{1}{2}$, $\frac{1}{4}$, $\frac{1}{5}$이다.

이 회로에 전기가 흐를 확률을 구하시오.

(단, 스위치가 닫히면 전기가 흐른다.)

A는 반드시 닫혀 있고 B와 C 중 적어도 하나는 닫혀 있어야 한다.

전기가 흐르려면 A가 닫혀 있고 B와 C는 둘 중 적어도 하나가 닫혀 있어야 한다.

B와 C 둘 중 적어도 하나가 닫혀 있을 확률은

1−(B, C가 모두 열려 있을 확률)$=1-\frac{3}{4}\times\frac{4}{5}=\frac{2}{5}$

따라서 전기가 흐를 확률은

$\frac{1}{2}\times\frac{2}{5}=\frac{1}{5}$ 답 $\frac{1}{5}$

0746

표본공간 $S=\{x|1\le x\le 16,\ x$는 자연수$\}$와 사건 $A=\{1, 2, 3, 4\}$에 대하여 사건 A와 독립이고 $n(A\cap B)=3$인 사건 B의 개수는?

우선 $P(A\cap B)=P(A)P(B)$를 이용하여 B의 개수를 구해 보자.

두 사건 A, B가 서로 독립이므로

$P(A\cap B)=P(A)P(B)$

$\frac{3}{16}=\frac{4}{16}\times P(B)$

$P(B)=\frac{3}{4}=\frac{12}{16}$

$\therefore n(B)=12$

$n(A\cap B)=3$이므로 $A=\{1, 2, 3, 4\}$에서 3개가 집합 B의 원소이고 1개는 아니다. 집합 A에서 원소 3개를 택하는 경우의 수는

${}_4C_3=4$

표본공간 S의 원소가 16개이고 이 중 집합 A의 원소를 뺀 나머지 12개에서 집합 B의 원소가 될 수 있는 것은 9개이므로

${}_{12}C_9={}_{12}C_3=220$

따라서 사건 B의 개수는

$4\times 220=880$

답 ④

0747

두 주머니 A, B에는 각각 9개의 구슬이 들어 있다. A주머니에는 흰 구슬이 3개, 검은 구슬이 6개 들어 있고, B주머니에는 흰 구슬이 n개, 나머지는 모두 검은 구슬이 들어 있다. 두 주머니 A, B에서 각각 임의로 1개의 구슬을 꺼낼 때, 꺼낸 구슬이 모두 흰 구슬일 확률이 $\frac{2}{9}$가 되도록 하는 자연수 n의 값을 구하시오.

→ A주머니와 B주머니에서 각각 흰 공을 꺼내는 사건은 서로 독립사건이다.

A주머니에서 흰 구슬을 꺼내는 사건을 X, B주머니에서 흰 구슬을 꺼내는 사건을 Y라 하면 두 사건 X, Y는 서로 독립이다.

두 주머니 A, B에서 각각 임의로 1개의 구슬을 꺼낼 때, 모두 흰 구슬일 확률은

$$P(X\cap Y)=P(X)P(Y)=\frac{1}{3}\times\frac{n}{9}=\frac{2}{9}$$

$\therefore n=6$

답 6

0748

1부터 20까지의 자연수가 각각 하나씩 적힌 20장의 카드 중에서 임의로 한 장의 카드를 선택할 때, 카드에 적힌 수가 짝수인 사건을 A라 하자. 사건 A와 독립인 사건 B 중에서 $P(B)=\frac{1}{5}$을 만족시키는 사건 B의 개수를 n이라 할 때, $\frac{n}{27}$의 값을 구하시오.

$P(A\cap B)=P(A)P(B)$임을 이용하자. B의 원소의 개수는 4이다.

$P(A)=\frac{10}{20}=\frac{1}{2}$이므로

$P(A\cap B)=P(A)P(B)=\frac{1}{2}\times\frac{1}{5}=\frac{1}{10}$

$\therefore n(A\cap B)=20\times\frac{1}{10}=2,\ n(B)=20\times\frac{1}{5}=4$

따라서 집합 B는 원소가 4개이고 집합 $A\cap B$의 원소는 2개이므로 집합 B의 원소는 짝수 2개와 홀수 2개이다.

즉, $n={}_{10}C_2\times{}_{10}C_2=45^2$이므로

$\frac{n}{27}=\frac{45^2}{27}=75$

답 75

0749

어느 회사의 전체 직원은 기혼 남성 6명, 미혼 남성 20명, 기혼 여성 36명, 미혼 여성 x명이고, 이 회사의 직원 중 한 사람을 선택하여 선물을 주기로 하였다. 선택된 직원이 남성인 경우를 사건 A라 하고, 미혼인 경우를 사건 B라 하자. 두 사건 A와 B가 서로 독립일 때, x의 값을 구하시오.

(단, 각 직원이 선택될 확률은 같다.)

→ $P(A\cap B)=P(A)P(B)$임을 이용하자.

(단위: 명)

성별 \ 구분	기혼	미혼	합계
남성	6	20	26
여성	36	x	$36+x$
합계	42	$20+x$	$62+x$

두 사건 A, B가 서로 독립이므로

$P(A\cap B)=P(A)P(B)$

즉, $\frac{20}{62+x}=\frac{26}{62+x}\times\frac{20+x}{62+x}$에서

$20(62+x)=26(20+x)$

$720=6x$

$\therefore x=120$

답 120

0750

$P(A)=\frac{n+1}{2^n}$임을 이용하자.

n개의 동전을 동시에 던질 때, 적어도 $(n-1)$개가 뒷면이 나오는 사건을 A, 적어도 1개가 앞면이 나오되 모두 앞면은 아닌 사건을 B라 하자. 이 두 사건 A, B가 서로 독립이기 위한 n의 값을 구하시오. (단, $n\geq 2$)

→ $P(B)=1-$(모두 앞면, 모두 뒷면일 확률)

$$P(A)={}_nC_{n-1}\left(\frac{1}{2}\right)^{n-1}\left(\frac{1}{2}\right)^1+{}_nC_n\left(\frac{1}{2}\right)^n=\frac{n+1}{2^n}$$

사건 B는 전체에서 모두 앞면이 나오는 경우와 모두 뒷면이 나오는 경우의 확률을 뺀 것과 같으므로

$P(B)=1-2\times\left(\frac{1}{2}\right)^n=1-\frac{1}{2^{n-1}}$

$A\cap B$는 뒷면이 $n-1$개, 앞면이 1개 나오는 경우이므로

$P(A\cap B)={}_nC_{n-1}\left(\frac{1}{2}\right)^{n-1}\left(\frac{1}{2}\right)^1=\frac{n}{2^n}$

두 사건 A, B가 서로 독립이려면

$P(A\cap B)=P(A)P(B)$에서

$\frac{n}{2^n}=\frac{n+1}{2^n}\left(1-\frac{1}{2^{n-1}}\right)$

$n=(n+1)\left(1-\frac{1}{2^{n-1}}\right)$

$n+1=2^{n-1}$

$\therefore n=3$

답 3

0751

다음은 어느 회사에서 전체 직원 360명을 대상으로 재직 연수와 새로운 조직 개편안에 대한 찬반 여부를 조사한 표이다.

(단위: 명)

재직 연수 \ 찬반 여부	찬성	반대	계
10년 미만	a	b	120
10년 이상	c	d	240
계	150	210	360

재직 연수가 10년 미만일 사건과 조직 개편안을 찬성한 사건이 서로 독립일 때, a의 값을 구하시오.

두 사건 A, B가 서로 독립이면 $\mathrm{P}(A\cap B)=\mathrm{P}(A)\mathrm{P}(B)$임을 이용하자.

재직 연수가 10년 미만일 사건을 A, 조직 개편안에 찬성할 사건을 B라 하면

$\mathrm{P}(A)=\frac{120}{360}=\frac{1}{3}$, $\mathrm{P}(B)=\frac{150}{360}=\frac{5}{12}$

$\therefore \mathrm{P}(A)\mathrm{P}(B)=\frac{1}{3}\times\frac{5}{12}=\frac{5}{36}$

두 사건 A, B는 서로 독립이므로

$\mathrm{P}(A\cap B)=\mathrm{P}(A)\mathrm{P}(B)$

$\frac{a}{360}=\frac{5}{36}$ $\quad\therefore a=50$

답 50

0752

k의 값에 따른 확률을 표로 나타내자.

주머니 속에 8개의 공이 들어 있다. 이 중 k개는 흰 공이고, 나머지는 검은 공이다. 흰 공에는 1부터 k까지의 자연수가 각각 하나씩 적혀 있고, 검은 공에는 $k+1$부터 8까지의 자연수가 각각 하나씩 적혀 있다. 이 주머니에서 임의로 하나의 공을 꺼낼 때, 흰 공이 나오는 사건을 A라 하고, 홀수가 적힌 공이 나오는 사건을 B라 하자. 두 사건 A, B가 서로 독립이 되도록 자연수 k의 값을 정할 때, 모든 k의 값의 합을 구하시오. (단, $1\le k\le 7$이다.)

표에서 $\mathrm{P}(A\cap B)=\mathrm{P}(A)\mathrm{P}(B)$인 것을 찾자.

k의 값에 따른 확률을 구하여 표로 나타내면 다음과 같다.

k	1	2	3	4	5	6	7
$\mathrm{P}(A)$	$\frac{1}{8}$	$\frac{2}{8}$	$\frac{3}{8}$	$\frac{4}{8}$	$\frac{5}{8}$	$\frac{6}{8}$	$\frac{7}{8}$
$\mathrm{P}(B)$	$\frac{1}{2}$	$\frac{1}{2}$	$\frac{1}{2}$	$\frac{1}{2}$	$\frac{1}{2}$	$\frac{1}{2}$	$\frac{1}{2}$
$\mathrm{P}(A\cap B)$	$\frac{1}{8}$	$\frac{1}{8}$	$\frac{2}{8}$	$\frac{2}{8}$	$\frac{3}{8}$	$\frac{3}{8}$	$\frac{4}{8}$

$\mathrm{P}(A\cap B)=\mathrm{P}(A)\mathrm{P}(B)$를 만족할 때, 두 사건 A, B가 서로 독립이므로 이를 만족하는 상수 k의 값은 2, 4, 6이다.

따라서 모든 k의 합은 12이다.

답 12

0753

답을 맞힐 확률은 $\frac{1}{5}$임을 이용하자.

어느 시험에서 오지선다형 문제가 5문제 출제되었다. 문제를 보지 않고 임의로 답을 적었을 때, 한 문제만 맞힐 확률을 구하시오.

각 문제에 답을 적는 시행은 독립시행임을 이용하자.

답을 맞힐 확률은 $\frac{1}{5}$이므로 5문제의 답을 임의로 적었을 때, 한 문제만 맞힐 확률은

${}_5\mathrm{C}_1\left(\frac{1}{5}\right)^1\left(\frac{4}{5}\right)^4=\frac{256}{625}$

답 $\frac{256}{625}$

0754

주머니 속에 흰 바둑돌이 2개, 검은 바둑돌이 3개 들어 있다. 이 주머니에서 1개의 바둑돌을 꺼내 색을 확인하고 다시 넣는 시행을 3번 반복할 때, 검은 바둑돌을 2번 꺼낼 확률은?

매회 일어날 확률이 p인 사건 A가 n회의 독립시행에서 r회 일어날 확률은 ${}_n\mathrm{C}_r p^r(1-p)^{n-r}$임을 이용하자.

검은 바둑돌을 꺼낼 확률은 $\frac{3}{5}$이므로 바둑돌을 3번 꺼낼 때, 검은 바둑돌을 2번 꺼낼 확률은

${}_3\mathrm{C}_2\left(\frac{3}{5}\right)^2\left(\frac{2}{5}\right)^1=\frac{54}{125}$

답 ④

0755

매번 던질 때마다 확률이 동일하다.

한 개의 주사위를 4번 던질 때 6의 약수의 눈이 2번 나올 확률을 p_1이라 하고, 한 개의 동전을 3번 던질 때 동전의 앞면이 2번 나올 확률을 p_2라 하자. $\frac{1}{p_1p_2}$의 값을 구하시오.

독립시행임을 이용하자.

$p_1={}_4\mathrm{C}_2\left(\frac{2}{3}\right)^2\left(\frac{1}{3}\right)^2=\frac{8}{27}$

$p_2={}_3\mathrm{C}_2\left(\frac{1}{2}\right)^2\left(\frac{1}{2}\right)=\frac{3}{8}$

따라서 $\frac{1}{p_1p_2}=9$

답 9

0756

2, 3, 5, 6의 눈이 나와야 한다.

한 개의 주사위를 5번 던져 3의 배수 또는 소수의 눈이 2번 나올 확률이 $\frac{a}{b}$일 때, $a+b$의 값을 구하시오.

(단, a, b는 서로소인 자연수이다.)

주사위를 한 번 던져 3의 배수 또는 소수의 눈이 나오는 사건을 A라 하면 $A=\{2, 3, 5, 6\}$이므로

$\mathrm{P}(A)=\frac{4}{6}=\frac{2}{3}$

따라서 주사위를 5번 던질 때, 3의 배수 또는 소수의 눈이 2번 나올 확률은

$_5C_2\left(\frac{2}{3}\right)^2\left(\frac{1}{3}\right)^3=\frac{40}{243}$

$\therefore a+b=40+243=283$ 답 283

0757

서로 다른 2개의 주사위를 동시에 3번 던졌을 때, 두 주사위 모두 3의 배수의 눈이 나오는 사건이 2번 일어날 확률을 구하시오.

• (3, 3), (3, 6), (6, 3), (6, 6)의 경우가 있다.

서로 다른 2개의 주사위를 동시에 한 번 던질 때, 두 주사위 모두 3의 배수의 눈이 나오는 사건을 A라 하면

$A=\{(3, 3), (3, 6), (6, 3), (6, 6)\}$이므로

$P(A)=\frac{4}{36}=\frac{1}{9}$

따라서 서로 다른 2개의 주사위를 동시에 3번 던질 때, 두 주사위 모두 3의 배수의 눈이 2번 나올 확률은

$_3C_2\left(\frac{1}{9}\right)^2\left(\frac{8}{9}\right)^1=\frac{8}{243}$ 답 $\frac{8}{243}$

0758

흰 공 2개, 검은 공 4개가 들어 있는 주머니에서 임의로 공을 한 개 꺼내어 색을 확인하고 다시 주머니에 넣는 시행을 반복한다. 흰 공이 두 번 나오면 시행을 멈추기로 할 때, 공을 꺼내는 시행을 5번 한 후 멈출 확률을 구하시오.

• 4번의 시행에서 흰 공이 1번 나오고, 5번째 시행에서 두 번째 흰 공이 나와야 한다.

시행을 5번 한 후 멈추려면 첫 번째 흰 공이 4번 시행 중에 나오고, 두 번째 흰 공이 5번째에 나와야 한다.

$\therefore {_4C_1}\left(\frac{1}{3}\right)\left(\frac{2}{3}\right)^3\times\left(\frac{1}{3}\right)=\frac{32}{3^5}=\frac{32}{243}$ 답 $\frac{32}{243}$

0759

한 개의 주사위를 6회 던지는 시행을 할 때, 짝수의 눈이 4회까지 2번 나오고 6회까지 3번 나올 확률은?

• 5회와 6회의 시행 중에서 짝수의 눈이 한 번만 나와야 한다.

한 개의 주사위를 1회 던져 짝수의 눈이 나올 확률은 $\frac{1}{2}$

4회까지 짝수의 눈이 2번 나올 확률은 $_4C_2\left(\frac{1}{2}\right)^2\left(\frac{1}{2}\right)^2$

6회까지 짝수의 눈이 3번 나와야 하므로 5회와 6회 중에서 짝수의 눈이 한 번 나와야 한다.

5회와 6회 중에서 짝수의 눈이 한 번 나올 확률은

$_2C_1\left(\frac{1}{2}\right)^1\left(\frac{1}{2}\right)^1$

따라서 구하는 확률은

$_4C_2\left(\frac{1}{2}\right)^2\left(\frac{1}{2}\right)^2\times{_2C_1}\left(\frac{1}{2}\right)^1\left(\frac{1}{2}\right)^1=\frac{3}{16}$ 답 ③

0760

주사위 한 개를 던져 나온 눈의 수가 3의 배수일 경우 2점, 3의 배수가 아닐 경우 1점을 얻는 게임이 있다. 주사위를 4번 던질 때까지 얻은 점수가 5점일 확률은?

• 주사위를 4번 던져 3의 배수의 눈이 n번 나왔다면 점수는 $2n+(4-n)=n+4$임을 이용하자.

주사위를 4번 던져 3의 배수의 눈이 n번 나왔다면 그때까지 얻는 점수는

$2n+(4-n)=n+4$

$n+4=5$이므로 $n=1$

즉, 주사위를 4번 던져 3의 배수의 눈이 1번 나와야 한다.

3의 배수의 눈이 나올 확률은 $\frac{1}{3}$이므로 구하는 확률은

$_4C_1\left(\frac{1}{3}\right)^1\left(\frac{2}{3}\right)^3=\frac{2^5}{3^4}$ 답 ②

0761

한 개의 주사위를 던져서 1 또는 2의 눈이 나오면 상금 1000원을 받고, 그 밖의 눈이 나오면 상금 500원을 받기로 하였다. 주사위를 5번 던졌을 때, 받은 상금이 4000원이 될 확률은?

• 1 또는 2의 눈이 나오는 횟수를 a, 다른 눈의 수가 나오는 횟수를 b라 하면 $1000a+500b=4000$임을 이용하자.

1 또는 2의 눈이 나오는 횟수를 a, 다른 눈의 수가 나오는 횟수를 b라 하면

$\begin{cases} a+b=5 \\ 1000a+500b=4000 \end{cases}$ 에서 $a=3$, $b=2$

즉, 1 또는 2의 눈이 3번, 그 밖의 눈이 2번 나와야 한다.

1 또는 2의 눈이 나올 확률이 $\frac{1}{3}$이므로 구하는 확률은

$_5C_3\left(\frac{1}{3}\right)^3\left(\frac{2}{3}\right)^2=\frac{40}{243}$ 답 ③

0762

자유투 성공률이 $\frac{5}{6}$인 어떤 농구 선수가 시합에서 3개의 자유투 중 2개 이상을 성공시킬 확률은?

• 자유투 2개를 성공시키는 사건과 3개를 성공시키는 사건은 서로 배반사건이다.

(i) 3개의 자유투 중에서 2개를 성공시킬 확률은

$_3C_2\left(\frac{5}{6}\right)^2\left(\frac{1}{6}\right)^1=\frac{25}{72}$

(ii) 3개의 자유투 중에서 3개 모두 성공시킬 확률은

$_3C_3\left(\frac{5}{6}\right)^3=\frac{125}{216}$

(i), (ii)에서 구하는 확률은

$\frac{25}{72}+\frac{125}{216}=\frac{25}{27}$ 답 ⑤

0763

어떤 축구 선수가 패널티킥을 성공시킬 확률이 80 %라 한다. 이 선수가 3번의 패널티킥 상황에서 2번 이상 성공할 확률은?

→ 패널티킥을 2번 성공할 확률과 3번 성공할 확률을 더하자.

(i) 패널티킥을 2번 성공할 확률은 ${}_3C_2\,(0.8)^2(0.2)^1=0.384$

(ii) 패널티킥을 3번 성공할 확률은 ${}_3C_3\,(0.8)^3=0.512$

(i), (ii)에서 구하는 확률은 $0.384+0.512=0.896$

답 ⑤

0764

주사위 한 개를 8번 던질 때, 홀수의 눈이 7번 이상 나올 확률은?

→ 매회 일어날 확률이 p인 사건 A가 n회의 독립시행에서 r회 일어날 확률은 ${}_nC_rp^r(1-p)^{n-r}$임을 이용하자.

주사위 한 개를 던져서 홀수의 눈이 나올 확률은 $\frac{1}{2}$이다.

(i) 홀수의 눈이 7번 나올 확률은 ${}_8C_7\left(\frac{1}{2}\right)^7\left(\frac{1}{2}\right)^1=8\left(\frac{1}{2}\right)^8$

(ii) 홀수의 눈이 8번 나올 확률은 ${}_8C_8\left(\frac{1}{2}\right)^8=\left(\frac{1}{2}\right)^8$

(i), (ii)에서 구하는 확률은 $8\left(\frac{1}{2}\right)^8+\left(\frac{1}{2}\right)^8=\frac{9}{256}$

답 ②

0765

→ 각 문제를 맞힐 확률은 $\frac{1}{2}$이고 각 시행은 독립시행이다.

○, ×로 답하는 서로 다른 6개의 문제가 주어져 있다. 어떤 학생이 임의로 ○, ×표를 할 때, 4문제 이상 맞힐 확률을 구하시오.

(i) 6개의 문제 중에서 4문제를 맞힐 확률은

$${}_6C_4\left(\frac{1}{2}\right)^4\left(\frac{1}{2}\right)^2=15\left(\frac{1}{2}\right)^6$$

(ii) 6개의 문제 중에서 5문제를 맞힐 확률은

$${}_6C_5\left(\frac{1}{2}\right)^5\left(\frac{1}{2}\right)^1=6\left(\frac{1}{2}\right)^6$$

(iii) 6개의 문제 중에서 6문제 모두 맞힐 확률은

$${}_6C_6\left(\frac{1}{2}\right)^6=\left(\frac{1}{2}\right)^6$$

(i), (ii), (iii)에서 구하는 확률은

$$15\left(\frac{1}{2}\right)^6+6\left(\frac{1}{2}\right)^6+\left(\frac{1}{2}\right)^6=22\left(\frac{1}{2}\right)^6=\frac{11}{32}$$

답 $\frac{11}{32}$

0766

주사위 1개를 한 번 던져 나온 눈의 수가 3의 배수이면 1점, 그 외의 눈의 수가 나오면 2점을 얻는 게임을 하려고 한다. 주사위 1개를 4번 던져 얻은 점수의 합이 5점 이하가 될 확률은?

→ 4번 중에서 3의 배수의 눈이 나오는 횟수를 x, 그 외의 눈이 나오는 횟수를 y라 하고 $x+2y\le5$인 경우를 구하자.

4번 중에서 3의 배수의 눈이 나오는 횟수를 x, 그 외의 눈이 나오는 횟수를 y라 하면

$x+y=4$ ……㉠

점수의 합이 5점 이하이므로

$x+2y\le5$ ……㉡

㉠, ㉡에서 $x+2(4-x)\le5$, $x\ge3$

$\therefore$ $x=3$, $y=1$ 또는 $x=4$, $y=0$

따라서 구하는 확률은

$${}_4C_3\left(\frac{1}{3}\right)^3\left(\frac{2}{3}\right)^1+{}_4C_4\left(\frac{1}{3}\right)^4\left(\frac{2}{3}\right)^0=\frac{1}{9}$$

답 ①

0767

4개의 객실을 운영하는 어느 펜션에서 운영하는 객실이 예약 후 취소되는 확률이 $\frac{1}{3}$이라고 한다. 이 펜션에서 취소되는 확률을 고려하여 4개의 객실에 대하여 6건의 예약을 받았다고 할 때, 객실이 부족하게 될 확률을 구하시오.

(단, 예약의 취소는 독립적으로 이루어진다.)

→ 취소되는 예약이 0건 또는 1건이면 객실이 부족하다.

6건의 예약 중 취소되는 경우가 1개 이하인 경우 객실이 부족하게 된다.
따라서 구하고자 하는 확률은

$${}_6C_1\left(\frac{1}{3}\right)\left(\frac{2}{3}\right)^5+{}_6C_0\left(\frac{1}{3}\right)^0\left(\frac{2}{3}\right)^6=6\times\frac{32}{729}+\frac{64}{729}$$

$$=\frac{192+64}{729}=\frac{256}{729}$$

답 $\frac{256}{729}$

0768

주사위를 1개 던져서 나오는 눈의 수가 6의 약수이면 동전을 3개 동시에 던지고, 6의 약수가 아니면 동전을 2개 동시에 던진다. 1개의 주사위를 1번 던진 후 그 결과에 따라 동전을 던질 때, 앞면이 나오는 동전의 개수가 1일 확률은?

→ 주사위 1개를 던져서 나오는 눈의 수가 6의 약수일 때와 6의 약수가 아닐 때의 확률을 구하여 더하자.

(i) 주사위를 1개 던져 6의 약수 1, 2, 3, 6의 눈이 나오는 경우

$$\frac{4}{6}\times{}_3C_1\left(\frac{1}{2}\right)^1\left(\frac{1}{2}\right)^2=\frac{4}{6}\times\frac{3}{8}=\frac{1}{4}$$

(ii) 주사위를 1개 던져 6의 약수가 아닌 눈이 나오는 경우

$$\frac{2}{6}\times{}_2C_1\left(\frac{1}{2}\right)^1\left(\frac{1}{2}\right)^1=\frac{2}{6}\times\frac{2}{4}=\frac{1}{6}$$

(i), (ii)에서 $\frac{1}{4}+\frac{1}{6}=\frac{5}{12}$

답 ③

0769

서로 다른 2개의 주사위를 동시에 던져 나온 눈의 수의 합이 7이면 한 개의 동전을 4번 던지고, 나온 눈의 수의 합이 7이 아니면 한 개의 동전을 2번 던지기로 하였다. 이 시행에서 동전의 앞면이 나온 횟수와 뒷면이 나온 횟수가 같을 확률을 구하시오.

→ $P(B)=P(A)P(B|A)+P(A^C)P(B|A^C)$임을 이용하자.

서로 다른 2개의 주사위를 동시에 던져 나온 눈의 수의 합이 7인 사건을

A라 하고 주어진 시행에서 동전의 앞면이 나온 횟수와 뒷면이 나온 횟수가 같은 사건을 B라 하자.

(i) 서로 다른 2개의 주사위를 던져 나온 눈의 수의 합이 7인 경우 (1, 6), (2, 5), (3, 4), (4, 3), (5, 2), (6, 1)이므로

$P(A)=\frac{6}{36}=\frac{1}{6}$

$P(B|A)$는 동전을 4번 던져서 앞면이 2번, 뒷면이 2번 나오는 확률이므로

$P(B|A)={}_4C_2\left(\frac{1}{2}\right)^4=\frac{3}{8}$

$\therefore P(A\cap B)=P(A)P(B|A)$

$=\frac{1}{6}\times\frac{3}{8}$

$=\frac{1}{16}$

(ii) 서로 다른 2개의 주사위를 던져 나온 눈의 수의 합이 7이 아닌 경우

$P(A^C)=1-P(A)$

$=1-\frac{1}{6}=\frac{5}{6}$

$P(B|A^C)$은 동전을 2번 던져서 앞면이 1번, 뒷면이 1번 나오는 확률이므로

$P(B|A^C)={}_2C_1\left(\frac{1}{2}\right)^2=\frac{1}{2}$

$\therefore P(A^C\cap B)=P(A^C)P(B|A^C)$

$=\frac{5}{6}\times\frac{1}{2}$

$=\frac{5}{12}$

(i), (ii)에서 구하는 확률은

$P(B)=P(A\cap B)+P(A^C\cap B)$

$=\frac{1}{16}+\frac{5}{12}$

$=\frac{23}{48}$

답 $\frac{23}{48}$

0770

> 서로 다른 동전 6개와 주사위 1개를 동시에 던지는 시행에서 앞면이 나오는 동전의 개수가 주사위의 눈의 수보다 클 확률은?
>
> • 앞면이 나온 동전이 각각 2, 3, 4, 5, 6개일 때의 확률을 각각 구하자.

(i) 앞면이 나온 동전의 개수가 2일 때,

주사위의 눈은 1이 나와야 하므로

${}_6C_2\left(\frac{1}{2}\right)^2\left(\frac{1}{2}\right)^4\times\frac{1}{6}=\frac{1}{2^6}\times\frac{15}{6}$

(ii) 앞면이 나온 동전의 개수가 3일 때,

주사위의 눈은 1, 2 중에서 나와야 하므로

${}_6C_3\left(\frac{1}{2}\right)^3\left(\frac{1}{2}\right)^3\times\frac{2}{6}=\frac{1}{2^6}\times\frac{40}{6}$

(iii) 앞면이 나온 동전의 개수가 4일 때,

주사위의 눈은 1, 2, 3 중에서 나와야 하므로

${}_6C_4\left(\frac{1}{2}\right)^4\left(\frac{1}{2}\right)^2\times\frac{3}{6}=\frac{1}{2^6}\times\frac{45}{6}$

(iv) 앞면이 나온 동전의 개수가 5일 때,

주사위의 눈은 1, 2, 3, 4 중에서 나와야 하므로

${}_6C_5\left(\frac{1}{2}\right)^5\left(\frac{1}{2}\right)^1\times\frac{4}{6}=\frac{1}{2^6}\times\frac{24}{6}$

(v) 앞면이 나온 동전의 개수가 6일 때,

주사위의 눈은 1, 2, 3, 4, 5 중에서 나와야 하므로

${}_6C_6\left(\frac{1}{2}\right)^6\times\frac{5}{6}=\frac{1}{2^6}\times\frac{5}{6}$

(i)~(v)에서 구하는 확률은

$\left(\frac{1}{2}\right)^6\times\left(\frac{15}{6}+\frac{40}{6}+\frac{45}{6}+\frac{24}{6}+\frac{5}{6}\right)=\left(\frac{1}{2}\right)^6\times\frac{129}{6}$

$=\frac{43}{128}$

답 ④

0771

> 한 개의 동전을 4번 던질 때, 앞면이 적어도 1번 나올 확률은?
>
> • 1−(4번 모두 뒷면이 나올 확률)임을 이용하자.

앞면이 적어도 1번 나올 확률은 전체 확률에서 4번 모두 뒷면이 나올 확률을 빼면 되므로

$1-{}_4C_4\left(\frac{1}{2}\right)^4=1-\frac{1}{16}=\frac{15}{16}$

답 ⑤

0772

> 2개의 당첨 제비가 포함되어 있는 10개의 제비가 있다. 이 중에서 임의로 3회 복원추출할 때, 적어도 한 개가 당첨 제비일 확률을 구하시오.
>
> • 1−(3개 모두 당첨 제비가 아닐 확률)임을 이용하자.

제비를 3회 복원추출할 때, 3개 모두 당첨 제비가 아닐 확률은

${}_3C_3\left(\frac{4}{5}\right)^3=\frac{64}{125}$

따라서 구하는 확률은

$1-\frac{64}{125}=\frac{61}{125}$

답 $\frac{61}{125}$

0773

> 어느 시험에서 옳은 것에는 ○표, 옳지 않은 것에는 ×표를 하는 문제가 6개 출제되었다. 임의로 ○표 또는 ×표를 할 때, 적어도 3문제를 맞힐 확률을 구하시오.
>
> 매회 일어날 확률이 p인 사건 A가 n회의 독립시행에서 r회 일어날 확률은 ${}_nC_rp^r(1-p)^{n-r}$임을 이용하자.

적어도 3문제를 맞힐 확률은 전체 확률에서 3문제 미만의 문제를 맞힐 확률을 빼면 되므로

$1-\left\{{}_6C_0\left(\frac{1}{2}\right)^6+{}_6C_1\left(\frac{1}{2}\right)^1\left(\frac{1}{2}\right)^5+{}_6C_2\left(\frac{1}{2}\right)^2\left(\frac{1}{2}\right)^4\right\}$

$=1-\frac{11}{32}=\frac{21}{32}$

답 $\frac{21}{32}$

0774 1−(n회 슈팅 모두 골을 넣지 못할 확률)임을 이용하자.

> 3번의 슈팅에서 두 번 꼴로 골을 넣는 축구 선수가 있다. 이 선수가 n번의 슈팅에서 한 번 이상의 골을 넣을 확률이 0.99보다 크게 되는 n의 최솟값을 구하시오.
> (단, 각 슈팅은 다른 슈팅에 영향을 주지 않는다.)

(1회 슈팅 시 골을 못 넣을 확률)$=1-\frac{2}{3}=\frac{1}{3}$이고,

(n회 슈팅 시 적어도 한 골을 넣을 확률)

$=1-$(n회 슈팅 모두 골을 넣지 못할 확률)

$=1-\left(\frac{1}{3}\right)^n>0.99$

$\left(\frac{1}{3}\right)^n<\frac{1}{100} \Longleftrightarrow 3^n>100$

$\therefore n\ge 5$

따라서 n의 최솟값은 5이다. 답 5

참고 n회 슈팅 모두 골을 넣지 못할 확률

(1회 슈팅 시 골을 넣을 확률)$=\frac{2}{3}$이므로

${}_nC_0\left(\frac{2}{3}\right)^0\left(\frac{1}{3}\right)^n=\left(\frac{1}{3}\right)^n$으로 계산할 수도 있다.

0775

> 어느 농구 선수의 자유투 성공률은 80 %라고 한다. 이 선수가 3번의 자유투를 던질 때, 1번 이상 성공할 확률은 $\frac{b}{a}$이다. $a+b$의 값을 구하시오. (단, a, b는 서로소인 자연수이다.)
>
> 1−(1번도 성공하지 못할 확률)임을 이용하자.

농구 선수의 자유투 성공률은 80 %이므로 성공할 확률은 $\frac{4}{5}$이고, 3번의 자유투를 던질 때 1번 이상 성공하는 사건을 A라 하면 A의 여사건 A^C은 한 번도 성공하지 못하는 사건이므로

$P(A^C)={}_3C_0\left(\frac{4}{5}\right)^0\left(\frac{1}{5}\right)^3=\frac{1}{125}$

$\therefore P(A)=1-P(A^C)=1-\frac{1}{125}=\frac{124}{125}$

따라서 $a=125$, $b=124$이므로

$a+b=249$ 답 249

0776

> 주사위를 던져 나오는 눈에 따라 동전을 던지는 횟수를 정하는 놀이가 있다. 짝수의 눈이 나오면 동전을 3번, 홀수의 눈이 나오면 동전을 2번 던진다고 한다. 주사위 한 개와 동전 한 개로 이 놀이를 할 때, 동전의 뒷면이 적어도 한 번 나올 확률은?
>
> 주사위를 던져서 나오는 눈의 수가 짝수일 때와 홀수일 때의 확률을 각각 구하여 더하자.

(i) 짝수의 눈이 나온 후에 하나의 동전을 세 번 던져서 뒷면이 적어도 한 번 나올 확률은

$\frac{1}{2}\times\left\{1-{}_3C_3\left(\frac{1}{2}\right)^3\right\}=\frac{1}{2}\times\frac{7}{8}=\frac{7}{16}$

(ii) 홀수의 눈이 나온 후에 하나의 동전을 두 번 던져서 뒷면이 적어도 한 번 나올 확률은

$\frac{1}{2}\times\left\{1-{}_2C_2\left(\frac{1}{2}\right)^2\right\}=\frac{1}{2}\times\frac{3}{4}=\frac{3}{8}$

(i), (ii)에서 구하는 확률은 $\frac{7}{16}+\frac{3}{8}=\frac{13}{16}$ 답 ③

0777

> 실력이 같은 정도로 기대되는 A, B 두 팀이 7번의 시합에서 먼저 4번을 이기면 우승한다고 할 때, A팀이 6번째 시합에서 우승할 확률은? (단, 비기는 경우는 없다.)
>
> A팀이 5번째 시합까지 3승 2패하고, 6번째 시합에서 이겨야 한다.
>
> ① ${}_5C_3\left(\frac{1}{2}\right)^4$ ② ${}_5C_3\left(\frac{1}{2}\right)^5$ ③ ${}_5C_3\left(\frac{1}{2}\right)^6$
> ④ ${}_6C_4\left(\frac{1}{2}\right)^5$ ⑤ ${}_6C_4\left(\frac{1}{2}\right)^6$

5번째 시합까지 A팀이 3승 2패하고, 6번째 시합에서 A팀이 이기면 된다.

한 회의 시합에서 A팀이 이길 확률이 $\frac{1}{2}$이므로 구하는 확률은

${}_5C_3\left(\frac{1}{2}\right)^3\left(\frac{1}{2}\right)^2\times\frac{1}{2}={}_5C_3\left(\frac{1}{2}\right)^6$ 답 ③

0778

> 5번의 경기 중에서 3번을 먼저 이기는 팀이 최종 우승하는 배구대회의 결승에 A와 B 두 팀이 진출하였다. A팀이 첫 번째 경기를 이겼을 때, B팀이 최종 우승할 확률을 구하시오.
> (단, 두 팀이 이길 확률은 같고, 비기는 경우는 없다.)
>
> B팀은 4번째 경기 또는 5번째 경기에서 우승할 수 있다.

네 번째 경기에서 우승할 확률: $\left(\frac{1}{2}\right)^3=\frac{1}{8}$

다섯 번째 경기에서 우승할 확률: ${}_3C_2\left(\frac{1}{2}\right)^2\left(\frac{1}{2}\right)\times\left(\frac{1}{2}\right)=\frac{3}{16}$

따라서 구하는 확률은

$\frac{1}{8}+\frac{3}{16}=\frac{5}{16}$ 답 $\frac{5}{16}$

0779

> A와 B 두 팀이 축구 경기에서 연장전까지 0 : 0으로 승부를 가리지 못하여 승부차기를 하였다. 각 팀당 5명의 선수가 A팀부터 시작하여 1명씩 교대로 승부차기를 할 때, B팀이 5 : 4로 이길 확률은? (단, 각 선수의 승부차기는 독립시행이고 성공할 확률은 0.8이다.)
>
> A팀은 4번 성공하고, B팀은 5번 성공해야 한다.

A팀이 4번 성공할 확률은

${}_5C_4(0.8)^4(0.2)^1=0.8^4$

B팀이 5번 성공할 확률은

${}_5C_5(0.8)^5=0.8^5$

따라서 B팀이 5 : 4로 이길 확률은

$0.8^4\times0.8^5=0.8^9$ 답 ④

0780

두 배구팀 A, B가 결승전에서 먼저 2승한 팀이 우승한다고 한다. 한 번의 시합에서 A팀이 이길 확률은 $\frac{3}{5}$, B팀이 이길 확률은 $\frac{2}{5}$일 때, A팀이 우승할 확률을 구하시오. (단, 무승부는 없다.)

└→ A팀이 2번째 경기 또는 3번째 경기에서 우승할 수 있음을 이용하자.

(i) 2번의 경기에서 A팀이 우승하려면 A팀이 2번 모두 이겨야 하므로

$${}_2C_2\left(\frac{3}{5}\right)^2=\frac{9}{25}$$

(ii) 3번의 경기에서 A팀이 우승하려면 2번째 경기까지 A팀이 1승 1패를 하고 3번째 경기에서 A팀이 이겨야 하므로

$${}_2C_1\left(\frac{3}{5}\right)^1\left(\frac{2}{5}\right)^1\times\frac{3}{5}=\frac{36}{125}$$

(i), (ii)에서 구하는 확률은

$$\frac{9}{25}+\frac{36}{125}=\frac{81}{125}$$

답 $\frac{81}{125}$

0781

두 야구팀 A, B가 7전 4선승제로 최종 우승을 놓고 경기를 한다. 3경기를 진행한 결과 A팀이 2승 1패로 이기고 있을 때, A팀이 우승할 확률을 구하시오. $\left(\text{단, A팀이 이길 확률은 }\frac{2}{3}\text{이고, 비기는 경우는 없다.}\right)$

└→ 5경기, 6경기, 7경기에 A팀이 우승할 수 있는 경우를 생각해 보자.

A팀과 B팀의 이길 확률이 동일하지 않음에 유의하자.

A팀이 이길 확률이 $\frac{2}{3}$이므로 A팀이 우승하는 경우는

(i) 2번 계속해서 A팀이 이기는 경우

$${}_2C_2\left(\frac{2}{3}\right)^2=\frac{4}{9}$$

(ii) 처음 두 번은 양 팀이 한 번씩 이기고 3번째에서 A팀이 이기는 경우

$${}_2C_1\left(\frac{2}{3}\right)\left(\frac{1}{3}\right)\times\left(\frac{2}{3}\right)=\frac{8}{27}$$

(iii) 처음 3번의 경기에서 B팀이 2번, A팀이 1번 이기고 4번째에서 A팀이 이기는 경우

$${}_3C_1\left(\frac{2}{3}\right)\left(\frac{1}{3}\right)^2\times\left(\frac{2}{3}\right)=\frac{12}{81}=\frac{4}{27}$$

(i), (ii), (iii)에서 A팀이 우승할 확률은

$$\frac{4}{9}+\frac{8}{27}+\frac{4}{27}=\frac{24}{27}=\frac{8}{9}$$

답 $\frac{8}{9}$

0782

A, B 두 선수가 겨루는 권투 경기가 3명의 심판의 판정에 의해 승패가 결정된다. 각 심판이 A가 경기에 이겼다고 판정할 확률이 $\frac{3}{4}$일 때, 세 심판의 다수결에 의한 판정으로 A가 이길 확률을 구하시오.

「세 심판 모두」 또는 「두 심판」이 A가 이겼다고 판정해야 한다.

(i) 세 심판 모두 A가 이겼다고 판정할 확률은

$${}_3C_3\left(\frac{3}{4}\right)^3=\frac{27}{64}$$

(ii) 세 심판 중 두 심판이 A가 이겼다고 판정할 확률은

$${}_3C_2\left(\frac{3}{4}\right)^2\left(\frac{1}{4}\right)^1=\frac{27}{64}$$

(i), (ii)에서 구하는 확률은

$$\frac{27}{64}+\frac{27}{64}=\frac{54}{64}=\frac{27}{32}$$

답 $\frac{27}{32}$

0783

수직선 위를 움직이는 점 A는 주사위를 던져서 6의 약수가 나오면 1만큼, 그 외의 눈이 나오면 -1만큼 원점을 출발하여 움직인다. 주사위를 4번 던졌을 때, 점 A가 원점으로부터 오른쪽으로 2만큼 떨어진 점에 있을 확률을 구하시오.

└→ 주사위를 4번 던졌을 때 6의 약수의 눈이 n번 나왔다면 $n-(4-n)=2$임을 이용하자.

주사위를 4번 던져 6의 약수의 눈이 n번 나왔다면

$n-(4-n)=2 \qquad \therefore n=3$

즉, 주사위를 4번 던져 6의 약수의 눈이 3번 나와야 한다.

6의 약수의 눈이 나올 확률은 $\frac{2}{3}$이므로 구하는 확률은

$${}_4C_3\left(\frac{2}{3}\right)^3\left(\frac{1}{3}\right)^1=\frac{32}{81}$$

답 $\frac{32}{81}$

0784

점 P가 수직선 위의 원점 O에 있다. 동전을 던져서 앞면이 나오면 -1만큼, 뒷면이 나오면 $+1$만큼 이동한다. 동전을 5회 던졌을 때, 점 P의 좌표가 2보다 클 확률을 구하시오.

└→ 앞면이 나오는 횟수를 x라 하면 점 P의 좌표는 $(5-x)-x$임을 이용하자.

앞면이 나오는 횟수를 x라 하면 뒷면이 나오는 횟수는 $5-x$이므로 점 P의 좌표는

$(5-x)-x=5-2x$

$5-2x>2$에서 $x<\frac{3}{2}$

$\therefore x=0$ 또는 $x=1$

(i) 앞면이 0회 나올 확률은

$${}_5C_0\left(\frac{1}{2}\right)^5=\frac{1}{32}$$

(ii) 앞면이 1회 나올 확률은

$${}_5C_1\left(\frac{1}{2}\right)^1\left(\frac{1}{2}\right)^4=\frac{5}{32}$$

(i), (ii)에서 구하는 확률은

$$\frac{1}{32}+\frac{5}{32}=\frac{3}{16}$$

답 $\frac{3}{16}$

0785

수직선 위의 원점 O에 점 P가 있다. 동전을 던져서 앞면이 나오면 P의 위치를 오른쪽으로 1만큼 이동하고, 뒷면이 나오면 왼쪽으로 1만큼 이동한다. 동전을 9회 던질 때, $\overline{OP} \leq 2$일 확률은?

앞면이 나오는 횟수를 a라 하면 점 P의 좌표는 $a-(9-a)$임을 이용하자.

앞면이 나오는 횟수를 a라 하면 뒷면이 나오는 횟수는 $9-a$이므로 점 P의 좌표는

$a-(9-a)=2a-9$

$\overline{OP}=|2a-9| \leq 2$에서

$-2 \leq 2a-9 \leq 2$, $\frac{7}{2} \leq a \leq \frac{11}{2}$

a는 음이 아닌 정수이므로

$a=4$ 또는 $a=5$

(i) 앞면이 4회 나올 확률은

$${}_9C_4\left(\frac{1}{2}\right)^4\left(\frac{1}{2}\right)^5=\frac{63}{256}$$

(ii) 앞면이 5회 나올 확률은

$${}_9C_5\left(\frac{1}{2}\right)^5\left(\frac{1}{2}\right)^4=\frac{63}{256}$$

(i), (ii)에서 구하는 확률은

$$\frac{63}{256}+\frac{63}{256}=\frac{63}{128}$$

답 ②

0786

좌표평면 위를 움직이는 점 P가 원점을 출발하여 다음과 같이 움직인다.

> 한 개의 주사위를 던져서 홀수의 눈이 나오면 x축의 양의 방향으로 1만큼, 짝수의 눈이 나오면 y축의 양의 방향으로 1만큼 움직인다.

홀수의 눈이 x번, 짝수의 눈이 y번 나왔다고 하면 $x+y=5$

예를 들어 홀수의 눈이 2번, 짝수의 눈이 1번 나오면 점 P의 좌표는 (2, 1)이 된다. 주사위를 5번 던질 때, 원점에서 점 P까지의 거리가 4 이하일 확률은?

$\sqrt{x^2+y^2} \leq 4$임을 이용하자.

홀수의 눈이 x번, 짝수의 눈이 y번 나왔다고 하면 $x+y=5$를 만족시키는 순서쌍 (x, y)는

(0, 5), (1, 4), (2, 3), (3, 2), (4, 1), (5, 0)

원점으로부터의 거리가 4 이하인 점은 $\sqrt{x^2+y^2} \leq 4$를 만족시켜야 하므로

(2, 3), (3, 2)

따라서 홀수의 눈이 2번 또는 3번 나와야 하므로 구하는 확률은

$${}_5C_2\left(\frac{1}{2}\right)^2\left(\frac{1}{2}\right)^3+{}_5C_3\left(\frac{1}{2}\right)^3\left(\frac{1}{2}\right)^2=\frac{5}{16}+\frac{5}{16}=\frac{5}{8}$$

답 ⑤

0787

$\frac{1}{3}$의 확률임을 이용하자.

한 개의 주사위를 던져서 4 또는 6의 눈이 나오면 x축의 양의 방향으로 2만큼, y축의 양의 방향으로 1만큼 움직이고, 그 밖의 눈이 나오면 x축의 음의 방향으로 1만큼, y축의 양의 방향으로 1만큼 움직이는 점 P가 원점에서 출발하여 점 (2, 4)에 오게 될 확률을 구하시오.

4 또는 6의 눈이 나오는 횟수를 a, 그 밖의 눈이 나오는 횟수를 b라 하면 $2a-b=2$이고 $a+b=4$이다.

4 또는 6의 눈이 나오는 횟수를 a, 그 밖의 눈이 나오는 횟수를 b라 하면

x좌표가 2이므로 $2a-b=2$ ······ ㉠

y좌표가 4이므로 $a+b=4$ ······ ㉡

㉠, ㉡을 연립하여 풀면

$a=2$, $b=2$

즉, 4 또는 6의 눈이 2번, 그 밖의 눈이 2번 나와야 한다.

4 또는 6의 눈이 나올 확률은 $\frac{1}{3}$이므로 구하는 확률은

$${}_4C_2\left(\frac{1}{3}\right)^2\left(\frac{2}{3}\right)^2=\frac{8}{27}$$

답 $\frac{8}{27}$

0788 4번 시행 후 가능한 좌표는 (0, 4), (1, 3), (2, 2), (3, 1), (4, 0)

좌표평면 위의 원점에 점 A가 있다. 한 개의 주사위를 던져 6의 약수의 눈이 나오면 점 A를 x축의 양의 방향으로 1만큼, 6의 약수의 눈이 나오지 않으면 y축의 양의 방향으로 1만큼 평행이동시킨다. 주사위를 네 번 던질 때, 점 A가 그림과 같은 원 $x^2+y^2=9$의 외부에 놓이게 될 확률은?

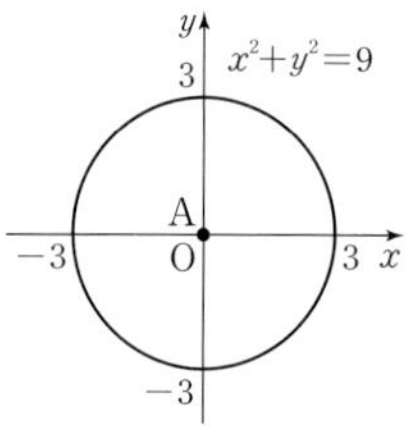

$x^2+y^2=9$의 내부에 위치하는 점은 (2, 2)뿐임을 이용하자.

주사위를 던져서 6의 약수의 눈이 나오는 사건을 A라 하면

$A=\{1, 2, 3, 6\}$이므로

$P(A)=\frac{2}{3}$

한편, 네 번의 시행에서 점 A가 원 $x^2+y^2=9$의 내부에 놓이게 되는 경우는 그림과 같이 점 B에 놓일 때이다. 그러므로 점 A가 점 B(2, 2)에 오게 되는 확률은

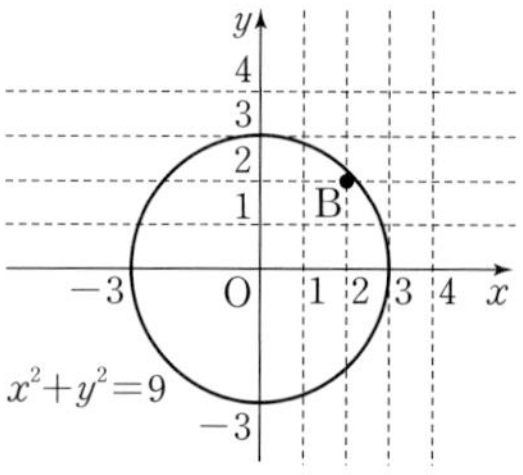

$${}_4C_2\left(\frac{2}{3}\right)^2\left(\frac{1}{3}\right)^2=\frac{8}{27}$$

따라서 구하는 확률은

$$1-\frac{8}{27}=\frac{19}{27}$$

답 ④

0789

> 좌표평면 위를 움직이는 점 P가 있다. 동전 1개를 던져서 앞면이 나오면 점 P를 x축에 대하여 대칭이동하고, 뒷면이 나오면 점 P를 y축에 대하여 대칭이동하기로 하자. 동전을 6번 던질 때, 점 (1, 2)에서 출발한 점 P가 점 $(-1, -2)$에 있을 확률은?
>
> 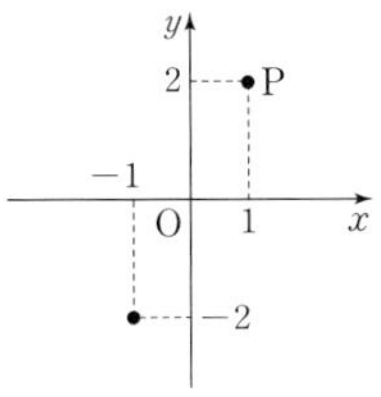
>
>
> └→ 점 (1, 2)를 x축 대칭이동 후 y축 대칭이동하면 점 $(-1, -2)$가 됨을 이용하자.

점 P가 점 $(-1, -2)$에 있게 되기 위해서는 동전의 앞면이 한 번, 뒷면이 한 번 나오면 된다. 그런데 동전을 총 여섯 번 던지므로 나머지 네 번은 서로 상쇄되는 방향으로 움직이면 된다.

(i) 앞면이 5번, 뒷면이 1번 나오는 경우

$${}_6C_5\left(\frac{1}{2}\right)^5\left(\frac{1}{2}\right)^1=\frac{6}{64}$$

(ii) 앞면이 3번, 뒷면이 3번 나오는 경우

$${}_6C_3\left(\frac{1}{2}\right)^3\left(\frac{1}{2}\right)^3=\frac{20}{64}$$

(iii) 앞면이 1번, 뒷면이 5번 나오는 경우

$${}_6C_1\left(\frac{1}{2}\right)^1\left(\frac{1}{2}\right)^5=\frac{6}{64}$$

(i) ~ (iii)에서 구하는 확률은

$$\frac{6}{64}+\frac{20}{64}+\frac{6}{64}=\frac{1}{2}$$

답 ④

0790

> 그림과 같은 도로망이 있다. 한 개의 동전을 던져서 앞면이 나오면 북쪽으로 한 칸 가고, 뒷면이 나오면 동쪽으로 한 칸 간다. 동전을 7번 던질 때, 점 O를 출발하여 점 A에 도착할 확률은?
>
> 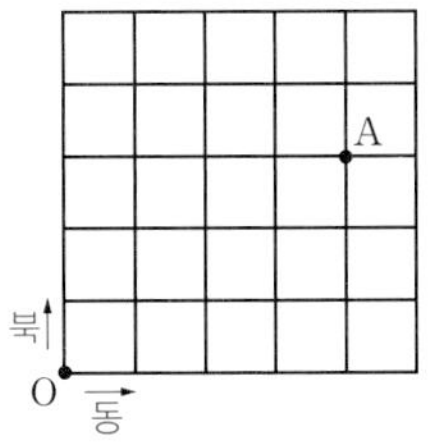
>
>
> 북쪽으로 3칸, 동쪽으로 4칸 이동해야 함을 이용하자.

점 O에서 북쪽으로 3칸, 동쪽으로 4칸 가면 점 A에 도착한다.
따라서 동전을 7번 던질 때, 앞면이 3번 나올 확률은

$${}_7C_3\left(\frac{1}{2}\right)^3\left(\frac{1}{2}\right)^4=\frac{35}{128}$$

답 ③

0791

앞면이 1회, 뒷면이 3회 나와야 한다.

> 그림과 같은 바둑판 위에서 점 A를 출발점으로 하여 동전을 던져 앞면이 나오면 오른쪽으로, 뒷면이 나오면 위로 각각 한 눈금씩 바둑돌을 옮긴다. 동전을 4회 던질 때, 바둑돌이 점 B 또는 점 C에 도달할 확률을 구하시오. (단, 바둑돌이 바둑판 밖으로 나가게 될 경우 움직이지 않는다.)
>
> 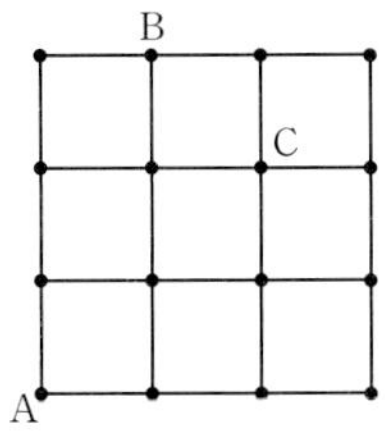
>
>
> 앞면이 2회, 뒷면이 2회 나와야 한다.

바둑돌이 점 B에 도달하려면 앞면이 1회, 뒷면이 3회 나와야 하고, 점 C에 도달하려면 앞면이 2회, 뒷면이 2회 나와야 한다.
따라서 구하는 확률은

$${}_4C_1\left(\frac{1}{2}\right)^1\left(\frac{1}{2}\right)^3+{}_4C_2\left(\frac{1}{2}\right)^2\left(\frac{1}{2}\right)^2=\frac{1}{4}+\frac{3}{8}=\frac{5}{8}$$

답 $\frac{5}{8}$

0792

> 그림과 같이 한 변의 길이가 1인 정사각형 ABCD의 변 위를 움직이는 점 P가 있다. 한 개의 주사위를 던져서 나온 눈의 수가 6의 약수이면 점 P를 시계 방향으로 1만큼, 그 외에는 시계 반대 방향으로 1만큼 움직인다고 할 때, 주사위를 6번 던져서 꼭짓점 A에서 출발한 점 P가 꼭짓점 A로 돌아올 확률을 구하시오.
>
> 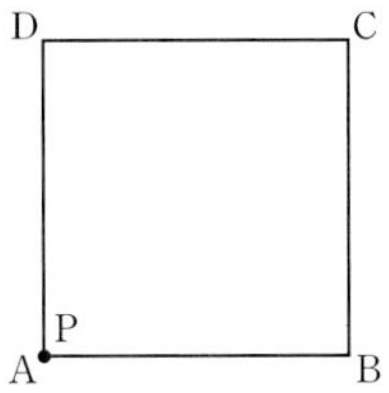
>
>
> └→ (6의 약수가 나오는 횟수, 그 이외의 숫자가 나오는 횟수)로 가능한 순서쌍은 (1, 5), (3, 3), (5, 1)임을 이용하자.

시계 방향으로 1만큼 움직일 때를 $+1$, 반시계 방향으로 1만큼 움직일 때를 -1로 생각하면 꼭짓점 A에서 출발한 점 P가 꼭짓점 A로 돌아오려면 -4, 0, $+4$만큼 이동하면 된다.
그러므로 주사위를 던지는 6번의 시행에서 순서쌍
(6의 약수가 나오는 횟수, 그 이외의 수가 나오는 횟수)로 가능한 것은
(1, 5), (3, 3), (5, 1)이다.

(i) (1, 5)일 때: ${}_6C_1\left(\frac{2}{3}\right)\left(\frac{1}{3}\right)^5=\frac{12}{729}$

(ii) (3, 3)일 때: ${}_6C_3\left(\frac{2}{3}\right)^3\left(\frac{1}{3}\right)^3=\frac{160}{729}$

(iii) (5, 1)일 때: ${}_6C_5\left(\frac{2}{3}\right)^5\left(\frac{1}{3}\right)=\frac{192}{729}$

따라서 구하는 확률은

$$\frac{12}{729}+\frac{160}{729}+\frac{192}{729}=\frac{364}{729}$$

답 $\frac{364}{729}$

0793

그림과 같이 한 변의 길이가 1인 정오각형 ABCDE의 꼭짓점 위의 점 P를 다음 규칙에 따라 이동시킨다.

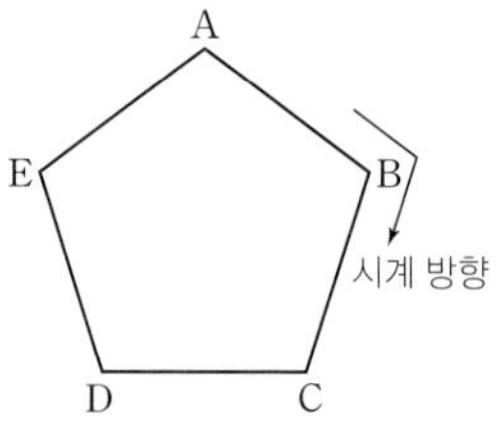

(가) 꼭짓점 A에서 출발한다.
(나) 주사위 1개를 던져서 홀수의 눈이 나오면 정오각형의 변을 따라 시계 방향으로 2만큼 이동시킨다.
(다) 주사위 1개를 던져서 짝수의 눈이 나오면 정오각형의 변을 따라 시계 방향으로 1만큼 이동시킨다.

• 점 P는 최대 20칸을 이동한다.
• 점 P는 최소 10칸을 이동한다.

주사위를 10번 던져서 점 P가 꼭짓점 D에 도달할 확률을 p라 할 때, $2^{10}\times p$의 값을 구하시오.

• 13 또는 18칸을 이동해야 한다.

점 P는 최소 10칸, 최대 20칸을 이동하므로
점 P가 꼭짓점 D에 도착하려면 13칸 또는 18칸을 이동해야 한다.
(ⅰ) 13칸인 경우 (홀 3, 짝 7)

$${}_{10}C_3\left(\frac{1}{2}\right)^3\left(\frac{1}{2}\right)^7=120\times\frac{1}{2^{10}}$$

(ⅱ) 18칸인 경우 (홀 8, 짝 2)

$${}_{10}C_8\left(\frac{1}{2}\right)^8\left(\frac{1}{2}\right)^2=45\times\frac{1}{2^{10}}$$

따라서 구하는 확률은

$$p=120\times\frac{1}{2^{10}}+45\times\frac{1}{2^{10}}=\frac{165}{2^{10}}$$

$\therefore 2^{10}\times p=165$

답 165

0794

A, B를 포함한 6명이 정육각형 모양의 탁자에 그림과 같이 둘러앉아 주사위 한 개를 사용하여 다음 규칙을 따르는 시행을 한다.

• 각 시행은 독립시행이다.

주사위를 가진 사람이 주사위를 던져 나온 눈의 수가 3의 배수이면 시계 방향으로, 3의 배수가 아니면 시계 반대 방향으로 이웃한 사람에게 주사위를 준다.

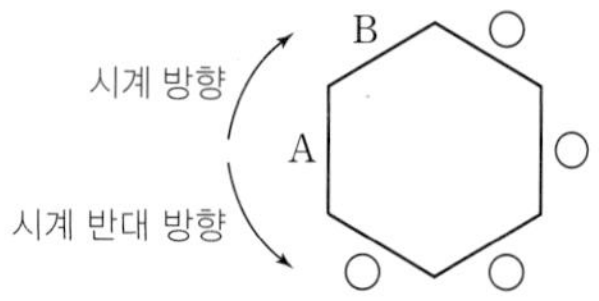

A부터 시작하여 이 시행을 5번 한 후, B가 주사위를 가지고 있을 확률은?

• 주사위를 던져 3의 배수의 눈이 나오는 횟수를 a, 그 외의 눈이 나오는 횟수를 b라 하면 $a=3$, $b=2$ 또는 $b=5$이어야 한다.

주사위를 던져서 3의 배수의 눈이 나오는 경우, 즉 시계 방향으로 주사위를 주는 경우를 a, 주사위를 던져서 3의 배수가 아닌 눈이 나오는 경우, 즉 반시계 방향으로 주사위를 주는 경우를 b라 하자.
5번 주사위를 던진 후에 B가 주사위를 가지려면 a가 3번, b가 2번 나오거나 b가 5번 나오는 경우이므로 구하는 확률은

$${}_5C_3\left(\frac{1}{3}\right)^3\left(\frac{2}{3}\right)^2+\left(\frac{2}{3}\right)^5=\frac{8}{27}$$

답 ③

0795

• 게임이 끝나려면 (주사위의 눈의 수)=(오른쪽에 남은 칸 수)이어야 한다.

한 개의 주사위를 던져 나온 수만큼 말을 오른쪽으로 이동시키는 게임이 있다. A9에 도달하면 게임을 끝내고 오른쪽으로 이동할 칸 수가 주사위의 눈의 수보다 작을 때에는 A9까지 이동한 후 왼쪽으로 남은 칸 수만큼 이동한다. 예를 들어 A6의 위치에서 주사위를 던져 나온 눈의 수가 3이면 A9에 말을 옮겨 게임을 끝내고, 나온 눈의 수가 5이면 A7로 이동한다.

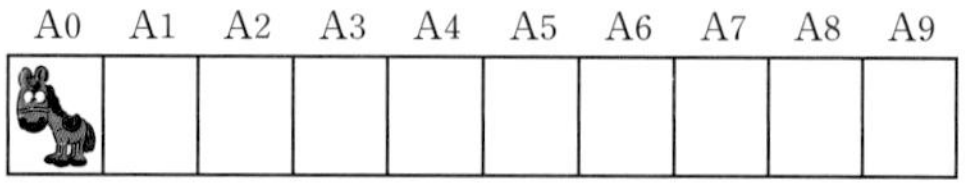

A0의 위치에서 주사위를 3번 던져서 게임이 끝날 확률은?

• 주사위의 눈의 수는 1~6이므로 3번 만에 말이 A9에 도착할 수 있는 경우를 따져 보자.

(ⅰ) 처음에 1의 눈이 나오는 경우
2회에는 반드시 2 이상의 눈이 나와야 하고, 3회에서는 2회에서 나온 눈에 따라 오직 한 가지 눈으로 결정되므로

$$\frac{1}{6}\times\frac{5}{6}\times\frac{1}{6}=\frac{5}{216}$$

(ⅱ) 처음에 2의 눈이 나오는 경우
2회에는 어떤 눈이 나와도 되고, 3회에서는 2회에서 나온 눈에 따라 오직 한 가지 눈으로 결정되므로

$$\frac{1}{6}\times1\times\frac{1}{6}=\frac{1}{36}$$

(ⅲ) 처음에 3 이상의 눈이 나오는 경우
2회에는 A9의 위치로 가는 한 가지 경우만 제외하면 되고, 3회에는 2회에서 나온 눈에 따라 오직 한 가지 눈으로 결정되므로

$$\frac{4}{6}\times\frac{5}{6}\times\frac{1}{6}=\frac{20}{216}$$

(ⅰ), (ⅱ), (ⅲ)에서 구하는 확률은

$$\frac{5}{216}+\frac{1}{36}+\frac{20}{216}=\frac{31}{216}$$

답 ③

0796

• 동전을 4번 던지면 (앞면)=(뒷면)=2번, 동전을 2번 던지면 (앞면)=(뒷면)=1번

서로 다른 2개의 주사위를 동시에 던져 나온 눈의 수가 같으면 한 개의 동전을 4번 던지고, 나온 눈의 수가 다르면 한 개의 동전을 2번 던진다. 이 시행에서 동전의 앞면이 나온 횟수와 뒷면이 나온 횟수가 같을 때, 동전을 4번 던졌을 확률은?

• 조건부확률을 이용하자.

(ⅰ) 동전을 4번 던지고 동전의 앞면이 나온 횟수와 뒷면이 나온 횟수가 같을 확률은

$\frac{6}{36}\times{}_4C_2\left(\frac{1}{2}\right)^2\left(\frac{1}{2}\right)^2=\frac{1}{16}$

(ii) 동전을 2번 던지고 동전의 앞면이 나온 횟수와 뒷면이 나온 횟수가 같을 확률은

$\frac{30}{36}\times{}_2C_1\left(\frac{1}{2}\right)^1\left(\frac{1}{2}\right)^1=\frac{5}{12}$

(i), (ii)에서 구하는 확률은

$$\frac{\frac{1}{16}}{\frac{1}{16}+\frac{5}{12}}=\frac{3}{23}$$

답 ①

0797 A가 동전을 2개 던져서 앞면이 한 개 나올때와 두 개 나올때로 나누어 생각하자.

A가 동전을 2개 던져서 나온 앞면의 개수만큼 B가 동전을 던진다. B가 던져서 나온 앞면의 개수가 1일 때, A가 던져서 나온 앞면의 개수가 2일 확률은?

A가 2개의 동전을 던져서 앞면이 한 개 나오고, B가 동전을 한 번 던져서 앞면이 한 번 나올 확률은

$\frac{2}{4}\times\frac{1}{2}=\frac{1}{4}$

A가 2개의 동전을 던져서 앞면이 두 개 나오고, B가 동전을 두 번 던져서 앞면이 한 번 나올 확률은

$\frac{1}{4}\times\frac{2}{4}=\frac{1}{8}$

따라서 구하는 확률은

$$\frac{\frac{1}{8}}{\frac{1}{4}+\frac{1}{8}}=\frac{1}{3}$$

답 ④

0798 숫자의 합은 3~7, 이 중 소수는 3, 5, 7이므로 꺼낸 공의 숫자는 (1, 2), (1, 4), (2, 3), (3, 4)이어야 한다.

주머니에 1, 2, 3, 4의 숫자가 하나씩 적혀 있는 4개의 공이 들어 있다. 이 주머니에서 임의로 2개의 공을 동시에 꺼낼 때, 꺼낸 공에 적혀 있는 숫자의 합이 소수이면 1개의 동전을 2번 던지고, 소수가 아니면 1개의 동전을 3번 던진다. 동전의 앞면이 2번 나왔을 때, 꺼낸 2개의 공에 적혀 있는 숫자의 합이 소수일 확률은?

(소수) → (동전 2번) → (모두 앞면), (소수 아닐 때) → (동전 3번) → (2번이 앞면)일 확률을 더하자.

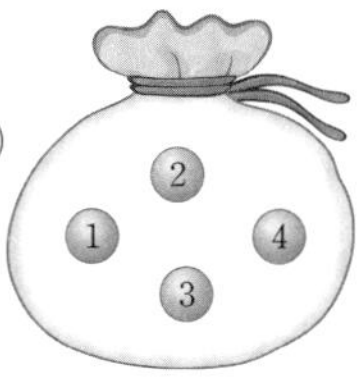

주머니에서 임의로 2개의 공을 동시에 꺼내는 경우의 수는

${}_4C_2=6$

꺼낸 2개의 공에 적혀 있는 숫자의 합이 소수인 경우는

(1과 2), (1과 4), (2와 3), (3과 4)의 4가지이므로 주머니에서 임의로 2개의 공을 동시에 꺼냈을 때, 적혀 있는 숫자의 합이 소수일 확률은 $\frac{2}{3}$이다.

동전의 앞면이 2번 나오는 사건을 X, 꺼낸 2개의 공에 적혀 있는 숫자의 합이 소수인 사건을 Y라 하자.

$\mathrm{P}(X)=\frac{2}{3}\times{}_2C_2\left(\frac{1}{2}\right)^2+\frac{1}{3}\times{}_3C_2\left(\frac{1}{2}\right)^2\left(\frac{1}{2}\right)=\frac{7}{24}$

$\mathrm{P}(X\cap Y)=\frac{2}{3}\times{}_2C_2\left(\frac{1}{2}\right)^2=\frac{1}{6}$

$$\mathrm{P}(Y|X)=\frac{\mathrm{P}(X\cap Y)}{\mathrm{P}(X)}=\frac{\frac{1}{6}}{\frac{7}{24}}$$

$$=\frac{4}{7}$$

답 ⑤

0799

좌표평면 위의 원점에서 출발하는 점 P에 대하여 한 개의 주사위를 사용하여 다음과 같은 시행을 한다.

(가) 나오는 눈의 수가 1 또는 6이면 점 P를 x축의 양의 방향으로 1만큼 움직인다.
(나) 그 이외의 눈이 나오면 점 P를 y축의 양의 방향으로 2만큼 움직인다.

위의 시행을 반복하여 점 P가 직선 $x=6$ 또는 $y=6$과 만나면 이 시행을 멈춘다. 점 P가 직선 $x=6$과 만나서 멈추었을 때, 점 P가 직선 $y=2$ 위에 있을 확률을 구하시오.

(1 또는 6이 나오는 경우의 수, 그 외의 눈이 나오는 경우의 수)의 순서쌍이 (6, 0), (6, 1), (6, 2)임을 이용하자.

x축의 양의 방향으로 1만큼 이동할 확률은 $\frac{2}{6}=\frac{1}{3}$

y축의 양의 방향으로 2만큼 이동할 확률은 $\frac{2}{3}$

점 P가 직선 $x=6$과 만나는 경우는

(1 또는 6이 나오는 경우의 수, 그 외의 눈이 나오는 경우의 수)의 순서쌍이 (6, 0), (6, 1), (6, 2)이므로 각 경우의 확률은

(i) (6, 0)일 때: ${}_6C_6\left(\frac{1}{3}\right)^6=\frac{1}{3^6}$

(ii) (6, 1)일 때: ${}_6C_5\left(\frac{1}{3}\right)^5\left(\frac{2}{3}\right)\times\left(\frac{1}{3}\right)=\frac{12}{3^7}$

(iii) (6, 2)일 때: ${}_7C_5\left(\frac{1}{3}\right)^5\left(\frac{2}{3}\right)^2\times\left(\frac{1}{3}\right)=\frac{84}{3^8}$

따라서 구하는 확률은

$$\frac{\frac{12}{3^7}}{\frac{1}{3^6}+\frac{12}{3^7}+\frac{84}{3^8}}=\frac{12}{43}$$

답 $\frac{12}{43}$

0800

두 사건 A, B가 서로 독립이고 $\mathrm{P}(A)=\frac{1}{4}$, $\mathrm{P}(A\cup B)=\frac{5}{8}$일 때, $\mathrm{P}(A\cap B^C)$은?

두 사건 A, B가 독립이면 A, B^C도 독립임을 이용하자.

두 사건 A, B가 서로 독립이므로

$\mathrm{P}(A\cap B)=\mathrm{P}(A)\mathrm{P}(B)$

즉, $\mathrm{P}(A\cup B)=\mathrm{P}(A)+\mathrm{P}(B)-\mathrm{P}(A)\mathrm{P}(B)$에서

$\frac{5}{8}=\frac{1}{4}+\mathrm{P}(B)-\frac{1}{4}\mathrm{P}(B)$

$\therefore \mathrm{P}(B)=\frac{1}{2}$

두 사건 A, B^C도 서로 독립이므로

$\mathrm{P}(A\cap B^C)=\mathrm{P}(A)\mathrm{P}(B^C)$
$=\mathrm{P}(A)\{1-\mathrm{P}(B)\}$
$=\frac{1}{4}\times\frac{1}{2}=\frac{1}{8}$

답 ①

0801

• 두 사건 A, B가 독립이면 A^C, B도 독립이다.

두 사건 A, B가 서로 독립이고 $\mathrm{P}(A)=\frac{1}{3}$, $\mathrm{P}(A\cup B)=\frac{4}{5}$일 때, $\mathrm{P}(B|A^C)$의 값을 구하시오.

• $\mathrm{P}(B|A^C)=\mathrm{P}(B)$임을 이용하자.

두 사건 A, B가 서로 독립이면 $\mathrm{P}(A\cap B)=\mathrm{P}(A)\mathrm{P}(B)$이므로

$\mathrm{P}(A\cup B)=\mathrm{P}(A)+\mathrm{P}(B)-\mathrm{P}(A\cap B)$
$=\mathrm{P}(A)+\mathrm{P}(B)-\mathrm{P}(A)\mathrm{P}(B)$

에서

$\frac{4}{5}=\frac{1}{3}+\mathrm{P}(B)-\frac{1}{3}\mathrm{P}(B)$, $\frac{2}{3}\mathrm{P}(B)=\frac{7}{15}$

$\therefore \mathrm{P}(B)=\frac{7}{10}$

한편 A, B가 서로 독립이면 A^C, B도 서로 독립이므로

$\mathrm{P}(B|A^C)=\mathrm{P}(B)=\frac{7}{10}$

답 $\frac{7}{10}$

0802

각 사건들을 집합의 원소나열법으로 나타내자. •

한 개의 주사위를 던지는 시행에서 짝수의 눈이 나오는 사건을 A, 3의 배수의 눈이 나오는 사건을 B, 홀수의 눈이 나오는 사건을 C라고 할 때, 〈보기〉에서 옳은 것만을 있는 대로 고른 것은?

보기

ㄱ. 두 사건 A와 B는 서로 종속이다.
ㄴ. 두 사건 A와 C는 서로 배반사건이다.
ㄷ. 두 사건 A와 C는 서로 종속이다.

• 두 사건 A, B가 $\mathrm{P}(A\cap B)\neq\mathrm{P}(A)\mathrm{P}(B)$이면 서로 종속이다.

$A=\{2, 4, 6\}$, $B=\{3, 6\}$, $C=\{1, 3, 5\}$

ㄱ. $\mathrm{P}(A)=\frac{1}{2}$, $\mathrm{P}(B)=\frac{1}{3}$이고

$A\cap B=\{6\}$이므로 $\mathrm{P}(A\cap B)=\frac{1}{6}$

$\therefore \mathrm{P}(A\cap B)=\mathrm{P}(A)\mathrm{P}(B)$

즉, 두 사건 A와 B는 서로 독립이다. (거짓)

ㄴ. $A\cap C=\varnothing$이므로 두 사건 A와 C는 서로 배반사건이다. (참)

ㄷ. $\mathrm{P}(A)=\frac{1}{2}$, $\mathrm{P}(C)=\frac{1}{2}$, $\mathrm{P}(A\cap C)=0$이므로

$\mathrm{P}(A\cap C)\neq\mathrm{P}(A)\mathrm{P}(C)$

즉, 두 사건 A와 C는 서로 종속이다. (참)

따라서 옳은 것은 ㄴ, ㄷ이다.

답 ④

0803

확률이 0이 아닌 두 사건 A, B에 대하여 〈보기〉에서 옳은 것만을 있는 대로 고르시오.

• $\mathrm{P}(A\cap B)=\mathrm{P}(A)$임을 이용하자.

보기

ㄱ. $A\subset B$이면 $\mathrm{P}(B|A)<1$이다.
ㄴ. A, B가 서로 배반사건이면 $\mathrm{P}(B|A)=0$이다.
ㄷ. A, B가 서로 독립이면 $\mathrm{P}(A^C|B)=\mathrm{P}(B|A^C)$이다.

• $\mathrm{P}(A^C|B)=\mathrm{P}(A^C)$임을 이용하자.

ㄱ. $\mathrm{P}(B|A)=\frac{\mathrm{P}(A\cap B)}{\mathrm{P}(A)}=\frac{\mathrm{P}(A)}{\mathrm{P}(A)}=1$ (거짓)

ㄴ. $\mathrm{P}(A\cap B)=0$이므로

$\mathrm{P}(B|A)=\frac{\mathrm{P}(A\cap B)}{\mathrm{P}(A)}=\frac{0}{\mathrm{P}(A)}=0$ (참)

ㄷ. 두 사건 A, B가 서로 독립이므로 두 사건 A^C과 B도 서로 독립이다.

$\mathrm{P}(A^C|B)=\frac{\mathrm{P}(A^C\cap B)}{\mathrm{P}(B)}=\frac{\mathrm{P}(A^C)\mathrm{P}(B)}{\mathrm{P}(B)}$
$=\mathrm{P}(A^C)$

$\mathrm{P}(B|A^C)=\frac{\mathrm{P}(A^C\cap B)}{\mathrm{P}(A^C)}=\frac{\mathrm{P}(A^C)\mathrm{P}(B)}{\mathrm{P}(A^C)}$
$=\mathrm{P}(B)$

$\therefore \mathrm{P}(A^C|B)\neq\mathrm{P}(B|A^C)$ (거짓)

따라서 옳은 것은 ㄴ뿐이다.

답 ㄴ

0804

축구 선수 A와 B가 승부차기에서 성공할 확률은 각각 0.8, 0.9이다. 두 선수가 한 번씩 승부차기를 할 때, 두 선수 중 한 명만 성공할 확률은?

• A와 B가 승부차기에서 성공하는 사건은 서로 독립이다.

축구 선수 A와 B가 승부차기에서 성공하는 사건을 각각 A, B라 하면 두 사건 A, B는 서로 독립이다.

(i) A가 성공하고 B가 실패할 확률은

$\mathrm{P}(A\cap B^C)=\mathrm{P}(A)\mathrm{P}(B^C)$
$=0.8\times0.1$
$=0.08$

(ii) A가 실패하고 B가 성공할 확률은

$\mathrm{P}(A^C\cap B)=\mathrm{P}(A^C)\mathrm{P}(B)$
$=0.2\times0.9$
$=0.18$

(i), (ii)에서 구하는 확률은

$0.08+0.18=0.26$

답 ②

0805

어느 고등학교에서 전체 학생 330명을 대상으로 성별에 따라 생활복 도입에 대한 찬반 여부를 조사한 표가 다음과 같을 때, a의 값을 구하시오.

남학생일 사건을 A, 생활복 도입에 찬성할 사건을 B라 하고 독립사건의 성질을 이용하자.

(단위: 명)

성별 \ 찬반 여부	찬성	반대	합계
남학생	a	b	220
여학생	c	d	110
합계	240	90	330

남학생일 사건을 A, 생활복 도입에 찬성할 사건을 B라 하면

$\mathrm{P}(A)=\frac{220}{330}=\frac{2}{3}$, $\mathrm{P}(B)=\frac{240}{330}=\frac{8}{11}$, $\mathrm{P}(A\cap B)=\frac{a}{330}$

두 사건 A, B는 서로 독립이므로

$\mathrm{P}(A\cap B)=\mathrm{P}(A)\mathrm{P}(B)$에서

$\frac{a}{330}=\frac{2}{3}\times\frac{8}{11}=\frac{16}{33}$

$\therefore a=160$

답 160

0806 서술형

2번째 시행까지 흰 공이 한 개 나와야 한다.

주머니에 흰 공 3개와 검은 공 6개가 들어 있다. 주머니에서 임의로 1개의 공을 꺼내 공의 색을 확인하고 다시 주머니에 넣는 시행을 반복한다. 이 시행을 6회 반복할 때, 3번째 시행에서 흰 공이 두 번째로 나오고 6번째 시행에서 검은 공이 두 번째로 나올 확률을 구하시오.

3, 4, 5번째 시행에서 모두 흰 공이 나와야 한다.

주어진 조건을 만족하는 사건은

(i) 2번째까지의 시행에서 흰 공은 한 개 나와야 한다.

(ii) 3번째 시행에서 흰 공이 나와야 한다.

(iii) 4, 5번째 시행에서 흰 공이 나와야 한다.

(iv) 6번째 시행에서 검은 공이 나와야 한다. …… 30%

위 조건을 모두 만족해야 하므로 구하는 확률은

${}_2\mathrm{C}_1\left(\frac{1}{3}\right)^1\left(\frac{2}{3}\right)^1\times\frac{1}{3}\times{}_2\mathrm{C}_2\left(\frac{1}{3}\right)^2\left(\frac{2}{3}\right)^0\times\frac{2}{3}$ …… 50%

$=\frac{8}{729}$ …… 20%

답 $\frac{8}{729}$

0807 서술형

주사위를 던져 나오는 눈의 수에 따라 동전 던지는 횟수를 정하는 놀이가 있다. 6의 눈이 나오면 동전을 3번, 6이 아닌 눈이 나오면 동전을 2번 던지기로 한다. 주사위 한 개와 동전 한 개로 이 놀이를 할 때, 동전의 앞면이 한 번 나타날 확률을 구하시오.

6의 눈이 나왔을 때와 6 이외의 눈이 나왔을 때 동전의 앞면이 한 번 나올 확률을 각각 구하자.

(i) 6의 눈이 나온 후에 하나의 동전을 3번 던져서 앞면이 한 번 나올 확률은

$\frac{1}{6}\times{}_3\mathrm{C}_1\left(\frac{1}{2}\right)^1\left(\frac{1}{2}\right)^2=\frac{1}{16}$ …… 40%

(ii) 6이 아닌 눈이 나온 후에 하나의 동전을 2번 던져서 앞면이 한 번 나올 확률은

$\frac{5}{6}\times{}_2\mathrm{C}_1\left(\frac{1}{2}\right)^1\left(\frac{1}{2}\right)^1=\frac{5}{12}$ …… 40%

(i), (ii)에서 구하는 확률은 $\frac{1}{16}+\frac{5}{12}=\frac{23}{48}$ …… 20%

답 $\frac{23}{48}$

0808

주사위 한 개를 10번 던질 때, 짝수의 눈이 9번 이상 나올 확률은?

매회 일어날 확률이 p인 사건 A가 n회의 독립시행에서 r회 일어날 확률은 ${}_n\mathrm{C}_r p^r(1-p)^{n-r}$임을 이용하자.

주사위 한 개를 던져서 짝수의 눈이 나올 확률은 $\frac{1}{2}$이다.

(i) 짝수의 눈이 9번 나올 확률은 ${}_{10}\mathrm{C}_9\left(\frac{1}{2}\right)^9\left(\frac{1}{2}\right)^1=10\left(\frac{1}{2}\right)^{10}$

(ii) 짝수의 눈이 10번 나올 확률은 ${}_{10}\mathrm{C}_{10}\left(\frac{1}{2}\right)^{10}=\left(\frac{1}{2}\right)^{10}$

(i), (ii)에서 구하는 확률은 $10\left(\frac{1}{2}\right)^{10}+\left(\frac{1}{2}\right)^{10}=\frac{11}{1024}$

답 ①

0809

B선수는 6번째 또는 7번째 경기에서 우승할 수 있다.

7번의 경기 중 먼저 4번을 이기는 선수가 우승하는 탁구 대회가 있다. 현재까지 2번의 경기에서 A선수가 두 경기 모두 승리했을 때, B선수가 우승할 확률을 구하시오.

(단, 두 선수가 이길 확률은 같고, 비기는 경우는 없다.)

(i) B선수가 6번째 경기에서 우승하는 경우

${}_4\mathrm{C}_4\left(\frac{1}{2}\right)^4=\frac{1}{16}$

(ii) B선수가 7번째 경기에서 우승하는 경우

6번째 경기까지 B선수가 3번, A선수가 1번 이기고 7번째 경기에서 B선수가 승리해야 하므로

${}_4\mathrm{C}_3\left(\frac{1}{2}\right)^3\times\frac{1}{2}\times\frac{1}{2}=\frac{1}{8}$

따라서 B선수가 우승할 확률은

$\frac{1}{16}+\frac{1}{8}=\frac{3}{16}$

답 $\frac{3}{16}$

0810

짝수가 1번, 홀수가 1번 나와야 한다.

좌표평면 위를 움직이는 점 P는 주사위를 던져 짝수의 눈이 나오면 x축의 양의 방향으로 1만큼, 홀수의 눈이 나오면 y축의 양의 방향으로 2만큼 움직인다. 주사위를 6번 던졌을 때, 원점에서 출발한 점 P가 점 (1, 2)를 지나 점 (3, 6)에 있을 확률을 구하시오.

다시 짝수가 2번, 홀수가 2번 나와야 한다.

주사위를 6번 던질 때, 원점에서 출발한 점 P가 점 (1, 2)를 지나

점 (3, 6)에 도착하려면 짝수가 1번, 홀수가 1번 나온 후, 짝수가 2번, 홀수가 2번 나와야 하므로 구하는 확률은

$${}_2C_1\left(\frac{1}{2}\right)^1\left(\frac{1}{2}\right)^1\times{}_4C_2\left(\frac{1}{2}\right)^2\left(\frac{1}{2}\right)^2=\frac{1}{2}\times\frac{3}{8}$$

$$=\frac{3}{16}$$

답 $\frac{3}{16}$

0811

오른쪽 그림과 같이 한 변의 길이가 1인 정오각형 ABCDE에서 점 P를 다음 규칙에 따라 이동시킨다.

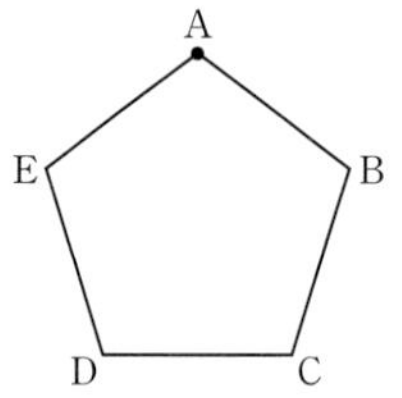

(가) 꼭짓점 A에서 출발한다.
(나) 동전을 두 개를 던져 모두 앞면이 나오면 점 P를 2만큼 정오각형을 따라 시계방향으로 이동한다.
(다) 동전을 두 개를 던져 적어도 하나가 뒷면이 나오면 점 P를 1만큼 정오각형을 따라 시계방향으로 이동한다.

→ 결국 점 P는 1칸 혹은 2칸을 이동할 수 있다.

점 P가 오각형을 두 바퀴를 돌아 처음으로 점 A에 도착하는 확률이 p일 때, $\sqrt{p}$의 값을 구하시오.

→ 처음 한 바퀴를 돌 때에는 E에 도착한 후 B로 이동해야 한다.

먼저 한 바퀴를 돌 때 A에 도달하면 안되고 E에 도착한 후 B로 이동해야 한다.
말이 E에 도착할 확률은

$$\left(\frac{1}{4}\right)^2+{}_3C_2\left(\frac{3}{4}\right)^2\left(\frac{1}{4}\right)+\left(\frac{3}{4}\right)^4=\frac{205}{4^4}$$

이고, 그 후 E에서 B로 이동할 확률은 $\frac{1}{4}$이다.

마지막으로 B에서 이동해 A에 도달할 확률은 $\frac{205}{4^4}$이므로

$$p=\frac{205}{4^4}\times\frac{1}{4}\times\frac{205}{4^4}=\frac{205^2}{4^9}$$

$$\therefore \sqrt{p}=\frac{205}{2^9}=\frac{205}{512}$$

답 $\frac{205}{512}$

0812

→ $P(A\cup B)=P(A)+P(B)-P(A\cap B)$임을 이용하자.

두 사건 A, B가 서로 독립이고 $P(A\cup B)=\frac{5}{8}$, $P(A\cap B)=\frac{1}{8}$, $P(A)>P(B)$일 때, $P(B)$를 구하시오.

→ 두 사건 A, B가 독립이면 $P(A\cap B)=P(A)P(B)$임을 이용하자.

$P(A\cup B)=P(A)+P(B)-P(A\cap B)$에서

$$\frac{5}{8}=P(A)+P(B)-\frac{1}{8}$$

$$\therefore P(A)+P(B)=\frac{3}{4} \quad \cdots\cdots ㉠$$

두 사건 A, B는 서로 독립이므로

$$P(A\cap B)=P(A)P(B)=\frac{1}{8} \quad \cdots\cdots ㉡$$

㉠, ㉡에서 $P(A)$, $P(B)$는 t에 대한 이차방정식

$t^2-\frac{3}{4}t+\frac{1}{8}=0$의 두 근이다.

즉, $8t^2-6t+1=0$에서 $(2t-1)(4t-1)=0$

$\therefore t=\frac{1}{4}$ 또는 $t=\frac{1}{2}$

$\therefore P(B)=\frac{1}{4}$ ($\because P(A)>P(B)$)

답 $\frac{1}{4}$

0813

1부터 10까지 자연수가 각각 하나씩 적힌 10장의 카드 중에서 임의로 한 장을 뽑을 때, n의 배수가 적힌 카드를 뽑는 사건을 A_n이라 하자. <보기>에서 옳은 것만을 있는 대로 고른 것은?

보기

ㄱ. A_3과 A_4는 서로 배반사건이다.
→ $A_3=\{3, 6, 9\}$, $A_4=\{4, 8\}$임을 이용하자.
ㄴ. $P(A_4|A_2)=\frac{1}{5}$
ㄷ. A_2와 A_5는 서로 독립이다.

→ $A_2=\{2, 4, 6, 8, 10\}$, $A_4=\{4, 8\}$임을 이용하자.

ㄱ. $A_3=\{3, 6, 9\}$, $A_4=\{4, 8\}$이므로 $A_3\cap A_4=\varnothing$
따라서 A_3과 A_4는 서로 배반사건이다. (참)

ㄴ. $A_2=\{2, 4, 6, 8, 10\}$, $A_4=\{4, 8\}$이므로

$$P(A_4|A_2)=\frac{P(A_4\cap A_2)}{P(A_2)}=\frac{\frac{2}{10}}{\frac{5}{10}}=\frac{2}{5} \text{ (거짓)}$$

ㄷ. $A_5=\{5, 10\}$이므로

$$P(A_2\cap A_5)=P(A_2)P(A_5)=\frac{1}{10}$$

따라서 A_2와 A_5는 서로 독립이다. (참)

따라서 옳은 것은 ㄱ, ㄷ이다.

답 ③

0814

→ $P(A)=\frac{{}_5C_2\times 3!}{5!}$임을 이용하자.

자연수 1, 2, 3, 4, 5를 임의로 나열하여 순서대로 a_1, a_2, a_3, a_4, a_5라 하자. $a_1<a_2$인 사건을 A, $a_2<a_3$인 사건을 B, $a_3<a_4$인 사건을 C라 하자. <보기>에서 옳은 것만을 있는 대로 고른 것은?

→ $P(A\cap B)=P(A)P(B)$이면 서로 독립이다.

보기

ㄱ. $P(A\cap B)<P(A\cap C)$
ㄴ. 두 사건 A와 B는 서로 독립이다.
ㄷ. 두 사건 A와 C는 서로 독립이다.

$$P(A)=P(B)=P(C)=\frac{{}_5C_2\times 3!}{5!}=\frac{1}{2}$$

ㄱ. $P(A\cap B)=\frac{{}_5C_3\times 2!}{5!}=\frac{1}{6}$

$P(A\cap C)=\frac{{}_5C_2\times{}_3C_2}{5!}=\frac{1}{4}$

$\therefore P(A\cap B)<P(A\cap C)$ (참)

ㄴ. $P(A\cap B)=\frac{1}{6}$, $P(A)P(B)=\frac{1}{4}$

즉, $P(A\cap B)\neq P(A)P(B)$이므로

두 사건 A와 B는 서로 독립이 아니다. (거짓)

ㄷ. $P(A\cap C)=\frac{1}{4}$, $P(A)P(C)=\frac{1}{4}$

즉, $P(A\cap C)=P(A)P(C)$이므로

두 사건 A와 C는 서로 독립이다. (참)

따라서 옳은 것은 ㄱ, ㄷ이다. 답 ④

0815 • 세 사건은 서로 독립이다.

A, B, C 세 학생이 어떤 시험에서 합격할 확률이 각각 $\frac{2}{3}$, $\frac{1}{2}$, $\frac{2}{5}$일 때, 두 사람만 합격할 확률을 구하시오.

A와 B, B와 C, C와 A만 합격할 확률을 구하여 합의 법칙을 적용하자.

세 학생 A, B, C가 시험에 합격하는 사건을 각각 A, B, C라 하면 세 사건 A, B, C는 서로 독립이다.

(i) A와 B만 합격할 확률은

$$P(A\cap B\cap C^C)=P(A)P(B)P(C^C)=\frac{2}{3}\times\frac{1}{2}\times\frac{3}{5}=\frac{1}{5}$$

(ii) B와 C만 합격할 확률은

$$P(A^C\cap B\cap C)=P(A^C)P(B)P(C)=\frac{1}{3}\times\frac{1}{2}\times\frac{2}{5}=\frac{1}{15}$$

(iii) C와 A만 합격할 확률은

$$P(A\cap B^C\cap C)=P(A)P(B^C)P(C)=\frac{2}{3}\times\frac{1}{2}\times\frac{2}{5}=\frac{2}{15}$$

(i), (ii), (iii)에서 구하는 확률은

$$\frac{1}{5}+\frac{1}{15}+\frac{2}{15}=\frac{2}{5}$$ 답 $\frac{2}{5}$

0816 각 공장을 선택할 확률은 $\frac{1}{3}$이다. •

어떤 제품을 생산하는 세 공장 A, B, C가 있다. 공장 A에서 생산한 제품의 불량률은 2 %이고, 공장 B, C에서 생산한 제품의 불량률은 각각 1 %이다. 세 공장 중 임의로 한 공장을 선택하고, 그 공장에서 생산한 제품 3개를 임의추출하여 조사할 때, 2개가 불량품일 확률을 p라 하자. 10^6p의 값을 구하시오.

• 매회 일어날 확률이 p인 사건 A가 n회의 독립시행에서 r회 일어날 확률은 ${}_nC_rp^r(1-p)^{n-r}$임을 이용하자.

A공장에서 임의로 추출한 3개 중에서 2개가 불량품일 확률은

$$\frac{1}{3}\times{}_3C_2\times\left(\frac{2}{100}\right)^2\times\frac{98}{100}=\frac{392}{10^6}$$

B, C공장에서 임의로 추출한 3개 중에서 2개가 불량품일 확률은

$$2\times\frac{1}{3}\times{}_3C_2\times\left(\frac{1}{100}\right)^2\times\frac{99}{100}=\frac{198}{10^6}$$

$p=\frac{392}{10^6}+\frac{198}{10^6}=\frac{590}{10^6}$이므로

$10^6p=590$ 답 590

0817 한 친구를 만날 확률은 $\frac{1}{4}$이다.

세연이는 5명의 친구에게 각각 전화를 걸어 오전 9시에서 10시 사이에 약속 장소로 모이라고 연락을 하였다. 그런데 세연이가 사정이 생겨서 오전 9시부터 15분 동안만 약속 장소에 있고 오전 9시 15분이 되면 그 곳을 떠나야 했다. 세연이가 적어도 2명의 친구를 만날 확률을 구하시오.

(단, 친구들은 모두 약속 시간에 맞춰 나온다고 한다.)

$1-\{$(모두 만나지 못할 확률)+(1명만 만날 확률)$\}$

9시에서 10시 사이에 나타난 한 친구가 세연이를 만날 확률은

$\frac{15}{60}=\frac{1}{4}$이다.

따라서 세연이가 적어도 2명의 친구를 만날 확률은

$$1-\left\{{}_5C_0\left(\frac{3}{4}\right)^5+{}_5C_1\left(\frac{1}{4}\right)^1\left(\frac{3}{4}\right)^4\right\}=1-\left(\frac{3^5}{4^5}+\frac{5\times3^4}{4^5}\right)=1-\frac{648}{1024}=\frac{47}{128}$$ 답 $\frac{47}{128}$

0818 각 사건이 일어나는 경우를 직접 구하자.

한 개의 동전을 3번 던질 때, 첫 번째에 앞면이 나오는 사건을 A, 앞면이 적어도 2번 나오는 사건을 B, 3번 모두 같은 면이 나오는 사건을 C라 하자. 〈보기〉에서 서로 독립인 것만을 있는 대로 고른 것은?

$P(A\cap B)=P(A)P(B)$이면 서로 독립임을 이용하자.

보기

ㄱ. A와 B ㄴ. A와 C^C ㄷ. B^C과 C^C

동전을 3번 던질 때 생기는 모든 경우의 수는 8이고,

동전의 앞면을 H, 뒷면을 T라 하면

$A=\{$HHH, HHT, HTH, HTT$\}$

$B=\{$HHH, HHT, HTH, THH$\}$

$C=\{$HHH, TTT$\}$

$A\cap B=\{$HHH, HHT, HTH$\}$

$A\cap C^C=A-C=\{$HHT, HTH, HTT$\}$

$B^C\cap C^C=(B\cup C)^C=\{HTT, THT, TTH\}$

ㄱ. $P(A)=\frac{1}{2}$, $P(B)=\frac{1}{2}$, $P(A\cap B)=\frac{3}{8}$이므로

$P(A\cap B)\neq P(A)P(B)$

즉, 두 사건 A와 B는 서로 종속이다.

ㄴ. $P(A)=\frac{1}{2}$, $P(C^C)=1-P(C)=\frac{3}{4}$,

$P(A\cap C^C)=\frac{3}{8}$이므로

$P(A\cap C^C)=P(A)P(C^C)$

즉, 두 사건 A와 C^C은 서로 독립이다.

ㄷ. $P(B^C)=1-P(B)=\frac{1}{2}$,

$\mathrm{P}(C^C)=1-\mathrm{P}(C)=\frac{3}{4}$,

$\mathrm{P}(B^C\cap C^C)=\frac{3}{8}$이므로

$\mathrm{P}(B^C\cap C^C)=\mathrm{P}(B^C)\mathrm{P}(C^C)$

즉, 두 사건 B^C과 C^C은 서로 독립이다.

따라서 서로 독립인 것은 ㄴ, ㄷ이다. 답 ④

0819

정보이론에서는 사건 E가 발생했을 때, 사건 E의 정보량 $I(E)$가 다음과 같이 정의된다고 한다.

$I(E)=-\log_2 \mathrm{P}(E)$

〈보기〉에서 옳은 것만을 있는 대로 고른 것은? (단, 사건 E가 일어날 확률 $\mathrm{P}(E)$는 양수이고, 정보량의 단위는 비트이다.)

보기

ㄱ. 한 개의 주사위를 던져 홀수의 눈이 나오는 사건을 E라 하면 $I(E)=1$이다. — $\mathrm{P}(E)=\frac{1}{2}$임을 이용하자.

ㄴ. 두 사건 A, B가 서로 독립이고 $\mathrm{P}(A\cap B)>0$이면 $I(A\cap B)=I(A)+I(B)$이다.

ㄷ. $\mathrm{P}(A)>0$, $\mathrm{P}(B)>0$인 두 사건 A, B에 대하여 $2I(A\cup B)\le I(A)+I(B)$이다.

$\log_a mn=\log_a m+\log_a n$임을 이용하자.

$I(E)=\log_{\frac{1}{2}} \mathrm{P}(E)$

ㄱ. $\mathrm{P}(E)=\frac{1}{2}$이므로

$I(E)=\log_{\frac{1}{2}}\frac{1}{2}=1$ (참)

ㄴ. 두 사건 A, B가 서로 독립이므로

$\mathrm{P}(A\cap B)=\mathrm{P}(A)\mathrm{P}(B)$에서

$I(A\cap B)=\log_{\frac{1}{2}}\mathrm{P}(A\cap B)$

$=\log_{\frac{1}{2}}\mathrm{P}(A)\mathrm{P}(B)$

$=\log_{\frac{1}{2}}\mathrm{P}(A)+\log_{\frac{1}{2}}\mathrm{P}(B)$

$=I(A)+I(B)$ (참)

ㄷ. $\mathrm{P}(A)\le\mathrm{P}(A\cup B)$, $\mathrm{P}(B)\le\mathrm{P}(A\cup B)$이므로

$I(A)\ge I(A\cup B)$, $I(B)\ge I(A\cup B)$

$\therefore I(A)+I(B)\ge 2I(A\cup B)$ (참)

따라서 ㄱ, ㄴ, ㄷ 모두 옳다. 답 ⑤

0820

n의 값에 따라 $\mathrm{P}(B)$의 값이 달라짐에 유의하자. $\mathrm{P}(A)=\frac{1}{2}$이다.

1, 2, 3, …, $2n$의 숫자가 각각 하나씩 적혀 있는 $2n$개의 공이 들어 있는 주머니에서 임의로 1개의 공을 꺼낼 때, 짝수가 나오는 사건을 A, 소수의 제곱의 수가 나오는 사건을 B라 하자. 두 사건 A, B가 서로 독립일 때, 2 이상의 자연수 n의 최댓값을 구하시오. — $\mathrm{P}(A\cap B)=\mathrm{P}(A)\mathrm{P}(B)$이면 서로 독립임을 이용하자.

짝수가 나오는 사건이 A이므로 $A=\{2, 4, 6, \cdots, 2n\}$

$\therefore \mathrm{P}(A)=\frac{n}{2n}=\frac{1}{2}$

(i) $2\le n\le 4$일 때, $B=\{4\}$

$\mathrm{P}(B)=\frac{1}{2n}$이므로

$\mathrm{P}(A)\mathrm{P}(B)=\frac{1}{2}\times\frac{1}{2n}=\frac{1}{4n}$

$A\cap B=\{4\}$이므로

$\mathrm{P}(A\cap B)=\frac{1}{2n}$

따라서 $\mathrm{P}(A)\mathrm{P}(B)\ne\mathrm{P}(A\cap B)$이므로 두 사건 A, B는 서로 독립이 아니다.

(ii) $5\le n\le 12$일 때, $B=\{4, 9\}$

$\mathrm{P}(B)=\frac{2}{2n}=\frac{1}{n}$이므로

$\mathrm{P}(A)\mathrm{P}(B)=\frac{1}{2}\times\frac{1}{n}=\frac{1}{2n}$

$A\cap B=\{4\}$이므로

$\mathrm{P}(A\cap B)=\frac{1}{2n}$

따라서 $\mathrm{P}(A)\mathrm{P}(B)=\mathrm{P}(A\cap B)$이므로 두 사건 A, B는 서로 독립이다.

(iii) $n\ge 13$일 때, $\{4, 9, 25\}\subset B$

$\mathrm{P}(B)\ge\frac{3}{2n}$이므로

$\mathrm{P}(A)\mathrm{P}(B)\ge\frac{1}{2}\times\frac{3}{2n}=\frac{3}{4n}$

$A\cap B=\{4\}$이므로

$\mathrm{P}(A\cap B)=\frac{1}{2n}$

따라서 $\mathrm{P}(A)\mathrm{P}(B)\ne\mathrm{P}(A\cap B)$이므로 두 사건 A, B는 서로 독립이 아니다.

(i), (ii), (iii)에서 두 사건 A, B가 서로 독립이 되도록 하는 2 이상의 자연수 n은 5, 6, 7, …, 12이므로 최댓값은 12이다.

답 12

0821

주사위 한 개를 던져서 나오는 눈의 수가 2 이하일 사건을 A, 3 이상일 사건을 B라 하자.

그림과 같이 1, 2, 3, 4, 5, 6의 숫자가 한 면에만 각각 적혀 있는 6장의 카드가 일렬로 놓여 있다. 주사위 한 개를 던져서 나온 눈의 수가 2 이하이면 가장 작은 숫자가 적혀 있는 카드 1장을 뒤집고, 3 이상이면 가장 작은 숫자가 적혀 있는 카드부터 차례로 2장의 카드를 뒤집는 시행을 한다. 3번째 시행에서 4가 적혀 있는 카드가 뒤집어질 확률은? (단, 모든 카드는 한 번만 뒤집는다.)

1 2 3 4 5 6

ABA, ABB, AAB, BAA, BAB의 경우가 존재한다.

주사위 한 개를 던져서 나오는 눈의 수가

2 이하일 사건을 A라 하면 $\mathrm{P}(A)=\frac{1}{3}$,

3 이상일 사건을 B라 하면 $\mathrm{P}(B)=\frac{2}{3}$

3번째 시행에서 4가 적혀 있는 카드가 뒤집어질 확률은 다음과 같다.

(i) ABA 또는 ABB인 경우

$\frac{1}{3} \times \frac{2}{3} \times \left(\frac{1}{3}+\frac{2}{3}\right)=\frac{2}{9}$

(ii) AAB인 경우

$\frac{1}{3} \times \frac{1}{3} \times \frac{2}{3}=\frac{2}{27}$

(iii) BAA 또는 BAB인 경우

$\frac{2}{3} \times \frac{1}{3} \times \left(\frac{1}{3}+\frac{2}{3}\right)=\frac{2}{9}$

(i), (ii), (iii)에서 구하는 확률은

$\frac{2}{9}+\frac{2}{27}+\frac{2}{9}=\frac{14}{27}$ 답 ③

0822

> 한 개의 주사위를 5번 던질 때 홀수의 눈이 나오는 횟수를 a라 하고, 한 개의 동전을 4번 던질 때 앞면이 나오는 횟수를 b라 하자. $a-b$의 값이 3일 확률을 $\frac{q}{p}$라 할 때, $p+q$의 값을 구하시오.
> (단, p와 q는 서로소인 자연수이다.)
>
> (a, b)로 가능한 순서쌍은 $(5, 2)$, $(4, 1)$, $(3, 0)$인 경우임을 이용하자.

$a-b=3$이므로 다음 각 경우로 나눌 수 있다.

(i) $a=5$이고 $b=2$일 때

주사위를 5번 던질 때, 홀수의 눈이 5번 나오고 동전을 4번 던질 때, 앞면이 2번 나와야 하므로 확률은

$${}_5C_5\left(\frac{1}{2}\right)^5\left(\frac{1}{2}\right)^0 \times {}_4C_2\left(\frac{1}{2}\right)^2\left(\frac{1}{2}\right)^2=\frac{1}{2^5} \times \frac{3}{2^3}=\frac{3}{2^8}$$

(ii) $a=4$이고 $b=1$일 때

주사위를 5번 던질 때, 홀수의 눈이 4번 나오고 동전을 4번 던질 때, 앞면이 1번 나와야 하므로 확률은

$${}_5C_4\left(\frac{1}{2}\right)^4\left(\frac{1}{2}\right)^1 \times {}_4C_1\left(\frac{1}{2}\right)^1\left(\frac{1}{2}\right)^3=\frac{5}{2^5} \times \frac{1}{2^2}=\frac{5}{2^7}$$

(iii) $a=3$이고 $b=0$일 때

주사위를 5번 던질 때, 홀수의 눈이 3번 나오고 동전을 4번 던질 때, 앞면이 0번 나와야 하므로 확률은

$${}_5C_3\left(\frac{1}{2}\right)^3\left(\frac{1}{2}\right)^2 \times {}_4C_0\left(\frac{1}{2}\right)^0\left(\frac{1}{2}\right)^4=\frac{5}{2^4} \times \frac{1}{2^4}=\frac{5}{2^8}$$

(i), (ii), (iii)에서 구하는 확률은

$\frac{3}{2^8}+\frac{5}{2^7}+\frac{5}{2^8}=\frac{18}{2^8}=\frac{9}{2^7}=\frac{9}{128}$

이므로 $p+q=128+9=137$ 답 137

0823

$P(A^C)-P(A)=\frac{1}{2}$, $P(A^C)+P(A)=1$을 연립하자.

> 한 번의 시행에서 사건 A가 일어날 확률과 사건 A^C이 일어날 확률의 차가 $\frac{1}{2}$일 때, 8회의 독립시행에서 사건 A가 5회 일어나지만 연속으로 5회는 일어나지 않을 확률은 $\frac{k \times 3^3}{2^{14}}$이다. 상수 k의 값을 구하시오. (단, $P(A)<P(A^C)$)
>
> (A가 5회 일어날 확률)$-$(A가 5회 연속해서 일어날 확률)을 구하자.

$P(A)<P(A^C)$이므로

$P(A^C)-P(A)=\frac{1}{2}$이고,

$P(A^C)=1-P(A)$이므로

$1-P(A)-P(A)=\frac{1}{2}$

$\therefore P(A)=\frac{1}{4}$

8회의 독립시행에서 사건 A가 5회 일어날 확률은

${}_8C_5\left(\frac{1}{4}\right)^5\left(\frac{3}{4}\right)^3=56\left(\frac{1}{4}\right)^5\left(\frac{3}{4}\right)^3$

여기서 사건 A가 5회 연속해서 나오는 경우는 4가지이므로

8회의 독립시행에서 사건 A가 연속해서 5회 일어날 확률은

$4\left(\frac{1}{4}\right)^5\left(\frac{3}{4}\right)^3$

따라서 구하는 확률은

$56\left(\frac{1}{4}\right)^5\left(\frac{3}{4}\right)^3-4\left(\frac{1}{4}\right)^5\left(\frac{3}{4}\right)^3=\frac{13 \times 3^3}{2^{14}}$

$\therefore k=13$ 답 13

참고 8회의 독립시행에서 사건 A가 연속으로 5회 일어나는 경우

	1회	2회	3회	4회	5회	6회	7회	8회
1	○	○	○	○	○	×	×	×
2	×	○	○	○	○	○	×	×
3	×	×	○	○	○	○	○	×
4	×	×	×	○	○	○	○	○

0824

> 좌표평면의 원점에 점 A가 있다. 한 개의 동전을 사용하여 다음 시행을 한다.
>
> 동전을 한 번 던져
> 앞면이 나오면 점 A를 x축의 양의 방향으로 1만큼
> 뒷면이 나오면 점 A를 y축의 양의 방향으로 1만큼
> 이동시킨다.
>
> 각각의 시행은 독립시행이다.
>
> 위의 시행을 반복하여 점 A의 x좌표 또는 y좌표가 처음으로 3이 되면 이 시행을 멈춘다. 점 A의 y좌표가 처음으로 3이 되었을 때, 점 A의 x좌표가 1일 확률은?
>
> y좌표가 처음으로 3이 되는 경우는 점 A가 $(0, 2)$, $(1, 2)$, $(2, 2)$에 있을 때, 동전의 뒷면이 나올 때이다.

y좌표가 처음으로 3이 되는 경우는

① 점 A가 $(0, 2)$에 있을 때 동전의 뒷면이 나오는 경우

② 점 A가 (1, 2)에 있을 때 동전의 뒷면이 나오는 경우
③ 점 A가 (2, 2)에 있을 때 동전의 뒷면이 나오는 경우
이고 점 A의 x좌표가 1인 경우는 ②의 경우이다.

①의 경우의 확률은

$${}_2C_2\left(\frac{1}{2}\right)^2\times\frac{1}{2}=\frac{1}{8}$$

②의 경우의 확률은

$${}_3C_1\left(\frac{1}{2}\right)^1\left(\frac{1}{2}\right)^2\times\frac{1}{2}=\frac{3}{16}$$

③의 경우의 확률은

$${}_4C_2\left(\frac{1}{2}\right)^2\left(\frac{1}{2}\right)^2\times\frac{1}{2}=\frac{6}{32}=\frac{3}{16}$$

따라서 구하는 확률은

$$\frac{\frac{3}{16}}{\frac{1}{8}+\frac{3}{16}+\frac{3}{16}}=\frac{\frac{3}{16}}{\frac{1}{2}}=\frac{3}{8}$$

답 ③

0825

다음 조건을 만족시키는 집합 $U=\{x\,|\,x$는 9 이하의 자연수$\}$의 부분집합 X의 개수를 구하시오.

(가) $8\in X$이고 집합 X의 원소의 개수는 6이다.
(나) 집합 X의 원소 중에서 임의로 한 개를 택할 때 짝수가 나오는 사건을 A라 하고, 5 이상의 수가 나오는 사건을 B라 하면 두 사건 A와 B는 서로 독립이다.

집합 A의 원소의 개수를 a, 집합 B의 원소의 개수를 b라 하면 $\mathrm{P}(A)=\frac{a}{6}$, $\mathrm{P}(B)=\frac{b}{6}$임을 이용하자.

집합 A의 원소의 개수를 a, 집합 B의 원소의 개수를 b, 집합 $A\cap B$의 원소의 개수를 c라 하면

$$\mathrm{P}(A)=\frac{a}{6},\ \mathrm{P}(B)=\frac{b}{6},\ \mathrm{P}(A\cap B)=\frac{c}{6}$$

두 사건 A, B가 서로 독립이므로 $\mathrm{P}(A)\mathrm{P}(B)=\mathrm{P}(A\cap B)$가 성립해야 한다. 즉, $\frac{ab}{36}=\frac{c}{6}$이다.

c의 값에 따라 집합 X의 개수를 구하면 다음과 같다.

(i) $c=1$, 즉 $A\cap B=\{8\}$일 때

$\frac{ab}{36}=\frac{1}{6}$에서 $ab=6$이고 $6\not\in X$이어야 한다.

$a\le3$, $b\le4$이므로 a, b는 다음 2가지 경우이다.

① $a=2$, $b=3$인 경우
집합 A의 개수는 2, 4 중에서 1개를 택하는 조합의 수와 같으므로 ${}_2C_1=2$
집합 B의 개수는 5, 7, 9 중에서 2개를 택하는 조합의 수와 같으므로 ${}_3C_2=3$
$n(A\cup B)=4$이므로 집합 X의 나머지 2개의 원소는 1, 3이다.
따라서 집합 X의 개수는 $2\times3\times1=6$

② $a=3$, $b=2$인 경우
집합 A의 개수는 $\{2, 4, 8\}$의 1이고, 집합 B의 개수는 5, 7, 9 중에서 1개를 택하는 조합의 수와 같으므로 ${}_3C_1=3$
$n(A\cup B)=4$이므로 집합 X의 나머지 2개의 원소는 1, 3이다.
따라서 집합 X의 개수는 $1\times3\times1=3$

(ii) $c=2$, 즉 $A\cap B=\{6, 8\}$일 때

$\frac{ab}{36}=\frac{2}{6}$에서 $ab=12$이고 $a\le4$, $b\le5$이므로

a, b는 다음 2가지 경우이다.

① $a=3$, $b=4$인 경우
집합 A의 개수는 2, 4 중에서 1개를 택하는 조합의 수와 같으므로 ${}_2C_1=2$
집합 B의 개수는 5, 7, 9 중에서 2개를 택하는 조합의 수와 같으므로 ${}_3C_2=3$
$n(A\cup B)=5$이므로 집합 X의 나머지 1개의 원소는 1 또는 3이다.
따라서 집합 X의 개수는 $2\times3\times2=12$

② $a=4$, $b=3$인 경우
집합 A의 개수는 $\{2, 4, 6, 8\}$의 1이고, 집합 B의 개수는 5, 7, 9 중에서 1개를 택하는 조합의 수와 같으므로 ${}_3C_1=3$
$n(A\cup B)=5$이므로 집합 X의 나머지 1개의 원소는 1 또는 3이다.
따라서 집합 X의 개수는 $1\times3\times2=6$

(i), (ii)에서 구하는 집합 X의 개수는

$6+3+12+6=27$

답 27

0826

그림과 같은 정사각형의 모눈이 있다. 어떤 병뚜껑 한 개를 던져 앞면이 나오면 오른쪽으로 한 칸을 이동하고, 뒷면이 나오면 아래로 한 칸을 이동한다. 점 O에서 시작하여 이 시행을 반복할 때, 6개의 점 A, B, C, D, E, F 중에서 어느 한 점에 도달하면 이 시행을 끝내기로 한다. 이 시행이 정확히 4번 만에 끝날 확률이 $\frac{9}{32}$일 때, 이 시행이 정확히 5번 만에 끝날 확률을 구하시오.

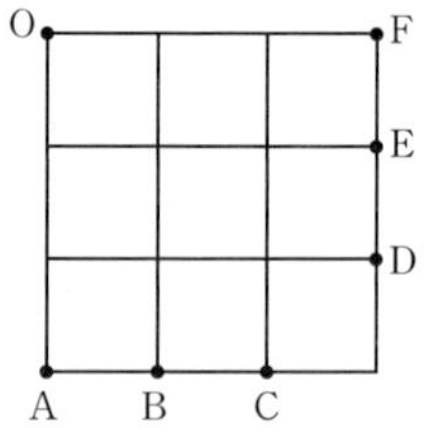

점 C 또는 점 D에 도달하는 경우임을 이용하자.

B 또는 점 E에 도달하는 경우임을 이용하자.

오른쪽으로 한 칸 이동할 확률을 p,
아래로 한 칸 이동할 확률을 q라 하면
$p+q=1$

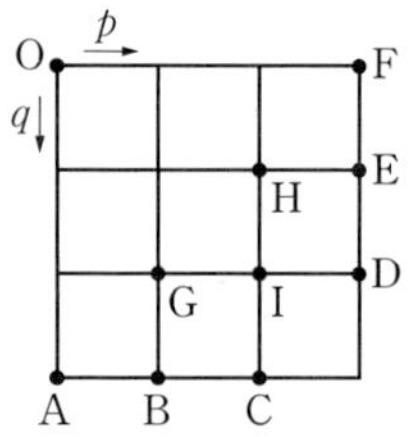

정확히 4번 만에 끝나는 경우는 점 B 또는 점 E에 도달하는 경우이므로

(i) O → G → B로 끝날 확률은

$${}_3C_1pq^2\times q=3pq^3$$

(ii) O → H → E로 끝날 확률은

$${}_3C_2p^2q\times p=3p^3q$$

(i), (ii)에서 4번 만에 끝날 확률이 $3pq^3+3p^3q$이므로

$$3pq^3+3p^3q=\frac{9}{32},\ pq(p^2+q^2)=\frac{3}{32}$$

$$pq\{(p+q)^2-2pq\}=\frac{3}{32}$$

$p+q=1$이므로 $pq-2(pq)^2=\frac{3}{32}$

$64(pq)^2-32pq+3=0$

$(8pq-1)(8pq-3)=0$

$\therefore pq=\frac{1}{8}$ 또는 $pq=\frac{3}{8}$

그런데 $p+q=1$, $pq=\frac{3}{8}$을 만족시키는 실수 p, q는 존재하지 않으므로

$pq=\frac{1}{8}$

따라서 정확히 5번 만에 끝나는 경우는 점 C 또는 점 D에 도달하는 경우이므로

(iii) O → I → C로 끝날 확률은

$_4C_2p^2q^2\times q=6p^2q^3$

(iv) O → I → D로 끝날 확률은

$_4C_2p^2q^2\times p=6p^3q^2$

(iii), (iv)에서 5번 만에 끝날 확률은

$6p^2q^3+6p^3q^2=6p^2q^2(p+q)=6(pq)^2=\frac{3}{32}$ 답 $\frac{3}{32}$

0827 각각의 확률은 모두 $\frac{1}{2}$이다.

꼭짓점이 A_1, A_2, A_3, $\cdots$, A_6인 정육각형 모양의 게임판에서 다음 규칙에 따라 게임이 진행된다.

규칙 1. A_1을 출발점으로 한다.
규칙 2. 동전을 던져 앞면이 나오면 시계 방향의 이웃한 꼭짓점으로 이동하고 뒷면이 나오면 반시계 방향의 이웃한 꼭짓점으로 이동한다.
규칙 3. A_4에 도달하면 더 이상 동전을 던지지 않고 게임은 끝난다.

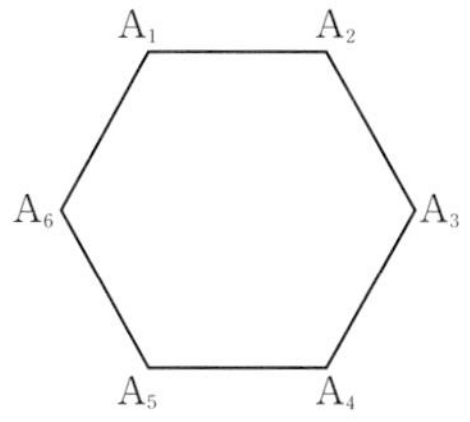

동전을 다섯 번 던져서 게임이 끝날 확률은?

→ 한 방향으로만 3번 이동하면 A_4에 도달하므로 그 사이에 반대 방향으로 1번 이동해야 한다.

가능한 경우의 수는 6가지

첫 번째 경우: $A_1\to A_2\to A_1\to A_2\to A_3\to A_4$

두 번째 경우: $A_1\to A_2\to A_3\to A_2\to A_3\to A_4$

세 번째 경우: $A_1\to A_6\to A_1\to A_2\to A_3\to A_4$

네 번째 경우: $A_1\to A_6\to A_1\to A_6\to A_5\to A_4$

다섯 번째 경우: $A_1\to A_6\to A_5\to A_6\to A_5\to A_4$

여섯 번째 경우: $A_1\to A_2\to A_1\to A_6\to A_5\to A_4$

$\therefore \frac{1}{2^5}\times 6=\frac{3}{16}$ 답 ②

0828 첫 번째에서 이긴 학생이 없을 때와 이긴 학생이 2명일 때, 각 경우 A가 최종 승자가 되는 확률을 구하자.

세 학생 A, B, C가 다음 단계에 따라 최종 승자를 정한다.

[단계 1] 세 학생이 동시에 가위바위보를 한다.
[단계 2] [단계 1]에서 이긴 학생이 1명뿐이면 그 학생이 최종 승자가 되고, 이긴 학생이 2명이면 [단계 3]으로 가고, 이긴 학생이 없으면 [단계 1]로 간다.
[단계 3] [단계 2]에서 이긴 2명 중 이긴 학생이 나올 때까지 가위바위보를 하여 이긴 학생이 최종 승자가 된다.

가위바위보를 2번 한 결과 A 학생이 최종 승자로 정해졌을 때, 2번째 가위바위보를 한 학생이 2명이었을 확률은?

(단, 각 학생이 가위, 바위, 보를 낼 확률은 각각 $\frac{1}{3}$이다.)

→ $P(Y|X)=\frac{P(X\cap Y)}{P(X\cap Y)+P(X\cap Y^C)}$임을 이용하자.

A가 2번 가위바위보를 하여 최종 승자가 되는 사건을 X, 2번째 가위바위보를 한 학생이 2명인 사건을 Y라 하자.

(i) 첫 번째에 이긴 학생이 없을 때

세 학생이 첫 번째에 모두 다른 것을 내거나 모두 같은 것을 내고, 2번째에 A가 이길 확률은

$P(X\cap Y^C)=\frac{3!+3}{3^3}\times\frac{3}{3^3}=\frac{1}{27}$

(ii) 첫 번째에 이긴 학생이 2명일 때

첫 번째에 A를 포함한 2명이 이기고, 2번째에 A가 이길 확률은

$P(X\cap Y)=\frac{3\times 2}{3^3}\times\frac{3}{3^2}=\frac{2}{27}$

(i), (ii)에서 $P(X)=P(X\cap Y^C)+P(X\cap Y)=\frac{3}{27}=\frac{1}{9}$

따라서 $P(Y|X)=\frac{P(X\cap Y)}{P(X)}=\frac{2}{3}$ 답 ④

06 확률변수와 확률분포

본책 160~182쪽

0829

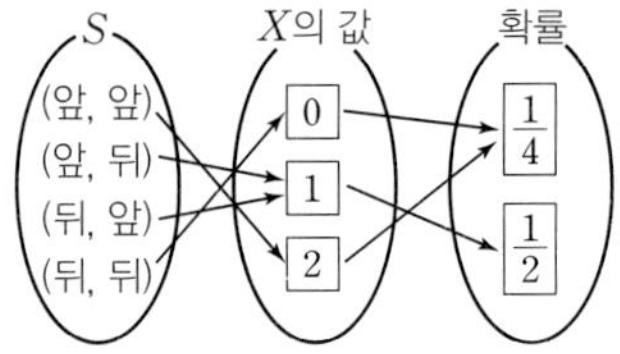

답 $0, 1, 2, \frac{1}{4}, \frac{1}{2}$

0830

한 개의 주사위를 다섯 번 던질 때, 1의 눈이 나오는 횟수를 확률변수 X라 하면 X가 가질 수 있는 값은

$0, 1, 2, 3, 4, 5$

답 $0, 1, 2, 3, 4, 5$

0831

서로 같은 동전 3개를 던질 때, 앞면이 나오는 개수를 확률변수 X라 하면 X가 가질 수 있는 값은

$0, 1, 2, 3$

답 $0, 1, 2, 3$

0832

주머니에서 2개의 구슬을 동시에 꺼낼 때 나오는 흰 구슬의 개수를 확률변수 X라 하면 X가 가질 수 있는 값은

$0, 1, 2$

답 $0, 1, 2$

0833

한 개의 동전을 두 번 던질 때 나오는 앞면의 개수 X가 가질 수 있는 값은 0, 1, 2이고 이 값을 가질 확률은 각각

$\mathrm{P}(X=0)=\frac{1}{4}, \mathrm{P}(X=1)=\frac{1}{2}, \mathrm{P}(X=2)=\frac{1}{4}$

이므로 확률분포를 표로 나타내면 다음과 같다.

X	0	1	2	합계
$\mathrm{P}(X=x)$	$\frac{1}{4}$	$\frac{1}{2}$	$\frac{1}{4}$	1

답 풀이 참조

0834

한 개의 주사위를 두 번 던질 때 5의 배수의 눈이 나오는 횟수 X가 가질 수 있는 값은 0, 1, 2이고 이 값을 가질 확률은 각각

$\mathrm{P}(X=0)=\frac{25}{36}, \mathrm{P}(X=1)=\frac{5}{18}, \mathrm{P}(X=2)=\frac{1}{36}$

이므로 확률분포를 표로 나타내면 다음과 같다.

X	0	1	2	합계
$\mathrm{P}(X=x)$	$\frac{25}{36}$	$\frac{5}{18}$	$\frac{1}{36}$	1

답 풀이 참조

0835

확률질량함수에 의하여 X가 가질 수 있는 값은 1, 2, 3이고 이 값을 가질 확률은 각각

$\mathrm{P}(X=1)=\frac{1}{4}, \mathrm{P}(X=2)=\frac{1}{4}, \mathrm{P}(X=3)=\frac{1}{2}$

X	1	2	3	합계
$\mathrm{P}(X=x)$	$\frac{1}{4}$	$\frac{1}{4}$	$\frac{1}{2}$	1

답 풀이 참조

0836

$\mathrm{P}(X=1)=\frac{1}{8}$

답 $\frac{1}{8}$

0837

$\mathrm{P}(2\le X\le 3)=\mathrm{P}(X=2)+\mathrm{P}(X=3)$

$=\frac{1}{2}+\frac{1}{4}=\frac{3}{4}$

답 $\frac{3}{4}$

0838

확률의 총합은 1이므로

$b=1$

$\frac{1}{4}+a+\frac{1}{8}+\frac{1}{2}=1$

$\therefore a=\frac{1}{8}$

답 $a=\frac{1}{8}, b=1$

0839

$\mathrm{P}(X=0)=\frac{1}{4}$

답 $\frac{1}{4}$

0840

$\mathrm{P}(X=1$ 또는 $X=2)=\mathrm{P}(X=1)+\mathrm{P}(X=2)$

$=\frac{1}{8}+\frac{1}{8}=\frac{1}{4}$

답 $\frac{1}{4}$

0841

$\mathrm{P}(X\ge 2)=\mathrm{P}(X=2)+\mathrm{P}(X=3)$

$=\frac{1}{8}+\frac{1}{2}=\frac{5}{8}$

답 $\frac{5}{8}$

0842

$X^2-X=0$에서 $X(X-1)=0$

$\therefore X=0$ 또는 $X=1$

$\therefore \mathrm{P}(X^2-X=0)=\mathrm{P}(X=0$ 또는 $X=1)$

$=\mathrm{P}(X=0)+\mathrm{P}(X=1)$

$=\frac{1}{4}+\frac{1}{8}=\frac{3}{8}$

답 $\frac{3}{8}$

0843

$\mathrm{P}(X=1)=\frac{1}{10}$

답 $\frac{1}{10}$

0844

$\mathrm{P}(X=2)+\mathrm{P}(X=3)=\frac{1}{5}+\frac{2}{5}=\frac{3}{5}$

답 $\frac{3}{5}$

0845

$\mathrm{P}(3\le X\le 5)=\mathrm{P}(X=3)+\mathrm{P}(X=4)+\mathrm{P}(X=5)$

$=\frac{2}{5}+\frac{1}{5}+\frac{1}{10}=\frac{7}{10}$

답 $\frac{7}{10}$

0846

$\sum_{x=1}^{5} \mathrm{P}(X=x)$

$=\mathrm{P}(X=1)+\mathrm{P}(X=2)+\mathrm{P}(X=3)+\mathrm{P}(X=4)+\mathrm{P}(X=5)$

$=\frac{1}{10}+\frac{1}{5}+\frac{2}{5}+\frac{1}{5}+\frac{1}{10}=1$

답 1

[0847-0849] $f(x)=\begin{cases} \frac{1}{4}x+\frac{1}{2} & (-2\le x<0) \\ -\frac{1}{4}x+\frac{1}{2} & (0\le x\le 2) \end{cases}$

0847

$\mathrm{P}(-2\le X\le 2)$는 그림에서 어두운 부분의 넓이와 같으므로

$\mathrm{P}(-2\le X\le 2)=\frac{1}{2}\times 4\times \frac{1}{2}=1$

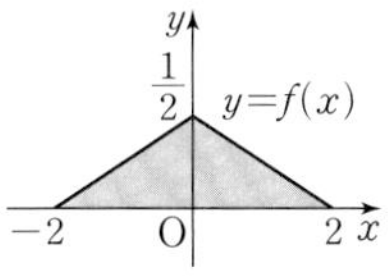

답 1

0848

$\mathrm{P}(X\ge 0)$은 그림에서 어두운 부분의 넓이와 같으므로

$\mathrm{P}(X\ge 0)=\mathrm{P}(0\le X\le 2)$

$=\frac{1}{2}\times 2\times \frac{1}{2}=\frac{1}{2}$

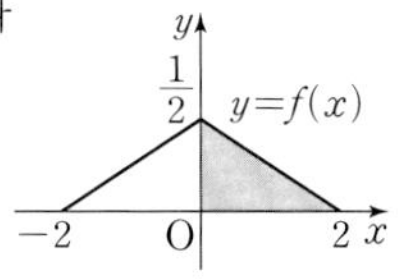

답 $\frac{1}{2}$

0849

$\mathrm{P}(X\ge 1)$은 그림에서 어두운 부분의 넓이와 같으므로

$\mathrm{P}(X\ge 1)=\mathrm{P}(1\le X\le 2)$

$=\frac{1}{2}\times 1\times \frac{1}{4}=\frac{1}{8}$

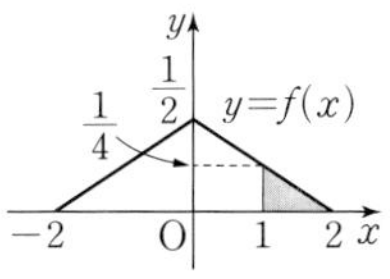

답 $\frac{1}{8}$

0850

$f(x)=k$이고, 함수 $y=f(x)$의 그래프와 x축 및 y축, 직선 $x=4$로 둘러싸인 부분의 넓이는 1이므로

$4k=1$

$\therefore k=\frac{1}{4}$

답 $\frac{1}{4}$

0851

확률밀도함수의 성질에 의하여 주어진 확률밀도함수의 그래프와 x축 및 y축으로 둘러싸인 부분의 넓이는 1이므로

$2k+\frac{1}{2}\times k\times 2=2k+k=3k=1$

$\therefore k=\frac{1}{3}$

답 $\frac{1}{3}$

0852

$f(x)=ax$이고, 함수 $y=f(x)$의 그래프와 x축 및 직선 $x=6$으로 둘러싸인 부분의 넓이가 1이므로

$\frac{1}{2}\times 6\times 6a=1$

$18a=1$

$\therefore a=\frac{1}{18}$

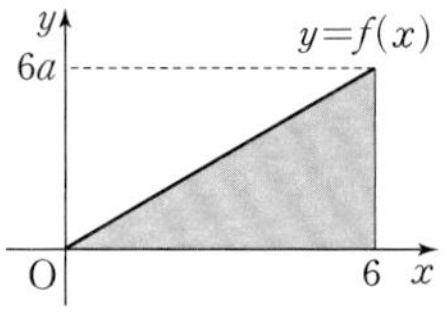

답 $\frac{1}{18}$

0853

$\mathrm{P}(0\le X\le 3)$은 그림에서 어두운 부분의 넓이와 같으므로

$\mathrm{P}(0\le X\le 3)=\frac{1}{2}\times 3\times \frac{1}{6}$

$=\frac{1}{4}$

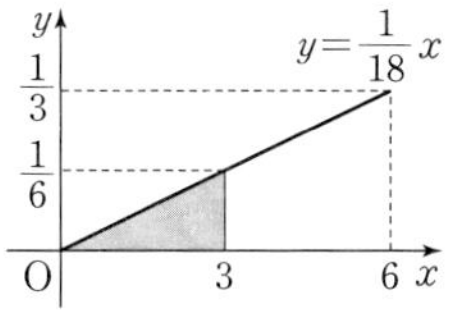

답 $\frac{1}{4}$

0854

$\mathrm{P}(X\ge 4)$은 그림에서 어두운 부분의 넓이와 같으므로

$\mathrm{P}(X\ge 4)=\frac{1}{2}\times\left(\frac{2}{9}+\frac{1}{3}\right)\times 2$

$=\frac{5}{9}$

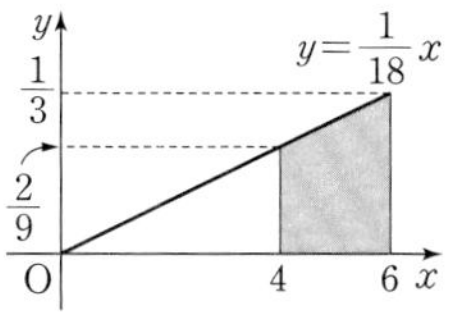

답 $\frac{5}{9}$

0855

$\mathrm{P}(2\le X\le 4)=\frac{1}{2}\times\left(\frac{1}{4}+\frac{1}{2}\right)\times 2$

$=\frac{3}{4}$

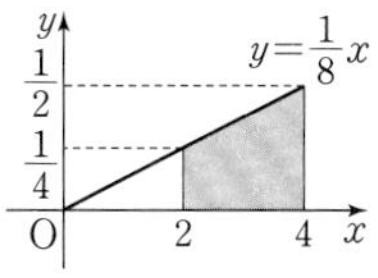

답 $\frac{3}{4}$

0856

$\mathrm{P}(X\le 1)=\mathrm{P}(0\le X\le 1)$

$=\frac{1}{2}\times 1\times \frac{1}{8}=\frac{1}{16}$

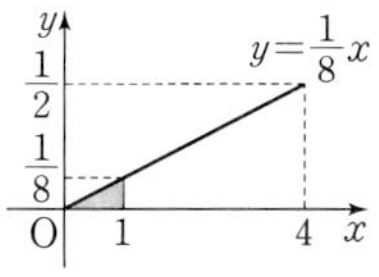

답 $\frac{1}{16}$

0857

ㄱ.

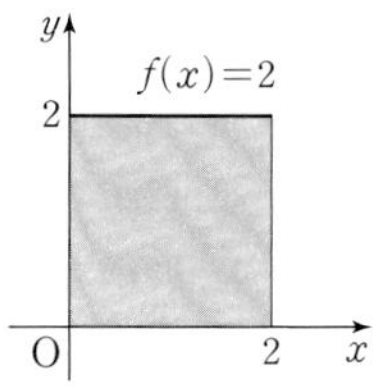

ㄴ.

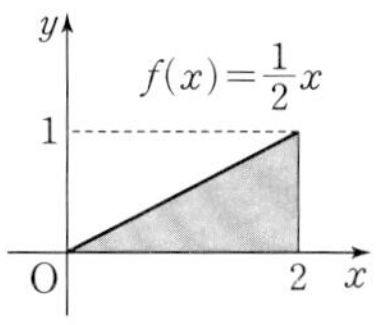

ㄷ.

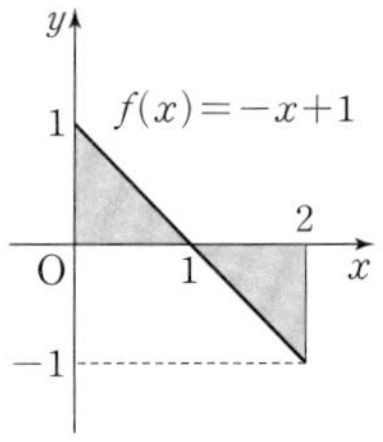

ㄹ.

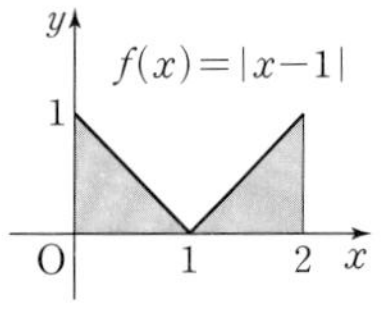

위의 그림에서 $0 \le x \le 2$에서 $f(x) \ge 0$이고 함수 $y=f(x)$의 그래프와 x축 사이의 넓이가 1인 것을 찾으면 ㄴ, ㄹ이므로 확률밀도함수인 것은 ㄴ, ㄹ이다.

답 ㄴ, ㄹ

0858

> 다음 확률변수 중 이산확률변수인 것은?
>
> • 확률변수 X가 유한개의 값을 가지거나 자연수와 같이 셀 수 있어야 한다.
>
> ① 매 달 내리는 비의 강수량
> ② 어느 고등학교 학생들의 키
> ③ 지난 한 달 동안의 제주도의 기온
> ④ 공항에 도착하는 비행기의 비행시간
> ⑤ 각 선생님의 컴퓨터에 있는 폴더의 개수

연속된 길이, 양, 무게, 시간 등은 연속확률변수이므로
①, ②, ③, ④는 연속확률변수이다.
⑤는 정확한 개수를 셀 수 있으므로 이산확률변수이다.

답 ⑤

0859

• 확률변수 X가 어떤 범위에 속하는 모든 실수값을 가져야 한다.

> 다음 확률변수 중 연속확률변수인 것은?
>
> ① 한 개의 주사위를 10번 던져 나오는 눈의 수의 합
> ② 우리 반 학생들의 핸드폰에 있는 앱의 개수
> ③ 어느 공장에서 생산되는 불량품의 개수
> ④ 과수원에서 수확하는 사과의 무게
> ⑤ 올림픽에서 각 나라가 따는 메달의 개수

①, ②, ③, ⑤는 정확한 개수를 셀 수 있으므로 이산확률변수이다.
④는 연속적인 실수가 변수이므로 연속확률변수이다.

답 ④

0860

> 주머니 속에 1, 2, 3, 4, 5가 각각 하나씩 적힌 5개의 공이 들어 있다. 이 주머니에서 임의로 2개의 공을 동시에 꺼낼 때, 홀수가 적힌 공의 개수를 확률변수 X라 하자. X가 가질 수 있는 값들의 합을 구하시오.
>
> • 홀수의 공을 0개, 1개, 2개 꺼낼 수 있다.

5개의 공이 들어 있는 주머니에서 임의로 2개의 공을 동시에 꺼낼 때, 홀수가 적힌 공의 개수가 확률변수 X이므로 X가 가질 수 있는 값은 0, 1, 2이다.
따라서 X가 가질 수 있는 값들의 합은
$0+1+2=3$

답 3

0861

> 2, 4, 6, 8의 숫자가 각 면에 하나씩 적혀 있는 정사면체를 한 번 던지는 시행에서 바닥에 닿는 면을 제외한 세 면의 숫자의 합을 확률변수 X라 할 때, X가 가질 수 있는 값을 모두 구하시오.
>
> 모두 4가지 경우가 있음을 이용하자. •

바닥에 닿는 면을 제외한 세 면의 숫자를 각각 a, b, c라 하고 순서쌍 (a, b, c)로 나타내면
$(2, 4, 6)$인 경우: $X=12$
$(2, 4, 8)$인 경우: $X=14$
$(2, 6, 8)$인 경우: $X=16$
$(4, 6, 8)$인 경우: $X=18$
따라서 확률변수 X가 가질 수 있는 값은 12, 14, 16, 18이다.

답 12, 14, 16, 18

0862

> 0, 2, 4, 6, 8, 10의 숫자가 각각 하나씩 적혀 있는 6장의 카드 중에서 임의로 2장의 카드를 동시에 뽑을 때, 뽑힌 2장의 카드에 적혀 있는 두 수의 차를 확률변수 X라 하자. X가 가질 수 있는 값을 모두 구하시오.
>
> • 두 수의 차 중에서 최댓값은 10이고, 최솟값은 2이다.

뽑힌 2장의 카드가
(i) $(0, 2)$, $(2, 4)$, $(4, 6)$, $(6, 8)$, $(8, 10)$인 경우: $X=2$
(ii) $(0, 4)$, $(2, 6)$, $(4, 8)$, $(6, 10)$인 경우: $X=4$
(iii) $(0, 6)$, $(2, 8)$, $(4, 10)$인 경우: $X=6$
(iv) $(0, 8)$, $(2, 10)$인 경우: $X=8$
(v) $(0, 10)$인 경우: $X=10$
(i)~(v)에 의하여 확률변수 X가 가질 수 있는 값은
2, 4, 6, 8, 10이다.

답 2, 4, 6, 8, 10

0863

• 확률변수 X의 확률의 총합은 1임을 이용하자.

> 확률변수 X의 확률분포가 다음 표와 같을 때, $a+b$의 값을 구하시오. (단, a, b는 상수이다.)

X	1	2	3	4	합계
$P(X=x)$	$\frac{1}{12}$	$\frac{5}{12}$	a	$2a$	b

$\frac{1}{12}+\frac{5}{12}+a+2a=1$, $3a=\frac{1}{2}$
$\therefore a=\frac{1}{6}$, $b=1$
$\therefore a+b=\frac{1}{6}+1=\frac{7}{6}$

답 $\frac{7}{6}$

0864 확률변수 X의 확률의 총합은 1임을 이용하자.

확률변수 X의 확률분포를 나타낸 표가 다음과 같을 때, 상수 a의 값은?

X	1	2	3	4	합계
$\mathrm{P}(X=x)$	$\frac{1}{8}$	$4a^2$	$\frac{1}{2}a$	$\frac{1}{8}$	1

$\frac{1}{8}+4a^2+\frac{1}{2}a+\frac{1}{8}=1$

$16a^2+2a-3=0$

$(8a-3)(2a+1)=0$

$\therefore a=\frac{3}{8}$ $(\because a>0)$ 답 ③

0865 $\mathrm{P}(X=0)+\mathrm{P}(X=1)+\mathrm{P}(X=2)=1$임을 이용하자.

확률변수 X의 확률질량함수가

$\mathrm{P}(X=x)=k(x+1)$ $(x=0, 1, 2)$

일 때, 상수 k의 값을 구하시오.

$\mathrm{P}(X=0)+\mathrm{P}(X=1)+\mathrm{P}(X=2)=1$에서

$k+2k+3k=1$

$6k=1$ $\therefore k=\frac{1}{6}$ 답 $\frac{1}{6}$

0866 확률의 합을 구하기 위해 부분분수를 이용하자.

확률변수 X의 확률질량함수가

$\mathrm{P}(X=x)=\frac{a}{(2x-1)(2x+1)}$ $(x=1, 2, \cdots, 9)$

일 때, 상수 a의 값을 구하시오.

$\frac{a}{(2x-1)(2x+1)}=\left(\frac{a}{(2x+1)-(2x-1)}\right)\left(\frac{1}{2x-1}-\frac{1}{2x+1}\right)$

$=\frac{a}{2}\left(\frac{1}{2x-1}-\frac{1}{2x+1}\right)$

$\frac{a}{2}\left\{\left(1-\frac{1}{3}\right)+\left(\frac{1}{3}-\frac{1}{5}\right)+\cdots+\left(\frac{1}{17}-\frac{1}{19}\right)\right\}=1$

$\frac{a}{2}\times\left(1-\frac{1}{19}\right)=1$

$\frac{a}{2}\times\frac{18}{19}=1$

$\therefore a=\frac{19}{9}$ 답 $\frac{19}{9}$

0867 확률의 합을 구하기 위해 부분분수를 이용하자.

확률변수 X의 확률질량함수가

$$\mathrm{P}(X=k)=\begin{cases}\frac{1}{k^2+k} & (k=1, 2, 3, 4, 5)\\ \frac{a}{k} & (k=6)\end{cases}$$

일 때, 상수 a의 값을 구하시오.

확률의 총합은 1이므로 $\sum_{k=1}^{5}\mathrm{P}(X=k)+\mathrm{P}(X=6)=1$에서

$\sum_{k=1}^{5}\frac{1}{k^2+k}+\frac{a}{6}=\sum_{k=1}^{5}\frac{1}{k(k+1)}+\frac{a}{6}$

$=\sum_{k=1}^{5}\left(\frac{1}{k}-\frac{1}{k+1}\right)+\frac{a}{6}$

$=\left\{\left(1-\frac{1}{2}\right)+\left(\frac{1}{2}-\frac{1}{3}\right)+\left(\frac{1}{3}-\frac{1}{4}\right)+\left(\frac{1}{4}-\frac{1}{5}\right)+\left(\frac{1}{5}-\frac{1}{6}\right)\right\}+\frac{a}{6}$

$=1-\frac{1}{6}+\frac{a}{6}=1$

$\therefore a=1$ 답 1

0868 확률의 합을 구하기 위해 분모의 유리화를 하자.

확률변수 X의 확률질량함수가

$\mathrm{P}(X=n)=\frac{k}{\sqrt{n+1}+\sqrt{n}}$ $(n=1, 2, \cdots, 8)$

일 때, 상수 k의 값을 구하시오.

확률의 총합은 1이므로 $\sum_{n=1}^{8}\mathrm{P}(X=n)=1$에서

$\sum_{n=1}^{8}\frac{k}{\sqrt{n+1}+\sqrt{n}}=\sum_{n=1}^{8}k(\sqrt{n+1}-\sqrt{n})$

$=k\{(\sqrt{2}-\sqrt{1})+(\sqrt{3}-\sqrt{2})+\cdots+(\sqrt{9}-\sqrt{8})\}$

$=2k=1$

$\therefore k=\frac{1}{2}$ 답 $\frac{1}{2}$

0869 $\mathrm{P}(1\le X\le 2)=\mathrm{P}(X=1)+\mathrm{P}(X=2)$임을 이용하자.

확률변수 X의 확률분포를 나타낸 표가 다음과 같을 때, $\mathrm{P}(1\le X\le 2)$는?

X	0	1	2	3	합계
$\mathrm{P}(X=x)$	$\frac{1}{6}$	a	$\frac{3}{10}$	$\frac{1}{30}$	1

확률의 총합은 1이므로

$\frac{1}{6}+a+\frac{3}{10}+\frac{1}{30}=1$ $\therefore a=\frac{1}{2}$

$\therefore \mathrm{P}(1\le X\le 2)=\mathrm{P}(X=1)+\mathrm{P}(X=2)$

$=\frac{1}{2}+\frac{3}{10}=\frac{4}{5}$ 답 ⑤

0870

확률변수 X의 확률분포를 나타낸 표가 다음과 같을 때, $\mathrm{P}(X\ge 2a)$는? 확률변수 X의 확률의 총합은 1임을 이용하자.

X	0	1	2	3	합계
$\mathrm{P}(X=x)$	$\frac{1}{8}$	$\frac{3}{8}$	a	$\frac{1}{8}$	1

확률의 총합은 1이므로

$\frac{1}{8}+\frac{3}{8}+a+\frac{1}{8}=1 \quad \therefore a=\frac{3}{8}$

$\therefore P(X\geq 2a)=P\left(X\geq \frac{3}{4}\right)$

$=P(X=1)+P(X=2)+P(X=3)$

$=\frac{3}{8}+\frac{3}{8}+\frac{1}{8}=\frac{7}{8}$

답 ⑤

0871

이산확률변수 X의 확률분포를 나타내면 다음과 같다.

X	1	2	3	합계
$P(X=x)$	a	$a+\frac{1}{4}$	$a+\frac{1}{2}$	1

$P(X\leq 2)$의 값은? → $P(X\leq 2)=1-P(X=3)$임을 이용하자.

$a+\left(a+\frac{1}{4}\right)+\left(a+\frac{1}{2}\right)=1$에서 $3a+\frac{3}{4}=1,\ a=\frac{1}{12}$

$P(X\leq 2)=1-P(X=3)=1-\left(\frac{1}{12}+\frac{1}{2}\right)=\frac{5}{12}$

답 ⑤

0872

→ $X(X+1)=0$에서 $X=-1$ 또는 $X=0$임을 이용하자.

확률변수 X의 확률분포를 나타낸 표가 다음과 같을 때, $P(X^2+X=0)$은?

X	-1	0	1	합계
$P(X=x)$	a	$\frac{1}{4}$	a	1

확률의 총합은 1이므로

$a+\frac{1}{4}+a=1 \quad \therefore a=\frac{3}{8}$

$\therefore P(X^2+X=0)=P(X(X+1)=0)$

$=P(X=-1$ 또는 $X=0)$

$=P(X=-1)+P(X=0)$

$=\frac{3}{8}+\frac{1}{4}=\frac{5}{8}$

답 ④

0873

→ 확률변수 X의 확률의 총합은 1임을 이용하자.

확률변수 X의 확률분포를 나타낸 표가 다음과 같다.

X	2	3	4	합계
$P(X=x)$	a	$2a$	$3b$	1

$P(X=2)=\frac{2}{3}P(X=4)$일 때, $P(3\leq X\leq 4)$를 구하시오.

→ $P(3\leq X\leq 4)=P(X=3)+P(X=4)$임을 이용하자.

확률의 총합은 1이므로

$a+2a+3b=1 \quad \therefore 3a+3b=1$ ······㉠

$P(X=2)=\frac{2}{3}P(X=4)$에서

$a=\frac{2}{3}\times 3b \quad \therefore a=2b$ ······㉡

㉠, ㉡을 연립하여 풀면 $a=\frac{2}{9},\ b=\frac{1}{9}$

$\therefore P(3\leq X\leq 4)=P(X=3)+P(X=4)$

$=\frac{4}{9}+\frac{3}{9}=\frac{7}{9}$

답 $\frac{7}{9}$

0874

확률변수 X의 확률분포를 나타낸 표가 다음과 같고, $P(X^2<X+2)=\frac{1}{2}$일 때, $a-b$의 값을 구하시오. (단, a, b는 상수이다.)

→ $X^2-X-2<0$에서 $-1<X<2$임을 이용하자.

X	-2	-1	0	1	2	합계
$P(X=x)$	$\frac{1}{10}$	$\frac{1}{5}$	$\frac{1}{10}$	a	b	1

확률의 총합은 1이므로

$\frac{1}{10}+\frac{1}{5}+\frac{1}{10}+a+b=1$

$\therefore a+b=\frac{3}{5}$ ······㉠

$X^2<X+2$에서 $(X+1)(X-2)<0$

$\therefore -1<X<2$

$P(X^2<X+2)=P(-1<X<2)$

$=P(X=0)+P(X=1)$

$=\frac{1}{10}+a=\frac{1}{2}$

$\therefore a=\frac{2}{5}$

$a=\frac{2}{5}$를 ㉠에 대입하면 $b=\frac{1}{5}$

$\therefore a-b=\frac{1}{5}$

답 $\frac{1}{5}$

0875

→ $P(X=1)+P(X=2)+P(X=3)+P(X\geq 4)=1$임을 이용하자.

다음과 같이 확률변수 X의 확률분포를 나타낸 표의 일부가 찢어져 보이지 않는다. $P(X\geq 4)=2P(X=1)$이 성립할 때, $P(X=3)$을 구하시오.

(단, 확률변수 X는 1, 2, 3, …, 10의 값을 갖는다.)

X	1	2	3
$P(X=x)$	$\frac{1}{6}$	$\frac{1}{12}$	

$P(X\geq 4)=2P(X=1)=2\times\frac{1}{6}=\frac{1}{3}$

확률의 총합은 1이므로

$P(X=1)+P(X=2)+P(X=3)+P(X\geq 4)=1$

$\therefore P(X=3)=1-\{P(X=1)+P(X=2)+P(X\geq 4)\}$

$=1-\left(\frac{1}{6}+\frac{1}{12}+\frac{1}{3}\right)=\frac{5}{12}$

답 $\frac{5}{12}$

0876 ← $P(X=-1)+P(X=0)+P(X=1)=1$임을 이용하자.

> 확률변수 X가 -1, 0, 1의 값을 갖고
>
> $P(X=-1)=\frac{1}{4}$, $P(X=0)=\frac{1}{6}$, $P(X=1)=k$
>
> 일 때, $P(X^2-2X-3<0)$을 구하시오. (단, k는 상수이다.)

확률의 총합은 1이므로

$\frac{1}{4}+\frac{1}{6}+k=1$ $\quad\therefore k=\frac{7}{12}$

$X^2-2X-3<0$에서

$(X+1)(X-3)<0$

$\therefore -1<X<3$

$$P(X^2-2X-3<0)=P(-1<X<3)$$
$$=P(X=0)+P(X=1)$$
$$=\frac{1}{6}+\frac{7}{12}=\frac{3}{4}$$

답 $\frac{3}{4}$

0877

> 확률변수 X의 확률질량함수가
>
> $P(X=x)=\frac{x}{k}$ $(x=1, 2, 3, 4)$
>
> 일 때, $P(2\leq X\leq 3)$은? (단, k는 상수이다.)
>
> ← 확률변수 X의 확률의 총합은 1임을 이용하자.

확률변수 X의 확률분포를 표로 나타내면 다음과 같다.

X	1	2	3	4	합계
$P(X=x)$	$\frac{1}{k}$	$\frac{2}{k}$	$\frac{3}{k}$	$\frac{4}{k}$	1

확률의 총합은 1이므로

$\frac{1}{k}+\frac{2}{k}+\frac{3}{k}+\frac{4}{k}=1$

$\frac{10}{k}=1$ $\quad\therefore k=10$

$$\therefore P(2\leq X\leq 3)=P(X=2)+P(X=3)$$
$$=\frac{2}{10}+\frac{3}{10}=\frac{5}{10}=\frac{1}{2}$$

답 ③

0878

> 확률변수 X의 확률질량함수가
>
> $P(X=x)=ax^2$ $(x=1, 2, 3, 4, 5)$
>
> 일 때, $P(X\leq 4)$를 구하시오. (단, a는 상수이다.)
>
> ← $P(X\leq 4)=1-P(X=5)$임을 이용하자.

확률의 총합은 1이므로

$P(X=1)+P(X=2)+\cdots+P(X=5)$

$=a+4a+\cdots+25a=55a=1$

$\therefore a=\frac{1}{55}$

$$\therefore P(X\leq 4)=1-P(X=5)=1-\frac{25}{55}$$
$$=\frac{6}{11}$$

답 $\frac{6}{11}$

0879

> 확률변수 X의 확률질량함수가
>
> $$P(X=x)=\begin{cases}\frac{1}{6} & (x=0, 2, 4)\\ a & (x=1, 3)\end{cases}$$ ← 확률의 총합은 1임을 이용하자.
>
> 일 때, $P(1\leq X\leq 3)$을 구하시오. (단, a는 상수이다.)
>
> $P(1\leq X\leq 3)=P(X=1)+P(X=2)+P(X=3)$임을 이용하자.

확률의 총합은 1이므로

$\sum_{x=0}^{4}P(X=x)=1$에서

$\frac{1}{6}+a+\frac{1}{6}+a+\frac{1}{6}=1$ $\quad\therefore a=\frac{1}{4}$

따라서 확률변수 X의 확률질량함수는

$$P(X=x)=\begin{cases}\frac{1}{6} & (x=0, 2, 4)\\ \frac{1}{4} & (x=1, 3)\end{cases}$$

$$\therefore P(1\leq X\leq 3)=P(X=1)+P(X=2)+P(X=3)$$
$$=\frac{1}{4}+\frac{1}{6}+\frac{1}{4}=\frac{2}{3}$$

답 $\frac{2}{3}$

0880

> 확률변수 X의 확률질량함수가
>
> $P(X=x)=\frac{k}{x(x+1)}$ $(x=1, 2, 3, 4)$
>
> 일 때, $P(X=2)$를 구하시오. (단, k는 상수이다.)
>
> ← 확률의 합을 구하기 위해 부분분수를 이용하자.

확률의 총합은 1이므로

$$\sum_{x=1}^{4}\frac{k}{x(x+1)}=k\sum_{x=1}^{4}\left(\frac{1}{x}-\frac{1}{x+1}\right)$$
$$=k\left\{\left(1-\frac{1}{2}\right)+\left(\frac{1}{2}-\frac{1}{3}\right)+\left(\frac{1}{3}-\frac{1}{4}\right)+\left(\frac{1}{4}-\frac{1}{5}\right)\right\}$$
$$=k\left(1-\frac{1}{5}\right)=\frac{4}{5}k=1$$

$\therefore k=\frac{5}{4}$

$$\therefore P(X=2)=\frac{\frac{5}{4}}{2\times 3}=\frac{5}{24}$$

답 $\frac{5}{24}$

0881

> 자연수 n에 대하여 이산확률변수 X의 확률질량함수가 다음과 같다.
>
> $P(X=x)=cx$ (단, $x=1, 2, \cdots, n$이고, c는 상수이다.)
>
> $P(X\geq 3)=\frac{6}{7}$일 때, n의 값을 구하시오.
>
> ← $P(X\geq 3)=1-\{P(X=1)+P(X=2)\}$임을 이용하자.

$$P(X\geq 3)=1-\{P(X=1)+P(X=2)\}$$
$$=1-(c+2c)$$

$=1-3c=\frac{6}{7}$

$\therefore c=\frac{1}{21}$

$\sum_{x=1}^{n}P(X=x)=\sum_{x=1}^{n}cx$

$=c\times\frac{n(n+1)}{2}$

$=\frac{1}{21}\times\frac{n(n+1)}{2}$

$=\frac{n(n+1)}{42}=1$

$\therefore n=6$ 답 6

0882

> 확률변수 X의 확률질량함수가 ← $\sum_{n=1}^{15}P(X=n)=1$임을 이용하자.
>
> $P(X=n)=k\log_4\frac{n+1}{n}\ (n=1, 2, 3, \cdots, 15)$
>
> 일 때, $P(4\le X\le 15)$를 구하시오. (단, k는 상수이다.)
>
> └ $P(4\le X\le 15)=1-P(1\le X\le 3)$임을 이용하자.

확률의 총합은 1이므로

$\sum_{n=1}^{15}P(X=n)=1$에서

$\sum_{n=1}^{15}k\log_4\frac{n+1}{n}=k\log_4 2+k\log_4\frac{3}{2}+\cdots+k\log_4\frac{16}{15}$

$=k\log_4\left(2\times\frac{3}{2}\times\cdots\times\frac{16}{15}\right)$

$=k\log_4 16=2k=1$

$\therefore k=\frac{1}{2}$

$\therefore P(4\le X\le 15)=1-P(1\le X\le 3)$

$=1-\frac{1}{2}\log_4\left(2\times\frac{3}{2}\times\frac{4}{3}\right)=\frac{1}{2}$

답 $\frac{1}{2}$

0883

> 확률변수 X의 확률질량함수가
>
> $P(X=x)=p_x\ (x=1, 2, 3, 4, 5)$
>
> 이고 확률 p_1, p_2, p_3, p_4, p_5가 이 순서대로 등차수열을 이룰 때, $P(X^2-6X+8\le 0)$을 구하시오.
>
> 각각 (p_3-2d), (p_3-d), p_3, (p_3+d), (p_3+2d)라 놓을 수 있다.

확률의 총합은 1이므로 $\sum_{x=1}^{5}P(X=x)=\sum_{x=1}^{5}p_x=1$

등차수열을 이루는 확률의 공차를 d라 하면

$p_1+p_2+p_3+p_4+p_5$

$=(p_3-2d)+(p_3-d)+p_3+(p_3+d)+(p_3+2d)$

$=5p_3=1$

$\therefore p_3=\frac{1}{5}$

$X^2-6X+8\le 0$에서

$(X-2)(X-4)\le 0 \quad \therefore 2\le X\le 4$

$P(X^2-6X+8\le 0)=P(2\le X\le 4)$

$=P(X=2)+P(X=3)+P(X=4)$

$=p_2+p_3+p_4$

$=3p_3=\frac{3}{5}$ 답 $\frac{3}{5}$

0884

> 확률변수 X의 확률질량함수가 ← $\sum_{x=1}^{5}\log_2 p_x=1$임을 이용하자.
>
> $P(X=x)=\log_2 p_x\ (x=1, 2, 3, 4, 5)$
>
> 이고, p_1, p_2, p_3, p_4, p_5가 이 순서대로 등비수열을 이룰 때, $P(X=3)$을 구하시오.
>
> └ 첫째항을 a, 공비를 r라 하자.

확률의 총합은 1이므로

$\sum_{x=1}^{5}P(X=x)=1$에서 $\sum_{x=1}^{5}\log_2 p_x=1$

p_1, p_2, p_3, p_4, p_5가 이 순서대로 등비수열을 이루므로

$p_x=ar^{x-1}$으로 놓으면

$\sum_{x=1}^{5}\log_2 p_x=\log_2 p_1p_2p_3p_4p_5$

$=\log_2 a^5r^{10}$

즉, $5\log_2 ar^2=1$에서 $\log_2 ar^2=\frac{1}{5}$

$\therefore P(X=3)=\log_2 p_3=\log_2 ar^2=\frac{1}{5}$ 답 $\frac{1}{5}$

0885

> 확률변수 X의 확률질량함수가
>
> $P(X=x)=\begin{cases} c & (x=0, 1, 2) \\ 2c & (x=3, 4, 5) \\ 5c^2 & (x=6, 7) \end{cases}$ ← 확률의 총합은 1임을 이용하자.
>
> 이다. 확률변수 X가 6 이상일 사건을 A, 확률변수 X가 3 이상일 사건을 B라 할 때, $P(A|B)$를 구하시오. (단, c는 양수이다.)
>
> └ $P(A|B)=\frac{P(A\cap B)}{P(B)}$임을 이용하자.

확률의 총합은 1이므로 $3\times c+3\times 2c+2\times 5c^2=1$

$10c^2+9c-1=0$, $(10c-1)(c+1)=0$

$\therefore c=\frac{1}{10}\ (\because c>0)$

$\therefore P(X=x)=\begin{cases} \frac{1}{10} & (x=0, 1, 2) \\ \frac{1}{5} & (x=3, 4, 5) \\ \frac{1}{20} & (x=6, 7) \end{cases}$

$P(B)=\frac{1}{5}+\frac{1}{5}+\frac{1}{5}+\frac{1}{20}+\frac{1}{20}=\frac{7}{10}$

$P(A\cap B)=\frac{1}{20}+\frac{1}{20}=\frac{1}{10}$

$\therefore P(A|B)=\frac{P(A\cap B)}{P(B)}=\frac{1}{7}$ 답 $\frac{1}{7}$

0886

0개, 1개, 2개, 3개를 뽑을 수 있다.

> 불량품 4개가 포함된 7개의 제품 중에서 임의로 3개의 제품을 동시에 뽑아서 나오는 불량품의 개수를 확률변수 X라 할 때, $P(1 \le X \le 3)$은?
>
> $P(1 \le X \le 3) = P(X=1) + P(X=2) + P(X=3)$임을 이용하자.

확률변수 X가 가질 수 있는 값은 0, 1, 2, 3이고 그 각각의 확률은

$P(X=0) = \frac{{}_3C_3}{{}_7C_3} = \frac{1}{35}$

$P(X=1) = \frac{{}_4C_1 \times {}_3C_2}{{}_7C_3} = \frac{12}{35}$

$P(X=2) = \frac{{}_4C_2 \times {}_3C_1}{{}_7C_3} = \frac{18}{35}$

$P(X=3) = \frac{{}_4C_3}{{}_7C_3} = \frac{4}{35}$

$\therefore P(1 \le X \le 3) = P(X=1) + P(X=2) + P(X=3)$

$= \frac{12}{35} + \frac{18}{35} + \frac{4}{35} = \frac{34}{35}$

답 ①

0887

0개, 1개, 2개, 3개를 뽑을 수 있다.

> 10개의 제비 중에 4개의 당첨 제비가 있다. 10개 중에서 3개의 제비를 임의로 뽑아 나오는 당첨 제비의 개수를 확률변수 X라 할 때, $P(X \le 1)$을 구하시오.
>
> $P(X \le 1) = P(X=0) + P(X=1)$임을 이용하자.

확률변수 X가 가질 수 있는 값은 0, 1, 2, 3이고, 그 각각의 확률은

$P(X=0) = \frac{{}_6C_3}{{}_{10}C_3} = \frac{1}{6}$

$P(X=1) = \frac{{}_6C_2 \times {}_4C_1}{{}_{10}C_3} = \frac{1}{2}$

$P(X=2) = \frac{{}_6C_1 \times {}_4C_2}{{}_{10}C_3} = \frac{3}{10}$

$P(X=3) = \frac{{}_4C_3}{{}_{10}C_3} = \frac{1}{30}$

$\therefore P(X \le 1) = P(X=0) + P(X=1)$

$= \frac{1}{6} + \frac{1}{2} = \frac{2}{3}$

답 $\frac{2}{3}$

0888

확률변수 X가 가질 수 있는 값은 0, 1, 2임을 이용하자.

> 흰 공 2개와 빨간 공 4개가 들어 있는 주머니에서 2개의 공을 꺼낼 때, 나오는 흰 공의 개수를 확률변수 X라 하자. $P(X^2-3X+2=0)$을 구하시오.
>
> $X=1$ 또는 $X=2$임을 이용하자.

확률변수 X가 가질 수 있는 값은 0, 1, 2이고 그 각각의 확률은

$P(X=0) = \frac{{}_4C_2}{{}_6C_2} = \frac{6}{15}$

$P(X=1) = \frac{{}_2C_1 \times {}_4C_1}{{}_6C_2} = \frac{8}{15}$

$P(X=2) = \frac{{}_2C_2}{{}_6C_2} = \frac{1}{15}$

$X^2-3X+2=0$에서

$(X-1)(X-2)=0 \quad \therefore X=1$ 또는 $X=2$

$\therefore P(X^2-3X+2=0) = P(X=1) + P(X=2)$

$= \frac{8}{15} + \frac{1}{15}$

$= \frac{3}{5}$

답 $\frac{3}{5}$

0889

2, 3, 4, …, 12가 가능하다.

> 한 개의 주사위를 2회 던져서 나오는 눈의 수의 합을 확률변수 X라 할 때, $P(3 \le X \le 4)$를 구하시오.
>
> $P(3 \le X \le 4) = P(X=3) + P(X=4)$임을 이용하자.

확률변수 X가 가질 수 있는 값은 2, 3, 4, …, 12이다.

$P(3 \le X \le 4) = P(X=3) + P(X=4)$이므로

(i) $X=3$인 경우

(1, 2), (2, 1)의 2가지이므로

$P(X=3) = \frac{2}{36}$

(ii) $X=4$인 경우

(1, 3), (2, 2), (3, 1)의 3가지이므로

$P(X=4) = \frac{3}{36}$

$\therefore P(3 \le X \le 4) = P(X=3) + P(X=4)$

$= \frac{2}{36} + \frac{3}{36} = \frac{5}{36}$

답 $\frac{5}{36}$

0890

확률변수 X가 가질 수 있는 값은 0, 1, 2, 3, 4, 5임을 이용하자.

> 두 주사위 A, B를 동시에 던질 때 나오는 두 눈의 수를 각각 a, b라 하자. $|a-b|$의 값을 확률변수 X라 할 때, $P(X \ge 4) = \frac{q}{p}$이다. $p+q$의 값을 구하시오. (단, p와 q는 서로소인 자연수이다.)
>
> $P(X \ge 4) = P(X=4) + P(X=5)$임을 이용하자.

두 주사위 A, B를 동시에 던질 때 나오는 모든 경우의 수는 $6 \times 6 = 36$

$|a-b|$의 값은 0, 1, 2, 3, 4, 5이므로 확률변수 X가 가질 수 있는 값은 0, 1, 2, 3, 4, 5이고, 이 중에서 $X \ge 4$인 경우를 순서쌍 (a, b)로 나타내면 다음과 같다.

$X=4$인 경우: (1, 5), (2, 6), (5, 1), (6, 2)

$X=5$인 경우: (1, 6), (6, 1)

$\therefore P(X \ge 4) = P(X=4) + P(X=5)$

$= \frac{4}{36} + \frac{2}{36} = \frac{1}{6}$

따라서 $p=6$, $q=1$이므로

$p+q = 6+1 = 7$

답 7

0891

> 각 면에 1, 2, 3, 4의 숫자가 하나씩 적혀 있는 정사면체를 두 번 던져서 밑면에 나오는 수의 합을 확률변수 X라 할 때, $P(X \geq a)=\frac{3}{8}$을 만족시키는 정수 a의 값을 구하시오.
>
> • X의 확률분포를 확률분포표로 나타내자.

확률변수 X가 가질 수 있는 값은 2, 3, 4, 5, 6, 7, 8이다.

(i) $X=2$인 경우
(1, 1)의 1가지이므로
$P(X=2)=\frac{1}{16}$

(ii) $X=3$인 경우
(1, 2), (2, 1)의 2가지이므로
$P(X=3)=\frac{2}{16}$

(iii) $X=4$인 경우
(1, 3), (2, 2), (3, 1)의 3가지이므로
$P(X=4)=\frac{3}{16}$

(iv) $X=5$인 경우
(1, 4), (2, 3), (3, 2), (4, 1)의 4가지이므로
$P(X=5)=\frac{4}{16}$

(v) $X=6$인 경우
(2, 4), (3, 3), (4, 2)의 3가지이므로
$P(X=6)=\frac{3}{16}$

(vi) $X=7$인 경우
(3, 4), (4, 3)의 2가지이므로
$P(X=7)=\frac{2}{16}$

(vii) $X=8$인 경우
(4, 4)의 1가지이므로
$P(X=8)=\frac{1}{16}$

즉, 확률변수 X의 확률분포를 표로 나타내면 다음과 같다.

X	2	3	4	5	6	7	8	합계
$P(X=x)$	$\frac{1}{16}$	$\frac{2}{16}$	$\frac{3}{16}$	$\frac{4}{16}$	$\frac{3}{16}$	$\frac{2}{16}$	$\frac{1}{16}$	1

$P(X=6)+P(X=7)+P(X=8)=\frac{3}{8}$이므로

$P(X \geq 6)=\frac{3}{8}$ $\quad \therefore a=6$

답 6

0892

독립시행의 확률을 이용하자. •

> 세 개의 동전을 동시에 던지는 시행에서 앞면이 나오는 개수를 확률변수 X라 하자. 확률변수 X의 확률분포를 표로 나타내면 다음과 같을 때, 세 상수 a, b, c에 대하여 $a-b-c$의 값을 구하시오.
>
> | X | 0 | 1 | 2 | 3 | 합계 |
> |---|---|---|---|---|---|
> | $P(X=x)$ | $\frac{1}{8}$ | a | b | c | 1 |

확률변수 X가 가질 수 있는 값은 0, 1, 2, 3이고, 그 확률을 각각 구하면

$P(X=0)=\frac{1}{8}$, $P(X=1)=\frac{3}{8}$

$P(X=2)=\frac{3}{8}$, $P(X=3)=\frac{1}{8}$

이므로 확률변수 X의 확률분포를 표로 나타내면 다음과 같다.

X	0	1	2	3	합계
$P(X=x)$	$\frac{1}{8}$	$\frac{3}{8}$	$\frac{3}{8}$	$\frac{1}{8}$	1

따라서 $a=\frac{3}{8}$, $b=\frac{3}{8}$, $c=\frac{1}{8}$이므로

$a-b-c=-\frac{1}{8}$

답 $-\frac{1}{8}$

0893

> 한 변의 길이가 1인 정육각형의 꼭짓점 중에서 임의로 두 점을 택하여 서로 연결하여 만든 선분의 길이를 확률변수 X라 할 때, $P(X<2)$를 구하시오.
>
> • 1인 경우, $\sqrt{3}$인 경우, 2인 경우의 확률을 각각 구하자.

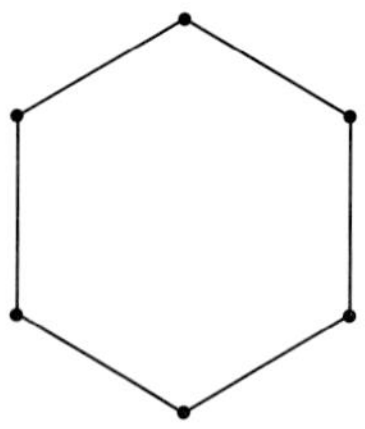

6개의 점 중에서 두 점을 택하는 경우의 수는 ${}_6C_2=15$

(i) 두 점 사이의 거리가 1인 경우 : 6가지
(ii) 두 점 사이의 거리가 $\sqrt{3}$인 경우 : 6가지
(iii) 두 점 사이의 거리가 2인 경우 : 3가지

이므로 확률변수 X의 확률분포를 표로 나타내면 다음과 같다.

X	1	$\sqrt{3}$	2	합계
$P(X=x)$	$\frac{2}{5}$	$\frac{2}{5}$	$\frac{1}{5}$	1

$\therefore P(X<2)=P(X=1)+P(X=\sqrt{3})$
$=\frac{2}{5}+\frac{2}{5}=\frac{4}{5}$

답 $\frac{4}{5}$

0894

> 원점 O를 출발하여 수직선 위를 움직이는 점 P가 있다. 점 P는 주사위를 던져 짝수의 눈이 나오면 +2만큼, 홀수의 눈이 나오면 −2만큼 이동한다. 주사위를 두 번 던질 때, 점 P의 좌표를 확률변수 X로 하는 확률분포에서 $P(X \geq 0)$은?
>
> • 확률변수 X가 가질 수 있는 값은 −4, 0, 4임을 이용하자.

확률변수 X가 가질 수 있는 값은 −4, 0, 4이다.

(i) $X=-4$인 경우
(홀, 홀)의 1가지이므로
$P(X=-4)=\frac{1}{4}$

(ii) $X=0$인 경우
(홀, 짝), (짝, 홀)의 2가지이므로
$P(X=0)=\frac{2}{4}$

(iii) $X=4$인 경우

(짝, 짝)의 1가지이므로

$\mathrm{P}(X=4)=\frac{1}{4}$

$\therefore \mathrm{P}(X\geq 0)=\mathrm{P}(X=0)+\mathrm{P}(X=4)$

$=\frac{2}{4}+\frac{1}{4}=\frac{3}{4}$

답 ③

0895 정의된 구간에서 $y=f(x)$의 그래프와 x축 및 y축으로 둘러싸인 부분의 넓이는 1임을 이용하자.

구간 $[0,\ 4]$에서 정의된 연속확률변수 X의 확률밀도함수 $y=f(x)$의 그래프가 그림과 같을 때, 상수 k의 값을 구하시오.

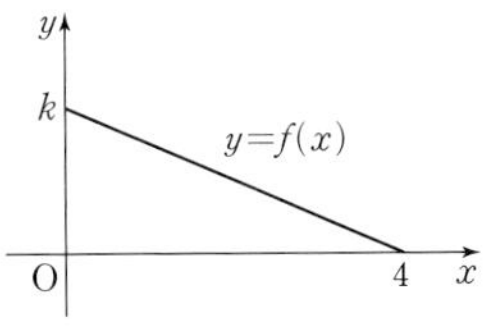

$0\leq x\leq 4$에서 함수 $y=f(x)$의 그래프와 x축 및 y축으로 둘러싸인 부분의 넓이는 1이다.

즉, $\frac{1}{2}\times 4\times k=1$이므로 $k=\frac{1}{2}$

답 $\frac{1}{2}$

다른풀이 $f(x)=-\frac{k}{4}x+k\ (0\leq x\leq 4)$이므로

$\int_0^4 f(x)\,dx=\int_0^4\left(-\frac{k}{4}x+k\right)dx=\left[-\frac{k}{8}x^2+kx\right]_0^4=2k=1$

$\therefore k=\frac{1}{2}$

0896 정의된 구간에서 $y=f(x)$의 그래프와 x축 및 $x=3$으로 둘러싸인 부분의 넓이는 1임을 이용하자.

$0\leq x\leq 3$에서 정의된 연속확률변수 X의 확률밀도함수 $y=f(x)$의 그래프가 그림과 같을 때, 상수 a의 값은?

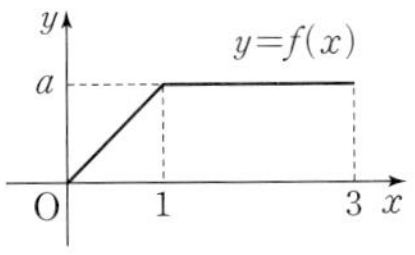

함수 $y=f(x)$의 그래프와 x축 및 직선 $x=3$으로 둘러싸인 부분의 넓이가 1이므로

$\frac{1}{2}\times(2+3)\times a=1$

$\frac{5}{2}a=1 \qquad \therefore a=\frac{2}{5}$

답 ②

0897 도형의 합동을 이용하여 $y=f(x)$의 그래프와 x축으로 둘러싸인 부분의 넓이를 구하자.

구간 $[0,\ 6]$에서 정의된 연속확률변수 X의 확률밀도함수 $y=f(x)$의 그래프가 그림과 같을 때, 상수 a의 값을 구하시오.

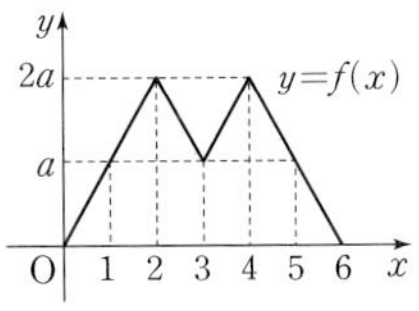

$\mathrm{P}(0\leq X\leq 1)=S$라 하면

함수 $y=f(x)$의 그래프와 x축으로 둘러싸인 부분의 넓이가 1이므로

$\mathrm{P}(0\leq X\leq 6)=14S=1$

$\therefore S=\frac{1}{14}$

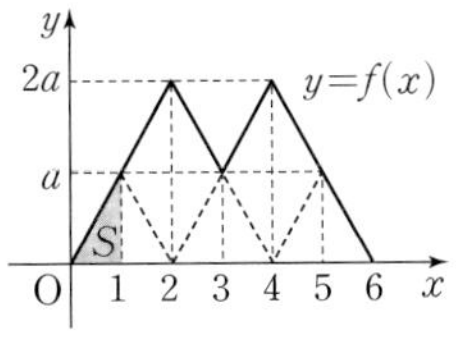

$\mathrm{P}(0\leq X\leq 1)=\frac{1}{2}\times 1\times a=\frac{1}{14}$

$\therefore a=\frac{1}{7}$

답 $\frac{1}{7}$

0898 세 직선 $y=kx$와 x축, $x=4$로 둘러싸인 도형의 넓이는 $\frac{1}{2}\times 4\times 4k=1$임을 이용하자.

연속확률변수 X의 확률밀도함수가

$f(x)=kx\ (0\leq x\leq 4)$

일 때, 상수 k의 값을 구하시오.

$f(0)=0,\ f(4)=4k$이므로

세 직선 $y=kx$와 x축, $x=4$로 둘러쌓인 도형의 넓이는

$\frac{1}{2}\times 4\times 4k=1$

$\therefore 8k=1$

$\therefore k=\frac{1}{8}$

답 $\frac{1}{8}$

0899

$0\leq x\leq 1$에서 정의된 확률변수 X의 확률밀도함수가 $f(x)=ax+a$일 때, 상수 $30a$의 값을 구하시오.

네 직선 $y=ax+a$, x축, $x=0$, $x=1$으로 둘러싸인 도형의 넓이는 1임을 이용하자.

$f(0)=a,\ f(1)=2a\ (a>0)$이므로

네 직선 $y=ax+a$와 x축, $x=0$, $x=1$로 둘러쌓인 도형의 넓이는

$\frac{(a+2a)\times 1}{2}=1$

$\therefore 3a=2$

$\therefore 30a=20$

답 20

0900

연속확률변수 X의 확률밀도함수가

$f(x)=\begin{cases} kx & (0\leq x<1) \\ -k(x-2) & (1\leq x\leq 2)\end{cases}$

일 때, 상수 k의 값은?

주어진 함수의 그래프를 좌표평면 위에 직접 그리자.

함수 $y=f(x)$의 그래프와 x축으로 둘러싸인 부분의 넓이가 1이므로

$\frac{1}{2}\times 2\times k=1$

$\therefore k=1$

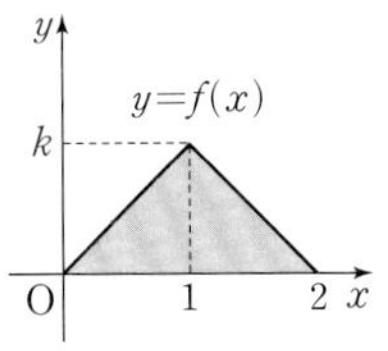

답 ④

0901 $x<0$일 때, $a(1+x)$이고, $x>0$일 때, $a(1-x)$임을 이용하자.

연속확률변수 X의 확률밀도함수가 $f(x)=a(1-|x|)\ (-1\leq x\leq 1)$일 때, 상수 a의 값을 구하시오.

$-1\le x\le 1$에서 $f(x)\ge 0$이어야 하므로

$a\ge 0$

즉, 함수 $y=f(x)$의 그래프는 그림과 같다.

따라서 함수 $y=f(x)$의 그래프와 x축으로 둘러싸인 부분의 넓이가 1이므로

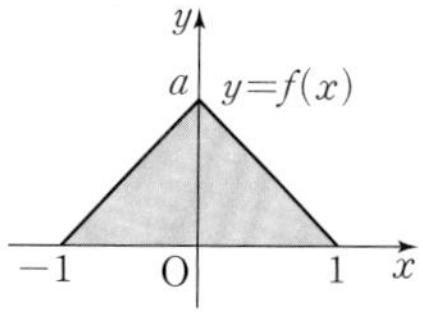

$\frac{1}{2}\times 2\times a=1$ $\quad\therefore a=1$

답 1

0902

$0\le x<1$, $1\le x<2$, $2\le x\le 3$일 때로 나누어 함수식을 구하자.

> $a>0$, $b>0$일 때, $[0, 3]$의 값을 갖는 확률변수 X의 확률밀도함수가 $f(x)=a|x|+b|x-1|+b|x-2|+a|x-3|$이다. $3a=b$일 때, $a+b$의 값을 구하시오.
>
> $y=f(x)$의 그래프와 주어진 구간에서 x축과의 넓이가 1임을 이용하자.

$f(x)=a|x|+b|x-1|+b|x-2|+a|x-3|$에서

(i) $0\le x<1$일 때,

$f(x)=ax-b(x-1)-b(x-2)-a(x-3)$

$=-2bx+3a+3b$

(ii) $1\le x<2$일 때,

$f(x)=ax+b(x-1)-b(x-2)-a(x-3)$

$=3a+b$

(iii) $2\le x\le 3$일 때,

$f(x)=ax+b(x-1)+b(x-2)-a(x-3)$

$=2bx+3a-3b$

이므로 그래프는 아래 그림과 같다.

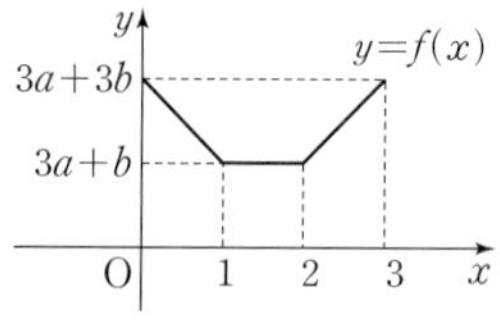

$y=f(x)$의 그래프와 주어진 구간에서 x축과의 넓이가 1이 되어야 하므로

$2\times\frac{1}{2}\times 1\times(3a+3b+3a+b)+3a+b=1$

$9a+5b=1$

$3a=b$이므로

$3b+5b=1$

$\therefore b=\frac{1}{8}$, $a=\frac{1}{24}$

$\therefore a+b=\frac{1}{24}+\frac{1}{8}=\frac{1}{6}$

답 $\frac{1}{6}$

0903

> $0\le x\le b$에서 정의된 연속확률변수 X의 확률밀도함수 $y=f(x)$의 그래프가 그림과 같고, $\mathrm{P}(0\le X\le a)=\frac{1}{2}$일 때, $a+b$의 값을 구하시오.
>
> 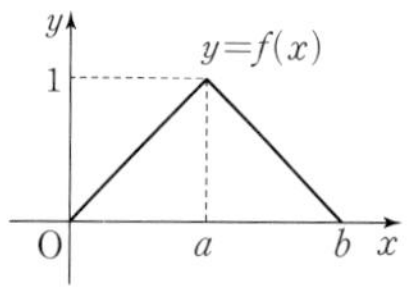
>
>
> $y=f(x)$의 그래프와 x축, $x=a$로 둘러싸인 부분의 넓이가 $\frac{1}{2}$임을 이용하자.

$\mathrm{P}(0\le X\le a)=\frac{1}{2}$이므로

$\frac{1}{2}\times a\times 1=\frac{1}{2}$ $\quad\therefore a=1$

함수 $y=f(x)$의 그래프와 x축으로 둘러싸인 부분의 넓이는 1이므로

$\frac{1}{2}\times b\times 1=1$ $\quad\therefore b=2$

$\therefore a+b=1+2=3$

답 3

0904

주어진 구간에서 $y=f(x)$의 그래프와 x축으로 둘러싸인 부분의 넓이가 1임을 이용하자.

> 연속확률변수 X가 갖는 값의 범위가 $0\le X\le 6$이고 확률밀도함수 $y=f(x)$의 그래프가 그림과 같을 때, 확률 $\mathrm{P}(2\le X\le 5)$의 값은?
>
> $=\mathrm{P}(2\le X\le 4)+\mathrm{P}(4\le X\le 5)$임을 이용하자.
>
> 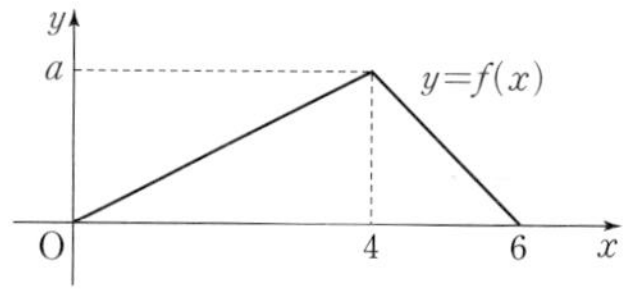
>

함수 $y=f(x)$의 그래프와 x축으로 둘러쌓인 도형의 넓이는

$\frac{1}{2}\times 6\times a=1$

$\therefore a=\frac{1}{3}$

$\mathrm{P}(2\le X\le 4)=\frac{1}{2}\times\left(\frac{a}{2}+a\right)\times 2=\frac{3a}{2}=\frac{1}{2}$

$\mathrm{P}(4\le X\le 5)=\frac{1}{2}\times\left(a+\frac{a}{2}\right)\times 1=\frac{3a}{4}=\frac{1}{4}$

$\therefore \mathrm{P}(2\le X\le 5)=\mathrm{P}(2\le X\le 4)+\mathrm{P}(4\le X\le 5)$

$=\frac{1}{2}+\frac{1}{4}=\frac{3}{4}$

답 ③

0905

주어진 구간에서 함수의 그래프와 x축으로 둘러싸인 부분의 넓이가 1임을 이용하자.

> 연속확률변수 X가 갖는 값의 범위는 $0\le X\le 2$이고, X의 확률밀도함수의 그래프가 그림과 같을 때, $\mathrm{P}\left(\frac{1}{3}\le X\le a\right)$의 값은? (단, a는 상수이다.)
>
> 각 구역으로 나누어 넓이를 구하자.
>
> 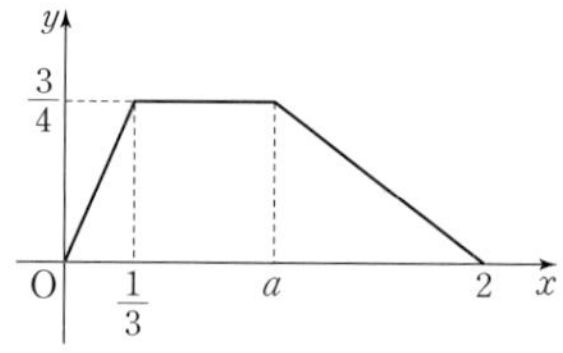
>

$0\le x\le 2$에서 확률밀도함수의 그래프와 x축으로 둘러싸인 부분의 넓이가 1이므로

$\frac{1}{2}\times\frac{1}{3}\times\frac{3}{4}+\left(a-\frac{1}{3}\right)\times\frac{3}{4}+\frac{1}{2}\times(2-a)\times\frac{3}{4}=1,$

$\frac{1}{8}+\frac{3}{4}a-\frac{1}{4}+\frac{3}{4}-\frac{3}{8}a=1$

$\therefore a=1$

$\therefore \mathrm{P}\left(\frac{1}{3}\le X\le a\right)=\mathrm{P}\left(\frac{1}{3}\le X\le 1\right)$

$=\left(1-\frac{1}{3}\right)\times\frac{3}{4}$

$=\frac{1}{2}$

답 ④

0906

→ $y=f(x)$의 그래프와 x축으로 둘러싸인 부분의 넓이가 1임을 이용하자.

> $0\le x\le 3$에서 정의된 연속확률변수 X의 확률밀도함수 $y=f(x)$의 그래프가 그림과 같을 때, $P(1\le X\le 2)$를 구하시오.
>
> 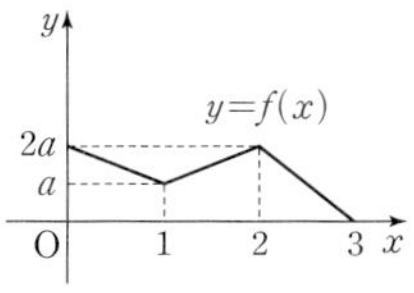
>
>
> $y=f(x)$의 그래프와 x축, $x=1$, $x=2$로 둘러싸인 부분의 넓이를 구하자.

함수 $y=f(x)$의 그래프와 x축 및 y축으로 둘러싸인 부분의 넓이가 1이므로

$\frac{1}{2}\times(2a+a)\times1+\frac{1}{2}\times(a+2a)\times1+\frac{1}{2}\times1\times2a=4a=1$

$\therefore a=\frac{1}{4}$

$\therefore P(1\le X\le 2)=\frac{1}{2}\times\left(\frac{1}{4}+\frac{1}{2}\right)\times1=\frac{3}{8}$ 답 $\frac{3}{8}$

0907

→ 확률밀도함수의 그래프와 x축으로 둘러싸인 부분의 넓이가 1임을 이용하자.

> 연속확률변수 X가 갖는 값의 범위는 $0\le X\le 10$이고, X의 확률밀도함수의 그래프는 그림과 같다.
>
> 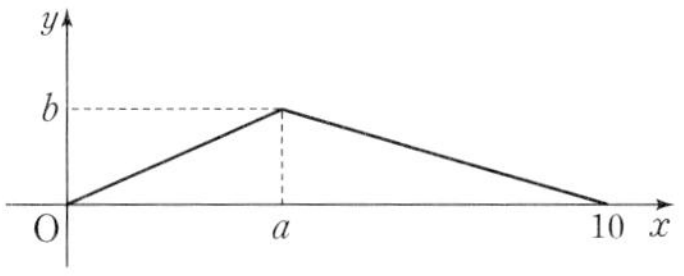
>
>
> $P(0\le X\le a)=\frac{2}{5}$일 때, 두 상수 a, b의 합 $a+b$의 값은?
>
> → $\frac{1}{2}ab$임을 이용하자.

확률밀도함수의 그래프와 x축으로 둘러싸인 부분의 넓이는 1이므로

$\frac{1}{2}\times10\times b=1$

$\therefore b=\frac{1}{5}$

$P(0\le X\le a)=\frac{2}{5}$이므로

$\frac{1}{2}\times a\times\frac{1}{5}=\frac{2}{5}$

$\therefore a=4$

$\therefore a+b=4+\frac{1}{5}=\frac{21}{5}$ 답 ①

0908

> 연속확률변수 X가 갖는 값의 범위는 $0\le X\le b$이고, X의 확률밀도함수의 그래프는 그림과 같다.
>
> 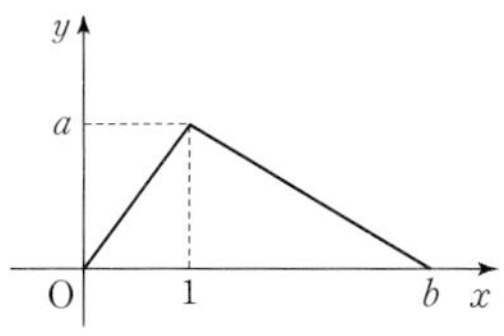
>
>
> $3P(0\le X\le 1)=P(1\le X\le b)$일 때, $a+b$의 값을 구하시오.
>
> → $P(0\le X\le 1)+P(1\le X\le b)=1$임을 이용하자.

확률밀도함수의 그래프와 x축으로 둘러싸인 부분의 넓이가 1이고, $3P(0\le X\le 1)=P(1\le X\le b)$이므로

$P(0\le X\le 1)=\frac{1}{4}$,

$P(1\le X\le b)=\frac{3}{4}$이다.

$P(0\le X\le 1)=\frac{1}{2}\times1\times a$

$=\frac{1}{4}$

$\therefore a=\frac{1}{2}$

$P(1\le X\le b)=\frac{1}{2}\times(b-1)\times\frac{1}{2}$

$=\frac{3}{4}$

$\therefore b=4$

$\therefore a+b=\frac{1}{2}+4=\frac{9}{2}$ 답 $\frac{9}{2}$

0909

→ $P(0\le X\le 2)=1$임을 이용하자.

> 연속확률변수 X가 갖는 값의 범위가 $0\le x\le 2$이고, 확률밀도함수의 그래프는 다음과 같다. $P(a\le X\le b)=\frac{1}{2}$일 때, $k=\frac{q}{p}$이다. p^2+q^2의 값을 구하시오.
>
> 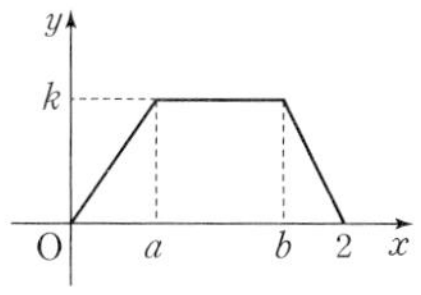
>
>
> (단, p, q는 서로소인 자연수이다.)
>
> $(b-a)k=\frac{1}{2}$임을 이용하자.

$P(a\le X\le b)=(b-a)k=\frac{1}{2}$ ⋯⋯ ㉠

$P(0\le X\le 2)=\frac{1}{2}ak+(b-a)k+\frac{1}{2}(2-b)k=1$에서

$(b-a+2)k=2$ ⋯⋯ ㉡

㉠, ㉡을 연립하여 풀면 $k=\frac{3}{4}$

따라서 $p=4$, $q=3$이므로

$p^2+q^2=16+9=25$ 답 25

0910

→ 확률밀도함수는 $0\le x\le 1$일 때, $y=x$이고, $1<x\le 2$일 때, $y=-x+2$임을 이용하자.

> 연속확률변수 X가 갖는 값의 범위는 $0\le X\le 2$이고, X의 확률밀도함수의 그래프는 그림과 같다.
>
> 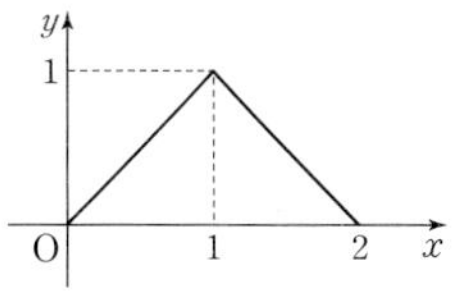
>
>
> 확률 $P\left(a\le X\le a+\frac{1}{2}\right)$의 값이 최대가 되도록 하는 상수 a의 값은?
>
> → 구간의 범위 안에 1이 포함되어야 한다.

확률 $P\left(a\le X\le a+\frac{1}{2}\right)$의 값이 최대가 되려면 구간 $a\le x\le a+\frac{1}{2}$ 안

에 1이 포함되어 있어야 하므로 $\frac{1}{2}<a<1$인 경우를 생각한다.

$\frac{1}{2}<a<1$일 때 $1<a+\frac{1}{2}<\frac{3}{2}$이므로

$$\mathrm{P}\left(a\le X\le a+\frac{1}{2}\right)=\frac{1}{2}(1+a)(1-a)+\frac{1}{2}\left(\frac{5}{2}-a\right)\left(a-\frac{1}{2}\right)$$
$$=-a^2+\frac{3}{2}a-\frac{1}{8}$$
$$=-\left(a-\frac{3}{4}\right)^2+\frac{7}{16}$$

따라서 $a=\frac{3}{4}$일 때 확률 $\mathrm{P}\left(a\le X\le a+\frac{1}{2}\right)$의 값이 최대이다.

답 ④

0911

확률밀도함수의 그래프와 x축 및 $x=1$으로 둘러싸인 부분의 넓이를 구하자.

> 연속확률변수 X의 확률밀도함수가 $f(x)=\frac{1}{2}x\ (0\le x\le 2)$일 때, $\mathrm{P}(0\le X\le 1)$은?

$\mathrm{P}(0\le X\le 1)$은 그림에서 어두운 부분의 넓이와 같으므로

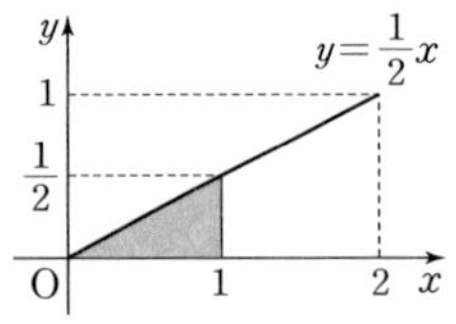

$$\mathrm{P}(0\le X\le 1)=\frac{1}{2}\times 1\times\frac{1}{2}$$
$$=\frac{1}{4}$$

답 ③

0912

확률밀도함수의 그래프와 x축 및 $x=3$으로 둘러싸인 부분의 넓이가 1임을 이용하자.

> 연속확률변수 X의 확률밀도함수가 $f(x)=ax\ (0\le x\le 3)$일 때, $\mathrm{P}(2\le X\le 3)$을 구하시오. (단, a는 상수이다.)

사다리꼴의 넓이를 구하는 공식을 이용하자.

함수 $y=f(x)$의 그래프와 x축 및 직선 $x=3$으로 둘러싸인 부분의 넓이가 1이므로

$\frac{1}{2}\times 3\times 3a=1 \quad \therefore a=\frac{2}{9}$

따라서 $\mathrm{P}(2\le X\le 3)$은 그림에서 어두운 부분의 넓이와 같으므로

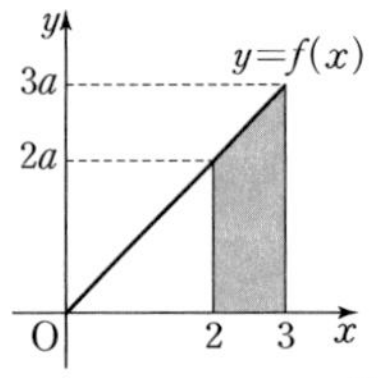

$$\mathrm{P}(2\le X\le 3)=\frac{1}{2}\times\left(\frac{4}{9}+\frac{6}{9}\right)\times 1$$
$$=\frac{5}{9}$$

답 $\frac{5}{9}$

0913

확률밀도함수의 그래프와 x축 및 $x=2$로 둘러싸인 부분의 넓이가 1임을 이용하자.

> 연속확률변수 X의 확률밀도함수가 $f(x)=kx\ (0\le x\le 2)$일 때, $\mathrm{P}(0\le X\le k)$을 구하시오.

함수 $y=f(x)$의 그래프와 x축 및 직선 $x=2$로 둘러싸인 부분의 넓이가 1이므로

$\frac{1}{2}\times 2\times 2k=1 \quad \therefore k=\frac{1}{2}$

따라서 $\mathrm{P}(0\le X\le k)$는 그림에서 어두운 부분의 넓이와 같으므로

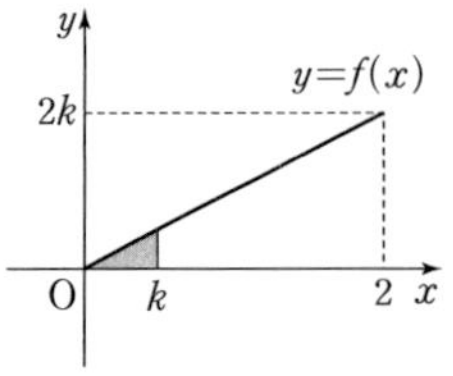

$$\mathrm{P}(0\le X\le k)=\mathrm{P}\left(0\le X\le\frac{1}{2}\right)$$
$$=\frac{1}{2}\times\frac{1}{2}\times\frac{1}{4}$$
$$=\frac{1}{16}$$

답 $\frac{1}{16}$

0914

$y=f(x)$의 그래프와 x축, y축 및 직선 $x=2$로 둘러싸인 부분의 넓이가 1임을 이용하자.

> 연속확률변수 X의 확률밀도함수가 $0\le x\le 2$에서 $f(x)=2ax+a$로 정의될 때, $\mathrm{P}(0\le X\le 1)$은?
> (단, a는 상수이다.)

함수 $y=f(x)$의 그래프와 x축, y축 및 직선 $x=2$로 둘러싸인 부분의 넓이가 1이므로

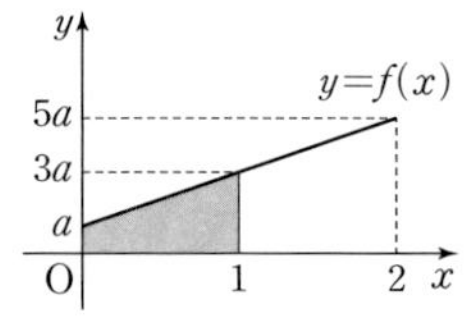

$\frac{1}{2}\times(a+5a)\times 2=1$

$\therefore a=\frac{1}{6}$

따라서 $\mathrm{P}(0\le X\le 1)$은 그림에서 어두운 부분의 넓이와 같으므로

$\mathrm{P}(0\le X\le 1)=\frac{1}{2}\times\left(\frac{1}{6}+\frac{1}{2}\right)\times 1=\frac{1}{3}$

답 ②

0915

> 연속확률변수 X의 확률밀도함수가
> $$f(x)=\begin{cases}x+1 & (-1\le x<0)\\ 1-x & (0\le x\le 1)\end{cases}$$
> 일 때, $\mathrm{P}\left(-\frac{1}{2}\le X\le 1\right)$을 구하시오.

y축에 대하여 대칭인 함수이다.

구간에서의 확률은 구간에서의 넓이와 같다.

$\mathrm{P}\left(-\frac{1}{2}\le X\le 1\right)$은 그림에서 어두운 부분의 넓이와 같으므로

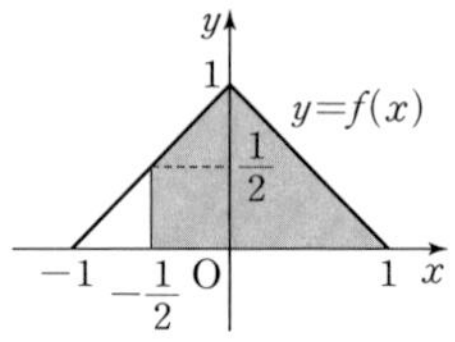

$$\mathrm{P}\left(-\frac{1}{2}\le X\le 1\right)$$
$$=\frac{1}{2}\times\left(\frac{1}{2}+1\right)\times\frac{1}{2}+\frac{1}{2}\times 1\times 1$$
$$=\frac{7}{8}$$

답 $\frac{7}{8}$

0916

> 연속확률변수 X의 확률밀도함수 $f(x)$가
> $$f(x)=\begin{cases}kx & (0\le x<1)\\ -\frac{1}{2}k(x-3) & (1\le x\le 3)\end{cases}$$
> 일 때, $\mathrm{P}(3k\le X\le 3)$의 값을 구하시오.

함수의 그래프와 x축으로 둘러싸인 부분의 넓이가 1임을 이용하자.

해당 구간에서의 넓이를 구하자.

확률밀도함수 $y=f(x)$의 그래프는 그림과 같고, 함수 $y=f(x)$의 그래프와 x축으로 둘러싸인 부분의 넓이는 1이므로

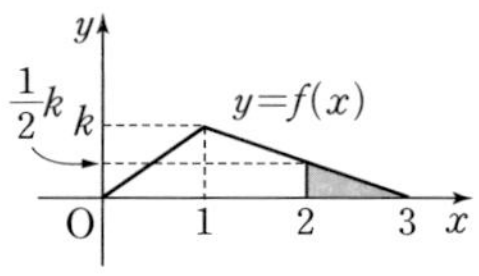

$\frac{1}{2}\times 3\times k=1$

$\therefore k=\frac{2}{3}$

$\therefore \mathrm{P}(3k\le X\le 3)=\mathrm{P}(2\le X\le 3)=\frac{1}{2}\times1\times\frac{1}{3}$

$=\frac{1}{6}$

답 $\frac{1}{6}$

0917

$|x-1|\ge 0$이므로 $k>0$이어야 한다.

> 연속확률변수 X의 확률밀도함수가
> $f(x)=k|x-1|\ (0\le x\le 3)$
> 일 때, $\mathrm{P}(X\le 2)$을 구하시오.
>
> 함수의 그래프를 그려 구간의 넓이를 구하자.

$f(x)=k|x-1|\ (0\le x\le 3)$에서

$f(x)=\begin{cases}-kx+k & (0\le x<1)\\ kx-k & (1\le x\le 3)\end{cases}$

이므로 그래프가 아래 그림과 같다.

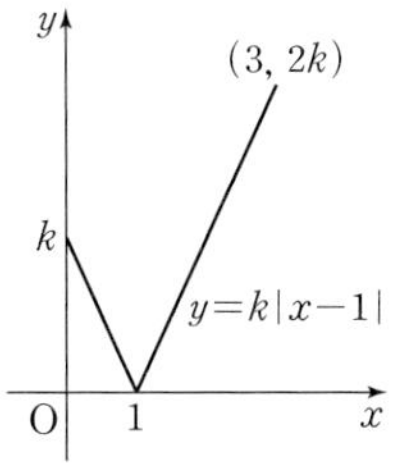

이때, 확률의 총합이 1이므로 그 넓이는

$\frac{1}{2}\times1\times k+\frac{1}{2}\times2\times2k=1$

$\therefore k=\frac{2}{5}$

따라서 구하는 확률은

$\mathrm{P}(X\le 2)=\frac{1}{2}\times1\times\frac{2}{5}+\frac{1}{2}\times1\times\frac{2}{5}=\frac{2}{5}$

답 $\frac{2}{5}$

0918

> 구간 $[0, 2]$에서 정의된 연속확률변수 X의 확률밀도함수 $f(x)$는 다음과 같다.
>
> 전체 구간에서의 넓이는 1임을 이용하자.
>
> $f(x)=\begin{cases}a(1-x) & (0\le x<1)\\ b(x-1) & (1\le x\le 2)\end{cases}$
>
> $\mathrm{P}(1\le X\le 2)=\frac{a}{6}$일 때, $a-b$의 값은?
>
> $1\le x\le 2$에서의 넓이가 $\frac{a}{6}$임을 이용하자.

$\mathrm{P}(1\le X\le 2)=\frac{1}{2}\times1\times b=\frac{a}{6}$

$\therefore b=\frac{a}{3}$

$\mathrm{P}(0\le X\le 1)=\frac{1}{2}\times1\times a=\frac{a}{2}$이므로

$\frac{a}{2}+\frac{a}{6}=1$

$\therefore a=\frac{3}{2},\ b=\frac{1}{2}$

$\therefore a-b=1$

답 ①

0919

> 연속확률변수 X가 갖는 값의 범위가 $0\le X\le 2$이고 확률변수 X의 확률밀도함수가
>
> $f(x)=\begin{cases}x & (0\le x<1)\\ -x+2 & (1\le x\le 2)\end{cases}$
>
> 함수의 그래프는 $x=1$에 대하여 대칭임을 이용하자.
>
> 일 때, $\mathrm{P}\left(k\le X\le k+\frac{1}{3}\right)$의 최댓값을 구하시오.
>
> (단, k는 상수이다.)
>
> 구간의 중심이 1이 될 때 넓이가 최대가 된다.

$f(x)=\begin{cases}x & (0\le x<1)\\ -x+2 & (1\le x\le 2)\end{cases}$의 그래프는 그림과 같다.

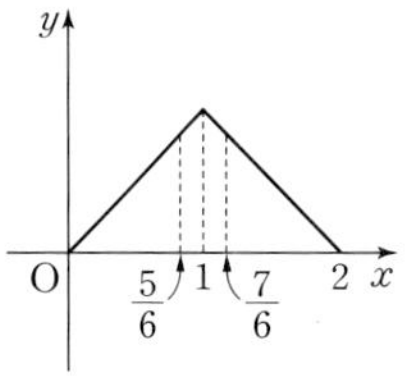

$k=K$일 때, $\mathrm{P}\left(k\le X\le k+\frac{1}{3}\right)$이 최댓값을 가진다고 하면,

구간의 길이가 $\frac{1}{3}$이므로 구간이 $\left[1-\frac{1}{6},\ 1+\frac{1}{6}\right]$이어야 한다.

$\therefore K=\frac{5}{6}$

한편, $\mathrm{P}\left(\frac{5}{6}\le X\le 1\right)=\frac{1}{2}\times\left(\frac{5}{6}+1\right)\times\frac{1}{6}=\frac{11}{72}$

따라서 $\mathrm{P}\left(k\le X\le k+\frac{1}{3}\right)$의 최댓값은

$\frac{11}{72}\times2=\frac{11}{36}$

답 $\frac{11}{36}$

0920

$f(x)\ge 0$이고 $\int_0^1 6x(1-x)dx=1$이다.

> 연속확률변수 X의 확률밀도함수가
> $f(x)=6x(1-x)\ (0\le x\le 1)$
> 일 때, 확률 $\mathrm{P}\left(0\le X\le\frac{1}{3}\right)$의 값은?
>
> $\int_0^{\frac{1}{3}} 6x(1-x)dx$임을 이용하자.

$\mathrm{P}\left(0\le X\le\frac{1}{3}\right)=\int_0^{\frac{1}{3}} f(x)dx$

$=\int_0^{\frac{1}{3}} 6x(1-x)dx$

$=\left[-2x^3+3x^2\right]_0^{\frac{1}{3}}$

$=-\frac{2}{27}+\frac{3}{9}=\frac{7}{27}$

답 ④

0921

$\int_0^2 ax^2dx=1$임을 이용하여 a의 값을 구하자.

> 연속확률변수 X의 확률밀도함수가 $f(x)=ax^2\ (0\le x\le 2)$일 때, $\mathrm{P}(0\le X\le 1)$의 값을 구하시오.
>
> $\int_0^1 f(x)dx$임을 이용하자.

$f(x)$가 $0\le x\le 2$를 만족하는 확률변수 X의 확률밀도함수이면

$\int_0^2 f(x)dx=1$이므로

$\int_0^2 ax^2\,dx=a\left[\frac{1}{3}x^3\right]_0^2=\frac{8}{3}a=1$

$\therefore a=\frac{3}{8}$

$\therefore f(x)=\frac{3}{8}x^2\ (0\le x\le 2)$

$\mathrm{P}(0\le X\le 1)=\int_0^1 f(x)dx$이므로

$\mathrm{P}(0\le X\le 1)=\int_0^1 \frac{3}{8}x^2\,dx=\frac{3}{8}\left[\frac{1}{3}x^3\right]_0^1=\frac{3}{8}\left(\frac{1}{3}-0\right)=\frac{1}{8}$

답 $\frac{1}{8}$

0922

구간에서의 넓이의 합은 1임을 이용하자.

$0\le x\le 8$에서 정의된 확률변수 X의 확률밀도함수 $f(x)$의 그래프가 그림과 같을 때, t에 대한 이차방정식 $t^2-2Xt+5X-6=0$이 허근을 갖게 하는 확률변수 X의 확률은?

이차방정식의 판별식을 D라 하면 $D<0$임을 이용하자.

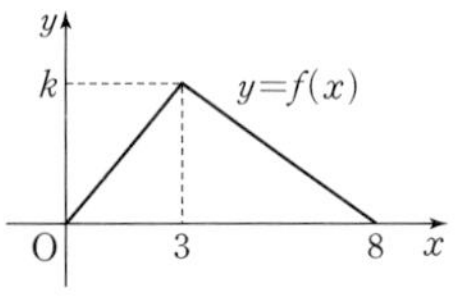

확률의 총합이 1이므로 그 넓이는

$\frac{1}{2}\times 8\times k=1$

$\therefore k=\frac{1}{4}$

$\therefore f(x)=\begin{cases}\frac{1}{12}x & (0\le x\le 3)\\ -\frac{1}{20}x+\frac{2}{5} & (3<x\le 8)\end{cases}$ 이므로

$t^2-2Xt+5X-6=0$이 허근을 가지려면

$\frac{D}{4}=X^2-(5X-6)<0$

$X^2-5X+6<0$

$(X-2)(X-3)<0$

$\therefore 2<X<3$

$\mathrm{P}(2<X<3)=\frac{1}{2}\times\left(\frac{2}{12}+\frac{3}{12}\right)\times 1=\frac{5}{24}$

답 ①

0923

확률밀도함수의 그래프와 x축 및 $x=4$로 둘러싸인 부분의 넓이가 1임을 이용하자.

확률변수 X의 확률밀도함수가 $f(x)=ax\ (0\le x\le 4)$일 때, t에 대한 이차방정식 $t^2+xt+2ax+4a=0$이 실근을 갖게 하는 확률변수 X의 확률은? (단, a는 상수이다.)

이차방정식의 판별식을 D라 하면 $D\ge 0$임을 이용하자.

확률의 총합이 1이므로 그 넓이는

$\frac{1}{2}\times 4\times 4a=1$

$\therefore a=\frac{1}{8}$

$\therefore f(x)=\frac{1}{8}x\ (0\le x\le 4)$

이차방정식 $t^2+xt+2ax+4a=0$이 실근을 가지려면

$t^2+xt+\frac{1}{4}x+\frac{1}{2}=0$

$4t^2+4xt+x+2=0$에서

$\frac{D}{4}=4x^2-4(x+2)=4(x-2)(x+1)\ge 0$

$x\ge 2$ 또는 $x\le -1$

따라서 구하는 확률은

$\therefore \mathrm{P}(X\ge 2)=\mathrm{P}(2\le X\le 4)=\frac{1}{2}\times\left(\frac{1}{4}+\frac{1}{2}\right)\times 2=\frac{3}{4}$

답 ⑤

0924

$\mathrm{P}(1<X\le 2)=\mathrm{P}(X\le 2)-\mathrm{P}(X\le 1)$임을 이용하자.

연속확률변수 X가 갖는 값의 범위는 $0\le X\le 3$이고, 확률 $\mathrm{P}(X\le 1)$과 확률 $\mathrm{P}(X\le 2)$의 값이 이차방정식 $6x^2-5x+1=0$의 두 근일 때, 확률 $\mathrm{P}(1<X\le 2)$의 값은?

$x=\frac{1}{3}, \frac{1}{2}$이다.

$6x^2-5x+1=0$에서

$(2x-1)(3x-1)=0$

$\therefore x=\frac{1}{2}, \frac{1}{3}$

$\mathrm{P}(X\le 1)<\mathrm{P}(X\le 2)$이므로

$\mathrm{P}(X\le 1)=\frac{1}{3}$

$\mathrm{P}(X\le 2)=\frac{1}{2}$

$\therefore \mathrm{P}(1<X\le 2)=\mathrm{P}(X\le 2)-\mathrm{P}(X\le 1)$

$=\frac{1}{2}-\frac{1}{3}$

$=\frac{1}{6}$

답 ②

0925

연속확률변수 X가 갖는 값의 범위는 $0\le X\le 2$이고, 확률밀도함수의 그래프는 다음과 같다.

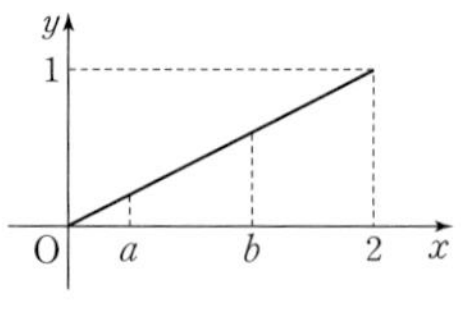

두 양수 a, b에 대하여

$p_1+p_2+p_3=1$임을 이용하자.

$p_1=\mathrm{P}(0\le X\le a)$, $p_2=\mathrm{P}(a<X\le b)$, $p_3=\mathrm{P}(b<X\le 2)$이다. 세 확률 p_1, p_2, p_3이 이 순서로 등차수열을 이루고 $a+b=\frac{4}{3}$일 때, b의 값은? (단, $a<b$이다.)

$2p_2=p_1+p_3$임을 이용하자.

p_1, p_2, p_3가 이 순서로 등차수열을 이루므로

$2p_2=p_1+p_3$

이때, $p_1+p_2+p_3=1$이므로

$2p_2=1-p_2$

$\therefore p_2=\frac{1}{3}$

한편, $p_2=\frac{1}{2}\times\left(\frac{1}{2}a+\frac{1}{2}b\right)\times(b-a)$

$=\frac{1}{4}\times(a+b)\times(b-a)=\frac{1}{3}$

이때, $a+b=\frac{4}{3}$ ······㉠

이므로 $b-a=1$ ······㉡

㉠, ㉡에서

$a=\frac{1}{6}$, $b=\frac{7}{6}$

답 ④

0926

→ 함수의 그래프는 $y=6$에 대칭임을 이용하자.

배차 간격이 12분인 지하철을 기다리는 시간을 X분이라고 할 때, 연속확률변수 X의 확률밀도함수는

$f(x)=\frac{1}{288}x(12-x)$ $(0\le x\le 12)$

이다. 다음 중 옳은 것만을 〈보기〉에서 있는 대로 고르면?

보기

ㄱ. $\mathrm{P}(X=1)=0$

ㄴ. $\mathrm{P}(0\le X\le 6)=\frac{1}{2}$

ㄷ. $\mathrm{P}(1\le X\le 3)=\mathrm{P}(9<X<11)$

ㄹ. $\mathrm{P}(0\le x\le 9)=1-\mathrm{P}(0\le x\le 3)$

→ 연속확률분포인 경우 정의역안의 임의의 실수 c에 대해 $\mathrm{P}(X=c)=0$이다.

ㄱ. 배차 간격이 12분인 지하철을 기다리는 시간의 확률은 연속확률분포이므로

$\mathrm{P}(X=1)=0$이다. (참)

ㄴ. 함수의 그래프가 직선 $y=6$에 대하여 대칭이므로

$\mathrm{P}(0\le X\le 6)=\frac{1}{2}$ (참)

ㄷ. 함수의 그래프가 직선 $y=6$에 대하여 대칭이므로

$\mathrm{P}(1\le X\le 3)=\mathrm{P}(1<X<3)+\mathrm{P}(X=1)+\mathrm{P}(X=3)$

$=\mathrm{P}(9<X<11)+\mathrm{P}(X=1)+\mathrm{P}(X=3)$

$=\mathrm{P}(9<X<11)$ (참)

ㄹ. $\mathrm{P}(0\le x\le 3)=\mathrm{P}(9<x\le 12)$이므로

$\mathrm{P}(0\le x\le 9)=1-\mathrm{P}(0\le x\le 3)$ (참)

따라서 ㄱ, ㄴ, ㄷ, ㄹ 모두 옳다.

답 ⑤

0927

→ 두 사람이 도착하는 시간을 6시 x분과 6시 y분이라 하면, $0\le x\le 30$, $0\le y\le 30$이다.

두 사람 A, B가 오후 6시부터 6시 30분 사이에 만나기로 약속하고, 두 사람 모두 약속한 시간 안에 도착했다. 두 사람 모두 10분만 기다리기로 했을 때, 두 사람이 만날 확률을 구하시오.

→ $|x-y|\le 10$임을 이용하자.

두 사람 A, B가 약속장소에 도착하는 시각을 각각 6시 x분, 6시 y분이라고 하면,

$0\le x\le 30$, $0\le y\le 30$ ······㉠

이고, 두 사람 모두 10분만 기다리므로

$|x-y|\le 10$ ······㉡

을 만족해야 한다.

㉡은 $x-10\le y\le x+10$이므로 좌표평면에 나타내면 아래와 같다.

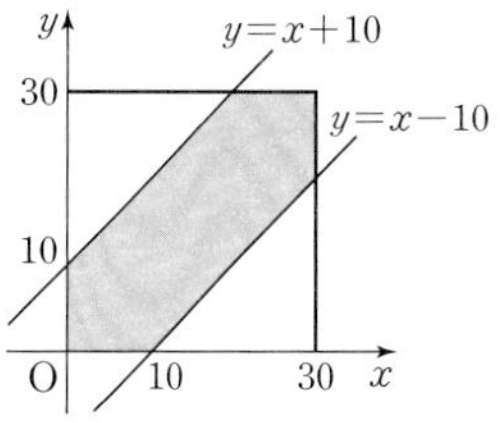

따라서 구하는 확률은

$\frac{30^2-20^2}{30^2}=\frac{5}{9}$

답 $\frac{5}{9}$

0928

연속확률변수 X의 확률밀도함수 $y=f(x)$가 모든 실수 x에 대하여 $f(2+x)=f(2-x)$를 만족시킨다. 두 양수 a, b $(a<b)$에 대하여

→ 함수의 그래프는 $x=2$에 대하여 대칭이다.

$\mathrm{P}(2-a\le X\le 2+b)=p_1$, $\mathrm{P}(2+a\le X\le 2+b)=p_2$

일 때, $\mathrm{P}(2-b\le X\le 2+b)$를 p_1과 p_2로 나타낸 것은?

→ $=\mathrm{P}(2-b\le X\le 2-a)+\mathrm{P}(2-a\le X\le 2+b)$임을 이용하자.

$y=f(x)$가 $f(2+x)=f(2-x)$를 만족시키므로 X의 확률밀도함수 $y=f(x)$는 $x=2$에 대하여 대칭이다.

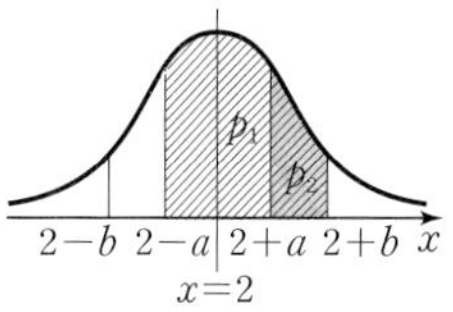

$\therefore \mathrm{P}(2-b\le X\le 2+b)=\mathrm{P}(2-b\le X\le 2-a)+\mathrm{P}(2-a\le X\le 2+b)$

$=\mathrm{P}(2+a\le X\le 2+b)+\mathrm{P}(2-a\le X\le 2+b)$

$=p_1+p_2$

답 ①

0929

$-2\le X\le 4$의 모든 값을 취하는 연속확률변수 X의 확률밀도함수 $y=f(x)$에 대하여 다음이 성립할 때, $\mathrm{P}(0\le X\le 3)$을 구하시오.

→ 함수의 그래프는 $x=1$에 대하여 대칭이다.

(가) $f(1-x)=f(1+x)$

(나) $\mathrm{P}(1\le X\le 3)=2\mathrm{P}(3\le X\le 4)$

(다) $\mathrm{P}(0\le X\le 1)=\frac{1}{4}$

→ $\mathrm{P}(-2\le X\le 1)=\mathrm{P}(1\le X\le 4)=\frac{1}{2}$임을 이용하자.

확률밀도함수 $y=f(x)$가 $f(1-x)=f(1+x)$를 만족시키므로 함수 $y=f(x)$의 그래프는 직선 $x=1$에 대하여 대칭이고

$\mathrm{P}(-2\le X\le 1)=\mathrm{P}(1\le X\le 4)=0.5$

$\mathrm{P}(1\le X\le 3)=a$라 하면

$P(3\le X\le 4)=P(1\le X\le 4)-P(1\le X\le 3)$
$=0.5-a$
이므로 $P(1\le X\le 3)=2P(3\le X\le 4)$에서
$a=2(0.5-a)$, $a=1-2a$
$3a=1 \quad \therefore a=\frac{1}{3}$
$\therefore P(0\le X\le 3)=P(0\le X\le 1)+P(1\le X\le 3)$
$=\frac{1}{4}+\frac{1}{3}=\frac{7}{12}$

답 $\frac{7}{12}$

0930

연속확률변수 X가 갖는 값의 범위가 $0\le x\le 6$이고, 확률변수 X와 그 확률밀도함수 $y=f(x)$가 다음 조건을 만족시킨다.

(가) $f(3+x)=f(3-x)$ • 함수의 그래프는 $x=3$에 대하여 대칭이다.
(나) $0\le x\le 3$인 실수 x에 대하여 $P(x\le X\le 3)=a-\frac{x^2}{18}$

$P(1\le X\le 4)$를 구하시오. (단, a는 상수이다.)
• $P(0\le X\le 3)=\frac{1}{2}$임을 이용하자.

$y=f(x)$가 확률밀도함수이므로 함수 $y=f(x)$의 그래프와 x축 및 두 직선 $x=0$, $x=6$으로 둘러싸인 부분의 넓이는 1이다.
조건 (가)에서 확률밀도함수 $y=f(x)$의 그래프가 직선 $x=3$에 대하여 대칭이므로
$P(0\le X\le 3)=P(3\le X\le 6)=\frac{1}{2}$
조건 (나)에서
$P(x\le X\le 3)=a-\frac{x^2}{18}$에 $x=0$을 대입하면
$P(0\le X\le 3)=a$이므로
$a=\frac{1}{2}$
$\therefore P(1\le X\le 4)=P(1\le X\le 3)+P(3\le X\le 4)$
$=P(1\le X\le 3)+P(2\le X\le 3)$
$=\left(\frac{1}{2}-\frac{1}{18}\right)+\left(\frac{1}{2}-\frac{4}{18}\right)=\frac{13}{18}$

답 $\frac{13}{18}$

0931

확률밀도함수의 그래프와 x축 및 $x=2$로 둘러싸인 부분의 넓이는 $\frac{1}{2}$임을 이용하자.

$0\le x\le 4$에서 정의된 연속확률변수 X의 확률밀도함수를 $f(x)$가 다음 두 조건을 만족할 때, 상수 k와 $P(8k\le X\le 12k)$의 값을 구하시오.

(가) $0\le x\le 2$일 때, $f(x)=kx$
(나) $0\le x\le 2$인 모든 x에 대하여 $f(2-x)=f(2+x)$

$x=2$에 대하여 대칭인 함수임을 이용하자. •

$f(2-x)=f(2+x)$에 의하여 $f(x)$는 $x=2$에 대하여 대칭인 대칭함수이므로
$P(0\le X\le 2)=\frac{1}{2}$
$\frac{1}{2}\times 2k\times 2=\frac{1}{2}$
$\therefore k=\frac{1}{4}$

$$f(x)=\begin{cases}\frac{1}{4}x & (0\le x\le 2)\\ -\frac{1}{4}x+1 & (2\le x\le 4)\end{cases}$$ 이므로

$P(8k\le X\le 12k)=P(2\le X\le 3)$
$=\frac{1}{2}\times\left(\frac{1}{2}+\frac{1}{4}\right)\times 1=\frac{3}{8}$

답 $\frac{3}{8}$

0932

• $F(x)+G(x)=1$이다.

연속확률변수 X가 갖는 값은 구간 $[0, 1]$의 모든 실수이다. 구간 $[0, 1]$에서 두 함수 $y=F(x)$, $y=G(x)$를
$F(x)=P(X\ge x)$, $G(x)=P(X\le x)$
로 정의할 때, 〈보기〉에서 옳은 것만을 있는 대로 고르시오.

보기
ㄱ. $F(0.3)\le F(0.2)$ ㄴ. $F(0.4)=G(0.6)$
ㄷ. $F(0.2)-F(0.7)=G(0.7)-G(0.2)$

• $a\le b$이면 $P(X\ge a)\ge P(X\ge b)$이 성립한다.

ㄱ. $F(0.3)=P(X\ge 0.3)\le P(X\ge 0.2)=F(0.2)$ (참)
ㄴ. [반례] X의 확률밀도함수가 $f(x)=2x$이면
$F(0.4)=P(X\ge 0.4)>G(0.6)=P(X\le 0.6)$ (거짓)
ㄷ. $F(0.2)+G(0.2)=F(0.7)+G(0.7)=1$
$\therefore F(0.2)-F(0.7)=G(0.7)-G(0.2)$ (참)
따라서 옳은 것은 ㄱ, ㄷ이다.

답 ㄱ, ㄷ

0933

확률변수 X의 확률질량함수가
$$P(X=x)=\frac{k}{x(x+1)}\ (x=1, 2, 3, 4, 5, 6)$$
로 주어질 때, $12k$의 값은? (단, k는 상수이다.)
• 확률의 합을 구하기 위해 부분분수를 이용하자.

확률의 총합은 1이므로
$\sum_{x=1}^{6}P(X=x)=1$에서
$\sum_{x=1}^{6}\frac{k}{x(x+1)}=k\sum_{x=1}^{6}\left(\frac{1}{x}-\frac{1}{x+1}\right)$
$=k\left\{\left(1-\frac{1}{2}\right)+\left(\frac{1}{2}-\frac{1}{3}\right)+\cdots+\left(\frac{1}{6}-\frac{1}{7}\right)\right\}$
$=k\left(1-\frac{1}{7}\right)$
$=\frac{6}{7}k=1$

따라서 $k=\frac{7}{6}$이므로
$12k=12\times\frac{7}{6}=14$

답 ③

0934 ● 확률변수 X의 확률의 총합은 1임을 이용하자.

> 확률변수 X의 확률분포를 나타낸 표가 다음과 같고
> $P(1\le X\le 2)=\frac{1}{4}$일 때, $P(X=3)$을 구하시오.
>
> | X | 1 | 2 | 3 | 4 | 합계 |
> |---|---|---|---|---|---|
> | $P(X=x)$ | $\frac{1}{12}$ | a | b | $\frac{5}{12}$ | 1 |
>
> ● 이산확률분포에서 $P(1\le X\le 2)=P(X=1)+P(X=2)$임을 이용하자.

$P(1\le X\le 2)=\frac{1}{4}$이므로 $\frac{1}{12}+a=\frac{1}{4}$ $\quad\therefore a=\frac{1}{6}$

확률의 총합은 1이므로

$\frac{1}{12}+\frac{1}{6}+b+\frac{5}{12}=1$ $\quad\therefore b=\frac{1}{3}$

$\therefore P(X=3)=\frac{1}{3}$

답 $\frac{1}{3}$

0935 ● 확률의 합을 구하기 위해 부분분수를 이용하자.

> 확률변수 X의 확률질량함수가
> $$P(X=x)=\frac{a}{x(x+1)}\ (x=1, 2, 3, 4, 5)$$
> 일 때, $P(X^2-5X+6\le 0)$의 값을 구하시오. (단, a는 상수이다.)
>
> ● $=P(2\le X\le 3)$이다.

$P(X=x)=\frac{a}{x(x+1)}\ (x=1, 2, 3, 4, 5)$

확률의 총합은 1이므로 $\sum_{n=1}^{5}\frac{a}{x(x+1)}=1$

$a\sum_{n=1}^{5}\left(\frac{1}{x}-\frac{1}{x+1}\right)=1$

$a\left(1-\frac{1}{6}\right)=1$

$\therefore a=\frac{6}{5}$

$P(X^2-5X+6\le 0)=P(2\le X\le 3)$
$=P(X=2)+P(X=3)$
$=\frac{a}{2\times 3}+\frac{a}{3\times 4}=\frac{1}{4}a$
$=\frac{1}{4}\times\frac{6}{5}=\frac{3}{10}$

답 $\frac{3}{10}$

0936

> 확률변수 X의 확률질량함수가 ● $\sum_{n=1}^{9}P(X=n)=1$임을 이용하자.
> $$P(X=n)=\log_k\frac{n+1}{n}\ (n=1, 2, \cdots, 9)$$
> 일 때, $P(X\ge 3)$은? (단, k는 상수이다.)
>
> ● $=1-P(X<3)$임을 이용하자.

확률의 총합은 1이므로 $\sum_{n=1}^{9}P(X=n)=1$에서

$\sum_{n=1}^{9}\log_k\frac{n+1}{n}=\log_k\frac{2}{1}+\log_k\frac{3}{2}+\log_k\frac{4}{3}+\cdots+\log_k\frac{10}{9}$
$=\log_k\left(\frac{2}{1}\times\frac{3}{2}\times\frac{4}{3}\times\cdots\times\frac{10}{9}\right)$
$=\log_k 10=1$

$\therefore k=10$

$\therefore P(X\ge 3)=1-P(X<3)$
$=1-\{P(X=1)+P(X=2)\}$
$=1-\left(\log 2+\log\frac{3}{2}\right)$
$=1-\log 3=\log\frac{10}{3}$

답 ④

0937 서술형 ● X가 가질 수 있는 값은 0, 1, 2, 3, 4이다. 각각의 확률을 구하자.

> 불량품이 5개 포함되어 있는 9개의 제품 중 4개의 제품을 뽑아 나오는 불량품의 개수를 확률변수 X라 할 때, $P(X^2-6X+8\le 0)$을 구하시오.

확률변수 X가 가질 수 있는 값은 0, 1, 2, 3, 4이고, 그 각각의 확률은

$P(X=0)=\frac{{}_4C_4}{{}_9C_4}=\frac{1}{126}$

$P(X=1)=\frac{{}_5C_1\times{}_4C_3}{{}_9C_4}=\frac{10}{63}$

$P(X=2)=\frac{{}_5C_2\times{}_4C_2}{{}_9C_4}=\frac{10}{21}$

$P(X=3)=\frac{{}_5C_3\times{}_4C_1}{{}_9C_4}=\frac{20}{63}$

$P(X=4)=\frac{{}_5C_4}{{}_9C_4}=\frac{5}{126}$ …… 40%

$X^2-6X+8\le 0$에서 $(X-2)(X-4)\le 0$

$\therefore 2\le X\le 4$ …… 30%

$\therefore P(X^2-6X+8\le 0)=P(2\le X\le 4)$
$=P(X=2)+P(X=3)+P(X=4)$
$=\frac{10}{21}+\frac{20}{63}+\frac{5}{126}=\frac{5}{6}$ …… 30%

답 $\frac{5}{6}$

0938 X가 가질 수 있는 값은 2, 4, 6이다. ●

> 2, 4, 6, 8의 숫자가 각각 하나씩 적혀 있는 4장의 카드 중에서 동시에 2장을 뽑으려고 한다. 각 카드에 적힌 두 수의 차를 확률변수 X라 할 때, $P(|X-3|\le 2)$를 구하시오.
>
> ● $=P(1\le X\le 5)$임을 이용하자.

확률변수 X가 가질 수 있는 값은 2, 4, 6이다.

(i) $X=2$인 경우
(2, 4), (4, 6), (6, 8)의 3가지이므로
$P(X=2)=\frac{3}{{}_4C_2}=\frac{3}{6}$

(ii) $X=4$인 경우
(2, 6), (4, 8)의 2가지이므로
$P(X=4)=\frac{2}{{}_4C_2}=\frac{2}{6}$

(iii) $X=6$인 경우
(2, 8)의 1가지이므로

$P(X=6)=\dfrac{1}{{}_4C_2}=\dfrac{1}{6}$

$|X-3|\le 2$에서 $1\le X\le 5$

$\therefore P(|X-3|\le 2)=P(1\le X\le 5)$

$=P(X=2)+P(X=4)$

$=\dfrac{3}{6}+\dfrac{2}{6}=\dfrac{5}{6}$

답 $\dfrac{5}{6}$

0939

확률밀도함수의 그래프와 x축, y축 및 $x=1$으로 둘러싸인 부분의 넓이가 1임을 이용하자.

> $0\le x\le 1$에서 정의된 확률변수 X의 확률밀도함수가 $f(x)=3ax+a$일 때, 상수 a의 값을 구하시오.

함수 $y=f(x)$의 그래프와 x축, y축 및 직선 $x=1$로 둘러싸인 부분의 넓이가 1이므로

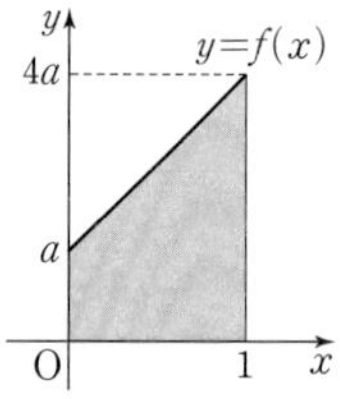

$\dfrac{1}{2}\times(a+4a)\times 1=1$

$\therefore a=\dfrac{2}{5}$

답 $\dfrac{2}{5}$

0940

전체 구간에서의 넓이는 1임을 이용하자. 사다리꼴의 넓이를 구하는 공식을 이용할 수 있다.

> 연속확률변수 X의 확률밀도함수 $y=f(x)$의 그래프가 다음 그림과 같을 때, $P\left(0\le X\le \dfrac{4}{3}a\right)$의 값을 구하시오.
>
> (단, a는 상수이다.)

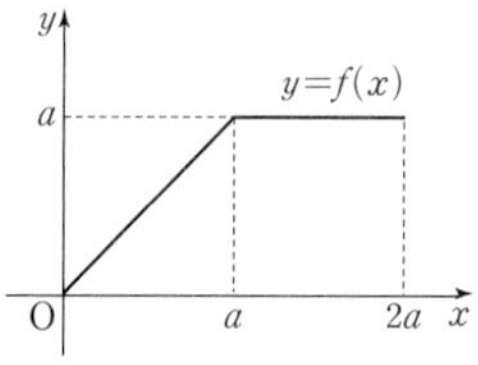

확률밀도함수의 넓이는 1이므로

$(a+2a)\times a\times\dfrac{1}{2}=1$

$\dfrac{3}{2}a^2=1 \qquad \therefore a=\dfrac{\sqrt{6}}{3}$

$P\left(0\le X\le\dfrac{4}{3}a\right)=\left(\dfrac{1}{3}a+\dfrac{4}{3}a\right)\times a\times\dfrac{1}{2}$

$=\dfrac{5}{6}a^2=\dfrac{5}{6}\times\dfrac{6}{9}=\dfrac{5}{9}$

답 $\dfrac{5}{9}$

0941 서술형

함수의 그래프와 x축으로 둘러싸인 부분의 넓이가 1임을 이용하자.

> 연속확률변수 X에 대한 확률밀도함수 $y=f(x)$의 그래프가 그림과 같다. $P(a\le X\le b)=\dfrac{1}{4}$일 때, a의 값을 구하시오.
>
> └ $P(0\le X\le a)=\dfrac{3}{4}$임을 이용하자.

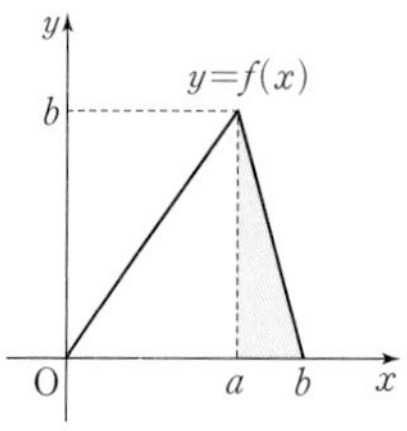

함수 $y=f(x)$의 그래프와 x축으로 둘러싸인 부분의 넓이가 1이므로

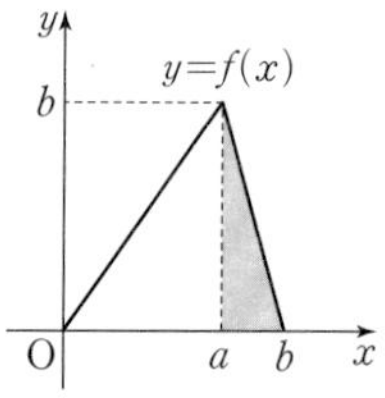

$\dfrac{1}{2}b^2=1,\ b^2=2$

$\therefore b=\sqrt{2}\ (\because b>0)$ ······ ㉠ ······ 40%

한편, $P(a\le X\le b)=\dfrac{1}{4}$이므로

$P(0\le X\le a)=1-\dfrac{1}{4}=\dfrac{3}{4}$ ······ 40%

즉, $\dfrac{1}{2}\times a\times b=\dfrac{3}{4}$이므로 $ab=\dfrac{3}{2}$ ······ ㉡

㉠을 ㉡에 대입하면

$a=\dfrac{3}{2\sqrt{2}}=\dfrac{3\sqrt{2}}{4}$ ······ 20%

답 $\dfrac{3\sqrt{2}}{4}$

0942

함수의 그래프와 x축 및 $x=2$로 둘러싸인 부분의 넓이가 1임을 이용하자.

> 연속확률변수 X의 확률밀도함수 $f(x)=ax\ (0\le x\le 2)$에 대하여 $P\left(0\le X\le\dfrac{1}{2}\right)$의 값을 구하시오. (단, a는 상수이다.)

확률밀도함수 $y=f(x)$의 그래프는 그림과 같고, 함수 $y=f(x)$의 그래프와 x축 및 직선 $x=2$로 둘러싸인 부분의 넓이는 1이므로

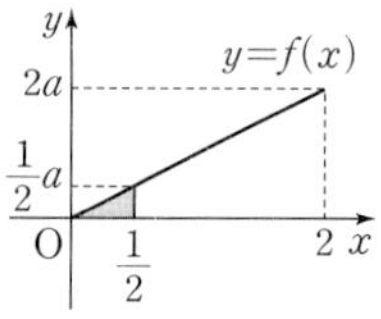

$\dfrac{1}{2}\times 2\times 2a=1$

$\therefore a=\dfrac{1}{2}$

즉, $f(x)=\dfrac{1}{2}x$이므로

$P\left(0\le X\le\dfrac{1}{2}\right)=\dfrac{1}{2}\times\dfrac{1}{2}\times\dfrac{1}{4}=\dfrac{1}{16}$

답 $\dfrac{1}{16}$

0943

함수의 그래프는 $x=2$에 대하여 대칭이다.

> 연속확률변수 X의 확률밀도함수가
>
> $f(x)=\begin{cases} ax & (0\le x<2) \\ -a(x-4) & (2\le x\le 4)\end{cases}$
>
> 일 때, $P(1\le X\le 3)$을 구하시오. (단, a는 상수이다.)
>
> └ $=2P(1\le X\le 2)$와 같다.

함수 $y=f(x)$의 그래프와 x축으로 둘러싸인 부분의 넓이가 1이므로

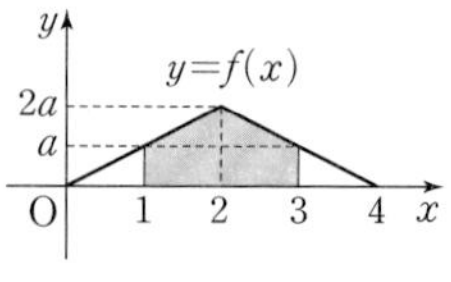

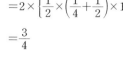

$\dfrac{1}{2}\times 4\times 2a=1 \qquad \therefore a=\dfrac{1}{4}$

$P(1\le X\le 3)$은 그림에서 어두운 부분의 넓이와 같으므로

$P(1\le X\le 3)=2P(1\le X\le 2)$

$=2\times\left\{\dfrac{1}{2}\times\left(\dfrac{1}{4}+\dfrac{1}{2}\right)\times 1\right\}$

$=\dfrac{3}{4}$

답 $\dfrac{3}{4}$

0944

$0\le x\le 6$에서 정의된 연속확률변수 X의 확률밀도함수 $y=f(x)$가 다음 조건을 만족시킬 때, $\mathrm{P}(4\le X\le 5)$를 구하시오.

(가) $f(3+x)=f(3-x)$ → $x=3$에 대하여 대칭인 함수이다.
(나) $\mathrm{P}(1\le X\le 3)=7\mathrm{P}(0\le X\le 1)$
(다) $\mathrm{P}(2\le X\le 3)=\dfrac{5}{16}$ → $\mathrm{P}(0\le X\le 3)=\dfrac{1}{2}$임을 이용하자.

조건 (가)에서 함수 $y=f(x)$의 그래프는 직선 $x=3$에 대하여 대칭이고, $\mathrm{P}(0\le X\le 6)=1$이므로
$\mathrm{P}(0\le X\le 3)=\mathrm{P}(3\le X\le 6)=0.5$
조건 (나)에서
$\mathrm{P}(0\le X\le 1)=\dfrac{1}{7}\mathrm{P}(1\le X\le 3)$이므로

$$\mathrm{P}(1\le X\le 3)=0.5-\mathrm{P}(0\le X\le 1)=0.5-\frac{1}{7}\mathrm{P}(1\le X\le 3)$$

$\therefore \mathrm{P}(1\le X\le 3)=\dfrac{7}{16}$

$\therefore \mathrm{P}(4\le X\le 5)=\mathrm{P}(1\le X\le 2)$ ($\because$ 조건 (가))
$=\mathrm{P}(1\le X\le 3)-\mathrm{P}(2\le X\le 3)$
$=\dfrac{7}{16}-\dfrac{5}{16}=\dfrac{1}{8}$

답 $\dfrac{1}{8}$

0945

→ 확률의 총합은 1임을 이용하자.

확률변수 X의 확률분포를 나타낸 표가 다음과 같다.

X	1	2	3	4	합계
$\mathrm{P}(X=x)$	$\frac{1}{8}$	$\frac{1}{8}$	a	b	1

$\dfrac{1}{8}$, a, b가 이 순서대로 등비수열을 이룰 때, b의 값은?

→ $a^2=\dfrac{1}{8}b$임을 이용하자.

확률의 총합은 1이므로
$\dfrac{1}{8}+\dfrac{1}{8}+a+b=1$

$\therefore b=\dfrac{3}{4}-a$ ...... ㉠

$\dfrac{1}{8}$, a, b가 이 순서대로 등비수열을 이루므로

$a^2=\dfrac{1}{8}b$ ...... ㉡

㉠을 ㉡에 대입하면
$a^2=\dfrac{1}{8}\left(\dfrac{3}{4}-a\right)$
$32a^2+4a-3=0$
$(4a-1)(8a+3)=0$
$\therefore a=\dfrac{1}{4}$ ($\because a>0$)

$a=\dfrac{1}{4}$을 ㉠에 대입하면
$b=\dfrac{1}{2}$

답 ③

0946

→ $0\le x\le a$에서의 넓이는 1임을 이용하자.

$0\le x\le a$에서 정의된 연속확률변수 X의 확률밀도함수가

$$f(x)=\begin{cases}3x+1 & \left(0\le x<\dfrac{1}{3}\right)\\ -3x+3 & \left(\dfrac{1}{3}\le x\le a\right)\end{cases}$$

→ $0\le x<\dfrac{1}{3}$에서의 넓이를 구하자.

일 때, a의 값은? $\left(\text{단, } \dfrac{1}{3}\le a\le 1\right)$

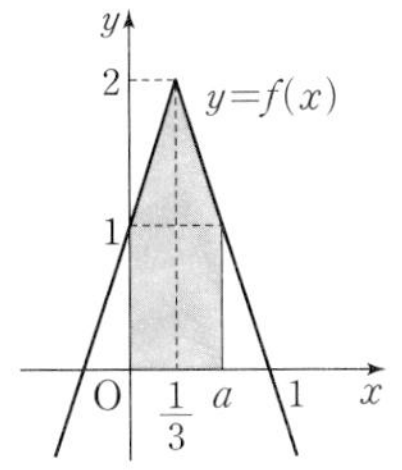

주어진 함수가 확률밀도함수가 되려면 그림에서 어두운 부분의 넓이가 1이어야 한다. 즉,
$\dfrac{1}{2}\times(1+2)\times\dfrac{1}{3}+\dfrac{1}{2}\times\{2+(-3a+3)\}\times\left(a-\dfrac{1}{3}\right)=1$
$\dfrac{1}{2}+\dfrac{1}{2}\times(5-3a)\left(a-\dfrac{1}{3}\right)=1$
$(5-3a)\left(a-\dfrac{1}{3}\right)=1$
$3a^2-6a+\dfrac{8}{3}=0$
$9a^2-18a+8=0$
$(3a-2)(3a-4)=0$
$a\le 1$이므로 $a=\dfrac{2}{3}$

답 ①

다른풀이 함수 $y=f(x)$의 그래프가 $x=\dfrac{1}{3}$에 대하여 대칭이고
$\mathrm{P}\left(0\le X\le\dfrac{1}{3}\right)=\dfrac{1}{2}$이므로 $\mathrm{P}\left(\dfrac{1}{3}\le X\le\dfrac{2}{3}\right)=\dfrac{1}{2}$이다.
$\mathrm{P}\left(0\le X\le\dfrac{2}{3}\right)=1$이므로 $a=\dfrac{2}{3}$

0947

→ 분모를 유리화하여 확률의 총합을 구하자.

확률변수 X가 가질 수 있는 값이 1, 2, 3, …, 99일 때, $X=k$일 확률은 $\mathrm{P}(X=k)=\dfrac{a}{\sqrt{k+1}+\sqrt{k}}$ $(k=1, 2, 3, \cdots, 99)$이다.
$\mathrm{P}(X=16)+\mathrm{P}(X=17)+\mathrm{P}(X=18)+\cdots+\mathrm{P}(X=99)=b$
라 할 때, $a+b$의 값을 구하시오. (단, a, b는 상수이다.)

→ $1-\{\mathrm{P}(X=1)+\mathrm{P}(X=2)+\cdots+\mathrm{P}(X=15)\}$임을 이용하자.

$$\mathrm{P}(X=k)=\frac{a(\sqrt{k+1}-\sqrt{k})}{(\sqrt{k+1}+\sqrt{k})(\sqrt{k+1}-\sqrt{k})}=a(\sqrt{k+1}-\sqrt{k})$$

확률의 총합은 1이므로
$\displaystyle\sum_{k=1}^{99}\mathrm{P}(X=k)$
$=a\{(\sqrt{2}-1)+(\sqrt{3}-\sqrt{2})+\cdots+(\sqrt{100}-\sqrt{99})\}$
$=a(\sqrt{100}-1)=9a=1$
$\therefore a=\dfrac{1}{9}$

$b=1-\{P(X=1)+P(X=2)+\cdots+P(X=15)\}$

$=1-\frac{1}{9}\{(\sqrt{2}-1)+(\sqrt{3}-\sqrt{2})+\cdots+(\sqrt{16}-\sqrt{15})\}$

$=1-\frac{1}{9}(4-1)=\frac{2}{3}$

$\therefore a+b=\frac{1}{9}+\frac{2}{3}=\frac{7}{9}$ 답 $\frac{7}{9}$

0948

• 확률밀도함수의 그래프와 x축, y축 및 $x=3$으로 둘러싸인 부분의 넓이가 1임을 이용하자.

구간 [0, 3]의 모든 실수 값을 가지는 연속확률변수 X에 대하여 X의 확률밀도함수의 그래프는 그림과 같다.

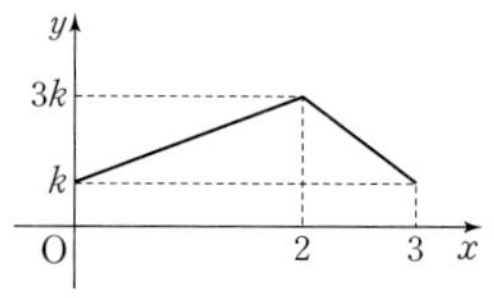

$P(0\le X\le 2)=\frac{q}{p}$라 할 때, $p+q$의 값을 구하시오.

(단, k는 상수이고, p와 q는 서로소인 자연수이다.)

• 확률밀도함수의 그래프와 x축, y축 및 $x=2$로 둘러싸인 부분의 넓이이다.

확률밀도함수의 그래프와 x축 및 두 직선 $x=0$, $x=3$으로 둘러싸인 부분의 넓이는 1이므로

$3k+\frac{1}{2}\times3\times2k=1$

$6k=1$

$\therefore k=\frac{1}{6}$

$P(0\le X\le 2)=2\times\frac{1}{6}+\frac{1}{2}\times2\times\frac{1}{3}$

$=\frac{2}{3}$

$\therefore p+q=3+2=5$ 답 5

0949

• $0\le x\le 4$에서의 넓이는 1임을 이용하자.

연속확률변수 X의 확률밀도함수가

$$f(x)=\begin{cases} ax & (0\le x<1) \\ a & (1\le x<2) \\ -\frac{a}{2}x+2a & (2\le x\le 4)\end{cases}$$

이때, $P(1\le X\le 4)$의 값을 구하시오.

함수 $y=f(x)$의 그래프를 그려 보자. (단, a는 $a>0$인 상수이다.)

함수 $f(x)=\begin{cases} ax & (0\le x<1) \\ a & (1\le x<2) \\ -\frac{a}{2}x+2a & (2\le x\le 4)\end{cases}$의 그래프는 그림과 같다.

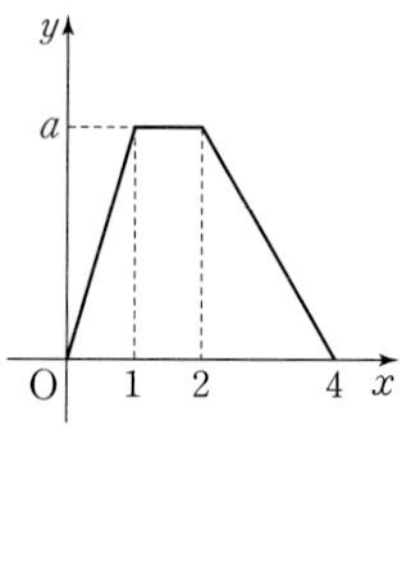

이때, 확률의 총합이 1이므로 그 넓이는

$\frac{1}{2}\times1\times a+1\times a+\frac{1}{2}\times2\times a=\frac{5}{2}a=1$

$\therefore a=\frac{2}{5}$

$P(1\le X\le 4)=1\times a+\frac{1}{2}\times2\times a=2a=\frac{4}{5}$ 답 $\frac{4}{5}$

0950

• 함수의 그래프는 y축에 대하여 대칭이다.

$-10\le x\le 10$에서 정의된 연속확률변수 X의 확률밀도함수 $y=f(x)$의 그래프가 그림과 같고, $P(|X|\ge b)=0.09$일 때, ab의 값을 구하시오. (단, $0<b<10$)

• $=2P(X\ge b)$임을 이용하자.

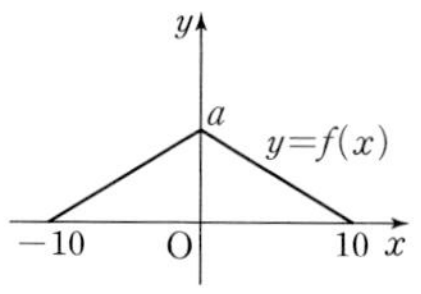

함수 $y=f(x)$의 그래프와 x축으로 둘러싸인 부분의 넓이가 1이므로

$\frac{1}{2}\times20\times a=1$ $\therefore a=\frac{1}{10}$

즉, $f(x)=\begin{cases} \frac{1}{100}x+\frac{1}{10} & (-10\le x<0) \\ -\frac{1}{100}x+\frac{1}{10} & (0\le x\le 10)\end{cases}$ 이므로

$P(|X|\ge b)$

$=P(X\le -b)+P(X\ge b)$

$=2P(X\ge b)$

$=2\times\frac{1}{2}\times(10-b)\times\left(-\frac{b}{100}+\frac{1}{10}\right)$

$=\frac{1}{100}\times(10-b)^2=\frac{9}{100}$

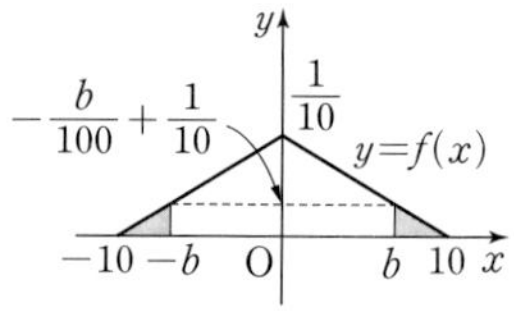

에서 $(10-b)^2=9$

$\therefore b=7$ ($\because 0<b<10$)

$\therefore ab=\frac{1}{10}\times7=\frac{7}{10}$ 답 $\frac{7}{10}$

0951

사과 6개와 귤 4개가 들어 있는 바구니에서 임의로 3개를 꺼내서 나오는 귤의 개수를 확률변수 X라 할 때, $\frac{1}{3}\le P(X\le k)\le\frac{2}{3}$를 만족시키는 자연수 k의 값을 구하시오.

• 확률변수 X가 가질 수 있는 값은 0, 1, 2, 3이다. 각각의 확률을 구하자.

확률변수 X가 가질 수 있는 값은 0, 1, 2, 3이고 그 각각의 확률은

$P(X=0)=\frac{{}_6C_3}{{}_{10}C_3}=\frac{1}{6}$

$P(X=1)=\frac{{}_4C_1\times{}_6C_2}{{}_{10}C_3}=\frac{1}{2}$

$P(X=2)=\frac{{}_4C_2\times{}_6C_1}{{}_{10}C_3}=\frac{3}{10}$

$P(X=3)=\frac{{}_4C_3}{{}_{10}C_3}=\frac{1}{30}$

$P(X=0)=\frac{1}{6}$이고

$\mathrm{P}(X=0)+\mathrm{P}(X=1)=\frac{2}{3}$이므로

$\mathrm{P}(X\le k)=\mathrm{P}(X=0)+\mathrm{P}(X=1)=\mathrm{P}(X\le 1)$

$\therefore k=1$

답 1

0952

전체 경우의 수는 ${}_3\Pi_4$임을 이용하자.

그림과 같이 정사각형 ABCD가 있다. 이 정사각형을 4개의 작은 정사각형으로 사등분하여 각각 파란색, 빨간색, 노란색 중에서 한 가지를 택하여 칠하려고 한다. 파란색으로 칠해진 작은 정사각형의 개수를 확률변수 X라 할 때, $\mathrm{P}(X=2)$를 구하시오.

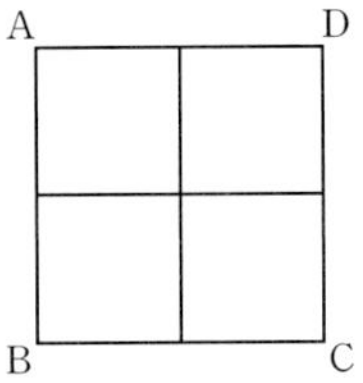

작은 정사각형 중에서 2개를 택해 파란색을 칠하고, 나머지 사각형에 나머지 색들을 칠하는 경우의 수를 구하자.

정사각형 ABCD를 4개의 작은 정사각형으로 사등분하여 각각 파란색, 빨간색, 노란색 중에서 한 가지를 택하여 칠하는 방법의 수는

${}_3\Pi_4=3^4=81$

파란색으로 칠해진 작은 정사각형의 개수인 확률변수 X가 가질 수 있는 값은 0, 1, 2, 3, 4이다.

$X=2$인 경우는 4개의 작은 정사각형 중에서 2개를 택하여 파란색을 칠하고, 나머지 2개의 작은 정사각형마다 빨간색, 노란색을 칠하면 되므로

$\mathrm{P}(X=2)=\frac{{}_4\mathrm{C}_2\times{}_2\Pi_2}{81}=\frac{6\times 4}{81}=\frac{8}{27}$

답 $\frac{8}{27}$

0953

함수의 그래프와 x축으로 둘러싸인 부분의 넓이는 1이다.

$-a\le X\le a$에서 정의된 연속확률변수 X의 확률밀도함수 $y=f(x)$의 그래프가 그림과 같고 $f(0)=b$이다. $-a\le Y\le a$에서 정의된 확률밀도함수 $y=\frac{1}{2}f(x)+c$에 대하여 $100(ab+ac)$의 값을 구하시오. (단, a, b, c는 양수이다.)

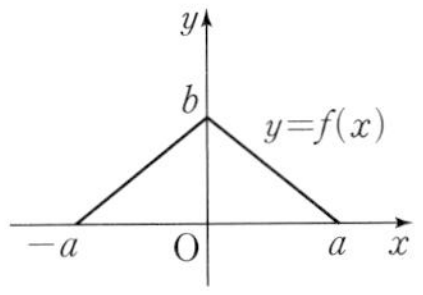

확률밀도함수의 그래프와 x축 및 $x=-a$, $x=a$로 둘러싸인 부분의 넓이가 1임을 이용하자.

함수 $y=f(x)$의 그래프와 x축 사이의 넓이는 1이므로

$\frac{1}{2}\times 2a\times b=1 \qquad \therefore ab=1$

함수 $y=\frac{1}{2}f(x)+c$의 그래프는 그림과 같고, x축 및 두 직선 $x=-a$, $x=a$로 둘러싸인 부분의 넓이가 1이므로

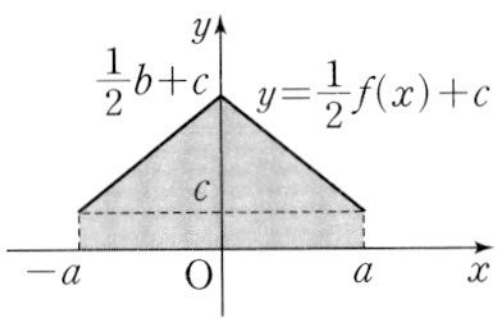

$\frac{1}{2}\times 2a\times\frac{1}{2}b+2a\times c=1$

$\therefore ac=\frac{1}{4}$

$\therefore 100(ab+ac)=100\times\left(1+\frac{1}{4}\right)=125$

답 125

0954

$\mathrm{P}(0\le X\le 3)=1$이다.

구간 [0, 3]의 모든 실수 값을 가지는 연속확률변수 X에 대하여

$\mathrm{P}(x\le X\le 3)=a(3-x)\ (0\le x\le 3)$

이 성립할 때, $\mathrm{P}(0\le X<a)=\frac{q}{p}$이다. $p+q$의 값을 구하시오.

(단, a는 상수이고, p와 q는 서로소인 자연수이다.)

$x=0$을 대입하면 $\mathrm{P}(0\le X\le 3)=3a$임을 이용하자.

$\mathrm{P}(x\le X\le 3)=a(3-x)\ (0\le x\le 3)$에서

$\mathrm{P}(0\le X\le 3)=1$이어야 하므로

$3a=1 \qquad \therefore a=\frac{1}{3}$

$\therefore \mathrm{P}(x\le X\le 3)=\frac{1}{3}(3-x)\ (0\le x\le 3)$

$\therefore \mathrm{P}(0\le X<a)=1-\mathrm{P}(a\le X\le 3)$

$=1-\mathrm{P}\left(\frac{1}{3}\le X\le 3\right)$

$=1-\frac{1}{3}\left(3-\frac{1}{3}\right)=1-\frac{1}{3}\times\frac{8}{3}=\frac{1}{9}$

$\therefore p=9,\ q=1,\ p+q=10$

답 10

0955

$y=f(x)$의 그래프는 y축에 대하여 대칭임을 이용하자.

$-2\le x\le 2$에서 정의된 연속확률변수 X의 확률밀도함수 $y=f(x)$의 그래프가 그림과 같다.

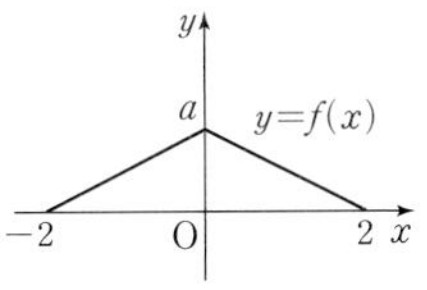

세 사건 $A=\{X\mid -2\le X\le 0\}$, $B=\{X\mid -1\le X\le 1\}$, $C=\{X\mid 0\le X\le 2\}$에 대하여 〈보기〉에서 옳은 것만을 있는 대로 고르시오.

$\mathrm{P}(A)=\frac{1}{2}$임을 이용하자.

보기

ㄱ. $\mathrm{P}(A^C\cup B^C)=\frac{5}{8}$ → $=\mathrm{P}((A\cap B)^C)$

ㄴ. $\mathrm{P}(B\mid C)=\frac{2}{7}$

ㄷ. 두 사건 A와 B는 서로 독립이다.

함수 $y=f(x)$의 그래프와 x축으로 둘러싸인 부분의 넓이가 1이므로

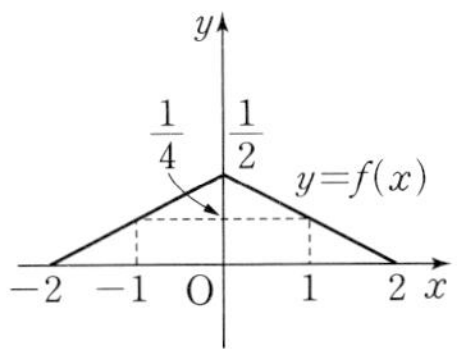

$\frac{1}{2}\times 4\times a=1$

$\therefore a=\frac{1}{2}$

ㄱ. $A^C\cup B^C=(A\cap B)^C$이므로

$\mathrm{P}(A^C\cup B^C)=1-\mathrm{P}(A\cap B)$

$=1-\mathrm{P}(-1\le X\le 0)$

$=1-\frac{1}{2}\times\left(\frac{1}{4}+\frac{1}{2}\right)\times 1=\frac{5}{8}$ (참)

ㄴ. $\mathrm{P}(B\mid C)=\frac{\mathrm{P}(B\cap C)}{\mathrm{P}(C)}=\frac{\mathrm{P}(0\le X\le 1)}{\mathrm{P}(0\le X\le 2)}$

$=\frac{\frac{3}{8}}{\frac{1}{2}}=\frac{3}{4}$ (거짓)

ㄷ. $\mathrm{P}(A\cap B)=\mathrm{P}(-1\le X\le 0)=\frac{3}{8}$

$\mathrm{P}(A)=\mathrm{P}(-2\le X\le 0)=\frac{1}{2}$

$\mathrm{P}(B)=\mathrm{P}(-1\le X\le 1)=\frac{3}{4}$

$\therefore \mathrm{P}(A)\mathrm{P}(B)=\frac{1}{2}\times\frac{3}{4}=\frac{3}{8}$

즉, $\mathrm{P}(A\cap B)=\mathrm{P}(A)\mathrm{P}(B)$이므로

두 사건 A와 B는 서로 독립이다. (참)

따라서 옳은 것은 ㄱ, ㄷ이다.

답 ㄱ, ㄷ

0956

$-2\le x\le 1$에서 정의된 연속확률변수 X의 확률밀도함수 $y=f(x)$의 그래프가 그림과 같을 때, 〈보기〉에서 옳은 것만을 있는대로 고른 것은?

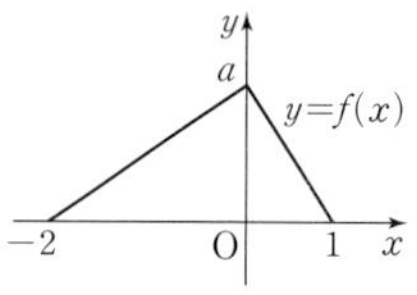

보기

ㄱ. $a=\frac{2}{3}$ — 함수의 그래프와 x축으로 둘러싸인 부분의 넓이는 1임을 이용하자.

ㄴ. $\mathrm{P}(-2\le X\le -1)=\frac{1}{2}\mathrm{P}(X>0)$

ㄷ. $\mathrm{P}(-1\le X\le 0)=\mathrm{P}(X>-1)-\mathrm{P}(-2\le X\le 0)$

— 구간의 넓이를 각각 구하자.

ㄱ. 함수 $y=f(x)$의 그래프와 x축으로 둘러싸인 부분의 넓이가 1이므로

$\frac{1}{2}\times 3\times a=1 \qquad \therefore a=\frac{2}{3}$ (참)

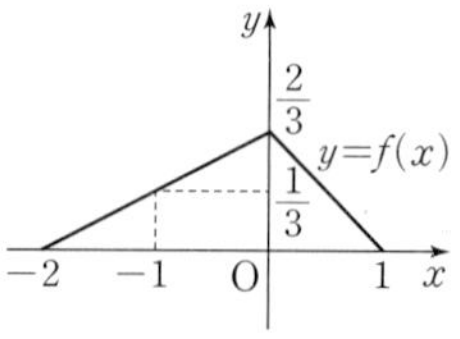

ㄴ. $\mathrm{P}(-2\le X\le -1)=\frac{1}{2}\times 1\times\frac{1}{3}=\frac{1}{6}$

$\mathrm{P}(X>0)=\frac{1}{2}\times 1\times\frac{2}{3}=\frac{1}{3}$

$\therefore \mathrm{P}(-2\le X\le -1)=\frac{1}{2}\mathrm{P}(X>0)$ (참)

ㄷ. $\mathrm{P}(-1\le X\le 0)=\frac{1}{2}\times\left(\frac{1}{3}+\frac{2}{3}\right)\times 1=\frac{1}{2}$

$\mathrm{P}(X>-1)=1-\mathrm{P}(-2\le X\le -1)$

$=1-\frac{1}{6}=\frac{5}{6}$

$\mathrm{P}(-2\le X\le 0)=\frac{1}{2}\times 2\times\frac{2}{3}=\frac{2}{3}$

$\mathrm{P}(X>-1)-\mathrm{P}(-2\le X\le 0)=\frac{5}{6}-\frac{2}{3}=\frac{1}{6}$

$\therefore \mathrm{P}(-1\le X\le 0)\ne \mathrm{P}(X>-1)-\mathrm{P}(-2\le X\le 0)$ (거짓)

따라서 옳은 것은 ㄱ, ㄴ이다.

답 ③

0957

확률변수 X의 확률분포를 나타낸 표가 다음과 같다.

X	0	1	2	⋯	10	합계
$\mathrm{P}(X=x)$	p_0	p_1	p_2	⋯	p_{10}	1

— $F(x)+G(x)=1$임을 이용하자.

집합 $\{x\,|\,0\le x\le 10\}$에서 정의된 두 함수 $y=F(x)$, $y=G(x)$가 $F(x)=\mathrm{P}(0\le X\le x)$, $G(x)=\mathrm{P}(X>x)$일 때, 〈보기〉에서 옳은 것만을 있는 대로 고르시오.

보기

ㄱ. $F(4)+G(4)=1$

ㄴ. $\mathrm{P}(4\le X\le 8)=F(8)-F(4)$ — $=\mathrm{P}(0\le X\le 8)-\mathrm{P}(0\le X<4)$이다.

ㄷ. $\mathrm{P}(4\le X\le 8)=G(3)-G(8)$

ㄱ. $F(4)+G(4)$

$=\mathrm{P}(0\le X\le 4)+\mathrm{P}(X>4)$

$=\{\mathrm{P}(X=0)+\mathrm{P}(X=1)+\cdots+\mathrm{P}(X=4)\}$

$\quad+\{\mathrm{P}(X=5)+\mathrm{P}(X=6)+\cdots+\mathrm{P}(X=10)\}$

$=1$ (참)

ㄴ. $\mathrm{P}(4\le X\le 8)=\mathrm{P}(0\le X\le 8)-\mathrm{P}(0\le X\le 3)$

$=F(8)-F(3)$ (거짓)

ㄷ. $\mathrm{P}(4\le X\le 8)=\mathrm{P}(0\le X\le 8)-\mathrm{P}(0\le X\le 3)$

$=\{1-\mathrm{P}(X>8)\}-\{1-\mathrm{P}(X>3)\}$

$=\{1-G(8)\}-\{1-G(3)\}$

$=G(3)-G(8)$ (참)

따라서 옳은 것은 ㄱ, ㄷ이다.

답 ㄱ, ㄷ

0958

— 함수의 그래프와 x축으로 둘러싸인 부분의 넓이가 1임을 이용하자.

확률변수 X의 확률밀도함수 $f(x)$가 다음과 같을 때, $\mathrm{P}(a\le X\le 5a)$의 값은?

$$f(x)=\begin{cases}-|x-a|+a & (0\le x<2a)\\ -|x-4a|+2a & (2a\le x<6a)\\ 0 & (x<0,\ x\ge 6a)\end{cases}$$

— 함수의 그래프를 좌표평면위에 그려 보자.

확률밀도함수 $f(x)$의 그래프는 다음과 같다.

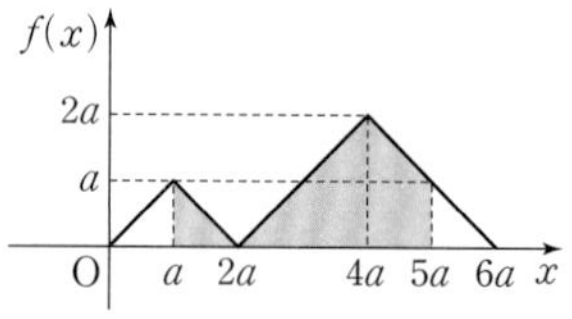

전체 넓이가 1이므로 $a=\frac{1}{\sqrt{5}}$

$\mathrm{P}(a\le X\le 5a)=\frac{4}{5}$

답 ⑤

07 이산확률변수의 평균과 표준편차

본책 186~210쪽

0959

이산확률변수 X의 확률질량함수

$P(X=x_i)=p_i$ $(i=1, 2, 3, \cdots, 10)$에 대하여

$m=E(X)=x_1p_1+x_2p_2+x_3p_3+\cdots+x_{10}p_{10}=\sum_{i=1}^{10}\boxed{x_ip_i}$

답 x_ip_i

0960

$V(X)=(x_1-m)^2p_1+(x_2-m)^2p_2+(x_3-m)^2p_3+\cdots+(x_{10}-m)^2p_{10}$

$=\sum_{i=1}^{10}(\boxed{x_i-m})^2p_i$

답 x_i-m

0961

$V(X)=\sum_{i=1}^{10}(x_i-m)^2p_i=\sum_{i=1}^{10}x_i^2p_i-m^2$

$=E(X^2)-\boxed{\{E(X)\}^2}$

답 $\{E(X)\}^2$

0962

$\sigma(X)=\sqrt{\boxed{V(X)}}$

답 $V(X)$

0963

확률의 총합은 1이므로

$a+\frac{1}{4}+\frac{5}{8}=1$

$\therefore a=\frac{1}{8}$

답 $\frac{1}{8}$

0964

$P(1\le X\le 2)=P(X=1)+P(X=2)$

$=\frac{1}{8}+\frac{1}{4}$

$=\frac{3}{8}$

답 $\frac{3}{8}$

0965

$E(X)=1\times\frac{1}{8}+2\times\frac{1}{4}+3\times\frac{5}{8}$

$=\frac{5}{2}$

답 $\frac{5}{2}$

0966

$E(X^2)=1^2\times\frac{1}{8}+2^2\times\frac{1}{4}+3^2\times\frac{5}{8}=\frac{27}{4}$

$\therefore V(X)=E(X^2)-\{E(X)\}^2$

$=\frac{27}{4}-\left(\frac{5}{2}\right)^2=\frac{1}{2}$

답 $\frac{1}{2}$

0967

$\sigma(X)=\sqrt{V(X)}=\sqrt{\frac{1}{2}}=\frac{\sqrt{2}}{2}$

답 $\frac{\sqrt{2}}{2}$

0968

한 개의 주사위를 두 번 던질 때, 소수의 눈이 나오는 횟수 X가 가질 수 있는 값은 0, 1, 2이고 한 개의 주사위를 한 번 던질 때 소수의 눈이 나오는 확률은 $\frac{1}{2}$, 소수가 아닌 수의 눈이 나오는 확률은 $\frac{1}{2}$이므로

$P(X=0)={}_2C_0\left(\frac{1}{2}\right)^2=\frac{1}{4}$

$P(X=1)={}_2C_1\left(\frac{1}{2}\right)^1\left(\frac{1}{2}\right)^1=\frac{1}{2}$

$P(X=2)={}_2C_2\left(\frac{1}{2}\right)^2=\frac{1}{4}$

따라서 확률변수 X의 확률분포를 표로 나타내면 다음과 같다.

X	0	1	2	합계
$P(X=x)$	$\frac{1}{4}$	$\frac{1}{2}$	$\frac{1}{4}$	1

답 풀이 참조

0969

$P(X(X-1)\le 0)=P(0\le X\le 1)$

$=P(X=0)+P(X=1)$

$=\frac{1}{4}+\frac{1}{2}=\frac{3}{4}$

답 $\frac{3}{4}$

0970

$E(X)=0\times\frac{1}{4}+1\times\frac{1}{2}+2\times\frac{1}{4}=1$

답 1

0971

$E(X^2)=0^2\times\frac{1}{4}+1^2\times\frac{1}{2}+2^2\times\frac{1}{4}=\frac{3}{2}$

$\therefore V(X)=E(X^2)-\{E(X)\}^2$

$=\frac{3}{2}-1^2=\frac{1}{2}$

답 $\frac{1}{2}$

0972

$\sigma(X)=\sqrt{V(X)}=\sqrt{\frac{1}{2}}=\frac{\sqrt{2}}{2}$

답 $\frac{\sqrt{2}}{2}$

0973

$P(1\le X\le 2)=P(X=1)+P(X=2)$

$=\frac{1}{6}+\frac{2}{3}=\frac{5}{6}$

답 $\frac{5}{6}$

0974

$E(X)=1\times\frac{1}{6}+2\times\frac{2}{3}+3\times\frac{1}{6}=2$

답 2

0975

$V(X)=\left(1^2\times\frac{1}{6}+2^2\times\frac{2}{3}+3^2\times\frac{1}{6}\right)-2^2=\frac{1}{3}$

답 $\frac{1}{3}$

0976

$\sigma(X)=4$이므로 $V(X)=16$

$\therefore E(X^2)=V(X)+\{E(X)\}^2=16+10^2=116$

답 116

0977

$V(X)=E(X^2)-\{E(X)\}^2=40-5^2=15$ 답 15

0978

$\{E(X)\}^2=E(X^2)-V(X)=29-4=25$ 답 25

0979

$E(4X+5)=\boxed{4}E(X)+\boxed{5}$ 답 4, 5

0980

$V(4X+5)=4^2V(X)=\boxed{16}V(X)$ 답 16

0981

$\sigma(4X+5)=|4|\sigma(X)=\boxed{4}\sigma(X)$ 답 4

0982

$E(2X-1)=2E(X)-1=2\times5-1=9$ 답 9

0983

$V(-X+3)=(-1)^2V(X)=1\times4=4$ 답 4

0984

$V(X)=4$이므로 $\sigma(X)=2$

$\sigma(3X+2)=|3|\sigma(X)=3\times2=6$ 답 6

0985

$E(Y)=E(-X+1)=-E(X)+1$

$=-5+1=-4$

$\sigma(Y)=\sigma(-X+1)=|-1|\sigma(X)=2$

답 $E(Y)=-4$, $\sigma(Y)=2$

0986

$E(Z)=E\left(\frac{1}{5}X+3\right)=\frac{1}{5}E(X)+3$

$=\frac{1}{5}\times5+3=4$

$\sigma(Z)=\sigma\left(\frac{1}{5}X+3\right)=\left|\frac{1}{5}\right|\sigma(X)=\frac{2}{5}$

답 $E(Z)=4$, $\sigma(Z)=\frac{2}{5}$

0987

확률변수 X의 확률분포를 표로 나타내면 다음과 같다.

X	1	2	3	4	합계
$P(X=x)$	$\frac{1}{6}$	$\frac{1}{3}$	$\frac{1}{6}$	$\frac{1}{3}$	1

$E(X)$의 값을 구하시오.

→ $P(X=x_i)=p_i(i=1, 2, \cdots, n)$일 때, $E(X)=x_1p_1+x_2p_2+\cdots+x_np_n$임을 이용하자.

$E(X)=1\times\frac{1}{6}+2\times\frac{1}{3}+3\times\frac{1}{6}+4\times\frac{1}{3}=\frac{8}{3}$ 답 $\frac{8}{3}$

0988

확률변수 X의 확률분포를 나타낸 표가 다음과 같을 때, X의 평균을 구하시오. → 확률의 총합은 1임을 이용하자.

X	2	3	4	6	합계
$P(X=x)$	a	$\frac{1}{3}$	a	$\frac{1}{6}$	1

확률의 총합은 1이므로

$a+\frac{1}{3}+a+\frac{1}{6}=1$에서 $a=\frac{1}{4}$

$\therefore E(X)=2\times\frac{1}{4}+3\times\frac{1}{3}+4\times\frac{1}{4}+6\times\frac{1}{6}=\frac{7}{2}$ 답 $\frac{7}{2}$

0989

→ 확률의 총합은 1임을 이용하자.

확률변수 X의 확률분포표는 다음과 같다.

X	-1	0	1	2	합계
$P(X=x)$	a	$\frac{1}{8}$	b	$\frac{1}{8}$	1

$P(0\le X\le2)=\frac{7}{8}$일 때, 확률변수 X의 평균 $E(X)$의 값을 구하시오.

→ $=P(X=0)+P(X=1)+P(X=2)$임을 이용하자.

$P(0\le X\le2)=\frac{1}{8}+b+\frac{1}{8}=\frac{7}{8}$ $\therefore b=\frac{5}{8}$

확률의 총합은 1이므로 $a=\frac{1}{8}$

$E(X)=(-1)\times\frac{1}{8}+0\times\frac{1}{8}+1\times\frac{5}{8}+2\times\frac{1}{8}=\frac{3}{4}$ 답 $\frac{3}{4}$

0990

→ 확률의 총합은 1임을 이용하자.

확률변수 X의 확률분포표가 다음과 같다.

X	1	3	7	합계
$P(X=x)$	a	$\frac{1}{4}$	b	1

$E(X)=5$일 때, b의 값은? (단, a와 b는 상수이다.)

→ $E(X)=x_1p_1+x_2p_2+\cdots+x_np_n=\sum_{i=1}^{n}x_ip_i$임을 이용하자.

주어진 확률분포표에서 확률의 합은 1이므로

$a+\frac{1}{4}+b=1$, $a+b=\frac{3}{4}$ …… ㉠

또 확률변수 X의 평균 $E(X)=5$이므로

$1\times a+3\times\frac{1}{4}+7\times b=5$, $a+7b=\frac{17}{4}$ …… ㉡

㉡−㉠을 하면

$6b=\frac{14}{4}$ $\therefore b=\frac{7}{12}$ 답 ③

0991 확률의 총합은 1임을 이용하자.

> 확률변수 X의 확률분포를 나타낸 표가 다음과 같다.
> $E(X)=-\frac{1}{2}$일 때, $a+b$의 값은? (단, a, b는 상수이다.)
>
> | X | -2 | 0 | 2 | 합계 |
> |---|---|---|---|---|
> | $P(X=x)$ | a | b | a^2 | 1 |
>
> $E(X)=x_1p_1+x_2p_2+\cdots+x_np_n=\sum_{i=1}^{n}x_ip_i$임을 이용하자.

확률의 총합은 1이므로

$a+b+a^2=1$ ⋯⋯ ㉠

$E(X)=(-2)\times a+0\times b+2\times a^2=-\frac{1}{2}$이므로

$2a^2-2a=-\frac{1}{2}$, $4a^2-4a+1=0$

$(2a-1)^2=0$ $\therefore a=\frac{1}{2}$

$a=\frac{1}{2}$을 ㉠에 대입하면

$\frac{1}{2}+b+\frac{1}{4}=1$

$\therefore b=\frac{1}{4}$

$\therefore a+b=\frac{1}{2}+\frac{1}{4}=\frac{3}{4}$ 답 ④

0992 확률의 총합은 1임을 이용하자.

> 확률변수 X의 확률분포를 나타낸 표가 다음과 같다.
>
> | X | 1 | 2 | k | 합계 |
> |---|---|---|---|---|
> | $P(X=x)$ | $\frac{1}{6}$ | a | b | 1 |
>
> $\frac{1}{6}$, a, b가 이 순서대로 등차수열을 이루고 $E(X)=\frac{17}{6}$일 때, 상수 k의 값을 구하시오. ($2a=\frac{1}{6}+b$임을 이용하자.)

확률의 총합은 1이므로

$\frac{1}{6}+a+b=1$

$\therefore a+b=\frac{5}{6}$ ⋯⋯ ㉠

$\frac{1}{6}$, a, b가 이 순서대로 등차수열을 이루므로

$2a=\frac{1}{6}+b$

$\therefore 2a-b=\frac{1}{6}$ ⋯⋯ ㉡

㉠, ㉡을 연립하여 풀면

$a=\frac{1}{3}$, $b=\frac{1}{2}$

$\therefore E(X)=1\times\frac{1}{6}+2\times\frac{1}{3}+k\times\frac{1}{2}=\frac{k}{2}+\frac{5}{6}$

즉, $\frac{k}{2}+\frac{5}{6}=\frac{17}{6}$이므로 $\frac{k}{2}=2$

$\therefore k=4$ 답 4

0993

> 이산확률변수 X의 확률질량함수가
>
> $$P(X=x)=\begin{cases}\frac{1}{4} & (x=1, 3)\\ \frac{1}{2} & (x=2)\end{cases}$$
>
> 확률변수 X의 확률분포를 표로 나타내자.
>
> 로 주어질 때, $E(X)$의 값을 구하시오.
>
> $E(X)=x_1p_1+x_2p_2+\cdots+x_np_n=\sum_{i=1}^{n}x_ip_i$임을 이용하자.

확률변수 X의 확률분포를 표로 나타내면 다음과 같다.

X	1	2	3	합계
$P(X=x)$	$\frac{1}{4}$	$\frac{1}{2}$	$\frac{1}{4}$	1

$\therefore E(X)=1\times\frac{1}{4}+2\times\frac{1}{2}+3\times\frac{1}{4}=2$ 답 2

0994

> 이산확률변수 X의 확률질량함수가
>
> $P(X=x)=\frac{x^2}{a}$ $(x=1, 2, 3, 4, 5)$ (확률의 총합은 1임을 이용하자.)
>
> 일 때, $E(X)$의 값을 구하시오. (단, a는 상수이다.)
>
> $E(X)=x_1p_1+x_2p_2+\cdots+x_np_n=\sum_{i=1}^{n}x_ip_i$임을 이용하자.

$P(X=1)+P(X=2)+P(X=3)+P(X=4)+P(X=5)=1$ 이므로

$\frac{1}{a}+\frac{4}{a}+\frac{9}{a}+\frac{16}{a}+\frac{25}{a}=1$ $\therefore a=55$

$\therefore E(X)=1\times\frac{1}{55}+2\times\frac{4}{55}+3\times\frac{9}{55}+4\times\frac{16}{55}+5\times\frac{25}{55}$

$=\frac{1+8+27+64+125}{55}=\frac{225}{55}=\frac{45}{11}$ 답 $\frac{45}{11}$

0995

> 확률변수 X가 1^2, 2^2, 3^2, $\cdots$, 10^2의 값을 갖고, 확률질량함수가 $P(X=k^2)=ck$ $(k=1, 2, \cdots, 10)$일 때, $E(X)$를 구하시오. (단, c는 상수이다.)
>
> 확률의 총합은 1이므로 $\sum_{k=1}^{10}P(X=k^2)=\sum_{k=1}^{10}ck=1$이다.

확률의 총합은 1이므로

$\sum_{k=1}^{10}P(X=k^2)=\sum_{k=1}^{10}ck=1$

$c\times\frac{10\times11}{2}=1$

따라서 $c=\frac{1}{55}$이므로

$P(X=k^2)=\frac{k}{55}$

$\therefore E(X)=\sum_{k=1}^{10}k^2P(X=k^2)=\frac{1}{55}\sum_{k=1}^{10}k^3$

$=\frac{1}{55}\left(\frac{10\times11}{2}\right)^2=55$ 답 55

0996

→ 확률변수 X의 확률분포를 표로 나타내자.

> 확률변수 X의 확률질량함수가
>
> $$P(X=x)=\frac{k}{x(x+1)}\ (x=1, 2, 3, 4)$$
>
> 일 때, $E(X)$를 구하시오. (단, k는 상수이다.)
>
> → 확률의 합을 구하기 위해 부분분수를 이용하자.

확률의 총합은 1이므로

$\sum_{x=1}^{4}P(X=x)=1$에서

$$\sum_{x=1}^{4}\frac{k}{x(x+1)}$$
$$=k\sum_{x=1}^{4}\left(\frac{1}{x}-\frac{1}{x+1}\right)$$
$$=k\left\{\left(1-\frac{1}{2}\right)+\left(\frac{1}{2}-\frac{1}{3}\right)+\left(\frac{1}{3}-\frac{1}{4}\right)+\left(\frac{1}{4}-\frac{1}{5}\right)\right\}$$
$$=k\left(1-\frac{1}{5}\right)$$
$$=\frac{4}{5}k=1$$
$$\therefore k=\frac{5}{4}$$

즉, 확률변수 X의 확률분포를 표로 나타내면 다음과 같다.

X	1	2	3	4	합계
$P(X=x)$	$\frac{5}{8}$	$\frac{5}{24}$	$\frac{5}{48}$	$\frac{1}{16}$	1

$$\therefore E(X)=1\times\frac{5}{8}+2\times\frac{5}{24}+3\times\frac{5}{48}+4\times\frac{1}{16}=\frac{77}{48}$$

답 $\frac{77}{48}$

0997

→ 확률변수 X의 확률분포를 표로 나타내자.

> 이산확률변수 X의 확률질량함수가
>
> $$P(X=n)=\log\frac{n+1}{n}\ (\text{단, } n=1, 2, 3, \cdots, a)$$
>
> 일 때, $E(X)+\log(9!)$의 값을 구하시오. (단, a는 자연수이다.)
>
> → $\log\frac{2}{1}+\log\frac{3}{2}+\log\frac{4}{3}+\cdots+\log\frac{a+1}{a}=1$임을 이용하자.

$\sum_{n=1}^{a}P(X=n)=1$에서

$$\log\frac{2}{1}+\log\frac{3}{2}+\log\frac{4}{3}+\cdots+\log\frac{a+1}{a}=1$$
$$\log\left(\frac{2}{1}\times\frac{3}{2}\times\frac{4}{3}\times\cdots\times\frac{a+1}{a}\right)=1$$
$$\log(a+1)=1$$
$$\therefore a=9$$

이산확률변수 X의 확률분포표는 다음과 같다.

X	1	2	3	$\cdots$	9	합계
$P(X=x)$	$\log\frac{2}{1}$	$\log\frac{3}{2}$	$\log\frac{4}{3}$	$\cdots$	$\log\frac{10}{9}$	1

$$E(X)=1\times\log\frac{2}{1}+2\times\log\frac{3}{2}+3\times\log\frac{4}{3}+\cdots+9\times\log\frac{10}{9}$$
$$=\log\frac{2}{1}+\log\left(\frac{3}{2}\right)^2+\log\left(\frac{4}{3}\right)^3+\cdots+\log\left(\frac{10}{9}\right)^9$$
$$=\log\left\{\frac{2}{1}\times\left(\frac{3}{2}\right)^2\times\left(\frac{4}{3}\right)^3\times\cdots\times\left(\frac{10}{9}\right)^9\right\}$$
$$=\log\frac{2\times3^2\times4^3\times\cdots\times10^9}{1\times2^2\times3^3\times\cdots\times9^9}$$
$$=\log\frac{10^9}{1\times2\times3\times\cdots\times9}$$
$$=\log 10^9-\log(9!)$$
$$=9-\log(9!)$$
$$\therefore E(X)+\log(9!)=9$$

답 9

0998

→ 확률의 총합은 1임을 이용하자.

> 확률변수 X의 확률분포가 그림의 대응과 같다. $E(X)=\frac{13}{6}$일 때, 두 상수 a, b에 대하여 ab의 값을 구하시오.
>
> $E(X)=x_1p_1+x_2p_2+\cdots+x_np_n$임을 이용하자.
>
> 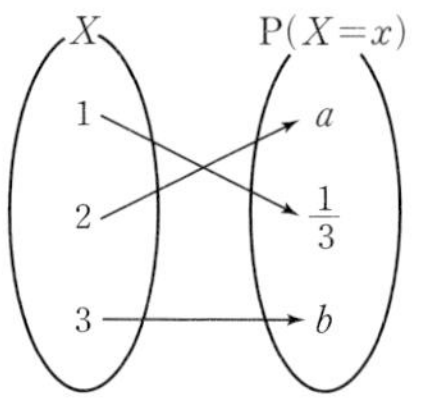
>

확률변수 X의 값은 1, 2, 3이고

$P(X=1)=\frac{1}{3}$, $P(X=2)=a$, $P(X=3)=b$

확률의 총합은 1이므로

$$\frac{1}{3}+a+b=1$$
$$\therefore 3a+3b=2 \qquad \cdots\cdots ㉠$$
$$E(X)=1\times\frac{1}{3}+2\times a+3\times b=\frac{13}{6}$$
$$\therefore 12a+18b=11 \qquad \cdots\cdots ㉡$$

㉠, ㉡을 연립하여 풀면

$$a=\frac{1}{6},\ b=\frac{1}{2}$$
$$\therefore ab=\frac{1}{12}$$

답 $\frac{1}{12}$

0999

확률변수 X가 가질 수 있는 값은 0, 1, 2이다. →

> 한 개의 주사위를 한 번 던져 나오는 눈의 수를 3으로 나눈 나머지를 확률변수 X라 하자. X의 평균을 구하시오.
>
> $E(X)=x_1p_1+x_2p_2+\cdots+x_np_n$임을 이용하자.

확률변수 X가 가질 수 있는 값은 0, 1, 2이므로

$P(X=0)=\frac{2}{6}$, $P(X=1)=\frac{2}{6}$, $P(X=2)=\frac{2}{6}$

즉, 확률변수 X의 확률분포를 표로 나타내면 다음과 같다.

X	0	1	2	합계
$P(X=x)$	$\frac{2}{6}$	$\frac{2}{6}$	$\frac{2}{6}$	1

$$\therefore E(X)=0\times\frac{2}{6}+1\times\frac{2}{6}+2\times\frac{2}{6}=1$$

답 1

1000 확률변수 X가 가질 수 있는 값은 0, 1, 2이다.

> 흰 공 2개와 검은 공 3개가 들어 있는 주머니에서 임의로 3개의 공을 동시에 꺼낼 때, 주머니에서 나오는 흰 공의 개수를 확률변수 X라 하자. $\mathrm{E}(X)$를 구하시오.
>
> $\mathrm{E}(X)=x_1p_1+x_2p_2+\cdots+x_np_n$임을 이용하자.

확률변수 X가 가질 수 있는 값은 0, 1, 2이므로

$\mathrm{P}(X=0)=\dfrac{{}_2\mathrm{C}_0\times{}_3\mathrm{C}_3}{{}_5\mathrm{C}_3}=\dfrac{1}{10}$

$\mathrm{P}(X=1)=\dfrac{{}_2\mathrm{C}_1\times{}_3\mathrm{C}_2}{{}_5\mathrm{C}_3}=\dfrac{6}{10}$

$\mathrm{P}(X=2)=\dfrac{{}_2\mathrm{C}_2\times{}_3\mathrm{C}_1}{{}_5\mathrm{C}_3}=\dfrac{3}{10}$

즉, 확률변수 X의 확률분포를 표로 나타내면 다음과 같다.

X	0	1	2	합계
$\mathrm{P}(X=x)$	$\frac{1}{10}$	$\frac{6}{10}$	$\frac{3}{10}$	1

$\therefore \mathrm{E}(X)=0\times\dfrac{1}{10}+1\times\dfrac{6}{10}+2\times\dfrac{3}{10}=\dfrac{6}{5}$

답 $\dfrac{6}{5}$

1001 확률변수 X가 가질 수 있는 값과 그 각각의 확률을 구하여 확률변수 X의 확률분포를 표로 나타내자.

> 서로 다른 두 개의 주사위를 동시에 던졌을 때, 나오는 두 눈의 수의 차를 확률변수 X라 할 때, $\mathrm{E}(X)$의 값을 구하시오.
>
> $\mathrm{E}(X)=x_1p_1+x_2p_2+\cdots+x_np_n=\sum_{i=1}^{n}x_ip_i$임을 이용하자.

확률변수 X로 가능한 값은 0, 1, 2, 3, 4, 5이고, 각각의 확률을 구해보면 아래 표와 같다.

X	0	1	2	3	4	5	합계
$\mathrm{P}(X=x)$	$\frac{1}{6}$	$\frac{5}{18}$	$\frac{2}{9}$	$\frac{1}{6}$	$\frac{1}{9}$	$\frac{1}{18}$	1

$\therefore \mathrm{E}(X)=0\times\dfrac{1}{6}+1\times\dfrac{5}{18}+2\times\dfrac{2}{9}+3\times\dfrac{1}{6}+4\times\dfrac{1}{9}+5\times\dfrac{1}{18}$

$=\dfrac{35}{18}$

답 $\dfrac{35}{18}$

1002

> 그림은 각 면에 1, 2, 3, 4가 적힌 정사면체의 전개도이다. 이 전개도로 만든 정사면체를 두 번 던질 때, 밑면에 적힌 수 중에서 첫 번째 수를 a, 두 번째 수를 b라 하자. $|a-b|$의 값을 확률변수 X라 할 때, $\mathrm{E}(X)$를 구하시오.
>
> 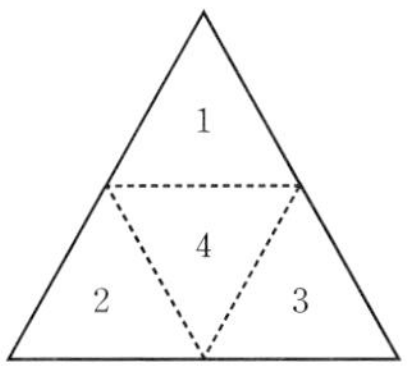
>
>
> 확률변수 X가 가질 수 있는 값과 그 각각의 확률을 구하자.

밑면에 적힌 수 중에서 첫 번째 수 a, 두 번째 수 b를 순서쌍 (a, b)로 나타내면

(i) 두 수의 차가 0인 경우
(1, 1), (2, 2), (3, 3), (4, 4)의 4가지

(ii) 두 수의 차가 1인 경우
(1, 2), (2, 1), (2, 3), (3, 2), (3, 4), (4, 3)의 6가지

(iii) 두 수의 차가 2인 경우
(1, 3), (3, 1), (2, 4), (4, 2)의 4가지

(iv) 두 수의 차가 3인 경우
(1, 4), (4, 1)의 2가지

(i)~(iv)에서 $|a-b|$의 값인 확률변수 X가 가질 수 있는 값은 0, 1, 2, 3이고, 그 각각의 확률은

$\mathrm{P}(X=0)=\dfrac{4}{16}$, $\mathrm{P}(X=1)=\dfrac{6}{16}$,

$\mathrm{P}(X=2)=\dfrac{4}{16}$, $\mathrm{P}(X=3)=\dfrac{2}{16}$

즉, 확률변수 X의 확률분포를 표로 나타내면 다음과 같다.

X	0	1	2	3	합계
$\mathrm{P}(X=x)$	$\frac{4}{16}$	$\frac{6}{16}$	$\frac{4}{16}$	$\frac{2}{16}$	1

$\therefore \mathrm{E}(X)=0\times\dfrac{4}{16}+1\times\dfrac{6}{16}+2\times\dfrac{4}{16}+3\times\dfrac{2}{16}=\dfrac{5}{4}$

답 $\dfrac{5}{4}$

1003 확률변수 X가 가질 수 있는 값과 그 각각의 확률을 구하여 확률변수 X의 확률분포를 표로 나타내자.

> 검은 구슬 5개와 파란 구슬 2개가 들어 있는 주머니가 있다. 이 주머니에서 2개의 구슬을 꺼내는 시행에서 나오는 검은 구슬의 개수를 확률변수 X라 할 때, X의 평균을 구하시오.
>
> $\mathrm{E}(X)=x_1p_1+x_2p_2+\cdots+x_np_n=\sum_{i=1}^{n}x_ip_i$임을 이용하자.

확률변수 X가 가질 수 있는 값은 0, 1, 2이므로

$\mathrm{P}(X=0)=\dfrac{{}_2\mathrm{C}_2}{{}_7\mathrm{C}_2}=\dfrac{1}{21}$

$\mathrm{P}(X=1)=\dfrac{{}_5\mathrm{C}_1\times{}_2\mathrm{C}_1}{{}_7\mathrm{C}_2}=\dfrac{10}{21}$

$\mathrm{P}(X=2)=\dfrac{{}_5\mathrm{C}_2}{{}_7\mathrm{C}_2}=\dfrac{10}{21}$

즉, 확률변수 X의 확률분포를 표로 나타내면 다음과 같다.

X	0	1	2	합계
$\mathrm{P}(X=x)$	$\frac{1}{21}$	$\frac{10}{21}$	$\frac{10}{21}$	1

$\therefore \mathrm{E}(X)=0\times\dfrac{1}{21}+1\times\dfrac{10}{21}+2\times\dfrac{10}{21}=\dfrac{10}{7}$

답 $\dfrac{10}{7}$

1004 확률변수 X가 가질 수 있는 값과 그 각각의 확률을 구하여 확률변수 X의 확률분포를 표로 나타내자.

> 상자 속에 숫자 1이 적힌 공이 1개, 2가 적힌 공이 2개, 3이 적힌 공이 3개, …, 10이 적힌 공이 10개 들어 있다. 이 상자에서 임의로 한 개의 공을 꺼낼 때, 그 공에 적힌 수를 확률변수 X라고 한다. $\mathrm{E}(X)$는?
>
> $\mathrm{E}(X)=x_1p_1+x_2p_2+\cdots+x_np_n=\sum_{i=1}^{n}x_ip_i$임을 이용하자.

확률변수 X의 확률분포를 표로 나타내면 다음과 같다.

X	1	2	3	…	10	합계
$\mathrm{P}(X=x)$	$\frac{1}{55}$	$\frac{2}{55}$	$\frac{3}{55}$	…	$\frac{10}{55}$	1

$\therefore E(X)=1\times\frac{1}{55}+2\times\frac{2}{55}+3\times\frac{3}{55}+\cdots+10\times\frac{10}{55}$

$=\frac{1}{55}(1^2+2^2+3^2+\cdots+10^2)$

$=\frac{1}{55}\times\frac{10\times11\times21}{6}=7$

답 ③

1005

100원짜리 동전 2개와 10원짜리 동전 1개를 동시에 던지는 시행에서 앞면이 나오는 동전들의 합계 금액을 확률변수 X라 하자. $E(X)$의 값을 구하시오.

확률변수 X가 가질 수 있는 값과 그 각각의 확률을 구하여 확률변수 X의 확률분포를 표로 나타내자.

확률변수 X의 확률분포를 표로 나타내면 다음과 같다.

X	0	10	100	110	200	210	합계
$P(X=x)$	$\frac{1}{8}$	$\frac{1}{8}$	$\frac{2}{8}$	$\frac{2}{8}$	$\frac{1}{8}$	$\frac{1}{8}$	1

$\therefore E(X)=0\times\frac{1}{8}+10\times\frac{1}{8}+100\times\frac{2}{8}+110\times\frac{2}{8}$

$+200\times\frac{1}{8}+210\times\frac{1}{8}$

$=105$

답 105

1006

1이 적혀 있는 구슬이 1개, 2가 적혀 있는 구슬이 3개, 3이 적혀 있는 구슬이 5개가 들어 있는 주머니가 있다. 이 주머니에서 구슬 두 개를 동시에 꺼낼 때, 두 개의 구슬에 적혀 있는 수의 곱을 X라 하자. 확률변수 X의 기댓값 $E(X)$의 값은?

확률변수 X가 가질 수 있는 값과 그 각각의 확률을 구하여 확률변수 X의 확률분포를 표로 나타내자.

확률변수 X의 확률분포표는 다음과 같다.

X	2	3	4	6	9	합계
$P(X=x)$	$\frac{3}{36}$	$\frac{5}{36}$	$\frac{3}{36}$	$\frac{15}{36}$	$\frac{10}{36}$	1

$E(X)=\frac{1}{36}(2\times3+3\times5+4\times3+6\times15+9\times10)=\frac{71}{12}$

답 ③

1007

학교 축제에서 행운권 100장을 발행했는데, 상품은 표와 같이 10000원과 5000원짜리 문화 상품권이다. 문화 상품권을 현금으로 생각한다면, 행운권 한 장으로 받을 수 있는 현금의 기댓값을 구하시오.

$E(X)=x_1p_1+x_2p_2+\cdots+x_np_n=\sum_{i=1}^{n}x_ip_i$임을 이용하자.

상	문화 상품권	개수
행운상	10000원	10
다행상	5000원	40
꽝	0원	50

행운권 한 장으로 받을 수 있는 현금을 확률변수 X라 하고 X의 확률분포를 표로 나타내면 다음과 같다.

X	0	5000	10000	합계
$P(X=x)$	$\frac{1}{2}$	$\frac{2}{5}$	$\frac{1}{10}$	1

따라서 현금의 기댓값 $E(X)$는

$E(X)=0\times\frac{1}{2}+5000\times\frac{2}{5}+10000\times\frac{1}{10}$

$=3000$(원)

답 3000원

1008

$P(X=150000)=\frac{{}_3C_3}{{}_{10}C_3}$임을 이용하자.

어느 복권회사에서 1부터 10까지의 자연수 중에서 3개를 적어 내는 복권을 판매한다. 이 회사에서는 3개의 수를 발표하여 이 세 수를 모두 맞힌 사람에게는 15만 원, 2개의 수를 맞힌 사람에게는 2만 원, 1개의 수를 맞힌 사람에게는 1만 원의 당첨금을 지급한다고 한다. 이 회사가 손해를 보지 않기 위해서 받아야 하는 복권 한 장의 최소 금액은? (단, 수의 순서는 생각하지 않는다.)

$E(X)$ 이상의 금액을 받아야 한다.

회사가 손해를 보지 않기 위한 복권 한 장의 최소 금액은 당첨금의 기댓값과 같아야 한다.

당첨금을 확률변수 X라 하면

$P(X=0)=\frac{{}_7C_3}{{}_{10}C_3}=\frac{35}{120}$

$P(X=10000)=\frac{{}_3C_1\times{}_7C_2}{{}_{10}C_3}=\frac{63}{120}$

$P(X=20000)=\frac{{}_3C_2\times{}_7C_1}{{}_{10}C_3}=\frac{21}{120}$

$P(X=150000)=\frac{{}_3C_3}{{}_{10}C_3}=\frac{1}{120}$

즉, 당첨금의 기댓값은

$E(X)=0\times\frac{35}{120}+10000\times\frac{63}{120}+20000\times\frac{21}{120}+150000\times\frac{1}{120}$

$=10000$(원)

따라서 최소 금액은 10000원이다.

답 ③

1009

$a,\ a+d,\ a+2d,\ a+3d$로 놓자.

그림과 같이 표적 원판이 네 개의 부채꼴로 나누어져 있고 각 부채꼴의 넓이는 등차수열을 이루며 가장 큰 부채꼴의 넓이는 가장 작은 부채꼴의 넓이의 5배이다. 또 중심각의 크기가 큰 부채꼴부터 각각 2점, 4점, 6점, 8점이 부여되어 있다. 이 표적 원판을 돌린 후, 화살 한 개를 쏘아 원판에 맞추었을 때, 얻는 점수의 기댓값을 구하시오.

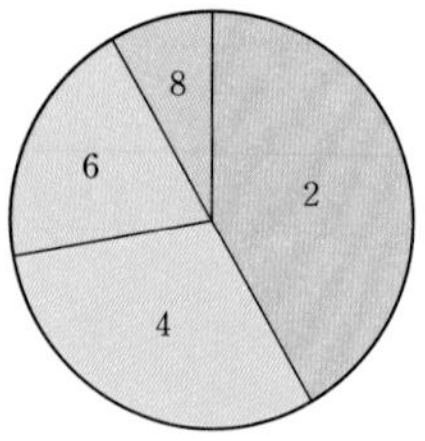

(단, 화살은 경계선에 맞지 않는다.)

$E(X)=x_1p_1+x_2p_2+\cdots+x_np_n=\sum_{i=1}^{n}x_ip_i$임을 이용하자.

부채꼴의 넓이는 중심각의 크기에 비례하므로 각 부채꼴의 중심각의 크기는 등차수열을 이루며 가장 큰 부채꼴의 중심각의 크기는 가장 작은 부채꼴의 중심각의 크기의 5배이다.
네 부채꼴의 중심각의 크기가 등차수열을 이루므로 작은 것부터 차례대로 a, $a+d$, $a+2d$, $a+3d$로 놓으면

$a+(a+d)+(a+2d)+(a+3d)=360°$

$\therefore 4a+6d=360°$ ……㉠

가장 큰 부채꼴의 중심각의 크기는 가장 작은 부채꼴의 중심각의 크기의 5배이므로

$a+3d=5a$ $\therefore 3d=4a$ ……㉡

㉠, ㉡을 연립하여 풀면 $a=30°$, $d=40°$

즉, 네 부채꼴의 중심각의 크기는 각각 $30°$, $70°$, $110°$, $150°$

화살을 한 번 쏘아서 얻는 점수를 확률변수 X라 하면 X의 확률분포를 표로 나타내면 다음과 같다.

X	2	4	6	8	합계
$P(X=x)$	$\frac{150}{360}$	$\frac{110}{360}$	$\frac{70}{360}$	$\frac{30}{360}$	1

따라서 얻는 점수의 기댓값은

$$E(X)=2\times\frac{150}{360}+4\times\frac{110}{360}+6\times\frac{70}{360}+8\times\frac{30}{360}=\frac{35}{9}(\text{점})$$

답 $\frac{35}{9}$

1010

기댓값 $E(X)=x_1p_1+x_2p_2+\cdots+x_np_n$임을 이용하자.

다음 표와 같은 상금이 걸려 있는 제비가 있다. 한 개의 제비를 뽑아 받을 수 있는 상금의 기대 금액이 1000원이 되도록 할 때, 전체 제비의 개수를 구하시오.

등급	상금	개수
1등	100000원	1
2등	10000원	10
등외	0원	?

전체 제비의 개수를 x라 하면, 등외의 개수는 $x-11$이고 그 확률은 $\frac{x-11}{x}$이다.

전체 제비의 개수를 x, 상금을 확률변수 X라 하면 기대금액이 1000원이므로

$$E(X)=100000\times\frac{1}{x}+10000\times\frac{10}{x}+0\times\frac{x-11}{x}=1000$$

$200000=1000x$

$\therefore x=200$

따라서 전체 제비의 개수는 200이다. 답 200

1011

흰 구슬이 나올 확률은 $\frac{x}{x+8}$이다.

빨간 구슬이 8개, 흰 구슬이 x개 들어 있는 주머니에서 한 개의 구슬을 꺼낼 때, 빨간 구슬이 나오면 1000원의 상금을 받고 흰 구슬이 나오면 500원을 지불하는 게임이 있다. 이 게임에서 얻을 수 있는 이익의 기댓값이 300원일 때, 주머니 속에 들어 있는 흰 구슬의 개수를 구하시오.

$E(X)=x_1p_1+x_2p_2+\cdots+x_np_n=\sum_{i=1}^{n}x_ip_i$임을 이용하자.

얻을 수 있는 이익금을 확률변수 X라 하면 기댓값이 300원이므로

$$E(X)=1000\times\frac{8}{8+x}+(-500)\times\frac{x}{8+x}=300$$

$\frac{80-5x}{8+x}=3$, $8x=56$ $\therefore x=7$

따라서 흰 구슬의 개수는 7이다. 답 7

1012

확률변수 X의 확률분포를 나타낸 표가 다음과 같을 때, $E(X)+\sigma(X)$의 값은?

$V(X)=E(X^2)-\{E(X)\}^2$임을 이용하자.

X	1	2	3	4	합계
$P(X=x)$	$\frac{1}{10}$	$\frac{1}{5}$	$\frac{3}{10}$	$\frac{2}{5}$	1

$E(X)=1\times\frac{1}{10}+2\times\frac{1}{5}+3\times\frac{3}{10}+4\times\frac{2}{5}=3$

$V(X)=E(X^2)-\{E(X)\}^2$

$=1^2\times\frac{1}{10}+2^2\times\frac{1}{5}+3^2\times\frac{3}{10}+4^2\times\frac{2}{5}-3^2=1$

$\therefore \sigma(X)=\sqrt{V(X)}=1$

$\therefore E(X)+\sigma(X)=3+1=4$

답 ④

1013

확률의 총합은 1임을 이용하자.

확률변수 X의 확률분포를 나타낸 표가 다음과 같을 때, $a+E(X)+V(X)$의 값을 구하시오. (단, a는 상수이다.)

X	1	2	3	4	합계
$P(X=x)$	$\frac{1}{6}$	$\frac{1}{3}$	a	$\frac{1}{6}$	1

$V(X)=E(X^2)-\{E(X)\}^2$임을 이용하자.

확률의 총합은 1이므로

$\frac{1}{6}+\frac{1}{3}+a+\frac{1}{6}=1$ $\therefore a=\frac{1}{3}$

$E(X)=1\times\frac{1}{6}+2\times\frac{1}{3}+3\times\frac{1}{3}+4\times\frac{1}{6}=\frac{5}{2}$

$V(X)=E(X^2)-\{E(X)\}^2$

$=1^2\times\frac{1}{6}+2^2\times\frac{1}{3}+3^2\times\frac{1}{3}+4^2\times\frac{1}{6}-\left(\frac{5}{2}\right)^2=\frac{11}{12}$

$\therefore a+E(X)+V(X)=\frac{1}{3}+\frac{5}{2}+\frac{11}{12}=\frac{15}{4}$

답 $\frac{15}{4}$

1014

확률의 총합은 1임을 이용하자.

확률변수 X의 확률분포를 나타낸 표가 다음과 같을 때, $\sigma(X)$를 구하시오.

$\sigma(X)=\sqrt{V(X)}$임을 이용하자.

X	-1	0	1	합계
$P(X=x)$	a	$\frac{a}{2}$	a^2	1

확률의 총합은 1이므로

$a+\frac{a}{2}+a^2=1$, $2a^2+3a-2=0$

$(a+2)(2a-1)=0$

$\therefore a=\frac{1}{2}$ ($\because 0\le a\le 1$)

$E(X)=(-1)\times\frac{1}{2}+0\times\frac{1}{4}+1\times\frac{1}{4}=-\frac{1}{4}$

$V(X)=E(X^2)-\{E(X)\}^2$

$=(-1)^2\times\frac{1}{2}+0^2\times\frac{1}{4}+1^2\times\frac{1}{4}-\left(-\frac{1}{4}\right)^2=\frac{11}{16}$

$\therefore \sigma(X)=\sqrt{V(X)}=\frac{\sqrt{11}}{4}$ 답 $\frac{\sqrt{11}}{4}$

1015 • 확률의 총합은 1임을 이용하자.

확률변수 X의 확률분포를 나타낸 표가 다음과 같다.

X	1	2	4	8	합계
$P(X=x)$	$\frac{1}{4}$	a	$\frac{1}{8}$	b	1

확률변수 X의 평균이 5일 때, X의 분산을 구하시오.

• $V(X)=E(X^2)-\{E(X)\}^2$임을 이용하자.

확률의 총합은 1이므로

$\frac{1}{4}+a+\frac{1}{8}+b=1$

$\therefore a+b=\frac{5}{8}$ ……㉠

$E(X)=1\times\frac{1}{4}+2\times a+4\times\frac{1}{8}+8\times b=5$

$\therefore a+4b=\frac{17}{8}$ ……㉡

㉠, ㉡을 연립하여 풀면

$a=\frac{1}{8}$, $b=\frac{1}{2}$

$\therefore V(X)=E(X^2)-\{E(X)\}^2$

$=1^2\times\frac{1}{4}+2^2\times\frac{1}{8}+4^2\times\frac{1}{8}+8^2\times\frac{1}{2}-5^2$

$=\frac{39}{4}$ 답 $\frac{39}{4}$

1016 • 확률의 총합은 1임을 이용하자.

확률변수 X의 확률분포를 나타낸 표가 다음과 같다.

X	-1	0	1	합계
$P(X=x)$	a	$\frac{1}{3}$	b	1

확률변수 X의 분산이 $\frac{5}{12}$일 때, $P(X=1)$은? (단, $a>b$)

• $V(X)=E(X^2)-\{E(X)\}^2$임을 이용하자.

확률의 총합은 1이므로

$a+\frac{1}{3}+b=1$에서 $a+b=\frac{2}{3}$ ……㉠

$E(X)=-a+b$, $E(X^2)=a+b=\frac{2}{3}$이므로

$V(X)=E(X^2)-\{E(X)\}^2$

$=\frac{2}{3}-(-a+b)^2=\frac{5}{12}$

$\therefore (a-b)^2=\frac{1}{4}$

$\therefore a-b=\frac{1}{2}$ ($\because a>b$) ……㉡

㉠, ㉡을 연립하여 풀면

$a=\frac{7}{12}$, $b=\frac{1}{12}$

$\therefore P(X=1)=b=\frac{1}{12}$ 답 ①

1017 • 확률의 총합은 1임을 이용하자.

확률변수 X의 확률분포를 나타낸 표가 다음과 같다.

X	1	2	3	합계
$P(X=x)$	a	b	c	1

$E(X)=2$, $V(X)=\frac{1}{2}$일 때, 세 상수 a, b, c에 대하여 abc의 값은?

• $V(X)=E(X^2)-\{E(X)\}^2$임을 이용하자.

확률의 총합은 1이므로

$a+b+c=1$ ……㉠

$E(X)=1\times a+2\times b+3\times c=2$

$\therefore a+2b+3c=2$ ……㉡

$V(X)=E(X^2)-\{E(X)\}^2$

$=1^2\times a+2^2\times b+3^2\times c-2^2=\frac{1}{2}$

$\therefore a+4b+9c=\frac{9}{2}$ ……㉢

㉠, ㉡, ㉢을 연립하여 풀면 $a=\frac{1}{4}$, $b=\frac{1}{2}$, $c=\frac{1}{4}$

$\therefore abc=\frac{1}{32}$ 답 ③

1018 분산을 $V(X)=E(X^2)-\{E(X)\}^2$임을 이용하여 식으로 나타내자.

확률변수 X의 확률분포를 나타낸 표가 다음과 같다. X의 분산이 최대가 되도록 하는 a의 값을 k라 할 때, $12k$의 값을 구하시오.

X	0	2	3	합계
$P(X=x)$	a	$\frac{1}{4}$	b	1

확률의 총합은 1이므로

$a+\frac{1}{4}+b=1$

$\therefore a=-b+\frac{3}{4}$ ……㉠

$E(X)=0\times a+2\times\frac{1}{4}+3\times b=3b+\frac{1}{2}$

$V(X)=E(X^2)-\{E(X)\}^2$

$=0^2\times a+2^2\times\frac{1}{4}+3^2\times b-\left(3b+\frac{1}{2}\right)^2$

$=1+9b-\left(9b^2+3b+\frac{1}{4}\right)$

$=-9\left(b-\frac{1}{3}\right)^2+\frac{7}{4}$

즉, $V(X)$는 $b=\frac{1}{3}$일 때, 최댓값 $\frac{7}{4}$을 가지므로

$b=\frac{1}{3}$을 ㉠에 대입하면 $a=k=\frac{5}{12}$

$\therefore 12k=12\times\frac{5}{12}=5$

답 5

1019

이산확률변수 X의 확률분포가 아래 표와 같다.

X	x_1	x_2	$\cdots$	x_n	합계
$P(X=x_i)$	p_1	p_2	$\cdots$	p_n	1

실수 a에 대하여 함수 $S(a)$를

$$S(a)=\sum_{i=1}^{n}(x_i-a)^2p_i$$

라 정의하자. 옳은 것만을 〈보기〉에서 있는 대로 고른 것은?

보기

ㄱ. $S(a)=0$일 때, $V(X)=0$이다.

→ $x_1=x_2=x_3=\cdots=x_n=a$이다.

ㄴ. $a_1<a_2$일 때, $S(a_1)<S(a_2)$이다.

ㄷ. 함수 $S(a)$는 $a=\sum_{i=1}^{n}x_ip_i$일 때, 최솟값을 갖는다.

→ $\sum_{i=1}^{n}x_ip_i$는 확률변수 X의 평균이다.

ㄱ. $S(a)=0$이면 $x_1=x_2=\cdots=x_n=a$이다.

따라서 $V(X)=0$ $\quad\therefore$ 참

ㄴ. [반례] $\sum_{i=1}^{n}x_ip_i=m$이라 할 때,

$S(m-1)=S(m+1)$ $\quad\therefore$ 거짓

ㄷ. 확률변수 X의 평균 $\sum_{i=1}^{n}x_ip_i=m$이라 하면

$S(a)=\sum_{i=1}^{n}(x_i-a)^2p_i$

$=\sum_{i=1}^{n}\{(x_i-m)+(m-a)\}^2p_i$

$=\sum_{i=1}^{n}\{(x_i-m)^2+2(x_i-m)(m-a)+(m-a)^2\}p_i$

$=\sum_{i=1}^{n}\{(x_i-m)^2+(m-a)^2\}p_i$

$\left(\because (m-a)\sum_{i=1}^{n}(x_i-m)p_i=0\right)$

$S(a)$는 $a=m$일 때, 최솟값 $\sum_{i=1}^{n}(x_i-m)^2p_i$를 갖는다. $\quad\therefore$ 참

답 ③

1020

확률변수 X의 확률질량함수가

$$P(X=x)=\frac{3x+1}{12}\ (x=0,\ 1,\ 2)$$

일 때, $E(X)+V(X)$의 값을 구하시오.

→ 확률변수 X의 확률분포를 표로 나타내자.

X	0	1	2	합계
$P(X=x)$	$\frac{1}{12}$	$\frac{1}{3}$	$\frac{7}{12}$	1

$E(X)=\sum_{i=1}^{3}x_ip_i=\frac{1}{3}+\frac{7}{6}=\frac{3}{2}$

$V(X)=E(X^2)-\{E(X)\}^2$

$=\left(\frac{1}{3}+\frac{28}{12}\right)-\frac{9}{4}=\frac{5}{12}$

$\therefore E(X)+V(X)=\frac{3}{2}+\frac{5}{12}=\frac{23}{12}$

답 $\frac{23}{12}$

1021

확률변수 X의 확률질량함수가

$$P(X=n)=\frac{5-n}{10}\ (n=1,\ 2,\ 3,\ 4)$$

→ 확률변수 X의 확률분포를 표로 나타내자.

일 때, X의 분산은?

→ $V(X)=E(X^2)-\{E(X)\}^2$임을 이용하자.

확률변수 X의 확률분포를 표로 나타내면 다음과 같다.

X	1	2	3	4	합계
$P(X=n)$	$\frac{4}{10}$	$\frac{3}{10}$	$\frac{2}{10}$	$\frac{1}{10}$	1

$E(X)=1\times\frac{4}{10}+2\times\frac{3}{10}+3\times\frac{2}{10}+4\times\frac{1}{10}=2$

$\therefore V(X)=1^2\times\frac{4}{10}+2^2\times\frac{3}{10}+3^2\times\frac{2}{10}+4^2\times\frac{1}{10}-2^2$

$=5-4=1$

답 ②

1022

확률변수 X의 확률질량함수가

$$P(X=k)=\frac{k}{a}\ (k=1,\ 2,\ 3,\ 4)$$

→ 확률의 총합은 1임을 이용하여 a의 값을 구하자.

일 때, X의 표준편차는? (단, a는 상수이다.)

→ $\sigma(X)=\sqrt{V(X)}$임을 이용하자.

확률변수 X의 확률분포를 표로 나타내면 다음과 같다.

X	1	2	3	4	합계
$P(X=k)$	$\frac{1}{a}$	$\frac{2}{a}$	$\frac{3}{a}$	$\frac{4}{a}$	1

확률의 총합은 1이므로

$\frac{1}{a}+\frac{2}{a}+\frac{3}{a}+\frac{4}{a}=\frac{10}{a}=1$

$\therefore a=10$

$E(X)=1\times\frac{1}{10}+2\times\frac{2}{10}+3\times\frac{3}{10}+4\times\frac{4}{10}=3$

$V(X)=1^2\times\frac{1}{10}+2^2\times\frac{2}{10}+3^2\times\frac{3}{10}+4^2\times\frac{4}{10}-3^2=1$

$\therefore \sigma(X)=\sqrt{V(X)}=1$

답 ①

1023

확률변수 X는 1, 2, 3, $\cdots$, n의 값을 취하고, $X=k$ $(1\le k\le n)$ 일 확률이

→ $\sum_{k=1}^{n} ck=1$임을 이용하여 c의 값을 구하자.

$P(X=k)=ck$ (단, c는 상수)

라 한다. 확률변수 X의 표준편차가 $\sqrt{6}$이 되도록 하는 자연수 n의 값을 구하시오.

→ $V(X)=\sum_{k=1}^{n} k^2\cdot(ck)-\{\sum_{k=1}^{n} k\cdot(ck)\}^2=6$임을 이용하자.

$c\sum_{k=1}^{n} k=1$에서 $c=\frac{2}{n(n+1)}$

X의 표준편차가 $\sqrt{6}$이므로 X의 분산 $V(X)$는

$V(X)=\sum_{k=1}^{n} k^2\cdot(ck)-\left(\sum_{k=1}^{n} k\cdot ck\right)^2=6$에서

$c\sum_{k=1}^{n} k^3-\left(\sum_{k=1}^{n} ck^2\right)^2=6$

위 식에 $c=\frac{2}{n(n+1)}$를 대입하여 정리하면

$\frac{2}{n(n+1)}\times\left\{\frac{n(n+1)}{2}\right\}^2-\left\{\frac{2}{n(n+1)}\times\frac{n(n+1)(2n+1)}{6}\right\}^2=6$

$(n+11)(n-10)=0$ $\quad\therefore n=10$ $(\because n>0)$

답 10

1024

→ $\sum_{x=1}^{n} ax=\frac{an(n+1)}{2}=1$임을 이용하자.

확률변수 X의 확률질량함수가

$P(X=x)=ax$ $(x=1, 2, 3, \cdots, n)$

이고 $V(X)=1$일 때, $P(2\le X\le 3)$의 값을 구하시오.

(단, a는 상수이다.)

→ $E(X^2)=\sum_{x=1}^{n} x^2\times P(X=x)$임을 이용하자.

$\sum_{x=1}^{n} P(X=x)=1$이므로

$\sum_{x=1}^{n} ax=\frac{an(n+1)}{2}=1$

$\therefore a=\frac{2}{n(n+1)}$

$E(X)=\sum_{x=1}^{n} x\times P(X=x)$

$=\frac{2}{n(n+1)}\sum_{x=1}^{n} x^2$

$=\frac{2}{n(n+1)}\times\frac{n(n+1)(2n+1)}{6}$

$=\frac{2n+1}{3}$

$E(X^2)=\sum_{x=1}^{n} x^2\times P(X=x)$

$=\frac{2}{n(n+1)}\sum_{x=1}^{n} x^3$

$=\frac{2}{n(n+1)}\times\left\{\frac{n(n+1)}{2}\right\}^2$

$=\frac{n(n+1)}{2}$

$\therefore V(X)=E(X^2)-\{E(X)\}^2$

$=\frac{n(n+1)}{2}-\left(\frac{2n+1}{3}\right)^2$

$=\frac{n^2+n-2}{18}$

$V(X)=1$에서 $\frac{n^2+n-2}{18}=1$

$n^2+n-2=18$

$n^2+n-20=0$

$(n+5)(n-4)=0$

$\therefore n=4$ $(\because n>0)$

따라서 $a=\frac{1}{10}$이므로 $P(X=x)=\frac{x}{10}$ $(x=1, 2, 3, 4)$

$\therefore P(2\le X\le 3)=\frac{2}{10}+\frac{3}{10}=\frac{1}{2}$

답 $\frac{1}{2}$

1025

이산확률변수 X의 확률질량함수

$P(X=x_i)=p_i$ $(i=1, 2, 3, \cdots, n)$

이 다음 조건을 만족시킬 때, $E(X)+V(X)$의 값을 구하시오.

$\left(\text{단, } m=\sum_{i=1}^{n} x_ip_i\right)$

(가) $\sum_{i=1}^{n}(2x_i+6)p_i=10$ → $\sum_{i=1}^{n} p_i=1$임을 이용하자.

(나) $\sum_{i=1}^{n}(3x_i-m)^2p_i=25$ → $E(X^2)=\sum_{i=1}^{n} x^2p_i$임을 이용하자.

$E(X)=\sum_{i=1}^{n} x_ip_i=m$

(확률의 합)$=\sum_{i=1}^{n} p_i=1$이고, $E(X^2)=\sum_{i=1}^{n} x_i^2p_i=a$라 하면

$\sum_{i=1}^{n}(2x_i+6)p_i=\sum_{i=1}^{n} 2x_ip_i+\sum_{i=1}^{n} 6p_i=10$에서 $2m+6=10$

$\therefore m=2$ $\quad\cdots\cdots$ ㉠

$\sum_{i=1}^{n}(3x_i-m)^2p_i=\sum_{i=1}^{n}(9x_i^2p_i-6mx_ip_i+m^2p_i)$

$=\sum_{i=1}^{n} 9x_i^2p_i-\sum_{i=1}^{n} 6mx_ip_i+\sum_{i=1}^{n} m^2p_i$

$=9a-6m^2+m^2=25$ $\quad\cdots\cdots$ ㉡

㉠을 ㉡에 대입하면

$a=5$

$V(X)=E(X^2)-m^2=5-4=1$

답 1

1026

1이 적힌 카드가 1장, 2가 적힌 카드가 2장, 3이 적힌 카드가 3장 있다. 이 중에서 한 장의 카드를 뽑을 때, 뽑힌 카드에 적힌 수를 확률변수 X라고 한다. $V(X)$는?

→ 확률변수 X가 가질 수 있는 값과 그 각각의 확률을 구하여 확률변수 X의 확률분포를 표로 나타내자.

확률변수 X가 가질 수 있는 값은 1, 2, 3이므로

$P(X=1)=\frac{1}{6}$, $P(X=2)=\frac{2}{6}$, $P(X=3)=\frac{3}{6}$

즉, 확률변수 X의 확률분포를 표로 나타내면 다음과 같다.

X	1	2	3	합계
$P(X=x)$	$\frac{1}{6}$	$\frac{2}{6}$	$\frac{3}{6}$	1

$E(X)=1\times\frac{1}{6}+2\times\frac{2}{6}+3\times\frac{3}{6}=\frac{7}{3}$

$\therefore V(X)=E(X^2)-\{E(X)\}^2$

$=1^2\times\frac{1}{6}+2^2\times\frac{2}{6}+3^2\times\frac{3}{6}-\left(\frac{7}{3}\right)^2$

$=\frac{5}{9}$

답 ⑤

1027

한 개의 주사위를 던져서 나온 눈의 수의 양의 약수의 개수를 확률변수 X라 할 때, X의 분산을 구하시오.

└• 확률변수 X가 가질 수 있는 값과 그 각각의 확률을 구하여 확률변수 X의 확률분포를 표로 나타내자.

확률변수 X가 가질 수 있는 값은 1, 2, 3, 4이다.
약수의 개수가 1인 경우는 1의 1가지
약수의 개수가 2인 경우는 2, 3, 5의 3가지
약수의 개수가 3인 경우는 4의 1가지
약수의 개수가 4인 경우는 6의 1가지

$\therefore P(X=1)=\frac{1}{6}$, $P(X=2)=\frac{3}{6}$, $P(X=3)=\frac{1}{6}$,

$P(X=4)=\frac{1}{6}$

즉, 확률변수 X의 확률분포를 표로 나타내면 다음과 같다.

X	1	2	3	4	합계
$P(X=x)$	$\frac{1}{6}$	$\frac{3}{6}$	$\frac{1}{6}$	$\frac{1}{6}$	1

$E(X)=1\times\frac{1}{6}+2\times\frac{3}{6}+3\times\frac{1}{6}+4\times\frac{1}{6}=\frac{7}{3}$

$\therefore V(X)=E(X^2)-\{E(X)\}^2$

$=1^2\times\frac{1}{6}+2^2\times\frac{3}{6}+3^2\times\frac{1}{6}+4^2\times\frac{1}{6}-\left(\frac{7}{3}\right)^2$

$=\frac{8}{9}$

답 $\frac{8}{9}$

1028

각 면에 1, 2, 2, 3, 3, 3의 숫자가 하나씩 적혀 있는 서로 다른 두 개의 주사위를 던지는 시행에서 나오는 두 눈의 수의 합을 확률변수 X라 할 때, X의 표준편차를 구하시오.

└• 확률변수 X가 가질 수 있는 값과 그 각각의 확률을 구하여 확률변수 X의 확률분포를 표로 나타내자.

확률변수 X가 가질 수 있는 값은 2, 3, 4, 5, 6이다.

(i) $X=2$인 경우
(1, 1)일 때이므로

$P(X=2)=\frac{1}{6}\times\frac{1}{6}=\frac{1}{36}$

(ii) $X=3$인 경우
(1, 2), (2, 1)일 때이므로

$P(X=3)=\frac{1}{6}\times\frac{2}{6}\times2=\frac{4}{36}$

(iii) $X=4$인 경우
(1, 3), (2, 2), (3, 1)일 때이므로

$P(X=4)=\frac{1}{6}\times\frac{3}{6}+\frac{2}{6}\times\frac{2}{6}+\frac{3}{6}\times\frac{1}{6}=\frac{10}{36}$

(iv) $X=5$인 경우
(2, 3), (3, 2)일 때이므로

$P(X=5)=\frac{2}{6}\times\frac{3}{6}\times2=\frac{12}{36}$

(v) $X=6$인 경우
(3, 3)일 때이므로

$P(X=6)=\frac{3}{6}\times\frac{3}{6}=\frac{9}{36}$

즉, 확률변수 X의 확률분포를 표로 나타내면 다음과 같다.

X	2	3	4	5	6	합계
$P(X=x)$	$\frac{1}{36}$	$\frac{4}{36}$	$\frac{10}{36}$	$\frac{12}{36}$	$\frac{9}{36}$	1

$E(X)=2\times\frac{1}{36}+3\times\frac{4}{36}+4\times\frac{10}{36}+5\times\frac{12}{36}+6\times\frac{9}{36}$

$=\frac{14}{3}$

$V(X)=E(X^2)-\{E(X)\}^2$

$=2^2\times\frac{1}{36}+3^2\times\frac{4}{36}+4^2\times\frac{10}{36}+5^2\times\frac{12}{36}+6^2\times\frac{9}{36}-\left(\frac{14}{3}\right)^2$

$=\frac{10}{9}$

$\therefore \sigma(X)=\sqrt{V(X)}=\frac{\sqrt{10}}{3}$

답 $\frac{\sqrt{10}}{3}$

1029

┌• 독립시행의 확률을 이용하자.

현아는 오늘 세 통의 스팸 메일을 포함하여 모두 다섯 통의 제목 없는 메일을 받았다. 이 중에서 임의로 택한 두 통의 메일을 삭제할 때, 남아 있는 스팸 메일의 수를 확률변수 X라고 한다. X의 분산은?

└• $V(X)=E(X^2)-\{E(X)\}^2$임을 이용하자.

확률변수 X가 가질 수 있는 값은 1, 2, 3이므로

$P(X=1)=\frac{{}_3C_2}{{}_5C_2}=\frac{3}{10}$

$P(X=2)=\frac{{}_3C_1\times{}_2C_1}{{}_5C_2}=\frac{6}{10}$

$P(X=3)=\frac{{}_2C_2}{{}_5C_2}=\frac{1}{10}$

즉, 확률변수 X의 확률분포를 표로 나타내면 다음과 같다.

X	1	2	3	합계
$P(X=x)$	$\frac{3}{10}$	$\frac{6}{10}$	$\frac{1}{10}$	1

$E(X)=1\times\frac{3}{10}+2\times\frac{6}{10}+3\times\frac{1}{10}=\frac{9}{5}$

$\therefore V(X)=E(X^2)-\{E(X)\}^2$

$=1^2\times\frac{3}{10}+2^2\times\frac{6}{10}+3^2\times\frac{1}{10}-\left(\frac{9}{5}\right)^2$

$=\frac{9}{25}$

답 ①

1030

네 개의 수 2, 3, 4, 5 중에서 임의로 서로 다른 두 수를 동시에 뽑을 때, 두 수의 차를 확률변수 X라 하자. $\sigma(X)$의 값을 구하시오.
└• 확률변수 X가 가질 수 있는 값과 그 각각의 확률을 구하여 확률변수 X의 확률분포를 표로 나타내자.

2, 3, 4, 5 중에서 서로 다른 두 수를 뽑는 경우의 수는 ${}_4C_2=6$ 이고, 확률변수 X가 가질 수 있는 값은 1, 2, 3이다.

(2, 3), (3, 4), (4, 5)일 때 $X=1$

(2, 4), (3, 5)일 때 $X=2$

(2, 5)일 때 $X=3$

따라서 확률변수 X의 확률분포를 표로 나타내면 다음과 같다.

X	1	2	3	합계
$P(X=x)$	$\frac{1}{2}$	$\frac{1}{3}$	$\frac{1}{6}$	1

$E(X)=1\times\frac{1}{2}+2\times\frac{1}{3}+3\times\frac{1}{6}=\frac{5}{3}$

$V(X)=1^2\times\frac{1}{2}+2^2\times\frac{1}{3}+3^2\times\frac{1}{6}-\left(\frac{5}{3}\right)^2=\frac{5}{9}$

이므로

$\sigma(X)=\sqrt{V(X)}=\sqrt{\frac{5}{9}}=\frac{\sqrt{5}}{3}$ 답 $\frac{\sqrt{5}}{3}$

1031

세 개의 변의 길이를 순서쌍으로 나타내면 $(1, 1, \sqrt{2})$, $(1, \sqrt{2}, \sqrt{3})$, $(\sqrt{2}, \sqrt{2}, \sqrt{2})$의 세 가지 경우가 가능하다.

그림과 같이 한 모서리의 길이가 1인 정육면체 ABCD-EFGH가 있다. 8개의 꼭짓점 중에서 임의로 세 개의 꼭짓점을 연결하여 만든 삼각형의 넓이를 확률변수 X라 할 때, $\{E(X)\}^2+V(X)$의 값은?

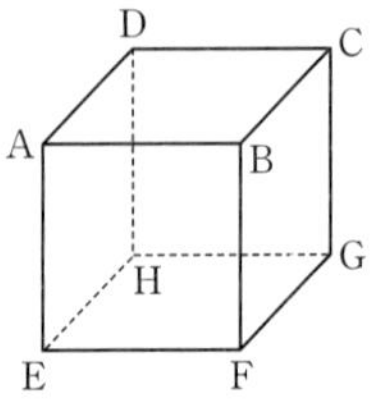

└• $V(X)=E(X^2)-\{E(X)\}^2$임을 이용하자.

8개의 꼭짓점 중에서 3개를 택하여 만들 수 있는 삼각형의 개수는 ${}_8C_3=56$

이 중에서 삼각형 ABD와 합동인 직각이등변삼각형, 즉 넓이가 $\frac{1}{2}$인 삼각형의 개수는 $4\times6=24$

삼각형 ABG와 합동인 직각삼각형, 즉 넓이가 $\frac{\sqrt{2}}{2}$인 삼각형의 개수는 $2\times12=24$

삼각형 ACF와 합동인 정삼각형, 즉 넓이가 $\frac{\sqrt{3}}{2}$인 삼각형의 개수는 $56-(24+24)=8$

따라서 확률변수 X의 확률분포를 표로 나타내면 다음과 같다.

X	$\frac{1}{2}$	$\frac{\sqrt{2}}{2}$	$\frac{\sqrt{3}}{2}$	합계
$P(X=x)$	$\frac{3}{7}$	$\frac{3}{7}$	$\frac{1}{7}$	1

$\therefore \{E(X)\}^2+V(X)=E(X^2)$

$=\left(\frac{1}{2}\right)^2\times\frac{3}{7}+\left(\frac{\sqrt{2}}{2}\right)^2\times\frac{3}{7}+\left(\frac{\sqrt{3}}{2}\right)^2\times\frac{1}{7}$

$=\frac{3}{7}$ 답 ②

1032

흰 공 3개, 검은 공 2개가 들어 있는 주머니에서 임의로 2개의 공을 꺼낼 때, 나오는 검은 공의 개수를 확률변수 X라고 한다. $V(X)$를 구하시오.
└• 확률변수 X가 가질 수 있는 값은 0, 1, 2이다.

확률변수 X가 가질 수 있는 값은 0, 1, 2이므로

$P(X=0)=\frac{{}_3C_2}{{}_5C_2}=\frac{3}{10}$

$P(X=1)=\frac{{}_2C_1\times{}_3C_1}{{}_5C_2}=\frac{6}{10}$

$P(X=2)=\frac{{}_2C_2}{{}_5C_2}=\frac{1}{10}$

즉, 확률변수 X의 확률분포를 표로 나타내면 다음과 같다.

X	0	1	2	합계
$P(X=x)$	$\frac{3}{10}$	$\frac{6}{10}$	$\frac{1}{10}$	1

$E(X)=0\times\frac{3}{10}+1\times\frac{6}{10}+2\times\frac{1}{10}=\frac{4}{5}$

$\therefore V(X)=E(X^2)-\{E(X)\}^2$

$=0^2\times\frac{3}{10}+1^2\times\frac{6}{10}+2^2\times\frac{1}{10}-\left(\frac{4}{5}\right)^2$

$=\frac{9}{25}$ 답 $\frac{9}{25}$

1033

파란 공이 4개, 노란 공이 3개 들어 있는 주머니에서 임의로 3개의 공을 꺼낼 때 파란 공의 개수를 확률변수 X라 하자. X의 표준편차를 구하시오.
└• 전체 경우의 수는 35이고 파란 공을 꺼내는 개수는 0, 1, 2, 3이 가능하다.

확률변수 X가 가질 수 있는 값은 0, 1, 2, 3이므로

$P(X=0)=\frac{{}_3C_3}{{}_7C_3}=\frac{1}{35}$

$P(X=1)=\frac{{}_4C_1\times{}_3C_2}{{}_7C_3}=\frac{12}{35}$

$P(X=2)=\frac{{}_4C_2\times{}_3C_1}{{}_7C_3}=\frac{18}{35}$

$P(X=3)=\frac{{}_4C_3}{{}_7C_3}=\frac{4}{35}$

즉, 확률변수 X의 확률분포를 표로 나타내면 다음과 같다.

X	0	1	2	3	합계
$P(X=x)$	$\frac{1}{35}$	$\frac{12}{35}$	$\frac{18}{35}$	$\frac{4}{35}$	1

$E(X)=0\times\frac{1}{35}+1\times\frac{12}{35}+2\times\frac{18}{35}+3\times\frac{4}{35}=\frac{12}{7}$

$V(X)=E(X^2)-\{E(X)\}^2$

$=0^2\times\frac{1}{35}+1^2\times\frac{12}{35}+2^2\times\frac{18}{35}+3^2\times\frac{4}{35}-\left(\frac{12}{7}\right)^2$

$=\frac{24}{49}$

$\therefore \sigma(X)=\sqrt{V(X)}=\frac{2\sqrt{6}}{7}$ 답 $\frac{2\sqrt{6}}{7}$

1034

→ 전체 경우의 수는 $6!$이다.

> A, B, C, D, E, F의 6명을 임의로 일렬로 세울 때, C, D 사이에 서는 사람의 수를 확률변수 X라 하자. X의 분산을 구하시오.
>
> → 확률변수 X가 가질 수 있는 값은 0, 1, 2, 3, 4이다.

C, D 사이에 서는 사람의 수 X가 가질 수 있는 값은 0, 1, 2, 3, 4이다.

$\mathrm{P}(X=0)=\dfrac{5!2!}{6!}=\dfrac{1}{3}$

$\mathrm{P}(X=1)=\dfrac{4\times4!\times2!}{6!}=\dfrac{4}{15}$

$\mathrm{P}(X=2)=\dfrac{{}_4\mathrm{P}_2\times3!\times2!}{6!}=\dfrac{1}{5}$

$\mathrm{P}(X=3)=\dfrac{{}_4\mathrm{P}_3\times2!\times2!}{6!}=\dfrac{2}{15}$

$\mathrm{P}(X=4)=\dfrac{{}_4\mathrm{P}_4\times2!}{6!}=\dfrac{1}{15}$

$\mathrm{E}(X)=0\times\dfrac{1}{3}+1\times\dfrac{4}{15}+2\times\dfrac{1}{5}+3\times\dfrac{2}{15}+4\times\dfrac{1}{15}=\dfrac{4}{3}$

$\therefore \mathrm{V}(X)=0^2\times\dfrac{1}{3}+1^2\times\dfrac{4}{15}+2^2\times\dfrac{1}{5}+3^2\times\dfrac{2}{15}+4^2\times\dfrac{1}{15}-\left(\dfrac{4}{3}\right)^2$

$=\dfrac{14}{9}$

답 $\dfrac{14}{9}$

1035

→ 전체 경우의 수는 ${}_5\mathrm{C}_3$이다.

> 그림과 같이 1, 2, 3, 4, 5의 숫자가 각각 하나씩 적힌 5장의 카드가 있다.
>
> 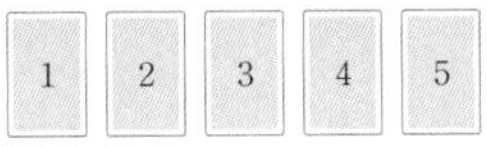
>
>
> 이 중에서 임의로 3장을 뽑아 크기순으로 배열할 때, 가운데 카드에 적혀 있는 수를 확률변수 X라 하자. $\dfrac{\mathrm{V}(X)}{\mathrm{E}(X)}$의 값을 구하시오.
>
> → 확률변수 X가 가질 수 있는 값은 2, 3, 4이다.

확률변수 X가 가질 수 있는 값은 2, 3, 4이고, 그 확률은 각각

$\mathrm{P}(X=2)=\dfrac{{}_1\mathrm{C}_1\times{}_3\mathrm{C}_1}{{}_5\mathrm{C}_3}=\dfrac{3}{10}$, $\mathrm{P}(X=3)=\dfrac{{}_2\mathrm{C}_1\times{}_2\mathrm{C}_1}{{}_5\mathrm{C}_3}=\dfrac{2}{5}$

$\mathrm{P}(X=4)=\dfrac{{}_3\mathrm{C}_1\times{}_1\mathrm{C}_1}{{}_5\mathrm{C}_3}=\dfrac{3}{10}$

이므로 확률변수 X의 확률분포를 표로 나타내면 다음과 같다.

X	2	3	4	합계
$\mathrm{P}(X=x)$	$\dfrac{3}{10}$	$\dfrac{2}{5}$	$\dfrac{3}{10}$	1

$\mathrm{E}(X)=2\times\dfrac{3}{10}+3\times\dfrac{2}{5}+4\times\dfrac{3}{10}=3$

$\mathrm{V}(X)=\mathrm{E}(X^2)-\{\mathrm{E}(X)\}^2$

$=2^2\times\dfrac{3}{10}+3^2\times\dfrac{2}{5}+4^2\times\dfrac{3}{10}-3^2=\dfrac{3}{5}$

$\therefore \dfrac{\mathrm{V}(X)}{\mathrm{E}(X)}=\dfrac{\frac{3}{5}}{3}=\dfrac{1}{5}$

답 $\dfrac{1}{5}$

1036

확률변수 X가 가질 수 있는 값은 $1, 2, 3, \cdots, n$이다. ←

> 숫자 $1, 2, 3, \cdots, n$이 각각 하나씩 적혀 있는 n장의 카드 중에서 한 장의 카드를 뽑는 시행에서 그 카드에 적힌 숫자를 확률변수 X라 할 때, X의 분산은?
>
> → 각각의 확률은 $\dfrac{1}{n}$로 동일하다.

확률변수 X의 확률분포를 표로 나타내면 다음과 같다.

X	1	2	3	$\cdots$	n	합계
$\mathrm{P}(X=x)$	$\dfrac{1}{n}$	$\dfrac{1}{n}$	$\dfrac{1}{n}$	$\cdots$	$\dfrac{1}{n}$	1

$\mathrm{E}(X)=\dfrac{1}{n}\times(1+2+3+\cdots+n)$

$=\dfrac{1}{n}\times\dfrac{n(n+1)}{2}$

$=\dfrac{n+1}{2}$

$\therefore \mathrm{V}(X)=\dfrac{1}{n}\times(1^2+2^2+3^2+\cdots+n^2)-\left(\dfrac{n+1}{2}\right)^2$

$=\dfrac{1}{n}\times\dfrac{n(n+1)(2n+1)}{6}-\left(\dfrac{n+1}{2}\right)^2$

$=\dfrac{n+1}{12}\{2(2n+1)-3(n+1)\}$

$=\dfrac{n^2-1}{12}$

답 ④

1037

→ 전체 공의 개수는 $1+2+3+\cdots+n$이다.

> 자연수 n에 대하여 자연수 k $(k=1, 2, 3, \cdots, n)$가 적힌 공이 k개씩 들어 있는 주머니에서 임의로 1개의 공을 꺼내어 그 공에 적힌 수를 확률변수 X라 할 때, $\mathrm{V}(X)+\{\mathrm{E}(X)\}^2=an^2+bn$이 항상 성립한다. 두 상수 a, b에 대하여 ab의 값을 구하시오.
>
> $\mathrm{V}(X)+\{\mathrm{E}(X)\}^2=\mathrm{E}(X^2)$임을 이용하자. ←

전체 공의 개수는

$1+2+3+\cdots+n=\dfrac{n(n+1)}{2}$

이므로

$\mathrm{P}(X=k)=\dfrac{(k\text{가 쓰여진 공의 개수})}{(\text{전체 공의 개수})}=\dfrac{2k}{n(n+1)}$

(단, $k=1, 2, 3, \cdots, n$)

$\mathrm{V}(X)=\mathrm{E}(X^2)-\{\mathrm{E}(X)\}^2$에서

$\mathrm{V}(X)+\{\mathrm{E}(X)\}^2=\mathrm{E}(X^2)$

$=\sum_{k=1}^{n}k^2\mathrm{P}(X=k)$

$=\sum_{k=1}^{n}\left\{k^2\times\dfrac{2k}{n(n+1)}\right\}$

$=\dfrac{2}{n(n+1)}\left\{\dfrac{n(n+1)}{2}\right\}^2$

$=\dfrac{n(n+1)}{2}$

$=\dfrac{1}{2}n^2+\dfrac{1}{2}n$

따라서 $a=\dfrac{1}{2}$, $b=\dfrac{1}{2}$이므로 $ab=\dfrac{1}{4}$

답 $\dfrac{1}{4}$

1038

> 확률변수 X의 평균이 10, 분산이 3일 때, 확률변수 $2X+3$의 평균과 분산을 각각 a, b라 하자. 이때, $a+b$의 값을 구하시오.
>
> • $\mathrm{E}(aX+b)=a\mathrm{E}(X)+b$, $\mathrm{V}(aX+b)=a^2\mathrm{V}(X)$임을 이용하자.

$a=\mathrm{E}(2X+3)=2\times\mathrm{E}(X)+3=2\times10+3=23$

$b=\mathrm{V}(2X+3)=2^2\times\mathrm{V}(X)=4\times3=12$

$\therefore a+b=35$

답 35

1039

> 확률변수 X에 대하여 $\mathrm{E}(X)=5$, $\mathrm{V}(X)=4$일 때, $\mathrm{E}(-7X+1)+\mathrm{V}(3X-5)$의 값을 구하시오.
>
> • $\mathrm{E}(aX+b)=a\mathrm{E}(X)+b$, $\mathrm{V}(aX+b)=a^2\mathrm{V}(X)$임을 이용하자.

$\mathrm{E}(-7X+1)+\mathrm{V}(3X-5)=-7\mathrm{E}(X)+1+3^2\mathrm{V}(X)$

$=(-7)\times5+1+9\times4$

$=2$

답 2

1040

> • $\mathrm{E}(Y)=\mathrm{E}(2X+5)$, $\mathrm{V}(Y)=\mathrm{V}(2X+5)$임을 이용하자.
>
> 확률변수 X에 대하여 $\mathrm{E}(X)=a$, $\mathrm{V}(X)=b$일 때, 확률변수 $Y=2X+5$에 대하여 $\mathrm{E}(Y)=25$, $\mathrm{V}(Y)=12$이다. $a+b$의 값을 구하시오.

$\mathrm{E}(X)=a$, $\mathrm{V}(X)=b$이므로

$\mathrm{E}(Y)=\mathrm{E}(2X+5)=2\mathrm{E}(X)+5$

$=2a+5=25$

$\therefore a=10$

$\mathrm{V}(Y)=\mathrm{V}(2X+5)=2^2\mathrm{V}(X)$

$=4b=12$

$\therefore b=3$

$\therefore a+b=10+3=13$

답 13

1041

> 확률변수 X에 대하여 $\mathrm{E}(X)=4$, $\mathrm{V}(X)=8$이고, 확률변수 $Y=aX+b$에 대하여 $\mathrm{E}(Y)=13$, $\mathrm{V}(Y)=32$일 때, 두 상수 a, b에 대하여 a^2+b^2의 값은? (단, $a>0$)
>
> • $\mathrm{E}(Y)=\mathrm{E}(aX+b)$, $\mathrm{V}(Y)=\mathrm{V}(aX+b)$임을 이용하자.

$\mathrm{E}(Y)=\mathrm{E}(aX+b)=a\mathrm{E}(X)+b$

$=4a+b=13$ ……㉠

$\mathrm{V}(Y)=\mathrm{V}(aX+b)=a^2\mathrm{V}(X)$

$=8a^2=32$

$a^2=4$ $\quad\therefore a=2$ ($\because a>0$)

$a=2$를 ㉠에 대입하면

$8+b=13$ $\quad\therefore b=5$

$\therefore a^2+b^2=2^2+5^2=29$

답 ③

1042

> 확률변수 X에 대하여 $\mathrm{E}(X)=5$, $\sigma(X)=3$이다. $\mathrm{E}(aX+b)=12$, $\sigma(aX+b)=6$이 성립하도록 하는 두 양수 a, b에 대하여 $a+b$의 값을 구하시오.
>
> • $\sigma(aX+b)=|a|\sigma(X)$임을 이용하자.

$\mathrm{E}(aX+b)=a\times\mathrm{E}(X)+b=a\times5+b=12$

$5a+b=12$ ……㉠

$\sigma(aX+b)=a\times\sigma(X)=a\times3=6$

$a=2$ ……㉡

㉠, ㉡을 연립하여 풀면 $a=2$, $b=2$이다.

$\therefore a+b=4$

답 4

1043

> 확률변수 X는 x_1, x_2, x_3, $\cdots$, x_{10}의 값을 취하고, X의 평균이 100, 표준편차가 10이라고 한다. x_i $(i=1, 2, 3, \cdots, 10)$의 3배에 7을 더한 값, 즉 $3x_1+7$, $3x_2+7$, $3x_3+7$, $\cdots$, $3x_{10}+7$의 값을 취하는 확률변수의 평균과 표준편차를 차례로 구한 것은?
>
> • $\mathrm{E}(3X+7)$과 $\sigma(3X+7)$를 구하자.

$\mathrm{E}(X)=100$, $\sigma(X)=10$이므로

$\mathrm{E}(3X+7)=3\mathrm{E}(X)+7=3\times100+7=307$

$\sigma(3X+7)=|3|\sigma(X)=3\times10=30$

답 ③

1044

> • $\mathrm{E}(X^2)=\mathrm{V}(X)+\{\mathrm{E}(X)\}^2$임을 이용하자.
>
> 확률변수 X에 대하여 $\mathrm{E}(X)=8$, $\mathrm{V}(X)=13$일 때, $\mathrm{E}(X^2)$은?

$\mathrm{V}(X)=\mathrm{E}(X^2)-\{\mathrm{E}(X)\}^2$이므로

$13=\mathrm{E}(X^2)-8^2$

$\therefore \mathrm{E}(X^2)=77$

답 ④

1045

> • $\mathrm{V}(X)=\mathrm{E}(X^2)-\{\mathrm{E}(X)\}^2$임을 이용하자.
>
> 확률변수 X에 대하여 $\mathrm{E}(X)=5$, $\mathrm{E}(X^2)=100$일 때, $\sigma(X)$는?

$\mathrm{V}(X)=\mathrm{E}(X^2)-\{\mathrm{E}(X)\}^2$이므로

$\mathrm{V}(X)=100-5^2=75$

$\therefore \sigma(X)=\sqrt{\mathrm{V}(X)}=\sqrt{75}=5\sqrt{3}$

답 ④

1046

> 확률변수 X에 대하여 $\mathrm{E}(X)=2$, $\mathrm{V}(X)=5$일 때, $\mathrm{E}(3X^2-5)$를 구하시오.
>
> • $=3\mathrm{E}(X^2)-5$임을 이용하자.

$\mathrm{V}(X)=\mathrm{E}(X^2)-\{\mathrm{E}(X)\}^2$에서 $5=\mathrm{E}(X^2)-2^2$

$\therefore \mathrm{E}(X^2)=5+2^2=9$

$\therefore \mathrm{E}(3X^2-5)=3\mathrm{E}(X^2)-5=3\times9-5=22$

답 22

1047 $V(X)=E(X^2)-\{E(X)\}^2$임을 이용하여 $E(X)$의 값을 구하자.

확률변수 X에 대하여 $E(X^2)=5E(X)$, $V(X)=4$일 때, $E(X)$는? (단, $E(X)\geq 2$)

$E(X)=a$로 놓으면 $E(X^2)=5a$이고
$V(X)=E(X^2)-\{E(X)\}^2$이므로
$4=5a-a^2$
$a^2-5a+4=0$, $(a-4)(a-1)=0$
$\therefore a=E(X)=4$ ($\because a\geq 2$)

답 ③

1048 $E(aX+b)=aE(X)+b$, $V(aX+b)=a^2V(X)$임을 이용하자.

확률변수 $Y=-3X+5$에 대하여 $E(Y)=-4$, $V(Y)=18$이다. 확률변수 X에 대하여 $E(X^2)$은?

$E(Y)=E(-3X+5)=-3E(X)+5=-4$이므로
$E(X)=3$
$V(Y)=V(-3X+5)=(-3)^2V(X)=18$이므로
$V(X)=2$
$V(X)=E(X^2)-\{E(X)\}^2$에서
$2=E(X^2)-3^2$
$\therefore E(X^2)=2+3^2=11$

답 ④

1049

확률변수 X에 대하여 확률변수 $Y=\frac{1}{5}X-10$일 때, $E(Y)=-2$, $E(Y^2)=5$이다. $E(X)+V(X)$의 값은?

$E(aX+b)=aE(X)+b$, $V(aX+b)=a^2V(X)$임을 이용하자.

$Y=\frac{1}{5}X-10$에서 $5Y=X-50$
$\therefore X=5Y+50$
$\therefore E(X)=E(5Y+50)=5E(Y)+50=40$
$V(Y)=E(Y^2)-\{E(Y)\}^2=5-(-2)^2=1$
$\therefore V(X)=V(5Y+50)=5^2V(Y)=25$
$\therefore E(X)+V(X)=40+25=65$

답 ⑤

1050

확률변수 X의 확률분포를 나타낸 표가 다음과 같을 때, 확률변수 $Y=5X+3$의 평균을 구하시오.

X	1	2	3	4	합계
$P(X=x)$	$\frac{3}{10}$	$\frac{4}{10}$	$\frac{1}{10}$	$\frac{2}{10}$	1

$E(aX+b)=aE(X)+b$임을 이용하자.

$E(X)=1\times\frac{3}{10}+2\times\frac{4}{10}+3\times\frac{1}{10}+4\times\frac{2}{10}$
$=\frac{11}{5}$
$\therefore E(Y)=E(5X+3)=5E(X)+3=14$

답 14

1051 확률의 총합은 1임을 이용하자.

확률변수 X의 확률분포를 나타낸 표가 다음과 같을 때, 확률변수 $Z=-3X+4$의 평균을 구하시오.

X	-1	0	1	합계
$P(X=x)$	$\frac{1}{2}$	$\frac{1}{3}$	a	1

$E(Z)=E(-3X+4)$임을 이용하자.

확률의 총합은 1이므로
$\frac{1}{2}+\frac{1}{3}+a=1$ $\quad\therefore a=\frac{1}{6}$
$E(X)=(-1)\times\frac{1}{2}+0\times\frac{1}{3}+1\times\frac{1}{6}=-\frac{1}{3}$
$\therefore E(Z)=E(-3X+4)$
$=-3E(X)+4$
$=(-3)\times\left(-\frac{1}{3}\right)+4=5$

답 5

1052 확률의 총합은 1임을 이용하자.

확률변수 X의 확률분포를 표로 나타내면 다음과 같다.

X	0	1	2	합계
$P(X=x)$	$\frac{1}{4}$	a	$2a$	1

$E(4X+10)$의 값은?

$E(aX+b)=aE(X)+b$임을 이용하자.

(확률의 총합)$=1$이므로
$\frac{1}{4}+a+2a=1$
$\therefore 3a=\frac{3}{4}$
$\therefore a=\frac{1}{4}$
$E(X)=0\times\frac{1}{4}+1\times\frac{1}{4}+2\times\frac{2}{4}=\frac{5}{4}$
$\therefore E(4X+10)=4E(X)+10$
$=4\times\frac{5}{4}+10=15$

답 ⑤

1053 확률의 총합은 1임을 이용하자.

확률변수 X의 확률분포를 나타낸 표가 다음과 같을 때, 확률변수 $aX+10$의 평균은? (단, a는 상수이다.)

X	200	300	500	합계
$P(X=x)$	$\frac{1}{2}$	a	$4a^2$	1

$E(aX+b)=aE(X)+b$임을 이용하자.

확률의 총합은 1이므로
$\frac{1}{2}+a+4a^2=1$, $8a^2+2a-1=0$
$(4a-1)(2a+1)=0$

$\therefore a=\frac{1}{4}$ ($\because a>0$)

$E(X)=200\times\frac{1}{2}+300\times\frac{1}{4}+500\times\frac{1}{4}=300$

$\therefore E(aX+10)=aE(X)+10$

$=\frac{1}{4}\times 300+10=85$

답 ③

1054

확률의 총합은 1임을 이용하자.

확률변수 X의 확률분포를 표로 나타내면 다음과 같다.

X	1	2	3	합계
$P(X=x)$	$\frac{1}{6}$	a	b	1

$E(6X)=13$일 때, $2a+3b$의 값은?

$E(aX+b)=aE(X)+b$임을 이용하자.

$E(6X)=6E(X)=13$이므로 $E(X)=\frac{13}{6}$

주어진 표를 이용하여 $E(X)$를 구하면

$1\times\frac{1}{6}+2a+3b=\frac{13}{6}$

따라서 $2a+3b=2$

답 ⑤

1055

확률변수 X의 확률분포를 나타낸 표가 다음과 같다.

X	1	a	a^2	a^3	합계
$P(X=x)$	$\frac{1}{4}$	$\frac{1}{8}$	$\frac{1}{2}$	$\frac{1}{8}$	1

확률변수 $Y=2X+3$의 평균이 10일 때, 실수 a의 값을 구하시오.

$E(Y)=E(2X+3)$임을 이용하자.

$E(Y)=E(2X+3)=2E(X)+3=10$

$\therefore E(X)=\frac{7}{2}$

$E(X)=1\times\frac{1}{4}+a\times\frac{1}{8}+a^2\times\frac{1}{2}+a^3\times\frac{1}{8}=\frac{7}{2}$이므로

$\frac{1}{8}a^3+\frac{1}{2}a^2+\frac{1}{8}a+\frac{1}{4}=\frac{7}{2}$

$a^3+4a^2+a+2=28$, $a^3+4a^2+a-26=0$

$(a-2)(a^2+6a+13)=0$

$\therefore a=2$ ($\because a$는 실수)

답 2

1056

확률변수 X의 확률질량함수가

$P(X=k)=ak$ ($k=1, 2, 3, \cdots, 10$)

일 때, $E(3X-7)$을 구하시오. (단, a는 상수이다.)

$\sum_{k=1}^{10}P(X=k)=\sum_{k=1}^{10}ak=1$임을 이용하자.

확률의 총합은 1이므로

$\sum_{k=1}^{10}P(X=k)=\sum_{k=1}^{10}ak=a\sum_{k=1}^{10}k$

$=a\times\frac{10\times 11}{2}=55a=1$

$\therefore a=\frac{1}{55}$

즉, $P(X=k)=\frac{1}{55}k$ ($k=1, 2, \cdots, 10$)이므로

$E(X)=\sum_{k=1}^{10}kP(X=k)$

$=\sum_{k=1}^{10}k\times\frac{1}{55}k=\frac{1}{55}\sum_{k=1}^{10}k^2$

$=\frac{1}{55}\times\frac{10\times 11\times 21}{6}=7$

$\therefore E(3X-7)=3E(X)-7$

$=3\times 7-7=14$

답 14

1057

확률변수 X의 확률분포를 표로 나타내자.

이산확률변수 X의 확률질량함수가

$P(X=x)=a(x^2-x+3)$ ($x=-1, 0, 1, 2$)

일 때, $E\left(\frac{1}{a}X-2\right)$의 값을 구하시오. (단, a는 상수이다.)

$E(aX+b)=aE(X)+b$임을 이용하자.

주어진 확률변수 X의 확률분포를 표로 나타내면 다음과 같다.

X	-1	0	1	2	합계
$P(X=x)$	$5a$	$3a$	$3a$	$5a$	1

확률의 총합은 1이므로

$5a+3a+3a+5a=1$

$\therefore a=\frac{1}{16}$

$E(X)=(-1)\times\frac{5}{16}+0\times\frac{3}{16}+1\times\frac{3}{16}+2\times\frac{5}{16}=\frac{1}{2}$

$\therefore E\left(\frac{1}{a}X-2\right)=\frac{1}{a}E(X)-2=16\times\frac{1}{2}-2=6$

답 6

1058

k가 홀수일 때, $\frac{1}{10}-p$이고, k가 짝수일 때, $\frac{1}{10}+p$이다.

확률변수 X의 확률질량함수가

$P(X=k)=\frac{1}{10}+(-1)^kp$ ($k=1, 2, 3, \cdots, 2n$)

일 때, $E(4X-3)=20$이다. $\frac{1}{p}$의 값을 구하시오.

(단, $0<p<\frac{1}{10}$이고, n은 자연수이다.)

확률변수 X의 확률분포를 표로 나타내면 다음과 같다.

X	1	2	3	$\cdots$	$2n$	합계
$P(X=k)$	$\frac{1}{10}-p$	$\frac{1}{10}+p$	$\frac{1}{10}-p$	$\cdots$	$\frac{1}{10}+p$	1

$\left(\frac{1}{10}-p\right)+\left(\frac{1}{10}+p\right)+\left(\frac{1}{10}-p\right)+\cdots+\left(\frac{1}{10}+p\right)=1$이므로

$\frac{2n}{10}=1$ $\quad\therefore n=5$

$$E(X)=1\times\left(\frac{1}{10}-p\right)+2\times\left(\frac{1}{10}+p\right)+\cdots+10\times\left(\frac{1}{10}+p\right)$$
$$=\frac{1}{10}(1+2+\cdots+10)+(-p+2p-\cdots+10p)$$
$$=\frac{55}{10}+5p$$
$$E(4X-3)=4E(X)-3$$
$$=4\left(\frac{55}{10}+5p\right)-3$$
$$=19+20p=20$$
따라서 $p=\frac{1}{20}$이므로 $\frac{1}{p}=20$ 답 20

1059

> 한 개의 주사위를 던져 나오는 눈의 수를 확률변수 X라 할 때, $E(4X+3)$은?
> └• $E(X)=\frac{1}{6}(1+2+3+4+5+6)$임을 이용하자.

확률변수 X의 확률분포를 표로 나타내면 다음과 같다.

X	1	2	3	4	5	6	합계
$P(X=x)$	$\frac{1}{6}$	$\frac{1}{6}$	$\frac{1}{6}$	$\frac{1}{6}$	$\frac{1}{6}$	$\frac{1}{6}$	1

따라서 $E(X)=\frac{1}{6}(1+2+3+4+5+6)=\frac{7}{2}$이므로
$$E(4X+3)=4E(X)+3$$
$$=4\times\frac{7}{2}+3$$
$$=17$$
답 ④

1060

> 각 면에 1, 1, 2, 2, 2, 4의 숫자가 하나씩 적혀 있는 정육면체 모양의 상자가 있다. 이 상자를 던졌을 때, 바닥에 닿는 면에 적힌 수를 확률변수 X라 하자. 확률변수 $5X+3$의 평균을 구하시오.
> └• 확률변수 X의 확률분포를 표로 나타내자.

확률변수 X의 확률분포를 표로 나타내면 다음과 같다.

X	1	2	4	합계
$P(X=x)$	$\frac{2}{6}$	$\frac{3}{6}$	$\frac{1}{6}$	1

따라서 $E(X)=1\times\frac{2}{6}+2\times\frac{3}{6}+4\times\frac{1}{6}=2$이므로
$$E(5X+3)=5E(X)+3$$
$$=5\times2+3=13$$
답 13

1061

확률변수 X가 가질 수 있는 값은 20, 110, 200이다. •

> 10원짜리 동전 2개와 100원짜리 동전 3개가 있다. 이들 5개의 동전 중 2개의 동전을 택하는 시행에서 택한 두 동전의 금액의 합을 확률변수 X라 하자. 확률변수 $Y=100X+50$의 기댓값을 구하시오.
> $E(Y)=E(100X+50)$임을 이용하자. •

확률변수 X가 취할 수 있는 값은 20, 110, 200이고 그 확률은 각각

$$P(X=20)=\frac{{}_2C_2}{{}_5C_2}=\frac{1}{10}$$
$$P(X=110)=\frac{{}_2C_1\times{}_3C_1}{{}_5C_2}=\frac{6}{10}$$
$$P(X=200)=\frac{{}_3C_2}{{}_5C_2}=\frac{3}{10}$$
이므로 확률변수 X의 확률분포를 표로 나타내면 다음과 같다.

X	20	110	200	합계
$P(X=x)$	$\frac{1}{10}$	$\frac{6}{10}$	$\frac{3}{10}$	1

따라서 $E(X)=20\times\frac{1}{10}+110\times\frac{6}{10}+200\times\frac{3}{10}=128$이므로
$$E(Y)=E(100X+50)=100E(X)+50$$
$$=100\times128+50=12850\ (원)$$
답 12850원

1062

> 한 개의 주사위를 던져서 나오는 눈의 수를 확률변수 X라 하자. 확률변수 $4X-k^2$에 대하여 $E(4X-k^2)$의 최댓값을 구하시오. (단, k는 상수이다.)
> $=4E(X)-k^2$임을 이용하자. •

확률변수 X의 확률분포를 표로 나타내면 다음과 같다.

X	1	2	3	4	5	6	합계
$P(X=x)$	$\frac{1}{6}$	$\frac{1}{6}$	$\frac{1}{6}$	$\frac{1}{6}$	$\frac{1}{6}$	$\frac{1}{6}$	1

따라서 $E(X)=\frac{1}{6}(1+2+3+4+5+6)=\frac{7}{2}$이므로
$$E(4X-k^2)=4E(X)-k^2$$
$$=4\times\frac{7}{2}-k^2$$
$$=-k^2+14$$
따라서 $E(4X-k^2)$의 최댓값은 $k=0$일 때 14이다. 답 14

1063

• 확률변수 X가 가질 수 있는 값은 2, 3, 4, 5이다.

> 주머니 속에 1, 2, 3의 숫자가 하나씩 적혀 있는 공이 각각 3개, 2개, 1개 들어 있다. 이 주머니에서 임의로 두 개의 공을 동시에 꺼낼 때, 꺼낸 공에 적혀 있는 숫자의 합을 확률변수 X라 하자. $E(3X-4)$의 값을 구하시오.
> └• $E(aX+b)=aE(X)+b$임을 이용하자.

$$P(X=2)=\frac{{}_3C_2}{{}_6C_2}=\frac{3}{15}$$
$$P(X=3)=\frac{{}_3C_1\times{}_2C_1}{{}_6C_2}=\frac{6}{15}$$
$$P(X=4)=\frac{{}_3C_1\times{}_1C_1+{}_2C_2}{{}_6C_2}=\frac{4}{15}$$
$$P(X=5)=\frac{{}_2C_1\times{}_1C_1}{{}_6C_2}=\frac{2}{15}$$

X	2	3	4	5	합계
$P(X=x)$	$\frac{3}{15}$	$\frac{6}{15}$	$\frac{4}{15}$	$\frac{2}{15}$	1

$$E(X)=\frac{6+18+16+10}{15}=\frac{50}{15}=\frac{10}{3}$$

$$\therefore E(3X-4)=3\times\frac{10}{3}-4=6$$

답 6

1064

전체 경우의 수는 5!이다.

서로 다른 파란 카드 3장과 노란 카드 2장을 임의로 한 줄로 나열하고 앞에서부터 1, 2, 3, 4, 5의 번호를 적는다고 한다. 파란 카드에 적히는 수 중에서 가장 작은 수를 확률변수 X라 할 때, $E(4X+5)$의 값을 구하시오.

확률변수 X가 가질 수 있는 값은 1, 2, 3이다.

확률변수 X로 가능한 수는 1, 2, 3이다.
$X=1$일 때는 처음에 파란 카드가 나오면 되므로 처음에 파란 카드 3장 중 1장을 나열하고 남은 4장을 나열하면 되므로

$$P(X=1)=\frac{3\cdot4!}{5!}=\frac{3}{5}$$

$X=2$일 때는 처음에 노란 카드가 나오고 파란 카드가 나오면 되므로

$$P(X=2)=\frac{2\cdot3\cdot3!}{5!}=\frac{3}{10}$$

$$P(X=3)=1-P(X=1)-P(X=2)=\frac{1}{10}$$

$$E(X)=1\times\frac{3}{5}+2\times\frac{3}{10}+3\times\frac{1}{10}=\frac{3}{2}$$

$$\therefore E(4X+5)=4E(X)+5=4\times\frac{3}{2}+5=11$$

답 11

1065

확률변수 X의 확률분포를 표로 나타내자.

그림과 같이 A주머니에는 흰 공 1개, 빨간 공 4개, B주머니에는 흰 공 1개, 빨간 공 3개, C주머니에는 흰 공 2개, 빨간 공 2개가 들어 있다. A, B, C주머니에서 공을 한 개씩 꺼낼 때, 꺼낸 공 중에서 빨간 공의 개수를 확률변수 X라 하자. $E(20X+3)$을 구하시오.

$E(aX+b)=aE(X)+b$임을 이용하자.

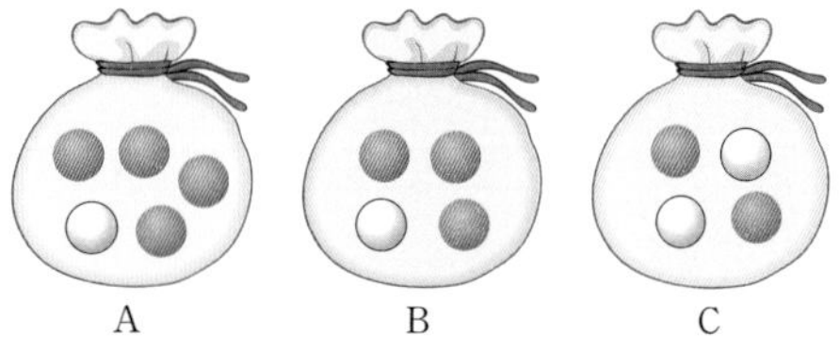

확률변수 X가 취할 수 있는 값은 0, 1, 2, 3이고, 그 확률은 각각

$$P(X=0)=\frac{1}{5}\times\frac{1}{4}\times\frac{1}{2}=\frac{1}{40}$$

$$P(X=1)=\frac{4}{5}\times\frac{1}{4}\times\frac{1}{2}+\frac{1}{5}\times\frac{3}{4}\times\frac{1}{2}+\frac{1}{5}\times\frac{1}{4}\times\frac{1}{2}=\frac{8}{40}$$

$$P(X=2)=\frac{4}{5}\times\frac{3}{4}\times\frac{1}{2}+\frac{4}{5}\times\frac{1}{4}\times\frac{1}{2}+\frac{1}{5}\times\frac{3}{4}\times\frac{1}{2}=\frac{19}{40}$$

$$P(X=3)=\frac{4}{5}\times\frac{3}{4}\times\frac{1}{2}=\frac{12}{40}$$

이므로 확률변수 X의 확률분포를 표로 나타내면 다음과 같다.

X	0	1	2	3	합계
$P(X=x)$	$\frac{1}{40}$	$\frac{8}{40}$	$\frac{19}{40}$	$\frac{12}{40}$	1

따라서 $E(X)=0\times\frac{1}{40}+1\times\frac{8}{40}+2\times\frac{19}{40}+3\times\frac{12}{40}=\frac{41}{20}$
이므로

$$E(20X+3)=20E(X)+3=20\times\frac{41}{20}+3=44$$

답 44

1066

중복하여 두 장을 꺼내는 경우와 같다.

주머니 속에 2, 3, 4, 5의 자연수가 하나씩 적혀 있는 카드가 2장씩 8장 들어 있다. 이 주머니에서 임의로 2장의 카드를 동시에 꺼낼 때 다음과 같은 규칙으로 확률변수 X의 값을 정한다.

> 꺼낸 카드에 적혀 있는 두 수가 같으면 카드에 적혀 있는 수를 확률변수 X의 값으로 하고, 다르면 2장에 적혀 있는 수 중에서 작은 수를 확률변수 X의 값으로 정한다.

$E(8X+7)$의 값을 구하시오.

확률변수 X가 가질 수 있는 값은 2, 3, 4, 5이다.

전체 경우의 수는 ${}_4\Pi_2=4^2=16$이다.
$X=2$의 경우는
(2, 2), (2, 3), (3, 2), (2, 4), (4, 2), (2, 5), (5, 2) : 7가지
$X=3$의 경우는
(3, 3), (3, 4), (4, 3), (3, 5), (5, 3) : 5가지
$X=4$의 경우는
(4, 4), (4, 5), (5, 4) : 3가지
$X=5$의 경우는
(5, 5) : 1가지

X	2	3	4	5	합계
$P(X=x)$	$\frac{7}{16}$	$\frac{5}{16}$	$\frac{3}{16}$	$\frac{1}{16}$	1

$$E(X)=\frac{14}{16}+\frac{15}{16}+\frac{12}{16}+\frac{5}{16}=\frac{46}{16}=\frac{23}{8}$$

$$\therefore E(8X+7)=8\times\frac{23}{8}+7=30$$

답 30

1067

확률변수 X가 가질 수 있는 값은 $1, \sqrt{2}, \sqrt{3}$이다.

그림과 같은 한 모서리의 길이가 1인 정육면체에서 서로 다른 두 꼭짓점 사이의 거리를 확률변수 X라 할 때, $E(7X-3-\sqrt{3})$의 값을 구하시오.

$E(aX+b)=aE(X)+b$임을 이용하자.

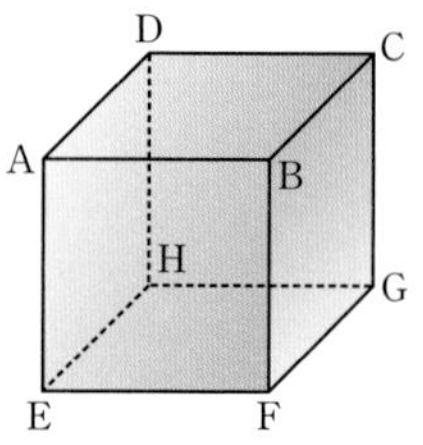

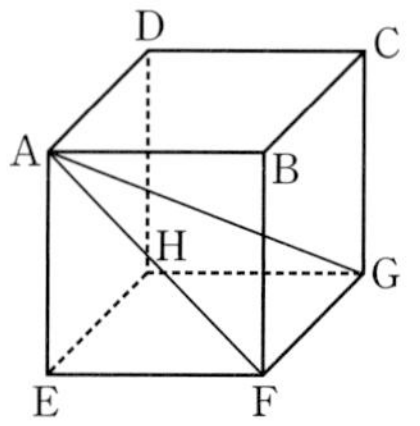

그림에서 $\overline{AB}=1$, $\overline{AF}=\sqrt{2}$, $\overline{AG}=\sqrt{3}$이므로

$P(X=1)=\frac{12}{{}_8C_2}=\frac{3}{7}$

$P(X=\sqrt{2})=\frac{12}{{}_8C_2}=\frac{3}{7}$

$P(X=\sqrt{3})=\frac{4}{{}_8C_2}=\frac{1}{7}$

즉, 확률변수 X의 확률분포를 표로 나타내면 다음과 같다.

X	1	$\sqrt{2}$	$\sqrt{3}$	합계
$P(X=x)$	$\frac{3}{7}$	$\frac{3}{7}$	$\frac{1}{7}$	1

$\therefore E(X)=1\times\frac{3}{7}+\sqrt{2}\times\frac{3}{7}+\sqrt{3}\times\frac{1}{7}$

$=\frac{3+3\sqrt{2}+\sqrt{3}}{7}$

$\therefore E(7X-3-\sqrt{3})=7E(X)-3-\sqrt{3}=3\sqrt{2}$

답 $3\sqrt{2}$

1068

확률변수 X의 확률분포를 나타낸 표가 다음과 같을 때, 확률변수 $7X$의 분산을 구하시오. $V(aX+b)=a^2V(X)$임을 이용하자.

X	0	1	2	합계
$P(X=x)$	$\frac{2}{7}$	$\frac{3}{7}$	$\frac{2}{7}$	1

$E(X)=0\times\frac{2}{7}+1\times\frac{3}{7}+2\times\frac{2}{7}=1$

$V(X)=0^2\times\frac{2}{7}+1^2\times\frac{3}{7}+2^2\times\frac{2}{7}-1^2$

$=\frac{3}{7}+\frac{8}{7}-1=\frac{4}{7}$

따라서 확률변수 $7X$의 분산은

$V(7X)=7^2V(X)=49\times\frac{4}{7}=28$

답 28

1069

$E(aX+b)=aE(X)+b$, $V(aX+b)=a^2V(X)$임을 이용하자.

확률변수 X의 확률분포를 나타낸 표가 다음과 같을 때, 확률변수 $Y=-3X+2$의 기댓값을 a, 분산을 b라 할 때, $a+b$의 값을 구하시오.

X	6	12	18	합계
$P(X=x)$	$\frac{1}{2}$	$\frac{1}{3}$	$\frac{1}{6}$	1

$E(X)=6\times\frac{1}{2}+12\times\frac{1}{3}+18\times\frac{1}{6}=10 \quad \therefore a=10$

$V(X)=6^2\times\frac{1}{2}+12^2\times\frac{1}{3}+18^2\times\frac{1}{6}-10^2=20 \quad \therefore b=20$

$\therefore a+b=30$

답 30

1070

확률의 총합은 1임을 이용하자.

확률변수 X의 확률분포를 나타낸 표가 다음과 같을 때, 확률변수 $Y=3X-2$에 대하여 $E(Y)+V(Y)$의 값을 구하시오.

X	0	1	2	합계
$P(X=x)$	$\frac{1}{6}$	$\frac{1}{3}$	a	1

$E(aX+b)=aE(X)+b$, $V(aX+b)=a^2V(X)$임을 이용하자.

확률의 총합은 1이므로

$\frac{1}{6}+\frac{1}{3}+a=1 \quad \therefore a=\frac{1}{2}$

$E(X)=0\times\frac{1}{6}+1\times\frac{1}{3}+2\times\frac{1}{2}=\frac{4}{3}$

$V(X)=0^2\times\frac{1}{6}+1^2\times\frac{1}{3}+2^2\times\frac{1}{2}-\left(\frac{4}{3}\right)^2$

$=\frac{7}{3}-\frac{16}{9}=\frac{5}{9}$

따라서 $E(Y)=3E(X)-2=2$, $V(Y)=9V(X)=5$이므로

$E(Y)+V(Y)=2+5=7$

답 7

1071

확률의 총합은 1임을 이용하자.

확률변수 X의 확률분포를 나타낸 표가 다음과 같다.

X	-2	0	2	합계
$P(X=x)$	a^2	$\frac{a}{2}$	a	1

확률변수 aX의 평균과 확률변수 $aX+3$의 분산의 합을 구하시오.

(단, a는 상수이다.)

$E(aX+b)=aE(X)+b$, $V(aX+b)=a^2V(X)$임을 이용하자.

확률의 총합은 1이므로

$a^2+\frac{a}{2}+a=1$

$2a^2+3a-2=0$

$(a+2)(2a-1)=0$

$\therefore a=\frac{1}{2}$ ($\because a>0$)

$E(X)=(-2)\times\frac{1}{4}+0\times\frac{1}{4}+2\times\frac{1}{2}=\frac{1}{2}$

$\therefore E(aX)=aE(X)$

$=\frac{1}{2}\times\frac{1}{2}=\frac{1}{4}$

$V(X)=(-2)^2\times\frac{1}{4}+0^2\times\frac{1}{4}+2^2\times\frac{1}{2}-\left(\frac{1}{2}\right)^2$

$=3-\frac{1}{4}=\frac{11}{4}$

$\therefore V(aX+3)=a^2V(X)$

$=\frac{1}{4}\times\frac{11}{4}=\frac{11}{16}$

$\therefore E(aX)+V(aX+3)=\frac{1}{4}+\frac{11}{16}=\frac{15}{16}$

답 $\frac{15}{16}$

1072

- 확률의 총합은 1임을 이용하자.

> 확률변수 X의 확률분포를 나타낸 표가 다음과 같을 때, $\sigma(9X-8)$은?
>
> - $\sigma(aX+b)=|a|\sigma(X)$임을 이용하자.
>
> | X | -1 | 0 | 1 | 합계 |
> |---|---|---|---|---|
> | $\mathrm{P}(X=x)$ | $\frac{a}{2}$ | a^2 | $\frac{a^2}{2}$ | 1 |

확률의 총합은 1이므로

$\frac{a}{2}+a^2+\frac{a^2}{2}=1$

$3a^2+a-2=0,\ (3a-2)(a+1)=0$

$\therefore a=\frac{2}{3}$

따라서 확률변수 X의 평균과 분산은

$\mathrm{E}(X)=(-1)\times\frac{1}{3}+0\times\frac{4}{9}+1\times\frac{2}{9}=-\frac{1}{9}$

$\mathrm{V}(X)=(-1)^2\times\frac{1}{3}+0^2\times\frac{4}{9}+1^2\times\frac{2}{9}-\left(-\frac{1}{9}\right)^2=\frac{44}{81}$

$\therefore \sigma(9X-8)=9\sigma(X)=9\sqrt{\frac{44}{81}}=2\sqrt{11}$

답 ②

1073

- 확률의 총합은 1임을 이용하자.

> 확률변수 X의 평균이 $\frac{1}{2}$이고, X의 확률분포를 나타낸 표가 다음과 같을 때, $12aX+b$의 분산을 구하시오.
>
> (단, a, b는 상수이다.)
>
> | X | -2 | 0 | 1 | b | 합계 |
> |---|---|---|---|---|---|
> | $\mathrm{P}(X=x)$ | a | $\frac{1}{8}$ | $2a$ | $\frac{1}{8}$ | 1 |
>
> - $\mathrm{E}(X)=x_1p_1+x_2p_2+\cdots+x_np_n=\sum_{i=1}^{n}x_ip_i$임을 이용하자.

확률의 총합은 1이므로

$a+\frac{1}{8}+2a+\frac{1}{8}=1 \qquad \therefore a=\frac{1}{4}$

확률변수 X의 평균이 $\frac{1}{2}$이므로

$\mathrm{E}(X)=(-2)\times\frac{1}{4}+0\times\frac{1}{8}+1\times\frac{1}{2}+b\times\frac{1}{8}$

$=\frac{1}{2}$

$\frac{b}{8}=\frac{1}{2} \qquad \therefore b=4$

$\mathrm{V}(X)=(-2)^2\times\frac{1}{4}+0^2\times\frac{1}{8}+1^2\times\frac{1}{2}+4^2\times\frac{1}{8}-\left(\frac{1}{2}\right)^2$

$=\frac{7}{2}-\left(\frac{1}{2}\right)^2=\frac{13}{4}$

$\therefore \mathrm{V}(12aX+b)=\mathrm{V}\left(12\times\frac{1}{4}X+4\right)$

$=\mathrm{V}(3X+4)$

$=3^2\mathrm{V}(X)=9\times\frac{13}{4}$

$=\frac{117}{4}$

답 $\frac{117}{4}$

1074

> 이산확률변수 X가 가지는 값이 2, 4, 6, 8이고 X의 확률질량함수가 $\mathrm{P}(X=x)=ax\ (x=2, 4, 6, 8)$일 때, $\mathrm{V}(3X-1)$의 값을 구하시오. (단, a는 상수이다.)
>
> - 확률질량함수를 이용하여 확률변수 X의 확률분포를 표로 나타내자.

확률의 총합은 1이므로

$a\times(2+4+6+8)=1$

$\therefore a=\frac{1}{20}$

$\mathrm{P}(X=x)=\frac{1}{20}x\ (x=2, 4, 6, 8)$이므로

X	2	4	6	8	합계
$\mathrm{P}(X=x)$	$\frac{2}{20}$	$\frac{4}{20}$	$\frac{6}{20}$	$\frac{8}{20}$	1

$\mathrm{E}(X)=6,\ \mathrm{E}(X^2)=40$

$\mathrm{V}(X)=\mathrm{E}(X^2)-\{\mathrm{E}(X)\}^2=4$

$\mathrm{V}(3X-1)=3^2\mathrm{V}(X)=36$

답 36

1075

> 이산확률변수 X의 확률질량함수가
>
> $\mathrm{P}(X=x)=\frac{ax+2}{10}\ (x=-1, 0, 1, 2)$
>
> - 확률의 총합은 1임을 이용하자.
>
> 일 때, 확률변수 $3X+2$의 분산 $\mathrm{V}(3X+2)$의 값은? (단, a는 상수이다.)
>
> - $\mathrm{V}(aX+b)=a^2\mathrm{V}(X)$임을 이용하자.

$\mathrm{P}(X=-1)+\mathrm{P}(X=0)+\mathrm{P}(X=1)+\mathrm{P}(X=2)=1$에서

$\frac{-a+2}{10}+\frac{2}{10}+\frac{a+2}{10}+\frac{2a+2}{10}=1$

$\frac{2a+8}{10}=1 \qquad \therefore a=1$

$\mathrm{E}(X)=-1\times\frac{1}{10}+0\times\frac{2}{10}+1\times\frac{3}{10}+2\times\frac{4}{10}=1$

$\mathrm{E}(X^2)=(-1)^2\times\frac{1}{10}+0^2\times\frac{2}{10}+1^2\times\frac{3}{10}+2^2\times\frac{4}{10}=2$

$\mathrm{V}(X)=\mathrm{E}(X^2)-\{\mathrm{E}(X)\}^2=1$

$\therefore \mathrm{V}(3X+2)=3^2\times\mathrm{V}(X)=9$

답 ①

1076

- 확률질량함수를 이용하여 확률변수 X의 확률분포를 표로 나타내자.

> 이산확률변수 X의 확률질량함수가
>
> $\mathrm{P}(X=x)=\frac{|x-4|}{7}\ (x=1, 2, 3, 4, 5)$
>
> 일 때, $\sigma(14X+5)$의 값을 구하시오.
>
> - $\sigma(aX+b)=|a|\sigma(X)$임을 이용하자.

확률변수 X의 확률분포를 표로 나타내면 다음과 같다.

X	1	2	3	4	5	합계
$\mathrm{P}(X=x)$	$\frac{3}{7}$	$\frac{2}{7}$	$\frac{1}{7}$	$\frac{0}{7}$	$\frac{1}{7}$	1

$\mathrm{E}(X)=1\times\frac{3}{7}+2\times\frac{2}{7}+3\times\frac{1}{7}+4\times\frac{0}{7}+5\times\frac{1}{7}=\frac{15}{7}$

$E(X^2)=1^2\times\frac{3}{7}+2^2\times\frac{2}{7}+3^2\times\frac{1}{7}+4^2\times\frac{0}{7}+5^2\times\frac{1}{7}=\frac{45}{7}$

$V(X)=E(X^2)-\{E(X)\}^2=\frac{90}{7^2}$ 이므로 $\sigma(X)=\frac{3\sqrt{10}}{7}$

$\sigma(14X+5)=14\sigma(X)=6\sqrt{10}$ 답 $6\sqrt{10}$

1077

4개의 제품 중에서 합격품이 2개 들어 있다. 이 중에서 2개의 제품을 임의로 꺼낼 때, 포함되어 있는 합격품의 개수를 확률변수 X라 하자. $E(3X+2)+V(3X+2)$의 값을 구하시오.

└ 확률변수 X가 가질 수 있는 값과 그 각각의 확률을 구하자.

확률변수 X가 취할 수 있는 값은 0, 1, 2이고, 그 확률은 각각

$P(X=0)=\frac{{}_2C_2}{{}_4C_2}=\frac{1}{6}$,

$P(X=1)=\frac{{}_2C_1\times{}_2C_1}{{}_4C_2}=\frac{2}{3}$,

$P(X=2)=\frac{{}_2C_2}{{}_4C_2}=\frac{1}{6}$

이므로 X의 확률분포를 표로 나타내면 다음과 같다.

X	0	1	2	합계
$P(X=x)$	$\frac{1}{6}$	$\frac{2}{3}$	$\frac{1}{6}$	1

X의 평균과 분산은

$E(X)=0\times\frac{1}{6}+1\times\frac{2}{3}+2\times\frac{1}{6}=1$

$V(X)=0^2\times\frac{1}{6}+1^2\times\frac{2}{3}+2^2\times\frac{1}{6}-1^2$

$=\frac{4}{3}-1^2=\frac{1}{3}$

이므로

$E(3X+2)=3E(X)+2=3\times1+2=5$

$V(3X+2)=3^2V(X)=3^2\times\frac{1}{3}=3$

$\therefore E(3X+2)+V(3X+2)=5+3=8$ 답 8

1078

파란 구슬 2개, 빨간 구슬 4개가 들어 있는 상자에서 3개의 구슬을 동시에 꺼낼 때, 나오는 빨간 구슬의 개수를 확률변수 X라 하자. $V(10X+1)$은?

└ 확률변수 X가 가질 수 있는 값과 그 각각의 확률을 구하여 확률변수 X의 확률분포를 표로 나타내자.

확률변수 X가 취할 수 있는 값은 1, 2, 3이고, 그 확률은 각각

$P(X=1)=\frac{{}_2C_2\times{}_4C_1}{{}_6C_3}=\frac{4}{20}$

$P(X=2)=\frac{{}_2C_1\times{}_4C_2}{{}_6C_3}=\frac{12}{20}$

$P(X=3)=\frac{{}_4C_3}{{}_6C_3}=\frac{4}{20}$

이므로 확률변수 X의 확률분포를 표로 나타내면 다음과 같다.

X	1	2	3	합계
$P(X=x)$	$\frac{4}{20}$	$\frac{12}{20}$	$\frac{4}{20}$	1

X의 평균과 분산은

$E(X)=1\times\frac{4}{20}+2\times\frac{12}{20}+3\times\frac{4}{20}=2$

$V(X)=1^2\times\frac{4}{20}+2^2\times\frac{12}{20}+3^2\times\frac{4}{20}-2^2=\frac{22}{5}-2^2=\frac{2}{5}$

$\therefore V(10X+1)=10^2V(X)=100\times\frac{2}{5}=40$ 답 ④

1079 확률변수 X가 가질 수 있는 값과 그 각각의 확률을 구하자.

3개의 흰 공과 2개의 검은 공이 들어 있는 주머니에서 검은 공이 나올 때까지 임의로 공을 1개씩 꺼낸다. 처음으로 검은 공이 나올 때까지 꺼낸 흰 공의 개수를 확률변수 X라 할 때, $V(2X+5)$의 값을 구하시오. (단, 한 번 꺼낸 공은 다시 넣지 않고, 공의 크기와 모양은 구분하지 않는다.) $V(aX+b)=a^2V(X)$임을 이용하자.

확률변수 X가 취할 수 있는 값은 0, 1, 2, 3이고, 그 확률은 각각 다음과 같다.

$P(X=0)=\frac{2}{5}$

$P(X=1)=\frac{3}{5}\times\frac{2}{4}=\frac{3}{10}$

$P(X=2)=\frac{3}{5}\times\frac{2}{4}\times\frac{2}{3}=\frac{1}{5}$

$P(X=3)=\frac{3}{5}\times\frac{2}{4}\times\frac{1}{3}\times\frac{2}{2}=\frac{1}{10}$

$\therefore E(X)=0\times\frac{2}{5}+1\times\frac{3}{10}+2\times\frac{1}{5}+3\times\frac{1}{10}=1$

$V(X)=0^2\times\frac{2}{5}+1^2\times\frac{3}{10}+2^2\times\frac{1}{5}+3^2\times\frac{1}{10}-1^2=1$

$\therefore V(2X+5)=2^2V(X)=4\times1=4$ 답 4

1080 매회 일어날 확률이 p인 사건 A가 n회의 독립시행에서 r회 일어날 확률은 ${}_nC_r p^r(1-p)^{n-r}$임을 이용하자.

한 개의 주사위를 던지는 시행을 3번 반복한 후 다음과 같은 방법으로 얻은 점수를 확률변수 X라 할 때,
$E(3X+1)+V(3X+1)$의 값을 구하시오.

(가) 3의 배수의 눈이 총 0회 또는 1회가 나오면 2점
(나) 3의 배수의 눈이 총 2회 나오면 4점
(다) 3의 배수의 눈이 총 3회 나오면 8점

확률변수 X가 취하는 값은 2, 4, 8이다.

$P(X=2)={}_3C_0\left(\frac{1}{3}\right)^0\left(\frac{2}{3}\right)^3+{}_3C_1\left(\frac{1}{3}\right)^1\left(\frac{2}{3}\right)^2=\frac{20}{27}$

$P(X=4)={}_3C_2\left(\frac{1}{3}\right)^2\left(\frac{2}{3}\right)^1=\frac{6}{27}$

$P(X=8)={}_3C_3\left(\frac{1}{3}\right)^3\left(\frac{2}{3}\right)^0=\frac{1}{27}$

X	2	4	8	합계
$\mathrm{P}(X=x)$	$\frac{20}{27}$	$\frac{6}{27}$	$\frac{1}{27}$	1

$\mathrm{E}(X)=\frac{2\times20+4\times6+8\times1}{27}=\frac{8}{3}$

$\mathrm{E}(3X+1)=3\mathrm{E}(X)+1=3\times\frac{8}{3}+1=9$

$\mathrm{E}(X^2)=\frac{80+96+64}{27}=\frac{80}{9}$

$\mathrm{V}(X)=\mathrm{E}(X^2)-\{\mathrm{E}(X)\}^2=\frac{80}{9}-\frac{64}{9}=\frac{16}{9}$

$\mathrm{V}(3X+1)=9\mathrm{V}(X)=16$

$\therefore \mathrm{E}(3X+1)+\mathrm{V}(3X+1)=9+16=25$ 답 25

1081

→ 이차방정식의 판별식을 이용하자.

큰 주사위 한 개와 작은 주사위 한 개를 던져 나온 두 눈의 수를 각각 a, b라 할 때, 이차방정식 $x^2+2ax+b^2=0$의 실근의 개수를 확률변수 X라 하자. $\mathrm{E}(2X+3)+\mathrm{V}(2X+3)$의 값을 구하시오.

→ 확률변수 X가 가질 수 있는 값과 그 각각의 확률을 구하여 확률변수 X의 확률분포를 표로 나타내자.

주어진 이차방정식의 판별식을 D라 하면

$\frac{D}{4}=a^2-b^2=(a+b)(a-b)$이고

$a>0$, $b>0$이므로 $a+b>0$

실근의 개수가 확률변수 X이므로

$X=0$일 때, $\frac{D}{4}=(a+b)(a-b)<0$에서 $a<b$

$X=1$일 때, $\frac{D}{4}=(a+b)(a-b)=0$에서 $a=b$

$X=2$일 때, $\frac{D}{4}=(a+b)(a-b)>0$에서 $a>b$

확률변수 X의 확률분포를 표로 나타내면 다음과 같다.

X	0	1	2	합계
$\mathrm{P}(X=x)$	$\frac{15}{36}$	$\frac{6}{36}$	$\frac{15}{36}$	1

X의 평균과 분산은

$\mathrm{E}(X)=0\times\frac{15}{36}+1\times\frac{6}{36}+2\times\frac{15}{36}=1$

$\mathrm{V}(X)=0^2\times\frac{15}{36}+1^2\times\frac{6}{36}+2^2\times\frac{15}{36}-1^2=\frac{66}{36}-1=\frac{5}{6}$

이므로

$\mathrm{E}(2X+3)+\mathrm{V}(2X+3)=2\mathrm{E}(X)+3+2^2\mathrm{V}(X)$

$=2\times1+3+4\times\frac{5}{6}$

$=\frac{25}{3}$ 답 $\frac{25}{3}$

1082

→ 가능한 소수의 합은 0, 2, 3, 5, 7, 8, 10이다.

집합 $A=\{1, 2, 3, 4, 5, 6\}$의 부분집합 중 임의로 하나를 택할 때, 택한 부분집합의 원소 중 소수인 원소의 합을 X라 하자. $\mathrm{V}(2X-5)$의 값을 구하시오.

→ $\mathrm{V}(aX+b)=a^2\mathrm{V}(X)$임을 이용하자.

소수의 합이 0인 경우 $\{1, 4, 6\}$의 부분집합이므로 $\frac{2^3}{2^6}=\frac{1}{8}$

소수의 합이 2인 경우 $\{1, 4, 6\}$의 부분집합에 원소 2를 추가해야 하므로 $\frac{2^3}{2^6}=\frac{1}{8}$

소수의 합이 3인 경우 $\{1, 4, 6\}$의 부분집합에 원소 3을 추가해야 하므로 $\frac{2^3}{2^6}=\frac{1}{8}$

소수의 합이 5인 경우 $\{1, 4, 6\}$의 부분집합에 원소 2, 3 또는 5를 추가해야 하므로 $\frac{2^3\times2}{2^6}=\frac{2}{8}$

소수의 합이 7인 경우 $\{1, 4, 6\}$의 부분집합에 원소 2, 5를 추가해야 하므로 $\frac{2^3}{2^6}=\frac{1}{8}$

소수의 합이 8인 경우 $\{1, 4, 6\}$의 부분집합에 원소 3, 5를 추가해야 하므로 $\frac{2^3}{2^6}=\frac{1}{8}$

소수의 합이 10인 경우 $\{1, 4, 6\}$의 부분집합에 원소 2, 3, 5를 추가해야 하므로 $\frac{2^3}{2^6}=\frac{1}{8}$

$\mathrm{E}(X)=2\times\frac{1}{8}+3\times\frac{1}{8}+5\times\frac{2}{8}+7\times\frac{1}{8}+8\times\frac{1}{8}+10\times\frac{1}{8}$

$=\frac{40}{8}=5$

$\mathrm{E}(X^2)=2^2\times\frac{1}{8}+3^2\times\frac{1}{8}+5^2\times\frac{2}{8}+7^2\times\frac{1}{8}+8^2\times\frac{1}{8}+10^2\times\frac{1}{8}$

$=\frac{69}{2}$

$\mathrm{V}(X)=\frac{69}{2}-25=\frac{19}{2}$

$\mathrm{V}(2X-5)=2^2\mathrm{V}(X)=38$ 답 38

1083

→ 확률변수 X가 가질 수 있는 값은 1, 2, 3이다.

주머니 속에 1, 2, 3, 4, 5의 번호가 각각 하나씩 적힌 5개의 공이 들어 있다. 이 중에서 세 개의 공을 동시에 꺼낼 때, 가장 작은 수를 확률변수 X라 하자. 확률변수 $(10X-a)^2$의 기댓값이 최소일 때, 상수 a의 값을 구하시오.

→ $\mathrm{E}((10X-a)^2)=100\mathrm{E}(X^2)-20a\mathrm{E}(X)+a^2$임을 이용하자.

확률변수 X가 취할 수 있는 값은 1, 2, 3이고 그 확률은 각각

$\mathrm{P}(X=1)=\frac{{}_4\mathrm{C}_2}{{}_5\mathrm{C}_3}=\frac{6}{10}$

$\mathrm{P}(X=2)=\frac{{}_3\mathrm{C}_2}{{}_5\mathrm{C}_3}=\frac{3}{10}$

$\mathrm{P}(X=3)=\frac{{}_2\mathrm{C}_2}{{}_5\mathrm{C}_3}=\frac{1}{10}$

이므로 X의 확률분포를 표로 나타내면 다음과 같다.

X	1	2	3	합계
$\mathrm{P}(X=x)$	$\frac{6}{10}$	$\frac{3}{10}$	$\frac{1}{10}$	1

$\mathrm{E}(X)=1\times\frac{6}{10}+2\times\frac{3}{10}+3\times\frac{1}{10}=\frac{3}{2}$

$\mathrm{E}(X^2)=1^2\times\frac{6}{10}+2^2\times\frac{3}{10}+3^2\times\frac{1}{10}=\frac{27}{10}$

$\therefore \mathrm{E}((10X-a)^2)=\mathrm{E}(100X^2-20aX+a^2)$
$=100\mathrm{E}(X^2)-20a\mathrm{E}(X)+a^2$
$=270-30a+a^2$
$=(a-15)^2+45$

따라서 $a=15$일 때 확률변수 $(10X-a)^2$의 기댓값이 최소이다.

답 15

1084

→ 확률변수 Y는 짝수의 눈이 나오는 횟수이다.

한 개의 주사위를 10번 던질 때, 홀수의 눈이 나오는 횟수를 확률변수 X라 하자. 확률변수 $Y=10-X$에 대하여 〈보기〉에서 옳은 것만을 있는 대로 고르시오.

보기
ㄱ. $\mathrm{P}(5\leq Y\leq 7)=\mathrm{P}(3\leq X\leq 5)$
ㄴ. Y의 평균은 X의 평균과 같다.
ㄷ. Y의 분산은 X의 분산보다 크다.

→ $5\leq 10-X\leq 7 \Longrightarrow 3\leq X\leq 5$임을 이용하자.

ㄱ. $\mathrm{P}(Y=k)=\mathrm{P}(10-X=k)=\mathrm{P}(X=10-k)$이므로
$\mathrm{P}(5\leq Y\leq 7)=\mathrm{P}(3\leq X\leq 5)$ (참)

ㄴ. $\mathrm{E}(X)=\sum_{k=0}^{10}k\mathrm{P}(X=k)=\sum_{k=0}^{10}(10-k)\mathrm{P}(X=10-k)$
$=\mathrm{E}(10-X)=\mathrm{E}(Y)$ (참)

ㄷ. $\mathrm{V}(Y)=\mathrm{V}(10-X)=(-1)^2\mathrm{V}(X)=\mathrm{V}(X)$ (거짓)

따라서 옳은 것은 ㄱ, ㄴ이다.

답 ㄱ, ㄴ

1085

→ 확률의 총합은 1임을 이용하자.

확률변수 X의 확률분포를 표로 나타내면 다음과 같다.

X	0	1	2	합계
$\mathrm{P}(X=x)$	a	$\frac{1}{3}$	b	1

$\mathrm{P}(X=0)+\mathrm{P}(X=1)=\frac{1}{2}$일 때, $\mathrm{E}(X^2)$의 값을 구하시오.

→ $a+\frac{1}{3}=\frac{1}{2}$임을 이용하자.

$a+\frac{1}{3}=\frac{1}{2}$이므로 $a=\frac{1}{6}$

$a+\frac{1}{3}+b=1$이므로 $b=\frac{1}{2}$

$\therefore \mathrm{E}(X^2)=0^2\times\frac{1}{6}+1^2\times\frac{1}{3}+2^2\times\frac{1}{2}$
$=\frac{0+2+12}{6}=\frac{7}{3}$

답 $\frac{7}{3}$

1086

4 이하의 자연수 중에서 서로 다른 두 수를 뽑아 두 수의 차를 확률변수 X라 할 때, X의 평균을 구하시오.

→ 확률변수 X가 가질 수 있는 값과 그 각각의 확률을 구하여 확률변수 X의 확률분포를 표로 나타내자.

확률변수 X가 가질 수 있는 값은 1, 2, 3이다.
두 수의 차가 1인 경우는
(1, 2), (2, 3), (3, 4)의 3가지
두 수의 차가 2인 경우는
(1, 3), (2, 4)의 2가지
두 수의 차가 3인 경우는
(1, 4)의 1가지

$\therefore \mathrm{P}(X=1)=\frac{3}{6}, \mathrm{P}(X=2)=\frac{2}{6}, \mathrm{P}(X=3)=\frac{1}{6}$

즉, 확률변수 X의 확률분포를 표로 나타내면 다음과 같다.

X	1	2	3	합계
$\mathrm{P}(X=x)$	$\frac{3}{6}$	$\frac{2}{6}$	$\frac{1}{6}$	1

$\therefore \mathrm{E}(X)=1\times\frac{3}{6}+2\times\frac{2}{6}+3\times\frac{1}{6}=\frac{5}{3}$

답 $\frac{5}{3}$

1087

$\mathrm{E}(X)=x_1p_1+x_2p_2+\cdots+x_np_n=\sum_{i=1}^{n}x_ip_i$임을 이용하자. ←

확률변수 X의 확률분포를 나타낸 표가 다음과 같고, $\mathrm{E}(X)=\frac{7}{5}$일 때, $\frac{b}{a}$의 값은?

→ 확률의 총합은 1임을 이용하자.

X	0	1	2	3	합계
$\mathrm{P}(X=x)$	$\frac{1}{5}$	a	$\frac{3}{10}$	b	1

확률의 총합은 1이므로

$\frac{1}{5}+a+\frac{3}{10}+b=1$

$\therefore a+b=\frac{1}{2}$ ······㉠

$\mathrm{E}(X)=0\times\frac{1}{5}+1\times a+2\times\frac{3}{10}+3\times b=\frac{7}{5}$

$\therefore a+3b=\frac{4}{5}$ ······㉡

㉠, ㉡을 연립하여 풀면

$a=\frac{7}{20}, b=\frac{3}{20}$

$\therefore \frac{b}{a}=\frac{3}{7}$

답 ③

1088

제비 100개 중에 포함된 당첨 제비의 수와 그 제비에 대한 상금이 표와 같다. 이 중에서 한 개의 제비를 뽑을 때의 상금에 대한 기댓값은?
→ 상금을 확률변수 X로 하여 X의 확률분포표를 만들자.

등급	상금	개수
1등	10만 원	5
2등	5만 원	10
3등	3만 원	25
등외	0원	60

상금을 확률변수 X라 하고, X의 확률분포를 표로 나타내면 다음과 같다.

(단위: 만 원)

X	0	3	5	10	합계
$P(X=x)$	$\frac{60}{100}$	$\frac{25}{100}$	$\frac{10}{100}$	$\frac{5}{100}$	1

$$E(X)=0\times\frac{60}{100}+3\times\frac{25}{100}+5\times\frac{10}{100}+10\times\frac{5}{100}$$
$$=1.75\text{ (만 원)}$$

따라서 상금의 기댓값은 17500원이다.

답 ④

1089

→ 확률의 총합은 1임을 이용하자.

확률변수 X의 확률분포를 나타낸 표가 다음과 같을 때, $\sigma(X)$를 구하시오.
$\sigma(X)=\sqrt{V(X)}$임을 이용하자.

X	0	2	4	합계
$P(X=x)$	a	a^2	a^2	1

확률의 총합은 1이므로

$a+a^2+a^2=1$

$2a^2+a-1=0$, $(2a-1)(a+1)=0$

$\therefore a=\frac{1}{2}$ ($\because a>0$)

$$E(X)=0\times\frac{1}{2}+2\times\frac{1}{4}+4\times\frac{1}{4}=\frac{3}{2}$$
$$V(X)=E(X^2)-\{E(X)\}^2$$
$$=0^2\times\frac{1}{2}+2^2\times\frac{1}{4}+4^2\times\frac{1}{4}-\left(\frac{3}{2}\right)^2=\frac{11}{4}$$
$$\therefore \sigma(X)=\sqrt{V(X)}=\frac{\sqrt{11}}{2}$$

답 $\frac{\sqrt{11}}{2}$

1090

흰 공 2개, 검은 공 4개가 들어 있는 주머니에서 3개의 공을 꺼낼 때, 나오는 검은 공의 개수를 확률변수 X라고 한다. X의 표준편차를 구하시오.
→ 확률변수 X가 가질 수 있는 값과 그 각각의 확률을 구하여 확률변수 X의 확률분포를 표로 나타내자.

확률변수 X가 가질 수 있는 값은 1, 2, 3이므로

$$P(X=1)=\frac{{}_4C_1\times{}_2C_2}{{}_6C_3}=\frac{1}{5},\ P(X=2)=\frac{{}_4C_2\times{}_2C_1}{{}_6C_3}=\frac{3}{5}$$
$$P(X=3)=\frac{{}_4C_3}{{}_6C_3}=\frac{1}{5}$$

즉, 확률변수 X의 확률분포를 표로 나타내면 다음과 같다.

X	1	2	3	합계
$P(X=x)$	$\frac{1}{5}$	$\frac{3}{5}$	$\frac{1}{5}$	1

$$E(X)=1\times\frac{1}{5}+2\times\frac{3}{5}+3\times\frac{1}{5}=2$$
$$V(X)=E(X^2)-\{E(X)\}^2$$
$$=1^2\times\frac{1}{5}+2^2\times\frac{3}{5}+3^2\times\frac{1}{5}-2^2=\frac{2}{5}$$
$$\therefore \sigma(X)=\sqrt{V(X)}=\sqrt{\frac{2}{5}}=\frac{\sqrt{10}}{5}$$

답 $\frac{\sqrt{10}}{5}$

1091 서술형

→ 확률변수 X가 가질 수 있는 값에 따른 그 각각의 확률을 구하자.

흰 구슬 6개와 검은 구슬 4개가 들어 있는 주머니가 있다. 이 주머니에서 임의로 구슬을 3개 꺼낼 때, 나오는 검은 구슬의 개수를 확률변수 X라 하자. 이때, 다음 물음에 답하시오.

(1) 다음 확률분포표를 완성하시오.

X	0	1	2	3	합계
$P(X=x)$					1

(2) X의 평균을 구하시오.

(3) X의 표준편차를 구하시오.
→ $E(X)=x_1p_1+x_2p_2+\cdots+x_np_n=\sum_{i=1}^{n} x_ip_i$임을 이용하자.

(1) $P(X=0)=\frac{{}_6C_3}{{}_{10}C_3}=\frac{1}{6}$

$P(X=1)=\frac{{}_6C_2\times{}_4C_1}{{}_{10}C_3}=\frac{1}{2}$

$P(X=2)=\frac{{}_6C_1\times{}_4C_2}{{}_{10}C_3}=\frac{3}{10}$

$P(X=3)=\frac{{}_4C_3}{{}_{10}C_3}=\frac{1}{30}$

X	0	1	2	3	합계
$P(X=x)$	$\frac{1}{6}$	$\frac{1}{2}$	$\frac{3}{10}$	$\frac{1}{30}$	1

…… 40%

(2) $E(X)=0\times\frac{1}{6}+1\times\frac{1}{2}+2\times\frac{3}{10}+3\times\frac{1}{30}=\frac{6}{5}$ …… 30%

(3) $E(X^2)=1\times\frac{1}{2}+4\times\frac{3}{10}+9\times\frac{1}{30}=2$

$V(X)=E(X^2)-\{E(X)\}^2=2-\frac{36}{25}=\frac{14}{25}$

$\sigma(X)=\sqrt{V(X)}=\sqrt{\frac{14}{25}}=\frac{\sqrt{14}}{5}$ …… 30%

답 (1) 풀이 참조 (2) $\frac{6}{5}$ (3) $\frac{\sqrt{14}}{5}$

1092 $E(aX+b)=aE(X)+b$임을 이용하자.

> 확률변수 X의 확률분포를 나타낸 표가 다음과 같을 때, 확률변수 $Y=X-1$의 평균은? — 확률의 총합은 1임을 이용하자.
>
> | X | 0 | 1 | 2 | 합계 |
> |---|---|---|---|---|
> | $P(X=x)$ | $\frac{1}{4}$ | a | a^2 | 1 |

확률의 총합은 1이므로

$\frac{1}{4}+a+a^2=1,\ 4a^2+4a-3=0$

$(2a-1)(2a+3)=0$

$\therefore a=\frac{1}{2}\ (\because a>0)$

$E(X)=0\times\frac{1}{4}+1\times\frac{1}{2}+2\times\frac{1}{4}=1$

$\therefore E(Y)=E(X-1)$
$=E(X)-1$
$=1-1=0$

답 ②

1093

> 1부터 7까지의 숫자가 각각 하나씩 적힌 7장의 카드에서 2장의 카드를 뽑을 때, 나오는 홀수가 적힌 카드의 개수를 확률변수 X라 하자. $E(-7X+10)$을 구하시오.
>
> — 확률변수 X가 가질 수 있는 값과 그 각각의 확률을 구하여 확률변수 X의 확률분포를 표로 나타내자.

확률변수 X가 취할 수 있는 값은 0, 1, 2이고 그 확률은 각각

$P(X=0)=\frac{{}_3C_2}{{}_7C_2}=\frac{3}{21}$

$P(X=1)=\frac{{}_3C_1\times{}_4C_1}{{}_7C_2}=\frac{12}{21}$

$P(X=2)=\frac{{}_4C_2}{{}_7C_2}=\frac{6}{21}$

이므로 확률변수 X의 확률분포를 표로 나타내면 다음과 같다.

X	0	1	2	합계
$P(X=x)$	$\frac{3}{21}$	$\frac{12}{21}$	$\frac{6}{21}$	1

따라서 $E(X)=0\times\frac{3}{21}+1\times\frac{12}{21}+2\times\frac{6}{21}=\frac{8}{7}$이므로

$E(-7X+10)=-7E(X)+10$
$=(-7)\times\frac{8}{7}+10=2$

답 2

1094 $V(X)=E(X^2)-\{E(X)\}^2$임을 이용하자.

> 확률변수 X의 확률분포를 나타낸 표가 다음과 같을 때, 확률변수 $Y=10X+5$의 분산을 구하시오.
>
> | X | 0 | 1 | 2 | 3 | 합계 |
> |---|---|---|---|---|---|
> | $P(X=x)$ | $\frac{1}{5}$ | $\frac{3}{10}$ | $\frac{3}{10}$ | $\frac{1}{5}$ | 1 |

$E(X)=0\times\frac{1}{5}+1\times\frac{3}{10}+2\times\frac{3}{10}+3\times\frac{1}{5}=\frac{3}{2}$

$V(X)=0^2\times\frac{1}{5}+1^2\times\frac{3}{10}+2^2\times\frac{3}{10}+3^2\times\frac{1}{5}-\left(\frac{3}{2}\right)^2=\frac{21}{20}$

$\therefore V(Y)=V(10X+5)$
$=10^2V(X)=105$

답 105

1095 확률질량함수를 이용하여 확률변수 X의 확률분포를 표로 나타내자.

> 이산확률변수 X의 확률질량함수가
>
> $P(X=x)=\frac{a-x}{10}\ (x=0, 1, 2, 3)$
>
> 일 때, 확률변수 X의 분산 $V(-3X+2)$의 값을 구하시오. (단, a는 상수이다.)
>
> — $V(aX+b)=a^2V(X)$임을 이용하자.

$P(X=0)+P(X=1)+P(X=2)+P(X=3)=1$이므로

$\frac{a}{10}+\frac{a-1}{10}+\frac{a-2}{10}+\frac{a-3}{10}=1$

$4a=16$

$\therefore a=4$

즉, 확률변수 X의 확률분포를 표로 나타내면 다음과 같다.

X	0	1	2	3	합계
$P(X=x)$	$\frac{4}{10}$	$\frac{3}{10}$	$\frac{2}{10}$	$\frac{1}{10}$	1

$E(X)=0\times\frac{4}{10}+1\times\frac{3}{10}+2\times\frac{2}{10}+3\times\frac{1}{10}=1$

$\therefore V(X)=E(X^2)-\{E(X)\}^2$
$=0^2\times\frac{4}{10}+1^2\times\frac{3}{10}+2^2\times\frac{2}{10}+3^2\times\frac{1}{10}-1^2$
$=2-1=1$

$\therefore V(-3X+2)=(-3)^2V(X)=9\times1=9$

답 9

1096 서술형 — 확률변수 X가 가질 수 있는 값과 그 각각의 확률을 구하자.

> 남자 3명과 여자 3명 중에서 임의로 3명을 뽑을 때, 뽑힌 남자의 수를 확률변수 X라 하고, $Y=10X+5$라 하자. 이때, 다음을 구하시오.
>
> (1) $E(X)+V(X)$
>
> (2) $V(Y)+\sigma(Y)$
>
> — $V(aX+b)=a^2V(X)$임을 이용하자.

(1) $P(X=0)=P(X=3)=\frac{{}_3C_3}{{}_6C_3}=\frac{1}{20}$

$P(X=1)=P(X=2)=\frac{{}_3C_1\times{}_3C_2}{{}_6C_3}=\frac{9}{20}$

$E(X)=\frac{1}{20}\times0+\frac{9}{20}\times1+\frac{9}{20}\times2+\frac{1}{20}\times3=\frac{3}{2}$ …… 30%

$V(X)=E(X^2)-\{E(X)\}^2$
$=\left(\frac{1}{20}\times0+\frac{9}{20}\times1+\frac{9}{20}\times4+\frac{1}{20}\times9\right)-\left(\frac{3}{2}\right)^2$
$=\frac{9}{20}$

$\therefore E(X)+V(X)=\frac{3}{2}+\frac{9}{20}=\frac{39}{20}$ …… 30%

(2) $V(Y)=V(10X+5)=10^2V(X)=45$

$\sigma(Y)=\sigma(10X+5)=10\sigma(X)=10\times\frac{3\sqrt{5}}{10}=3\sqrt{5}$

$\therefore V(Y)+\sigma(Y)=45+3\sqrt{5}$ …… 40%

답 (1) $\frac{39}{20}$ (2) $45+3\sqrt{5}$

1097

확률변수 X가 가질 수 있는 값과 그 각각의 확률을 구하여 확률변수 X의 확률분포를 표로 나타내자.

한 개의 동전을 세 번 던져 나온 결과에 대하여, 다음 규칙에 따라 얻은 점수를 확률변수 X라 하자.

(가) 같은 면이 연속하여 나오지 않으면 0점으로 한다.
(나) 같은 면이 연속하여 두 번만 나오면 1점으로 한다.
(다) 같은 면이 연속하여 세 번 나오면 3점으로 한다.

확률변수 X의 분산 $V(X)$를 구하시오.

$V(X)=E(X^2)-\{E(X)\}^2$임을 이용하자.

동전의 앞면을 H, 뒷면을 T라 할 때, 확률변수 X의 확률분포를 표로 나타내면 다음과 같다.

	HTH, THT	THH, TTH, HHT, HTT	TTT, HHH	
X	0	1	3	합계
$P(X=x)$	$\frac{2}{8}$	$\frac{4}{8}$	$\frac{2}{8}$	1

$E(X)=0\times\frac{2}{8}+1\times\frac{4}{8}+3\times\frac{2}{8}=\frac{5}{4}$

$E(X^2)=0^2\times\frac{2}{8}+1^2\times\frac{4}{8}+3^2\times\frac{2}{8}=\frac{22}{8}$

$\therefore V(X)=E(X^2)-\{E(X)\}^2$

$=\frac{22}{8}-\left(\frac{5}{4}\right)^2=\frac{19}{16}$

답 $\frac{19}{16}$

1098

두 이산확률변수 X와 Y가 가지는 값이 각각 1부터 5까지의 자연수이고

$E(Y)=\sum_{k=1}^{5}k\left(\frac{1}{2}P(X=k)+\frac{1}{10}\right)$임을 이용하자.

$$P(Y=k)=\frac{1}{2}P(X=k)+\frac{1}{10}\ (k=1, 2, 3, 4, 5)$$

이다. $E(X)=4$일 때, $E(Y)=a$이다. $8a$의 값을 구하시오.

$E(X)=\sum_{k=1}^{5}kP(X=k)=4$임을 이용하자.

$E(X)=\sum_{k=1}^{5}kP(X=k)=4$

$E(Y)=\sum_{k=1}^{5}kP(Y=k)$

$=\sum_{k=1}^{5}k\left\{\frac{1}{2}P(X=k)+\frac{1}{10}\right\}$

$=\frac{1}{2}\sum_{k=1}^{5}kP(X=k)+\frac{1}{10}\sum_{k=1}^{5}k$

$=\frac{1}{2}\times4+\frac{1}{10}\times\frac{5\times6}{2}$

$=2+\frac{3}{2}=\frac{7}{2}$

따라서 $a=\frac{7}{2}$이므로

$8a=8\times\frac{7}{2}=28$

답 28

1099

A반 학생의 점수를 $x_1, x_2, \cdots, x_{30}$이라 하고 B반 학생의 점수를 $y_1, y_2, \cdots, y_{30}$이라 하자.

오른쪽 표는 어느 학교 A반과 B반의 확률과 통계 과목의 수행평가 점수에 대한 평균과 분산을 나타낸 것이다. A반과 B반 전체 학생의 수행평가 점수에 대한 분산은?

구분 \ 반	A	B
평균	18	16
분산	4	8
학생 수	30	30

$V(X)=E(X^2)-\{E(X)\}^2$임을 이용하자.

A반 학생의 점수를 $x_1, x_2, x_3, \cdots, x_{30}$이라 하고,
B반 학생의 점수를 $y_1, y_2, y_3, \cdots, y_{30}$이라 하자.
A반과 B반 전체 학생의 수행평가 점수에 대한 평균을 m이라 하면

$m=\frac{30(18+16)}{60}=17$

A반의 분산은 $\frac{{x_1}^2+{x_2}^2+\cdots+{x_{30}}^2}{30}-18^2=4$

B반의 분산은 $\frac{{y_1}^2+{y_2}^2+\cdots+{y_{30}}^2}{30}-16^2=8$이므로

A반과 B반 전체 학생의 수행평가 점수에 대한 분산을 σ^2이라 하면

$\sigma^2=\frac{{x_1}^2+{x_2}^2+\cdots+{x_{30}}^2+{y_1}^2+{y_2}^2+\cdots+{y_{30}}^2}{60}-m^2$

$=\frac{(4+18^2)\times30+(8+16^2)\times30}{60}-17^2$

$=7$

답 ③

1100

확률의 총합은 1임을 이용하여 k를 구하자.

확률변수 X의 확률분포를 표로 나타내면 다음과 같다.

X	2	4	8	16	합계
$P(X=x)$	$\frac{{}_4C_1}{k}$	$\frac{{}_4C_2}{k}$	$\frac{{}_4C_3}{k}$	$\frac{{}_4C_4}{k}$	1

$E(3X+1)$의 값은? (단, k는 상수이다.)

$E(aX+b)=aE(X)+b$임을 이용하자.

확률의 합이 1이므로

$\frac{1}{k}({}_4C_1+{}_4C_2+{}_4C_3+{}_4C_4)=1$

이항정리에 의해

$k={}_4C_1+{}_4C_2+{}_4C_3+{}_4C_4=2^4-1=15$

$E(X)=\frac{1}{15}(2\times{}_4C_1+2^2\times{}_4C_2+2^3\times{}_4C_3+2^4\times{}_4C_4)$

$=\frac{1}{15}(3^4-1)=\frac{1}{15}\times80=\frac{16}{3}$

$E(3X+1)=3E(X)+1=16+1=17$

답 ⑤

1101

V(X)=E(X²)−{E(X)}²임을 이용하자.

확률변수 X에 대하여 $\mathrm{E}(X)=25$, $\mathrm{E}(X^2)=725$이다.
확률변수 $Y=aX+b$의 평균과 분산이 각각 $\mathrm{E}(Y)=51$, $\mathrm{V}(Y)=20$일 때, 상수 b의 값을 구하시오. (단, $a>0$인 상수이다.)

$\mathrm{E}(aX+b)=a\mathrm{E}(X)+b$, $\mathrm{V}(aX+b)=a^2\mathrm{V}(X)$임을 이용하자.

$\mathrm{V}(X)=\mathrm{E}(X^2)-\{\mathrm{E}(X)\}^2$
$=725-25^2=100$
$\mathrm{E}(Y)=\mathrm{E}(aX+b)=a\mathrm{E}(X)+b$
$=25a+b=51$ ······㉠
$\mathrm{V}(Y)=\mathrm{V}(aX+b)=a^2\mathrm{V}(X)$
$=100a^2=20$
$\therefore a=\frac{\sqrt{5}}{5}$ ($\because a>0$)
$a=\frac{\sqrt{5}}{5}$를 ㉠에 대입하면
$b=51-5\sqrt{5}$

답 $51-5\sqrt{5}$

1102

$\mathrm{E}(T)=\mathrm{E}\left(\frac{a(X-m)}{\sigma}+b\right)=100$임을 이용하자.

어느 해 대학수학능력시험 수학 영역의 원점수 X의 평균을 m, 표준편차를 σ라 할 때, 표준점수 T는
$$T=a\left(\frac{X-m}{\sigma}\right)+b$$
꼴로 나타내어진다. 수학 영역의 표준점수 T가 평균이 100, 표준편차가 20인 분포를 이룬다고 할 때, 두 상수 a, b에 대하여 $a+b$의 값은? (단, $a>0$)

$\sigma(T)=\sigma\left(\frac{a(X-m)}{\sigma}+b\right)=20$임을 이용하자.

$\mathrm{E}(T)=\mathrm{E}\left(\frac{a(X-m)}{\sigma}+b\right)$
$=\frac{a\mathrm{E}(X)}{\sigma}-\frac{am}{\sigma}+b$
$=\frac{am}{\sigma}-\frac{am}{\sigma}+b$ ($\because \mathrm{E}(X)=m$)
$=b=100$
$\sigma(T)=\sigma\left(\frac{a(X-m)}{\sigma}+b\right)$
$=\frac{|a|\sigma(X)}{\sigma}=\frac{|a|\sigma}{\sigma}$ ($\because \sigma(X)=\sigma$)
$=|a|=20$
$\therefore a=20$ ($\because a>0$)
$\therefore a+b=20+100=120$

답 ⑤

1103

$\mathrm{P}(Y=k)=a_k$라 하고 확률변수 Y의 확률분포를 표로 나타내자.

두 이산확률변수 X와 Y가 가지는 값이 각각 1부터 6까지의 자연수이고

$\mathrm{E}(X)=\sum_{k=1}^{6}\left(\frac{2}{5}a_k+\frac{1}{7}\right)$임을 이용하자.

$$\mathrm{P}(X=k)=\frac{2}{5}\mathrm{P}(Y=k)+\frac{1}{7}\ (k=1, 2, 3, 4, 5, 6)$$
이다. $\mathrm{E}(Y)=5$일 때, $\mathrm{E}(X)$의 값을 구하시오.

$\mathrm{P}(Y=k)=a_k$라 하고 확률변수 Y의 확률분포를 표로 나타내면 다음과 같다.

Y	1	2	3	4	5	6	합계
$\mathrm{P}(Y=k)$	a_1	a_2	a_3	a_4	a_5	a_6	1

$\mathrm{E}(Y)=5$이므로
$\mathrm{E}(Y)=a_1+2a_2+3a_3+4a_4+5a_5+6a_6=\sum_{k=1}^{6}k\cdot a_k=5$
$\mathrm{P}(X=1)=\frac{2}{5}a_1+\frac{1}{7}$, $\mathrm{P}(X=2)=\frac{2}{5}a_2+\frac{1}{7}$,
$\mathrm{P}(X=3)=\frac{2}{5}a_3+\frac{1}{7}$, $\mathrm{P}(X=4)=\frac{2}{5}a_4+\frac{1}{7}$,
$\mathrm{P}(X=5)=\frac{2}{5}a_5+\frac{1}{7}$, $\mathrm{P}(X=6)=\frac{2}{5}a_6+\frac{1}{7}$
이므로
$\mathrm{E}(X)=\sum_{k=1}^{6}k\left(\frac{2}{5}a_k+\frac{1}{7}\right)$
$=\frac{2}{5}\times\sum_{k=1}^{6}k\cdot a_k+\frac{1}{7}\sum_{k=1}^{6}k$
$=\frac{2}{5}\times5+\frac{1}{7}\times\frac{6\times7}{2}$
$=2+3=5$

답 5

1104

확률의 총합은 1임을 이용하자.

확률변수 X의 확률분포를 나타낸 표가 다음과 같고, $\mathrm{P}(X^2-8X+12\geq0)=\frac{3}{4}$이다.

$=\mathrm{P}(X\leq2)+\mathrm{P}(X\geq6)$

X	2	4	6	합계
$\mathrm{P}(X=x)$	a	b	c	1

X의 분산이 최대일 때의 a의 값을 α, 그때의 분산을 β라 할 때, $8\alpha+\beta$의 값을 구하시오.

확률의 총합은 1이므로
$a+b+c=1$ ······㉠
$X^2-8X+12\geq0$에서 $(X-2)(X-6)\geq0$
$\therefore X\leq2$ 또는 $X\geq6$
$\mathrm{P}(X^2-8X+12\geq0)=\mathrm{P}(X\leq2)+\mathrm{P}(X\geq6)$
$=a+c=\frac{3}{4}$ ······㉡
㉠, ㉡을 연립하여 풀면 $b=\frac{1}{4}$
㉡에서 $c=\frac{3}{4}-a$이므로
$\mathrm{E}(X)=2a+4b+6c$
$=2a+1+6\left(\frac{3}{4}-a\right)$
$=-4a+\frac{11}{2}$
$\mathrm{E}(X^2)=4a+16b+36c$
$=4a+4+36\left(\frac{3}{4}-a\right)$
$=-32a+31$
$\therefore \mathrm{V}(X)=\mathrm{E}(X^2)-\{\mathrm{E}(X)\}^2$
$=-32a+31-\left(-4a+\frac{11}{2}\right)^2$

$=-16a^2+12a+\frac{3}{4}$

$=-16\left(a-\frac{3}{8}\right)^2+3$

따라서 $a=\frac{3}{8}$, 즉 $\alpha=\frac{3}{8}$일 때 최댓값 $\beta=3$을 가지므로

$8\alpha+\beta=3+3=6$

답 6

1105

• A가 얻을 수 있는 점수는 3, 4, 5, 6이 가능하다.

상자 속에 1이 적힌 카드 5장과 3이 적힌 카드 10장이 들어 있다. 상자 속에서 카드를 한 장 꺼내어 그 수를 확인한 다음 다시 집어넣는 작업을 1회 시행이라고 한다. A, B 두 사람이 각각 시행을 2회 또는 3회 할 수 있고, 각 시행에서 나온 카드에 적힌 수의 합을 득점으로 하는 게임을 한다. 단, 누구든 3회의 시행을 할 때, 나온 수의 합이 7 또는 9일 경우에는 그 사람의 점수는 0으로 한다. A, B는 각각 다음의 작전으로 게임을 한다.

A: 2회까지의 합이 2일 경우 3회 시행을 하고, 4 또는 6일 경우에는 3회의 시행을 하지 않는다.
B: 2회까지의 합이 2 또는 4일 경우에는 3회의 시행을 하고, 6일 경우 3회의 시행을 하지 않는다.

두 사람 A, B가 얻는 점수의 기댓값의 차를 구하시오.

• B가 얻을 수 있는 점수는 0, 3, 5, 6이 가능하다.

2회까지의 합이 2점일 확률은

$\frac{1}{3}\times\frac{1}{3}=\frac{1}{9}$

2회까지의 합이 4점일 확률은

$2\times\frac{1}{3}\times\frac{2}{3}=\frac{4}{9}$

2회까지의 합이 6점일 확률은

$\frac{2}{3}\times\frac{2}{3}=\frac{4}{9}$

A가 얻는 점수를 확률변수 X라 하고 X의 확률분포를 표로 나타내면 다음과 같다.

X	3	4	5	6	합계
$P(X=x)$	$\frac{1}{27}$	$\frac{4}{9}$	$\frac{2}{27}$	$\frac{4}{9}$	1

$E(X)=3\times\frac{1}{27}+4\times\frac{4}{9}+5\times\frac{2}{27}+6\times\frac{4}{9}=\frac{133}{27}$

B가 얻는 점수를 확률변수 Y라 하고 Y의 확률분포를 표로 나타내면 다음과 같다.

Y	0	3	5	6	합계
$P(Y=y)$	$\frac{8}{27}$	$\frac{1}{27}$	$\frac{6}{27}$	$\frac{4}{9}$	1

$E(Y)=0\times\frac{8}{27}+3\times\frac{1}{27}+5\times\frac{6}{27}+6\times\frac{4}{9}=\frac{105}{27}$

따라서 점수의 기댓값의 차는

$\frac{133}{27}-\frac{105}{27}=\frac{28}{27}$

답 $\frac{28}{27}$

1106

• $f(x)=\frac{x^2}{9}\sum_{k=1}^{9}1-2x\sum_{k=1}^{9}\frac{a_k}{9}+\sum_{k=1}^{9}\frac{a_k^2}{9}$임을 이용하자.

등차수열 $\{a_n\}$의 9개의 항 $a_1, a_2, a_3, \cdots, a_9$에 대하여 $f(x)=\frac{1}{9}\sum_{k=1}^{9}(a_k-x)^2$이라 하면 $f(x)$는 $x=10$일 때, 최솟값 $\frac{50}{9}$을 갖는다. 9개의 항의 평균을 m, 표준편차를 σ라 할 때, $\frac{m}{\sigma}$의 값을 구하시오.

• $E(X)=\sum_{k=1}^{9}\frac{a_k}{9}$임을 이용하자.

$a_1, a_2, a_3, \cdots, a_9$의 평균을 $E(X)$, 분산을 $V(X)$라 하면

$f(x)=\frac{1}{9}\sum_{k=1}^{9}(a_k-x)^2=\sum_{k=1}^{9}\frac{a_k^2-2a_kx+x^2}{9}$

$=\frac{x^2}{9}\sum_{k=1}^{9}1-2x\sum_{k=1}^{9}\frac{a_k}{9}+\sum_{k=1}^{9}\frac{a_k^2}{9}$

$=x^2-2xE(X)+E(X^2)$

$=x^2-2xE(X)+V(X)+\{E(X)\}^2$

$=\{x-E(X)\}^2+V(X)$

즉, $f(x)$는 $x=E(X)$일 때, 최솟값 $V(X)$를 갖는다.

따라서 $E(X)=10$, $V(X)=\frac{50}{9}$이므로

$m=10$, $\sigma=\frac{5\sqrt{2}}{3}$ $\quad\therefore \frac{m}{\sigma}=3\sqrt{2}$

답 $3\sqrt{2}$

1107

• $E(X)=\sum_{i=1}^{10}\frac{x_i}{10}$임을 이용하자.

확률변수 X는 $x_1, x_2, \cdots, x_{10}$의 값을 가지고, 그 각각의 확률은 모두 같다. $E(X)=2$, $\sigma(X)=5$일 때, $f(t)=\sum_{i=1}^{10}(x_i-t)^2$의 최솟값을 구하시오.

• $f(t)=\sum_{i=1}^{10}x_i^2-2t\sum_{i=1}^{10}x_i+10t^2$임을 이용하자.

$E(X)=2$이고, $\sigma(X)=5$이므로 $V(X)=25$

$\sum_{i=1}^{10}x_i=10E(X)$, $\sum_{i=1}^{10}x_i^2=10E(X^2)$이므로

$f(t)=\sum_{i=1}^{10}(x_i^2-2x_it+t^2)$

$=\sum_{i=1}^{10}x_i^2-2t\sum_{i=1}^{10}x_i+10t^2$

$=10E(X^2)-20tE(X)+10t^2$

$=10[V(X)+\{E(X)\}^2]-20tE(X)+10t^2$

$=290-40t+10t^2=10(t^2-4t)+290$

$=10(t-2)^2+250$

따라서 $f(t)$는 $t=2$일 때, 최솟값 250을 갖는다.

답 250

1108

두 주머니 A, B에는 다음과 같이 일정한 규칙에 따라 수가 하나씩 적힌 공이 각각 n개씩 들어 있다. 각 주머니에서 구슬을 하나씩 꺼내어 구슬에 적힌 수를 각각 확률변수 X, Y라 하자. $\mathrm{E}(X)=9$일 때, $\mathrm{V}(Y)$의 값을 구하시오.

주머니 A: 1 2 3 4 5 ⋯

주머니 B: 10 13 16 19 22 ⋯

• $\mathrm{V}(Y)=\mathrm{V}(3X+7)$임을 이용하자.

• 10, 13, 16, ⋯은 첫째항이 10이고 공차가 3인 등차수열이므로 $Y=3X+7$이다.

$\mathrm{E}(X)=1\times\frac{1}{n}+2\times\frac{1}{n}+3\times\frac{1}{n}+\cdots+n\times\frac{1}{n}$

$=(1+2+3+\cdots+n)\times\frac{1}{n}$

$=\sum_{k=1}^{n}k\times\frac{1}{n}$

$=\frac{n(n+1)}{2}\times\frac{1}{n}$

$=\frac{n+1}{2}=9$

$\therefore n=17$

$\mathrm{V}(X)=1^2\times\frac{1}{n}+2^2\times\frac{1}{n}+3^2\times\frac{1}{n}+\cdots+n^2\times\frac{1}{n}-9^2$

$=(1^2+2^2+3^2+\cdots+n^2)\times\frac{1}{n}-9^2$

$=\sum_{k=1}^{n}k^2\times\frac{1}{n}-9^2$

$=\frac{n(n+1)(2n+1)}{6}\times\frac{1}{n}-9^2$

$=\frac{(n+1)(2n+1)}{6}-9^2$

$=\frac{18\times35}{6}-9^2$

$=24$

한편, 10, 13, 16, 19, 22, ⋯은 첫째항이 10이고 공차가 3인 등차수열이므로 X, Y의 관계식은

$Y=3X+7$

$\therefore \mathrm{V}(Y)=\mathrm{V}(3X+7)$

$=3^2\mathrm{V}(X)$

$=9\times24$

$=216$

답 216

1109 매회 일어날 확률이 p인 사건 A가 n회의 독립시행에서 r회 일어날 확률은 ${}_n\mathrm{C}_r p^r(1-p)^{n-r}$임을 이용하자.

2가 적힌 구슬 1개와 3이 적힌 구슬 2개가 들어 있는 주머니가 있다. 이 주머니에서 임의로 구슬을 1개 꺼내서 주머니에 적힌 숫자를 확인하고 다시 주머니에 넣는 시행을 10회 반복할 때 꺼낸 구슬에 적힌 숫자의 곱을 확률변수 X라 하자.
$\mathrm{E}(X^2)-\mathrm{V}(X)=a^{10}$라 할 때, a의 값을 구하시오.

• 확률변수 X의 확률분포를 표로 나타내자.

X	2^{10}	$2^9\cdot3$	⋯	3^{10}	합계
$\mathrm{P}(X=x)$	$\left(\frac{1}{3}\right)^{10}$	${}_{10}\mathrm{C}_9\left(\frac{1}{3}\right)^9\left(\frac{2}{3}\right)$	⋯	$\left(\frac{2}{3}\right)^{10}$	1

$\mathrm{E}(X)=2^{10}\cdot\left(\frac{1}{3}\right)^{10}+2^9\cdot3\cdot{}_{10}\mathrm{C}_9\left(\frac{1}{3}\right)^9\left(\frac{2}{3}\right)+\cdots+3^{10}\cdot\left(\frac{2}{3}\right)^{10}$

$=\left(\frac{2}{3}+2\right)^{10}=\left(\frac{8}{3}\right)^{10}$

$\mathrm{E}(X^2)=2^{20}\cdot\left(\frac{1}{3}\right)^{10}+2^{18}\cdot3^2\cdot{}_{10}\mathrm{C}_9\left(\frac{1}{3}\right)^9\left(\frac{2}{3}\right)+\cdots+3^{20}\cdot\left(\frac{2}{3}\right)^{10}$

$=\left(\frac{4}{3}+6\right)^{10}=\left(\frac{22}{3}\right)^{10}$

$\mathrm{V}(X)=\left(\frac{22}{3}\right)^{10}-\left\{\left(\frac{8}{3}\right)^{10}\right\}^2=\left(\frac{22}{3}\right)^{10}-\left(\frac{64}{9}\right)^{10}$

$\therefore \mathrm{E}(X^2)-\mathrm{V}(X)=\left(\frac{64}{9}\right)^{10}$

$a=\frac{64}{9}$

답 $\frac{64}{9}$

1110 $\mathrm{E}(aX+b)=a\mathrm{E}(X)+b$, $\mathrm{V}(aX+b)=a^2\mathrm{V}(X)$임을 이용하자.

확률변수 X의 평균은 0, 분산은 1이다. 확률변수 $Y=aX+b$에 대하여 $\mathrm{E}((Y-2)^2)\le4$를 만족시키는 순서쌍 (a, b)의 개수를 구하시오. (단, a, b는 자연수이다.)

• $\mathrm{E}((Y-2)^2)=\mathrm{E}(Y^2)-4\mathrm{E}(Y)+4$임을 이용하자.

확률변수 $Y=aX+b$의 평균과 분산은

$\mathrm{E}(Y)=\mathrm{E}(aX+b)=a\mathrm{E}(X)+b$

$=a\times0+b=b$

$\mathrm{V}(Y)=\mathrm{V}(aX+b)=a^2\mathrm{V}(X)$

$=a^2\times1=a^2$

$\mathrm{V}(Y)=\mathrm{E}(Y^2)-\{\mathrm{E}(Y)\}^2$에서

$a^2=\mathrm{E}(Y^2)-b^2$

$\therefore \mathrm{E}(Y^2)=a^2+b^2$

$\therefore \mathrm{E}((Y-2)^2)=\mathrm{E}(Y^2-4Y+4)$

$=\mathrm{E}(Y^2)-4\mathrm{E}(Y)+4$

$=a^2+b^2-4b+4$

$\mathrm{E}((Y-2)^2)\le4$, 즉 $a^2+(b-2)^2\le4$를 만족시키는 a, b는 자연수이므로

(i) $a=1$일 때

$1^2+(b-2)^2\le4$, $(b-2)^2\le3$

$\therefore b=1, 2, 3$

(ii) $a=2$일 때

$2^2+(b-2)^2\le4$, $(b-2)^2\le0$

$\therefore b=2$

(i), (ii)에서 $\mathrm{E}((Y-2)^2)\le4$를 만족시키는 순서쌍 (a, b)의 개수는 $(1, 1)$, $(1, 2)$, $(1, 3)$, $(2, 2)$의 4이다.

답 4

1111

> 확률변수 X의 확률질량함수가
> $P(X=k)=ck$ (c는 상수, $k=1, 2, 3, \cdots, n$)
> 이고 확률변수 $Y=3X-2$의 표준편차가 $\sqrt{5}$일 때, 자연수 n의 값을 구하시오.

- $\sum_{k=1}^{n} P(X=k)=\sum_{k=1}^{n} ck=c\times\frac{n(n+1)}{2}=1$임을 이용하여 c를 구하자.
- $V(3X-2)=5$임을 이용하자.

확률의 총합은 1이므로

$$\sum_{k=1}^{n} P(X=k)=\sum_{k=1}^{n} ck=c\sum_{k=1}^{n} k$$
$$=c\times\frac{n(n+1)}{2}=1$$

$\therefore c=\frac{2}{n(n+1)}$

확률변수 X의 평균은

$$E(X)=\sum_{k=1}^{n} kP(X=k)$$
$$=\sum_{k=1}^{n}(k\times ck)=c\sum_{k=1}^{n} k^2$$
$$=c\times\frac{n(n+1)(2n+1)}{6}$$
$$=\frac{2}{n(n+1)}\times\frac{n(n+1)(2n+1)}{6}$$
$$=\frac{2n+1}{3}$$

X^2의 평균은

$$E(X^2)=\sum_{k=1}^{n} k^2P(X=k)$$
$$=\sum_{k=1}^{n}(k^2\times ck)=c\sum_{k=1}^{n} k^3$$
$$=c\left\{\frac{n(n+1)}{2}\right\}^2$$
$$=\frac{2}{n(n+1)}\left\{\frac{n(n+1)}{2}\right\}^2$$
$$=\frac{n(n+1)}{2}$$

X의 분산은

$$V(X)=E(X^2)-\{E(X)\}^2$$
$$=\frac{n(n+1)}{2}-\left(\frac{2n+1}{3}\right)^2$$
$$=\frac{n(n+1)}{2}-\frac{(2n+1)^2}{9} \quad \cdots\cdots ㉠$$

확률변수 $Y=3X-2$의 표준편차가 $\sqrt{5}$이므로

$V(Y)=V(3X-2)=9V(X)=5$

$\therefore V(X)=\frac{5}{9} \quad \cdots\cdots ㉡$

㉠, ㉡에서

$\frac{n(n+1)}{2}-\frac{(2n+1)^2}{9}=\frac{5}{9}$

$9n(n+1)-2(2n+1)^2=10$

$n^2+n-12=0, (n+4)(n-3)=0$

$\therefore n=3$ ($\because n$은 자연수)

답 3

08 이항분포

본책 215~238쪽

1112

한 개의 동전을 던질 때, 뒷면이 나올 확률은 $\frac{1}{2}$이므로

$B\left(50, \frac{1}{2}\right)$

답 $B\left(50, \frac{1}{2}\right)$

1113

한 개의 주사위를 던질 때, 6의 눈이 나오는 확률은 $\frac{1}{6}$이므로

$B\left(30, \frac{1}{6}\right)$

답 $B\left(30, \frac{1}{6}\right)$

1114

한 개의 주사위를 던질 때, 3의 배수의 눈이 나올 확률은 $\frac{1}{3}$이므로

$B\left(10, \frac{1}{3}\right)$

답 $B\left(10, \frac{1}{3}\right)$

1115

두 개의 동전을 동시에 던질 때, 모두 앞면이 나오는 확률은 $\frac{1}{4}$이므로

$B\left(100, \frac{1}{4}\right)$

답 $B\left(100, \frac{1}{4}\right)$

1116

자유투 성공률이 $0.6=\frac{3}{5}$이므로

$B\left(25, \frac{3}{5}\right)$

답 $B\left(25, \frac{3}{5}\right)$

1117

하나의 공을 꺼내어 색을 확인할 때, 흰 공일 확률은 $\frac{1}{3}$이므로

$B\left(30, \frac{1}{3}\right)$

답 $B\left(30, \frac{1}{3}\right)$

1118

답 $B\left(5, \frac{1}{3}\right)$

1119

답 $B\left(4, \frac{1}{6}\right)$

1120

답 $B\left(3, \frac{3}{10}\right)$

1121

$${}_{10}C_x\frac{2^x\times3^{10-x}}{5^{10}}={}_{10}C_x\frac{2^x}{5^x}\times\frac{3^{10-x}}{5^{10-x}}={}_{10}C_x\left(\boxed{\frac{2}{5}}\right)^x\left(\frac{3}{5}\right)^{10-x}$$

➡ $B\left(10, \boxed{\frac{2}{5}}\right)$

답 $\frac{2}{5}, \frac{2}{5}$

1122

$${}_8C_{8-x}\left(\frac{1}{4}\right)^x\left(\frac{3}{4}\right)^{8-x}={}_8C_x\left(\frac{1}{4}\right)^x\left(\frac{3}{4}\right)^{8-x}$$

➡ $B\left(8, \boxed{\frac{1}{4}}\right)$

답 $\frac{1}{4}$

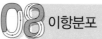

1123

$_{20}C_x \dfrac{2^{20-x}}{3^{20}} = {}_{20}C_x \dfrac{1^x}{3^x} \times \dfrac{2^{20-x}}{3^{20-x}} = {}_{20}C_x \left(\dfrac{1}{3}\right)^x \left(\boxed{\dfrac{2}{3}}\right)^{20-x}$

$\Rightarrow B\left(\boxed{20}, \dfrac{1}{3}\right)$

답 $\dfrac{2}{3}$, 20

1124

$_{10}C_x \dfrac{4^x}{5^{10}} = {}_{10}C_x \dfrac{4^x}{5^x} \times \dfrac{1^{10-x}}{5^{10-x}} = {}_{10}C_x \left(\boxed{\dfrac{4}{5}}\right)^x \left(\dfrac{1}{5}\right)^{10-x}$

$\Rightarrow B\left(10, \boxed{\dfrac{4}{5}}\right)$

답 $\dfrac{4}{5}$, $\dfrac{4}{5}$

1125

$B\left(10, \dfrac{1}{3}\right) \Rightarrow P(X=x) = {}_{\boxed{10}}C_x \left(\boxed{\dfrac{1}{3}}\right)^x \left(\dfrac{2}{3}\right)^{10-x}$

답 10, $\dfrac{1}{3}$

1126

$B\left(5, \dfrac{2}{5}\right) \Rightarrow P(X=x) = {}_5C_x \left(\dfrac{2}{5}\right)^x \left(\boxed{\dfrac{3}{5}}\right)^{\boxed{5-x}}$

답 $\dfrac{3}{5}$, $5-x$

1127

$B\left(20, \dfrac{1}{4}\right)$

$\Rightarrow P(X=x) = {}_{20}C_x \left(\dfrac{1}{4}\right)^x \left(\dfrac{3}{4}\right)^{20-x} = {}_{20}C_x \dfrac{1^x}{4^x} \times \dfrac{3^{20-x}}{4^{20-x}}$

$= {}_{\boxed{20}}C_x \dfrac{\boxed{3}^{20-x}}{4^{20}}$

답 20, 3

1128

확률변수 X는 이항분포 $B\left(12, \dfrac{1}{4}\right)$을 따르므로

$P(X=x) = {}_{12}C_x \left(\dfrac{1}{4}\right)^x \left(\dfrac{3}{4}\right)^{12-x}$ $(x=0, 1, 2, \cdots, 12)$

답 $P(X=x) = {}_{12}C_x \left(\dfrac{1}{4}\right)^x \left(\dfrac{3}{4}\right)^{12-x}$ $(x=0, 1, 2, \cdots, 12)$

1129

$P(X=0) = {}_{12}C_0 \left(\dfrac{1}{4}\right)^0 \left(\dfrac{3}{4}\right)^{12} = \left(\dfrac{3}{4}\right)^{12}$

답 $\left(\dfrac{3}{4}\right)^{12}$

1130

$P(1 \le X \le 12) = 1 - P(X=0)$

$= 1 - \left(\dfrac{3}{4}\right)^{12}$

답 $1 - \left(\dfrac{3}{4}\right)^{12}$

1131

$E(X) = 10 \times \dfrac{1}{5} = 2$

답 2

1132

$V(X) = 10 \times \dfrac{1}{5} \times \dfrac{4}{5} = \dfrac{8}{5}$

답 $\dfrac{8}{5}$

1133

$\sigma(X) = \sqrt{V(X)} = \sqrt{\dfrac{8}{5}} = \dfrac{2\sqrt{10}}{5}$

답 $\dfrac{2\sqrt{10}}{5}$

1134

$E(X) = 72 \times \dfrac{5}{6} = 60$

$\therefore E(3X+5) = 3E(X) + 5$

$= 3 \times 60 + 5 = 185$

답 185

1135

$V(X) = 72 \times \dfrac{5}{6} \times \dfrac{1}{6} = 10$

$\therefore V(2X-3) = 2^2 V(X)$

$= 4 \times 10 = 40$

답 40

1136

$\sigma(X) = \sqrt{V(X)} = \sqrt{10}$

$\therefore \sigma(5X) = |5| \sigma(X) = 5\sqrt{10}$

답 $5\sqrt{10}$

1137

$E(X) = 6$에서 $18p = 6$ $\quad \therefore p = \dfrac{1}{3}$

답 $\dfrac{1}{3}$

1138

확률변수 X가 이항분포 $B\left(18, \dfrac{1}{3}\right)$을 따르므로

$V(X) = 18 \times \dfrac{1}{3} \times \dfrac{2}{3} = 4$

답 4

1139

$\sigma(X) = \sqrt{V(X)} = \sqrt{4} = 2$

답 2

1140

$E(X) = n \times \dfrac{2}{3} = 24$

$\therefore n = 36$

답 36

1141

$V(X) = 36 \times \dfrac{2}{3} \times \dfrac{1}{3} = 8$

답 8

1142

$\sigma(X) = \sqrt{V(X)} = \sqrt{8} = 2\sqrt{2}$

$\therefore \sigma(3X+5) = |3| \sigma(X) = 6\sqrt{2}$

답 $6\sqrt{2}$

1143

한 개의 주사위를 던져서 홀수의 눈이 나올 확률이 $\dfrac{1}{2}$이므로

$B\left(3, \dfrac{1}{2}\right)$

답 $B\left(3, \dfrac{1}{2}\right)$

1144

$E(X) = 3 \times \dfrac{1}{2} = \dfrac{3}{2}$

답 $\dfrac{3}{2}$

1145

$V(X)=3\times\frac{1}{2}\times\frac{1}{2}=\frac{3}{4}$

$\therefore V(3X+1)=3^2V(X)$

$=9\times\frac{3}{4}=\frac{27}{4}$

답 $\frac{27}{4}$

1146

$V(X)=3\times\frac{1}{2}\times\frac{1}{2}=\frac{3}{4}$이므로

$\sigma(X)=\sqrt{V(X)}=\sqrt{\frac{3}{4}}=\frac{\sqrt{3}}{2}$

답 $\frac{\sqrt{3}}{2}$

1147

확률변수 X는 이항분포 $B\left(3, \frac{1}{2}\right)$을 따르므로 X의 확률질량함수는

$P(X=x)={}_3C_x\left(\frac{1}{2}\right)^x\left(\frac{1}{2}\right)^{3-x}$ $(x=0, 1, 2, 3)$

답 $P(X=x)={}_3C_x\left(\frac{1}{2}\right)^x\left(\frac{1}{2}\right)^{3-x}$ $(x=0, 1, 2, 3)$

1148

$P(X=2)={}_3C_2\left(\frac{1}{2}\right)^2\left(\frac{1}{2}\right)^1=3\times\frac{1}{4}\times\frac{1}{2}=\frac{3}{8}$

답 $\frac{3}{8}$

1149

> 주머니에 흰 공 3개와 검은 공 6개가 들어있다. 이 주머니에서 임의로 1개의 공을 꺼내 공의 색을 확인하고 다시 주머니에 넣는다. 이 시행을 5회 반복할 때, 흰 공이 2회 나올 확률을 구하시오.
>
> 사건 A가 일어날 확률이 p인 독립시행을 n번 시행했을 때, 사건 A가 일어날 횟수를 확률변수 X라 하면 $P(X=x)={}_nC_xp^x(1-p)^{n-x}$임을 이용하자.

한 번 시행에서 흰 공이 2회 나올 확률은

$p=\frac{{}_3C_1}{{}_9C_1}=\frac{3}{9}=\frac{1}{3}$

시행 횟수는

$n=5$

이므로 흰 공이 나오는 횟수를 확률변수 X라 하면

X는 이항분포 $B\left(5, \frac{1}{3}\right)$을 따른다.

$\therefore P(X=2)={}_5C_2\left(\frac{1}{3}\right)^2\left(\frac{2}{3}\right)^3=\frac{80}{243}$

답 $\frac{80}{243}$

1150

> 확률변수 X는 이항분포 $B\left(10, \frac{1}{100}\right)$을 따른다.
>
> 어떤 전염병에 걸리면 사망할 확률이 1%라고 한다. 10명의 환자가 발생했을 때 사망자의 수가 1명 이하일 확률은 $k\left(\frac{99}{100}\right)^{10}$이다. 상수 k의 값을 구하시오.

사망자의 수를 확률변수 X라 하면 X는 이항분포

$B\left(10, \frac{1}{100}\right)$을 따르므로

$P(X\le1)=P(X=0)+P(X=1)$

$={}_{10}C_0\left(\frac{1}{100}\right)^0\left(\frac{99}{100}\right)^{10}+{}_{10}C_1\left(\frac{1}{100}\right)^1\left(\frac{99}{100}\right)^9$

$=\left(1+\frac{10}{99}\right)\left(\frac{99}{100}\right)^{10}$

$=\frac{109}{99}\left(\frac{99}{100}\right)^{10}$

$\therefore k=\frac{109}{99}$

답 $\frac{109}{99}$

1151

> 어느 농구 선수의 자유투 성공률은 80%라고 한다. 매번 던지는 시행이 독립이고, 한 게임에서 5번 던진다고 할 때, 적어도 2번 이상 성공할 확률을 구하시오.
>
> 5번 던져서 성공한 횟수를 X라 하면 X는 이항분포 $B(5, 0.8)$을 따른다.

5번 던져서 성공한 횟수를 확률변수 X라 하면

X는 이항분포 $B(5, 0.8)$을 따른다.

$\therefore P(X\ge2)=1-P(X\le1)$

$=1-({}_5C_0\,0.2^5+{}_5C_1\,0.8\times0.2^4)$

$=1-0.00672=0.99328$

답 0.99328

1152

> 동전을 2번 던지므로 $n=2$이고, 앞면이 나올 확률은 $\frac{1}{2}$이므로 $p=\frac{1}{2}$이다.
>
> 한 개의 동전을 2번 던지는 시행에서 앞면이 나오는 횟수를 확률변수 X라 하면 X는 이항분포 $B(n, p)$를 따르고, X의 확률분포를 표로 나타내면 다음과 같다.

X	0	1	2	합계
$P(X=x)$	p_0	p_1	p_2	1

> $10n(p+p_1)$의 값을 구하시오.

앞면이 나올 확률은 $\frac{1}{2}$이고, 동전을 2번 던지는 시행에서 확률변수 X의 확률분포는 독립시행의 확률을 따르므로 X는 이항분포 $B\left(2, \frac{1}{2}\right)$을 따른다.

$\therefore n=2, p=\frac{1}{2}$

따라서 X의 확률질량함수는

$P(X=x)={}_2C_x\left(\frac{1}{2}\right)^x\left(\frac{1}{2}\right)^{2-x}$

$={}_2C_x\left(\frac{1}{2}\right)^2$ $(x=0, 1, 2)$

$\therefore p_1=P(X=1)={}_2C_1\left(\frac{1}{2}\right)^2$

$=2\times\frac{1}{4}=\frac{1}{2}$

$\therefore 10n(p+p_1)=10\times2\times\left(\frac{1}{2}+\frac{1}{2}\right)$

$=20$

답 20

1153

확률변수 X는 이항분포 $B\left(5, \frac{4}{5}\right)$를 따른다.

> 완치율이 80 %인 어떤 병을 앓고 있는 5명의 환자가 동일한 치료를 받고 있다. 완치되는 환자의 수를 확률변수 X라 할 때, $P(X\geq4)=\left(\frac{4}{5}\right)^4k$이다. 상수 k의 값은?

완치율이 $\frac{80}{100}=\frac{4}{5}$이고, 5명의 환자가 동일한 치료를 받을 때, 확률변수 X의 확률분포는 독립시행의 확률을 따르므로 X는 이항분포 $B\left(5, \frac{4}{5}\right)$를 따른다.

따라서 X의 확률질량함수는

$P(X=r)={}_5C_r\left(\frac{4}{5}\right)^r\left(\frac{1}{5}\right)^{5-r}$ $(r=0, 1, 2, 3, 4, 5)$

이므로

$$\begin{aligned}P(X\geq4)&=P(X=4)+P(X=5)\\&={}_5C_4\left(\frac{4}{5}\right)^4\left(\frac{1}{5}\right)^1+{}_5C_5\left(\frac{4}{5}\right)^5\\&=\left(\frac{4}{5}\right)^4+\frac{4}{5}\left(\frac{4}{5}\right)^4\\&=\frac{9}{5}\left(\frac{4}{5}\right)^4\end{aligned}$$

$\therefore k=\frac{9}{5}$

답 ④

1154

> 한 개의 동전을 던져 앞면이 나올 때까지 던지는 횟수를 확률변수 X라 하자. 동전은 최대 10번 이내에 앞면이 나온다고 할 때, $P(6\leq X\leq10)$의 값을 구하시오.
>
> $P(X=9)=\left(\frac{1}{2}\right)^9$이고, $P(X=10)=\left(\frac{1}{2}\right)^9\times1=\left(\frac{1}{2}\right)^9$임에 유의하자.

$P(X=1)=\frac{1}{2}$

$P(X=2)=\left(\frac{1}{2}\right)^2$

⋮

$P(X=9)=\left(\frac{1}{2}\right)^9$

$$P(X=10)=1-\frac{\frac{1}{2}\left\{1-\left(\frac{1}{2}\right)^9\right\}}{1-\frac{1}{2}}=\left(\frac{1}{2}\right)^9$$

$$\begin{aligned}P(6\leq X\leq10)&=\left(\frac{1}{2}\right)^6+\left(\frac{1}{2}\right)^7+\left(\frac{1}{2}\right)^8+\left(\frac{1}{2}\right)^9+\left(\frac{1}{2}\right)^9\\&=\left(\frac{1}{2}\right)^6+\left(\frac{1}{2}\right)^7+\left(\frac{1}{2}\right)^8+\left(\frac{1}{2}\right)^8\\&=\left(\frac{1}{2}\right)^6+\left(\frac{1}{2}\right)^7+\left(\frac{1}{2}\right)^7\\&=\left(\frac{1}{2}\right)^6+\left(\frac{1}{2}\right)^6\\&=\left(\frac{1}{2}\right)^5=\frac{1}{32}\end{aligned}$$

답 $\frac{1}{32}$

1155

> 확률변수 X가 이항분포 $B\left(12, \frac{1}{3}\right)$을 따를 때, $E(X)$의 값은?
>
> 확률변수 X가 이항분포 $B(n, p)$를 따를 때, $E(X)=np$임을 이용하자.

$E(X)=12\times\frac{1}{3}=4$

답 ④

1156

확률변수 X가 이항분포 $B(n, p)$를 따를 때, $E(X)=np$, $V(X)=npq$임을 이용하자.

> 확률변수 X가 이항분포 $B\left(72, \frac{1}{6}\right)$을 따를 때, $E(X)+V(X)$의 값을 구하시오.

$E(X)=72\times\frac{1}{6}=12$

$V(X)=72\times\frac{1}{6}\times\frac{5}{6}=10$

$\therefore E(X)+V(X)=22$

답 22

1157

확률변수 X가 이항분포 $B(n, p)$를 따를 때, $\sigma(X)=\sqrt{npq}$임을 이용하자.

> 확률변수 X가 이항분포 $B\left(48, \frac{3}{4}\right)$을 따를 때, $\sigma(X)$의 값을 구하시오.

$V(X)=48\times\frac{3}{4}\times\frac{1}{4}=9$

$\therefore \sigma(X)=\sqrt{9}=3$

답 3

1158

> 이항분포 $B\left(27, \frac{1}{3}\right)$을 따르는 확률변수 X에 대하여 $E(X^2)$의 값을 구하시오.
>
> $V(X)=E(X^2)-\{E(X)\}^2$임을 이용하자.

$E(X)=27\times\frac{1}{3}=9$

$V(X)=27\times\frac{1}{3}\times\frac{2}{3}=6$

$\therefore E(X^2)=V(X)+\{E(X)\}^2=6+81=87$

답 87

1159

> 확률변수 X가 이항분포 $B\left(50, \frac{1}{5}\right)$을 따른다. $E(X^2)+V(X)$의 값을 구하시오.
>
> $E(X^2)=V(X)+\{E(X)\}^2$임을 이용하자.

$E(X)=50\times\frac{1}{5}=10$

$V(X)=10\times\frac{4}{5}=8$

$E(X^2)=V(X)+\{E(X)\}^2$

$E(X^2)=8+100=108$

$\therefore E(X^2)+V(X)=108+8=116$ 답 116

1160 • 확률변수 X가 이항분포 $B(n,\ p)$를 따를 때, $V(X)=npq$임을 이용하자.

> 확률변수 X가 이항분포 $B(20,\ p)$를 따를 때, X의 분산의 최댓값을 구하시오. (단, $0<p<1$)

확률변수 X가 이항분포 $B(20,\ p)$를 따르므로 X의 분산은

$$V(X)=20\times p\times(1-p)$$
$$=-20p^2+20p$$
$$=-20\left(p-\frac{1}{2}\right)^2+5$$

따라서 $p=\frac{1}{2}$일 때, 분산의 최댓값은 5이다. 답 5

1161 • 확률변수 X가 이항분포 $B(n,\ p)$를 따를 때, $V(X)=npq$임을 이용하자.

> 이항분포 $B(n,\ p)$를 따르는 확률변수 X의 분산의 최댓값이 10일 때, $E(X)$의 값을 구하시오.

$$V(X)=np(1-p)=-n\left(p-\frac{1}{2}\right)^2+\frac{n}{4}$$

따라서 $p=\frac{1}{2}$일 때, 최댓값 $\frac{n}{4}$을 가진다.

$\therefore \frac{n}{4}=10$

$\therefore n=40$

$E(X)=np=40\times\frac{1}{2}=20$ 답 20

1162

> 다음은 이항분포 $B(n,\ p)$를 이루는 확률변수 X에 대하여 $E(X)=np$임을 증명한 것이다.
>
> • $E(X)=\sum_{i=1}^{n}x_ip_i$임을 이용하자.
>
> **증명**
>
> $E(X)=\sum_{r=0}^{n}$ (가) $\cdot {}_nC_rp^rq^{n-r}$ (단, $q=1-p$)
>
> $=1\cdot{}_nC_1pq^{n-1}+2\cdot{}_nC_2p^2q^{n-2}+\cdots$
> $+r\cdot{}_nC_rp^rq^{n-r}+\cdots+n\cdot{}_nC_np^n$
>
> 에서
>
> $r\cdot{}_nC_r=r\cdot\frac{n!}{(n-r)!r!}=\frac{n!}{(n-r)!(r-1)!}=$ (나)
>
> • $n\cdot\frac{(n-1)!}{(n-r)!(r-1)!}$
>
> 이므로
>
> $n\cdot{}_{n-1}C_0pq^{n-1}+n\cdot{}_{n-1}C_1p^2q^{n-2}+\cdots$
> $+n\cdot{}_{n-1}C_{r-1}p^rq^{n-r}+\cdots+n\cdot{}_{n-1}C_{n-1}p^n$
>
> $=$ (다) $({}_{n-1}C_0q^{n-1}+{}_{n-1}C_1pq^{n-2}+\cdots$
> $+{}_{n-1}C_{r-1}p^{r-1}q^{n-r}+\cdots+{}_{n-1}C_{n-1}p^{n-1})$
>
> $=np(q+p)^{n-1}=np$
>
> • 모든 항에서 n과 p가 공통인수이다.
>
> 위의 증명에서 (가), (나), (다)에 알맞은 것은?

$E(X)=\sum_{r=0}^{n}$ $\boxed{r}$ $\cdot{}_nC_rp^rq^{n-r}$

$$r\cdot\frac{n!}{(n-r)!r!}=\frac{n!}{(n-r)!(r-1)!}=n\cdot\frac{(n-1)!}{(n-r)!(r-1)!}$$
$$=\boxed{n\cdot{}_{n-1}C_{r-1}}$$

(다) $=np$ 답 ⑤

1163 • 확률변수 X가 이항분포 $B(n,\ p)$를 따를 때, $E(X)=np$임을 이용하자.

> 확률변수 X가 이항분포 $B(100,\ p)$를 따르고 X의 평균이 20일 때, X의 분산은?

확률변수 X가 이항분포 $B(100,\ p)$를 따르므로

$E(X)=100\times p=20 \quad \therefore p=\frac{1}{5}$

$\therefore V(X)=100\times\frac{1}{5}\times\frac{4}{5}=16$ 답 ①

1164 • 확률변수 X가 이항분포 $B(n,\ p)$를 따를 때, $V(X)=npq$임을 이용하자.

> 확률변수 X가 이항분포 $B\left(n,\ \frac{1}{4}\right)$을 따르고 $V(X)=6$일 때, n의 값을 구하시오.

$V(X)=n\times\frac{1}{4}\times\frac{3}{4}=6$

$\therefore n=32$ 답 32

1165

> 확률변수 X가 이항분포 $B\left(n,\ \frac{1}{4}\right)$을 따르고 $E(X)-V(X)=4$일 때, n의 값을 구하시오.
>
> • 확률변수 X가 이항분포 $B(n,\ p)$를 따를 때, $E(X)=np$, $V(X)=npq$임을 이용하자.

$B\left(n,\ \frac{1}{4}\right)$에서

$E(X)=n\times\frac{1}{4}=\frac{n}{4}$

$V(X)=n\times\frac{1}{4}\times\frac{3}{4}=\frac{3n}{16}$

$\therefore E(X)-V(X)=\frac{n}{4}-\frac{3n}{16}=\frac{n}{16}=4$

$\therefore n=64$ 답 64

1166

> 이항분포 $B(n,\ p)$를 따르는 확률변수 X의 평균이 20, 표준편차가 4일 때, n의 값을 구하시오.
>
> • 확률변수 X가 이항분포 $B(n,\ p)$를 따를 때, $E(X)=np$, $\sigma(X)=\sqrt{npq}$임을 이용하자.

확률변수 X가 이항분포 $B(n,\ p)$를 따르고, X의 평균과 표준편차가

각각 20, 4이므로

$E(X)=np=20$ ……㉠

$V(X)=np(1-p)=4^2$ ……㉡

㉡÷㉠을 하면 $1-p=\frac{4}{5}$

$\therefore p=\frac{1}{5}$

$p=\frac{1}{5}$을 ㉠에 대입하면 $\frac{1}{5}n=20$

$\therefore n=100$ 답 100

1167

> 확률변수 X가 이항분포 $B(9, p)$를 따르고 $\{E(X)\}^2=V(X)$ 일 때, p의 값은? (단, $0<p<1$)
>
> 확률변수 X가 이항분포 $B(n, p)$를 따를 때, $E(X)=np$, $V(X)=npq$임을 이용하자.

$E(X)=9p$, $V(X)=9p(1-p)$

$\{E(X)\}^2=V(X)$에서 $(9p)^2=9p(1-p)$

$9p=1-p$ ($\because 0<p<1$)

$\therefore p=\frac{1}{10}$ 답 ④

1168

> 확률변수 X가 이항분포 $B\left(n, \frac{1}{2}\right)$을 따르고
>
> $E(X^2)=V(X)+25$를 만족시킬 때, n의 값은?
>
> 확률변수 X가 이항분포 $B(n, p)$를 따를 때, $E(X)=np$, $V(X)=npq$임을 이용하자.

$E(X)=n\times\frac{1}{2}=\frac{n}{2}$

$V(X)=E(X^2)-\{E(X)\}^2$에서

$E(X^2)=V(X)+\{E(X)\}^2$이므로 $\{E(X)\}^2=25$

즉, $\frac{n^2}{4}=25$에서 $n=10$ 답 ①

1169

> 확률변수 X가 이항분포 $B\left(n, \frac{1}{6}\right)$을 따르고 $V(X)=10$일 때,
>
> $E(X^2)$의 값을 구하시오.
>
> $E(X^2)=V(X)+\{E(X)\}^2$임을 이용하자.

$B\left(n, \frac{1}{6}\right)$에서

$V(X)=n\times\frac{1}{6}\times\frac{5}{6}=10$ $\therefore n=72$

$\therefore E(X)=72\times\frac{1}{6}=12$

$\therefore E(X^2)=V(X)=\{E(X)\}^2=10+12^2=154$ 답 154

1170

> 이항분포 $B(18, p)$를 따르는 확률변수 X에 대하여 X의 분산이 4일 때, X^2의 평균의 최솟값을 구하시오.
>
> $E(X^2)=V(X)+\{E(X)\}^2$임을 이용하자.

$V(X)=18p(1-p)=4$

$p=\frac{1}{3}$ 또는 $p=\frac{2}{3}$

$V(X)=E(X^2)-\{E(X)\}^2$

$E(X^2)=\{E(X)\}^2+V(X)$

$E(X^2)=(18p)^2+4$

$p=\frac{1}{3}$을 대입하면

$E(X^2)=36+4=40$ 답 40

1171

> $E(aX+b)=aE(X)+b$임을 이용하자.
>
> 확률변수 X가 이항분포 $B\left(5, \frac{2}{3}\right)$를 따를 때, $6X-5$의 평균은?

확률변수 X가 이항분포 $B\left(5, \frac{2}{3}\right)$를 따르므로 X의 평균은

$E(X)=5\times\frac{2}{3}=\frac{10}{3}$

$\therefore E(6X-5)=6E(X)-5$

$=6\times\frac{10}{3}-5$

$=15$ 답 ③

1172

> 확률변수 X가 이항분포 $B\left(90, \frac{1}{3}\right)$을 따를 때,
>
> $E(4X+10)+V(3X)$의 값을 구하시오.
>
> $E(aX+b)=aE(X)+b$, $V(aX+b)=a^2V(X)$임을 이용하자.

$E(X)=90\times\frac{1}{3}=30$이므로

$E(4X+10)=4E(X)+10=4\times30+10=130$

$V(X)=90\times\frac{1}{3}\times\frac{2}{3}=20$이므로

$V(3X)=3^2V(X)=9\times20=180$

$\therefore E(4X+10)+V(3X)=130+180=310$ 답 310

1173

> 확률변수 X가 이항분포 $B\left(100, \frac{1}{5}\right)$을 따를 때, $\sigma(3X-4)$를
>
> 구하시오.
>
> $\sigma(aX+b)=|a|\sigma(X)$임을 이용하자.

확률변수 X가 이항분포 $B\left(100, \frac{1}{5}\right)$을 따르므로

$\sigma(X)=\sqrt{100\times\frac{1}{5}\times\frac{4}{5}}=4$

$\therefore \sigma(3X-4)=3\sigma(X)=3\times 4=12$ 답 12

1174

확률변수 X가 이항분포 $B\left(n, \frac{1}{4}\right)$을 따르고 확률변수 $E(2X-3)=13$일 때, $V(3X-2)$의 값을 구하시오.

→ $E(aX+b)=aE(X)+b$, $V(aX+b)=a^2V(X)$임을 이용하자.

$E(2X-3)=2E(X)-3=13$에서 $E(X)=8$

즉, $\frac{n}{4}=8$이므로 $n=32$

$\therefore V(X)=32\times\frac{1}{4}\times\frac{3}{4}=6$

$\therefore V(3X-2)=3^2\times 6=54$ 답 54

1175

확률변수 X가 이항분포 $B(n, p)$를 따르고 $E(3X+1)=11$, $V(3X)=20$이다. $n+3p$의 값을 구하시오.

→ 이항분포 $B(n, p)$에서 $P(X=x)={}_nC_x p^x q^{n-x}$임을 이용하자.

$E(3X+1)=3E(X)+1=11$이므로 $E(X)=\frac{10}{3}$

$V(3X)=3^2V(X)=20$이므로 $V(X)=\frac{20}{9}$

$E(X)=np=\frac{10}{3}$ ……㉠

$V(X)=np(1-p)=\frac{20}{9}$ ……㉡

㉠을 ㉡에 대입하면

$1-p=\frac{2}{3}$ $\therefore p=\frac{1}{3}$

$p=\frac{1}{3}$을 ㉠에 대입하면 $n=10$

$\therefore n+3p=10+1=11$ 답 11

1176

확률변수 X가 이항분포 $B(n, p)$를 따를 때, $\sigma(X)=\sqrt{npq}$임을 이용하자. ←

확률변수 X가 이항분포 $B(n, p)$를 따르고, $\sigma(3X+1)=2\sqrt{2}$이다. 세 수 $E(X)$, $\sigma(X)$, $V(X)$가 이 순서대로 등비수열을 이룰 때, n의 값을 구하시오. (단, $0<p<1$)

→ $\{\sigma(X)\}^2=E(X)\times V(X)$임을 이용하자.

$\sigma(X)$가 등비중항이므로

$\{\sigma(X)\}^2=E(X)\times V(X)$

$np(1-p)=np\times np(1-p)$

$\therefore np=1$

$\sigma(3X+1)=3\sqrt{np(1-p)}=2\sqrt{2}$

$9np(1-p)=8$

$9(1-p)=8$

$\therefore p=\frac{1}{9}$

$\therefore n=9$ 답 9

1177

이항분포 $B\left(10, \frac{1}{3}\right)$을 따르는 확률변수 X에 대하여 $\frac{P(X=4)}{P(X=8)}$의 값은? 이항분포 $B(n, p)$에서 $P(X=x)={}_nC_x p^x q^{n-x}$임을 이용하자.

확률변수 X가 이항분포 $B\left(10, \frac{1}{3}\right)$을 따르므로 $X=r$일 때의 확률은

$P(X=r)={}_{10}C_r\left(\frac{1}{3}\right)^r\left(\frac{2}{3}\right)^{10-r}$ $(r=0, 1, 2, \cdots, 10)$

$$\therefore \frac{P(X=4)}{P(X=8)}=\frac{{}_{10}C_4\left(\frac{1}{3}\right)^4\left(\frac{2}{3}\right)^6}{{}_{10}C_8\left(\frac{1}{3}\right)^8\left(\frac{2}{3}\right)^2}=\frac{210}{45}\times\frac{\left(\frac{2}{3}\right)^4}{\left(\frac{1}{3}\right)^4}$$

$$=\frac{14}{3}\times 2^4=\frac{224}{3}$$ 답 ③

1178

→ 이항분포 $B(n, p)$에서 $P(X=x)={}_nC_x p^x q^{n-x}$임을 이용하자.

확률변수 X가 이항분포 $B\left(5, \frac{1}{2}\right)$을 따를 때, $P(X^2-4X+3=0)$은?

→ $=P(X=1)+P(X=3)$임을 이용하자.

확률변수 X가 이항분포 $B\left(5, \frac{1}{2}\right)$을 따르므로 X의 확률질량함수는

$P(X=x)={}_5C_x\left(\frac{1}{2}\right)^x\left(\frac{1}{2}\right)^{5-x}$

$={}_5C_x\left(\frac{1}{2}\right)^5$ $(x=0, 1, 2, 3, 4, 5)$

$X^2-4X+3=0$에서 $(X-1)(X-3)=0$

$\therefore X=1$ 또는 $X=3$

$\therefore P(X^2-4X+3=0)$

$=P(X=1)+P(X=3)$

$={}_5C_1\left(\frac{1}{2}\right)^5+{}_5C_3\left(\frac{1}{2}\right)^5=\frac{5}{32}+\frac{10}{32}=\frac{15}{32}$ 답 ③

1179

→ 이항분포 $B(n, p)$에서 $P(X=x)={}_nC_x p^x q^{n-x}$임을 이용하자.

확률변수 X가 이항분포 $B\left(4, \frac{2}{3}\right)$를 따를 때, $P(X^2-4X+3\geq 0)=\frac{q}{p}$이다. $p+q$의 값은?

$=P(X\leq 1)+P(X\geq 3)$임을 이용하자. (단, p, q는 서로소인 자연수이다.)

확률변수 X가 이항분포 $B\left(4, \frac{2}{3}\right)$를 따르므로 $X=r$일 때의 확률은

$P(X=r)={}_4C_r\left(\frac{2}{3}\right)^r\left(\frac{1}{3}\right)^{4-r}$ $(r=0, 1, 2, 3, 4)$

$\therefore P(X^2-4X+3\geq 0)=P((X-1)(X-3)\geq 0)$

$=P(X\leq 1)+P(X\geq 3)$

$=1-P(X=2)$

$=1-{}_4C_2\left(\frac{2}{3}\right)^2\left(\frac{1}{3}\right)^2$

$=1-6\times\frac{4}{81}=\frac{19}{27}$

$\therefore p+q=27+19=46$ 답 ④

1180

확률변수 X가 이항분포 $B\left(16, \frac{3}{4}\right)$을 따를 때, 〈보기〉에서 옳은 것만을 있는 대로 고른 것은?

보기

ㄱ. 확률변수 X의 평균은 12이다.

ㄴ. 확률변수 X의 표준편차는 3이다.

ㄷ. $P(X=1)=\frac{3}{2^{28}}$

→ $E(aX+b)=aE(X)+b$임을 이용하자.

→ $P(X=x)={}_nC_x p^x q^{n-x}$임을 이용하자.

확률변수 X가 이항분포 $B\left(16, \frac{3}{4}\right)$을 따르므로

ㄱ. 확률변수 X의 평균은

$E(X)=16\times\frac{3}{4}=12$ (참)

ㄴ. 확률변수 X의 표준편차는

$\sigma(X)=\sqrt{16\times\frac{3}{4}\times\frac{1}{4}}=\sqrt{3}$ (거짓)

ㄷ. $P(X=1)={}_{16}C_1\left(\frac{3}{4}\right)^1\left(\frac{1}{4}\right)^{15}$

$=16\times\frac{3}{4^{16}}$

$=2^4\times\frac{3}{2^{32}}=\frac{3}{2^{28}}$ (참)

따라서 옳은 것은 ㄱ, ㄷ이다. 답 ④

1181

→ 이항분포 $B(n, p)$에서 $P(X=x)={}_nC_x p^x q^{n-x}$임을 이용하자.

이항분포 $B\left(6, \frac{1}{3}\right)$을 따르는 확률변수 X의 확률분포를 나타낸 표가 다음과 같다.

X	0	1	2	3	4	5	6	합계
$P(X=x)$	p_0	p_1	p_2	p_3	p_4	p_5	p_6	1

$p_2+p_4=\frac{k}{3^5}$를 만족시키는 자연수 k의 값을 구하시오.

확률변수 X가 이항분포 $B\left(6, \frac{1}{3}\right)$을 따르므로 $X=r$일 때의 확률은

$p_r=P(X=r)={}_6C_r\left(\frac{1}{3}\right)^r\left(\frac{2}{3}\right)^{6-r}$ $(r=0, 1, 2, \cdots, 6)$

$p_2={}_6C_2\left(\frac{1}{3}\right)^2\left(\frac{2}{3}\right)^4=15\times\frac{16}{3^6}$

$p_4={}_6C_4\left(\frac{1}{3}\right)^4\left(\frac{2}{3}\right)^2=15\times\frac{4}{3^6}$

$\therefore p_2+p_4=15\times\left(\frac{16}{3^6}+\frac{4}{3^6}\right)=\frac{100}{3^5}$

$\therefore k=100$ 답 100

1182

이항분포 $B(n, p)$를 따르는 확률변수 X에 대하여 X의 평균이 2, 분산이 1일 때, $P(X=2)$는?

→ 이항분포 $B(n, p)$에서 $P(X=x)={}_nC_x p^x q^{n-x}$임을 이용하자.

확률변수 X가 이항분포 $B(n, p)$를 따르고, X의 평균과 분산이 각각 2, 1이므로

$E(X)=np=2$ ……㉠

$V(X)=np(1-p)=1$ ……㉡

㉡÷㉠을 하면 $1-p=\frac{1}{2}$ $\therefore p=\frac{1}{2}$

$p=\frac{1}{2}$을 ㉠에 대입하면 $\frac{1}{2}n=2$ $\therefore n=4$

따라서 확률변수 X가 이항분포 $B\left(4, \frac{1}{2}\right)$을 따르므로 $X=r$일 때의 확률은

$P(X=r)={}_4C_r\left(\frac{1}{2}\right)^r\left(\frac{1}{2}\right)^{4-r}$ $(r=0, 1, 2, 3, 4)$

$\therefore P(X=2)={}_4C_2\left(\frac{1}{2}\right)^2\left(\frac{1}{2}\right)^2=\frac{6}{16}=\frac{3}{8}$ 답 ③

1183

→ $E(X^2)=V(X)+\{E(X)\}^2$임을 이용하자.

확률변수 X가 이항분포 $B(n, p)$를 따르고 $E(X^2)=40$, $E(2X+1)=13$일 때, $\frac{P(X=2)}{P(X=1)}$의 값을 구하시오.

→ $P(X=x)={}_nC_x p^x q^{n-x}$임을 이용하자.

$E(2X+1)=2E(X)+1=13$이므로 $E(X)=6$

또 $E(X^2)=40$이므로

$V(X)=E(X^2)-\{E(X)\}^2=40-6^2=4$

$E(X)=np=6$,

$V(X)=np(1-p)=4$이므로

$n=18, p=\frac{1}{3}$

$\therefore \frac{P(X=2)}{P(X=1)}=\frac{{}_{18}C_2\left(\frac{1}{3}\right)^2\left(\frac{2}{3}\right)^{16}}{{}_{18}C_1\left(\frac{1}{3}\right)^1\left(\frac{2}{3}\right)^{17}}=\frac{17}{4}$ 답 $\frac{17}{4}$

1184

확률변수 X가 이항분포 $B\left(50, \frac{1}{4}\right)$을 따를 때,

$\frac{P(X=k)}{P(X=k+1)}=\frac{2}{5}$를 만족시키는 k의 값을 구하시오.

(단, $k=0, 1, 2, \cdots, 49$)

→ 이항분포 $B(n, p)$에서 $P(X=x)={}_nC_x p^x q^{n-x}$임을 이용하자.

확률변수 X가 이항분포 $B\left(50, \frac{1}{4}\right)$을 따르므로

$$\frac{P(X=k)}{P(X=k+1)}=\frac{{}_{50}C_k\left(\frac{1}{4}\right)^k\left(\frac{3}{4}\right)^{50-k}}{{}_{50}C_{k+1}\left(\frac{1}{4}\right)^{k+1}\left(\frac{3}{4}\right)^{49-k}}$$

$$=\frac{\frac{50!}{k!(50-k)!}}{\frac{50!}{(k+1)!(49-k)!}}\times\frac{\frac{3}{4}}{\frac{1}{4}}$$

$$=\frac{k+1}{50-k}\times 3=\frac{2}{5}$$

$15(k+1)=2(50-k)$

$17k=85 \quad \therefore k=5$

답 5

1185 이항분포 B$(n,\ p)$에서 $P(X=x)={}_nC_x p^x q^{n-x}$임을 이용하자.

> 확률변수 X가 이항분포 B$(6,\ p)$를 따르고 $P(X=0)=\frac{1}{64}$ 일 때, $P(X=3)+P(X=4)$의 값을 구하시오.

이항분포는 독립시행의 확률을 가진다. 따라서

$P(X=0)={}_6C_0(p)^0(1-p)^6=\frac{1}{64}$

$\therefore p=\frac{1}{2}$

$P(X=3)={}_6C_3\left(\frac{1}{2}\right)^3\left(\frac{1}{2}\right)^3=\frac{20}{64}$

$P(X=4)={}_6C_4\left(\frac{1}{2}\right)^4\left(\frac{1}{2}\right)^2=\frac{15}{64}$

$\therefore P(X=3)+P(X=4)=\frac{20}{64}+\frac{15}{64}=\frac{35}{64}$

답 $\frac{35}{64}$

1186 이항분포 B$(n,\ p)$에서 $P(X=x)={}_nC_x p^x q^{n-x}$임을 이용하자.

> 이항분포 B$(5,\ p)$를 따르는 확률변수 X에 대하여 $P(X=4)=5P(X=5)$가 성립할 때, $P(X^2-4X+4>0)$을 구하시오. (단, $p\neq 0$)
>
> $=1-P(X=2)$임을 이용하자.

확률변수 X가 이항분포 B$(5,\ p)$를 따르므로 X의 확률질량함수는

$P(X=x)={}_5C_x p^x(1-p)^{5-x}$ $(x=0,\ 1,\ 2,\ 3,\ 4,\ 5)$

$P(X=4)=5P(X=5)$에서

${}_5C_4\,p^4(1-p)=5\,{}_5C_5\,p^5$

$5(1-p)=5p \quad \therefore p=\frac{1}{2}$

$X^2-4X+4>0$에서 $(X-2)^2>0$

$\therefore X\neq 2$

$\therefore P(X^2-4X+4>0)=1-P(X=2)$

$=1-{}_5C_2\left(\frac{1}{2}\right)^2\left(\frac{1}{2}\right)^3$

$=\frac{11}{16}$

답 $\frac{11}{16}$

1187

> 확률변수 X가 이항분포 B$(10,\ p)$를 따르고, $P(X=4)=\frac{1}{3}P(X=5)$일 때, $E(7X)$를 구하시오.
>
> 이항분포 B$(n,\ p)$에서 $P(X=x)={}_nC_x p^x q^{n-x}$임을 이용하자.

확률변수 X가 이항분포 B$(10,\ p)$를 따르므로 $X=r$일 때의 확률은

$P(X=r)={}_{10}C_r p^r(1-p)^{10-r}$ $(r=0,\ 1,\ 2,\ \cdots,\ 10)$

$P(X=4)=\frac{1}{3}P(X=5)$에서

${}_{10}C_4\,p^4(1-p)^6=\frac{1}{3}\times{}_{10}C_5\,p^5(1-p)^5$

$210\times p^4(1-p)^6=\frac{1}{3}\times 252\times p^5(1-p)^5$

$1-p=\frac{2}{5}p \quad \therefore p=\frac{5}{7}$

따라서 X의 평균은

$E(X)=10p=10\times\frac{5}{7}=\frac{50}{7}$

이므로

$E(7X)=7E(X)=50$

답 50

1188 $E(aX+b)=aE(X)+b$, $V(aX+b)=a^2V(X)$임을 이용하자.

> 확률변수 X가 이항분포 B$(36,\ p)$를 따르고 $12P(X=0)=P(X=1)$일 때, $E(2X)+V(2X)$의 값을 구하시오. (단, $0<p<1$)
>
> 이항분포 B$(n,\ p)$에서 $P(X=x)={}_nC_x p^x q^{n-x}$임을 이용하자.

이항분포는 독립시행의 확률을 가지고

$12P(X=0)=P(X=1)$이므로

$12\,{}_{36}C_0\,p^0(1-p)^{36}={}_{36}C_1\,p^1(1-p)^{35}$

$12(1-p)=36p,\ 1-p=3p$

$\therefore p=\frac{1}{4}$

$E(X)=36\times\frac{1}{4}=9$

$V(X)=9\times\frac{3}{4}=\frac{27}{4}$

$\therefore E(2X)+V(2X)=2E(X)+4V(X)$

$=18+27=45$

답 45

1189 이항분포 B$(n,\ p)$에서 $E(X)=np$임을 이용하자.

> 확률변수 X가 이항분포 B$(n,\ p)$를 따르고, $E(X)=10$이다. $P(X=2)=8P(X=1)$일 때, $V(10X+2)$의 값을 구하시오.
>
> $P(X=x)={}_nC_x p^x q^{n-x}$임을 이용하자.

B$(n,\ p)$에서 $E(X)=np=10$

$q=1-p$라 하면

$P(X=2)={}_nC_2\,p^2q^{n-2}$, $P(X=1)={}_nC_1\,p^1q^{n-1}$

$P(X=2)=8P(X=1)$이므로

${}_nC_2\,p^2q^{n-2}=8\,{}_nC_1\,p^1q^{n-1}$

$\frac{n(n-1)}{2}\times p^2\times q^{n-2}=8n\times p\times q^{n-1}$

$\frac{(n-1)p}{2}=8q$

$np-p=16q,\ 10-p=16q$

$10-(1-q)=16q \quad \therefore q=\frac{3}{5}$

$\therefore p=\frac{2}{5}, n=25$

$V(X)=npq=10q=10\times\frac{3}{5}=6$

$\therefore V(10X+2)=100V(X)$

$=100\times 6=600$

답 600

1190

→ $P(X=x)={}_nC_x p^x q^{n-x}$임을 이용하자.

확률변수 X는 이항분포 $B(3, p)$를 따르고, 확률변수 Y는 이항분포 $B(4, 2p)$를 따른다고 할 때, $10P(X=3)=P(Y\geq 3)$을 만족시키는 양수 p의 값은 $\frac{n}{m}$이다. $m+n$의 값은?

(단, m, n은 서로소인 자연수이다.)

→ $=P(Y=3)+P(Y=4)$임을 이용하자.

확률변수 X의 확률질량함수는

$P(X=x)={}_3C_x p^x(1-p)^{3-x}$이므로

$10P(X=3)=10\times{}_3C_3 p^3=10p^3$

확률변수 Y의 확률질량함수는

$P(Y=y)={}_4C_y(2p)^y(1-2p)^{4-y}$이므로

$P(Y\geq 3)=P(Y=3)+P(Y=4)$

$={}_4C_3(2p)^3(1-2p)+{}_4C_4(2p)^4$

$=32p^3(1-2p)+16p^4$

$=16p^3(2-3p)$

$10P(X=3)=P(Y\geq 3)$이므로

$10p^3=16p^3(2-3p)$, $10=16(2-3p)$

$\therefore p=\frac{11}{24}$

따라서 $m=24$, $n=11$이므로

$m+n=35$

답 ③

1191

→ 확률변수 X는 이항분포 $B\left(30, \frac{1}{6}\right)$을 따른다.

한 개의 주사위를 30번 던져서 5의 눈이 나오는 횟수를 확률변수 X라 할 때, X의 평균은?

1회의 시행에서 5의 눈이 나올 확률은 $\frac{1}{6}$이고, 주사위를 30번 던지는 시행에서 확률변수 X의 확률분포는 독립시행의 확률을 따르므로 X는 이항분포 $B\left(30, \frac{1}{6}\right)$을 따른다.

따라서 X의 평균은

$E(X)=30\times\frac{1}{6}=5$

답 ②

1192

20 %의 불량률로 제품을 생산하는 기계가 100개의 제품을 생산할 때, 나오는 불량품의 개수를 확률변수 X라 할 때, $E(X)$의 값을 구하시오.

→ 확률변수 X는 이항분포 $B\left(100, \frac{1}{5}\right)$을 따른다.

확률변수 X가 이항분포 $B\left(100, \frac{1}{5}\right)$을 따르므로

$E(X)=100\times\frac{1}{5}=20$

답 20

1193

받는 상금은 $100X+50(10-X)$임을 이용하자. →

동전 한 개를 던져서 앞면이 나오면 100원, 뒷면이 나오면 50원의 상금을 받는다. 아샘이가 동전을 10번 던질 때, 상금의 기댓값은?

→ 주사위를 10번 던져 앞면이 나오는 개수는 이항분포 $B\left(10, \frac{1}{2}\right)$을 따른다.

한 개의 동전을 10번 던져서 앞면이 나오는 횟수를 확률변수 X라 하면 1회의 시행에서 동전의 앞면이 나올 확률은 $\frac{1}{2}$이고, 동전을 10번 던지는 시행에서 확률변수 X의 확률분포는 독립시행의 확률을 따르므로 X는 이항분포 $B\left(10, \frac{1}{2}\right)$을 따른다.

즉, X의 평균은

$E(X)=10\times\frac{1}{2}=5$

동전의 앞면이 나온 횟수가 X이면 뒷면이 나온 횟수는 $10-X$이므로 받는 상금은

$100X+50(10-X)=50X+500$

따라서 상금의 기댓값은

$E(50X+500)=50E(X)+500$

$=50\times 5+500=750$(원)

답 ②

1194

→ 전체 경우의 수에서 두 개의 눈 모두 홀수인 경우를 빼면 된다.

두 개의 주사위를 동시에 120번 던지는 시행에서 두 주사위의 눈의 수의 곱이 짝수가 되는 횟수를 확률변수 X라 하면 X는 이항분포 $B(n, p)$를 따른다. $E(2X+10)$의 값을 구하시오.

이항분포 $B(n, p)$에서 $E(X)=np$임을 이용하자.

두 주사위의 눈의 수의 곱이 홀수가 되려면 각 주사위에서 모두 홀수가 나와야 하므로 이때의 경우의 수는 $3\times 3=9$

따라서 두 주사위의 눈의 수의 곱이 짝수가 되는 경우의 수는

$36-9=27$이고, 이 경우의 확률은 $\frac{27}{36}=\frac{3}{4}$이다.

확률변수 X의 확률분포는 독립시행의 확률을 따르므로

X는 이항분포 $B\left(120, \frac{3}{4}\right)$을 따르므로

$E(X)=120\times\frac{3}{4}=90$

$\therefore E(2X+10)=2\times 90+10=190$

답 190

1195

→ 합이 4, 8, 12인 경우로 나누어 생각하자.

서로 다른 두 개의 주사위를 동시에 180번 던지는 시행에서 두 주사위의 눈의 수의 합이 4의 배수가 되는 횟수를 확률변수 X라 할 때, $E(X)$는? → 이항분포 $B(n, p)$에서 $E(X)=np$임을 이용하자.

두 주사위의 눈의 수의 합이 4의 배수가 되는 경우는 다음과 같다.

(i) 합이 4인 경우

$(1, 3)$, $(2, 2)$, $(3, 1)$의 3가지

(ii) 합이 8인 경우

$(2, 6)$, $(3, 5)$, $(4, 4)$, $(5, 3)$, $(6, 2)$의 5가지

(iii) 합이 12인 경우

$(6, 6)$의 1가지

(i), (ii), (iii)에서 두 주사위의 눈의 수의 합이 4의 배수가 될 확률은 $\frac{9}{36}=\frac{1}{4}$이고, 두 주사위를 180번 던지는 시행에서 확률변수 X의 확률분포는 독립시행의 확률을 따르므로 X는 이항분포 $B\left(180, \frac{1}{4}\right)$을 따른다.

따라서 X의 평균은

$E(X)=180\times\frac{1}{4}=45$

답 ②

1196 확률변수 X는 이항분포 $B\left(n, \frac{3}{4}\right)$을 따른다.

> 명중률이 $\frac{3}{4}$인 양궁 선수가 화살을 n발 쏠 때, 과녁에 명중하는 화살의 개수를 확률변수 X라 할 때 $E(X)=9$이다. $2^{20}P(X=1)$의 값을 구하시오.
>
> 이항분포 $B(n, p)$에서 $E(X)=np$임을 이용하자.

화살을 1발 쏠 때 명중할 확률이 $\frac{3}{4}$이고, 각 시행에서 일어나는 사건은 독립이므로 확률변수 X는 이항분포 $B\left(n, \frac{3}{4}\right)$을 따른다.

$E(X)=n\times\frac{3}{4}=9 \qquad \therefore n=12$

$P(X=1)={}_{12}C_1\left(\frac{3}{4}\right)^1\left(\frac{1}{4}\right)^{11}=\frac{36}{4^{12}}$

$\therefore 2^{20}P(X=1)=\frac{36\times2^{20}}{2^{24}}=\frac{9}{4}$

답 $\frac{9}{4}$

1197 흰 공의 개수를 x라 하면 확률변수 X는 이항분포 $B\left(64, \frac{3}{4}\right)$을 따른다.

> 흰 공과 검은 공을 합하여 8개의 공이 들어 있는 주머니에서 1개의 공을 꺼내어 색을 확인하고 다시 주머니에 넣는 시행을 64번 반복할 때, 흰 공이 나오는 횟수를 확률변수 X라 하자. X의 평균이 24일 때, 주머니 속에 들어 있는 흰 공의 개수는?
>
> 이항분포 $B(n, p)$에서 $E(X)=np$임을 이용하자.

주머니 속에 들어 있는 흰 공의 개수를 x라 하면 주머니에서 꺼낸 1개의 공이 흰 공일 확률은 $\frac{x}{8}$이고, 확률변수 X의 확률분포는 독립시행의 확률을 따르므로 X는 이항분포 $B\left(64, \frac{x}{8}\right)$를 따른다.

X의 평균이 24이므로

$64\times\frac{x}{8}=24$

$\therefore x=3$

따라서 흰 공의 개수는 3이다.

답 ③

1198 A가 얻는 점수의 합은 이항분포 $B\left(15, \frac{2}{3}\right)$를 따른다.

> 두 사람 A와 B가 각각 주사위를 한 개씩 동시에 던지는 시행을 한다. 이 시행에서 나온 두 주사위의 눈의 수의 차가 3보다 작으면 A가 1점을 얻고, 그렇지 않으면 B가 1점을 얻는다. 이와 같은 시행을 15회 반복할 때, A가 얻는 점수의 합의 기댓값과 B가 얻는 점수의 합의 기댓값의 차는?
>
> B가 얻는 점수의 합은 이항분포 $B\left(15, \frac{1}{3}\right)$을 따른다.

두 주사위의 눈의 수의 차가 3보다 크거나 같은 경우는 모두 12가지이므로 1번의 시행에서 A가 점수를 얻을 확률은 $\frac{24}{36}=\frac{2}{3}$이고 B가 점수를 얻을 확률은 $\frac{1}{3}$이다.

따라서 15회 시행에서 A가 얻는 점수의 합을 확률변수 X라고 하면 X는 이항분포 $B\left(15, \frac{2}{3}\right)$를 따른다.

$\therefore E(X)=15\times\frac{2}{3}=10$

한편 15회 시행에서 B가 얻는 점수의 합을 확률변수 Y라고 하면 Y는 이항분포 $B\left(15, \frac{1}{3}\right)$을 따르므로

$E(Y)=15\times\frac{1}{3}=5$

따라서 두 기댓값의 차는 5이다.

답 ③

1199 주사위를 던져 6의 약수의 눈이 나오는 횟수를 Y라 하면 Y는 이항분포 $B\left(30, \frac{2}{3}\right)$를 따른다.

> 원점 O를 출발하여 수직선 위를 움직이는 점 P는 한 개의 주사위를 던져서 나오는 결과에 따라 다음과 같은 규칙에 따라 움직인다.
>
> (가) 6의 약수의 눈이 나오면 양의 방향으로 2만큼 이동한다.
> (나) 6의 약수의 눈이 나오지 않으면 음의 방향으로 3만큼 이동한다.
>
> 한 개의 주사위를 30회 던졌을 때, 점 P의 좌표를 확률변수 X라고 할 때, 확률변수 $2X+3$의 평균을 구하시오.
>
> $X=2Y-3(30-Y)$임을 이용하자.

주사위를 던져 6의 약수의 눈이 나오는 횟수를 Y라 하면 Y는 이항분포 $B\left(30, \frac{2}{3}\right)$를 따르므로

$E(Y)=30\times\frac{2}{3}=20$

점 P의 좌표가 확률변수 X이므로

$X=2Y-3(30-Y)=5Y-90$

$E(X)=E(5Y-90)=5\times E(Y)-90=10$

$\therefore E(2X+3)=2E(X)+3$

$=2\times10+3=23$

답 23

1200 • 이항분포 $B\left(3, \frac{1}{2}\right)$을 따른다.

> 한 개의 동전을 3번 던져서 뒷면이 나오는 횟수를 확률변수 X라 할 때, $V(2X+5)$의 값을 구하시오.
> └• 이항분포 $B(n, p)$에서 $V(X)=npq$임을 이용하자.

1회의 시행에서 동전의 뒷면이 나올 확률은 $\frac{1}{2}$이고, 동전을 3번 던지는 시행에서 확률변수 X의 확률분포는 독립시행의 확률을 따르므로 X는 이항분포 $B\left(3, \frac{1}{2}\right)$을 따른다.

$V(X)=3\times\frac{1}{2}\times\frac{1}{2}=\frac{3}{4}$이므로

$V(2X+5)=2^2\times\frac{3}{4}=3$ 답 3

1201 • 확률변수 X는 이항분포 $B\left(50, \frac{1}{3}\right)$을 따른다.

> 운전면허 필기시험을 준비하고 있는 혜원이는 3문제 중 2문제의 비율로 정답을 맞힌다고 한다. 혜원이가 운전면허 필기시험의 50문제를 풀었을 때, 틀린 문제의 수를 확률변수 X라 하자. X의 평균과 표준편차의 합을 구하시오.
> └• 이항분포 $B(n, p)$에서 $\sigma(X)=\sqrt{npq}$임을 이용하자.

정답을 맞힐 확률이 $\frac{2}{3}$이므로 틀릴 확률은 $1-\frac{2}{3}=\frac{1}{3}$이고, 50문제 중에서 틀린 문제의 수인 확률변수 X의 확률분포는 독립시행의 확률을 따르므로 X는 이항분포 $B\left(50, \frac{1}{3}\right)$을 따른다.

따라서 X의 평균과 표준편차는

$E(X)=50\times\frac{1}{3}=\frac{50}{3}$

$\sigma(X)=\sqrt{50\times\frac{1}{3}\times\frac{2}{3}}=\sqrt{\frac{100}{9}}=\frac{10}{3}$

$\therefore E(X)+\sigma(X)=\frac{50}{3}+\frac{10}{3}=20$ 답 20

1202 • 확률변수 X는 이항분포 $B(12, p)$를 따른다.

> 1회의 시행에서 사건 A가 일어날 확률이 p인 독립시행을 12번 반복할 때, A가 일어나는 횟수를 확률변수 X라 하자. $V(X)=3$일 때, $E(X)$는?
> 이항분포 $B(n, p)$에서 $V(X)=npq$임을 이용하자.

사건 A가 일어날 확률은 p이고, 확률변수 X의 확률분포는 독립시행의 확률을 따르므로 X는 이항분포 $B(12, p)$를 따른다.

$V(X)=3$이므로

$12\times p(1-p)=3$

$4p^2-4p+1=0$, $(2p-1)^2=0$

$\therefore p=\frac{1}{2}$

$\therefore E(X)=12\times\frac{1}{2}=6$ 답 ④

1203 • 확률변수 X는 이항분포 $B\left(6, \frac{1}{2}\right)$을 따른다.

> 동전 한 개를 6번 던져서 앞면이 나오는 횟수를 확률변수 X라 할 때, 확률변수 $aX+b$의 평균이 2, 분산이 24이다. 두 상수 a, b에 대하여 ab의 값은? (단, $a>0$)
> └• $E(X)=np$, $V(X)=npq$임을 이용하자.

1회의 시행에서 동전의 앞면이 나올 확률은 $\frac{1}{2}$이고, 동전을 6번 던지는 시행에서 확률변수 X의 확률분포는 독립시행의 확률을 따르므로 X는 이항분포 $B\left(6, \frac{1}{2}\right)$을 따른다.

따라서 X의 평균과 분산은

$E(X)=6\times\frac{1}{2}=3$

$V(X)=6\times\frac{1}{2}\times\frac{1}{2}=\frac{3}{2}$

이므로

$E(aX+b)=aE(X)+b=3a+b=2$ ……㉠

$V(aX+b)=a^2V(X)=\frac{3}{2}a^2=24$

$a^2=16$ $\therefore a=4$ ($\because a>0$)

$a=4$를 ㉠에 대입하면 $b=-10$

$\therefore ab=4\times(-10)=-40$ 답 ①

1204 • 확률변수 X는 이항분포 $B\left(n, \frac{4}{4+m}\right)$를 따른다.

> 흰 공 4개와 검은 공 m개가 들어 있는 주머니에서 1개의 공을 꺼내어 색을 확인하고 다시 주머니에 넣는 시행을 n번 반복할 때, 흰 공이 나오는 횟수를 확률변수 X라 하자. $E(X)=40$, $V(X)=24$일 때, $n-m$의 값은?
> └• $E(X)=np$, $V(X)=npq$임을 이용하자.

주머니에서 꺼낸 1개의 공이 흰 공일 확률은 $\frac{4}{4+m}$이고, 확률변수 X의 확률분포는 독립시행의 확률을 따르므로 X는 이항분포 $B\left(n, \frac{4}{4+m}\right)$를 따른다.

$E(X)=n\times\frac{4}{4+m}=40$ ……㉠

$V(X)=n\times\frac{4}{4+m}\times\left(1-\frac{4}{4+m}\right)=24$ ……㉡

㉡÷㉠을 하면 $1-\frac{4}{4+m}=\frac{24}{40}$

$\frac{4}{4+m}=\frac{4}{10}$, $4+m=10$ $\therefore m=6$

$m=6$을 ㉠에 대입하면

$n\times\frac{4}{10}=40$ $\therefore n=100$

$\therefore n-m=100-6=94$ 답 ④

1205

어느 지역 고등학교 학생들의 혈액형별 분포는 다음 표와 같다.

혈액형	A형	B형	AB형	O형	합계
비율	25 %	26 %	20 %	29 %	100 %

이 지역 고등학교 학생 400명의 혈액형을 조사하였을 때, 혈액형이 A형인 학생 수를 확률변수 X, AB형인 학생 수를 확률변수 Y라 하자. $V(X)+V(Y)$의 값을 구하시오.

→ 두 확률변수 X, Y는 이항분포 $B\left(400, \frac{1}{4}\right)$, $B\left(400, \frac{1}{5}\right)$을 따른다.

학생의 혈액형이 A형일 확률이 $\frac{25}{100}=\frac{1}{4}$,

AB형일 확률이 $\frac{20}{100}=\frac{1}{5}$이고,

400명 중에서 A형, AB형인 학생 수를 각각 나타내는 두 확률변수 X, Y의 확률분포는 각각 독립시행의 확률을 따르므로 X는 이항분포 $B\left(400, \frac{1}{4}\right)$, Y는 이항분포 $B\left(400, \frac{1}{5}\right)$을 따른다.

$\therefore V(X)=400\times\frac{1}{4}\times\frac{3}{4}=75$

$V(Y)=400\times\frac{1}{5}\times\frac{4}{5}=64$

$\therefore V(X)+V(Y)=75+64=139$

답 139

1206

→ 확률변수 X는 이항분포 $B\left(20, \frac{1}{6}\right)$을 따른다.

한 개의 주사위를 20번 던질 때 1의 눈이 나오는 횟수를 확률변수 X라 하고, 한 개의 동전을 n번 던질 때 앞면이 나오는 횟수를 확률변수 Y라 하자. Y의 분산이 X의 분산보다 크게 되도록 하는 n의 최솟값을 구하시오.

→ 확률변수 Y는 이항분포 $B\left(n, \frac{1}{2}\right)$을 따른다.

한 개의 주사위를 한 번 던질 때 1의 눈이 나올 확률은 $\frac{1}{6}$이므로

확률변수 X는 이항분포 $B\left(20, \frac{1}{6}\right)$을 따른다.

$\therefore V(X)=20\times\frac{1}{6}\times\frac{5}{6}=\frac{25}{9}$

한 개의 동전을 던질 때 앞면이 나올 확률은 $\frac{1}{2}$이므로

확률변수 Y는 이항분포 $B\left(n, \frac{1}{2}\right)$을 따른다.

$\therefore V(Y)=n\times\frac{1}{2}\times\frac{1}{2}=\frac{n}{4}$

$V(Y)>V(X)$이므로 $\frac{n}{4}>\frac{25}{9}$에서

$n>\frac{100}{9}=11.1\times\times\times$

따라서 자연수 n의 최솟값은 12이다.

답 12

1207

→ 확률변수 X는 이항분포 $B\left(10, \frac{1}{4}\right)$을 따른다.

동전 2개를 동시에 던지는 시행을 10회 반복할 때, 동전 2개 모두 앞면이 나오는 횟수를 확률변수 X라고 하자. 확률변수 $4X+1$의 분산 $V(4X+1)$의 값을 구하시오.

→ $V(aX+b)=a^2V(X)$임을 이용하자.

두 개의 동전이 모두 앞면이 나올 확률은

$\frac{1}{2}\times\frac{1}{2}=\frac{1}{4}$

이므로 확률변수 X는 이항분포 $B\left(10, \frac{1}{4}\right)$을 따른다.

이때, $V(X)=10\times\frac{1}{4}\times\frac{3}{4}=\frac{15}{8}$이므로

$V(4X+1)=16V(X)=30$

답 30

1208

원점을 출발하여 수직선 위를 움직이는 점 P가 있다. 두 개의 동전을 동시에 던져 같은 면이 나오면 양의 방향으로 3만큼, 다른 면이 나오면 음의 방향으로 1만큼 점 P를 이동시킨다. 동전을 8번 던진 후의 점 P의 좌표를 확률변수 X라 할 때, $E(X)+V(X)$의 값을 구하시오.

→ $X=3Y-(8-Y)$임을 이용하자.

→ 두 개의 동전을 던져 같은 면이 나오는 횟수를 Y라 하면, 확률변수 Y는 이항분포 $B\left(8, \frac{1}{2}\right)$이라 한다.

두 개의 동전을 동시에 던져 같은 면이 나오는 횟수를 Y라 하면

한 번 시행에서 같은 면이 나오는 확률은 $\frac{1}{2}$이므로 확률변수 Y는

이항분포 $B\left(8, \frac{1}{2}\right)$을 따른다.

한편 X, Y의 관계에서

$X=3Y-(8-Y)=4Y-8$

$E(X)=4E(Y)-8=8$

$V(X)=16V(Y)=32$

$\therefore E(X)+V(X)=8+32=40$

답 40

1209

→ 확률변수 X는 이항분포 $B\left(160, \frac{1}{4}\right)$을 따른다.

한 번의 시행에서 일어날 확률이 $\frac{1}{4}$인 사건 A가 있다. 160번의 독립시행에서 사건 A가 일어나는 횟수를 확률변수 X라 할 때, X^2의 평균 $E(X^2)$을 구하시오.

→ $E(X^2)=V(X)+\{E(X)\}^2$임을 이용하자.

확률변수 X는 이항분포 $B\left(160, \frac{1}{4}\right)$을 따르므로 X의 평균과 분산은

$E(X)=160\times\frac{1}{4}=40$, $V(X)=160\times\frac{1}{4}\times\frac{3}{4}=30$

$\therefore E(X^2)=V(X)+\{E(X)\}^2=30+1600=1630$

답 1630

1210 확률변수 X는 이항분포 $B\left(200, \frac{3}{10}\right)$을 따른다.

> 흡연하는 사람이 폐암에 걸릴 확률이 30 %라고 한다. 흡연하는 사람 200명 중에서 폐암에 걸리는 사람의 수를 확률변수 X라 할 때, $E(X^2)$을 구하시오.
>
> $E(X^2)=V(X)+\{E(X)\}^2$임을 이용하자.

흡연하는 사람이 폐암에 걸릴 확률은 $\frac{3}{10}$이고, 확률변수 X의 확률분포는 독립시행의 확률을 따르므로 X는 이항분포 $B\left(200, \frac{3}{10}\right)$을 따른다.

따라서 X의 평균과 분산은

$E(X)=200\times\frac{3}{10}=60$

$V(X)=200\times\frac{3}{10}\times\frac{7}{10}=42$

$V(X)=E(X^2)-\{E(X)\}^2$에서

$42=E(X^2)-60^2$

$\therefore E(X^2)=42+60^2=3642$

답 3642

1211 확률변수 X는 이항분포 $B\left(9, \frac{1}{3}\right)$을 따른다.

> 어느 백화점에서 일정 금액을 구입하는 고객에게 3장 중 1장 꼴로 당첨되는 복권을 나누어 주었다. 9장의 복권 중에서 당첨되는 복권의 개수를 확률변수 X라 할 때, $E((2X-1)^2)$을 구하시오.
>
> $=4E(X^2)-4E(X)+1$임을 이용하자.

복권이 당첨될 확률은 $\frac{1}{3}$이고, 9장의 복권 중에서 당첨되는 복권의 개수인 확률변수 X의 확률분포는 독립시행의 확률을 따르므로 X는 이항분포 $B\left(9, \frac{1}{3}\right)$을 따른다.

X의 평균과 분산은

$E(X)=9\times\frac{1}{3}=3$, $V(X)=9\times\frac{1}{3}\times\frac{2}{3}=2$

$V(X)=E(X^2)-\{E(X)\}^2$에서

$2=E(X^2)-3^2$

$\therefore E(X^2)=2+3^2=11$

$\therefore E((2X-1)^2)=E(4X^2-4X+1)$

$=4E(X^2)-4E(X)+1$

$=44-12+1=33$

답 33

1212 확률변수 X는 이항분포 $B\left(n, \frac{1}{3}\right)$을 따른다.

> 한 개의 주사위를 n번 던져서 3의 배수의 눈이 나오는 횟수를 확률변수 X라 하자. X의 평균이 6일 때, X^2의 평균은?
>
> $E(X^2)=V(X)+\{E(X)\}^2$임을 이용하자.

한 개의 주사위를 던질 때 3의 배수의 눈이 나올 확률은 $\frac{2}{6}=\frac{1}{3}$이고, 확률변수 X의 확률분포는 독립시행의 확률을 따르므로 X는 이항분포 $B\left(n, \frac{1}{3}\right)$을 따른다.

X의 평균이 6이므로

$E(X)=n\times\frac{1}{3}=6$

$\therefore n=18$

$\therefore V(X)=18\times\frac{1}{3}\times\frac{2}{3}=4$

$V(X)=E(X^2)-\{E(X)\}^2$에서

$4=E(X^2)-6^2$

$\therefore E(X^2)=4+36=40$

답 ③

1213 확률변수 X는 이항분포 $B\left(4, \frac{1}{2}\right)$을 따른다.

> 한 개의 동전을 4번 던질 때, 앞면이 나오는 횟수를 확률변수 X라 하자. $(X-a)^2$의 기댓값을 $f(a)$라 할 때, $f(a)$의 최솟값은? (단, a는 상수이다.)
>
> $E((X-a)^2)=E(X^2)-2aE(X)+a^2$임을 이용하자.

1회의 시행에서 동전의 앞면이 나올 확률은 $\frac{1}{2}$이고, 동전을 4번 던지는 시행에서 확률변수 X의 확률분포는 독립시행의 확률을 따르므로 X는 이항분포 $B\left(4, \frac{1}{2}\right)$을 따른다.

X의 평균과 분산은

$E(X)=4\times\frac{1}{2}=2$, $V(X)=4\times\frac{1}{2}\times\frac{1}{2}=1$

$V(X)=E(X^2)-\{E(X)\}^2$에서

$1=E(X^2)-2^2$

$\therefore E(X^2)=1+2^2=5$

$(X-a)^2$의 기댓값은

$f(a)=E((X-a)^2)=E(X^2-2aX+a^2)$

$=E(X^2)-2aE(X)+a^2$

$=5-4a+a^2=(a-2)^2+1$

따라서 $f(a)$의 최솟값은 1이다.

답 ①

1214 주사위를 던져 3의 배수의 눈이 나오는 횟수를 Y라 하면 Y는 이항분포 $B\left(9, \frac{1}{3}\right)$을 따른다.

> 좌표평면 위의 점 P가 원점을 출발하여 한 개의 주사위를 던져서 나오는 눈의 수에 따라 다음 규칙으로 이동한다.
>
> (가) 3의 배수의 눈이 나오면 x축의 양의 방향으로 2만큼 이동한다.
> (나) 3의 배수의 눈이 나오지 않으면 y축의 양의 방향으로 1만큼 이동한다.
>
> 주사위를 9번 던져서 이동한 점 P에 대하여 $\overline{OP}^2$의 값을 확률변수 X라고 할 때, 확률변수 X의 평균을 구하시오.
>
> $X=\overline{OP}^2=5Y^2-18Y+81$임을 이용하자.

3의 배수의 눈이 나오는 횟수를 확률변수 Y라고 하면

Y는 $B\left(9, \frac{1}{3}\right)$인 이항분포를 따른다.

$E(Y)=9\times\frac{1}{3}=3$,

$V(Y)=9\times\frac{2}{3}\times\frac{1}{3}=2$

한편, 3의 배수의 눈이 나오지 않는 횟수는 $9-Y$이므로 점 P의 좌표는

$P(2Y, 9-Y)$이다.

$X=\overline{OP}^2=(2Y)^2+(9-Y)^2=5Y^2-18Y+81$

$E(Y^2)=V(Y)+\{E(Y)\}^2=2+9=11$

$E(X)=E(5Y^2-18Y+81)$

$=5E(Y^2)-18E(Y)+81$

$=5\times 11-18\times 3+81=82$

답 82

1215

확률변수 X의 확률질량함수가 ($n=30$, $p=\frac{1}{6}$이다.)

$P(X=k)={}_{30}C_k\left(\frac{1}{6}\right)^k\left(\frac{5}{6}\right)^{30-k}$ $(k=0, 1, 2, \cdots, 30)$

일 때, X는 이항분포 $B(n, p)$를 따른다고 한다. $n-6p$의 값을 구하시오.

확률변수 X의 확률질량함수가

$P(X=k)={}_{30}C_k\left(\frac{1}{6}\right)^k\left(\frac{5}{6}\right)^{30-k}$ $(k=0, 1, 2, \cdots, 30)$

이므로 1회의 시행에서 사건이 일어날 확률은 $\frac{1}{6}$이고, 시행횟수는 30이므로 확률변수 X는 이항분포 $B\left(30, \frac{1}{6}\right)$을 따른다.

따라서 $n=30$, $p=\frac{1}{6}$이므로

$n-6p=30-6\times\frac{1}{6}=29$

답 29

1216

($={}_4C_x\frac{2^x}{3^x\times 3^{4-x}}={}_4C_x\left(\frac{2}{3}\right)^x\left(\frac{1}{3}\right)^{4-x}$임을 이용하자.)

확률변수 X의 확률질량함수가

$P(X=x)={}_4C_x\frac{2^x}{3^4}$ $(x=0, 1, 2, 3, 4)$

일 때, X는 이항분포 $B(n, p)$를 따른다고 한다. np의 값은?

확률변수 X의 확률질량함수가

$P(X=x)={}_4C_x\frac{2^x}{3^4}={}_4C_x\frac{2^x}{3^x\times 3^{4-x}}$

$={}_4C_x\left(\frac{2}{3}\right)^x\left(\frac{1}{3}\right)^{4-x}$ $(x=0, 1, 2, 3, 4)$

이므로 1회의 시행에서 사건이 일어날 확률은 $\frac{2}{3}$이고, 시행 횟수는 4이므로 확률변수 X는 이항분포 $B\left(4, \frac{2}{3}\right)$를 따른다.

$\therefore np=4\times\frac{2}{3}=\frac{8}{3}$

답 ①

1217

확률변수 X의 확률질량함수가

$P(X=x)={}_nC_xp^x(1-p)^{n-x}$ $(x=0, 1, 2, \cdots, n)$

일 때, X는 이항분포 $B\left(25, \frac{4}{5}\right)$를 따른다고 한다. $n+5p$의 값을 구하시오. ($P(X=x)={}_{25}C_x\left(\frac{4}{5}\right)^x\left(\frac{1}{5}\right)^{25-x}$임을 이용하자.)

확률변수 X는 이항분포 $B\left(25, \frac{4}{5}\right)$를 따르므로 X의 확률질량함수는

$P(X=x)={}_{25}C_x\left(\frac{4}{5}\right)^x\left(\frac{1}{5}\right)^{25-x}$ $(x=0, 1, 2, \cdots, 25)$

따라서 $n=25$, $p=\frac{4}{5}$이므로

$n+5p=25+4=29$

답 29

1218

확률변수 X의 확률질량함수가 ($n=45$, $p=\frac{2}{3}$이다.)

$P(X=x)={}_{45}C_x\left(\frac{2}{3}\right)^x\left(\frac{1}{3}\right)^{45-x}$ $(x=0, 1, 2, \cdots, 45)$

일 때, X의 평균과 표준편차의 곱을 구하시오. ($E(X)=np$, $\sigma(X)=\sqrt{npq}$임을 이용하자.)

확률변수 X의 확률질량함수가

$P(X=x)={}_{45}C_x\left(\frac{2}{3}\right)^x\left(\frac{1}{3}\right)^{45-x}$ $(x=0, 1, 2, \cdots, 45)$

이므로 확률변수 X는 이항분포 $B\left(45, \frac{2}{3}\right)$를 따른다.

X의 평균과 표준편차는

$E(X)=45\times\frac{2}{3}=30$

$\sigma(X)=\sqrt{45\times\frac{2}{3}\times\frac{1}{3}}=\sqrt{10}$

$\therefore E(X)\times\sigma(X)=30\sqrt{10}$

답 $30\sqrt{10}$

1219

확률변수 X의 확률질량함수가 ($n=72$, $p=\frac{1}{3}$이다.)

$P(X=x)={}_{72}C_x\left(\frac{1}{3}\right)^x\left(\frac{2}{3}\right)^{72-x}$ $(x=0, 1, 2, \cdots, 72)$

일 때, 확률변수 $2X-10$의 평균과 분산을 구하시오. ($E(X)=np$, $V(X)=npq$임을 이용하자.)

확률변수 X의 확률질량함수가

$P(X=x)={}_{72}C_x\left(\frac{1}{3}\right)^x\left(\frac{2}{3}\right)^{72-x}$ $(x=0, 1, 2, \cdots, 72)$

이므로 1회의 시행에서 사건이 일어날 확률은 $\frac{1}{3}$이고, 시행 횟수는 72이므로 확률변수 X는 이항분포 $B\left(72, \frac{1}{3}\right)$을 따른다.

X의 평균과 분산은

$E(X)=72\times\frac{1}{3}=24$

$V(X)=72\times\frac{1}{3}\times\frac{2}{3}=16$

$\therefore E(2X-10)=2E(X)-10$

$=2\times 24-10=38$

$V(2X-10)=2^2V(X)=4\times 16=64$

답 $E(2X-10)=38$, $V(2X-10)=64$

1220

확률변수 X의 확률질량함수가

$$P(X=x)={}_9C_x\left(\frac{1}{3}\right)^x\left(\frac{2}{3}\right)^{9-x}\ (x=0, 1, 2, \cdots, 9)$$

일 때, $E(X^2)$은?

→ $n=9$, $p=\frac{1}{3}$이다.

→ $E(X^2)=V(X)+\{E(X)\}^2$임을 이용하자.

확률변수 X의 확률질량함수가

$P(X=x)={}_9C_x\left(\frac{1}{3}\right)^x\left(\frac{2}{3}\right)^{9-x}$ $(x=0, 1, 2, \cdots, 9)$

이므로 확률변수 X는 이항분포 $B\left(9, \frac{1}{3}\right)$을 따른다.

X의 평균과 분산은

$E(X)=9\times\frac{1}{3}=3$

$V(X)=9\times\frac{1}{3}\times\frac{2}{3}=2$

$V(X)=E(X^2)-\{E(X)\}^2$에서

$2=E(X^2)-3^2$

$\therefore E(X^2)=2+3^2=11$

답 ②

1221

확률변수 X의 확률질량함수가

$$P(X=x)={}_{49}C_x\frac{6^x}{7^{49}}\ (x=0, 1, 2, \cdots, 49)$$

일 때, $E(X^2)$을 구하시오.

→ $={}_{49}C_x\left(\frac{6}{7}\right)^x\left(\frac{1}{7}\right)^{49-x}$임을 이용하자.

→ $E(X^2)=V(X)+\{E(X)\}^2$임을 이용하자.

확률변수 X의 확률질량함수가

$P(X=x)={}_{49}C_x\frac{6^x}{7^{49}}={}_{49}C_x\frac{6^x}{7^x\times7^{49-x}}$

$={}_{49}C_x\left(\frac{6}{7}\right)^x\left(\frac{1}{7}\right)^{49-x}$ $(x=0, 1, 2, \cdots, 49)$

이므로 X는 이항분포 $B\left(49, \frac{6}{7}\right)$을 따른다.

X의 평균과 분산은

$E(X)=49\times\frac{6}{7}=42$

$V(X)=49\times\frac{6}{7}\times\frac{1}{7}=6$

$V(X)=E(X^2)-\{E(X)\}^2$에서

$6=E(X^2)-42^2$

$\therefore E(X^2)=6+42^2=1770$

답 1770

1222

→ 확률변수 X는 이항분포 $B\left(90, \frac{1}{3}\right)$을 따른다.

한 개의 주사위를 90번 던지는 시행에서 5 이상의 눈이 나오는 횟수를 확률변수 X라 할 때, X의 확률질량함수는

$$P(X=r)={}_nC_r a^r\left(\frac{2}{3}\right)^{n-r}\ (r=0, 1, 2, \cdots, 90)$$

이다. na의 값을 구하시오. (단, a는 상수이다.)

5 이상의 눈이 나올 확률은 $\frac{2}{6}=\frac{1}{3}$이고, 주사위를 90번 던지는 시행에서 확률변수 X의 확률분포는 독립시행의 확률을 따르므로 X는 이항분포 $B\left(90, \frac{1}{3}\right)$을 따른다.

따라서 X의 확률질량함수는

$P(X=r)={}_{90}C_r\left(\frac{1}{3}\right)^r\left(\frac{2}{3}\right)^{90-r}$ $(r=0, 1, 2, \cdots, 90)$

이므로 $n=90$, $a=\frac{1}{3}$

$\therefore na=90\times\frac{1}{3}=30$

답 30

1223

→ 확률변수 X는 이항분포 $B\left(4, \frac{1}{6}\right)$을 따른다.

한 개의 주사위를 4번 던지는 시행에서 3의 눈이 나오는 횟수를 확률변수 X라 할 때, X의 확률질량함수는

$$P(X=r)={}_4C_r a^r b^{4-r}\ (r=0, 1, 2, 3, 4)$$

이다. $E\left(\frac{b}{a}X\right)+V\left(\frac{b}{a}X\right)$의 값을 구하시오.

→ $E(aX+b)=aE(X)+b$임을 이용하자.

3의 눈이 나올 확률은 $\frac{1}{6}$이고, 한 개의 주사위를 4번 던지는 시행에서 확률변수 X는 이항분포 $B\left(4, \frac{1}{6}\right)$을 따르므로 X의 확률질량함수는

$P(X=r)={}_4C_r\left(\frac{1}{6}\right)^r\left(\frac{5}{6}\right)^{4-r}$ $(r=0, 1, 2, 3, 4)$

따라서 $a=\frac{1}{6}$, $b=\frac{5}{6}$이고 $\frac{b}{a}=5$

$E(X)=4\times\frac{1}{6}=\frac{2}{3}$, $V(X)=4\times\frac{1}{6}\times\frac{5}{6}=\frac{5}{9}$

$\therefore E\left(\frac{b}{a}X\right)+V\left(\frac{b}{a}X\right)=E(5X)+V(5X)$

$=5\times\frac{2}{3}+5^2\times\frac{5}{9}=\frac{155}{9}$

답 $\frac{155}{9}$

1224

확률변수 X의 확률질량함수는

$$P(X=x)={}_nC_x p^x(1-p)^{n-x}\ (x=0, 1, 2, \cdots, n)$$

이다. X의 평균과 분산이 각각 $E(X)=20$, $V(X)=15$일 때, $\frac{n}{p}$의 값을 구하시오.

→ $V(X)=np(1-p)$임을 이용하자.

→ $E(X)=np$임을 이용하자.

확률변수 X의 확률질량함수가

$P(X=x)={}_nC_x p^x(1-p)^{n-x}$ $(x=0, 1, 2, \cdots, n)$

이므로 X는 이항분포 $B(n, p)$를 따른다.

$E(X)=np=20$ ······ ㉠

$V(X)=np(1-p)=15$이므로

$20(1-p)=15$ $\therefore p=\frac{1}{4}$

$p=\frac{1}{4}$을 ㉠에 대입하면 $n=80$

$\therefore \frac{n}{p}=\frac{80}{\frac{1}{4}}=320$

답 320

1225

확률변수 X의 확률질량함수가

$P(X=x)={}_nC_x p^x(1-p)^{n-x}$

E(X)=np임을 이용하자. $(x=0, 1, 2, \cdots, n$이고 $0<p<1)$

이다. $E(X)=1$, $V(X)=\frac{9}{10}$일 때, $P(X<2)$는?

V(X)=np(1−p)임을 이용하자.

주어진 확률질량함수로부터 확률변수 X는 이항분포 $B(n, p)$를 따르므로

$E(X)=np=1$ ……㉠

$V(X)=np(1-p)=\frac{9}{10}$ ……㉡

㉡÷㉠을 하면 $1-p=\frac{9}{10}$ $\therefore p=\frac{1}{10}$

$p=\frac{1}{10}$을 ㉠에 대입하면 $n=10$

$\therefore P(X<2)=P(X=0)+P(X=1)$

$={}_{10}C_0\left(\frac{1}{10}\right)^0\left(\frac{9}{10}\right)^{10}+{}_{10}C_1\left(\frac{1}{10}\right)^1\left(\frac{9}{10}\right)^9$

$=\left(\frac{9}{10}\right)^9\left(\frac{9}{10}+10\times\frac{1}{10}\right)$

$=\frac{19}{10}\left(\frac{9}{10}\right)^9$

답 ①

1226

$P(X=x)={}_{160}C_x\left(\frac{3}{4}\right)^x\left(\frac{1}{4}\right)^{160-x}$임을 이용하자.

확률변수 X의 확률분포를 나타낸 표가 다음과 같을 때, X의 평균과 분산의 합은?

X	0	1	2
$P(X=x)$	${}_{160}C_0\left(\frac{1}{2}\right)^{320}$	$3\times{}_{160}C_1\left(\frac{1}{2}\right)^{320}$	$3^2\times{}_{160}C_2\left(\frac{1}{2}\right)^{320}$

3	…	160	합계
$3^3\times{}_{160}C_3\left(\frac{1}{2}\right)^{320}$	…	$3^{160}\times{}_{160}C_{160}\left(\frac{1}{2}\right)^{320}$	1

주어진 확률분포표로부터 확률변수 X의 확률질량함수는

$P(X=x)=3^x\times{}_{160}C_x\left(\frac{1}{2}\right)^{320}$

$=3^x\times{}_{160}C_x\left(\frac{1}{4}\right)^{160}$

$=3^x\times{}_{160}C_x\left(\frac{1}{4}\right)^x\left(\frac{1}{4}\right)^{160-x}$

$={}_{160}C_x\left(\frac{3}{4}\right)^x\left(\frac{1}{4}\right)^{160-x}$ $(x=0, 1, 2, \cdots, 160)$

이므로 확률변수 X는 이항분포 $B\left(160, \frac{3}{4}\right)$을 따른다.

X의 평균과 분산은

$E(X)=160\times\frac{3}{4}=120$

$V(X)=160\times\frac{3}{4}\times\frac{1}{4}=30$

$\therefore E(X)+V(X)=120+30=150$

답 ⑤

1227

E(X)=np임을 이용하자.

이항분포 $B\left(90, \frac{1}{3}\right)$을 따르는 확률변수 X의 확률질량함수가

$P(X=i)=p_i$ $(i=0, 1, 2, \cdots, 90)$

일 때, $\sum_{i=0}^{90} i\times p_i$의 값은?

확률변수 X의 평균임을 이용하자.

확률변수 X가 이항분포 $B\left(90, \frac{1}{3}\right)$을 따르므로 X의 평균은

$E(X)=90\times\frac{1}{3}=30$

$\sum_{i=0}^{90} i\times p_i$의 값은 확률변수 X의 평균을 나타내므로

$\sum_{i=0}^{90} i\times p_i=E(X)=30$

답 ③

1228

V(X)=np(1−p)임을 이용하자.

이항분포 $B\left(100, \frac{1}{5}\right)$을 따르는 확률변수 X의 확률질량함수가

$P(X=i)=p_i$ $(i=0, 1, 2, \cdots, 100)$

일 때, $\sum_{i=0}^{100}(i-20)^2\times p_i$의 값은?

확률변수 X의 분산임을 이용하자.

확률변수 X가 이항분포 $B\left(100, \frac{1}{5}\right)$을 따르므로 X의 평균과 분산은

$E(X)=100\times\frac{1}{5}=20$

$V(X)=100\times\frac{1}{5}\times\frac{4}{5}=16$

$\sum_{i=0}^{100}(i-20)^2\times p_i=\sum_{i=0}^{100}\{i-E(X)\}^2\times p_i$의 값은 확률변수 X의 분산을 나타내므로

$\sum_{i=0}^{100}(i-20)^2\times p_i=V(X)=16$

답 ⑤

1229

서로 다른 주사위 두 개를 동시에 180번 던져서 나오는 두 눈의 수의 합이 5의 배수가 되는 횟수를 확률변수 X라 하자. X의 확률질량함수가

확률변수 X는 이항분포 $B\left(180, \frac{7}{36}\right)$을 따른다.

$P(X=i)=p_i$ $(i=0, 1, 2, \cdots, 180)$

일 때, $\sum_{i=0}^{180}(3i-2)p_i$의 값을 구하시오.

$\sum_{i=1}^{180} p_i=1$임을 이용하자.

두 주사위의 눈의 수의 합이 5의 배수가 되는 경우는 다음과 같다.

(i) 합이 5인 경우

(1, 4), (2, 3), (3, 2), (4, 1)의 4가지

(ii) 합이 10인 경우

(4, 6), (5, 5), (6, 4)의 3가지

(i), (ii)에서 두 주사위의 눈의 수의 합이 5의 배수가 될 확률은 $\frac{7}{36}$이고,

두 주사위를 180번 던지는 시행에서 확률변수 X의 확률분포는 독립시행의 확률을 따르므로 X는 이항분포 $B\left(180, \frac{7}{36}\right)$을 따른다.

따라서 X의 평균은

$E(X)=180\times\frac{7}{36}=35$

$\therefore \sum_{i=0}^{180}(3i-2)p_i=3\sum_{i=0}^{180}i\times p_i-2\sum_{i=0}^{180}p_i$

$=3\times35-2=103$

답 103

1230

→ $E(X)=25\times\frac{2}{5}=10$이다.

> 확률변수 X가 이항분포 $B\left(25, \frac{2}{5}\right)$를 따를 때,
> $\sum_{x=1}^{25}x^2\times{}_{25}C_x\left(\frac{2}{5}\right)^x\left(\frac{3}{5}\right)^{25-x}-10^2$의 값은?
> → 확률변수 X의 분산을 의미한다.

확률변수 X가 이항분포 $B\left(25, \frac{2}{5}\right)$를 따르므로 X의 평균과 분산은

$E(X)=25\times\frac{2}{5}=10$

$V(X)=25\times\frac{2}{5}\times\frac{3}{5}=6$

$\sum_{x=1}^{25}x^2\times{}_{25}C_x\left(\frac{2}{5}\right)^x\left(\frac{3}{5}\right)^{25-x}-10^2$의 값은 확률변수 X의 분산을 나타내므로

$\sum_{x=1}^{25}x^2\times{}_{25}C_x\left(\frac{2}{5}\right)^x\left(\frac{3}{5}\right)^{25-x}-10^2=V(X)=6$

답 ⑤

1231

→ 이항분포 $B\left(72, \frac{1}{6}\right)$을 따르는 확률변수 X의 평균임을 이용하자.

> $\sum_{x=0}^{72}x\times{}_{72}C_x\left(\frac{1}{6}\right)^x\left(\frac{5}{6}\right)^{72-x}$의 값은?

$\sum_{x=0}^{72}x\times{}_{72}C_x\left(\frac{1}{6}\right)^x\left(\frac{5}{6}\right)^{72-x}$의 값은 이항분포 $B\left(72, \frac{1}{6}\right)$을 따르는 확률변수 X의 평균을 나타내므로

$\sum_{x=0}^{72}x\times{}_{72}C_x\left(\frac{1}{6}\right)^x\left(\frac{5}{6}\right)^{72-x}=E(X)$

$=72\times\frac{1}{6}=12$

답 ③

1232

> $\sum_{x=0}^{36}x^2\times{}_{36}C_x\left(\frac{1}{3}\right)^x\left(\frac{2}{3}\right)^{36-x}$의 값은?
> → 이항분포 $B\left(36, \frac{1}{3}\right)$을 따르는 확률변수 X에 대하여 $E(X^2)$임을 이용하자.

$\sum_{x=0}^{36}x^2\times{}_{36}C_x\left(\frac{1}{3}\right)^x\left(\frac{2}{3}\right)^{36-x}$의 값은 이항분포 $B\left(36, \frac{1}{3}\right)$을 따르는 확률변수 X에 대하여 X^2의 평균과 같다.

X의 평균과 분산은

$E(X)=36\times\frac{1}{3}=12$, $V(X)=36\times\frac{1}{3}\times\frac{2}{3}=8$

$V(X)=E(X^2)-\{E(X)\}^2$에서

$8=E(X^2)-12^2$

$\therefore E(X^2)=8+144=152$

$\therefore \sum_{x=0}^{36}x^2\times{}_{36}C_x\left(\frac{1}{3}\right)^x\left(\frac{2}{3}\right)^{36-x}=E(X^2)=152$

답 ④

1233

→ 확률변수 X는 이항분포 $B\left(80, \frac{1}{4}\right)$을 따른다.

> 확률변수 X의 확률질량함수가
> $P(X=r)={}_{80}C_r\left(\frac{1}{4}\right)^r\left(\frac{3}{4}\right)^{80-r}$ $(r=0, 1, 2, \cdots, 80)$
> 일 때, $\sum_{r=0}^{80}r^2\times P(X=r)$의 값을 구하시오.
> → $E(X^2)$임을 이용하자.

확률변수 X의 확률질량함수가

$P(X=r)={}_{80}C_r\left(\frac{1}{4}\right)^r\left(\frac{3}{4}\right)^{80-r}$ $(r=0, 1, 2, \cdots, 80)$

이므로 확률변수 X는 이항분포 $B\left(80, \frac{1}{4}\right)$을 따른다.

$E(X)=80\times\frac{1}{4}=20$, $V(X)=80\times\frac{1}{4}\times\frac{3}{4}=15$이므로

$\sum_{r=0}^{80}r^2\times P(X=r)=E(X^2)=V(X)+\{E(X)\}^2$

$=15+400=415$

답 415

1234

→ 확률변수 X는 이항분포 $B\left(64, \frac{1}{4}\right)$을 따른다.

> 확률변수 X의 확률질량함수가
> $P(X=x)={}_{64}C_x\left(\frac{1}{4}\right)^x\left(\frac{3}{4}\right)^{64-x}$ $(x=0, 1, 2, \cdots, 64)$
> 일 때, $\sum_{x=0}^{64}x^2\times{}_{64}C_x\left(\frac{1}{4}\right)^{x+1}\left(\frac{3}{4}\right)^{64-x}$의 값을 구하시오.
> → $=\sum_{x=1}^{64}\frac{x^2}{4}\times{}_{64}C_x\left(\frac{1}{4}\right)^x\left(\frac{3}{4}\right)^{64-x}$임을 이용하자.

확률변수 X의 확률질량함수는 $B\left(64, \frac{1}{4}\right)$인 이항분포를 따르고,

$E(X)=16$, $V(X)=12$이다.

$\sum_{x=0}^{64}x^2\times{}_{64}C_x\left(\frac{1}{4}\right)^{x+1}\left(\frac{3}{4}\right)^{64-x}=\sum_{x=0}^{64}\frac{x^2}{4}\times{}_{64}C_x\left(\frac{1}{4}\right)^x\left(\frac{3}{4}\right)^{64-x}$

이고 $E\left(\frac{X^2}{4}\right)=\frac{1}{4}E(X^2)$이다.

$E(X^2)=V(X)+E(X)^2=12+16^2=268$

$\therefore \frac{1}{4}E(X^2)=67$

답 67

1235

→ 확률변수 X는 이항분포 $B\left(100, \frac{1}{5}\right)$을 따른다.

> 확률변수 X의 확률질량함수가
> $P(X=x)={}_{100}C_x\left(\frac{1}{5}\right)^x\left(\frac{4}{5}\right)^{100-x}$ $(x=0, 1, 2, \cdots, 100)$
> 일 때, $\sum_{x=0}^{100}x^2{}_{100}C_x\left(\frac{1}{5}\right)^x\left(\frac{4}{5}\right)^{100-x}-\left\{\sum_{x=0}^{100}x{}_{100}C_x\left(\frac{1}{5}\right)^x\left(\frac{4}{5}\right)^{100-x}\right\}^2$
> 의 값을 구하시오.
> → $E(X^2)-\{E(X)\}^2$임을 이용하자.

확률변수 X의 확률질량함수가

$\mathrm{P}(X=x)={}_{100}\mathrm{C}_x\left(\frac{1}{5}\right)^x\left(\frac{4}{5}\right)^{100-x}$ $(x=0, 1, 2, \cdots, 100)$

이므로 X는 이항분포 $\mathrm{B}\left(100, \frac{1}{5}\right)$을 따른다.

$\sum_{x=0}^{100} x\,{}_{100}\mathrm{C}_x\left(\frac{1}{5}\right)^x\left(\frac{4}{5}\right)^{100-x}=\mathrm{E}(X)$,

$\sum_{x=0}^{100} x^2\,{}_{100}\mathrm{C}_x\left(\frac{1}{5}\right)^x\left(\frac{4}{5}\right)^{100-x}=\mathrm{E}(X^2)$이므로

(주어진 식)$=\mathrm{E}(X^2)-\{\mathrm{E}(X)\}^2=\mathrm{V}(X)$

$=100\times\frac{1}{5}\times\frac{4}{5}=16$ 답 16

1236

서로 다른 두 개의 동전을 동시에 던지는 시행을 6번 반복할 때, 앞면이 한 개만 나오는 횟수가 2번 이하일 확률을 구하시오.

앞면이 한 개만 나오는 횟수를 X라 하면 X는 이항분포 $\mathrm{B}\left(6, \frac{1}{2}\right)$을 따른다.

두 개의 동전을 한 번 던지는 시행에서 앞면이 한 개만 나올 확률은

$p={}_2\mathrm{C}_1\times\left(\frac{1}{2}\right)^2=\frac{1}{2}$

두 개의 동전을 동시에 6번 던지는 시행은 각각 독립이고 앞면이 한 개만 나오는 횟수를 확률변수 X라 하면 X는 이항분포 $\mathrm{B}\left(6, \frac{1}{2}\right)$을 따른다.

$\therefore \mathrm{P}(X\le 2)=\mathrm{P}(X=0)+\mathrm{P}(X=1)+\mathrm{P}(X=2)$

$={}_6\mathrm{C}_0\left(\frac{1}{2}\right)^2+{}_6\mathrm{C}_1\left(\frac{1}{6}\right)^6+{}_6\mathrm{C}_2\left(\frac{1}{2}\right)^6$

$=\frac{1+6+15}{64}=\frac{11}{32}$ 답 $\frac{11}{32}$

1237

확률변수 X가 이항분포 $\mathrm{B}\left(100, \frac{1}{5}\right)$을 따를 때, $\mathrm{E}(X)+\sigma(X)$의 값을 구하시오.

$\mathrm{E}(X)=np$, $\sigma(X)=\sqrt{npq}$임을 이용하자.

$\mathrm{E}(X)=100\times\frac{1}{5}=20$, $\sigma(X)=\sqrt{100\times\frac{1}{5}\times\frac{4}{5}}=4$이므로

$\therefore \mathrm{E}(X)+\sigma(X)=24$ 답 24

1238

이항분포 $\mathrm{B}(n, p)$를 따르는 확률변수 X의 평균과 표준편차가 모두 $\frac{7}{8}$일 때, p의 값은?

$\mathrm{E}(X)=np$, $\sigma(X)=\sqrt{np(1-p)}$임을 이용하자.

$\mathrm{E}(X)=np=\frac{7}{8}$

$\sigma(X)=\sqrt{np(1-p)}=\frac{7}{8}$

에서

$\sqrt{\frac{7}{8}\times(1-p)}=\frac{7}{8}$

$1-p=\frac{7}{8}$

$\therefore p=\frac{1}{8}$ 답 ①

1239 서술형

확률변수 X가 이항분포 $\mathrm{B}\left(n, \frac{1}{6}\right)$을 따르고 $\mathrm{V}(2X-3)=40$일 때, $\mathrm{E}(X^2)$을 구하시오.

$\mathrm{V}(X)=npq$임을 이용하자.

$\mathrm{V}(aX+b)=a^2\mathrm{V}(X)$임을 이용하자.

$\mathrm{B}\left(n, \frac{1}{6}\right)$에서

$\mathrm{V}(X)=n\times\frac{1}{6}\times\frac{5}{6}=\frac{5n}{36}$

$\mathrm{V}(2X-3)=4\mathrm{V}(X)=4\times\frac{5n}{36}=\frac{5n}{9}=40$

$\therefore n=72$ …… 40%

따라서

$\mathrm{E}(X)=72\times\frac{1}{6}=12$, $\mathrm{V}(X)=\frac{5}{36}\times 72=10$이므로 …… 40%

$\mathrm{E}(X^2)=\mathrm{V}(X)+\{\mathrm{E}(X)\}^2=10+12^2=154$ …… 20%

답 154

1240

확률변수 X가 이항분포 $\mathrm{B}(n, p)$를 따를 때, X의 평균이 $\frac{4}{5}$, X^2의 평균이 $\frac{32}{25}$이다. $\mathrm{P}(X=3)$은?

$\mathrm{E}(X)=np$, $\mathrm{V}(X)=npq$임을 이용하자.

$\mathrm{E}(X^2)=\mathrm{V}(X)+\{\mathrm{E}(X)\}^2$임을 이용하자.

확률변수 X가 이항분포 $\mathrm{B}(n, p)$를 따를 때, X의 평균이 $\frac{4}{5}$이므로

$\mathrm{E}(X)=np=\frac{4}{5}$ ……㉠

또 X^2의 평균이 $\frac{32}{25}$이므로

$\mathrm{V}(X)=np(1-p)=\mathrm{E}(X^2)-\{\mathrm{E}(X)\}^2$에서

$np(1-p)=\frac{32}{25}-\left(\frac{4}{5}\right)^2=\frac{16}{25}$ ……㉡

㉡÷㉠을 하면

$1-p=\frac{4}{5}$ $\therefore p=\frac{1}{5}$

$p=\frac{1}{5}$을 ㉠에 대입하면

$\frac{1}{5}n=\frac{4}{5}$ $\therefore n=4$

따라서 확률변수 X가 이항분포 $\mathrm{B}\left(4, \frac{1}{5}\right)$을 따르므로

$\mathrm{P}(X=3)={}_4\mathrm{C}_3\left(\frac{1}{5}\right)^3\left(\frac{4}{5}\right)=\frac{16}{5^4}$ 답 ④

1241

확률변수 X가 이항분포 $B\left(n, \frac{1}{2}\right)$을 따른다.

$P(X=2)=10P(X=1)$일 때, $E(2X+3)$의 값을 구하시오.

$\hookrightarrow = {}_nC_2\left(\frac{1}{2}\right)^2\left(\frac{1}{2}\right)^{n-2}$ $\hookrightarrow =10{}_nC_1\left(\frac{1}{2}\right)^1\left(\frac{1}{2}\right)^{n-1}$

확률변수 X가 이항분포 $B\left(n, \frac{1}{2}\right)$을 따르고

$P(X=2)=10P(X=1)$이므로

${}_nC_2\left(\frac{1}{2}\right)^2\left(\frac{1}{2}\right)^{n-2}=10{}_nC_1\left(\frac{1}{2}\right)^1\left(\frac{1}{2}\right)^{n-1}$

$\frac{n(n-1)}{2}=10n,\ n^2-21n=0$

$n(n-21)=0 \quad \therefore n=21$

$E(X)=21\times\frac{1}{2}=\frac{21}{2}$이므로

$E(2X+3)=2\times\frac{21}{2}+3=24$

답 24

1242

확률변수 X는 이항분포 $B\left(36, \frac{1}{6}\right)$을 따른다.

한 개의 주사위를 36번 던지는 시행에서 1의 눈이 나오는 횟수를 확률변수 X라 할 때, $E(2X+5)$의 값을 구하시오.

$\hookrightarrow E(aX+b)=aE(X)+b$임을 이용하자.

1의 눈이 나올 확률은 $\frac{1}{6}$이고, 주사위를 36번 던지는 시행에서 확률변수 X의 확률분포는 독립시행의 확률을 따르므로 X는 이항분포 $B\left(36, \frac{1}{6}\right)$을 따른다.

$E(X)=36\times\frac{1}{6}=6$이므로

$E(2X+5)=2E(X)+5=2\times6+5=17$

답 17

1243

확률변수 X는 이항분포 $B\left(n, \frac{3}{5}\right)$을 따른다.

발아율이 60 %인 어떤 씨앗 n개를 뿌릴 때, 싹이 나오는 씨앗의 개수를 X라 할 때 $E(X)=120$이다. n의 값을 구하시오.

씨앗 한 개를 뿌릴 때, 싹이 나올 확률은 $\frac{60}{100}=\frac{3}{5}$이므로

확률변수 X는 이항분포 $B\left(n, \frac{3}{5}\right)$을 따른다.

$E(X)=n\times\frac{3}{5}=120 \quad \therefore n=200$

답 200

1244

$p+q+r$의 값이 4, 5, 6, 7인 경우의 확률을 구하자.

주사위 한 개를 세 번 던져서 나온 눈의 수를 차례대로 p, q, r라 할 때, $4\le p+q+r\le7$을 만족시키는 사건을 A라 하자. 주사위 한 개를 세 번 던지는 시행을 108회 반복할 때, 사건 A가 일어나는 횟수를 확률변수 X라 하자. $E(X)$의 값을 구하시오.

$\hookrightarrow$ 확률변수 X는 이항분포를 따른다는 것을 이용하자.

$p+q+r$의 값이 4, 5, 6, 7인 경우의 순서쌍 (p, q, r)을 구하면

$p+q+r=4$인 경우: $(1, 1, 2)$

$p+q+r=5$인 경우: $(1, 1, 3), (1, 2, 2)$

$p+q+r=6$인 경우: $(1, 1, 4), (1, 2, 3), (2, 2, 2)$

$p+q+r=7$인 경우: $(1, 1, 5), (1, 2, 4), (1, 3, 3), (2, 2, 3)$

이때,

$(1, 1, 2)$인 경우는 순서 정하는 방법이 3가지,

$(1, 1, 3), (1, 2, 2)$인 경우는 순서 정하는 방법이 $3+3$가지,

$(1, 1, 4), (1, 2, 3), (2, 2, 2)$인 경우는 순서 정하는 방법이 $3+6+1$가지,

$(1, 1, 5), (1, 2, 4), (1, 3, 3), (2, 2, 3)$인 경우는 순서 정하는 방법이 $3+6+3+3$가지이므로

$P(A)=\frac{3+6+10+15}{6^3}=\frac{34}{216}=\frac{17}{108}$

따라서 이항분포 $B\left(108, \frac{17}{108}\right)$을 따른다.

$E(X)=108\times\frac{17}{108}=17$

답 17

1245

확률변수 X는 이항분포 $B\left(400, \frac{1}{10}\right)$을 따른다.

어떤 학생이 컴퓨터를 이용하여 문서를 작성할 때, 10자 중에 1자 꼴로 오타가 발생한다고 한다. 이 학생이 400자 문서를 작성할 때, 오타의 수를 확률변수 X라 하자. X의 평균과 표준편차의 합은?

$E(X)=np,\ \sigma(X)=\sqrt{np(1-p)}$임을 이용하자.

문서를 작성할 때 오타가 발생할 확률은 $\frac{1}{10}$이고, 작성한 400자 중에서 오타의 수인 확률변수 X의 확률분포는 독립시행의 확률을 따르므로 X는 이항분포 $B\left(400, \frac{1}{10}\right)$을 따른다.

따라서 X의 평균과 표준편차는

$E(X)=400\times\frac{1}{10}=40$

$\sigma(X)=\sqrt{400\times\frac{1}{10}\times\frac{9}{10}}=\sqrt{36}=6$

$\therefore E(X)+\sigma(X)=40+6=46$

답 ④

1246 서술형

확률변수 X의 확률질량함수가

$P(X=x)={}_{36}C_x\left(\frac{2}{3}\right)^x3^{x-36}\ (x=0, 1, 2, \cdots, 36)$

일 때, $E\left(\frac{1}{2}X+2\right)+V\left(\frac{1}{2}X+2\right)$의 값을 구하시오.

$\hookrightarrow ={}_{36}C_x\left(\frac{2}{3}\right)^x\left(\frac{1}{3}\right)^{36-x}$임을 이용하자.

$E(aX+b)=aE(X)+b,\ V(aX+b)=a^2V(X)$임을 이용하자.

확률변수 X의 확률질량함수가

$P(X=x)={}_{36}C_x\left(\frac{2}{3}\right)^x3^{x-36}$

$={}_{36}C_x\left(\frac{2}{3}\right)^x\left(\frac{1}{3}\right)^{36-x}\ (x=0, 1, 2, \cdots, 36)$

이므로 X는 이항분포 $B\left(36, \frac{2}{3}\right)$를 따른다. …… 40%

$E(X)=36\times\frac{2}{3}=24,\ V(X)=36\times\frac{2}{3}\times\frac{1}{3}=8$ …… 40%

$\therefore E\left(\frac{1}{2}X+2\right)+V\left(\frac{1}{2}X+2\right)=\left(\frac{1}{2}\times24+2\right)+\left(\frac{1}{4}\times8\right)$

$=14+2=16$ …… 20%

답 16

1247

• 확률변수 X는 이항분포 $B\left(7,\ \frac{1}{3}\right)$을 따른다.

> 확률변수 X의 확률질량함수가
>
> $P(X=x)={}_7C_x\left(\frac{1}{3}\right)^x\left(\frac{2}{3}\right)^{7-x}\ (x=0,\ 1,\ 2,\ \cdots,\ 7)$
>
> 일 때, $\sum_{k=0}^{7}(9k-4)P(X=k)$의 값을 구하시오.
>
> • $=9\sum_{k=0}^{7}k\times{}_7C_k\left(\frac{1}{3}\right)^k\left(\frac{2}{3}\right)^{7-k}-4\sum_{k=0}^{7}{}_7C_k\left(\frac{1}{3}\right)^k\left(\frac{2}{3}\right)^{7-k}$임을 이용하자.

확률변수 X가 이항분포 $B\left(7,\ \frac{1}{3}\right)$을 따르므로

$E(X)=7\times\frac{1}{3}=\frac{7}{3}$

$\therefore \sum_{k=0}^{7}(9k-4)P(X=k)$

$=9\sum_{k=0}^{7}k\times{}_7C_k\left(\frac{1}{3}\right)^k\left(\frac{2}{3}\right)^{7-k}-4\sum_{k=0}^{7}{}_7C_k\left(\frac{1}{3}\right)^k\left(\frac{2}{3}\right)^{7-k}$

$=9\times\frac{7}{3}-4=17$

답 17

1248

• 확률변수 X는 이항분포 $B\left(20,\ \frac{1}{2}\right)$을 따른다.

> 확률변수 X의 확률분포를 나타낸 표가 다음과 같다.

X	0	1	2	3	$\cdots$	20	합계
$P(X=r)$	${}_{20}C_0\left(\frac{1}{2}\right)^{20}$	${}_{20}C_1\left(\frac{1}{2}\right)^{20}$	${}_{20}C_2\left(\frac{1}{2}\right)^{20}$	${}_{20}C_3\left(\frac{1}{2}\right)^{20}$	$\cdots$	${}_{20}C_{20}\left(\frac{1}{2}\right)^{20}$	1

> 확률변수 $Y=aX+b$의 평균이 0, 분산이 1일 때, 두 상수 a, b의 곱 ab의 값은?
>
> $E(aX+b)=aE(X)+b,\ V(aX+b)=a^2V(X)$임을 이용하자.

주어진 확률분포표로부터 확률변수 X의 확률질량함수는

$P(X=r)={}_{20}C_r\left(\frac{1}{2}\right)^r\left(\frac{1}{2}\right)^{20-r}\ (r=0,\ 1,\ 2,\ \cdots,\ 20)$

이므로 X는 이항분포 $B\left(20,\ \frac{1}{2}\right)$을 따른다.

X의 평균과 분산은

$E(X)=20\times\frac{1}{2}=10$

$V(X)=20\times\frac{1}{2}\times\frac{1}{2}=5$

확률변수 $Y=aX+b$의 평균과 분산은

$E(Y)=E(aX+b)=aE(X)+b$

$=10a+b=0$

$\therefore b=-10a$

$V(Y)=V(aX+b)=a^2V(X)$

$=5a^2=1$

$\therefore a^2=\frac{1}{5}$

$\therefore ab=a(-10a)=-10a^2$

$=(-10)\times\frac{1}{5}=-2$

답 ①

1249

• $x^2-(a+2)x+4=0$의 판별식이 0보다 커야 한다.

> 한 개의 주사위를 던져 나온 눈의 수 a에 대하여 직선 $y=ax$와 곡선 $y=x^2-2x+4$가 서로 다른 두 점에서 만나는 사건을 A라 하자. 한 개의 주사위를 300회 던지는 독립시행에서 사건 A가 일어나는 횟수를 확률변수 X라 할 때, X의 평균 $E(X)$는?
>
> • 사건 A의 확률을 p라 하면 확률변수 X는 이항분포 $B(300,\ p)$를 따른다.

직선 $y=ax$와 곡선 $y=x^2-2x+4$가 서로 다른 두 점에서 만나려면 이차방정식

$x^2-2x+4=ax$

즉,

$x^2-(a+2)x+4=0$

의 판별식 D가 0보다 커야 한다.

$D=(a+2)^2-16=a^2+4a-12$

$=(a+6)(a-2)>0$

$\therefore a>2\ (\because a+6>0)$

$\therefore a=3,\ 4,\ 5,\ 6$

따라서 사건 A가 일어날 확률은

$\frac{4}{6}=\frac{2}{3}$

이므로 확률변수 X는 이항분포

$B\left(300,\ \frac{2}{3}\right)$

을 따른다.

$\therefore E(X)=300\times\frac{2}{3}=200$

답 ④

1250

• $P(X=x)=\frac{3^x}{4^{10}}\times{}_nC_x={}_nC_x\left(\frac{3}{4}\right)^x\left(\frac{1}{4}\right)^{10-x}$임을 이용하자.

> 확률변수 X의 확률질량함수가
>
> $P(X=x)=\frac{3^x}{2^{20}}\times{}_nC_x\ (x=0,\ 1,\ 2,\ \cdots,\ n)$
>
> 일 때, X는 이항분포 $B(10,\ p)$를 따른다고 한다.
>
> $P(X=2)=\frac{a}{2^{20}}$일 때, 상수 a의 값을 구하시오.
>
> 확률함수가 $P(X=x)={}_nC_xp^x(1-p)^{n-x}(x=0,\ 1,\ \cdots,\ n)$이면 X는 이항분포 $B(n,\ p)$를 따른다.

$P(X=x)=\frac{3^x}{2^{20}}\times{}_nC_x=\frac{3^x}{4^{10}}\times{}_nC_x={}_nC_x\left(\frac{3}{4}\right)^x\left(\frac{1}{4}\right)^{10-x}$

$(x=0,\ 1,\ 2,\ \cdots,\ n)$

이므로 X는 이항분포 $B\left(10,\ \frac{3}{4}\right)$을 따른다.

즉, $n=10,\ p=\frac{3}{4}$이므로

$P(X=x)={}_{10}C_x\left(\frac{3}{4}\right)^x\left(\frac{1}{4}\right)^{10-x}$ ($x=0, 1, 2, \cdots, 10$)

$\therefore P(X=2)={}_{10}C_2\left(\frac{3}{4}\right)^2\left(\frac{1}{4}\right)^8=\frac{405}{4^{10}}=\frac{405}{2^{20}}$

$\therefore a=405$ 답 405

1251

→ $V(X)=np(1-p)$임을 이용하자.

이항분포 $B(n, p)$를 따르는 확률변수 X의 분산은 $\frac{16}{9}$이고, $\frac{P(X=n-1)}{P(X=n)}=4$일 때, X^2의 평균은 $\frac{b}{a}$이다. $a+b$의 값을 구하시오. (단, a, b는 서로소인 자연수이다.)

→ $P(X=n)={}_nC_np^n(1-p)^0$임을 이용하자.

이항분포 $B(n, p)$를 따르는 확률변수 X의 분산이 $\frac{16}{9}$이므로

$V(X)=np(1-p)=\frac{16}{9}$ ……㉠

또 X의 확률질량함수가

$P(X=k)={}_nC_kp^k(1-p)^{n-k}$ ($k=0, 1, 2, \cdots, n$)

이므로

$\frac{P(X=n-1)}{P(X=n)}=\frac{{}_nC_{n-1}p^{n-1}(1-p)}{{}_nC_np^n(1-p)^0}=\frac{n(1-p)}{p}=4$

$\therefore n(1-p)=4p$ ……㉡

㉠÷㉡을 하면 $p=\frac{4}{9p}$, $p^2=\frac{4}{9}$

$p>0$이므로 $p=\frac{2}{3}$

$p=\frac{2}{3}$를 ㉠에 대입하면

$n\times\frac{2}{3}\times\frac{1}{3}=\frac{16}{9}$ $\quad\therefore n=\frac{16}{9}\times\frac{9}{2}=8$

따라서 확률변수 X가 이항분포 $B\left(8, \frac{2}{3}\right)$를 따르므로

$E(X)=8\times\frac{2}{3}=\frac{16}{3}$

$V(X)=E(X^2)-\{E(X)\}^2$에서

$\frac{16}{9}=E(X^2)-\left(\frac{16}{3}\right)^2$

$\therefore E(X^2)=\frac{16}{9}+\left(\frac{16}{3}\right)^2=\frac{272}{9}$

$\therefore a+b=9+272=281$ 답 281

1252

→ $E(a^X)=\sum_{x=0}^{5}a^x\times{}_5C_x\left(\frac{1}{3}\right)^x\left(\frac{2}{3}\right)^{5-x}$임을 이용하자.

한 개의 주사위를 5번 던져서 1 또는 6의 눈이 나오는 횟수가 X이면 상금으로 a^X원을 받는 게임에서 상금의 기댓값이 243원이라고 할 때, 자연수 a의 값을 구하시오.

→ $E(a^X)=243$임을 이용하자.

$E(a^X)=243$에서

$E(a^X)=\sum_{x=0}^{5}a^x{}_5C_x\left(\frac{1}{3}\right)^x\left(\frac{2}{3}\right)^{5-x}=\sum_{x=0}^{5}{}_5C_x\left(\frac{a}{3}\right)^x\left(\frac{2}{3}\right)^{5-x}$

에서 이항정리를 이용하면

$\left(\frac{a}{3}+\frac{2}{3}\right)^5=243=3^5$

$\therefore a=7$ 답 7

1253

→ $m=1, 2, 3, 4$일 때 조건을 만족하는 n의 값의 개수를 각각 구하자.

두 주사위 A, B를 동시에 던질 때, 나오는 각각의 눈의 수 m, n에 대하여 $m^2+n^2\le25$가 되는 사건을 E라 하자. 두 주사위 A, B를 동시에 던지는 12회의 독립시행에서 사건 E가 일어나는 횟수를 확률변수 X라 할 때, X의 분산 $V(X)$는 $\frac{q}{p}$이다. $p+q$의 값을 구하시오. (단, p, q는 서로소인 자연수이다.)

→ $V(X)=npq$임을 이용하자.

사건 E가 일어나는 경우의 수는

(i) $m=1$일 때, $n^2\le24$에서 $n=1, 2, 3, 4$의 4

(ii) $m=2$일 때, $n^2\le21$에서 $n=1, 2, 3, 4$의 4

(iii) $m=3$일 때, $n^2\le16$에서 $n=1, 2, 3, 4$의 4

(iv) $m=4$일 때, $n^2\le9$에서 $n=1, 2, 3$의 3

$\therefore P(E)=\frac{4+4+4+3}{36}=\frac{5}{12}$

따라서 확률변수 X는 이항분포 $B\left(12, \frac{5}{12}\right)$를 따르므로

$V(X)=12\times\frac{5}{12}\times\frac{7}{12}=\frac{35}{12}$

$\therefore p+q=12+35=47$ 답 47

1254

→ 추가된 부품 중 S의 개수는 0개, 1개, 2개가 가능하다.

어느 창고에 부품 S가 3개, 부품 T가 2개 있는 상태에서 부품 2개를 추가로 들여왔다. 추가된 부품은 S 또는 T이고, 추가된 부품 중 S의 개수는 이항분포 $B\left(2, \frac{1}{2}\right)$을 따른다. 이 7개의 부품 중 임의로 1개를 선택한 것이 T일 때, 추가된 부품이 모두 S였을 확률은?

→ $P(E_2|A)=\frac{P(E_2\cap A)}{P(A)}$임을 이용하자.

추가되는 부품 중 S의 개수는 이항분포 $B\left(2, \frac{1}{2}\right)$을 따르므로

S의 개수가 0개, 1개, 2개일 사건을 각각 E_0, E_1, E_2라 하면

$P(E_0)={}_2C_0\left(\frac{1}{2}\right)^2=\frac{1}{4}$

$P(E_1)={}_2C_1\left(\frac{1}{2}\right)^2=\frac{1}{2}$

$P(E_2)={}_2C_2\left(\frac{1}{2}\right)^2=\frac{1}{4}$

이고 7개의 부품 중 임의로 1개를 선택한 것이 T일 사건을 A라 하면 추가된 부품이 모두 S일 사건은 E_2이므로 구하는 확률은

$$P(E_2|A)=\frac{P(E_2\cap A)}{P(A)}$$
$$=\frac{P(E_2\cap A)}{P(E_0\cap A)+P(E_1\cap A)+P(E_2\cap A)}$$
$$=\frac{\frac{1}{4}\times\frac{2}{7}}{\frac{1}{4}\times\frac{4}{7}+\frac{1}{2}\times\frac{3}{7}+\frac{1}{4}\times\frac{2}{7}}$$
$$=\frac{\frac{2}{28}}{\frac{12}{28}}=\frac{1}{6}$$

답 ①

1255

주머니에서 한 개의 구슬을 꺼낼 때 적혀있는 수가 k^2일 확률은 $\frac{4k}{220}=\frac{k}{55}$이다.

> 1부터 10까지의 자연수 n에 대하여 n^2이 하나씩 적혀 있는 구슬이 각각 $4n$개씩 들어 있는 주머니에서 임의로 한 개의 구슬을 꺼내어 적혀 있는 수를 확인하고 다시 주머니에 넣는 시행을 220번 한다. 1 이상 10 이하의 자연수 k에 대하여 적혀 있는 수가 k^2인 구슬이 나오는 횟수를 확률변수 X라 할 때, $\mathrm{E}(X)=12$이다. k의 값을 구하시오.
>
> $\mathrm{E}(X)=np$임을 이용하자.

전체 구슬의 개수는

$$\sum_{k=1}^{10} 4k=4\times\sum_{k=1}^{10} k=4\times\frac{10\times11}{2}=220$$

이므로 주머니에서 한 개의 구슬을 꺼낼 때 적혀 있는 수가 k^2일 확률은

$\frac{4k}{220}=\frac{k}{55}$이다.

또한 주머니에서 꺼낸 공에 적힌 수를 확인하고 다시 주머니에 넣는 220번의 독립시행에서 k^2이 적힌 구슬이 나오는 횟수를 X라 하면 확률변수 X는 이항분포 $\mathrm{B}\left(220, \frac{k}{55}\right)$를 따른다.

즉,

$\mathrm{E}(X)=220\times\frac{k}{55}=4k=12$

$\therefore k=3$

답 3

1256

확률변수 X가 이항분포 $\mathrm{B}(50, p)$를 따른다고 하자.

> 어느 공장에서 생산되는 제품은 한 상자에 50개씩 넣어 판매되는데, 상자에 포함된 불량품의 개수는 이항분포를 따르고 평균이 m, 분산이 $\frac{48}{25}$이라 한다. 한 상자를 판매하기 전에 불량품을 찾아내기 위하여 50개의 제품을 모두 검사하는 데 총 60000원의 비용이 발생한다. 검사하지 않고 한 상자를 판매할 경우에는 한 개의 불량품에 a원의 애프터서비스 비용이 필요하다. 한 상자의 제품을 모두 검사하는 비용과 애프터서비스로 인해 필요한 비용의 기댓값이 같다고 할 때, $\frac{a}{1000}$의 값을 구하시오.
>
> (단, a는 상수이고, m은 5 이하인 자연수이다.)
>
> $\mathrm{E}(X)=np$, $\mathrm{V}(X)=npq$임을 이용하자.
>
> 애프터서비스로 인해 필요한 비용의 기댓값은 $\mathrm{E}(aX)$임을 이용하자.

한 상자에 들어있는 50개의 제품을 모두 검사할 때 나오는 불량품의 개수를 확률변수 X라 하고, 확률변수 X가 이항분포 $\mathrm{B}(50, p)$를 따른다고 하자.

한 상자에 포함된 불량품의 개수의 평균은

$\mathrm{E}(X)=m=50p$

이고, 분산은

$\mathrm{V}(X)=50p(1-p)=\frac{48}{25}$

$\therefore p(1-p)=\frac{48}{25}\times\frac{1}{50}=\frac{48}{50}\times\frac{2}{50}$

$\therefore p=\frac{48}{50}$ 또는 $p=\frac{2}{50}$

그런데, m은 5 이하의 자연수이어야 하므로

$p=\frac{2}{50}$이고, $m=\mathrm{E}(X)=50\times\frac{2}{50}=2$이다.

애프터서비스로 인해 필요한 비용의 기대값은

$\mathrm{E}(aX)=a\mathrm{E}(X)=2a$

이므로 $2a=60000$이어야 한다.

$\therefore a=30000$

$\therefore \frac{a}{1000}=30$

답 30

1257

3 이하의 숫자가 하나라도 나오는 횟수를 확률변수 X라 하면 X는 이항분포 $\mathrm{B}\left(n, \frac{3}{4}\right)$을 따른다.

> 원점을 출발하여 수직선 위를 움직이는 점 P는 서로 다른 두 개의 주사위를 던져서 나오는 결과에 따라 다음과 같은 규칙으로 움직인다.
>
> (가) 3 이하의 숫자가 하나라도 나오면 양의 방향으로 2만큼 이동한다.
> (나) 두 수가 모두 4 이상이면 음의 방향으로 2만큼 이동한다.
>
> 이 시행을 n번 반복하였을 때, $\mathrm{E}(\overline{\mathrm{OP}}^2)=20n$이다. n의 값을 구하시오.
>
> $\mathrm{E}(X^2)=\mathrm{V}(X)+\{\mathrm{E}(X)\}^2$임을 이용하자.

3 이하의 숫자가 하나라도 나오는 횟수를 확률변수 X라 하면

X는 이항분포 $\mathrm{B}\left(n, \frac{3}{4}\right)$을 따르므로

$\mathrm{E}(X)=\frac{3}{4}$, $\mathrm{V}(X)=\frac{3}{16}n$

한편 $\overline{\mathrm{OP}}=2X-2(n-X)=4X-2n$이다.

$$\begin{aligned}\mathrm{E}(\overline{\mathrm{OP}}^2)&=\mathrm{V}(\overline{\mathrm{OP}})+\{\mathrm{E}(\overline{\mathrm{OP}})\}^2\\&=16\mathrm{V}(X)+\{4\mathrm{E}(X)-2n\}^2\\&=3n+n^2=20n\end{aligned}$$

$n^2+3n=20n$

$\therefore n=17$

답 17

1258

확률변수 $X=\frac{1}{3}Y+2$라 하면 $Y=3X-6$이므로 확률변수 Y는 이항분포 $\mathrm{B}\left(15, \frac{3}{5}\right)$을 따른다.

> 확률변수 X의 확률분포를 나타낸 표가 다음과 같을 때, $\mathrm{E}(X)+\mathrm{V}(X)$의 값을 구하시오.

X	2	$\frac{1}{3}+2$	$\frac{2}{3}+2$
$\mathrm{P}(X=x)$	${}_{15}\mathrm{C}_0\left(\frac{2}{5}\right)^{15}$	${}_{15}\mathrm{C}_1\left(\frac{3}{5}\right)\left(\frac{2}{5}\right)^{14}$	${}_{15}\mathrm{C}_2\left(\frac{3}{5}\right)^2\left(\frac{2}{5}\right)^{13}$

$\frac{3}{3}+2$	$\cdots$	$\frac{15}{3}+2$	합계
${}_{15}\mathrm{C}_3\left(\frac{3}{5}\right)^3\left(\frac{2}{5}\right)^{12}$	$\cdots$	${}_{15}\mathrm{C}_{15}\left(\frac{3}{5}\right)^{15}$	1

> $\mathrm{E}(aX+b)=a\mathrm{E}(X)+b$, $\mathrm{V}(aX+b)=a^2\mathrm{V}(X)$임을 이용하자.

확률변수 $X=\frac{1}{3}Y+2$라 하면 $Y=3X-6$이므로 확률변수 Y의 확률분포를 표로 나타내면 다음과 같다.

Y	0	1	2
$P(Y=y)$	${}_{15}C_0\left(\frac{2}{5}\right)^{15}$	${}_{15}C_1\left(\frac{3}{5}\right)\left(\frac{2}{5}\right)^{14}$	${}_{15}C_2\left(\frac{3}{5}\right)^2\left(\frac{2}{5}\right)^{13}$

3	…	15	합계
${}_{15}C_3\left(\frac{3}{5}\right)^3\left(\frac{2}{5}\right)^{12}$	…	${}_{15}C_{15}\left(\frac{3}{5}\right)^{15}$	1

따라서 확률변수 Y는 이항분포 $B\left(15, \frac{3}{5}\right)$을 따르므로 Y의 평균과 분산은

$E(Y)=15\times\frac{3}{5}=9$

$V(Y)=15\times\frac{3}{5}\times\frac{2}{5}=\frac{18}{5}$

$X=\frac{1}{3}Y+2$이므로

$E(X)=E\left(\frac{1}{3}Y+2\right)=\frac{1}{3}E(Y)+2$

$=\frac{1}{3}\times9+2=5$

$V(X)=V\left(\frac{1}{3}Y+2\right)=\left(\frac{1}{3}\right)^2V(Y)$

$=\frac{1}{9}\times\frac{18}{5}=\frac{2}{5}$

$\therefore E(X)+V(X)=5+\frac{2}{5}=\frac{27}{5}$

답 $\frac{27}{5}$

1259

→ 확률변수 X는 이항분포 $B\left(50, \frac{2}{5}\right)$를 따른다.

어느 고등학교의 학생들은 5명에 2명 꼴로 하루에 한 번 이상 매점을 이용한다고 한다. 이 학교 학생 중에서 임의로 50명을 택할 때, 그중 하루에 한 번 이상 매점을 이용하는 학생의 수를 확률변수 X라 하고, $X=k$ $(k=0, 1, 2, \cdots, 50)$일 확률을 $P(X=k)$라 하자. $\sum_{k=0}^{50}k^2P(X=k)$의 값을 구하시오.

→ $=E(X^2)$임을 이용하자.

한 명이 하루에 한 번 이상 매점을 이용할 확률은 $\frac{2}{5}$이고, 50명을 임의로 택하는 것은 50회의 독립시행이므로 확률변수 X는 이항분포 $B\left(50, \frac{2}{5}\right)$를 따른다.

X의 평균과 분산은

$E(X)=50\times\frac{2}{5}=20$

$V(X)=50\times\frac{2}{5}\times\frac{3}{5}=12$

$\sum_{k=0}^{50}k^2P(X=k)=E(X^2)$이므로

$V(X)=E(X^2)-\{E(X)\}^2$에서

$12=E(X^2)-20^2$

$\therefore E(X^2)=12+20^2=412$

$\therefore \sum_{k=0}^{50}k^2P(X=k)=412$

답 412

1260

→ $=2\sum_{i=0}^{n}ip_i+4\sum_{i=0}^{n}p_i=2E(X)+4\times1$임을 이용하자.

이항분포 $B\left(n, \frac{1}{2}\right)$을 따르는 확률변수 X의 확률질량함수가

$P(X=i)=p_i$ $(i=0, 1, 2, 3, \cdots, n)$

일 때, $\sum_{i=0}^{n}(2i+4)p_i=10$이다.

$1^2p_1+2^2p_2+3^2p_3+\cdots+n^2p_n$의 값을 구하시오.

→ 확률변수 X에 대하여 X^2의 평균과 같다.

$\sum_{i=0}^{n}(2i+4)p_i=2\sum_{i=0}^{n}ip_i+4\sum_{i=0}^{n}p_i=2E(X)+4\times1=10$

$\therefore E(X)=3$

확률변수 X가 이항분포 $B\left(n, \frac{1}{2}\right)$을 따르므로 X의 평균과 분산은

$E(X)=n\times\frac{1}{2}=3 \quad \therefore n=6$

$V(X)=6\times\frac{1}{2}\times\frac{1}{2}=\frac{3}{2}$

그런데

$1^2p_1+2^2p_2+3^2p_3+\cdots+n^2p_n$

$=1^2p_1+2^2p_2+3^2p_3+4^2p_4+5^2p_5+6^2p_6$

$=0^2p_0+1^2p_1+2^2p_2+3^2p_3+4^2p_4+5^2p_5+6^2p_6$

의 값은 확률변수 X에 대하여 X^2의 평균과 같다.

$V(X)=E(X^2)-\{E(X)\}^2$에서

$\frac{3}{2}=E(X^2)-3^2$

$\therefore E(X^2)=\frac{3}{2}+9=\frac{21}{2}$

$\therefore 1^2p_1+2^2p_2+3^2p_3+4^2p_4+5^2p_5+6^2p_6=E(X^2)=\frac{21}{2}$

답 $\frac{21}{2}$

1261

→ 확률변수 X는 이항분포 $B\left(n, \frac{1}{2}\right)$을 따른다.

어느 배구선수의 공격이 성공하는 횟수를 확률변수 X라 하면, n번 공격했을 때 k번 성공할 확률은 다음과 같다.

$P(X=k)={}_nC_k\left(\frac{1}{2}\right)^n$

이때, $\sum_{k=0}^{n}(k+1)^2\times P(X=k)=451$을 만족하는 n의 값을 구하시오.

→ $=\sum_{k=0}^{n}(k^2+2k+1)\times P(X=k)$임을 이용하자.

확률변수 X는 $B(n, p)$인 이항분포를 따르므로

$E(X)=\frac{n}{2}$, $V(X)=E(X^2)-\{E(X)\}^2=\frac{n}{4}$

$\sum_{k=0}^{n}(k+1)^2\times P(X=k)=\sum_{k=0}^{n}(k^2+2k+1)\times P(X=k)$

$=E(X^2)+2E(X)+1$

$=451$

따라서 $n=40$

답 40

1262

> 집합 $A=\{0, 1, 2, 3, \cdots, 45\}$를 정의역으로 하는 두 함수
> $y=f(x)$, $y=g(x)$가 ← $f(x)g(x)={}_{45}C_x\left(\frac{1}{3}\right)^x\left(\frac{2}{3}\right)^{45-x}$임을 이용하자.
> $$f(x)={}_{45}P_x\left(\frac{2}{3}\right)^{45-x},\ g(x)=\frac{1}{x!}\left(\frac{1}{3}\right)^x$$
> 일 때, $\sum_{x=0}^{45}(x+1)^2f(x)g(x)$의 값을 구하시오.
> $=\sum_{x=0}^{45}x^2f(x)g(x)+2\sum_{x=0}^{45}xf(x)g(x)+\sum_{x=0}^{45}f(x)g(x)$임을 이용하자.

$$f(x)g(x)={}_{45}P_x\left(\frac{2}{3}\right)^{45-x}\times\frac{1}{x!}\left(\frac{1}{3}\right)^x={}_{45}C_x\left(\frac{1}{3}\right)^x\left(\frac{2}{3}\right)^{45-x}$$

즉, $f(x)g(x)$는 이항분포 $B\left(45, \frac{1}{3}\right)$을 따르는 확률변수 X에 대하여 $P(X=x)$를 나타내므로

$E(X)=45\times\frac{1}{3}=15$

$V(X)=45\times\frac{1}{3}\times\frac{2}{3}=10$

$\therefore E(X^2)=V(X)+\{E(X)\}^2$

$=10+225=235$

$\therefore \sum_{x=0}^{45}(x+1)^2f(x)g(x)$

$=\sum_{x=0}^{45}x^2f(x)g(x)+2\sum_{x=0}^{45}xf(x)g(x)+\sum_{x=0}^{45}f(x)g(x)$

$=E(X^2)+2E(X)+1$

$=235+30+1=266$

답 266

1263 ← $\sum_{x=1}^{6}P(X=x)=1$임을 이용하여 k의 값을 구하자.

> 확률변수 X의 확률질량함수가
> $$P(X=x)=\frac{{}_6C_x}{k}\ (x=1, 2, 3, 4, 5, 6)$$
> 일 때, $E(21X^2+3)$을 구하시오. (단, k는 상수이다.)
> ← $21E(X^2)+3$임을 이용하자.

확률의 총합은 1이므로

$\sum_{x=1}^{6}P(X=x)=\frac{1}{k}\sum_{x=1}^{6}{}_6C_x=\frac{1}{k}\left(\sum_{x=0}^{6}{}_6C_x-{}_6C_0\right)$

$=\frac{1}{k}({}_6C_0+{}_6C_1+\cdots+{}_6C_6-{}_6C_0)=1$

$\therefore k=2^6-1=63$

$E(X^2)=\sum_{x=1}^{6}x^2\times P(X=x)=\sum_{x=1}^{6}x^2\times\frac{{}_6C_x}{63}$

$=\frac{2^6}{63}\sum_{x=1}^{6}x^2\times{}_6C_x\left(\frac{1}{2}\right)^6$

$=\frac{2^6}{63}\sum_{x=0}^{6}x^2\times{}_6C_x\left(\frac{1}{2}\right)^6$ …… ㉠

확률변수 Y가 이항분포 $B\left(6, \frac{1}{2}\right)$을 따른다고 하면 Y의 확률질량함수는

$P(Y=y)={}_6C_y\left(\frac{1}{2}\right)^6\ (y=0, 1, 2, 3, 4, 5, 6)$

이고, Y의 평균과 분산은

$E(Y)=6\times\frac{1}{2}=3,\ V(Y)=6\times\frac{1}{2}\times\frac{1}{2}=\frac{3}{2}$

$\therefore E(Y^2)=V(Y)+\{E(Y)\}^2$

$=\frac{3}{2}+3^2=\frac{21}{2}$

$E(Y^2)=\sum_{y=0}^{6}y^2\times{}_6C_y\left(\frac{1}{2}\right)^6$이므로 ㉠에서

$E(X^2)=\frac{2^6}{63}E(Y^2)=\frac{2^6}{63}\times\frac{21}{2}=\frac{32}{3}$

$\therefore E(21X^2+3)=21E(X^2)+3$

$=21\times\frac{32}{3}+3=227$

답 227

다른풀이 $\sum_{x=1}^{6}P(X=x)=\frac{1}{k}\sum_{x=1}^{6}{}_6C_x=\frac{1}{k}(2^6-1)=1$ $\therefore k=63$

따라서 확률변수 X의 확률질량함수는

$P(X=x)=\frac{{}_6C_x}{63}\ (x=1, 2, 3, 4, 5, 6)$

이므로 X의 확률분포를 표로 나타내면 다음과 같다.

X	1	2	3	4	5	6	합계
$P(X=x)$	$\frac{{}_6C_1}{63}$	$\frac{{}_6C_2}{63}$	$\frac{{}_6C_3}{63}$	$\frac{{}_6C_4}{63}$	$\frac{{}_6C_5}{63}$	$\frac{{}_6C_6}{63}$	1

$E(X^2)=\frac{1}{63}(1^2\times{}_6C_1+2^2\times{}_6C_2+3^2\times{}_6C_3+4^2\times{}_6C_4+5^2\times{}_6C_5+6^2\times{}_6C_6)$

$=\frac{1}{63}(1\times6+4\times15+9\times20+16\times15+25\times6+36\times1)$

$=\frac{1}{63}\times672=\frac{32}{3}$

$\therefore E(21X^2+3)=21E(X^2)+3$

$=21\times\frac{32}{3}+3=227$

09 정규분포

본책 242~270쪽

1264

평균이 2, 표준편차가 5이므로 $N(2,\ 5^2)$ 답 $N(2,\ 5^2)$

1265

평균이 10, 표준편차가 3이므로 $N(10,\ 3^2)$ 답 $N(10,\ 3^2)$

1266

정규분포 $N(m,\ \sigma^2)$을 따르는 확률변수 X의 확률밀도함수의 그래프는 직선 $x=m$에 대하여 대칭이다.
그림에서 확률밀도함수 $y=g(x)$의 그래프의 대칭축이 확률밀도함수 $y=f(x)$의 그래프의 대칭축보다 오른쪽에 있으므로 X_B의 평균이 X_A의 평균보다 크다.

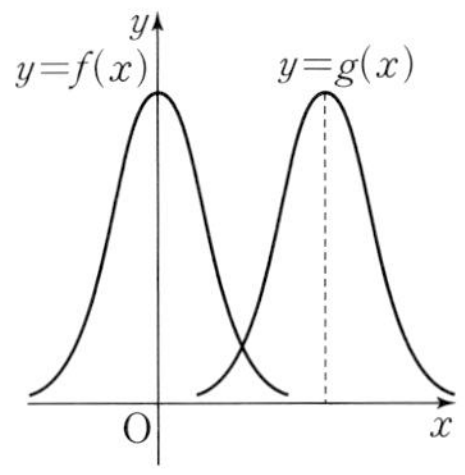

$\therefore$ (X_A의 평균) $\boxed{<}$ (X_B의 평균) 답 <

1267

정규분포 $N(m,\ \sigma^2)$을 따르는 확률변수 X의 확률밀도함수의 그래프에서 m의 값이 일정할 때 σ의 값이 커지면 곡선은 높이가 낮아지면서 양쪽으로 넓게 퍼지므로 X_A의 표준편차가 X_B의 표준편차보다 크다.

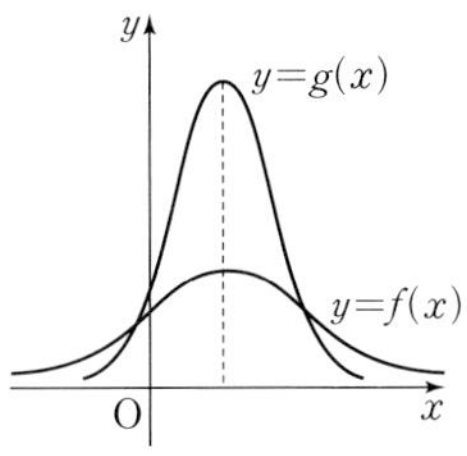

$\therefore$ (X_A의 표준편차) $\boxed{>}$ (X_B의 표준편차) 답 >

1268

$P(m-\sigma \le X \le m)=P(m \le X \le m+\sigma)=a$ 답 a

1269

$P(m-\sigma \le X \le m+2\sigma)$
$=P(m-\sigma \le X \le m)+P(m \le X \le m+2\sigma)$
$=a+b$ 답 $a+b$

1270

$P(m+\sigma \le X \le m+2\sigma)$
$=P(m \le X \le m+2\sigma)-P(m \le X \le m+\sigma)$
$=b-a$ 답 $b-a$

1271

확률변수 X가 정규분포 $N(20,\ 4^2)$을 따르므로
$Z=\dfrac{X-20}{4}$으로 놓으면 Z는 표준정규분포 $N(0,\ 1)$을 따른다.

$\therefore P(20 \le X \le 28)=P\left(\dfrac{20-20}{4} \le Z \le \dfrac{28-20}{4}\right)$
$=P(0 \le Z \le 2)$

$\therefore a=0,\ b=2$ 답 $a=0,\ b=2$

1272

확률변수 X가 정규분포 $N(70,\ 2^2)$을 따르므로
$Z=\dfrac{X-70}{2}$으로 놓으면 Z는 표준정규분포 $N(0,\ 1)$을 따른다.

$\therefore P(64 \le X \le 72)=P\left(\dfrac{64-70}{2} \le Z \le \dfrac{72-70}{2}\right)$
$=P(-3 \le Z \le 1)$

$\therefore a=-3,\ b=1$ 답 $a=-3,\ b=1$

1273

$P(X \ge 50)=P\left(Z \ge \dfrac{50-50}{10}\right)$
$=P(Z \ge 0)$ 답 $P(Z \ge 0)$

1274

$P(55 \le X \le 70)=P\left(\dfrac{55-50}{10} \le Z \le \dfrac{70-50}{10}\right)$
$=P(0.5 \le Z \le 2)$
답 $P(0.5 \le Z \le 2)$

1275

$P(40 \le X \le 65)=P\left(\dfrac{40-50}{10} \le Z \le \dfrac{65-50}{10}\right)$
$=P(-1 \le Z \le 1.5)$
답 $P(-1 \le Z \le 1.5)$

1276

$P(0 \le Z \le 2)=0.4772$ 답 0.4772

1277

$P(1 \le Z \le 2)=P(0 \le Z \le 2)-P(0 \le Z \le 1)$
$=0.4772-0.3413$
$=0.1359$ 답 0.1359

1278

$P(-1 \le Z \le 1.5)=P(-1 \le Z \le 0)+P(0 \le Z \le 1.5)$
$=P(0 \le Z \le 1)+P(0 \le Z \le 1.5)$
$=0.3413+0.4332$
$=0.7745$ 답 0.7745

1279

$P(Z \ge 1.5)=P(Z \ge 0)-P(0 \le Z \le 1.5)$
$=0.5-0.4332$
$=0.0668$ 답 0.0668

1280

확률변수 X가 정규분포 $N(50,\ 3^2)$을 따르므로
$Z=\dfrac{X-50}{3}$으로 놓으면 Z는 표준정규분포 $N(0,\ 1)$을 따른다.

$\therefore P(47 \le X \le 56)=P\left(\dfrac{47-50}{3} \le Z \le \dfrac{56-50}{3}\right)$
$=P(-1 \le Z \le 2)$
$=P(-1 \le Z \le 0)+P(0 \le Z \le 2)$
$=P(0 \le Z \le 1)+P(0 \le Z \le 2)$
$=0.3413+0.4772$
$=0.8185$ 답 0.8185

1281

확률변수 X가 정규분포 $N(20, 2^2)$을 따르므로

$Z=\frac{X-20}{2}$으로 놓으면 Z는 표준정규분포 $N(0, 1)$을 따른다.

$$\therefore P(X\le22)=P\left(Z\le\frac{22-20}{2}\right)=P(Z\le1)=0.5+P(0\le Z\le1)=0.5+0.3413=0.8413$$

답 0.8413

1282

$B\left(72, \frac{1}{3}\right)$에서

$m=72\times\frac{1}{3}=24$, $\sigma^2=72\times\frac{1}{3}\times\frac{2}{3}=16=4^2$

$\therefore N(24, 4^2)$

답 $N(24, 4^2)$

1283

$B\left(150, \frac{2}{5}\right)$에서

$m=150\times\frac{2}{5}=60$, $\sigma^2=150\times\frac{2}{5}\times\frac{3}{5}=36=6^2$

$\therefore N(60, 6^2)$

답 $N(60, 6^2)$

1284

시행 횟수 $n=100$, 한 개의 동전을 한 번 던질 때, 앞면이 나올 확률은 $\frac{1}{2}$이므로

$B\left(100, \frac{1}{2}\right)$

답 $B\left(100, \frac{1}{2}\right)$

1285

확률변수 X가 이항분포 $B\left(100, \frac{1}{2}\right)$을 따르므로

$E(X)=100\times\frac{1}{2}=50$

$\sigma(X)=\sqrt{100\times\frac{1}{2}\times\frac{1}{2}}=5$

답 평균: 50, 표준편차: 5

1286

확률변수 X가 이항분포 $B\left(100, \frac{1}{2}\right)$을 따를 때, 시행 횟수 100은 충분히 크므로 X는 근사적으로 정규분포 $N(50, 5^2)$을 따른다.

답 $N(50, 5^2)$

1287

확률변수 X가 정규분포 $N(50, 5^2)$을 따르므로

$Z=\frac{X-50}{5}$으로 놓으면 Z는 표준정규분포 $N(0, 1)$을 따른다.

$$\therefore P(X\ge60)=P\left(Z\ge\frac{60-50}{5}\right)=P(Z\ge2)=0.5-P(0\le Z\le2)=0.5-0.4772=0.0228$$

답 0.0228

1288

$$P(35\le X\le55)=P\left(\frac{35-50}{5}\le Z\le\frac{55-50}{5}\right)=P(-3\le Z\le1)=P(-3\le Z\le0)+P(0\le Z\le1)=P(0\le Z\le3)+P(0\le Z\le1)=0.4987+0.3413=0.84$$

답 0.84

1289

> 확률변수 X가 정규분포 $N(m, \sigma^2)$을 따를 때, 정규분포곡선에 대한 설명으로 옳지 않은 것은? (평균은 m이고, 표준편차는 σ이다.)
>
> ① 직선 $x=m$에 대하여 대칭이다.
> ② x축을 점근선으로 한다.
> ③ 곡선과 x축 사이의 넓이는 1이다.
> ④ 표준편차가 일정할 때, 평균이 커질수록 곡선은 오른쪽으로 평행이동한다.
> ⑤ 평균이 일정할 때, 표준편차가 커질수록 높이는 높아지고 폭은 좁아진다.
> ($x=m$일 때, 최댓값 $\frac{1}{\sqrt{2\pi}\sigma}$을 가진다.)

⑤ 평균이 일정할 때, 표준편차가 작아질수록 높이는 높아지고 폭은 좁아진다.

따라서 옳지 않은 것은 ⑤이다.

답 ⑤

1290

> 정규분포 $N(m, \sigma^2)$을 따르는 확률변수 X의 확률밀도함수 $y=f(x)$가 k의 값에 관계없이 $f(30-k)=f(30+k)$를 만족시킬 때, m의 값을 구하시오.
> ($y=f(x)$의 그래프는 $x=30$에 대하여 대칭이다.)

확률밀도함수 $y=f(x)$는 k의 값에 관계없이 $f(30-k)=f(30+k)$를 만족시키므로 그림과 같이 확률밀도함수 $y=f(x)$의 그래프는 직선 $x=30$에 대하여 대칭이다.

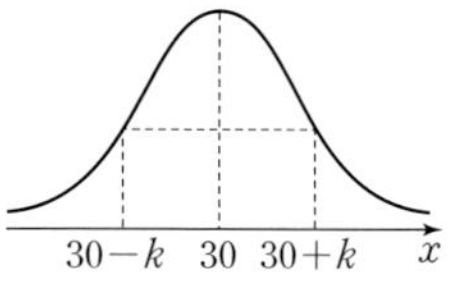

따라서 평균 m의 값은 30이다.

답 30

1291

> 정규분포 $N(m, \sigma^2)$을 따르는 확률변수 X에 대하여 $P(X\le12)=P(X\ge18)$일 때, m의 값을 구하시오.
> (평균이 m일 때, 정규분포곡선은 $x=m$에 대하여 대칭임을 이용하자.)

정규분포곡선은 직선 $x=m$에 대하여 대칭이므로

$P(X\le12)=P(X\ge18)$에서

$m=\frac{12+18}{2}=15$

답 15

1292

정규분포 $N(m, \sigma^2)$을 따르는 확률변수 X가 다음 조건을 만족시킬 때, $m+\sigma$의 값을 구하시오.

(가) $P(X \le 6) = P(X \ge 10)$ → 정규분포곡선은 $x=m$에 대하여 대칭임을 이용하자.
(나) $E(X^2) = 100$

→ $E(X^2) = V(X) + \{E(X)\}^2$임을 이용하자.

정규분포곡선은 직선 $x=m$에 대하여 대칭이므로

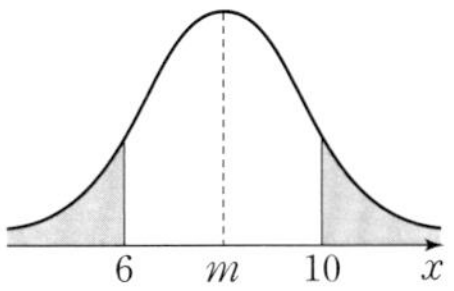

$P(X \le 6) = P(X \ge 10)$에서

$m = \dfrac{6+10}{2} = 8$

또 $E(X^2) = 100$이므로

$V(X) = E(X^2) - \{E(X)\}^2$
$= 100 - 8^2 = 36$

$\therefore \sigma = \sqrt{V(X)} = 6$

$\therefore m + \sigma = 8 + 6 = 14$

답 14

1293

→ 정규분포곡선은 $x=m$에 대하여 대칭이다.

확률변수 X가 정규분포 $N(m, \sigma^2)$을 따를 때,
$P(c \le X \le c+2)$가 최대가 되도록 하는 상수 c의 값은?

→ 구간 $[c, c+2]$의 중점이 m임을 이용하자.

정규분포 $N(m, \sigma^2)$을 나타내는 정규분포곡선은 그림과 같이 직선 $x=m$에 대하여 대칭이므로

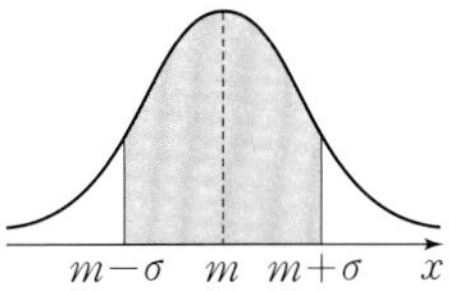

$P(c \le X \le c+2)$가 최대가 되려면 c와 $c+2$의 중점이 m이어야 한다.

즉, $\dfrac{c+(c+2)}{2} = m$이므로 $c = m-1$

답 ②

1294

→ 정규분포곡선은 $x=m$에 대하여 대칭이다.

정규분포 $N(m, 4)$를 따르는 확률변수 X에 대하여 함수
$g(k) = P(k-8 \le X \le k)$
는 $k=12$일 때 최댓값을 갖는다. 상수 m의 값을 구하시오.

→ $P(4 \le X \le 12)$이 최대임을 이용하자.

$g(12) = P(4 \le X \le 12)$가 $g(k)$의 최댓값이므로

$m = \dfrac{4+12}{2} = 8$

답 8

1295

확률변수 X가 정규분포 $N(m, \sigma^2)$을 따를 때,
$P(X \ge 34) = P(X \le 26)$ → 34와 26의 중점이 m임을 이용하자.
가 성립한다. $P(k-4 \le X \le k)$의 값이 최대가 되도록 하는 상수 k의 값을 구하시오.

→ 구간의 중점이 m이어야 한다.

정규분포에서 $P(X \ge 34) = P(X \le 26)$이므로

$m = \dfrac{34+26}{2} = 30$이고,

$P(k-4 \le X \le k)$의 값이 최대가 되려면, $k-2=30$이어야 한다.

$\therefore k = 32$

답 32

1296

정규분포 $N(m, \sigma^2)$을 따르는 확률변수 X에 대하여 〈보기〉에서 옳은 것만을 있는 대로 고르시오.

보기

ㄱ. $P(X \ge m) = 0.5$ → 정규분포곡선은 $x=m$에 대하여 대칭임을 이용하자.
ㄴ. $P(X \ge m+\sigma) = P(X \le m-\sigma)$
ㄷ. $P(X \ge m+\sigma) \le P(X \ge m+2\sigma)$

→ $a \le b$이면 $P(X \ge a) \ge P(X \ge b)$임을 이용하자.

정규분포곡선은 직선 $x=m$에 대하여 대칭이고, 정규분포곡선과 x축으로 둘러싸인 부분의 넓이가 1이다.

ㄱ. $P(X \ge m) = 0.5$ (참)

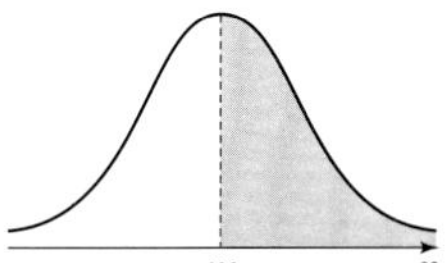

ㄴ. $P(X \ge m+\sigma) = P(X \le m-\sigma)$ (참)

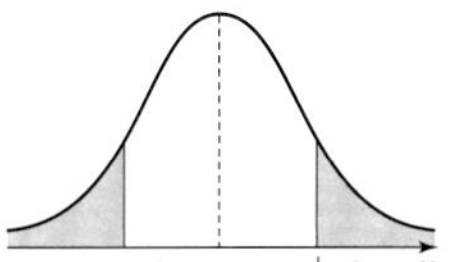

ㄷ. $P(X \ge m+\sigma) > P(X \ge m+2\sigma)$ (거짓)

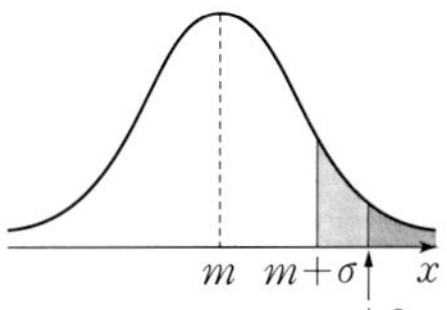

따라서 옳은 것은 ㄱ, ㄴ이다.

답 ㄱ, ㄴ

1297

정규분포를 따르는 확률변수 X가 다음 조건을 만족시킬 때, 확률변수 X가 따르는 정규분포를 기호로 나타낸 것은?

(가) $\mathrm{P}(X\leq -3)=\mathrm{P}(X\geq 13)$

(나) $\mathrm{V}\left(\frac{1}{3}X\right)=1$

• -3와 13의 중점이 m임을 이용하자.

• $\mathrm{V}(aX+b)=a^2\mathrm{V}(X)$임을 이용하자.

정규분포곡선은 직선 $x=m$에 대하여 대칭이므로
$\mathrm{P}(X\leq -3)=\mathrm{P}(X\geq 13)$에서

$m=\frac{-3+13}{2}=5$

또 $\mathrm{V}\left(\frac{1}{3}X\right)=1$에서 $\left(\frac{1}{3}\right)^2\mathrm{V}(X)=1$

$\therefore \mathrm{V}(X)=9$

따라서 확률변수 X가 따르는 정규분포를 기호로 나타내면 $\mathrm{N}(5,\ 9)$이다. 답 ③

참고 이산확률변수뿐 아니라 연속확률변수일 때도 다음이 성립한다.
확률변수 X와 두 상수 a $(a\neq 0)$, b에 대하여
(1) $\mathrm{E}(aX+b)=a\mathrm{E}(X)+b$
(2) $\mathrm{V}(aX+b)=a^2\mathrm{V}(X)$
(3) $\sigma(aX+b)=|a|\sigma(X)$

1298

아샘 고등학교 2학년 1반과 2학년 2반 학생들의 키가 각각 정규분포 $\mathrm{N}(m_1,\ \sigma_1{}^2)$, $\mathrm{N}(m_2,\ \sigma_2{}^2)$을 따른다. 두 반의 정규분포곡선이 오른쪽 그림과 같을 때, 다음 중 m_1과 m_2, σ_1과 σ_2의 대소 관계로 옳은 것은?

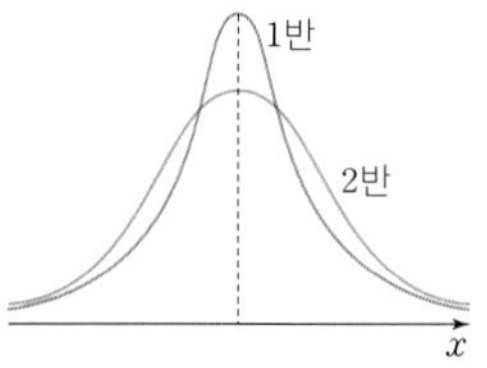

• 대칭축이 서로 같다.

• 표준편차가 작아질수록 높이는 높아지고 폭은 좁아진다.

1반과 2반의 정규분포곡선의 대칭축은 각각 $x=m_1$, $x=m_2$이다. 그런데 주어진 그림에서 대칭축은 일치하므로 $m_1=m_2$
또 정규분포곡선의 모양에서 1반 학생들의 키의 분포가 2반 학생들의 키의 분포보다 평균에 밀집해 있다.
즉, 1반 학생들의 키의 표준편차가 2반 학생들의 키의 표준편차보다 작다.
$\therefore \sigma_1<\sigma_2$ 답 ①

1299

정규분포를 따르는 확률변수 X_1, X_2의 확률밀도함수를 각각 $f(x)$, $g(x)$라 할 때, 두 정규분포 곡선이 그림과 같다. 〈보기〉 중 옳은 것을 모두 고른 것은?

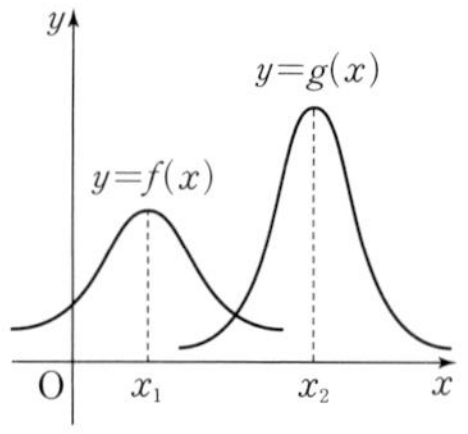

보기

ㄱ. $\mathrm{E}(X_1)<\mathrm{E}(X_2)$

ㄴ. $\sigma(X_1)<\sigma(X_2)$

ㄷ. $\mathrm{P}(X_1\leq x_1)+\mathrm{P}(X_2\geq x_2)=1$

• 표준편차가 작아질수록 높이는 높아지고 폭은 좁아진다.

• 정규분포에서 $\mathrm{P}(X\leq m)=\mathrm{P}(X\geq m)=\frac{1}{2}$임을 이용하자.

ㄱ. 확률변수 X_1, X_2의 정규분포 곡선이 각각 직선 $x=x_1$, 직선 $x=x_2$에 대하여 대칭이므로 $\mathrm{E}(X_1)=x_1$, $\mathrm{E}(X_2)=x_2$
이때, $x_1<x_2$이므로 $\mathrm{E}(X_1)<\mathrm{E}(X_2)$

ㄴ. 표준편차가 클수록 정규분포 곡선의 가운데 부분이 낮아지고 양쪽으로 퍼진다.
함수 $y=f(x)$의 그래프가 함수 $y=g(x)$의 그래프보다 양쪽으로 더 퍼져 있으므로 $\mathrm{V}(X_1)<\mathrm{V}(X_2)$

ㄷ. $\mathrm{P}(X_1\leq x_1)=\mathrm{P}(X_2\geq x_2)=0.5$이므로
$\mathrm{P}(X_1\leq x_1)+\mathrm{P}(X_2\geq x_2)=1$

따라서 옳은 것은 ㄱ, ㄷ 이다. 답 ④

1300

• 대칭축을 비교하자.

그림과 같은 세 곡선 A, B, C가 나타내는 정규분포의 평균을 각각 m_{A}, m_{B}, m_{C}라 하고, 분산을 각각 V_A, V_{B}, V_{C}라고 할 때, 다음 중 옳은 것은? (단, A를 평행이동하면 C와 일치한다.)

• 분산이 작아질수록 높이는 높아지고 폭은 좁아진다.

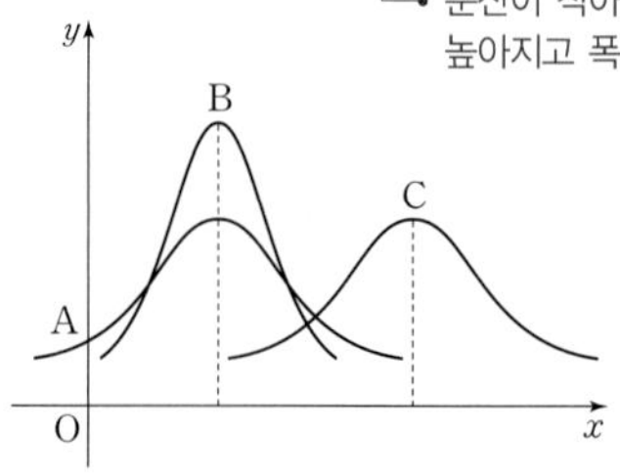

① $m_{\mathrm{A}}=m_{\mathrm{B}}<m_{\mathrm{C}}$ $\quad V_A=V_{\mathrm{B}}<V_{\mathrm{C}}$

② $m_{\mathrm{A}}=m_{\mathrm{B}}<m_{\mathrm{C}}$ $\quad V_{\mathrm{B}}<V_A=V_{\mathrm{C}}$

③ $m_{\mathrm{A}}=m_{\mathrm{C}}<m_{\mathrm{B}}$ $\quad V_{\mathrm{B}}<V_A=V_{\mathrm{C}}$

④ $m_{\mathrm{C}}<m_{\mathrm{A}}=m_{\mathrm{B}}$ $\quad V_A=V_{\mathrm{C}}<V_{\mathrm{B}}$

⑤ $m_{\mathrm{A}}<m_{\mathrm{B}}<m_{\mathrm{C}}$ $\quad V_A=V_{\mathrm{C}}<V_{\mathrm{B}}$

평균은 가장 오른쪽에 있는 것이 가장 크고
중심 근처에 많이 분포되어 뾰족한 종 모양일수록 분산이 작다.
따라서 $m_{\mathrm{A}}=m_{\mathrm{B}}<m_{\mathrm{C}}$, $\mathrm{V_B}<\mathrm{V_A}=\mathrm{V_C}$ 답 ②

1301

그림은 아샘 고등학교 1학년, 2학년, 3학년 학생들 500명씩의 몸무게를 조사하여 그 분포를 나타낸 곡선이다.

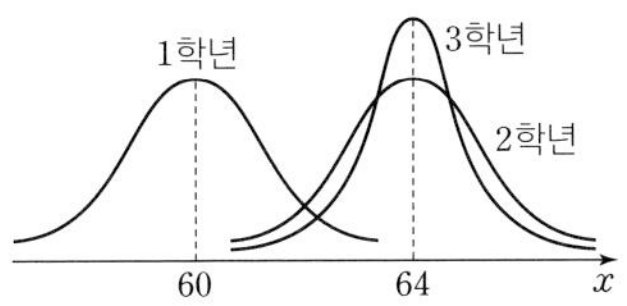

각 학년의 몸무게가 정규분포를 이룰 때, 〈보기〉에서 옳은 것만을 있는 대로 고른 것은?

• 표준편차가 작아질수록 높이는 높아지고 폭은 좁아진다.

보기

ㄱ. 가장 고른 분포를 보이는 것은 3학년이다.

ㄴ. 평균적으로 1학년 학생들은 2학년 학생들보다 가볍다.

ㄷ. 몸무게가 아주 많이 나가는 학생들은 2학년이 3학년보다 많다.

• 2학년이 3학년보다 양 끝에 더 많은 인원이 있다.

ㄱ. 3학년의 자료가 평균에 가장 밀집해 있으므로 가장 고른 분포를 보인다. (참)

ㄴ. 1학년의 평균 몸무게는 60, 2학년의 평균 몸무게는 64이므로 평균적으로 1학년 학생들이 2학년 학생들보다 가볍다. (참)

ㄷ. 2학년과 3학년의 평균 몸무게는 같지만 3학년의 몸무게의 분포가 2학년보다 평균에 집중되어 있으므로 몸무게가 아주 많이 나가는 학생들은 3학년보다 2학년에 많다. (참)

따라서 ㄱ, ㄴ, ㄷ 모두 옳다. 답 ⑤

참고 아주 많다는 것은 수학적으로 기준이 없지만 ㄷ의 내용이 옳다고 말할 수 있다.

1302

• 평균은 80, 표준편차는 5이다.

정규분포 $N(80, 5^2)$을 따르는 확률변수 X에 대하여

$P(75 \le X \le 90) = P(m - a\sigma \le X \le m + b\sigma)$

일 때, 두 상수 a, b에 대하여 $a+b$의 값을 구하시오.

(단, m은 평균, σ는 표준편차이다.)

• $75 = 80 - 5 = m - \sigma$임을 이용하자.

확률변수 X가 정규분포 $N(80, 5^2)$을 따르므로

$m=80$, $\sigma=5$

$\therefore P(75 \le X \le 90) = P(80-5 \le X \le 80+10)$

$= P(m-\sigma \le X \le m+2\sigma)$

즉, $a=1$, $b=2$이므로 $a+b=3$ 답 3

1303

정규분포 $N(m, \sigma^2)$을 따르는 확률변수 X에 대하여 $P(m \le X \le m+2\sigma) = 0.4772$이다. 확률변수 X가 정규분포 $N(50, 10^2)$을 따를 때, $P(X \le 30)$을 구하시오.

• 평균은 50, 표준편차는 10이다. • $30 = 50 - 20 = m - 2\sigma$임을 이용하자.

확률변수 X가 정규분포 $N(50, 10^2)$을 따르므로 그림과 같이 정규분포곡선은 직선 $x=50$에 대하여 대칭이다.

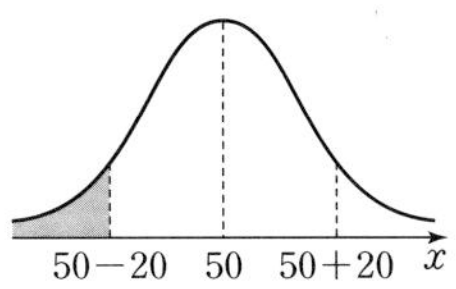

$\therefore P(X \le 30) = P(X \le 50-20)$

$= P(X \ge 50+20)$

$= P(X \ge m+2\sigma)$

$= 0.5 - P(m \le X \le m+2\sigma)$

$= 0.5 - 0.4772$

$= 0.0228$ 답 0.0228

1304

• $P(m \le X \le m+\sigma) = \frac{a}{2}$임을 이용하자.

확률변수 X가 정규분포 $N(m, \sigma^2)$을 따르고

$P(m-\sigma \le X \le m+\sigma) = a$,

$P(m-2\sigma \le X \le m+\sigma) = b$

일 때, $P(m-2\sigma \le X \le m+2\sigma)$를 a, b로 나타내면?

• $= P(m-2\sigma \le X \le m) + P(m \le X \le m+\sigma)$임을 이용하자.

$P(m-\sigma \le X \le m+\sigma) = a$에서

$2P(m \le X \le m+\sigma) = a$

$\therefore P(m \le X \le m+\sigma) = \frac{a}{2}$

$P(m-2\sigma \le X \le m+\sigma) = b$에서

$P(m-2\sigma \le X \le m) + P(m \le X \le m+\sigma) = b$

$P(m-2\sigma \le X \le m) = b - \frac{a}{2}$

$\therefore P(m \le X \le m+2\sigma) = b - \frac{a}{2}$

$\therefore P(m-2\sigma \le X \le m+2\sigma) = 2P(m \le X \le m+2\sigma)$

$= 2\left(b - \frac{a}{2}\right)$

$= 2b - a$ 답 ②

1305

• 평균은 48, 표준편차는 3이다.

확률변수 X가 정규분포 $N(48, 3^2)$을 따를 때, 오른쪽 표를 이용하여 $P(X \le a) = 0.0228$을 만족시키는 상수 a의 값을 구하면? (단, m은 평균, σ는 표준편차이다.)

x	$P(m \le X \le x)$
$m+\sigma$	0.3413
$m+2\sigma$	0.4772
$m+3\sigma$	0.4987

• $0.5 - P(a \le X \le m) = 0.0228$임을 이용하자.

$P(X \le a) = 0.0228$에서 $a < m$이므로

$0.5 - P(a \le X \le m) = 0.0228$

$\therefore P(a \le X \le m) = 0.4772$

$P(m \le X \le m+2\sigma) = 0.4772$이므로

$P(m-2\sigma \le X \le m) = 0.4772$

따라서 $a = m - 2\sigma$이므로

$a = 48 - 2 \times 3 = 42$ 답 ①

1306

> 연속확률변수 X가 갖는 값의 범위는 $0\le X\le 10$이고, X의 확률밀도함수의 그래프는 직선 $x=5$에 대하여 대칭이다.
> $P\left(X\ge\frac{5}{2}\right)=9P\left(X\ge\frac{15}{2}\right)$일 때, $P\left(5\le X\le\frac{15}{2}\right)$의 값을 구하시오.
>
> • 평균이 5임을 이용하자.
> • $\frac{5}{2}$와 $\frac{15}{2}$의 중점이 5임을 이용하자.

확률밀도함수의 그래프가 $x=5$에 대해서 대칭이므로

$P\left(X\le\frac{5}{2}\right)=P\left(X\ge\frac{15}{2}\right)=k$라고 하자.

$P\left(X\ge\frac{5}{2}\right)=9P\left(X\ge\frac{15}{2}\right)$

$1-k=9k$

$\therefore k=\frac{1}{10}$

$\therefore P\left(5\le X\le\frac{15}{2}\right)=\frac{1}{2}-k$

$=\frac{1}{2}-\frac{1}{10}$

$=\frac{2}{5}$

답 $\frac{2}{5}$

1307

> $0\le x\le 6$에서 정의된 확률변수 X의 확률밀도함수 $f(x)$가 다음 조건을 모두 만족시킬 때, $P(4\le x\le 5)$의 값을 구하시오.
>
> (가) $f(3+x)=f(3-x)$
> (나) $P(2\le X\le 4)=2P(0\le X\le 2)$
> (다) $P(5\le X\le 6)=\frac{1}{12}$
>
> • $y=f(x)$의 그래프는 $x=3$에 대하여 대칭이다.
> • $P(0\le X\le 3)=\frac{1}{2}$임을 이용하자.

$f(3+x)=f(3-x)$에서 평균은 3

$P(0\le X\le 1)=a$, $P(1\le X\le 2)=b$로 놓으면

$P(4\le X\le 5)=b$, $P(5\le X\le 6)=a$

(나)에서 $P(2\le X\le 4)=2P(0\le X\le 2)$이므로

$a+b+2(a+b)+a+b=1$

$\therefore a+b=\frac{1}{4}$

$\therefore a=\frac{1}{12}$ ($\because P(5\le X\le 6)$)

$\therefore b=\frac{1}{4}-\frac{1}{12}=\frac{1}{6}$

답 $\frac{1}{6}$

1308

> 확률변수 X가 정규분포 $N(20, 2^2)$을 따르고
> $P(|X-20|\le 2)=a$, $P(|X-20|\le 4)=b$라 할 때,
> $P(18\le X\le 24)$를 a, b로 나타낸 것은?
>
> • $P(18\le X\le 22)=a$
> • $P(16\le X\le 24)=b$임을 이용하자.

$P(|X-20|\le 2)=a$에서

$P(-2\le X-20\le 2)=a$

$\therefore P(18\le X\le 22)=a$ ……㉠

$P(|X-20|\le 4)=b$에서

$P(-4\le X-20\le 4)=b$

$\therefore P(16\le X\le 24)=b$ ……㉡

$\therefore P(18\le X\le 24)$

$=P(18\le X\le 20)+P(20\le X\le 24)$

$=\frac{1}{2}P(18\le X\le 22)+\frac{1}{2}P(16\le X\le 24)$

$=\frac{1}{2}a+\frac{1}{2}b$ ($\because$ ㉠, ㉡)

$=\frac{a+b}{2}$

답 ③

1309

> 확률변수 X가 정규분포 $N(m, \sigma^2)$을 따를 때,
> $P(X\ge m+1.2\sigma)=0.1151$이다. X의 평균이 80, 표준편차가 5일 때, $P(X\ge a)=0.8849$를 만족시키는 상수 a의 값을 구하시오.
>
> • $P(m\le X\le m+1.2\sigma)=0.5-0.1151$임을 이용하자.
> • $0.8849=1-0.1151$이다.

$P(X\ge a)=0.8849$에서

$P(a\le X\le m)+P(X\ge m)=0.8849$

$\therefore P(a\le X\le m)=0.8849-0.5=0.3849$

$P(X\ge m+1.2\sigma)=0.1151$이므로

$P(X\ge m)-P(m\le X\le m+1.2\sigma)=0.1151$

$\therefore P(m\le X\le m+1.2\sigma)=0.5-0.1151=0.3849$

즉, $P(m-1.2\sigma\le X\le m)=0.3849$이므로

$a=m-1.2\sigma$

$=80-1.2\times 5=74$

답 74

1310

> 확률변수 X가 정규분포 $N(m, \sigma^2)$을 따르고 다음 조건을 만족시킨다.
>
> (가) $P(X\ge 64)=P(X\le 56)$
> (나) $E(X^2)=3616$
>
> • 64와 56의 중점이 m임을 이용하자.
> • $E(X^2)=V(X)+\{E(X)\}^2$임을 이용하자.
>
> $P(X\le 68)$을 오른쪽 표를 이용하여 구하시오.

x	$P(m\le X\le x)$
$m+1.5\sigma$	0.4332
$m+2\sigma$	0.4772
$m+2.5\sigma$	0.4938

조건 (가)에서 $P(X\ge 64)=P(X\le 56)$이므로

$E(X)=\frac{64+56}{2}=60$

조건 (나)에서 $E(X^2)=3616$이므로

$V(X)=E(X^2)-\{E(X)\}^2$

$=3616-60^2=16$

$\therefore \sigma(X)=4$

즉, 확률변수 X는 정규분포 $N(60, 4^2)$을 따르므로

$P(X\le 68)=P(X\le 60+2\times 4)$

$=\text{P}(X\le m+2\sigma)$
$=\text{P}(X\le m)+\text{P}(m\le X\le m+2\sigma)$
$=0.5+0.4772$
$=0.9772$

답 0.9772

1311

확률변수 X가 정규분포 $\text{N}(m, \sigma^2)$일 때, 확률변수 $Z=\dfrac{X-m}{\sigma}$은 표준정규분포 $\text{N}(0, 1)$을 따른다.

확률변수 X가 정규분포 $\text{N}(70, 10^2)$을 따를 때, 오른쪽 표준정규분포표를 이용하여 $\text{P}(60\le X\le 90)$을 구하시오.

z	$\text{P}(0\le Z\le z)$
1.0	0.3413
2.0	0.4772
3.0	0.4987

$\text{P}\left(\dfrac{60-70}{10}\le Z\le\dfrac{90-70}{10}\right)=\text{P}(-1\le Z\le 2)$

확률변수 X가 정규분포 $\text{N}(70, 10^2)$을 따르므로 $Z=\dfrac{X-70}{10}$으로 놓으면 Z는 표준정규분포 $\text{N}(0, 1)$을 따른다.

$\therefore \text{P}(60\le X\le 90)=\text{P}\left(\dfrac{60-70}{10}\le Z\le\dfrac{90-70}{10}\right)$
$=\text{P}(-1\le Z\le 2)$
$=\text{P}(-1\le Z\le 0)+\text{P}(0\le Z\le 2)$
$=\text{P}(0\le Z\le 1)+\text{P}(0\le Z\le 2)$
$=0.3413+0.4772$
$=0.8185$

답 0.8185

1312

확률변수 X가 정규분포 $\text{N}(m, \sigma^2)$일 때, 확률변수 $Z=\dfrac{X-m}{\sigma}$은 표준정규분포 $\text{N}(0, 1)$을 따른다.

확률변수 X가 정규분포 $\text{N}(50, 4^2)$을 따를 때, $\text{P}(44\le X\le 54)$의 값을 오른쪽 표준정규분포표를 이용하여 구하시오.

z	$\text{P}(0\le Z\le z)$
1.0	0.3413
1.5	0.4332
2.0	0.4772
2.5	0.4938

$\text{P}\left(\dfrac{44-50}{4}\le Z\le\dfrac{54-50}{4}\right)=\text{P}(-1\le Z\le 2)$

확률변수 X는 $\text{N}(50, 4^2)$을 따르므로
$\text{P}(44\le X\le 54)$
$=\text{P}\left(\dfrac{44-50}{4}\le\dfrac{X-50}{4}\le\dfrac{54-50}{4}\right)$
$=\text{P}(-1.5\le Z\le 1)$
$=0.4332+0.3413$
$=0.7745$

답 0.7745

1313

확률변수 $Z=\dfrac{X-56}{8}$은 표준정규분포 $\text{N}(0, 1)$을 따른다.

확률변수 X가 정규분포 $\text{N}(56, 8^2)$을 따를 때, $\text{P}(X\le 48)$은? (단, $\text{P}(0\le Z\le 1)=0.3413$으로 계산한다.)

$=\text{P}\left(Z\le\dfrac{48-56}{8}\right)$임을 이용하자.

확률변수 X가 정규분포 $\text{N}(56, 8^2)$을 따르므로
$Z=\dfrac{X-56}{8}$으로 놓으면 Z는 표준정규분포 $\text{N}(0, 1)$을 따른다.

$\therefore \text{P}(X\le 48)=\text{P}\left(Z\le\dfrac{48-56}{8}\right)$
$=\text{P}(Z\le -1)$
$=\text{P}(Z\ge 1)$
$=0.5-\text{P}(0\le Z\le 1)$
$=0.5-0.3413$
$=0.1587$

답 ①

1314

표준정규분포 $\text{N}(0, 1)$을 따르는 확률변수 Z에 대하여 $\text{P}(-3\le Z\le 2)=a$, $\text{P}(0\le Z\le 3)=b$라고 할 때, $\text{P}(|Z|\ge 2)$를 a, b를 이용하여 나타낸 것은?

$=\text{P}(-3\le Z\le 0)+\text{P}(0\le Z\le 2)$임을 이용하자.

$\text{P}(|Z|\le 2)=\text{P}(-2\le Z\le 2)=2\text{P}(0\le Z\le 2)$
$\text{P}(-3\le Z\le 2)=\text{P}(-3\le Z\le 0)+\text{P}(0\le Z\le 2)$
$=\text{P}(0\le Z\le 3)+\text{P}(0\le Z\le 2)$
$a=b+\text{P}(0\le Z\le 2)$
$\therefore \text{P}(0\le Z\le 2)=a-b$
$\therefore \text{P}(|Z|\le 2)=2\text{P}(0\le Z\le 2)=2(a-b)=2a-2b$
$\therefore \text{P}(|Z|\ge 2)=1-(2a-2b)=1-2a+2b$

답 ⑤

1315

확률변수 $Z=\dfrac{X-5}{2}$는 표준정규분포 $\text{N}(0, 1)$을 따른다.

확률변수 X가 정규분포 $\text{N}(5, 2^2)$을 따를 때, 오른쪽 표준정규분포표를 이용하여 $f(x)=\text{P}(x\le X\le x+6)$의 최댓값을 구하시오.

z	$\text{P}(0\le Z\le z)$
0.5	0.19
1.0	0.34
1.5	0.43
2.0	0.48

x와 $x+6$의 중점이 5일 때 최대이다.

정규분포곡선은 직선 $x=5$에 대하여 대칭이므로 $f(x)$의 최댓값은 x와 $x+6$의 중점이 5일 때이다.

즉, $\dfrac{x+(x+6)}{2}=5$에서
$2x+6=10 \quad \therefore x=2$

$Z=\dfrac{X-5}{2}$로 놓으면 Z는 표준정규분포 $\text{N}(0, 1)$을 따르므로 구하는 최댓값은

$f(2)=\text{P}(2\le X\le 8)=\text{P}\left(\dfrac{2-5}{2}\le Z\le\dfrac{8-5}{2}\right)$
$=\text{P}(-1.5\le Z\le 1.5)=2\text{P}(0\le Z\le 1.5)$
$=2\times 0.43=0.86$

답 0.86

1316 • 확률변수 $Z=\frac{X-\frac{3}{2}}{2}$은 표준정규분포 N(0, 1)을 따른다.

확률변수 X가 평균이 $\frac{3}{2}$, 표준편차가 2인 정규분포를 따를 때, 실수 전체의 집합에서 정의된 함수 $y=H(t)$는

$H(t)=\mathrm{P}(t\le X\le t+1)$

이다. $H(0)+H(2)$의 값을 위의 표준정규분포표를 이용하여 구하시오.
• $=\mathrm{P}(0\le X\le 1)+\mathrm{P}(2\le X\le 3)$임을 이용하자.

z	$\mathrm{P}(0\le Z\le z)$
0.25	0.0987
0.50	0.1915
0.75	0.2734
1.00	0.3413

$$H(0)+H(2)=\mathrm{P}(0\le X\le 1)+\mathrm{P}(2\le X\le 3)$$
$$=\mathrm{P}\left(\frac{0-\frac{3}{2}}{2}\le Z\le \frac{1-\frac{3}{2}}{2}\right)+\mathrm{P}\left(\frac{2-\frac{3}{2}}{2}\le Z\le \frac{3-\frac{3}{2}}{2}\right)$$
$$=\mathrm{P}(-0.75\le Z\le -0.25)+\mathrm{P}(0.25\le Z\le 0.75)$$
$$=2\times(0.2734-0.0987)=0.3494$$

답 0.3494

1317 • 확률변수 $Z=\frac{X-50}{5}$은 표준정규분포 N(0, 1)을 따른다.

확률변수 X가 정규분포 $\mathrm{N}(50, 5^2)$을 따를 때, 오른쪽 표준정규분포표를 이용하여 $\mathrm{P}(X\ge a)=0.0013$을 만족시키는 상수 a의 값을 구하시오.
• $0.0013=0.5-0.4987$임을 이용하자.

z	$\mathrm{P}(0\le Z\le z)$
1.0	0.3413
2.0	0.4772
3.0	0.4987

확률변수 X는 정규분포 $\mathrm{N}(50, 5^2)$을 따르므로

$Z=\frac{X-50}{5}$으로 놓으면 Z는 표준정규분포 N(0, 1)을 따른다.

$$\mathrm{P}(X\ge a)=\mathrm{P}\left(Z\ge \frac{a-50}{5}\right)$$
$$=0.5-\mathrm{P}\left(0\le Z\le \frac{a-50}{5}\right)$$
$$=0.0013$$

즉, $\mathrm{P}\left(0\le Z\le \frac{a-50}{5}\right)=0.4987$이므로

$\frac{a-50}{5}=3$

$\therefore a=65$

답 65

1318 • 확률변수 $Z=\frac{X-15}{6}$는 표준정규분포 N(0, 1)을 따른다.

확률변수 X가 정규분포 $\mathrm{N}(15, 6^2)$을 따를 때, 오른쪽 표준정규분포표를 이용하여 $\mathrm{P}(21\le X\le a)=0.09$를 만족시키는 실수 a의 값을 구하시오.
• $0.09=0.43-0.34$임을 이용하자.

z	$\mathrm{P}(0\le Z\le z)$
0.5	0.19
1.0	0.34
1.5	0.43
2.0	0.48

확률변수 X는 정규분포 $\mathrm{N}(15, 6^2)$을 따르므로

$Z=\frac{X-15}{6}$로 놓으면 Z는 표준정규분포 N(0, 1)을 따른다.

$$\therefore \mathrm{P}(21\le X\le a)=\mathrm{P}\left(\frac{21-15}{6}\le Z\le \frac{a-15}{6}\right)$$
$$=\mathrm{P}\left(1\le Z\le \frac{a-15}{6}\right)$$
$$=\mathrm{P}\left(0\le Z\le \frac{a-15}{6}\right)-\mathrm{P}(0\le Z\le 1)$$
$$=\mathrm{P}\left(0\le Z\le \frac{a-15}{6}\right)-0.34$$
$$=0.09$$

즉, $\mathrm{P}\left(0\le Z\le \frac{a-15}{6}\right)=0.43$이므로

$\frac{a-15}{6}=1.5 \qquad \therefore a=24$

답 24

1319 • 확률변수 $Z_X=\frac{X-2}{3}$는 표준정규분포 N(0, 1)을 따른다.

확률변수 X는 정규분포 $\mathrm{N}(2, 3^2)$을 따르고, 확률변수 Y는 정규분포 $\mathrm{N}(2, 4^2)$을 따를 때, $\mathrm{P}(X\ge 2k)=\mathrm{P}(Y\ge k)$를 만족시키는 상수 k의 값을 구하시오.
• 확률변수 $Z_Y=\frac{Y-2}{4}$는 표준정규분포 N(0, 1)을 따른다.

두 확률변수 X, Y가 각각 정규분포 $\mathrm{N}(2, 3^2)$, $\mathrm{N}(2, 4^2)$을 따르므로

$Z_X=\frac{X-2}{3}$, $Z_Y=\frac{Y-2}{4}$

로 놓으면 Z_X, Z_Y는 모두 표준정규분포 N(0, 1)을 따른다.

$\mathrm{P}(X\ge 2k)=\mathrm{P}(Y\ge k)$에서

$\mathrm{P}\left(Z_X\ge \frac{2k-2}{3}\right)=\mathrm{P}\left(Z_Y\ge \frac{k-2}{4}\right)$

따라서 $\frac{2k-2}{3}=\frac{k-2}{4}$이므로

$8k-8=3k-6 \qquad \therefore k=\frac{2}{5}$

답 $\frac{2}{5}$

1320

확률변수 X가 정규분포 $\mathrm{N}(m, 5^2)$을 따를 때, $\mathrm{P}(X\ge 120)=0.0228$을 만족시키는 상수 m의 값을 구하시오.
(단, $\mathrm{P}(|Z|\le 2)=0.9544$로 계산한다.)
• $\mathrm{P}(X\ge 120)=0.5-\mathrm{P}\left(0\le Z\le \frac{120-m}{5}\right)$임을 이용하자.

확률변수 X가 정규분포 $\mathrm{N}(m, 5^2)$을 따르므로 $Z=\frac{X-m}{5}$

으로 놓으면 Z는 표준정규분포 N(0, 1)을 따른다.

$$\mathrm{P}(X\ge 120)=\mathrm{P}\left(Z\ge \frac{120-m}{5}\right)$$
$$=\mathrm{P}(Z\ge 0)-\mathrm{P}\left(0\le Z\le \frac{120-m}{5}\right)$$
$$=0.5-\mathrm{P}\left(0\le Z\le \frac{120-m}{5}\right)=0.0228$$

$\therefore \mathrm{P}\left(0\le Z\le \frac{120-m}{5}\right)=0.4772$

한편, $P(|Z|\le 2)=0.9544$에서
$P(-2\le Z\le 2)=2P(0\le Z\le 2)=0.9544$
즉, $P(0\le Z\le 2)=0.4772$이므로
$\frac{120-m}{5}=2 \quad \therefore m=110$

답 110

1321

→ $9-2a$와 $3a-3$의 중점이 5임을 이용하자.

확률변수 X가 정규분포 $N(5, 2^2)$을 따를 때, 등식 $P(X\le 9-2a)=P(X\ge 3a-3)$을 만족시키는 상수 a에 대하여 $P(9-2a\le X\le 3a-3)$의 값을 오른쪽 표준정규분포표를 이용하여 구한 것은?

z	$P(0\le Z\le z)$
1.0	0.3413
1.5	0.4332
2.0	0.4772
2.5	0.4938

확률변수 $Z=\frac{X-5}{2}$가 표준정규분포 $N(0, 1)$을 따른다는 것을 이용하자.

확률변수 X의 확률밀도함수의 그래프는 직선 $x=5$에 대하여 대칭이고 $P(X\le 9-2a)=P(X\ge 3a-3)$이므로
$\frac{(9-2a)+(3a-3)}{2}=5$에서 $a=4$
따라서 $P(9-2a\le X\le 3a-3)$
$=P(1\le X\le 9)=P\left(\frac{1-5}{2}\le Z\le \frac{9-5}{2}\right)$
$=P(-2\le Z\le 2)=2\times P(0\le Z\le 2)$
$=2\times 0.4772=0.9544$

답 ④

1322

확률변수 X가 정규분포 $N(m, \sigma^2)$을 따르고 다음 두 조건을 만족시킨다. 오른쪽 표준정규분포표를 이용하여 $P(58.5\le X\le 62)$의 값을 구하시오.

z	$P(0\le Z\le z)$
1.0	0.3413
1.5	0.4332
2.0	0.4772
2.5	0.4938
3.0	0.4987

(가) $P(X\ge 56)=P(X\le 64)$ ← 56과 64의 중점이 m임을 이용하자.
(나) $P(|X-m|\ge 1.5)=0.1336$

→ $P\left(Z\ge \frac{1.5}{\sigma}\right)=0.0668$임을 이용하자.

$P(X\ge 56)=P(X\le 64)$이므로
$m=\frac{56+64}{2}=60$
$P(|X-m|\ge 1.5)=2\times P(X-m\ge 1.5)$
$=0.1336$
$P(X-m\ge 1.5)=0.0668$
$P\left(Z\ge \frac{1.5}{\sigma}\right)=0.0668$
$\frac{1.5}{\sigma}=1.5$
$\sigma=1$

확률변수 X는 1학기 수학경시대회 $N(60, 1^2)$을 따르므로
$P(58.5\le X\le 62)=P(-1.5\le Z\le 2)$
$=0.4332+0.4772$
$=0.9104$

답 0.9104

1323

→ $y=f(x)$의 그래프는 $x=100$에 대하여 대칭이다.

정규분포 $N(m, \sigma^2)$을 따르는 확률변수 X에 대하여 확률밀도함수 $y=f(x)$가 모든 실수 x에 대하여
$f(100-x)=f(100+x)$를 만족시킨다. $P(m\le X\le m+12)=0.4987$일 때, 위의 표준정규분포표를 이용하여 $P(94\le X\le 110)$을 구하면?

z	$P(0\le Z\le z)$
1.5	0.4332
2.0	0.4772
2.5	0.4938
3.0	0.4987

→ $12=3\sigma$임을 이용하자.

$f(100-x)=f(100+x)$이므로 $y=f(x)$의 그래프는 $x=100$에 대하여 대칭이다.
$\therefore m=100$
$P(100\le X\le 112)=P(0\le Z\le 3)=0.4987$이므로
$\frac{112-100}{\sigma}=3$
$\therefore \sigma=4$
$\therefore P(94\le X\le 110)=P\left(\frac{94-100}{4}\le Z\le \frac{110-100}{4}\right)$
$=P(-1.5\le Z\le 2.5)$
$=P(0\le Z\le 1.5)+P(0\le Z\le 2.5)$
$=0.4332+0.4938$
$=0.9270$

답 ②

1324

→ 4와 $(4+2)$의 중점이 m임을 이용하자.

확률변수 X가 평균이 m, 표준편차가 σ인 정규분포를 따를 때, 실수 전체의 집합에서 정의된 함수 $f(t)$는
$f(t)=P(t\le X\le t+2)$
이다. 함수 $f(t)$는 $t=4$에서 최댓값을 갖고, $f(m)=0.3413$이다. 오른쪽 표준정규분포표를 이용하여 $f(7)$의 값을 구한 것은?

z	$P(0\le Z\le z)$
1.0	0.3413
1.5	0.4332
2.0	0.4772
2.5	0.4938

$z=\frac{7-5}{\sigma}=1$임을 이용하자.

함수 $f(t)$는 $t=4$에서 최댓값을 가지므로 $f(4)=P(4\le X\le 6)$에서 확률변수 X의 평균 m은 5이다.
$f(5)=P(5\le X\le 7)$
$=P\left(0\le Z\le \frac{7-5}{\sigma}\right)=0.3413$
$\frac{7-5}{\sigma}=1$에서 $\sigma=2$
$f(7)=P(7\le X\le 9)$
$=P\left(\frac{7-5}{2}\le Z\le \frac{9-5}{2}\right)$

$=\mathrm{P}(1\le Z\le 2)$
$=\mathrm{P}(0\le Z\le 2)-\mathrm{P}(0\le Z\le 1)=0.1359$ 답 ①

1325

• 하현이의 국어, 영어, 수학 성적을 표준화한 것을 각각 $Z_{\mathrm{P}}, Z_{\mathrm{Q}}, Z_{\mathrm{R}}$이라 하자.

다음 표는 하현이의 지난 기말고사 성적표의 일부이다. 각 과목의 성적이 정규분포를 따를 때, 다른 학생과 비교하여 상대적으로 하현이의 성적이 좋은 과목부터 순서대로 적은 것은?

성적 \ 과목	국어	영어	수학
점수(점)	84	92	80
반 평균(점)	72	85	60
표준편차(점)	12	14	15

• $Z=\frac{X-m}{\sigma}$임을 이용하자.

하현이네 반 학생들의 국어, 영어, 수학 성적을 각각 확률변수 $X_{\mathrm{A}}, X_{\mathrm{B}}, X_{\mathrm{C}}$라 하면 $X_{\mathrm{A}}, X_{\mathrm{B}}, X_{\mathrm{C}}$는 각각 정규분포 $\mathrm{N}(72, 12^2)$, $\mathrm{N}(85, 14^2)$, $\mathrm{N}(60, 15^2)$을 따르므로

$Z_{\mathrm{A}}=\frac{X_{\mathrm{A}}-72}{12}$, $Z_{\mathrm{B}}=\frac{X_{\mathrm{B}}-85}{14}$, $Z_{\mathrm{C}}=\frac{X_{\mathrm{C}}-60}{15}$

으로 놓으면 $Z_{\mathrm{A}}, Z_{\mathrm{B}}, Z_{\mathrm{C}}$는 모두 표준정규분포 $\mathrm{N}(0, 1)$을 따른다.
하현이의 국어, 영어, 수학 성적을 표준화한 것을 각각 $Z_{\mathrm{P}}, Z_{\mathrm{Q}}, Z_{\mathrm{R}}$라 하면

국어 성적: $Z_{\mathrm{P}}=\frac{84-72}{12}=1$

영어 성적: $Z_{\mathrm{Q}}=\frac{92-85}{14}=\frac{1}{2}$

수학 성적: $Z_{\mathrm{R}}=\frac{80-60}{15}=\frac{4}{3}$

표준화시킨 값이 클수록 다른 학생에 비해 성적이 좋다.
즉, $\frac{1}{2}<1<\frac{4}{3}$이므로 상대적으로 하현이의 성적이 좋은 과목부터 순서대로 적으면 수학, 국어, 영어이다. 답 ④

1326

• 각 사람의 월급을 $Z=\frac{X-m}{\sigma}$을 이용하여 표준화한 뒤 비교하자.

어느 해 한국, 미국, 일본의 대졸 신입 사원의 월급은 평균이 각각 230만 원, 3000불, 28만 엔이고 표준편차가 각각 10만 원, 300불, 2만 5천 엔인 정규분포를 따른다고 한다. 이 3개국에서 임의로 한 명씩 뽑힌 대졸 신입 사원 A, B, C의 월급이 각각 244만 원, 3250불, 31만 엔이라 할 때, 각각 자국 내에서 상대적으로 월급을 많이 받는 사람부터 순서대로 적은 것은?

한국, 미국, 일본의 대졸 신입 사원의 월급을 각각 확률변수 X_1, X_2, X_3이라 하면
X_1, X_2, X_3은 각각 정규분포 $\mathrm{N}(2300000, 100000^2)$, $\mathrm{N}(3000, 300^2)$, $\mathrm{N}(280000, 25000^2)$을 따르므로

$Z_1=\frac{X_1-2300000}{100000}$, $Z_2=\frac{X_2-3000}{300}$,

$Z_3=\frac{X_3-280000}{25000}$ 으로 놓으면

세 확률변수 Z_1, Z_2, Z_3은 모두 표준정규분포 $\mathrm{N}(0, 1)$을 따른다.
A, B, C 세 사람의 월급을 각각 표준화하면

$Z_{\mathrm{A}}=\frac{2440000-2300000}{100000}=1.4$,

$Z_{\mathrm{B}}=\frac{3250-3000}{300}=0.83\times\times\times$,

$Z_{\mathrm{C}}=\frac{310000-280000}{25000}=1.2$

이고, 그 값이 클수록 상대적으로 월급을 많이 받는다.
따라서 $Z_{\mathrm{B}}<Z_{\mathrm{C}}<Z_{\mathrm{A}}$이므로 자국 내에서 상대적으로 월급을 많이 받는 사람부터 순서대로 적으면 A, C, B이다.

답 ②

1327

어느 학교 수학경시대회에서 점수 X에 대하여 X의 평균이 m점이고, 표준편차가 σ점일 때,

$$T=20\left(\frac{X-m}{\sigma}\right)+100$$

• 정규분포 $\mathrm{N}(60, 10^2)$을 따른다.

을 X의 표준점수라 한다. 평균이 60점이고 표준편차가 10점인 1학기 수학경시대회에서 90점을 맞은 학생 A의 표준점수가 평균이 55점이고 표준편차가 15점인 2학기 수학경시대회에서 a점을 맞은 학생 B의 표준점수와 같다고 할 때, a의 값을 구하시오.

• 해당 점수를 표준점수 공식에 대입하자.

1학기 수학경시대회는 정규분포 $\mathrm{N}(60, 10^2)$을 따르고,
2학기 수학경시대회는 정규분포 $\mathrm{N}(55, 15^2)$을 따르므로

$20\times\frac{80-60}{10}+100=20\times\frac{a-55}{15}+100$

$2=\frac{a-55}{15}$

$\therefore a=85$ 답 85

1328

• A영역의 경우 $Z_{\mathrm{A}}=\frac{70-60}{20}=\frac{1}{2}$이다.

어느 고등학교 2학년 학생을 대상으로 실시한 학업성취도평가 점수는 정규분포를 따르고, 어느 한 학생의 원점수와 각 영역의 2학년 전체의 평균, 표준편차는 다음 표와 같다. 확률변수 Z가 표준정규분포 $\mathrm{N}(0, 1)$을 따를 때, 표준점수를 $T=20Z+100$이라 하자. 원점수에 대한 표준점수가 가장 큰 영역과 가장 작은 영역의 표준점수의 차는?

• $T_{\mathrm{A}}=20\times\frac{1}{2}+100$임을 이용하자.

성적 \ 영역	A	B	C
원점수(점)	70	65	57
학년 평균(점)	60	55	45
표준편차(점)	20	10	16

A, B, C 영역의 원점수를 표준화한 값을 각각 $Z_{\mathrm{A}}, Z_{\mathrm{B}}, Z_{\mathrm{C}}$, 표준점수를 $T_{\mathrm{A}}, T_{\mathrm{B}}, T_{\mathrm{C}}$라 하면

$Z_{\mathrm{A}}=\frac{70-60}{20}=\frac{1}{2}$, $T_{\mathrm{A}}=20\times\frac{1}{2}+100=110$

$Z_B = \dfrac{65-55}{10} = 1$, $T_B = 20 \times 1 + 100 = 120$

$Z_C = \dfrac{57-45}{16} = \dfrac{3}{4}$, $T_C = 20 \times \dfrac{3}{4} + 100 = 115$

따라서 구하는 표준점수의 차는

$120 - 110 = 10$

답 ②

1329

표준화 시키면 $Z_X = \dfrac{X-2}{3}$이다.

두 확률변수 X, Y가 각각 정규분포 $\mathrm{N}(2, 3^2)$, $\mathrm{N}(0, 5^2)$을 따를 때, $\mathrm{P}(2 \le X \le 8) = \mathrm{P}(0 \le Y \le k)$를 만족시키는 실수 k의 값을 구하시오.

표준화 시키면 $Z_Y = \dfrac{Y-0}{5}$이다.

두 확률변수 X, Y가 각각 정규분포 $\mathrm{N}(2, 3^2)$, $\mathrm{N}(0, 5^2)$을 따르므로

$Z_X = \dfrac{X-2}{3}$, $Z_Y = \dfrac{Y-0}{5}$

으로 놓으면 Z_X, Z_Y는 모두 표준정규분포 $\mathrm{N}(0, 1)$을 따른다.

$\mathrm{P}(2 \le X \le 8) = \mathrm{P}(0 \le Y \le k)$에서

$\mathrm{P}\left(\dfrac{2-2}{3} \le Z_X \le \dfrac{8-2}{3}\right) = \mathrm{P}\left(\dfrac{0-0}{5} \le Z_Y \le \dfrac{k-0}{5}\right)$

$\mathrm{P}(0 \le Z_X \le 2) = \mathrm{P}\left(0 \le Z_Y \le \dfrac{k}{5}\right)$

따라서 $\dfrac{k}{5} = 2$이므로

$k = 10$

답 10

1330

확률변수 Y를 확률변수 X의 확률로 바꾸어 풀자.

정규분포 $\mathrm{N}(45, 10^2)$을 따르는 확률변수 X에 대하여 확률변수 Y가 $Y = 2X - 1$일 때, 오른쪽 표준정규분포표를 이용하여 $\mathrm{P}(Y \le 79)$를 구하면?

z	$\mathrm{P}(0 \le Z \le z)$
0.5	0.1915
1.0	0.3413
1.5	0.4332
2.0	0.4772

$= \mathrm{P}(2X-1 \le 79) = \mathrm{P}(X \le 40)$임을 이용하자.

$Y = 2X - 1$이므로

$\mathrm{P}(Y \le 79) = \mathrm{P}(2X - 1 \le 79)$

$= \mathrm{P}(X \le 40)$

확률변수 X가 정규분포 $\mathrm{N}(45, 10^2)$을 따르므로

$Z = \dfrac{X-45}{10}$로 놓으면 Z는 표준정규분포 $\mathrm{N}(0, 1)$을 따른다.

$\therefore \mathrm{P}(X \le 40) = \mathrm{P}\left(Z \le \dfrac{40-45}{10}\right)$

$= \mathrm{P}(Z \le -0.5)$

$= \mathrm{P}(Z \ge 0.5)$

$= 0.5 - \mathrm{P}(0 \le Z \le 0.5)$

$= 0.5 - 0.1915$

$= 0.3085$

답 ②

1331

$Z_X = \dfrac{X-1}{1}$, $Z_Y = \dfrac{Y-1}{2}$로 놓을 수 있다.

두 확률변수 X, Y는 각각 정규분포 $\mathrm{N}(1, 1^2)$, $\mathrm{N}(1, 2^2)$을 따르고

각 확률을 표준화 시켜서 비교하자.

$a = \mathrm{P}(0 < X < 2)$, $b = \mathrm{P}(1 < Y < 5)$, $c = \mathrm{P}(-3 < Y < 3)$

이라 할 때, 다음 중 a, b, c의 대소 관계로 옳은 것은?

① $a < b < c$　② $a < c < b$　③ $b < a < c$

④ $b < c < a$　⑤ $c < b < a$

두 확률변수 X, Y가 각각 정규분포 $\mathrm{N}(1, 1^2)$, $\mathrm{N}(1, 2^2)$을 따르므로

$Z_X = \dfrac{X-1}{1}$, $Z_Y = \dfrac{Y-1}{2}$로 놓으면 Z_X, Z_Y는 모두

표준정규분포 $\mathrm{N}(0, 1)$을 따른다.

$a = \mathrm{P}(0 < X < 2) = \mathrm{P}\left(\dfrac{0-1}{1} < Z_X < \dfrac{2-1}{1}\right)$

$= \mathrm{P}(-1 < Z_X < 1)$

$b = \mathrm{P}(1 < Y < 5) = \mathrm{P}\left(\dfrac{1-1}{2} < Z_Y < \dfrac{5-1}{2}\right)$

$= \mathrm{P}(0 < Z_Y < 2)$

$c = \mathrm{P}(-3 < Y < 3) = \mathrm{P}\left(\dfrac{-3-1}{2} < Z_Y < \dfrac{3-1}{2}\right)$

$= \mathrm{P}(-2 < Z_Y < 1)$

따라서 그림의 표준정규분포곡선에서

$b < a < c$

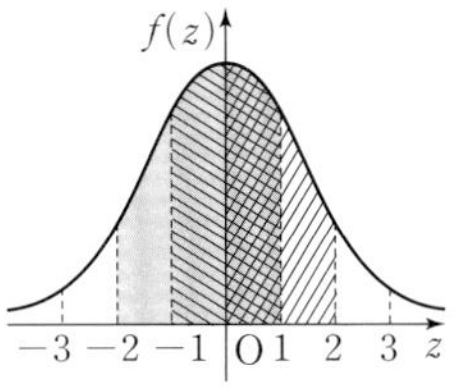

답 ③

1332

두 확률변수 X와 Y는 각각 정규분포 $\mathrm{N}(10, 3^2)$과 $\mathrm{N}(m, 3^2)$을 따른다. 각각의 확률밀도함수 $f(x)$와 $g(x)$가 다음 조건을 만족시킬 때, $\mathrm{P}(Y \le 36)$의 값을 오른쪽 표준정규분포표를 이용하여 구하시오.

z	$\mathrm{P}(0 \le Z \le z)$
1.0	0.3413
1.5	0.4332
2.0	0.4772
2.5	0.4938

(가) $\mathrm{P}(X \le 10) \le \mathrm{P}(Y \ge 25)$

(나) $f(15) = g(25)$

두 확률변수 X, Y를 표준화 시킨 뒤 오른쪽 표준정규분포표를 이용하자.

m의 값을 구할 수 있다.

조건 (가)에서 $\mathrm{P}(X \le 10) \le \mathrm{P}(Y \ge 25)$

표준화하여 비교해 보면

$\mathrm{P}(Z \le 0) \le \mathrm{P}\left(Z \ge \dfrac{25-m}{3}\right)$이므로 $\dfrac{25-m}{3} \le 0$, $m \ge 25$

조건 (나)에서 표준편차가 같으므로 $f(15) = g(25)$에서

$\dfrac{15+25}{2} = \dfrac{10+m}{2}$, $m = 30$이다.

$\mathrm{P}(Y \le 36) = \mathrm{P}\left(Z \le \dfrac{36-30}{3}\right) = \mathrm{P}(Z \le 2) = 0.9772$

답 0.9772

1333

$Z_Y=\frac{Y-3m-6}{3\sigma}$임을 이용하자.

확률변수 X가 평균이 m, 표준편차가 σ인 정규분포를 따르고, 확률변수 Y가 평균이 $3m+6$, 표준편차가 3σ인 정규분포를 따른다.

$P(X\ge a)=0.1151$

$P(Y\ge 3a+18)=0.0548$

일 때, 오른쪽 표준정규분포표를 이용하여 σ의 값을 구하시오. (단, a는 상수이다.)

a의 값을 구하자.

z	$P(0\le Z\le z)$
1.2	0.3849
1.4	0.4192
1.6	0.4452
1.8	0.4641

$P(X\ge a)=0.1151$ 이므로 $\frac{a-m}{\sigma}=1.2$

$P(Y\ge 3a+18)=0.0548$이므로

$$\frac{3a+18-3m-6}{3\sigma}=\frac{3a-3m+12}{3\sigma}=\frac{a-m}{\sigma}+\frac{4}{\sigma}$$

$$=1.2+\frac{4}{\sigma}=1.6$$

$\frac{4}{\sigma}=0.4$

$\therefore \sigma=10$

답 10

1334

두 정규분포를 모두 표준화하자.

서로 다른 두 실수 m_1, m_2에 대하여 확률변수 X는 정규분포 $N(m_1,\ 6^2)$, 확률변수 Y는 정규분포 $N(m_2,\ 6^2)$을 따르고, 확률변수 X와 Y의 확률밀도함수는 각각 $f(x)$, $g(x)$이다.

$f(48)=g(48)$,

$P(Y\ge 48)=0.9772$일 때,

$2m_1-m_2$의 값을 오른쪽 표준정규분포표를 이용하여 구하시오.

$0.9772=0.5+0.4772$임을 이용하자.

z	$P(0\le Z\le z)$
1.0	0.3413
1.5	0.4332
2.0	0.4772
2.5	0.4938

확률변수 Y는 정규분포 $N(m_2,\ 6^2)$을 따르는데,

$P(Y\ge 48)=0.9772$이므로

$\frac{48-m_2}{6}=-2$에서 $m_2=60$이다.

확률변수 X는 Y와 표준편차가 같고

$f(48)=g(48)$, $m_1\ne 60$이므로

$\frac{48-m_1}{6}=2$에서 $m_1=36$이다.

$\therefore 2m_1-m_2=2\times 36-60=12$

답 12

1335

$P(40\le Y\le 50)=P(50\le Y\le 60)$임을 이용하자.

그림은 정규분포 $N(40,\ 10^2)$, $N(50,\ 5^2)$을 따르는 두 확률변수 X, Y의 정규분포곡선을 나타낸 것이다. 그림과 같이 $40\le x\le 50$인 범위에서 두 곡선과 직선 $x=40$으로 둘러싸인 부분의 넓이를 S_1, 두 곡선과 직선 $x=50$으로 둘러싸인 부분의 넓이를 S_2라 할 때, S_2-S_1의 값을 오른쪽 표준편차정규분포표를 이용하여 구한 것은?

z	$P(0\le Z\le z)$
1	0.3413
2	0.4772
3	0.4987

$S_1=P(40\le X\le 50)-S$라 하면 $S_2=P(40\le Y\le 50)-S$임을 이용하자.

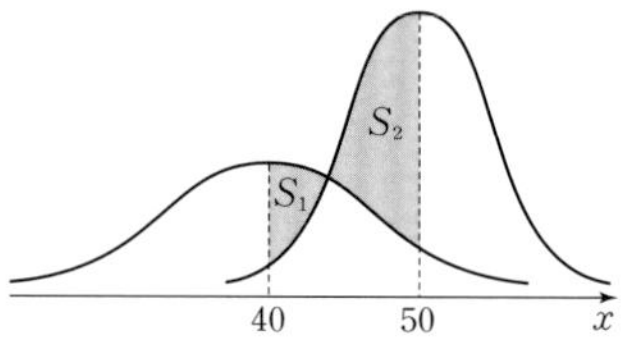

그림에서 어두운 부분의 넓이를 S라 하자.

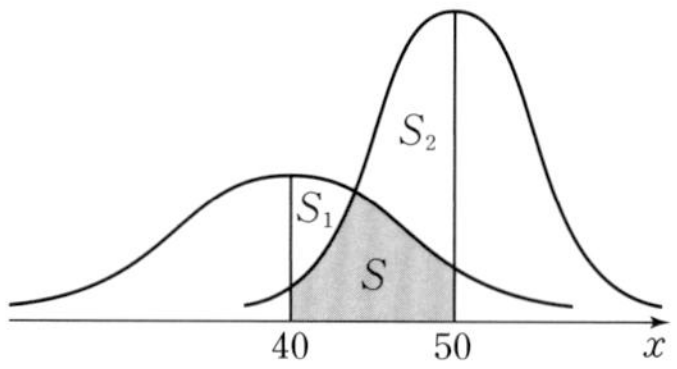

$S_1=P(40\le X\le 50)-S$

$S_2=P(40\le Y\le 50)-S=P(50\le Y\le 60)-S$

$\therefore S_2-S_1=P(50\le Y\le 60)-P(40\le X\le 50)$

$$=P\left(0\le Z\le \frac{60-50}{5}\right)-P\left(0\le Z\le \frac{50-40}{10}\right)$$

$$=P(0\le Z\le 2)-P(0\le Z\le 1)$$

$$=0.4772-0.3413=0.1359$$

답 ②

1336

분산이 같으므로 확률밀도함수의 폭과 최댓값이 같다.

확률변수 X는 정규분포 $N(m_1,\ 5^2)$을 따르고, 확률변수 Y는 정규분포 $N(m_2,\ 5^2)$을 따르며 $10\le m_1<m_2\le 20$이다. 두 확률변수 X, Y의 확률밀도함수를 각각 $f(x)$, $g(x)$라 할 때, 다음 조건을 만족할 때, 두 확률밀도함수 $y=f(x)$, $y=g(x)$의 그래프와 두 직선 $x=10$, $x=20$으로 둘러싸인 색칠한 부분의 넓이를 아래 표준정규분포표를 이용하여 구하시오.

(가) 모든 실수 x에 대하여 $f(12-x)=f(12+x)$이다.

(나) $f(10)=g(20)$

$y=f(x)$의 그래프는 $x=12$에 대하여 대칭이다.

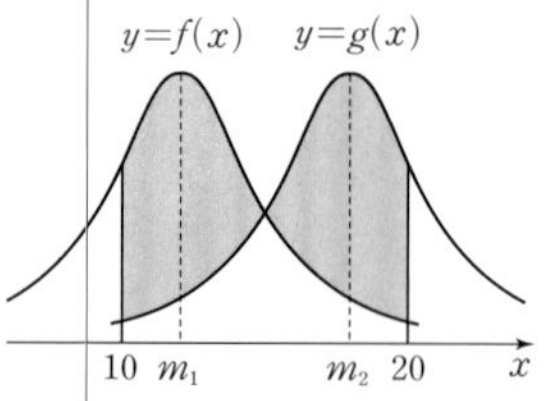

z	$P(0\le Z\le z)$
0.4	0.1554
0.6	0.2257
1.4	0.4192
1.6	0.4452

$y=f(x)$의 그래프와 $y=g(x)$의 그래프의 교점의 x좌표는 15이다.

$f(12-x)=f(12+x)$에서 $m_1=12$

$f(x)$와 $g(x)$가 만나는 x값은 $\frac{10+20}{2}=15$

$f(x)$의 10을 표준화하면 $\frac{10-12}{5}=-0.4$이므로

$g(x)$의 20을 표준화하면 0.4이어야 한다.

$\frac{20-m_2}{5}=0.4$에서

$\therefore m_2=18$

색칠한 부분의 넓이는 $f(x)$의 10에서 15까지의 넓이에서 $g(x)$의 10에서 15까지의 넓이를 뺀 것의 두 배와 같으므로

$\mathrm{P}\left(\frac{10-12}{5}\le Z\le\frac{15-12}{5}\right)=\mathrm{P}(-0.4\le Z\le 0.6)$

$=0.1554+0.2257=0.3811$

$\mathrm{P}\left(\frac{10-18}{5}\le Z\le\frac{15-18}{5}\right)=\mathrm{P}(-1.6\le Z\le -0.6)$

$=0.4452-0.2257=0.2195$

따라서 색칠한 부분의 넓이는

$2\times(0.3811-0.2195)=2\times0.1616=0.3232$ 답 0.3232

1337

• 구간의 길이가 8이므로 $k-8=20-4$, $k=20+4$일 때, $f(k)$가 최대가 된다.

연속확률변수 X는 평균이 20, 표준편차가 4인 정규분포를 따른다. 함수 $f(k)$를 $f(k)=\mathrm{P}(k-8\le X\le k)$로 정의할 때, $f(k)$에 대한 설명으로 옳은 것만을 〈보기〉에서 있는 대로 고른 것은?

보기

ㄱ. $f(12)=f(36)$ • $\mathrm{P}(4\le X\le 12)=\mathrm{P}(28\le X\le 36)$임을 이용하자.

ㄴ. 함수 $f(k)$는 $k=24$일 때 최댓값을 갖는다.

ㄷ. 임의의 실수 k에 대하여 $f(k)=f(24-k)$이다.

• $k=12$에 대하여 대칭임을 뜻한다.

ㄱ. $f(12)=\mathrm{P}(4\le X\le 12)$

$=\mathrm{P}(28\le X\le 36)=f(36)$ (참)

ㄴ. $f(k)$가 최대일 때,

$\frac{(k-8)+k}{2}=20$이므로 $k=24$이다. (참)

ㄷ. $f(k)$는 $k=24$에 대하여 대칭이다.

$f(k)=f(24-k)$는 $k=12$에 대하여 대칭임을 의미한다. (거짓)

답 ③

1338

• $\frac{2m-m}{\sigma_1}=\frac{3m-m}{\sigma_2}$임을 이용하자.

확률변수 X와 Y는 평균이 m $(m\ne0)$, 표준편차가 각각 σ_1과 σ_2인 정규분포를 따르고, 확률밀도함수가 각각 $f(x)$와 $g(x)$이다.

$\mathrm{P}(X\ge 2m)=\mathrm{P}(Y\ge 3m)$

일 때, 옳은 것만을 〈보기〉에서 있는 대로 고른 것은?

보기

ㄱ. $\sigma_2=2\sigma_1$

ㄴ. $f(m)>g(m)$ • 평균이 같을 때, 표준편차가 작아질수록 높이는 높아지고 폭은 좁아진다.

ㄷ. $\mathrm{P}(X\le 0)+\mathrm{P}(Y\ge 0)=1$

ㄱ. $\mathrm{P}(X\ge 2m)=\mathrm{P}(Y\ge 3m)$에서

$\mathrm{P}\left(\frac{X-m}{\sigma_1}\ge\frac{2m-m}{\sigma_1}\right)=\mathrm{P}\left(\frac{Y-m}{\sigma_2}\ge\frac{3m-m}{\sigma_2}\right)$

$\mathrm{P}\left(Z\ge\frac{m}{\sigma_1}\right)=\mathrm{P}\left(Z\ge\frac{2m}{\sigma_2}\right)$

이므로

$\frac{m}{\sigma_1}=\frac{2m}{\sigma_2}$

그러므로 $\sigma_2=2\sigma_1$ (참)

ㄴ. $\sigma_1<\sigma_2$이므로 $f(m)>g(m)$ (참)

ㄷ. [반례]

$m=1$, $\sigma_1=1$, $\sigma_2=2$로 놓으면

$\mathrm{P}(X\le 0)+\mathrm{P}(Y\ge 0)$

$=\mathrm{P}\left(Z\le\frac{0-1}{1}\right)+\mathrm{P}\left(Z\ge\frac{0-1}{2}\right)$

$\mathrm{P}(Z\le -1)+\mathrm{P}\left(Z\ge -\frac{1}{2}\right)\ne 1$ (거짓)

따라서 옳은 것은 ㄱ, ㄴ이다. 답 ③

1339

• $\mathrm{P}(-a\le X\le 0)=\mathrm{P}(0\le Y\le a)$임을 이용하자.

확률변수 X와 Y는 평균이 0이고 표준편차가 각각 a와 b인 정규분포를 따를 때, 〈보기〉에서 옳은 것을 모두 고른 것은?

보기

ㄱ. $\mathrm{P}(1\le X\le 2)=\mathrm{P}(2\le X\le 3)$

ㄴ. $\mathrm{P}(-a\le X\le 0)=\mathrm{P}(0\le Y\le b)$

ㄷ. $\mathrm{P}(-1\le X\le 1)=\mathrm{P}(-2\le Y\le 2)$이면 $a<b$이다.

• 평균이 같을 때, 표준편차가 작아질수록 높이는 높아지고 폭은 좁아진다.

확률변수 X, Y는 각각 정규분포 $\mathrm{N}(0,\ a^2)$, $\mathrm{N}(0,\ b^2)$을 따르므로 각각 $Z=\frac{X}{a}$, $Z=\frac{Y}{b}$로 표준화하면 모두 표준정규분포를 따른다.

ㄱ. 확률변수 X의 평균은 0이므로

$\mathrm{P}(1\le X\le 2)>\mathrm{P}(2\le X\le 3)$ (거짓)

ㄴ. $\mathrm{P}(-a\le X\le 0)=\mathrm{P}(-1\le Z\le 0)=\mathrm{P}(0\le Z\le 1)$

$\mathrm{P}(0\le Y\le b)=\mathrm{P}(0\le Z\le 1)$

$\therefore \mathrm{P}(-a\le X\le 0)=\mathrm{P}(0\le Y\le b)$ (참)

ㄷ. $\mathrm{P}(-1\le X\le 1)=2\mathrm{P}(0\le X\le 1)=2\mathrm{P}\left(0\le Z\le\frac{1}{a}\right)$

$\mathrm{P}(-2\le Y\le 2)=2\mathrm{P}(0\le Y\le 2)=2\mathrm{P}\left(0\le Z\le\frac{2}{b}\right)$

따라서 $\frac{1}{a}=\frac{2}{b}$에서 $b=2a$ (참)

이상에서 옳은 것은 ㄴ, ㄷ이다. 답 ④

1340

→ $P\left(Z\le\frac{0-m}{2\sigma}\right)=P\left(Z\ge\frac{2.5m-2m}{\sigma}\right)$임을 이용하자.

확률변수 X, Y의 평균이 m, $2m$ $(m>0)$이고 표준편차가 각각 2σ, σ인 정규분포를 따를 때, 〈보기〉에서 옳은 것만을 있는 대로 고른 것은?

보기

ㄱ. $P(X\le 0)=P\left(Y\ge\frac{5}{2}m\right)$

ㄴ. $P(m\le X\le 2m)=\frac{1}{2}P(2m\le Y\le 3m)$

ㄷ. 상수 a, b에 대하여

$P(X\ge a)+P(Y\le b)=1$일 때, $b=\frac{a+3m}{2}$

→ $P(m\le X\le 2m)=P\left(0\le Z\le\frac{m}{2\sigma}\right)$이고

$P(2m\le Y\le 3m)=P\left(0\le Z\le\frac{m}{\sigma}\right)$임을 이용하자.

확률변수 X, Y는 각각 정규분포 $N(m, (2\sigma)^2)$, $N(2m, \sigma^2)$을 따른다.

ㄱ. $P(X\le 0)=P\left(Z\le -\frac{m}{2\sigma}\right)$

$P\left(Y\ge\frac{5}{2}m\right)=P\left(Z\ge\frac{m}{2\sigma}\right)$ (참)

ㄴ. $P(m\le X\le 2m)=P\left(0\le Z\le\frac{m}{2\sigma}\right)$

$\frac{1}{2}P(2m\le Y\le 3m)=\frac{1}{2}P\left(0\le Z\le\frac{m}{\sigma}\right)$

$P(m\le X\le 2m)\ne\frac{1}{2}P(2m\le Y\le 3m)$ (거짓)

ㄷ. $P\left(Z\ge\frac{a-m}{2\sigma}\right)+P\left(Z\le\frac{b-2m}{\sigma}\right)=1$이 되려면

$\frac{a-m}{2\sigma}=\frac{b-2m}{\sigma}$이다.

$\therefore b=\frac{a+3m}{2}$ (참)

답 ③

1341

어느 양식장의 물고기 한 마리의 무게는 평균 800 g, 표준편차 50 g인 정규분포를 따른다고 한다. 이 양식장에서 임의로 선택한 물고기 한 마리의 무게가 830 g 이상일 확률을 위의 표준정규분포표를 이용하여 구하면?

z	$P(0\le Z\le z)$
0.3	0.1179
0.4	0.1554
0.5	0.1915
0.6	0.2257

→ $P(X\ge 830)=P\left(Z\ge\frac{830-800}{50}\right)$임을 이용하자.

물고기 한 마리의 무게를 확률변수 X라 하면 X는 정규분포 $N(800, 50^2)$을 따르므로 $Z=\frac{X-800}{50}$으로 놓으면 Z는 표준정규분포 $N(0, 1)$을 따른다.

$\therefore P(X\ge 830)=P\left(Z\ge\frac{830-800}{50}\right)$

$=P(Z\ge 0.6)=0.5-P(0\le Z\le 0.6)$

$=0.5-0.2257=0.2743$

답 ②

1342

정규분포 $N(56, 0.5^2)$을 따른다. ←

어느 공장에서 생산되는 테니스공 한 개의 무게는 평균 56 g, 표준편차 0.5 g인 정규분포를 따른다고 한다. 이 공장에서 생산된 테니스공 중에서 임의로 한 개를 택할 때, 이 테니스공의 무게가 55.5 g 이상 56.5 g 이하일 확률을 구하시오.

(단, $P(0\le Z\le 1)=0.3413$으로 계산한다.)

→ 확률변수 X를 $Z=\frac{X-m}{\sigma}$으로 표준화하자.

테니스공 한 개의 무게를 확률변수 X라 하면 X는 정규분포 $N(56, 0.5^2)$을 따르므로 $Z=\frac{X-56}{0.5}$으로 놓으면 Z는 표준정규분포 $N(0, 1)$을 따른다.

$\therefore P(55.5\le X\le 56.5)=P\left(\frac{55.5-56}{0.5}\le Z\le\frac{56.5-56}{0.5}\right)$

$=P(-1\le Z\le 1)$

$=2\times 0.3413$

$=0.6826$

답 0.6826

1343

→ 정규분포 $N(16, 0.3^2)$을 따른다.

어느 제과 회사에서 만든 과자 한 개의 무게는 평균이 16 g, 표준편차가 0.3 g인 정규분포를 따른다고 한다. 이 제과 회사에서 만든 과자 중 임의로 한 개를 선택할 때, 이 과자의 무게가 15.25 g 이하일 확률을 위의 표준정규분포표를 이용하여 구하면?

z	$P(0\le Z\le z)$
1.0	0.34
1.5	0.43
2.0	0.48
2.5	0.49

→ 확률변수 X를 $Z=\frac{X-m}{\sigma}$으로 표준화하자.

과자 한 개의 무게를 확률변수 X라 하면 X는 정규분포 $N(16, 0.3^2)$을 따르므로 $Z=\frac{X-16}{0.3}$으로 놓으면 Z는 표준정규분포 $N(0, 1)$을 따른다.

$\therefore P(X\le 15.25)=P\left(Z\le\frac{15.25-16}{0.3}\right)$

$=P(Z\le -2.5)$

$=0.5-P(0\le Z\le 2.5)$

$=0.5-0.49=0.01$

답 ①

1344

어떤 사람이 집에서 직장까지 자가용으로 출근하는 데 걸리는 시간은 평균 50분, 표준편차가 5분인 정규분포를 따른다고 한다. 직장 출근 시각은 9시이고 이 사람이 집에서 출발한 시각이 8시일 때, 지각할 확률을 위의 표준정규분포표를 이용하여 구하면?

z	$P(0\le Z\le z)$
1.0	0.3413
1.5	0.4332
2.0	0.4772
2.5	0.4938
3.0	0.4987

→ $P(X>60)=P\left(Z>\frac{60-50}{5}\right)$임을 이용하자.

출근하는 데 걸리는 시간을 확률변수 X라 하면 X는 정규분포 $N(50, 5^2)$을 따르므로 $Z=\frac{X-50}{5}$으로 놓으면 Z는 표준정규분포 $N(0, 1)$을 따른다.
지각할 확률은 $P(X>60)$이므로

$$P(X>60)=P\left(Z>\frac{60-50}{5}\right)=P(Z>2)=0.5-P(0\le Z\le 2)=0.5-0.4772=0.0228$$

답 ③

1345

→ $P(X\ge 2000)=P\left(Z\ge\frac{2000-1740}{500}\right)$임을 이용하자.

어느 재래시장을 이용하는 고객의 집에서 시장까지의 거리는 평균이 1740 m, 표준편차가 500 m인 정규분포를 따른다고 한다. 집에서 시장까지의 거리가 2000 m 이상인 고객 중에서 15 %, 2000 m 미만인 고객 중에서 5 %는 자가용을 이용하여 시장에 온다고 한다. 자가용을 이용하여 시장에 온 고객 중에서 임의로 1명을 선택할 때, 이 고객의 집에서 시장까지의 거리가 2000 m 미만일 확률은? (단, Z가 표준정규분포를 따르는 확률변수일 때, $P(0\le Z\le 0.52)=0.2$로 계산한다.)

→ $P(E|A)=\frac{P(E\cap A)}{P(A)}$임을 이용하자.

집에서 시장까지의 거리를 확률변수 X라 하면 X는 정규분포 $N(1740, 500^2)$을 따른다.
따라서,

$$P(X\ge 2000)=P\left(Z\ge\frac{2000-1740}{500}\right)=P(Z\ge 0.52)=0.3$$

여기에서 집에서 시장까지의 거리와 자가용 이용에 관한 표를 만들면

	자가용 이용	자가용 이용 안 함	계
2000m 미만	0.05×0.7	0.95×0.7	0.7
2000m 이상	0.15×0.3	0.85×0.3	0.3
계			1

따라서 $\frac{0.05\times 0.7}{0.05\times 0.7+0.15\times 0.3}=\frac{35}{80}=\frac{7}{16}$

답 ②

1346

→ 확률변수 $Z=\frac{X-m}{\sigma}$은 표준정규분포 $N(0, 1)$을 따른다.

확률변수 X가 정규분포 $N(1, 1^2)$을 따를 때, y에 대한 이차방정식 $y^2-2Xy+3X=0$이 허근을 가질 확률을 오른쪽 표준정규분포표를 이용하여 구하시오.

z	$P(0\le Z\le z)$
1.0	0.34
1.5	0.43
2.0	0.48
2.5	0.49

→ 판별식 $D<0$에서 $0<X<3$임을 이용하자.

이차방정식 $y^2-2Xy+3X=0$의 판별식을 D라 하면 허근을 갖기 위한 조건은

$\frac{D}{4}=X^2-3X<0$에서 $X(X-3)<0$ $\quad\therefore 0<X<3$
즉, 구하는 확률은
$P(0<X<3)=P(0\le X\le 3)$ ($\because P(X=0)=0, P(X=3)=0$)
확률변수 X가 정규분포 $N(1, 1^2)$을 따르므르
$Z=\frac{X-1}{1}$로 놓으면 Z는 표준정규분포 $N(0, 1)$을 따른다.

$$\therefore P(0\le X\le 3)=P\left(\frac{0-1}{1}\le Z\le\frac{3-1}{1}\right)=P(-1\le Z\le 2)=P(0\le Z\le 1)+P(0\le Z\le 2)=0.34+0.48=0.82$$

답 0.82

1347

→ 제품 한 개의 무게를 확률변수 X라 한 뒤 표준화하자.

어느 공장에서 생산된 제품 한 개의 무게는 평균이 50 g, 표준편차가 2 g인 정규분포를 따른다. 이 공장에서는 생산된 제품의 무게가 52.56 g 이상인 것을 최상품으로 분류하여 판매한다고 할 때, 한 달 동안 생산된 3650개의 제품 중에서 최상품으로 분류 받은 것은 몇 개인지 구하시오.

(단, $P(0\le Z\le 1.28)=0.4$로 계산한다.)

→ $P(X>52.56)=P\left(Z\ge\frac{52.56-50}{2}\right)$임을 이용하자.

제품 한 개의 무게를 확률변수 X라 하면 X는 정규분포 $N(50, 2^2)$을 따르므로 $Z=\frac{X-50}{2}$으로 놓으면 Z는 표준정규분포 $N(0, 1)$을 따른다.

$$\therefore P(X\ge 52.56)=P\left(Z\ge\frac{52.56-50}{2}\right)=P(Z\ge 1.28)=0.5-P(0\le Z\le 1.28)=0.5-0.4=0.1$$

따라서 최상품으로 분류 받은 것은
$3650\times 0.1=365$(개)

답 365개

1348

→ (구하려는 도수)=(전체 도수)×(구하려는 확률)임을 이용하자.

1000명이 지원한 어느 회사의 입사 시험 성적이 평균 70점, 표준편차 12점인 정규분포를 따를 때, 88점을 받은 지원자의 등수를 오른쪽 표준정규분포표를 이용하여 구하시오.

z	$P(0\le Z\le z)$
0.5	0.19
1.0	0.34
1.5	0.43
2.0	0.48

→ $P(X>88)=P\left(Z\ge\frac{88-70}{12}\right)$임을 이용하자.

입사 시험 성적을 확률변수 X라 하면 X는 정규분포 $N(70, 12^2)$을 따르므로 $Z=\frac{X-70}{12}$으로 놓으면 Z는 표준정규분포 $N(0, 1)$을 따른다.

$$\therefore P(X\ge 88)=P\left(Z\ge\frac{88-70}{12}\right)$$

$=\mathrm{P}(Z\ge 1.5)$
$=0.5-\mathrm{P}(0\le Z\le 1.5)$
$=0.5-0.43=0.07$

따라서 구하는 등수는

$1000\times 0.07=70$(등) 답 70등

1349 — 제품 한 개의 무게를 확률변수 X라 한 뒤 표준화하자.

> 어느 공장에서 생산되는 제품 한 개의 무게는 평균이 150 g, 표준편차가 4 g인 정규분포를 따르고, 무게가 144 g 이상 160 g 이하인 제품만 출고 합격을 받는다고 한다. 생산한 제품이 모두 1000개일 때, 출고 불합격을 받은 제품의 개수를 구하시오.
> (단, $\mathrm{P}(0\le Z\le 1.5)=0.433$, $\mathrm{P}(0\le Z\le 2.5)=0.494$로 계산한다.)
>
> — $1000\times$(불합격을 받을 확률)임을 이용하자.

제품의 무게를 확률변수 X라 하면 X는 정규분포 $\mathrm{N}(150, 4^2)$을 따르므로 $Z=\dfrac{X-150}{4}$으로 놓으면 Z는 표준정규분포 $\mathrm{N}(0, 1)$을 따른다.

$\therefore \mathrm{P}(144\le X\le 160)=\mathrm{P}\left(\dfrac{144-150}{4}\le Z\le \dfrac{160-150}{4}\right)$
$=\mathrm{P}(-1.5\le Z\le 2.5)$
$=\mathrm{P}(0\le Z\le 1.5)+\mathrm{P}(0\le Z\le 2.5)$
$=0.433+0.494=0.927$

따라서 출고 불합격을 받은 제품의 개수는

$1000\times(1-0.927)=73$ 답 73

1350 — $\mathrm{P}(X\le 60)=\mathrm{P}\left(Z\le \dfrac{60-67}{5}\right)$임을 이용하자.

> 어느 고등학교 학생 2000명의 하루 평균 인터넷 사용 시간은 평균이 67분, 표준편차가 5분인 정규분포를 따른다고 한다. 하루 평균 인터넷 사용 시간이 1시간 이하인 학생 수를 구하시오.
> (단, $\mathrm{P}(0\le Z\le 1.4)=0.419$로 계산한다.)
>
> 도수는 (전체 도수)$\times p$임을 이용하자.

인터넷 사용 시간을 확률변수 X라 하면 X는 정규분포 $\mathrm{N}(67, 5^2)$을 따르므로 $Z=\dfrac{X-67}{5}$로 놓으면 Z는 표준정규분포 $\mathrm{N}(0, 1)$을 따른다.

$\therefore \mathrm{P}(X\le 60)=\mathrm{P}\left(Z\le \dfrac{60-67}{5}\right)$
$=\mathrm{P}(Z\le -1.4)=\mathrm{P}(Z\ge 1.4)$
$=0.5-\mathrm{P}(0\le Z\le 1.4)$
$=0.5-0.419$
$=0.081$

따라서 구하는 학생 수는

$2000\times 0.081=162$ 답 162

1351 — 도수는 (전체 도수)$\times p$임을 이용하자.

> 정원이 n명인 어느 학과의 신입생 모집에 400명이 지원하였다. 응시생의 성적이 평균 395점, 표준편차 10점인 정규분포를 따르고, 합격하기 위한 최소 점수는 410점이라 할 때, 자연수 n의 값을 위의 표준정규분포표를 이용하여 구하시오.
>
> | z | $\mathrm{P}(0\le Z\le z)$ |
> |---|---|
> | 1.5 | 0.43 |
> | 2.0 | 0.48 |
> | 2.5 | 0.49 |
>
> — $\mathrm{P}(X\ge 410)=\mathrm{P}\left(Z\ge \dfrac{410-395}{10}\right)$임을 이용하자.

응시생의 성적을 확률변수 X라 하면 X는 정규분포 $\mathrm{N}(395, 10^2)$을 따르므로 $Z=\dfrac{X-395}{10}$로 놓으면 Z는 표준정규분포 $\mathrm{N}(0, 1)$을 따른다.

$\therefore \mathrm{P}(X\ge 410)=\mathrm{P}\left(Z\ge \dfrac{410-395}{10}\right)$
$=\mathrm{P}(Z\ge 1.5)$
$=0.5-\mathrm{P}(0\le Z\le 1.5)$
$=0.5-0.43=0.07$

$\therefore n=400\times 0.07=28$ 답 28

1352 — $\mathrm{P}(Z\le 2.05)=\mathrm{P}(0\le Z\le 2.05)+0.5$임을 이용하자.

> 어느 공장에서 생산되는 전구의 수명은 평균이 1000시간, 표준편차가 100시간인 정규분포를 따른다고 한다. 전구의 수명을 확률변수 X라 하면 $\mathrm{P}(X\ge a)=0.98$을 만족시키는 상수 a의 값을 위의 표준정규분포표를 이용하여 구하시오.
>
> | z | $\mathrm{P}(0\le Z\le z)$ |
> |---|---|
> | 1.28 | 0.40 |
> | 1.75 | 0.46 |
> | 2.05 | 0.48 |
>
> $\mathrm{P}(X\ge a)=\mathrm{P}\left(Z\ge \dfrac{a-1000}{100}\right)$임을 이용하자.

확률변수 X는 정규분포 $\mathrm{N}(1000, 100^2)$을 따르므로 $Z=\dfrac{X-1000}{100}$으로 놓으면 Z는 표준정규분포 $\mathrm{N}(0, 1)$을 따른다.

$\mathrm{P}(X\ge a)=\mathrm{P}\left(Z\ge \dfrac{a-1000}{100}\right)$
$=\mathrm{P}\left(\dfrac{a-1000}{100}\le Z\le 0\right)+0.5$
$=\mathrm{P}\left(0\le Z\le \dfrac{1000-a}{100}\right)+0.5=0.98$

즉, $\mathrm{P}\left(0\le Z\le \dfrac{1000-a}{100}\right)=0.48$이므로

$\dfrac{1000-a}{100}=2.05$

$\therefore a=795$ 답 795

1353 $\mathrm{P}(Z\geq 2.17)=0.015$임을 이용하자.

어느 농장의 생후 7개월 된 돼지 200마리의 무게는 평균 110 kg, 표준편차 10 kg인 정규분포를 따른다고 한다. 이 200마리의 돼지 중에서 무거운 것부터 차례로 3마리를 뽑아 우량 돼지 선발대회에 보내려고 한다. 우량 돼지 선발대회에 보낼 돼지의 최소 무게를 위의 표준정규분포표를 이용하여 구하면?

z	$\mathrm{P}(0\leq Z\leq z)$
2.12	0.483
2.17	0.485
2.29	0.489

$\mathrm{P}(X\geq k)=0.015$임을 이용하자.

돼지의 무게를 확률변수 X라 하면 X는 정규분포 $\mathrm{N}(110, 10^2)$을 따르므로 $Z=\dfrac{X-110}{10}$으로 놓으면 Z는 표준정규분포 $\mathrm{N}(0, 1)$을 따른다.

우량 돼지 선발대회에 보낼 돼지의 최소 무게를 k kg이라 하면

$\mathrm{P}(X\geq k)=\dfrac{3}{200}=0.015$

$\mathrm{P}\left(Z\geq\dfrac{k-110}{10}\right)=0.015$

$0.5-\mathrm{P}\left(0\leq Z\leq\dfrac{k-110}{10}\right)=0.015$

즉, $\mathrm{P}\left(0\leq Z\leq\dfrac{k-110}{10}\right)=0.485$이므로

$\dfrac{k-110}{10}=2.17$

$\therefore k=131.7$

따라서 구하는 최소 무게는 131.7 kg이다. 답 ②

1354 $\mathrm{P}(X\geq k)=0.1$이다.

어느 농장에서 생산되는 달걀 한 개의 무게는 정규분포 $\mathrm{N}(54, 9^2)$을 따른다고 한다. 이 농장에서 생산되는 달걀 중 무게가 상위 10% 이내인 것을 특란으로 포장하여 판매한다면 특란의 무게는 약 몇 g 이상인가? (단, $\mathrm{P}(0\leq Z\leq 1.28)=0.4$로 계산한다.)

$\mathrm{P}\left(0\leq Z\leq\dfrac{k-54}{9}\right)=0.4$임을 이용하자.

달걀 한 개의 무게를 확률변수 X라 하면 X는 정규분포 $\mathrm{N}(54, 9^2)$을 따르므로 $Z=\dfrac{X-54}{9}$로 놓으면 Z는 표준정규분포 $\mathrm{N}(0, 1)$을 따른다.

상위 10% 이내인 달걀의 최저 무게를 k g이라 하면

$\mathrm{P}(X\geq k)=0.1$

$\mathrm{P}\left(Z\geq\dfrac{k-54}{9}\right)=0.1$

$0.5-\mathrm{P}\left(0\leq Z\leq\dfrac{k-54}{9}\right)=0.1$

즉, $\mathrm{P}\left(0\leq Z\leq\dfrac{k-54}{9}\right)=0.4$이므로

$\dfrac{k-54}{9}=1.28,\ k-54=11.52$

$\therefore k=65.52$

따라서 특란의 무게는 약 65.5 g 이상이다. 답 ⑤

1355 $\mathrm{P}(X\geq k)=\dfrac{140}{2000}=0.07$임을 이용하자.

140명의 신입사원을 뽑는 어느 회사의 입사 시험에 2000명이 응시하였다. 응시자들의 성적은 평균이 70점, 표준편차가 12점인 정규분포를 따른다고 할 때, 몇 점 이상이어야 합격할 수 있는지 위의 표준정규분포표를 이용하여 구하시오. (단, 동점자는 없다.)

z	$\mathrm{P}(0\leq Z\leq z)$
0.5	0.19
1.0	0.34
1.5	0.43
2.0	0.48

$\mathrm{P}\left(Z\geq\dfrac{k-70}{12}\right)=0.07$임을 이용하자.

응시자의 성적을 확률변수 X라 하면 X는 정규분포 $\mathrm{N}(70, 12^2)$을 따르므로 $Z=\dfrac{X-70}{12}$으로 놓으면 Z는 표준정규분포 $\mathrm{N}(0, 1)$을 따른다.

합격자의 최저 점수를 k점이라 하면

$\mathrm{P}(X\geq k)=\dfrac{140}{2000}=0.07$

$\mathrm{P}\left(Z\geq\dfrac{k-70}{12}\right)=0.07$

$0.5-\mathrm{P}\left(0\leq Z\leq\dfrac{k-70}{12}\right)=0.07$

즉, $\mathrm{P}\left(0\leq Z\leq\dfrac{k-70}{12}\right)=0.43$이므로

$\dfrac{k-70}{12}=1.5,\ k-70=18$

$\therefore k=88$

따라서 88점 이상이어야 합격할 수 있다. 답 88점

1356 $a=400\times0.02$임을 이용하자.

어느 고등학교에서 학생 400명의 기말고사 성적에 따라 상위 2% 안에 드는 학생에게 장학금을 지급한다고 한다. 학생 전체의 성적이 평균 77점, 표준편차 3점인 정규분포를 따른다고 할 때, 장학금을 받는 학생 수를 a, 장학금을 받기 위한 최소 점수를 b점이라 하자. $a+b$의 값을 위의 표준정규분포표를 이용하여 구하시오.

z	$\mathrm{P}(0\leq Z\leq z)$
1.25	0.39
1.75	0.46
2.00	0.48
2.50	0.49

$\mathrm{P}(X\geq b)=\mathrm{P}\left(Z\geq\dfrac{b-77}{3}\right)$임을 이용하자.

전체 400명 중에서 상위 2% 안에 드는 학생 수는

$a=400\times0.02=8$

기말고사 성적을 확률변수 X라 하면 X는 정규분포 $\mathrm{N}(77, 3^2)$을 따르므로 $Z=\dfrac{X-77}{3}$로 놓으면 Z는 표준정규분포 $\mathrm{N}(0, 1)$을 따른다.

$\mathrm{P}(X\geq b)=0.02$

$\mathrm{P}\left(Z\geq\dfrac{b-77}{3}\right)=0.02$

$0.5-\mathrm{P}\left(0\leq Z\leq\dfrac{b-77}{3}\right)=0.02$

즉, $P\left(0 \le Z \le \frac{b-77}{3}\right)=0.48$이므로

$\frac{b-77}{3}=2 \quad \therefore b=83$

$\therefore a+b=8+83=91$

답 91

1357 • $P(X \ge k)=\frac{200}{1000}=0.2$임을 이용하자.

모집인원이 200명인 어느 대학의 입학시험에 1000명의 수험생이 응시하였다. 수험생의 점수는 평균이 156점이고 표준편차가 20점인 정규분포를 따른다고 할 때, 합격하기 위한 최저 점수를 위의 표준정규분포표를 이용하여 구한 것은? • $P(X \ge k)=P\left(Z \ge \frac{k-156}{20}\right)$임을 이용하자.

z	$P(0 \le Z \le z)$
0.52	0.20
0.67	0.25
0.84	0.30
1.00	0.34

수험생의 점수를 확률변수 X라 하면, X는 정규분포 $N(156, 20^2)$을 따른다.

합격하기 위한 최저 점수를 k(점)이라 하면

$P(X \ge k)=P\left(Z \ge \frac{k-156}{20}\right)=\frac{200}{1000}=0.2$

$P\left(0 \le Z \le \frac{k-156}{20}\right)=0.3$

$\frac{k-156}{20}=0.84$

$\therefore k=172.8$

답 ⑤

1358 • $P(X \le 98)=P\left(Z \le \frac{98-86}{15}\right)$

A 과수원에서 생산하는 귤의 무게는 평균이 86, 표준편차가 15인 정규분포를 따르고, B 과수원에서 생산하는 귤의 무게는 평균이 88, 표준편차가 10인 정규분포를 따른다고 한다. A 과수원에서 임의로 선택한 귤의 무게가 98 이하일 확률과 B 과수원에서 임의로 선택한 귤의 무게가 a 이하일 확률이 같을 때, a의 값을 구하시오. (단, 귤의 무게의 단위는 g이다.)

• $P(Y \le a)=P\left(Z \le \frac{a-88}{10}\right)$임을 이용하자.

A 과수원에서 생산하는 귤의 무게를 확률변수 X라 하면

X는 정규분포 $N(86, 15^2)$을 따른다.

또, B 과수원에서 생산하는 귤의 무게를 확률변수 Y라 하면

Y는 정규분포 $N(88, 10^2)$을 따른다.

A 과수원에서 임의로 선택한 귤의 무게가 98 이하일 확률과 B 과수원에서 임의로 선택한 귤의 무게가 a 이하일 확률이 같으므로

$P(X \le 98)=P(Y \le a)$에서

$P\left(Z \le \frac{98-86}{15}\right)=P\left(Z \le \frac{a-88}{10}\right)$

$\therefore a=96$

답 96

1359 • 반응 시간을 확률변수 X라 하고 표준화하자.

어떤 동물의 특정 자극에 대한 반응 시간은 평균이 m, 표준편차가 1인 정규분포를 따른다고 한다. 반응 시간이 2.93 미만일 확률이 0.1003일 때, m의 값을 위의 표준정규분포표를 이용하여 구하시오.

• $P(Z < 2.93-m)=0.1003$임을 이용하자.

z	$P(0 \le Z \le z)$
0.91	0.3186
1.28	0.3997
1.65	0.4505
2.02	0.4783

반응 시간을 확률변수 X라 하면 X는 정규분포 $N(m, 1)$을 따르므로 $Z=X-m$으로 놓으면 Z는 표준정규분포 $N(0, 1)$을 따른다.

$P(X<2.93)=0.1003$이므로

$P(Z<2.93-m)=P(Z>m-2.93)$

$=0.5-P(0 \le Z \le m-2.93)$

$=0.1003$

즉, $P(0 \le Z \le m-2.93)=0.3997$이므로

$m-2.93=1.28$

$\therefore m=4.21$

답 4.21

1360 A의 무게를 확률변수 X, B의 무게를 확률변수 Y라 하고 표준화하자.

어느 공장에서 생산되는 제품 A의 무게는 정규분포 $N(m, 1)$을 따르고, 제품 B의 무게는 정규분포 $N(2m, 4)$를 따른다. 이 공장에서 생산된 제품 A와 제품 B에서 임의로 제품을 1개씩 선택할 때, 선택된 제품 A의 무게가 k 이상일 확률과 선택된 제품 B의 무게가 k 이하일 확률이 같다. $\frac{k}{m}$의 값은?

• $P(X \ge k)=P(Y \le k)$임을 이용하자.

두 제품 A, B의 무게를 각각 확률변수 X, Y라 하면 X는 정규분포 $N(m, 1^2)$을 따르고, Y는 정규분포 $N(2m, 2^2)$을 따르므로

$P(X \ge k)=P(Z \ge k-m)$

$P(Y \le k)=P\left(Z \le \frac{k-2m}{2}\right)$

$=P\left(Z \ge -\frac{k-2m}{2}\right)$

두 확률이 같으므로

$k-m=-\frac{k-2m}{2}$

$2k-2m=-k+2m$

$3k=4m$

$\therefore \frac{k}{m}=\frac{4}{3}$

답 ⑤

1361 → $P\left(0\le Z\le \frac{80-m}{\sigma}\right)=0.41$임을 이용하자.

> 어느 학교 3학년 학생의 A과목 시험 점수는 평균이 m, 표준편차가 σ인 정규분포를 따르고, B과목 시험 점수는 평균이 $m+3$, 표준편차가 σ인 정규분포를 따른다고 한다. 이 학교 3학년 학생 중에서 A과목 시험 점수가 80점 이상인 학생의 비율이 9%이고, B과목 시험 점수가 80점 이상인 학생의 비율이 15%일 때, $m+\sigma$의 값은? (단, Z가 표준정규분포를 따르는 확률변수일 때, $P(0\le Z\le 1.04)=0.35$, $P(0\le Z\le 1.34)=0.41$로 계산한다.)
>
> → $P\left(0\le Z\le \frac{80-m-3}{\sigma}\right)=0.35$임을 이용하자.

두 과목 A, B의 시험 점수를 각각 확률변수 X, Y라 하면 X는 정규분포 $N(m,\ \sigma^2)$을 따르고, Y는 정규분포 $N(m+3,\ \sigma^2)$을 따르므로

$P(X\ge 80)=P\left(Z\ge \frac{80-m}{\sigma}\right)=0.09$

즉, $P\left(0\le Z\le \frac{80-m}{\sigma}\right)=0.5-0.09=0.41$

이므로

$\frac{80-m}{\sigma}=1.34$

$\therefore m+1.34\sigma=80$ ……㉠

$P(Y\ge 80)=P\left(Z\ge \frac{80-m-3}{\sigma}\right)=0.15$

즉, $P\left(0\le Z\le \frac{80-m-3}{\sigma}\right)=0.5-0.15=0.35$

이므로

$\frac{80-m-3}{\sigma}=1.04$

$\therefore m+1.04\sigma=77$ ……㉡

㉠, ㉡을 연립하여 풀면

$m=66.6$, $\sigma=10$

$\therefore m+\sigma=76.6$

답 ⑤

1362 → $P(X\le 98)=P\left(Z\le \frac{98-86}{15}\right)$

> A과수원에서 생산하는 귤의 무게는 평균이 86, 표준편차가 15인 정규분포를 따르고, B과수원에서 생산하는 귤의 무게는 평균이 88, 표준편차가 10인 정규분포를 따른다고 한다. A과수원에서 임의로 선택한 귤의 무게가 98 이하일 확률과 B과수원에서 임의로 선택한 귤의 무게가 a 이하일 확률이 같을 때, a의 값을 구하시오. (단, 귤의 무게의 단위는 g이다.)
>
> → $P(Y\le a)=P\left(Z\le \frac{a-88}{10}\right)$임을 이용하자.

A과수원에서 생산하는 귤의 무게를 확률변수 X라 하면 X는 정규분포 $N(86,\ 15^2)$을 따른다. 또 B과수원에서 생산하는 귤의 무게를 확률변수 Y라 하면 Y는 정규분포 $N(88,\ 10^2)$을 따른다. A과수원에서 임의로 선택한 귤의 무게가 98 이하일 확률과 B과수원에서 임의로 선택한 귤의 무게가 a 이하일 확률이 같으므로

$P(X\le 98)=P(Y\le a)$에서

$P\left(Z\le \frac{98-86}{15}\right)=P\left(Z\le \frac{a-88}{10}\right)$

$\frac{a-88}{10}=\frac{98-86}{15}=\frac{4}{5}$

$a-88=8$

$\therefore a=96$

답 96

1363 → A건전지의 수명을 확률변수 X, B건전지의 수명을 확률변수 Y라 놓고 표준화하자.

> 어느 공장에서는 2종류의 건전지 A, B를 생산하고 있는데, A 건전지의 수명은 평균이 m, 표준편차가 σ_1인 정규분포를 따르고, B 건전지의 수명은 평균이 $m+10$, 표준편차가 σ_2인 정규분포를 따른다고 한다. A 건전지의 수명이 $m+3$ 이상일 확률과 B 건전지의 수명이 $m+4$ 이하일 확률이 같을 때, $\frac{\sigma_2}{\sigma_1}$의 값을 구하시오.
>
> → $P(X\ge m+3)=P(Y\le m+4)$임을 이용하자.

A 건전지의 수명을 확률변수 X, B 건전지의 수명을 확률변수 Y라 하자.

확률변수 X는 정규분포 $N(m,\ \sigma_1^2)$을 따른다.

확률변수 Y는 정규분포 $N(m+10,\ \sigma_2^2)$을 따른다.

$P(X\ge m+3)=P(Y\le m+4)$

$P\left(\frac{X-m}{\sigma_1}\ge \frac{(m+3)-m}{\sigma_1}\right)$

$=P\left(\frac{Y-(m+10)}{\sigma_2}\le \frac{(m+4)-(m+10)}{\sigma_2}\right)$

➡ $P\left(Z\ge \frac{3}{\sigma_1}\right)=P\left(Z\le \frac{-6}{\sigma_2}\right)$

$\frac{3}{\sigma_1}+\frac{(-6)}{\sigma_2}=0$

$\therefore \frac{3}{\sigma_1}=\frac{6}{\sigma_2}$

$\therefore \frac{\sigma_2}{\sigma_1}=2$

답 2

1364 → 확률변수 X가 이항분포 $B(n,\ p)$를 따르고, n이 충분히 클 때, X는 근사적으로 정규분포 $N(np,\ npq)$를 따른다.

> 확률변수 X가 이항분포 $B\left(100,\ \frac{1}{5}\right)$을 따를 때, X는 정규분포 $N(m,\ \sigma^2)$을 따른다. $m+3\sigma^2$의 값은?

확률변수 X는 이항분포 $B\left(100,\ \frac{1}{5}\right)$을 따르므로

$m=100\times\frac{1}{5}=20$, $\sigma^2=100\times\frac{1}{5}\times\frac{4}{5}=16$

$\therefore m+3\sigma^2=20+3\times16=68$

답 ②

1365 → $E(X)=120$, $V(X)=100$이다.

> 확률변수 X가 이항분포 $B\left(720,\ \frac{1}{6}\right)$을 따를 때, $P(100\le X\le 140)$은? (단, $P(0\le Z\le 2)=0.4772$로 계산한다.)
>
> → n이 충분히 크므로 확률변수 X는 $N(120,\ 10^2)$을 따른다.

확률변수 X는 이항분포 $B\left(720, \frac{1}{6}\right)$을 따르므로

$E(X)=720\times\frac{1}{6}=120$,

$V(X)=720\times\frac{1}{6}\times\frac{5}{6}=100$

따라서 확률변수 X는 근사적으로 정규분포 $N(120, 10^2)$을 따르므로

$$P(100\le X\le 140)=P\left(\frac{100-120}{10}\le Z\le\frac{140-120}{10}\right)$$
$$=P(-2\le Z\le 2)=2P(0\le Z\le 2)$$
$$=2\times 0.4772=0.9544$$

답 ⑤

1366

확률변수 X가 이항분포 $B\left(180, \frac{5}{6}\right)$를 따를 때, 오른쪽 표준정규분포표를 이용하여 $P(X\le 155)$를 구하시오.

z	$P(0\le Z\le z)$
1.0	0.3413
1.5	0.4332
2.0	0.4772
2.5	0.4938

• 확률변수 X가 이항분포 $B(n, p)$를 따르고, n이 충분히 클 때, X는 근사적으로 정규분포 $N(np, npq)$를 따른다.

확률변수 X는 이항분포 $B\left(180, \frac{5}{6}\right)$를 따르므로

$E(X)=180\times\frac{5}{6}=150$, $V(X)=180\times\frac{5}{6}\times\frac{1}{6}=25$

따라서 확률변수 X는 근사적으로 정규분포 $N(150, 5^2)$을 따르므로

$$P(X\le 155)=P\left(Z\le\frac{155-150}{5}\right)$$
$$=P(Z\le 1)$$
$$=0.5+P(0\le Z\le 1)$$
$$=0.5+0.3413=0.8413$$

답 0.8413

1367

• $E(X)=50$, $V(X)=25$이다.

확률변수 X가 이항분포 $B\left(100, \frac{1}{2}\right)$을 따르고, 확률변수 Z가 표준정규분포 $N(0, 1)$을 따를 때, $P(40\le X\le 50)=P(0\le Z\le c)$를 만족시키는 상수 c의 값은?

• n이 충분히 크므로 확률변수 X는 $N(50, 5^2)$을 따른다.

확률변수 X가 이항분포 $B\left(100, \frac{1}{2}\right)$을 따르므로

$E(X)=100\times\frac{1}{2}=50$, $V(X)=100\times\frac{1}{2}\times\frac{1}{2}=25$

따라서 확률변수 X는 근사적으로 정규분포 $N(50, 5^2)$을 따르므로

$$P(40\le X\le 50)=P\left(\frac{40-50}{5}\le Z\le\frac{50-50}{5}\right)$$
$$=P(-2\le Z\le 0)$$
$$=P(0\le Z\le 2)$$

$\therefore c=2$

답 ④

1368

확률변수 X에 대하여

$$P(X=r)={}_{180}C_r\left(\frac{1}{6}\right)^r\left(\frac{5}{6}\right)^{180-r}\ (r=0, 1, 2, \cdots, 180)$$

일 때, $P(20\le X\le 40)$은? (단, $P(0\le Z\le 2)=0.48$로 계산한다.)

• $n=180$, $p=\frac{1}{6}$인 이항분포를 따른다.

• X는 근사적으로 정규분포 $N(np, npq)$를 따른다.

확률변수 X는 이항분포 $B\left(180, \frac{1}{6}\right)$을 따르므로

$E(X)=180\times\frac{1}{6}=30$, $V(X)=180\times\frac{1}{6}\times\frac{5}{6}=25$

따라서 확률변수 X는 근사적으로 정규분포 $N(30, 5^2)$을 따르므로

$$P(20\le X\le 40)=P\left(\frac{20-30}{5}\le Z\le\frac{40-30}{5}\right)$$
$$=P(-2\le Z\le 2)$$
$$=2P(0\le Z\le 2)$$
$$=2\times 0.48=0.96$$

답 ④

1369

• $P(351\le X\le 369)$임을 이용하자.

$\sum_{k=351}^{369} {}_{400}C_k\left(\frac{9}{10}\right)^k\left(\frac{1}{10}\right)^{400-k}$의 값을 오른쪽 표준정규분포표를 이용하여 구한 것은?

z	$P(0\le Z\le z)$
0.5	0.1915
1.0	0.3413
1.5	0.4332
2.0	0.4772

① 0.1587 ② 0.3085 ③ 0.6826 ④ 0.8664 ⑤ 0.9544

• 이항분포를 정규분포로 바꾼 후 표준화하자.

$\sum_{k=351}^{369} {}_{400}C_k\left(\frac{9}{10}\right)^k\left(\frac{1}{10}\right)^{400-k}$의 값은 확률변수 X가 이항분포 $B\left(400, \frac{9}{10}\right)$를 따를 때 확률 $P(351\le X\le 369)$의 값과 같다.

$E(X)=400\times\frac{9}{10}=360$, $V(X)=400\times\frac{9}{10}\times\frac{1}{10}=36$

이고, 시행 횟수 400이 충분히 크므로 확률변수 X는 근사적으로 정규분포 $N(360, 6^2)$을 따른다.

$$\therefore P(351\le X\le 369)=P\left(\frac{351-360}{6}\le Z\le\frac{369-360}{6}\right)$$
$$=P(-1.5\le Z\le 1.5)$$
$$=2P(0\le Z\le 1.5)$$
$$=2\times 0.4332$$
$$=0.8664$$

답 ④

1370

• 확률변수 X가 이항분포 $B\left(48, \frac{1}{4}\right)$을 따를 때, $P(9\le X\le 21)$임을 이용하자.

${}_{48}C_9\left(\frac{1}{4}\right)^9\left(\frac{3}{4}\right)^{39}+{}_{48}C_{10}\left(\frac{1}{4}\right)^{10}\left(\frac{3}{4}\right)^{38}+\cdots+{}_{48}C_{21}\left(\frac{1}{4}\right)^{21}\left(\frac{3}{4}\right)^{27}$의 값을 구하시오.

(단, $P(0\le Z\le 1)=0.3413$, $P(0\le Z\le 3)=0.4987$로 계산한다.)

주어진 식의 값은 이항분포 $B\left(48, \frac{1}{4}\right)$을 따르는 확률변수 X에

대하여 확률 $P(9\le X\le 21)$과 같다.

$E(X)=48\times\frac{1}{4}=12$, $V(X)=48\times\frac{1}{4}\times\frac{3}{4}=9$

따라서 확률변수 X는 근사적으로 정규분포 $N(12, 3^2)$을 따르므로

$$P(9\le X\le 21)=P\left(\frac{9-12}{3}\le Z\le\frac{21-12}{3}\right)$$
$$=P(-1\le Z\le 3)$$
$$=P(0\le Z\le 1)+P(0\le Z\le 3)$$
$$=0.3413+0.4987$$
$$=0.84$$

답 0.84

1371

• X는 이항분포 $B(100, p)$를 따른다.

> 이산확률변수 X의 확률질량함수가
> $P(X=x)={}_{100}C_x p^x(1-p)^{100-x}$
> ($x=0, 1, 2, \cdots, 100$이고 $0<p<1$)
> 이고 $E(X)=20$일 때, $P(X\le 30)$을 구하시오.
> (단, $P(0\le Z\le 2)=0.4772$, $P(0\le Z\le 2.5)=0.4938$로 계산한다.)
> • 이항분포를 정규분포로 바꾼 후 표준화하자.

확률변수 X는 이항분포 $B(100, p)$를 따르므로

$E(X)=20$에서 $100p=20$

$\therefore p=\frac{1}{5}$

$\therefore V(X)=100\times\frac{1}{5}\times\frac{4}{5}=16$

따라서 확률변수 X는 근사적으로 정규분포 $N(20, 4^2)$을 따르므로

$$P(X\le 30)=P\left(Z\le\frac{30-20}{4}\right)$$
$$=P(Z\le 2.5)$$
$$=0.5+P(0\le Z\le 2.5)$$
$$=0.5+0.4938$$
$$=0.9938$$

답 0.9938

1372

• 면역력이 생길 확률을 p라 하면 확률변수 X는 이항분포 $B(n, p)$를 따른다.

> 어느 독감 백신을 접종한 n명을 대상으로 면역력 조사를 실시했다. 면역력이 생긴 사람의 수를 확률변수 X라 하면 X는 정규분포 $N(48, 36)$을 따른다고 할 때, n의 값은?
> (단, 각각의 사람에게 면역력이 생길 확률은 같다.)
> • $np=48$, $np(1-p)=36$을 이용하여 p와 n을 구하자.

면역력이 생길 확률을 p라 하면 확률변수 X는 이항분포 $B(n, p)$를 따른다.

$E(X)=np=48$ ……㉠

$V(X)=np(1-p)=36$ ……㉡

㉠을 ㉡에 대입하면 $1-p=\frac{3}{4}$

$\therefore p=\frac{1}{4}$

$p=\frac{1}{4}$을 ㉠에 대입하면

$\frac{1}{4}n=48$ $\therefore n=192$

답 ③

1373

• 2의 눈이 나오는 횟수를 X라 하면, X는 $B\left(720, \frac{1}{6}\right)$을 따른다.

> 한 개의 주사위를 720회 던질 때, 2의 눈이 110회 이상 나올 확률을 오른쪽 표준정규분포표를 이용하여 구하시오.
> • 이항분포를 정규분포로 바꾼 후 표준화하자.

z	$P(0\le Z\le z)$
1.0	0.3413
1.5	0.4332
2.0	0.4772
2.5	0.4938

2의 눈이 나오는 횟수를 확률변수 X라 하면 X는 이항분포 $B\left(720, \frac{1}{6}\right)$을 따르므로

$E(X)=720\times\frac{1}{6}=120$, $V(X)=720\times\frac{1}{6}\times\frac{5}{6}=100$

따라서 확률변수 X는 근사적으로 정규분포 $N(120, 10^2)$을 따르므로

$$P(X\ge 110)=P\left(Z\ge\frac{110-120}{10}\right)$$
$$=P(Z\ge -1)$$
$$=0.5+P(0\le Z\le 1)$$
$$=0.5+0.3413$$
$$=0.8413$$

답 0.8413

1374

• 접속에 성공한 이용자 수를 확률변수 X라하면 X는 이항분포 $B\left(100, \frac{1}{2}\right)$을 따른다.

> 어느 게임의 접속 성공률이 오후 5시에서 6시 사이에는 50 %라고 한다. 어느 날 오후 5시 30분에 이 게임의 이용자 100명이 접속을 시도했을 때, 이들 중에서 45명 이하가 접속에 성공할 확률을 위의 표준정규분포표를 이용하여 구하시오.
> • X는 근사적으로 정규분포 $N(50, 5^2)$을 따른다.

z	$P(0\le Z\le z)$
1.0	0.3413
1.5	0.4332
2.0	0.4772
2.5	0.4938

접속에 성공한 이용자 수를 확률변수 X라 하면 X는 이항분포 $B\left(100, \frac{1}{2}\right)$을 따르므로

$E(X)=100\times\frac{1}{2}=50$, $V(X)=100\times\frac{1}{2}\times\frac{1}{2}=25$

즉, 확률변수 X는 근사적으로 정규분포 $N(50, 5^2)$을 따르므로

$$P(X\le 45)=P\left(Z\le\frac{45-50}{5}\right)$$
$$=P(Z\le -1)=P(Z\ge 1)$$
$$=0.5-P(0\le Z\le 1)$$
$$=0.5-0.3413=0.1587$$

답 0.1587

1375 C회사 제품을 선택할 고객의 수는 이항분포 $B\left(192, \frac{1}{4}\right)$임을 이용하자.

다음은 어느 백화점에서 판매하고 있는 등산화에 대한 제조 회사별 고객의 선호도를 조사한 표이다.

제조 회사	A	B	C	D	합계
선호도(%)	20	28	25	27	100

192명의 고객이 각각 한 켤레씩 등산화를 산다고 할 때, C회사 제품을 선택할 고객이 42명 이상일 확률을 오른쪽 표준정규분포표를 이용하여 구하시오.

z	$P(0\le Z\le z)$
0.5	0.1915
1.0	0.3413
1.5	0.4332
2.0	0.4772

이항분포를 정규분포로 바꾼 후 표준화하자.

C회사 제품을 선택할 고객의 수를 확률변수 X라 하면 C회사 제품을 선택할 확률은 $\frac{25}{100}=\frac{1}{4}$이므로 X는 이항분포 $B\left(192, \frac{1}{4}\right)$을 따른다.

$\therefore E(X)=192\times\frac{1}{4}=48,\ V(X)=192\times\frac{1}{4}\times\frac{3}{4}=36$

따라서 확률변수 X는 근사적으로 정규분포 $N(48, 6^2)$을 따르므로

$$\begin{aligned}P(X\ge 42)&=P\left(Z\ge\frac{42-48}{6}\right)\\&=P(Z\ge -1)\\&=0.5+P(0\le Z\le 1)\\&=0.5+0.3413=0.8413\end{aligned}$$

답 0.8413

1376 $p=\frac{1}{4}$, $n=1200$인 이항분포임을 이용하자.

각 면에 1, 2, 3, 4의 숫자가 하나씩 적혀 있는 정사면체 모양의 상자 2개를 동시에 던졌을 때 바닥에 닿은 면에 적혀 있는 두 눈의 수의 곱이 홀수인 사건을 A라 하자. 이 시행을 1200번 하였을 때 사건 A가 일어나는 횟수가 270 이하일 확률을 오른쪽 표준정규분포표를 이용하여 구한 값을 p라 하자. $1000p$의 값을 구하시오.

z	$P(0\le Z\le z)$
1.0	0.341
1.5	0.433
2.0	0.477
2.5	0.494

이항분포를 정규분포로 바꾼 후 표준화하자.

사건 A가 일어나는 횟수를 확률변수 X라 하면 X는 이항분포 $B\left(1200, \frac{1}{4}\right)$을 따르므로

$E(X)=300,\ V(X)=225$

이때 시행횟수가 충분히 크므로 X는 근사적으로 정규분포 $N(300, 15^2)$을 따른다.

$p=P(X\le 270)=P(Z\le -2)=0.023$

$\therefore 1000p=23$

답 23

1377 5가 쓰여 있는 카드의 개수를 기준으로 경우의 수를 구하자.

숫자가 하나씩 적혀 있는 서로 다른 10장의 카드가 있다. 이 10장의 카드 중에서 적혀 있는 숫자가 2, 3, 5인 카드는 각각 두 장, 세 장, 다섯 장이다. 10장의 카드 중에서 임의로 3장의 카드를 뽑아 숫자를 확인한 후 다시 섞는 시행을 448번 하였을 때, 세 카드에 쓰여 있는 숫자의 합이 9 이하인 횟수를 확률변수 X라 하자. X가 49 이상 70 이하가 될 확률을 **1376**의 표준정규분포표를 이용하여 구하시오.

이항분포를 정규분포로 바꾼 후 표준화하자.

(i) 한 번의 시행에서 5가 쓰여 있는 카드가 한 번도 나오지 않으면 세 수의 합이 9 이하이고, 이때의 확률은

$\frac{{}_5C_3}{{}_{10}C_3}=\frac{1}{12}$

(ii) 5가 쓰여 있는 카드가 한 번 나오면 2가 쓰여 있는 카드가 2번 나올 때만 세 수의 합이 9 이하이고, 이때의 확률은

$\frac{{}_2C_2\times{}_5C_1}{{}_{10}C_3}=\frac{1}{24}$

(i), (ii)에 의하여 한 번의 시행에서 세 숫자의 합이 9 이하일 확률은

$\frac{1}{12}+\frac{1}{24}=\frac{1}{8}$

즉, 확률변수 X는 이항분포 $B\left(448, \frac{1}{8}\right)$을 따르므로

$E(X)=448\times\frac{1}{8}=56,\ V(X)=448\times\frac{1}{8}\times\frac{7}{8}=49$이고,

X는 근사적으로 정규분포 $N(56, 7^2)$을 따른다.

따라서 구하는 확률은

$$\begin{aligned}P(49\le X\le 70)&=P\left(\frac{49-56}{7}\le Z\le\frac{70-56}{7}\right)\\&=P(-1\le Z\le 2)\\&=P(0\le Z\le 1)+P(0\le Z\le 2)\\&=0.341+0.477=0.818\end{aligned}$$

답 0.818

1378 6이 나오는 횟수를 확률분포 X라 하면, $B\left(180, \frac{1}{6}\right)$을 따른다.

한 개의 주사위를 던져 6의 눈이 나오면 900원의 이익을 얻고, 그 이외의 눈이 나오면 100원의 손해를 보는 게임이 있다. 이 게임을 180회 시행했을 때, 이익금으로 22000원 이상을 얻게 될 확률을 위의 표준정규분포표를 이용하여 구하면?

z	$P(0\le Z\le z)$
0.5	0.1915
1.0	0.3413
1.5	0.4332
2.0	0.4772

$Y=180-X$라 하면 $900X-100Y\ge 22000$인 X 값의 범위를 구하자.

180번의 독립시행에서 이익금으로 900원을 얻는 횟수를 X, 100원을 손해 보는 횟수를 Y라 하자. 이익금으로 22000원 이상을 얻기 위해서는

$$\begin{cases}X+Y=180\\900X-100Y\ge 22000\end{cases}$$

이 성립해야 한다.

$\therefore X\ge 40$

확률변수 X가 이항분포 $B\left(180, \frac{1}{6}\right)$을 따르므로

$E(X)=180\times\frac{1}{6}=30$, $V(X)=180\times\frac{1}{6}\times\frac{5}{6}=25$

따라서 확률변수 X는 근사적으로 정규분포 $N(30, 5^2)$을 따르므로

$$P(X\ge40)=P\left(Z\ge\frac{40-30}{5}\right)$$
$$=P(Z\ge2)$$
$$=0.5-P(0\le Z\le2)$$
$$=0.5-0.4772=0.0228$$

답 ⑤

1379 이항분포 $B\left(n, \frac{1}{6}\right)$을 따른다.

한 개의 주사위를 n번 던져서 2의 눈이 나온 횟수를 확률변수 X라 할 때, X의 표준편차는 10이다. 2의 눈이 100회 이상 130회 이하로 나올 확률을 구하시오.
(단, $P(0\le Z\le1)=0.3413$, $P(0\le Z\le2)=0.4772$로 계산한다.)
→ 이항분포를 정규분포로 바꾼 후 표준화하자.

확률변수 X는 이항분포 $B\left(n, \frac{1}{6}\right)$을 따르고, X의 표준편차는 10이므로

$$\sigma(X)=\sqrt{n\times\frac{1}{6}\times\frac{5}{6}}=10$$

$\frac{5}{36}n=100$ $\quad\therefore n=720$

$E(X)=n\times\frac{1}{6}=720\times\frac{1}{6}=120$

따라서 확률변수 X는 근사적으로 정규분포 $N(120, 10^2)$을 따르므로

$$P(100\le X\le130)=P\left(\frac{100-120}{10}\le Z\le\frac{130-120}{10}\right)$$
$$=P(-2\le Z\le1)$$
$$=P(0\le Z\le2)+P(0\le Z\le1)$$
$$=0.4772+0.3413$$
$$=0.8185$$

답 0.8185

1380 예약하여 승선하는 고객의 수를 X라 하면 X는 이항분포 $B\left(400, \frac{4}{5}\right)$를 따른다.

어느 해운회사의 통계자료에 의하면 예약 고객 10명 중 8명의 비율로 승선한다고 한다. 정원이 340명인 여객선의 예약 고객이 400명일 때, 승선한 고객이 예약 고객만으로 정원을 초과하지 않을 확률을 위의 표준정규분포표를 이용하여 구하면?
→ $P(X\le340)$임을 이용하자.

z	$P(0\le Z\le z)$
1.0	0.3413
1.5	0.4332
2.0	0.4772
2.5	0.4938

예약하여 승선하는 고객 수를 확률변수 X라 하면 X는 이항분포 $B\left(400, \frac{4}{5}\right)$를 따르므로

$E(X)=400\times\frac{4}{5}=320$, $V(X)=400\times\frac{4}{5}\times\frac{1}{5}=64$

따라서 확률변수 X는 근사적으로 정규분포 $N(320, 8^2)$을 따르므로

$$P(X\le340)=P\left(Z\le\frac{340-320}{8}\right)$$
$$=P(Z\le2.5)$$
$$=0.5+P(0\le Z\le2.5)$$
$$=0.5+0.4938$$
$$=0.9938$$

답 ①

1381 이항분포 $B\left(432, \frac{1}{4}\right)$을 따른다.

각 면에 1, 2, 3, 4의 숫자가 하나씩 적혀 있는 정사면체 모양의 상자가 있다. 이 상자를 432회 던질 때, 1이 적혀 있는 면이 바닥에 놓이는 횟수를 확률변수 X라 하자. $\sum_{k=99}^{126}P(X=k)$의 값을 위의 표준정규분포표를 이용하여 구하시오.
→ $P(99\le X\le126)$임을 이용하자.

z	$P(0\le Z\le z)$
0.5	0.1915
1.0	0.3413
1.5	0.4332
2.0	0.4772

주어진 확률변수 X는 이항분포 $B\left(432, \frac{1}{4}\right)$을 따르며 근사적으로 정규분포 $N(108, 9^2)$을 따른다.

$\sum_{k=99}^{126}P(X=k)=P(99\le X\le126)$이므로

$$P(99\le X\le126)=P\left(\frac{108-99}{9}\le Z\le\frac{108-126}{9}\right)$$
$$=P(-1\le Z\le2)$$
$$=P(0\le Z\le1)+P(0\le Z\le2)$$
$$=0.3413+0.4772$$
$$=0.8185$$

답 0.8185

1382 $n\times\frac{1}{3}\times\frac{2}{3}=36$임을 이용하자.

한 개의 주사위를 n번 던질 때, 3의 배수의 눈이 나오는 횟수를 확률변수 X라 하자. 이 확률분포의 분산이 36일 때, $\sum_{k=42}^{63}P(X=k)$의 값을 오른쪽 표준정규분포표를 이용하여 구하시오.
→ $P(42\le X\le63)$임을 이용하자.

z	$P(0\le Z\le z)$
0.5	0.1915
1.0	0.3413
1.5	0.4332
2.0	0.4772

분산이 36이므로

$n\times\frac{1}{3}\times\frac{2}{3}=36$

$\therefore n=162$

따라서 확률변수 X는 이항분포 $B\left(162, \frac{1}{3}\right)$을 따르며 근사적으로 정규분포 $N(54, 6^2)$을 따른다.

$$\sum_{k=42}^{63}P(X=k)=P(42\le X\le63)$$
$$=P(-2\le Z\le1.5)$$
$$=0.4772+0.4332$$
$$=0.9104$$

답 0.9104

1383

맞힌 문제의 개수를 확률변수 X라 하면 X는 정규분포 $N(20, 4^2)$을 따른다.

> 찬주가 100개의 오지선다형 문제에 모두 임의로 답을 선택할 때, k개 이상의 문제를 맞힐 확률이 0.01이라고 한다. k의 값을 구하시오. (단, $P(0 \le Z \le 2.5) = 0.49$로 계산한다.)

$P(X \ge k) = P\left(Z \ge \frac{k-20}{4}\right)$임을 이용하자.

맞힌 문제의 개수를 확률변수 X라 하면 X는 이항분포 $B\left(100, \frac{1}{5}\right)$을 따르므로

$E(X) = 100 \times \frac{1}{5} = 20$, $V(X) = 100 \times \frac{1}{5} \times \frac{4}{5} = 16$

따라서 확률변수 X는 근사적으로 정규분포 $N(20, 4^2)$을 따르고, $P(X \ge k) = 0.01$이므로

$$P(X \ge k) = P\left(Z \ge \frac{k-20}{4}\right) = 0.5 - P\left(0 \le Z \le \frac{k-20}{4}\right) = 0.01$$

즉, $P\left(0 \le Z \le \frac{k-20}{4}\right) = 0.49$이므로

$\frac{k-20}{4} = 2.5$ $\quad \therefore k = 30$

답 30

1384

이항분포 $B(10000, 0.02)$임을 이용하자.

> 어느 회사의 제품이 불량품일 확률이 2%라 할 때, 이 회사에서 생산된 10000개의 제품 중 불량품의 개수를 확률변수 X라 하자. $P(a \le X \le 214) = 0.6826$일 때, 상수 a의 값을 오른쪽 표준정규분포표를 이용하여 구하시오.

z	$P(0 \le Z \le z)$
1.0	0.3413
1.5	0.4332
2.0	0.4772
2.5	0.4938

$= P\left(0 \le Z \le -\frac{a-200}{14}\right) + 0.3413$임을 이용하자.

확률변수 X는 이항분포 $B(10000, 0.02)$를 따르므로

$E(X) = 10000 \times 0.02 = 200$,

$V(X) = 10000 \times 0.02 \times 0.98 = 196$

따라서 확률변수 X는 근사적으로 정규분포 $N(200, 14^2)$을 따르므로

$$\begin{aligned} P(a \le X \le 214) &= P\left(\frac{a-200}{14} \le Z \le \frac{214-200}{14}\right) \\ &= P\left(\frac{a-200}{14} \le Z \le 1\right) \\ &= P\left(\frac{a-200}{14} \le Z \le 0\right) + P(0 \le Z \le 1) \\ &= P\left(0 \le Z \le -\frac{a-200}{14}\right) + 0.3413 \\ &= 0.6826 \end{aligned}$$

즉, $P\left(0 \le Z \le -\frac{a-200}{14}\right) = 0.3413$이므로

$-\frac{a-200}{14} = 1$ $\quad \therefore a = 186$

답 186

1385

이항분포 $B\left(400, \frac{1}{2}\right)$을 따른다.

> 한 개의 동전을 400번 던질 때, 앞면이 나온 횟수를 확률변수 X라 하자. $P(X \le k) = 0.9772$를 만족시키는 상수 k의 값을 오른쪽 표준정규분포표를 이용하여 구하시오.

z	$P(0 \le Z \le z)$
1	0.3413
2	0.4772
3	0.4987

이항분포에서 시행의 횟수가 충분히 크면 근사적으로 정규분포를 따른다.

확률변수 X는 이항분포 $B\left(400, \frac{1}{2}\right)$을 따르고, 시행의 횟수가 충분히 크므로 정규분포 $N(200, 10^2)$을 따른다.

$P(X \le k) = P\left(Z \le \frac{k-200}{10}\right) = 0.9772$이고

$$P(Z \le 2) = P(Z \le 0) + P(0 \le Z \le 2) = 0.5 + 0.4772 = 0.9772$$

이므로 $\frac{k-200}{10} = 2$

$\therefore k = 220$

답 220

1386

이항분포 $B\left(450, \frac{2}{3}\right)$를 따른다.

> 어떤 농구 선수의 자유투 성공률은 $\frac{2}{3}$라고 한다. 이 농구 선수가 450번의 자유투를 시도하여 성공한 횟수를 확률변수 X라 할 때, $P(300 \le X \le a) = 0.38$이 되도록 하는 상수 a의 값을 구하시오. (단, $P(0 \le Z \le 0.5) = 0.19$, $P(0 \le Z \le 1.2) = 0.38$로 계산한다.)

$= P\left(0 \le Z \le \frac{a-300}{10}\right)$임을 이용하자.

확률변수 X는 이항분포 $B\left(450, \frac{2}{3}\right)$를 따르므로

$E(X) = 450 \times \frac{2}{3} = 300$, $V(X) = 450 \times \frac{2}{3} \times \frac{1}{3} = 100$

따라서 확률변수 X는 근사적으로 정규분포 $N(300, 10^2)$을 따르므로

$$\begin{aligned} P(300 \le X \le a) &= P\left(\frac{300-300}{10} \le Z \le \frac{a-300}{10}\right) \\ &= P\left(0 \le Z \le \frac{a-300}{10}\right) \\ &= 0.38 \end{aligned}$$

$P(0 \le Z \le 1.2) = 0.38$이므로

$\frac{a-300}{10} = 1.2$

$\therefore a = 312$

답 312

1387

이항분포 $B\left(n, \frac{1}{6}\right)$을 따른다.

> 한 개의 주사위를 n번 던질 때, 6의 눈이 나오는 횟수를 확률변수 X라 하자. 이때, $P\left(\left|\frac{X}{n} - \frac{1}{6}\right| \le 0.05\right) \ge 0.95$를 만족시키는 자연수 n의 최솟값을 구하시오. (단, n은 충분히 큰 자연수이고, Z가 표준정규분포를 따르는 확률변수일 때, $P(|Z| \le 2) = 0.95$로 계산한다.)

확률변수 X는 근사적으로 $N\left(\frac{1}{6}n, \frac{5}{36}n\right)$을 따른다.

6의 눈이 나오는 횟수를 확률변수 X라 하면

확률변수 X는 이항분포 $B\left(n, \frac{1}{6}\right)$을 따른다.

이때, n이 충분히 큰 자연수이므로 확률변수 X는 근사적으로

정규분포 $N\left(\frac{1}{6}n, \frac{5}{36}n\right)$을 따른다.

$Z=\dfrac{X-\frac{1}{6}n}{\frac{\sqrt{5n}}{6}}$이므로

$$P\left(\left|\frac{X}{n}-\frac{1}{6}\right|\le 0.05\right)=P\left(\left|\frac{X-\frac{1}{6}n}{n}\times\frac{\frac{\sqrt{5n}}{6}}{\frac{\sqrt{5n}}{6}}\right|\le 0.05\right)$$

$$=P\left(\left|Z\times\frac{\frac{\sqrt{5n}}{6}}{n}\right|\le 0.05\right)$$

$$=P\left(|Z|\le 0.05\times\frac{6\sqrt{n}}{\sqrt{5}}\right)$$

이고 $P(|Z|\le 2)=0.95$이므로

$0.05\times\dfrac{6\sqrt{n}}{\sqrt{5}}\ge 2$

$n\ge\dfrac{2000}{9}=222.\times\times\times$

따라서 n의 최솟값은 223이다.

답 223

1388

$P(X\ge 40)=P(Z\ge 2)$임을 이용하자.

어느 공장에서 생산되는 제품의 무게는 평균이 30g, 표준편차가 5g인 정규분포를 따르고, 제품의 무게가 40g 이상인 제품은 불량품으로 판정한다. 이 공장에서 생산된 제품 중에서 2500개를 임의로 추출할 때, 불량품이 57개 이상일 확률을 위의 표준정규분포표를 이용하여 구하시오.

z	$P(0\le Z\le z)$
0.5	0.19
1.0	0.34
2.0	0.48

불량품의 개수는 $n=2500$이고, $p=P(X\ge 40)$인 이항분포를 따른다.

제품의 무게를 확률변수 X라 하면 X는 정규분포 $N(30, 5^2)$을 따른다. 즉, 불량품일 확률은

$P(X\ge 40)=P\left(Z\ge\dfrac{40-30}{5}\right)$

$=P(Z\ge 2)$

$=0.5-P(0\le Z\le 2)$

$=0.5-0.48=0.02$

불량품의 개수를 확률변수 Y라 하면 Y는 이항분포 $B(2500, 0.02)$를 따른다.

$\therefore E(Y)=2500\times 0.02=50$

$V(Y)=2500\times 0.02\times 0.98=49$

따라서 확률변수 Y는 근사적으로 정규분포 $N(50, 7^2)$을 따르므로

$P(Y\ge 57)=P\left(Z\ge\dfrac{57-50}{7}\right)$

$=P(Z\ge 1)$

$=0.5-P(0\le Z\le 1)$

$=0.5-0.34=0.16$

답 0.16

1389

8점을 쏠 확률은 $P(8<X\le 12)=P\left(\frac{8-8}{2}<Z<\frac{12-8}{2}\right)$임을 이용하자.

어느 양궁 종목에서 사용하는 표적지는 원의 반지름의 길이가 각각 4 cm, 8 cm, 12 cm, …, 40 cm로 4 cm씩 증가하는 10개의 동심원으로 되어 있다. 표적지의 중심에서 화살이 꽂힌 곳까지의 거리를 X라고 할 때 $0\le X\le 4$이면 10점, $4<X\le 8$이면 9점, $8<X\le 12$이면 8점, …, $36<X\le 40$점이면 1점, $X>40$이면 0점을 득점한다. 기록에 의하면 양궁 선수 A가 화살을 쏘았을 때 표적지의 중심에서 화살이 꽂힌 곳까지의 거리는 평균 8 cm, 표준편차 2 cm인 정규분포를 따른다고 한다. A가 12발의 화살을 쏘았을 때 8점을 득점한 화살의 개수 Y의 기댓값 $E(Y)$는? 확률변수 Y는 $n=12$, $p=P(8<X\le 12)$인 이항분포를 따른다.

z	$P(0\le Z\le z)$
1.0	0.3413
2.0	0.4772
3.0	0.4987

X는 정규분포 $N(8, 2^2)$을 따르고 화살 한 발을 쏘아 8점을 득점할 확률은 $P(8<X\le 12)$이므로

$P(8<X\le 12)=P\left(\dfrac{8-8}{2}<Z\le\dfrac{12-8}{2}\right)$

$=P(0<X\le 2)=0.4772$

화살을 쏘았을 때 득점하는 사건은 독립이므로 12발 쏘았을 때, 8점을 득점한 화살의 수 Y의 기대값

$E(Y)=np=12\times 0.4772=5.7264$

답 ③

1390

제품 1개가 불량품일 확률은 $P(X\ge 44)=P(Z\ge 1)$임을 이용하자.

무게의 평균이 40g, 표준편차가 4g인 정규분포를 따르는 제품에 대하여 무게가 44g 이상일 경우 불량품으로 판정한다고 한다. 이 제품 중에서 2100개를 임의로 추출하여 불량품의 개수를 Y라 할 때, Y가 나타내는 분포는 근사적으로 정규분포 $N(m, \sigma^2)$을 따른다고 한다. m의 값을 구하시오. 확률변수 Y는 $n=2100$, $p=P(X\ge 44)$인 이항분포를 따른다.

z	$P(0\le Z\le z)$
0.5	0.19
1.0	0.34
1.5	0.43
2.0	0.48

제품의 무게를 확률변수 X라 하면 X는 정규분포 $N(40, 4^2)$을 따르므로 제품 1개가 불량품일 확률은

$P(X\ge 44)=P\left(Z\ge\dfrac{44-40}{4}\right)=P(Z\ge 1)$

$=0.5-P(0\le Z\le 1)$

$=0.5-0.34=0.16$

즉, 확률변수 Y는 이항분포 $B\left(2100, \dfrac{16}{100}\right)$을 따른다.

$\therefore m=2100\times\dfrac{16}{100}=336$

$\sigma^2=2100\times\dfrac{16}{100}\times\dfrac{84}{100}=\left(\dfrac{84}{5}\right)^2$

따라서 확률변수 Y는 근사적으로 정규분포

$N\left(336, \left(\dfrac{84}{5}\right)^2\right)$을 따르므로

$m=336$

답 336

1391

- 수확한 사과가 1등급 상품일 확률은 $P(X \geq 442)=P(Z \geq 0.84)$임을 이용하자.

어느 과수원에서 수확한 사과의 무게는 평균이 400 g, 표준편차가 50 g인 정규분포를 따른다고 한다. 이 사과 중에서 무게가 442 g 이상인 것을 1등급 상품으로 정한다. 이 과수원에서 수확한 사과 중에서 100개를 임의로 선택할 때, 1등급 상품이 24개 이상일 확률을 위의 표준정규분포표를 이용하여 구하시오.

z	$P(0 \leq Z \leq z)$
0.64	0.24
0.84	0.30
1.00	0.34
1.28	0.40

- 확률변수 Y는 $n=100$, $p=P(X \geq 442)$인 이항분포를 따른다.

사과의 무게를 확률변수 X라 하면 X는 정규분포 $N(400, 50^2)$을 따르므로 사과 1개가 1등급 상품일 확률은

$$P(X \geq 442)=P\left(Z \geq \frac{442-400}{50}\right)$$
$$=P(Z \geq 0.84)$$
$$=0.5-P(0 \leq Z \leq 0.84)$$
$$=0.5-0.3=0.2$$

사과 1개가 1등급 상품일 확률이 0.2이므로 사과 100개 중에서 1등급 상품의 개수를 확률변수 Y라 하면 Y는 이항분포 $B(100, 0.2)$를 따른다.

$E(Y)=100 \times 0.2=20$

$V(Y)=100 \times 0.2 \times 0.8=16$

즉, 확률변수 Y는 근사적으로 정규분포 $N(20, 4^2)$을 따른다.

따라서 사과 100개 중에서 1등급 상품이 24개 이상일 확률은

$$P(Y \geq 24)=P\left(Z \geq \frac{24-20}{4}\right)$$
$$=P(Z \geq 1)$$
$$=0.5-P(0 \leq Z \leq 1)$$
$$=0.5-0.34=0.16$$

답 0.16

1392

- 신제품 1개가 불량품일 확률은 $P(X<164)=P(Z<-2)$임을 이용하자.

어느 회사에서 만든 신제품의 무게는 정규분포 $N(180, 8^2)$을 따른다. 이 회사에서는 신제품의 무게가 164보다 작을 경우 불량품으로 판정한다. 하루에 2500개의 신제품을 생산할 때, 불량품의 개수가 64 이하일 확률을 오른쪽 표준정규분포표를 이용하여 구하시오. (단, 신제품의 무게의 단위는 g이다.)

z	$P(0 \leq Z \leq z)$
0.5	0.19
1.0	0.34
1.5	0.43
2.0	0.48

- 2500개 중에서 불량품의 개수는 $n=2500$이고 $p=P(X<164)$인 이항분포를 따른다.

신제품의 무게를 확률변수 X라 하면 X는 정규분포 $N(180, 8^2)$을 따르므로

신제품 1개가 불량품일 확률은

$$P(X<164)=P\left(Z<\frac{164-180}{8}\right)$$
$$=P(Z<-2)$$
$$=P(Z>2)$$
$$=0.5-P(0 \leq Z \leq 2)$$
$$=0.5-0.48=0.02$$

신제품 2500개 중에서 불량품의 개수를 확률변수 Y라 하면

Y는 이항분포 $B\left(2500, \frac{1}{50}\right)$을 따르므로 평균과 표준편차는

$$E(Y)=2500 \times \frac{1}{50}=50$$

$$\sigma(Y)=\sqrt{2500 \times \frac{1}{50} \times \frac{49}{50}}=\sqrt{49}=7$$

총 신제품 수 2500은 충분히 큰 수이므로 확률변수 Y는 근사적으로 정규분포 $N(50, 7^2)$을 따른다.

따라서 불량품의 개수가 64 이하일 확률은

$$P(Y \leq 64)=P\left(Z \leq \frac{64-50}{7}\right)$$
$$=P(Z \leq 2)$$
$$=0.5+P(0 \leq Z \leq 2)$$
$$=0.5+0.48$$
$$=0.98$$

답 0.98

1393

- 정규분포곡선은 $x=8$에 대하여 대칭이다.

확률변수 X가 정규분포 $N(8, 2^2)$을 따를 때, $P(k \leq X \leq k+4)$가 최대가 되도록 하는 상수 k의 값은?

- k와 $k+4$의 중점이 8임을 이용하자.

확률변수 X가 정규분포 $N(8, 2^2)$을 따르므로 그림과 같이 정규분포곡선은 직선 $x=8$에 대하여 대칭이다.

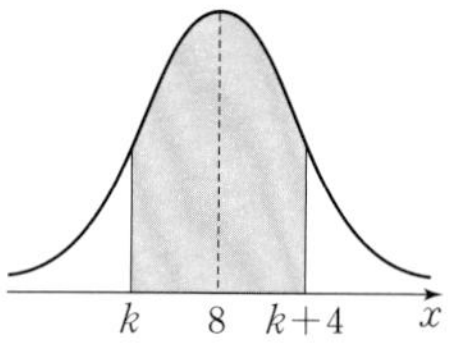

따라서 $P(k \leq X \leq k+4)$가 최대가 되려면 k와 $k+4$의 중점이 8이어야 하므로

$$\frac{k+k+4}{2}=8,\ 2k+4=16$$

$\therefore k=6$

답 ④

1394

- 정규분포곡선은 $x=30$에 대하여 대칭이다.

정규분포 $N(30, 5^2)$을 따르는 확률변수 X에 대하여 $P(30 \leq X \leq 40)=0.4772$일 때, $P(X \geq 20)$은?

- $P(X \geq 20)=P(20 \leq X \leq 30)+P(X \geq 30)$임을 이용하자.

확률변수 X가 정규분포 $N(30, 5^2)$을 따르므로 그림과 같이 정규분포곡선은 직선 $x=30$에 대하여 대칭이다.

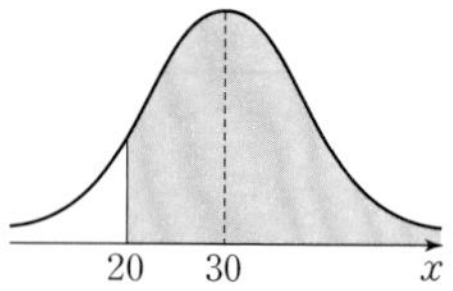

$$\therefore P(X \geq 20)=P(20 \leq X \leq 30)+P(X \geq 30)$$
$$=P(30 \leq X \leq 40)+0.5$$
$$=0.4772+0.5$$
$$=0.9772$$

답 ⑤

1395

확률변수 X가 정규분포 $N(30, 2^2)$을 따를 때, 오른쪽 표준정규분포표를 이용하여 $P(28\le X\le 36)$을 구하시오.

z	$P(0\le Z\le z)$
1.0	0.3413
2.0	0.4772
3.0	0.4987

• $=P\left(\frac{28-30}{2}\le Z\le \frac{36-30}{2}\right)$임을 이용하자.

확률변수 X가 정규분포 $N(30, 2^2)$을 따르므로

$Z=\frac{X-30}{2}$으로 놓으면 Z는 표준정규분포 $N(0, 1)$을 따른다.

$\therefore P(28\le X\le 36)=P\left(\frac{28-30}{2}\le Z\le \frac{36-30}{2}\right)$

$=P(-1\le Z\le 3)$

$=P(0\le Z\le 1)+P(0\le Z\le 3)$

$=0.3413+0.4987$

$=0.84$

답 0.84

1396

• $=P\left(\frac{10-2k-10}{2}\le Z\le \frac{10+2k-10}{2}\right)$임을 이용하자.

확률변수 X가 정규분포 $N(10, 2^2)$을 따를 때, 오른쪽 표준정규분포표를 이용하여 $P(10-2k\le X\le 10+2k)=0.8664$를 만족시키는 양수 k의 값을 구하면?

z	$P(0\le Z\le z)$
0.5	0.1915
1.0	0.3413
1.5	0.4332
2.0	0.4772
2.5	0.4938

확률변수 X는 정규분포 $N(10, 2^2)$을 따르므로

$Z=\frac{X-10}{2}$으로 놓으면 Z는 표준정규분포 $N(0, 1)$을 따른다.

$P(10-2k\le X\le 10+2k)$

$=P\left(\frac{10-2k-10}{2}\le Z\le \frac{10+2k-10}{2}\right)$

$=P(-k\le Z\le k)=2P(0\le Z\le k)$

$=0.8664$

즉, $P(0\le Z\le k)=0.4332$이므로

$k=1.5$

답 ③

1397 서술형

확률변수 X, Y가 정규분포 $N(65, 12^2)$, $N(55, 10^2)$을 각각 따를 때, $P(53\le X\le k)=P(35\le Y\le 65)$를 만족시키는 상수 k의 값을 구하시오.

$=P\left(\frac{53-65}{12}\le Z\le \frac{k-65}{12}\right)=P\left(\frac{35-55}{10}\le Z\le \frac{65-55}{10}\right)$임을 이용하자.

$P(53\le X\le k)=P(35\le Y\le 65)$

$P\left(\frac{53-65}{12}\le Z\le \frac{k-65}{12}\right)=P\left(\frac{35-55}{10}\le Z\le \frac{65-55}{10}\right)$

…… 40%

$P\left(-1\le Z\le \frac{k-65}{12}\right)=P(-2\le Z\le 1)$ …… 40%

$\therefore \frac{k-65}{12}=2$

$k=89$ …… 20%

답 89

1398

어느 연구소에서 토마토 모종을 심은 지 3주가 지났을 때 토마토 줄기의 길이를 조사한 결과 토마토 줄기의 길이는 평균이 30 cm, 표준편차가 2 cm인 정규분포를 따른다고 한다. 이 연구소에서 토마토 모종을 심은 지 3주가 지났을 때, 토마토 줄기 중에서 임의로 선택한 줄기의 길이가 27 cm 이상 32 cm 이하일 확률을 위의 표준정규분포표를 이용하여 구하면?

z	$P(0\le Z\le z)$
0.5	0.1915
1.0	0.3413
1.5	0.4332
2.0	0.4772
2.5	0.4938

• 정규분포 $N(30, 2^2)$을 따른다.

• 확률변수 X를 $Z=\frac{X-m}{\sigma}$으로 표준화하자.

토마토 모종을 심은 지 3주가 지났을 때의 토마토 줄기의 길이를 확률변수 X라 하면 X는 정규분포 $N(30, 2^2)$을 따르므로

$Z=\frac{X-30}{2}$으로 놓으면 Z는 표준정규분포 $N(0, 1)$을 따른다.

$\therefore P(27\le X\le 32)=P\left(\frac{27-30}{2}\le Z\le \frac{32-30}{2}\right)$

$=P(-1.5\le Z\le 1)$

$=P(0\le Z\le 1.5)+P(0\le Z\le 1)$

$=0.4332+0.3413$

$=0.7745$

답 ②

1399

어느 대학교 학생 400명의 몸무게는 정규분포 $N(50, 4^2)$을 따른다고 할 때, 몸무게가 44 kg 이상 58 kg 이하인 학생 수를 오른쪽 표준정규분포표를 이용하여 구하시오.

z	$P(0\le Z\le z)$
0.5	0.192
1.0	0.341
1.5	0.433
2.0	0.477

• $=P(44\le X\le 58)=P\left(\frac{44-50}{4}\le Z\le \frac{58-50}{4}\right)$임을 이용하자.

학생들의 몸무게를 확률변수 X라 하면 X는 정규분포 $N(50, 4^2)$을 따르므로 $Z=\frac{X-50}{4}$으로 놓으면 Z는 표준정규분포 $N(0, 1)$을 따른다.

$\therefore P(44\le X\le 58)=P\left(\frac{44-50}{4}\le Z\le \frac{58-50}{4}\right)$

$=P(-1.5\le Z\le 2)$

$=P(0\le Z\le 1.5)+P(0\le Z\le 2)$

$=0.433+0.477=0.91$

따라서 구하는 학생 수는

$400\times 0.91=364$

답 364

1400

아샘 고등학교 2학년 학생들의 1학기 수학 성적은 평균이 55점, 표준편차가 20점인 정규분포를 따른다고 한다. 상위 4% 이내에 속하는 학생들에게 1등급을 준다고 할 때, 1등급을 받으려면 최소한 몇 점 이상이어야 하는지 위의 표준정규분포표를 이용하여 구하시오.

z	$P(0\le Z\le z)$
1.65	0.45
1.75	0.46
1.88	0.47

→ $P(X\ge k)=P\left(Z\ge \frac{k-55}{20}\right)=0.04$임을 이용하자.

학생들의 수학 성적을 확률변수 X라 하면 X는 정규분포 $N(55, 20^2)$을 따르므로 $Z=\frac{X-55}{20}$로 놓으면 Z는 표준정규분포 $N(0, 1)$을 따른다.

상위 4% 이내에 속하는 학생의 최저 점수를 k점이라 하면

$P(X\ge k)=0.04$

$P\left(Z\ge \frac{k-55}{20}\right)=0.04$

$0.5-P\left(0\le Z\le \frac{k-55}{20}\right)=0.04$

즉, $P\left(0\le Z\le \frac{k-55}{20}\right)=0.46$이므로

$\frac{k-55}{20}=1.75$, $k-55=35$

$\therefore k=90$

따라서 1등급을 받으려면 최소한 90점 이상이어야 한다.

답 90점

1401

→ 확률변수 X는 이항분포 $B\left(48, \frac{1}{4}\right)$을 따른다.

확률변수 X의 확률질량함수가

$$P(X=x)={}_{48}C_x\left(\frac{1}{4}\right)^x\left(\frac{3}{4}\right)^{48-x}\ (x=0, 1, 2, \cdots, 48)$$

일 때, $P(12\le X\le 18)$을 구하시오.

(단, $P(0\le Z\le 2)=0.4772$로 계산한다.)

→ 이항분포에서 시행의 횟수가 충분히 크면 근사적으로 정규분포를 따름을 이용하자.

확률변수 X는 이항분포 $B\left(48, \frac{1}{4}\right)$을 따르므로

$E(X)=48\times\frac{1}{4}=12$, $V(X)=48\times\frac{1}{4}\times\frac{3}{4}=9$

따라서 확률변수 X는 근사적으로 정규분포 $N(12, 3^2)$을 따르므로

$P(12\le X\le 18)=P\left(\frac{12-12}{3}\le Z\le \frac{18-12}{3}\right)$

$=P(0\le Z\le 2)$

$=0.4772$

답 0.4772

1402

→ 확률변수 X는 이항분포 $B\left(72, \frac{2}{3}\right)$를 따른다.

한 개의 주사위를 72번 던져 6의 약수의 눈이 나오는 횟수를 확률변수 X라 할 때, 오른쪽 표준정규분포표를 이용하여 $P(52\le X\le 60)$을 구하시오.

z	$P(0\le Z\le z)$
1.0	0.3413
2.0	0.4772
3.0	0.4987

→ 이항분포에서 시행의 횟수가 충분히 크면 근사적으로 정규분포를 따름을 이용하자.

한 개의 주사위를 던져 6의 약수의 눈이 나오는 확률은 $\frac{2}{3}$이므로

확률변수 X는 이항분포 $B\left(72, \frac{2}{3}\right)$를 따른다.

$\therefore E(X)=72\times\frac{2}{3}=48$, $V(X)=72\times\frac{2}{3}\times\frac{1}{3}=16$

따라서 확률변수 X는 근사적으로 정규분포 $N(48, 4^2)$을 따르므로

$P(52\le X\le 60)=P\left(\frac{52-48}{4}\le Z\le \frac{60-48}{4}\right)$

$=P(1\le Z\le 3)$

$=P(0\le Z\le 3)-P(0\le Z\le 1)$

$=0.4987-0.3413$

$=0.1574$

답 0.1574

1403 서술형

→ 커브를 던지는 횟수는 이항분포 $B\left(225, \frac{1}{5}\right)$을 따른다.

공을 던질 때마다 $\frac{1}{5}$의 확률로 커브를 던지는 투수가 있다. 이 투수가 225개의 공을 던질 때, 오른쪽 표준정규분포표를 이용하여 다음과 같은 확률

$$\sum^{a}{}_{225}C_k\left(\frac{1}{5}\right)^k\left(\frac{4}{5}\right)^{225-k}=0.8185$$의 값을 구하였다. 상수 a의 값을 구하시오. (단, $a\ge 40$이고 공을 던지는 시행은 독립시행이다.)

z	$P(0\le Z\le z)$
0.5	0.1915
1.0	0.3413
1.5	0.4332
2.0	0.4772

→ 이항분포를 정규분포로 바꾼 후 표준화하자.

커브를 던지는 횟수를 확률변수 X라 하면

확률변수 X는 이항분포 $B\left(225, \frac{1}{5}\right)$을 따른다.

이때, n이 충분히 큰 자연수이므로 확률변수 X는 근사적으로 정규분포 $N(45, 6^2)$을 따른다. …… 40%

$\sum_{k=39}^{a}{}_{225}C_k\left(\frac{1}{5}\right)^k\left(\frac{4}{5}\right)^{225-k}=P(39\le X\le a)=0.8185$

$P\left(\frac{39-45}{6}\le Z\le \frac{a-45}{6}\right)=P\left(-1\le Z\le \frac{a-45}{6}\right)$

$=P(0\le Z\le 1)+P\left(0\le Z\le \frac{a-45}{6}\right)$

$=0.3413+P\left(0\le Z\le \frac{a-45}{6}\right)$

$=0.8185$ …… 40%

$\therefore \frac{a-45}{6}=2$

$\therefore a=57$ …… 20%

답 57

1404

• 정규분포곡선은 $x=30$에 대하여 대칭이므로 $P(X\geq 30)=\frac{1}{2}$이다.

어느 회사에서 만든 휴대 전화 배터리의 지속 시간은 평균 30시간인 정규분포를 따른다고 한다. 이 회사에서 만든 8개의 배터리 중에서 지속 시간이 30시간 이상인 배터리가 2개 이상일 확률을 구하시오.

• 8개 중에서 지속 시간이 30시간 이상인 배터리의 개수는 $n=8$이고 $p=P(X\geq 30)==\frac{1}{2}$인 이항분포를 따른다.

휴대 전화 배터리의 지속 시간이 평균 30시간인 정규분포를 따르므로 정규분포곡선의 성질에 의하여 지속 시간이 30시간 이상일 확률은 $\frac{1}{2}$이고, 30시간 미만일 확률은 $\frac{1}{2}$이다.

8개의 배터리 중에서 지속 시간이 30시간 이상인 배터리가 2개 이상일 사건은 지속 시간이 30시간 이상인 배터리가 하나도 없거나 1개인 사건의 여사건이므로 구하는 확률은

$$1-\left\{{}_{8}C_{0}\left(\frac{1}{2}\right)^{0}\left(\frac{1}{2}\right)^{8}+{}_{8}C_{1}\left(\frac{1}{2}\right)^{1}\left(\frac{1}{2}\right)^{7}\right\}=1-\left(\frac{1}{2}\right)^{8}-8\left(\frac{1}{2}\right)^{8}$$
$$=1-\frac{1}{256}-\frac{8}{256}$$
$$=\frac{247}{256}$$

답 $\frac{247}{256}$

1405

• $P(X\geq 35)=P\left(Z\geq \frac{35-25}{5}\right)$임을 이용하자.

어느 도시의 학생 2500명을 대상으로 조사한 통학 시간은 평균이 25분, 표준편차가 5분인 정규분포를 따른다고 한다. 이 2500명의 학생 중에서 임의로 택한 한 학생의 통학 시간이 35분 이상일 확률은 p_1이다. 또 이 2500명의 학생 중에서 통학 시간이 35분 이상인 학생이 n명 이상일 확률은 p_2이다. $p_1=p_2$일 때, 자연수 n의 값을 위의 표준정규분포표를 이용하여 구하시오.

z	$P(0\leq Z\leq z)$
1.0	0.34
1.5	0.43
2.0	0.48

• 통학 시간이 35분 이상인 학생의 수를 확률변수 Y라 하면 Y는 $n=2500$이고 $p=P(X\geq 35)$인 이항분포를 따른다.

한 학생의 통학 시간을 확률변수 X라 하면 X는 정규분포 $N(25, 5^2)$을 따르므로

$$p_1=P(X\geq 35)=P\left(Z\geq \frac{35-25}{5}\right)$$
$$=P(Z\geq 2)=0.5-0.48=0.02$$

따라서 2500명 중에서 통학 시간이 35분 이상인 학생의 수를 확률변수 Y라 하면 Y는 이항분포 $B(2500, 0.02)$를 따르므로

$E(Y)=2500\times 0.02=50$, $V(Y)=2500\times 0.02\times 0.98=49$

즉, 확률변수 Y는 근사적으로 정규분포 $N(50, 7^2)$을 따르므로

$$p_2=P(Y\geq n)=P\left(Z\geq \frac{n-50}{7}\right)$$
$$=P(Z\geq 2)\ (\because p_1=p_2)$$

따라서 $\frac{n-50}{7}=2$이므로

$n=64$

답 64

1406

• 두 정규분포를 각각 표준화하자.

두 연속확률변수 X와 Y는 각각 정규분포 $N(50, \sigma^2)$, $N(65, 4\sigma^2)$을 따른다.

$P(X\geq k)=P(Y\leq k)=0.1056$

일 때, $k+\sigma$의 값을 오른쪽 표준정규분포표를 이용하여 구하시오. (단, $\sigma>0$)

z	$P(0\leq Z\leq z)$
1.25	0.3944
1.50	0.4332
1.75	0.4599
2.00	0.4772

• $P\left(Z\geq \frac{k-50}{\sigma}\right)=P\left(Z\leq \frac{k-65}{2\sigma}\right)$임을 이용하자.

$P\left(Z\geq \frac{k-50}{\sigma}\right)=P\left(Z\leq \frac{k-65}{2\sigma}\right)$에서

$\frac{k-50}{\sigma}=-\frac{k-65}{2\sigma}$이므로 $k=55$

$P\left(Z\geq \frac{55-50}{\sigma}\right)=P\left(Z\geq \frac{5}{\sigma}\right)=0.1056$이므로

$P\left(0\leq Z\leq \frac{5}{\sigma}\right)=0.5-0.1056=0.3944$

$\frac{5}{\sigma}=1.25$, $\sigma=4$이므로 $k+\sigma=55+4=59$

답 59

1407

확률변수 X_m이 정규분포 $N(m, 1)$을 따를 때, $f(m)=P(X_m\leq 0)$이라 하자. 〈보기〉에서 옳은 것만을 있는 대로 고른 것은?

보기

ㄱ. $f(m)$의 최댓값은 $\frac{1}{2}$이다.

ㄴ. $f(m)+f(-m)=1$

• $P(Z\leq -m)=P(Z\geq m)$임을 이용하자.

ㄷ. $m_1<m_2$이면 $f(m_1)>f(m_2)$이다.

• $m_1<m_2$이면 $P(Z\geq m_1)>P(Z\geq m_2)$임을 이용하자.

$f(m)=P(X_m\leq 0)$
$=P\left(Z\leq \frac{0-m}{1}\right)=P(Z\leq -m)$

ㄱ. [반례] $f(-1)=P(Z\leq 1)$
$=0.5+P(0\leq Z\leq 1)>\frac{1}{2}$ (거짓)

ㄴ. 그림과 같이

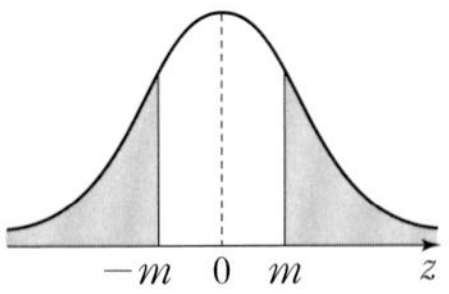

$P(Z\leq -m)=P(Z\geq m)$

이므로

$f(m)+f(-m)$
$=P(Z\leq -m)+P(Z\leq m)$
$=P(Z\geq m)+P(Z\leq m)=1$ (참)

ㄷ. $f(m)=P(Z\leq -m)$
$=P(Z\geq m)$

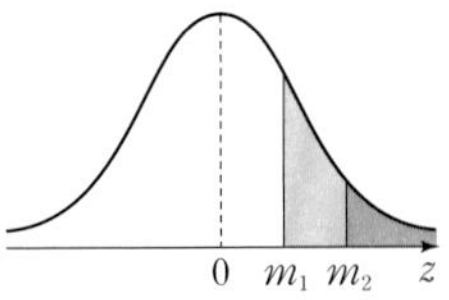

이므로 $m_1<m_2$이면

$P(Z\geq m_1)>P(Z\geq m_2)$

$\therefore f(m_1)>f(m_2)$ (참)

따라서 옳은 것은 ㄴ, ㄷ이다.

답 ④

1408

• 정규분포 $N(20,\ 2.5^2)$을 따르는 확률변수 X는 $P(X\le15)=P\left(Z\le\frac{15-20}{2.5}\right)=P(Z\le-2)$임을 이용하자.

정규분포 $N(20,\ t^2)$을 따르는 확률변수 X에 대하여 양의 실수 전체의 집합을 정의역으로 하는 함수 $y=H(t)$는 $H(t)=P(X\le15)$이다. 〈보기〉에서 옳은 것만을 있는 대로 고르시오. (단, 표준정규분포를 따르는 확률변수 Z에 대하여 $P(0\le Z\le1)=0.3413,\ P(0\le Z\le2)=0.4772$로 계산한다.)

보기

ㄱ. $H(2.5)=P(Z\ge2)$

ㄴ. $H(2)<H(2.5)$

ㄷ. $H(5)<5H(2)$

• 정규분포 $N(20,\ 2^2)$을 따르는 확률변수 X는 $P(X\le15)=P\left(Z\le\frac{15-20}{2}\right)=P(Z\le-2.5)$임을 이용하자.

$H(t)=P(X\le15)=P\left(Z\le\frac{15-20}{t}\right)=P\left(Z\le\frac{-5}{t}\right)$

ㄱ. $H(2.5)=P\left(Z\le\frac{-5}{2.5}\right)=P(Z\le-2)=P(Z\ge2)$ (참)

ㄴ. $H(2)=P(Z\le-2.5)$이고
$H(2.5)=P(Z\le-2)$
이므로
$H(2)<H(2.5)$ (참)

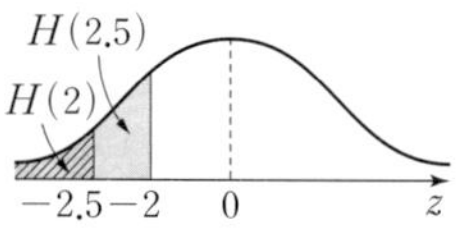

ㄷ. $H(5)=P(Z\le-1)$
$=0.5-P(0\le Z\le1)$
$=0.5-0.3413=0.1587$
ㄴ에서 $H(2)<H(2.5)$이므로 $5H(2)<5H(2.5)$
$5H(2.5)=5\times P(Z\le-2)$
$=5\times\{0.5-P(0\le Z\le2)\}$
$=5\times0.0228=0.114$
이므로
$H(5)=0.1587>5H(2.5)=0.114$
$\therefore H(5)>5H(2.5)>5H(2)$ (거짓)

따라서 옳은 것은 ㄱ, ㄴ이다.

답 ㄱ, ㄴ

1409

세 확률변수 $X,\ Y,\ W$에 대하여 X는 이항분포 $B\left(100,\ \frac{1}{5}\right)$, Y는 이항분포 $B\left(225,\ \frac{1}{5}\right)$, W는 이항분포 $B\left(400,\ \frac{1}{5}\right)$을 따른다. 〈보기〉에서 옳은 것만을 있는 대로 고르시오.

보기

• $=P(|Z|<2.5)$임을 이용하자.

ㄱ. $P\left(\left|\frac{X}{100}-\frac{1}{5}\right|<\frac{1}{10}\right)<P\left(\left|\frac{W}{400}-\frac{1}{5}\right|<\frac{1}{10}\right)$

ㄴ. $P\left(\left|\frac{X}{100}-\frac{1}{5}\right|<\frac{1}{10}\right)<P\left(\left|\frac{Y}{225}-\frac{1}{5}\right|<\frac{1}{25}\right)$

ㄷ. $P\left(\left|\frac{Y}{225}-\frac{1}{5}\right|<\frac{1}{25}\right)<P\left(\left|\frac{W}{400}-\frac{1}{5}\right|<\frac{1}{25}\right)$

$=P(|Z|<2)$임을 이용하자. •

세 확률변수 $X,\ Y,\ W$는 각각 정규분포 $N(20,\ 4^2)$, $N(45,\ 6^2)$, $N(80,\ 8^2)$을 따른다.

확률변수 Z가 표준정규분포 $N(0,\ 1)$을 따를 때

$P\left(\left|\frac{X}{100}-\frac{1}{5}\right|<\frac{1}{10}\right)=P\left(\left|\frac{X-20}{100}\right|<\frac{1}{10}\right)$
$=P\left(\left|\frac{X-20}{4}\right|<\frac{25}{10}\right)$
$=P(|Z|<2.5)$ ……㉠

$P\left(\left|\frac{Y}{225}-\frac{1}{5}\right|<\frac{1}{25}\right)=P\left(\left|\frac{Y-45}{225}\right|<\frac{1}{25}\right)$
$=P\left(\left|\frac{Y-45}{6}\right|<\frac{225}{150}\right)$
$=P(|Z|<1.5)$ ……㉡

$P\left(\left|\frac{W}{400}-\frac{1}{5}\right|<\frac{1}{10}\right)=P\left(\left|\frac{W-80}{400}\right|<\frac{1}{10}\right)$
$=P\left(\left|\frac{W-80}{8}\right|<\frac{50}{10}\right)$
$=P(|Z|<5)$ ……㉢

$P\left(\left|\frac{W}{400}-\frac{1}{5}\right|<\frac{1}{25}\right)=P\left(\left|\frac{W-80}{400}\right|<\frac{1}{25}\right)$
$=P\left(\left|\frac{W-80}{8}\right|<\frac{50}{25}\right)$
$=P(|Z|<2)$ ……㉣

㉠, ㉡, ㉢, ㉣에서

ㄱ. $P\left(\left|\frac{X}{100}-\frac{1}{5}\right|<\frac{1}{10}\right)<P\left(\left|\frac{W}{400}-\frac{1}{5}\right|<\frac{1}{10}\right)$ (참)

ㄴ. $P\left(\left|\frac{X}{100}-\frac{1}{5}\right|<\frac{1}{10}\right)>P\left(\left|\frac{Y}{225}-\frac{1}{5}\right|<\frac{1}{25}\right)$ (거짓)

ㄷ. $P\left(\left|\frac{Y}{225}-\frac{1}{5}\right|<\frac{1}{25}\right)<P\left(\left|\frac{W}{400}-\frac{1}{5}\right|<\frac{1}{25}\right)$ (참)

따라서 옳은 것은 ㄱ, ㄷ이다.

답 ㄱ, ㄷ

1410

• 정규분포곡선은 $x=60$에 대하여 대칭임을 이용하자.

정규분포 $N(60,\ 5^2)$을 따르는 확률변수 X에 대하여 $f(k)=P(k\le X\le k+10)$이라 하면 $f(k)$의 최댓값이 0.6826이다. $a<b$일 때, $f(a)>f(b)$를 만족시키는 실수 a의 최솟값을 위의 표준정규분포표를 이용하여 구하시오.

z	$P(0\le Z\le z)$
1.0	0.3413
2.0	0.4772
3.0	0.4987

• k와 $k+10$의 중점이 60임을 이용하자.

확률변수 X가 정규분포 $N(60,\ 5^2)$을 따르므로

$Z=\frac{X-60}{5}$으로 놓으면 Z는 표준정규분포 $N(0,\ 1)$을 따르고, 직선 $z=0$에 대하여 대칭이다.

$f(k)=P(k\le X\le k+10)$의 최댓값이 0.6826이므로

$P(k\le X\le k+10)=P\left(\frac{k-60}{5}\le Z\le\frac{k-50}{5}\right)$
$=P(-1\le Z\le1)=2P(0\le Z\le1)$
$=2\times0.3413=0.6826$

즉, $\frac{k-50}{5}=1$이므로 $k=55$

$k=55$일 때 최대이므로 $a<b\le55$이면 $f(a)<f(b)$이고, $55\le a<b$이면 $f(a)>f(b)$이다.

따라서 $a<b$일 때, $f(a)>f(b)$를 만족시키는 실수 a의 최솟값은 55이다.

답 55

1411

두 확률변수 X, Y의 평균이 각각 m, $2m$ $(m>0)$이고 표준편차가 각각 2σ, σ인 정규분포를 따를 때, 〈보기〉에서 옳은 것만을 있는 대로 고르시오.

보기

ㄱ. $\mathrm{P}(X\le 0)=\mathrm{P}\left(Y\ge \frac{5}{2}m\right)$ → 각 정규분포를 표준화하여 비교하자.

ㄴ. $\mathrm{P}(m\le X\le 2m)=\frac{1}{2}\mathrm{P}(2m\le Y\le 3m)$

ㄷ. 두 상수 a, b에 대하여 $\mathrm{P}(X\ge a)+\mathrm{P}(Y\le b)=1$일 때, $b=\frac{a+3m}{2}$

→ $\mathrm{P}(Z\ge k)=\mathrm{P}(Z\le k)$임을 이용하자.

두 확률변수 X, Y는 각각 정규분포 $\mathrm{N}(m, (2\sigma)^2)$, $\mathrm{N}(2m, \sigma^2)$을 따른다.

ㄱ. $\mathrm{P}(X\le 0)=\mathrm{P}\left(Z\le -\frac{m}{2\sigma}\right)$

$\mathrm{P}\left(Y\ge \frac{5}{2}m\right)=\mathrm{P}\left(Z\ge \frac{m}{2\sigma}\right)$

$\therefore \mathrm{P}(X\le 0)=\mathrm{P}\left(Y\ge \frac{5}{2}m\right)$ (참)

ㄴ. $\mathrm{P}(m\le X\le 2m)=\mathrm{P}\left(0\le Z\le \frac{m}{2\sigma}\right)$

$\frac{1}{2}\mathrm{P}(2m\le Y\le 3m)=\frac{1}{2}\mathrm{P}\left(0\le Z\le \frac{m}{\sigma}\right)$

$\therefore \mathrm{P}(m\le X\le 2m)\ne\frac{1}{2}\mathrm{P}(2m\le Y\le 3m)$ (거짓)

ㄷ. $\mathrm{P}(X\ge a)+\mathrm{P}(Y\le b)=1$에서

$\mathrm{P}\left(Z\ge \frac{a-m}{2\sigma}\right)+\mathrm{P}\left(Z\le \frac{b-2m}{\sigma}\right)=1$

즉, $\frac{a-m}{2\sigma}=\frac{b-2m}{\sigma}$이어야 하므로

$a-m=2b-4m \quad \therefore b=\frac{a+3m}{2}$ (참)

따라서 옳은 것은 ㄱ, ㄷ이다.

답 ㄱ, ㄷ

1412

양의 실수 전체의 집합에서 정의된 함수 $G(t)$는 평균이 t, 표준편차가 $\frac{1}{t^2}$인 정규분포를 따르는 확률변수 X에 대하여

$G(t)=\mathrm{P}\left(X\le \frac{3}{2}\right)$

→ $=\mathrm{P}\left(Z\le \frac{\frac{3}{2}-t}{\frac{1}{t^2}}\right)=\mathrm{P}\left(Z\le \frac{3}{2}t^2-t^3\right)$

이다. 함수 $G(t)$의 최댓값을 오른쪽 표준정규분포표를 이용하여 구한 것은?

z	$\mathrm{P}(0\le Z\le z)$
0.4	0.1554
0.5	0.1915
0.6	0.2257
0.7	0.2580

→ $\mathrm{P}(Z\le a)\le \mathrm{P}(Z\le b)$이면 $a\le b$임을 이용하자.

확률변수 X가 정규분포 $\mathrm{N}\left(t, \left(\frac{1}{t^2}\right)^2\right)$을 따르므로

$G(t)=\mathrm{P}\left(X\le \frac{3}{2}\right)=\mathrm{P}\left(Z\le \frac{\frac{3}{2}-t}{\frac{1}{t^2}}\right)=\mathrm{P}\left(Z\le \frac{3}{2}t^2-t^3\right)$

$f(t)=\frac{3}{2}t^2-t^3$이라 하면 함수 $G(t)$는 함수 $f(t)$가 최대일 때, 최댓값을 갖는다.

$f'(t)=-3t^2+3t=-3t(t-1)$이므로

$f(t)$는 $t=1$일 때, 최댓값 $\frac{1}{2}$을 갖는다.

따라서 구하는 $G(t)$의 최댓값은

$G(1)=\mathrm{P}\left(Z\le \frac{1}{2}\right)$

$=\mathrm{P}(Z\le 0)+\mathrm{P}(0\le Z\le 0.5)$

$=0.5+0.1915$

$=0.6915$

답 ③

1413

→ 확률변수 X는 이항분포 $\mathrm{B}\left(100, \frac{1}{2}\right)$을 따른다.

이산확률변수 X에 대한 확률질량함수가

$\mathrm{P}(X=n)={}_{100}\mathrm{C}_n\left(\frac{1}{2}\right)^{100}$ $(n=0, 1, 2, 3, \cdots, 100)$

으로 주어질 때, 함수 $f(x)$를 다음과 같이 정의하자.

$f(x)=\mathrm{P}(X\le 5x+50)$ $(-10\le x\le 10)$

이때, 〈보기〉에서 옳은 것을 모두 고른 것은?

보기

ㄱ. 확률변수 X의 분산은 25이다.

ㄴ. $x_1\le x_2$이면 $f(x_1)\le f(x_2)$이다.

ㄷ. $f(-x)+f(x)<1$을 만족하는 x가 적어도 하나 존재한다.

→ 이항분포의 분산은 $np(1-p)$임을 이용하자.

확률변수 X는 이항분포 $\mathrm{B}\left(100, \frac{1}{2}\right)$을 따르고

$f(x)=\mathrm{P}(X\le 5x+50)=\mathrm{P}(X\le [5x+50])$

$=\sum_{n=0}^{[5x+50]}{}_{100}\mathrm{C}_n\left(\frac{1}{2}\right)^{100}$

(단, $[5x+50]$은 $5x+50$을 넘지 않는 최대 정수)

ㄱ. $\mathrm{V}(X)=100\times\frac{1}{2}\times\left(1-\frac{1}{2}\right)=25$ (참)

ㄴ. $x_1\le x_2$이면 $[5x_1+50]\le[5x_2+50]$이므로

$f(x_1)=\sum_{n=0}^{[5x_1+50]}{}_{100}\mathrm{C}_n\left(\frac{1}{2}\right)^{100}$

$\le\sum_{n=0}^{[5x_2+50]}{}_{100}\mathrm{C}_n\left(\frac{1}{2}\right)^{100}=f(x_2)$ (참)

ㄷ. $-10\le x\le 10$인 임의의 x에 대하여

$f(-x)=\mathrm{P}(X\le -5x+50)$

$=\sum_{n=0}^{[-5x+50]}{}_{100}\mathrm{C}_n\left(\frac{1}{2}\right)^{100}$

$\ge\sum_{n=[5x+50]+1}^{100}{}_{100}\mathrm{C}_n\left(\frac{1}{2}\right)^{100}$

$f(x)+f(-x)\ge\sum_{n=0}^{[5x+50]}{}_{100}\mathrm{C}_n\left(\frac{1}{2}\right)^{100}+\sum_{n=[5x+50]+1}^{100}{}_{100}\mathrm{C}_n\left(\frac{1}{2}\right)^{100}$

$=1$ (거짓)

답 ③

1414

확률변수 X는 이항분포 $B\left(n, \frac{1}{5}\right)$을 따른다.

이산확률변수 X의 확률질량함수가

$$P(X=x)={}_{n}C_{x}\frac{4^{n-x}}{5^n}\ (x=0, 1, 2, \cdots, n)$$

이고, $E(X^2)=416$일 때, $P(X\le a)=0.9772$를 만족시키는 a의 값을 오른쪽 표준정규분포표를 이용하여 구하시오.

0.9772=0.5+0.4772임을 이용하자.

z	$P(0\le Z\le z)$
1.0	0.3413
2.0	0.4772
3.0	0.4987

$E(X^2)=V(X)+\{E(X)\}^2$임을 이용하자.

$$P(X=x)={}_{n}C_{x}\frac{4^{n-x}}{5^n}={}_{n}C_{x}\left(\frac{1}{5}\right)^x\left(\frac{4}{5}\right)^{n-x}\ (x=0, 1, 2, \cdots, n)$$

이므로 확률변수 X는 이항분포 $B\left(n, \frac{1}{5}\right)$을 따른다.

$E(X)=n\times\frac{1}{5}=\frac{n}{5}$, $V(X)=n\times\frac{1}{5}\times\frac{4}{5}=\frac{4n}{25}$

$E(X^2)=V(X)+\{E(X)\}^2$

$=\frac{4n}{25}+\left(\frac{n}{5}\right)^2$

$=\frac{n^2+4n}{25}=416$

$n^2+4n-10400=0$, $(n+104)(n-100)=0$

$\therefore n=100\ (\because n>0)$

즉, 확률변수 X는 근사적으로 정규분포 $N(20, 4^2)$을 따르므로

$P(X\le a)=P\left(Z\le\frac{a-20}{4}\right)$

$=0.9772$

$=0.5+0.4772$

$=P(Z\le 0)+P(0\le Z\le 2)$

$=P(Z\le 2)$

따라서 $\frac{a-20}{4}=2$이므로

$a=28$

답 28

1415

$P(X\ge 2000)=P(Z\ge 0.84)$임을 이용하자.

어느 고등학교 학생들의 집에서 학교까지의 거리는 평균이 1580 m, 표준편차가 500 m인 정규분포를 따른다고 한다. 집에서 학교까지의 거리가 2000 m 이상인 학생 중에서 25 %, 2000 m 미만인 학생 중에서 5 %는 자전거로 통학한다고 한다. 자전거로 통학하는 학생 중에서 임의로 1명을 선택할 때, 이 학생의 집에서 학교까지의 거리가 2000 m 미만일 확률을 구하시오.

(단, $P(0\le Z\le 0.84)=0.3$으로 계산한다.)

$P(B)=P(A\cap B)+P(A^C\cap B)$임을 이용하자.

학생의 집에서 학교까지의 거리를 확률변수 X라 하면 X는 정규분포 $N(1580, 500^2)$을 따르므로

$P(X\ge 2000)=P\left(Z\ge\frac{2000-1580}{500}\right)$

$=P(Z\ge 0.84)$

$=0.5-P(0\le Z\le 0.84)$

$=0.5-0.3=0.2$

$P(X<2000)=1-P(X\ge 2000)$

$=1-0.2=0.8$

집에서 학교까지의 거리가 2000 m 미만일 사건을 A, 자전거로 통학하는 사건을 B라 하면

$P(A\cap B)=0.8\times 0.05=0.04$

$P(A^C\cap B)=0.2\times 0.25=0.05$

$\therefore P(B)=P(A\cap B)+P(A^C\cap B)$

$=0.04+0.05=0.09$

$\therefore P(A|B)=\frac{P(A\cap B)}{P(B)}$

$=\frac{0.04}{0.09}=\frac{4}{9}$

답 $\frac{4}{9}$

1416

각 정규분포를 표준화하여 비교하자.

두 확률변수 X와 Y는 평균이 모두 0이고 분산이 각각 σ^2과 $\frac{\sigma^2}{4}$인 정규분포를 따르고, 확률변수 Z는 표준정규분포를 따른다. 두 양수 a, b에 대하여 $P(|X|\le a)=P(|Y|\le b)$일 때, 〈보기〉에서 옳은 것만을 있는 대로 고른 것은?

보기

ㄱ. $a>b$

ㄴ. $P\left(Z>\frac{2b}{\sigma}\right)=P\left(Y>\frac{a}{2}\right)$

ㄷ. $P(Y\le b)=0.7$일 때, $P(|X|\le a)=0.3$이다.

$P(Y\le b)=P\left(Z\le\frac{2b}{a}\right)$임을 이용하자.

$P(|X|\le a)=P\left(|Z|\le\frac{a}{\sigma}\right)$임을 이용하자.

두 확률변수 X, Y는 각각 정규분포 $N(0, \sigma^2)$, $N\left(0, \frac{\sigma^2}{4}\right)$을 따른다.

ㄱ. $P(|X|\le a)=P\left(|Z|\le\frac{a}{\sigma}\right)$

$P(|Y|\le b)=P\left(|Z|\le\frac{b}{\frac{\sigma}{2}}\right)=P\left(|Z|\le\frac{2b}{\sigma}\right)$

$P(|X|\le a)=P(|Y|\le b)$이므로

$a=2b$ ······ ㉠

$\therefore a>b$ (참)

ㄴ. $P\left(Y>\frac{a}{2}\right)=P\left(Z>\frac{\frac{a}{2}}{\frac{\sigma}{2}}\right)=P\left(Z>\frac{a}{\sigma}\right)$

$=P\left(Z>\frac{2b}{\sigma}\right)$ ($\because$ ㉠) (참)

ㄷ. $P(Y\le b)=P\left(Z\le\frac{2b}{\sigma}\right)=0.7$이고

$P\left(0\le Z\le\frac{a}{\sigma}\right)=P\left(0\le Z\le\frac{2b}{\sigma}\right)=0.7-0.5=0.2$

이므로

$P(|X|\le a)=P\left(|Z|\le\frac{a}{\sigma}\right)=2P\left(0\le Z\le\frac{a}{\sigma}\right)$

$=2\times 0.2=0.4$ (거짓)

따라서 옳은 것은 ㄱ, ㄴ이다.

답 ③

1417 $P(X\le3)=P\left(Z\le\frac{3-m}{\sigma}\right)=0.5-P\left(0\le Z\le\frac{m-3}{\sigma}\right)$임을 이용하자.

> 확률변수 X가 평균이 m, 표준편차가 σ인 정규분포를 따르고
>
> $P(X\le3)=P(3\le X\le80)=0.3$
>
> 일 때, $m+\sigma$의 값을 구하시오.
>
> (단, Z가 표준정규분포를 따르는 확률변수일 때,
>
> $P(0\le Z\le0.25)=0.1$, $P(0\le Z\le0.52)=0.2$로 계산한다.)
>
> $P(3\le X\le80)=P\left(\frac{3-m}{\sigma}\le Z\le\frac{80-m}{\sigma}\right)$임을 이용하자.

확률변수 X가 정규분포 $N(m, \sigma^2)$을 따르므로

$P(X\le3)=0.3$에서 $0.3<0.5$이므로 $3<m$이고,

$$P(X\le3)=P\left(Z\le\frac{3-m}{\sigma}\right)$$

$$=0.5-P\left(0\le Z\le\frac{m-3}{\sigma}\right)=0.3$$

따라서 $P\left(0\le Z\le\frac{m-3}{\sigma}\right)=0.2$이므로

$\frac{m-3}{\sigma}=0.52$

$m-3=0.52\sigma$ ⋯⋯ ㉠

$P(3\le X\le80)=0.3$에서

$P(X\le3)+P(3\le X\le80)=0.6>0.5$이므로

$3<m<80$

$$P(3\le X\le80)=P\left(\frac{3-m}{\sigma}\le Z\le\frac{80-m}{\sigma}\right)$$

$$=P\left(\frac{3-m}{\sigma}\le Z\le0\right)+P\left(0\le Z\le\frac{80-m}{\sigma}\right)$$

$$=0.2+P\left(0\le Z\le\frac{80-m}{\sigma}\right)=0.3$$

이므로 $P\left(0\le Z\le\frac{80-m}{\sigma}\right)=0.1$

$\frac{80-m}{\sigma}=0.25$

$80-m=0.25\sigma$ ⋯⋯ ㉡

㉠, ㉡을 연립하여 풀면 $m=55$, $\sigma=100$

$\therefore m+\sigma=155$

답 155

1418

각 정규분포를 표준화하여 비교하자.

> 확률변수 X는 평균이 8, 표준편차가 3인 정규분포를 따르고, 확률변수 Y는 평균이 m, 표준편차가 σ인 정규분포를 따른다.
>
> 두 확률변수 X, Y가
>
> $P(Y\ge8)=P\left(Z\ge\frac{80-m}{\sigma}\right)$
>
> $P(4\le X\le8)+P(Y\ge8)=\frac{1}{2}$
>
> 을 만족시킬 때, $P\left(Y\le8+\frac{2\sigma}{3}\right)$의 값을 오른쪽 표준정규분포표를 이용하여 구한 것은?
>
> | z | $P(0\le Z\le z)$ |
> |---|---|
> | 1.0 | 0.3413 |
> | 1.5 | 0.4332 |
> | 2.0 | 0.4772 |
> | 2.5 | 0.4938 |
>
> ① 0.8351 ② 0.8413 ③ 0.9332
>
> ④ 0.9772 ⑤ 0.9938
>
> $P(4\le X\le8)=P\left(\frac{4-8}{3}\le Z\le\frac{8-8}{3}\right)$

확률변수 X가 정규분포 $N(8, 3^2)$을 따르고 확률변수 Y가 정규분포 $N(m, \sigma^2)$을 따르므로

$$P(4\le X\le8)+P(Y\ge8)$$

$$=P\left(\frac{4-8}{3}\le\frac{X-8}{3}\le\frac{8-8}{3}\right)+P\left(\frac{Y-m}{\sigma}\ge\frac{8-m}{\sigma}\right)$$

$$=P\left(-\frac{4}{3}\le Z\le0\right)+P\left(Z\ge\frac{8-m}{\sigma}\right)$$

$$=P\left(0\le Z\le\frac{4}{3}\right)+P\left(Z\ge\frac{8-m}{\sigma}\right)=\frac{1}{2}$$

한편 $P(0\le Z)=\frac{1}{2}$이므로 $\frac{8-m}{\sigma}=\frac{4}{3}$

$m=8-\frac{4}{3}\sigma$

$$\therefore P\left(Y\le8+\frac{2\sigma}{3}\right)$$

$$=P\left(\frac{Y-\left(8-\frac{4\sigma}{3}\right)}{\sigma}\le\frac{8+\frac{2\sigma}{3}-\left(8-\frac{4\sigma}{3}\right)}{\sigma}\right)$$

$$=P(Z\le2)$$

$$=\frac{1}{2}+P(0\le Z\le2)$$

$$=0.5+0.4772$$

$$=0.9772$$

답 ④

10 표본평균의 분포

본책 274~302쪽

1419

$\overline{X}=\frac{1+3}{2}=2$ 답 2

1420

표본이 (1, 1)일 때, $\overline{X}=\frac{1}{2}(1+1)=1$

표본이 (1, 3), (3, 1)일 때,

$\overline{X}=\frac{1}{2}(1+3)=\frac{1}{2}(3+1)=2$

표본이 (1, 5), (3, 3), (5, 1)일 때,

$\overline{X}=\frac{1}{2}(1+5)=\frac{1}{2}(3+3)=\frac{1}{2}(5+1)=3$

표본이 (3, 5), (5, 3)일 때,

$\overline{X}=\frac{1}{2}(3+5)=\frac{1}{2}(5+3)=4$

표본이 (5, 5)일 때, $\overline{X}=\frac{1}{2}(5+5)=5$

따라서 확률변수 $\overline{X}$가 가질 수 있는 값은 1, 2, 3, 4, 5이다.

답 1, 2, 3, 4, 5

1421

$\overline{X}=3$이 되는 표본은 (1, 5), (3, 3), (5, 1)의 3개이다.

답 3

1422

(i) 3을 두 번 추출하면 되므로 이 경우

$\{P(X=3)\}^2=\left(\frac{1}{3}\right)^2=\frac{1}{9}$

(ii) 1, 5를 각각 한 번씩 추출하면 되므로 이 경우

$2!\times P(X=1)\times P(X=5)=2\times\frac{1}{3}\times\frac{1}{3}=\frac{2}{9}$

(i), (ii)에 의하여

$P(\overline{X}=3)=\frac{1}{9}+\frac{2}{9}=\frac{1}{3}$ 답 $\frac{1}{3}$

1423

$\overline{X}$	1	2	3	4	5	합계
$P(\overline{X}=\overline{x})$	$\frac{1}{9}$	$\frac{2}{9}$	$\frac{1}{3}$	$\frac{2}{9}$	$\frac{1}{9}$	1

답 풀이 참조

1424

모집단 {0, 2, 4}에서 크기가 2인 표본을 복원추출하는 방법의 수는

${}_3\Pi_2=3^2=9$

표본이 (0, 0)일 때, $\overline{X}=\frac{1}{2}(0+0)=0$

표본이 (0, 2), (2, 0)일 때, $\overline{X}=\frac{1}{2}(0+2)=\frac{1}{2}(2+0)=1$

표본이 (0, 4), (2, 2), (4, 0)일 때,

$\overline{X}=\frac{1}{2}(0+4)=\frac{1}{2}(2+2)=\frac{1}{2}(4+0)=2$

표본이 (2, 4), (4, 2)일 때, $\overline{X}=\frac{1}{2}(2+4)=\frac{1}{2}(4+2)=3$

표본이 (4, 4)일 때, $\overline{X}=\frac{1}{2}(4+4)=4$

따라서 표본평균 $\overline{X}$의 확률분포를 표로 나타내면 다음과 같다.

$\overline{X}$	0	1	2	3	4	합계
$P(\overline{X}=\overline{x})$	$\frac{1}{9}$	$\frac{2}{9}$	$\frac{1}{3}$	$\frac{2}{9}$	$\frac{1}{9}$	1

답 풀이 참조

1425

$P(1\le\overline{X}\le3)=P(\overline{X}=1)+P(\overline{X}=2)+P(\overline{X}=3)$

$=\frac{2}{9}+\frac{1}{3}+\frac{2}{9}$

$=\frac{7}{9}$ 답 $\frac{7}{9}$

1426

$E(\overline{X})=0\times\frac{1}{9}+1\times\frac{2}{9}+2\times\frac{1}{3}+3\times\frac{2}{9}+4\times\frac{1}{9}=2$

답 2

1427

$V(\overline{X})=\left(0^2\times\frac{1}{9}+1^2\times\frac{2}{9}+2^2\times\frac{1}{3}+3^2\times\frac{2}{9}+4^2\times\frac{1}{9}\right)-2^2$

$=\frac{4}{3}$ 답 $\frac{4}{3}$

1428

$E(\overline{X})=m$ 답 m

1429

$V(\overline{X})=\frac{\sigma^2}{100}$ 답 $\frac{\sigma^2}{100}$

1430

$\sigma(\overline{X})=\sqrt{V(\overline{X})}$

$=\sqrt{\frac{\sigma^2}{100}}=\frac{\sigma}{10}$ 답 $\frac{\sigma}{10}$

[1431-1433] 모평균을 m, 모표준편차를 σ라 하면 $m=60$, $\sigma=6$이고, 표본의 크기가 $n=4$이므로

1431

$E(\overline{X})=m=60$ 답 60

1432

$V(\overline{X})=\frac{\sigma^2}{n}$

$=\frac{6^2}{4}=9$ 답 9

1433

$\sigma(\overline{X})=\sqrt{V(\overline{X})}=3$ 답 3

1434

확률의 총합은 1이므로

$a+\frac{1}{2}+\frac{1}{4}=1$

$\therefore a=\frac{1}{4}$ 답 $\frac{1}{4}$

1435

$E(X)=1\times\frac{1}{4}+2\times\frac{1}{2}+3\times\frac{1}{4}$

$=2$ 답 2

1436

$E(X^2)=1^2\times\frac{1}{4}+2^2\times\frac{1}{2}+3^2\times\frac{1}{4}$

$=\frac{9}{2}$

$V(X)=E(X^2)-\{E(X)\}^2$

$=\frac{9}{2}-2^2=\frac{1}{2}$

$\therefore \sigma(X)=\sqrt{V(X)}=\frac{\sqrt{2}}{2}$ 답 $\frac{\sqrt{2}}{2}$

1437

모평균을 m이라 하면

$E(\overline{X})=m=2$ 답 2

1438

모분산을 σ^2이라 하면 $\sigma^2=\frac{1}{2}$이고,

표본의 크기가 $n=5$이므로

$V(\overline{X})=\frac{\sigma^2}{n}$

$=\frac{\frac{1}{2}}{5}=\frac{1}{10}$

$\therefore \sigma(\overline{X})=\sqrt{V(\overline{X})}$

$=\frac{\sqrt{10}}{10}$ 답 $\frac{\sqrt{10}}{10}$

[1439-1442] 확률변수 X의 확률분포를 표로 나타내면 다음과 같다.

X	1	2	3	4	5	합계
$P(X=x)$	$\frac{1}{5}$	$\frac{1}{5}$	$\frac{1}{5}$	$\frac{1}{5}$	$\frac{1}{5}$	1

1439

모집단의 모평균을 m이라 하면

$m=\frac{1}{5}(1+2+3+4+5)=3$

$\therefore E(\overline{X})=m=3$ 답 3

1440

모분산을 σ^2이라 하면

$\sigma^2=\frac{1}{5}(1^2+2^2+3^2+4^2+5^2)-3^2=2$

$\therefore V(X)=\sigma^2=2$ 답 2

1441

$E(\overline{X})=m=3$ 답 3

1442

$V(\overline{X})=\frac{\sigma^2}{n}$

$=\frac{2}{2}=1$

$\therefore \sigma(\overline{X})=\sqrt{V(\overline{X})}=1$ 답 1

1443

$E(\overline{X})=m$ 답 m

1444

$V(\overline{X})=\frac{\sigma^2}{n}$ 답 $\frac{\sigma^2}{n}$

1445

$\sigma(\overline{X})=\sqrt{V(\overline{X})}$

$=\sqrt{\frac{\sigma^2}{n}}=\frac{\sigma}{\sqrt{n}}$ 답 $\frac{\sigma}{\sqrt{n}}$

[1446-1449] 모집단이 정규분포 $N(50,\ 10^2)$을 따르므로 모평균을 m, 모분산을 σ^2이라 하면 $m=50$, $\sigma^2=10^2$이고, 표본의 크기는 $n=25$이므로

1446

$E(\overline{X})=m=50$ 답 50

1447

$V(\overline{X})=\frac{\sigma^2}{n}=\frac{10^2}{25}=4$ 답 4

1448

$\sigma(\overline{X})=\sqrt{V(\overline{X})}=2$ 답 2

1449

정규분포 $N(m,\ \sigma^2)$을 따르는 모집단에서 크기가 n인 표본을 임의추출할 때, 표본평균 $\overline{X}$의 분포는 정규분포 $N\left(m,\ \frac{\sigma^2}{n}\right)$을 따르므로 정규분포 $N(50,\ 10^2)$을 따르는 모집단에서 크기가 25인 표본을 임의추출할 때, 표본평균 $\overline{X}$의 분포는 정규분포

$N\left(50,\ \frac{10^2}{25}\right)$, 즉 $N($ $\boxed{50}$, $\boxed{2^2}$ $)$을 따른다. 답 50, 2^2

1450

평균이 500, 표준편차가 20인 모집단은 정규분포 $N(500,\ 20^2)$을 따르므로 크기가 100인 표본을 임의추출할 때, 표본평균 $\overline{X}$의 분포는

정규분포 $N\left(500,\ \frac{20^2}{100}\right)$, 즉 $N(500,\ 2^2)$을 따른다.

$\therefore a=500,\ b=4$ 답 $a=500,\ b=4$

[1451-1455] $m=150$, $\sigma=5$, $n=100$이므로 표본평균 $\overline{X}$의 분포는

정규분포 $N\left(150,\ \frac{5^2}{100}\right)$, 즉 $N\left(150,\ \left(\frac{1}{2}\right)^2\right)$을 따른다.

1451

$E(\overline{X})=m=150$ 답 150

1452

$\sigma(\overline{X})=\frac{\sigma}{\sqrt{n}}=\frac{5}{\sqrt{100}}=\frac{1}{2}$ 답 $\frac{1}{2}$

1453

$Z=\dfrac{\overline{X}-150}{\dfrac{1}{2}}$ 으로 놓으면 확률변수 Z는 표준정규분포

$\mathrm{N}(0, 1^2)$을 따르므로

$\mathrm{P}(150\le\overline{X}\le150.5)$

$=\mathrm{P}\left(\dfrac{150-150}{\dfrac{1}{2}}\le Z\le\dfrac{150.5-150}{\dfrac{1}{2}}\right)$

$=\mathrm{P}(0\le Z\le1)$

$=0.3413$

답 0.3413

1454

$\mathrm{P}(\overline{X}\ge151)=\mathrm{P}\left(Z\ge\dfrac{151-150}{\dfrac{1}{2}}\right)$

$=\mathrm{P}(Z\ge2)$

$=0.5-\mathrm{P}(0\le Z\le2)$

$=0.5-0.4772$

$=0.0228$

답 0.0228

1455

$\mathrm{P}(\overline{X}\ge149)=\mathrm{P}\left(Z\ge\dfrac{149-150}{\dfrac{1}{2}}\right)$

$=\mathrm{P}(Z\ge-2)$

$=\mathrm{P}(-2\le Z\le0)+0.5$

$=\mathrm{P}(0\le Z\le2)+0.5$

$=0.4772+0.5$

$=0.9772$

답 0.9772

1456

(전수조사: 조사의 대상이 되는 자료 전체를 빠짐없이 조사하는 것)

다음 중 전수조사에 가장 적합한 것은?

① TV 프로그램의 시청률조사
② 건전지의 수명 조사
③ 대통령 선거의 여론 조사 (→ 모든 유권자를 전부 조사할 수는 없다.)
④ 한강의 수질 오염도 조사
⑤ 우리 학교 학생들의 방과후 수업 희망 조사

①, ②, ③, ④는 표본조사가 적합하다.
⑤는 전수조사를 해야 한다.

답 ⑤

1457

(표본조사: 조사의 대상이 되는 자료의 일부만을 택하여 조사함으로써 자료 전체의 성질을 추측하는 것)

〈보기〉에서 표본조사를 하는 것이 적당한 것만을 있는 대로 고른 것은?

보기
ㄱ. 학교에서 실시하는 학생들의 키 조사
ㄴ. 방송사에서 하는 여론조사
ㄷ. 어느 전자 회사의 특정 제품의 수명 조사
ㄹ. 인구조사 (→ 전수조사를 한다.)

전수조사는 긴 시간과 많은 비용을 들여 조사 대상을 전체로 하는 것이고, 표본조사는 짧은 시간과 적은 비용을 들이기 위해 조사 대상을 일부분으로 하는 것이다.

ㄱ. 학교에서 실시하는 학생들의 키 조사
➡ 전수조사

ㄴ. 방송사에서 하는 여론조사
➡ 표본조사

ㄷ. 어느 전자 회사의 특정 제품의 수명 조사
➡ 표본조사

ㄹ. 인구조사 ➡ 전수조사

따라서 표본조사를 하는 것이 적당한 것은 ㄴ, ㄷ이다.

답 ③

1458

(복원추출: 한 번 추출된 자료를 되돌려 놓고 다음 자료를 추출하는 방법)

숫자 1, 2, 3, 4가 각각 하나씩 적힌 4개의 공이 들어 있는 주머니가 있다. 다음을 구하시오.

(1) 복원추출로 1개씩 2번 꺼내는 방법의 수
(2) 비복원추출로 1개씩 2번 꺼내는 방법의 수
(3) 동시에 2개를 꺼내는 방법의 수

(비복원추출: 한 번 추출된 자료를 되돌려 놓지 않고 다음 자료를 추출하는 방법)

(1) 복원추출하는 방법의 수는 4개의 공에서 중복을 허용하여 2개를 꺼내는 방법의 수와 같으므로
$_4\Pi_2=16$

(2) 비복원추출로 1개씩 2번 꺼내는 방법의 수는 4개의 공에서 2개를 꺼내어 일렬로 나열하는 방법의 수와 같으므로
$_4\mathrm{P}_2=12$

(3) 동시에 2개를 꺼내는 방법의 수는 4개의 공에서 2개를 꺼내는 방법의 수와 같으므로
$_4\mathrm{C}_2=6$

답 (1) 16 (2) 12 (3) 6

1459

중복을 허용하여 나열하는 경우와 같다.

1부터 4까지 자연수가 각각 하나씩 적힌 4개의 공이 들어 있는 주머니에서 3개의 공을 표본으로 임의추출할 때, 1개씩 복원추출하는 경우의 수를 a라 하고, 1개씩 비복원추출하는 경우의 수를 b라 할 때, $a+b$의 값은?

중복을 허용하지 않고 나열하는 경우와 같다.

$a={}_4\Pi_3=4^3=2^6=64$

$b={}_4\mathrm{P}_3=4\times3\times2=24$

$\therefore a+b=64+24=88$

답 ⑤

1460

주머니 속에 1의 숫자가 적혀 있는 공 1개, 2의 숫자가 적혀 있는 공 2개, 3의 숫자가 적혀 있는 공 5개가 들어 있다. 이 주머니에서 임의로 1개의 공을 꺼내어 공에 적혀 있는 수를 확인한 후 다시 넣는다. 이와 같은 시행을 2번 반복할 때, 꺼낸 공에 적혀 있는 수의 평균을 $\overline{X}$라 하자. $\mathrm{P}(\overline{X}=2)$의 값은?

(1, 3), (2, 2), (3, 1)을 꺼내는 경우이다. 각각의 확률을 모두 구하여 더하자.

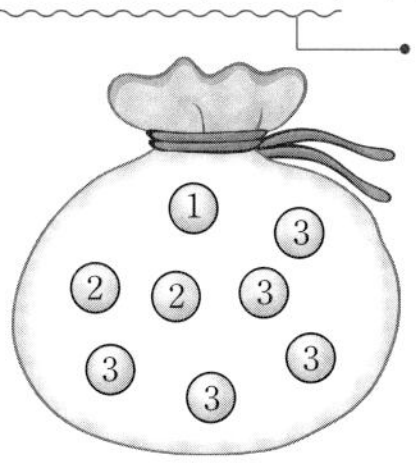

$\overline{X}=2$인 경우는 1과 3, 2와 2, 3과 1을 꺼내는 경우이므로

$\mathrm{P}(\overline{X}=2)=\frac{1}{8}\times\frac{5}{8}+\frac{2}{8}\times\frac{2}{8}+\frac{5}{8}\times\frac{1}{8}$

$=\frac{7}{32}$

답 ⑤

1461

확률변수 X의 확률분포표를 구하자.

1이 적힌 공 2개, 2가 적힌 공 2개, 3이 적힌 공 4개가 들어 있는 주머니에서 임의로 1개의 공을 꺼내 공에 적힌 수를 확인한 후 다시 주머니에 넣는 시행을 2번 반복할 때, 꺼낸 공에 적힌 수의 평균을 $\overline{X}$라고 하자. $\mathrm{P}(\overline{X}=2)$의 값을 구하시오.

(1, 3), (2, 2), (3, 1)을 꺼내는 경우이다. 각각의 확률을 모두 구하여 더하자.

전체 공의 개수는 $2+2+4=8$이므로 확률변수 X의 확률분포표는 아래와 같다.

X	1	2	3	계
$\mathrm{P}(X=x)$	$\frac{1}{4}$	$\frac{1}{4}$	$\frac{1}{2}$	1

표본의 크기가 2일 때 $\overline{X}=\frac{X_1+X_2}{2}=2$에서

$X_1+X_2=4$를 만족하는 순서쌍 (X_1, X_2)는

(1, 3), (3, 1), (2, 2)이므로

$\mathrm{P}(\overline{X}=2)=\frac{1}{4}\times\frac{1}{2}+\frac{1}{2}\times\frac{1}{4}+\frac{1}{4}\times\frac{1}{4}=\frac{5}{16}$

답 $\frac{5}{16}$

1462

정육면체 모양의 상자의 각 면에 1, 2, 2, 3, 4, 4의 숫자가 하나씩 적혀 있다. 이 상자를 2회 던질 때, 윗면에 나온 두 수의 평균을 $\overline{X}$라 하자. $\mathrm{P}(2\le\overline{X}<3)$은?

두 숫자의 합이 4 또는 5인 경우의 확률을 구하자.

상자를 던져서 윗면에 나온 수를 확률변수 X라 할 때, X의 확률분포를 표로 나타내면 다음과 같다.

X	1	2	3	4	합계
$\mathrm{P}(X=x)$	$\frac{1}{6}$	$\frac{1}{3}$	$\frac{1}{6}$	$\frac{1}{3}$	1

첫 번째 던져서 나온 수를 X_1, 두 번째 던져서 나온 수를 X_2라 하면

$\overline{X}=\frac{X_1+X_2}{2}$

(i) $\overline{X}=2$인 경우

$X_1+X_2=4$를 만족시키는 X_1, X_2의 순서쌍 (X_1, X_2)는 (1, 3), (2, 2), (3, 1)이므로

$\mathrm{P}(\overline{X}=2)=\frac{1}{6}\times\frac{1}{6}+\frac{1}{3}\times\frac{1}{3}+\frac{1}{6}\times\frac{1}{6}=\frac{6}{36}=\frac{1}{6}$

(ii) $\overline{X}=\frac{5}{2}$인 경우

$X_1+X_2=5$를 만족시키는 X_1, X_2의 순서쌍 (X_1, X_2)는 (1, 4), (2, 3), (3, 2), (4, 1)이므로

$\mathrm{P}\left(\overline{X}=\frac{5}{2}\right)=\frac{1}{6}\times\frac{1}{3}+\frac{1}{3}\times\frac{1}{6}+\frac{1}{6}\times\frac{1}{3}+\frac{1}{3}\times\frac{1}{6}=\frac{2}{9}$

(i), (ii)에서

$\mathrm{P}(2\le\overline{X}<3)=\mathrm{P}(\overline{X}=2)+\mathrm{P}\left(\overline{X}=\frac{5}{2}\right)$

$=\frac{1}{6}+\frac{2}{9}=\frac{7}{18}$

답 ②

1463

모집단의 확률변수 X의 확률분포를 나타낸 표가 다음과 같다.

X	-2	0	2	합계
$\mathrm{P}(X=x)$	$\frac{1}{4}$	$\frac{1}{2}$	$\frac{1}{4}$	1

이 모집단에서 크기가 3인 표본을 임의추출하여 구한 표본평균 $\overline{X}$에 대하여 $\mathrm{P}(\overline{X}\ge2)$는?

$\mathrm{P}(\overline{X}\ge2)=\mathrm{P}(\overline{X}=2)$임을 이용하자.

첫 번째 뽑은 수를 X_1, 두 번째 뽑은 수를 X_2, 세 번째 뽑은 수를 X_3이라 하면

$\overline{X}=\frac{X_1+X_2+X_3}{3}$

$\overline{X}$의 최댓값이 2이므로

$\mathrm{P}(\overline{X}\ge2)=\mathrm{P}(\overline{X}=2)$

$\overline{X}=2$인 경우는 $X_1=X_2=X_3=2$인 경우뿐이므로

$\mathrm{P}(\overline{X}\ge2)=\mathrm{P}(\overline{X}=2)$

$=\frac{1}{4}\times\frac{1}{4}\times\frac{1}{4}=\frac{1}{64}$

답 ①

1464

숫자 2가 적힌 공 1개, 숫자 4가 적힌 공 n개가 들어 있는 주머니에서 임의로 1개의 공을 꺼내어 공에 적힌 수를 확인한 후 다시 주머니에 넣는 시행을 2회 반복한다. 꺼낸 공에 적힌 수의 평균을 $\overline{X}$라 할 때, $P(\overline{X}=3)=\frac{3}{8}$이다. 자연수 n의 값을 구하시오.

→ (2, 4), (4, 2)를 꺼내는 경우이다.

첫 번째 꺼낸 공에 적힌 수를 X_1, 두 번째 꺼낸 공에 적힌 수를 X_2라 하면

$\overline{X}=\frac{X_1+X_2}{2}$

$\overline{X}=3$, 즉 $X_1+X_2=6$인 경우를 X_1, X_2의 순서쌍 (X_1, X_2)로 나타내면 $(2, 4)$, $(4, 2)$이므로

$P(\overline{X}=3)=\frac{1}{n+1}\times\frac{n}{n+1}+\frac{n}{n+1}\times\frac{1}{n+1}$

$=\frac{2n}{(n+1)^2}=\frac{3}{8}$

$16n=3(n+1)^2$, $3n^2-10n+3=0$

$(3n-1)(n-3)=0$ $\quad\therefore n=\frac{1}{3}$ 또는 $n=3$

따라서 구하는 자연수 n의 값은 3이다. 답 3

1465

→ $E(\overline{X})=E(X)$, $\sigma(\overline{X})=\frac{\sigma(X)}{\sqrt{n}}$임을 이용하자.

모평균이 200, 모분산이 5^2인 모집단에서 크기가 100인 표본을 임의추출할 때, 표본평균 $\overline{X}$의 평균 a, 표준편차 b에 대하여 ab의 값을 구하시오.

모평균이 200, 모표준편차가 5, 표본의 크기가 100이므로

$a=E(\overline{X})=200$

$b=\sigma(\overline{X})=\frac{5}{\sqrt{100}}=\frac{1}{2}$

$\therefore ab=200\times\frac{1}{2}=100$ 답 100

1466

$E(\overline{X})=E(X)$, $\sigma(\overline{X})=\frac{\sigma(X)}{\sqrt{n}}$임을 이용하자.

모평균이 25, 모표준편차가 4인 모집단에서 임의추출한 크기가 4인 표본의 표본평균을 $\overline{X}$라고 할 때, $E(\overline{X})+V(\overline{X})$의 값을 구하시오.

$E(\overline{X})=E(X)=25$,

$V(\overline{X})=\frac{V(X)}{4}=\frac{4^2}{4}=4$

$\therefore E(\overline{X})+V(\overline{X})=25+4=29$ 답 29

1467

→ $E(\overline{X}^2)=V(\overline{X})+\{E(\overline{X})\}^2$임을 이용하자.

정규분포 $N(10, 6)$을 따르는 모집단에서 크기가 3인 표본을 임의추출할 때, 표본평균 $\overline{X}$에 대하여 $E(\overline{X}^2)$을 구하시오.

모평균이 10, 모분산이 6, 표본의 크기가 3이므로

$E(\overline{X})=10$

$V(\overline{X})=\frac{6}{3}=2$

$V(\overline{X})=E(\overline{X}^2)-\{E(\overline{X})\}^2$에서

$2=E(\overline{X}^2)-10^2$

$\therefore E(\overline{X}^2)=2+10^2=102$ 답 102

1468

모평균이 10, 모표준편차가 2인 모집단에서 크기가 4인 표본을 임의추출하여 구한 표본평균을 $\overline{X}$라 할 때, $E(3\overline{X}+1)+V(2\overline{X}-3)$의 값은?

→ $E(a\overline{X}+b)=aE(\overline{X})+b$, $V(a\overline{X}+b)=a^2V(\overline{X})$임을 이용하자.

모평균이 10, 모표준편차가 2, 표본의 크기가 4이므로

$E(\overline{X})=10$, $V(\overline{X})=\frac{2^2}{4}=1$

$E(3\overline{X}+1)=3E(\overline{X})+1=3\times10+1=31$

$V(2\overline{X}-3)=2^2V(\overline{X})=2^2\times1=4$

$\therefore E(3\overline{X}+1)+V(2\overline{X}-3)=31+4=35$ 답 ⑤

1469

→ $E(\overline{X})=E(X)$, $\sigma(\overline{X})=\frac{\sigma(X)}{\sqrt{n}}$임을 이용하자.

모집단의 확률변수 X가 정규분포 $N(8, \sigma^2)$을 따른다고 한다. 이 모집단에서 크기가 4인 표본을 임의추출할 때, 표본평균 $\overline{X}$에 대하여 $\sigma(\overline{X})=2$이다. $E(X^2)$을 구하시오.

→ $E(\overline{X}^2)=V(\overline{X})+\{E(\overline{X})\}^2$임을 이용하자.

$\sigma(\overline{X})=\frac{\sigma}{2}=2$

$\therefore \sigma=4$

즉, $V(X)=\sigma^2=16$이고, $E(X)=8$이므로

$V(X)=E(X^2)-\{E(X)\}^2$에서

$16=E(X^2)-8^2$

$\therefore E(X^2)=80$ 답 80

1470

모평균이 50, 모표준편차가 5인 모집단에서 크기가 25인 표본을 임의추출할 때, 그 표본평균을 $\overline{X}$, 표본표준편차를 S라 하자. 〈보기〉에서 옳은 것만을 있는 대로 고른 것은?

보기

ㄱ. $\overline{X}=50$ → $E(\overline{X})=50$임에 주의하자.

ㄴ. S는 확률변수이다.

ㄷ. $\overline{X}$의 표준편차는 1이다.

→ S는 추출한 표본에 따라 달라질 수 있다.

ㄱ. 표본평균 $\overline{X}$는 표본을 추출할 때마다 달라질 수 있는 확률변수이므로 $\overline{X}=50$이라고 단정할 수 없다. (거짓)

ㄴ. S는 추출한 표본에 따라 달라질 수 있는 확률변수이다. (참)
ㄷ. 표본평균 $\overline{X}$의 표준편차는

$\sigma(\overline{X})=\frac{5}{\sqrt{25}}=1$ (참)

따라서 옳은 것은 ㄴ, ㄷ이다. 답 ⑤

1471

모평균이 300, 모분산이 25인 모집단에서 크기가 n인 표본을 임의추출할 때, 표본평균 $\overline{X}$의 평균이 a, 표준편차가 $\frac{1}{3}$이라고 한다. $a-n$의 값을 구하시오.

→ $E(\overline{X})=E(X)$, $\sigma(\overline{X})=\frac{\sigma(X)}{\sqrt{n}}$임을 이용하자.

모평균이 300, 모분산이 25, 표본의 크기가 n이므로

$a=E(\overline{X})=300$

$\sigma(\overline{X})=\frac{5}{\sqrt{n}}=\frac{1}{3}$

$\sqrt{n}=15 \qquad \therefore n=225$

$\therefore a-n=300-225=75$ 답 75

1472

모표준편차가 $\frac{1}{6}$인 정규분포를 따르는 모집단에서 크기가 n인 표본을 임의추출할 때, 표본평균 $\overline{X}$의 표준편차 $\sigma(\overline{X})$가 $\frac{1}{40}$ 이하가 되는 n의 최솟값을 구하시오.

→ $\sigma(\overline{X})=\frac{\sigma(X)}{\sqrt{n}}$임을 이용하자.

표본평균 $\overline{X}$의 표준편차는

$\sigma(\overline{X})=\frac{\frac{1}{6}}{\sqrt{n}}=\frac{1}{6\sqrt{n}}$

즉, $\frac{1}{6\sqrt{n}}\le\frac{1}{40}$에서 $\sqrt{n}\ge\frac{20}{3}$

$\therefore n\ge\frac{400}{9}=44.\times\times\times$

따라서 n의 최솟값은 45이다. 답 45

1473

모평균이 m, 모표준편차가 σ인 모집단에서 크기가 9인 표본을 임의추출할 때, 표본평균 $\overline{X}$의 평균이 10, 표준편차가 2이다. $m+\sigma$의 값은?

→ $E(\overline{X})=E(X)$, $\sigma(\overline{X})=\frac{\sigma(X)}{\sqrt{n}}$임을 이용하자.

$E(\overline{X})=m=10$

$\sigma(\overline{X})=\frac{\sigma}{\sqrt{9}}=\frac{\sigma}{3}=2$

$\therefore \sigma=6$

$\therefore m+\sigma=10+6=16$ 답 ③

1474

모평균이 m, 모표준편차가 σ인 모집단에서 크기가 16인 표본을 임의추출하여 구한 표본평균을 $\overline{X}$라 하자. $E(4\overline{X}-1)=15$, $V(3\overline{X}+2)=36$일 때, $m+\sigma$의 값을 구하시오.

→ $E(a\overline{X}+b)=aE(\overline{X})+b$, $V(a\overline{X}+b)=a^2V(\overline{X})$임을 이용하자.

크기가 16인 표본을 임의추출하였으므로

$E(\overline{X})=m$, $V(\overline{X})=\frac{\sigma^2}{16}$

$E(4\overline{X}-1)=4E(\overline{X})-1$
$=4m-1=15$

$\therefore m=4$

$V(3\overline{X}+2)=9V(\overline{X})=\frac{9\sigma^2}{16}=36$

따라서 $\sigma^2=64$이므로 $\sigma=8$

$\therefore m+\sigma=12$ 답 12

1475

정규분포 $N(m, \sigma^2)$을 따르는 모집단에서 크기가 10, 20인 표본을 임의추출할 때, 그 표본평균을 각각 $\overline{X_1}$, $\overline{X_2}$라고 한다. 〈보기〉에서 옳은 것만을 있는 대로 고른 것은?

보기
ㄱ. $\overline{X_1}=\overline{X_2}$ → 표본에 따라 표본평균은 달라진다.
ㄴ. $E(\overline{X_1})=E(\overline{X_2})$ → 표본평균의 평균은 모평균과 같다.
ㄷ. $\sigma(\overline{X_1})>\sigma(\overline{X_2})$

→ $\sigma(\overline{X})=\frac{\sigma(X)}{\sqrt{n}}$임을 이용하자.

정규분포 $N(m, \sigma^2)$을 따르는 모집단에서 크기가 n인 표본을 임의추출하면 표본평균 $\overline{X}$는 정규분포 $N\left(m, \frac{\sigma^2}{n}\right)$을 따르므로

$\overline{X_1}$는 정규분포 $N\left(m, \frac{\sigma^2}{10}\right)$,

$\overline{X_2}$는 정규분포 $N\left(m, \frac{\sigma^2}{20}\right)$을 따른다.

ㄱ. 표본에 따라 표본평균이 달라질 수 있다. (거짓)
ㄴ. $E(\overline{X_1})=E(\overline{X_2})=m$ (참)
ㄷ. $\sigma(\overline{X_1})=\frac{\sigma}{\sqrt{10}}$, $\sigma(\overline{X_2})=\frac{\sigma}{2\sqrt{5}}$이므로

$\sigma(\overline{X_1})>\sigma(\overline{X_2})$ (참)

따라서 옳은 것은 ㄴ, ㄷ이다. 답 ④

1476

평균이 m, 표준편차가 σ인 정규분포를 따르는 모집단에서 크기가 n_1인 표본을 임의추출하여 얻은 표본평균을 $\overline{X}$, 크기가 n_2인 표본을 임의추출하여 얻은 표본평균을 $\overline{Y}$라 할 때, 〈보기〉에서 옳은 것만을 있는 대로 고르시오.

보기

ㄱ. $2n_1=n_2$이면 $E(\overline{X})=2E(\overline{Y})$이다. → 평균은 표본의 크기와 무관하다.

ㄴ. $n_1<n_2$이면 $V(\overline{X})>V(\overline{Y})$이다.

ㄷ. $4n_1=n_2$이면 $\sigma(\overline{X})=2\sigma(\overline{Y})$이다.

→ $V(\overline{X})=\dfrac{V(X)}{n}$임을 이용하자. 평균은 표본의 크기와 무관하다.

ㄱ. 평균은 표본의 크기에 관계가 없으므로

$E(\overline{X})=E(\overline{Y})=m$ (거짓)

ㄴ. $V(\overline{X})=\dfrac{\sigma^2}{n_1}$, $V(\overline{Y})=\dfrac{\sigma^2}{n_2}$이므로

$n_1<n_2$이면 $V(\overline{X})>V(\overline{Y})$ (참)

ㄷ. $\sigma(\overline{X})=\dfrac{\sigma}{\sqrt{n_1}}$, $\sigma(\overline{Y})=\dfrac{\sigma}{\sqrt{n_2}}$이므로

$4n_1=n_2$이면 $\sigma(\overline{X})=2\sigma(\overline{Y})$ (참)

따라서 옳은 것은 ㄴ, ㄷ 이다.

답 ㄴ, ㄷ

1477

→ $E(\overline{X})=E(X)=\sum_{i=1}^{n} x_ip_i$임을 이용하자.

모집단의 확률변수 X의 확률분포를 나타낸 표가 다음과 같다. 이 모집단에서 크기가 8인 표본을 임의추출할 때, 표본평균 $\overline{X}$의 표준편차를 구하시오.

→ $\sigma(\overline{X})=\dfrac{\sigma(X)}{\sqrt{n}}$임을 이용하자.

X	0	1	2	합계
$P(X=x)$	$\frac{1}{4}$	$\frac{1}{2}$	$\frac{1}{4}$	1

모평균을 m, 모분산을 σ^2이라 하면

$$m=0\times\frac{1}{4}+1\times\frac{1}{2}+2\times\frac{1}{4}=1$$

$$\sigma^2=0^2\times\frac{1}{4}+1^2\times\frac{1}{2}+2^2\times\frac{1}{4}-1^2=\frac{1}{2}$$

표본의 크기가 $n=8$이므로

$$\sigma(\overline{X})=\frac{\sigma}{\sqrt{n}}=\frac{\frac{1}{\sqrt{2}}}{\sqrt{8}}=\frac{1}{4}$$

답 $\frac{1}{4}$

1478

→ 먼저 모집단의 표준편차를 구하고 $\sigma(\overline{X})=\dfrac{\sigma(X)}{\sqrt{n}}$임을 이용하자.

모집단의 확률변수 X의 확률분포를 나타낸 표가 다음과 같을 때, 이 모집단에서 크기가 4인 표본을 임의추출하였다. 표본평균을 $\overline{X}$라 할 때, $V(\overline{X})$를 구하시오.

X	1	2	3	4	5	합계
$P(X=x)$	$\frac{1}{6}$	$\frac{1}{6}$	$\frac{1}{3}$	$\frac{1}{6}$	$\frac{1}{6}$	1

모평균을 m, 모분산을 σ^2이라 하면

$$m=1\times\frac{1}{6}+2\times\frac{1}{6}+3\times\frac{1}{3}+4\times\frac{1}{6}+5\times\frac{1}{6}=3$$

$$\sigma^2=1^2\times\frac{1}{6}+2^2\times\frac{1}{6}+3^2\times\frac{1}{3}+4^2\times\frac{1}{6}+5^2\times\frac{1}{6}-3^2=\frac{5}{3}$$

표본의 크기가 $n=4$이므로

$$V(\overline{X})=\frac{\sigma^2}{n}=\frac{\frac{5}{3}}{4}=\frac{5}{12}$$

답 $\frac{5}{12}$

1479

→ $E(\overline{X})=E(X)=\sum_{i=1}^{n} x_ip_i$임을 이용하자.

모집단의 확률변수 X의 확률분포를 나타낸 표가 다음과 같다.

X	1	2	3	4	합계
$P(X=x)$	$\frac{2}{5}$	$\frac{3}{10}$	a	$\frac{1}{10}$	1

이 모집단에서 크기가 16인 표본을 임의추출할 때, 그 표본평균을 $\overline{X}$라 하자. $E(\overline{X})+\sigma(\overline{X})$의 값을 구하시오.

→ $\sigma(\overline{X})=\dfrac{\sigma(X)}{\sqrt{n}}$임을 이용하자.

확률의 총합은 1이므로

$$\frac{2}{5}+\frac{3}{10}+a+\frac{1}{10}=1 \quad \therefore a=\frac{1}{5}$$

모평균을 m, 모분산을 σ^2이라 하면

$$m=1\times\frac{2}{5}+2\times\frac{3}{10}+3\times\frac{1}{5}+4\times\frac{1}{10}=2$$

$$\sigma^2=1^2\times\frac{2}{5}+2^2\times\frac{3}{10}+3^2\times\frac{1}{5}+4^2\times\frac{1}{10}-2^2=1$$

표본의 크기가 $n=16$이므로

$$E(\overline{X})=m=2,\ \sigma(\overline{X})=\frac{\sigma}{\sqrt{n}}=\frac{1}{\sqrt{16}}=\frac{1}{4}$$

$$\therefore E(\overline{X})+\sigma(\overline{X})=\frac{9}{4}$$

답 $\frac{9}{4}$

1480

→ $E(\overline{X})=E(X)=\sum_{i=1}^{n} x_ip_i$임을 이용하자.

모집단의 확률변수 X의 확률분포를 나타낸 표가 다음과 같다.

X	1	2	3	4	5	합계
$P(X=x)$	$\frac{1}{9}$	$\frac{2}{9}$	$\frac{1}{3}$	$\frac{2}{9}$	$\frac{1}{9}$	1

이 모집단에서 크기가 4인 표본을 임의추출할 때, 표본평균 $\overline{X}$에 대하여 $E(\overline{X}^2)$은?

→ $E(\overline{X}^2)=V(\overline{X})+\{E(\overline{X})\}^2$임을 이용하자.

모평균을 m, 모분산을 σ^2이라 하면

$$m=1\times\frac{1}{9}+2\times\frac{2}{9}+3\times\frac{1}{3}+4\times\frac{2}{9}+5\times\frac{1}{9}=3$$

$$\sigma^2=1^2\times\frac{1}{9}+2^2\times\frac{2}{9}+3^2\times\frac{1}{3}+4^2\times\frac{2}{9}+5^2\times\frac{1}{9}-3^2=\frac{4}{3}$$

표본의 크기가 $n=4$이므로

$E(\overline{X})=m=3$

$V(\overline{X})=\frac{\sigma^2}{n}=\frac{\frac{4}{3}}{4}=\frac{1}{3}$

한편, $V(\overline{X})=E(\overline{X}^2)-\{E(\overline{X})\}^2$에서

$\frac{1}{3}=E(\overline{X}^2)-3^2$

$\therefore E(\overline{X}^2)=\frac{1}{3}+9=\frac{28}{3}$ 답 ②

1481

• 확률의 총합은 1임을 이용하자.

모집단의 확률변수 X의 확률분포를 나타낸 표가 다음과 같다. 이 모집단에서 크기가 n인 표본을 임의추출할 때, 표본평균 $\overline{X}$의 분산은 $\frac{1}{8}$이라고 한다. n의 값을 구하시오.

X	0	1	2	3	합계
$P(X=x)$	$\frac{1}{8}$	a	a	$\frac{1}{8}$	1

• $V(\overline{X})=\frac{V(X)}{n}$임을 이용하자.

확률의 총합은 1이므로

$\frac{1}{8}+a+a+\frac{1}{8}=1 \quad \therefore a=\frac{3}{8}$

모평균을 m, 모분산을 σ^2이라 하면

$m=0\times\frac{1}{8}+1\times\frac{3}{8}+2\times\frac{3}{8}+3\times\frac{1}{8}=\frac{3}{2}$

$\sigma^2=0^2\times\frac{1}{8}+1^2\times\frac{3}{8}+2^2\times\frac{3}{8}+3^2\times\frac{1}{8}-\left(\frac{3}{2}\right)^2=\frac{3}{4}$

표본의 크기가 n이고, $\overline{X}$의 분산이 $\frac{1}{8}$이므로

$V(\overline{X})=\frac{\sigma^2}{n}=\frac{\frac{3}{4}}{n}=\frac{1}{8}$

$\therefore n=6$ 답 6

1482

• 확률의 총합은 1임을 이용하자.

어느 모집단의 확률변수를 표로 나타내면 다음과 같다.

X	0	1	2	합계
$P(X=x)$	$\frac{1}{3}$	a	b	1

이 모집단에서 크기가 4인 표본을 임의추출하여 구한 표본평균을 $\overline{X}$라 하자. $E(\overline{X})=\frac{5}{6}$일 때, $a+2b$의 값은?

• $E(\overline{X})=E(X)$임을 이용하자.

$E(\overline{X})=E(X)$이고 $E(X)=a+2b$이므로

$a+2b=\frac{5}{6}$ 답 ⑤

1483

• 확률의 총합은 1임을 이용하자.

어느 모집단의 확률변수 X의 확률분포가 다음 표와 같다.

X	0	2	4	합계
$P(X=x)$	$\frac{1}{6}$	a	b	1

$E(X^2)=\frac{16}{3}$일 때, 이 모집단에서 임의추출한 크기가 20인 표본의 표본평균 $\overline{X}$에 대하여 $V(\overline{X})$의 값은?

• $V(\overline{X})=\frac{V(X)}{n}$임을 이용하자.

확률의 총합이 1이므로

$\frac{1}{6}+a+b=1$

$\therefore a+b=\frac{5}{6}$ ······㉠

또 $E(X^2)=\frac{16}{3}$이므로

$E(X^2)=0^2\times\frac{1}{6}+2^2\times a+4^2\times b=\frac{16}{3}$

$\therefore a+4b=\frac{4}{3}$ ······㉡

㉠, ㉡을 연립하여 풀면

$a=\frac{2}{3}, b=\frac{1}{6}$

따라서 확률변수 X의 확률분포를 표로 나타내면 다음과 같다.

X	0	2	4	합계
$P(X=x)$	$\frac{1}{6}$	$\frac{2}{3}$	$\frac{1}{6}$	1

확률변수 X의 평균은

$E(X)=0\times\frac{1}{6}+2\times\frac{2}{3}+4\times\frac{1}{6}$

$=2$

이므로

$V(X)=E(X^2)-\{E(X)\}^2$

$=\frac{16}{3}-2^2=\frac{4}{3}$

모집단에서 크기가 20인 표본의 표본평균이 $\overline{X}$이므로

$V(\overline{X})=\frac{1}{20}\times V(X)$

$=\frac{1}{20}\times\frac{4}{3}$

$=\frac{1}{15}$ 답 ④

1484

• 확률변수 X는 이항분포 $B\left(90, \frac{1}{3}\right)$을 따른다.

어느 모집단의 확률변수 X의 확률질량함수가

$P(X=r)={}_{90}C_r\left(\frac{1}{3}\right)^r\left(\frac{2}{3}\right)^{90-r}$ $(r=0, 1, 2, \cdots, 90)$

이고, 이 모집단에서 크기가 5인 표본을 임의추출하여 구한 표본평균을 $\overline{X}$라 할 때, $E(\overline{X})\times V(\overline{X})$의 값을 구하시오.

• $E(\overline{X})=E(X)$, $\sigma(\overline{X})=\frac{\sigma(X)}{\sqrt{n}}$임을 이용하자.

확률변수 X의 확률질량함수가

$P(X=r)={}_{90}C_r\left(\frac{1}{3}\right)^r\left(\frac{2}{3}\right)^{90-r}$ $(r=0, 1, 2, \cdots, 90)$

이므로 확률변수 X는 이항분포 $B\left(90, \frac{1}{3}\right)$을 따른다.

모평균을 m, 모분산을 σ^2이라 하면

$E(X)=m=30$, $V(X)=\sigma^2=20$이고 표본의 크기가 $n=5$이므로

$E(\overline{X})=m=30$

$V(\overline{X})=\frac{\sigma^2}{n}=\frac{20}{5}=4$

$\therefore E(\overline{X})\times V(\overline{X})=30\times 4=120$

답 120

1485

모집단의 확률변수 X의 확률분포를 나타낸 표가 다음과 같다.

X	1	2	3	4	합계
$P(X=x)$	$\frac{1}{10}$	$\frac{1}{5}$	$\frac{3}{10}$	$\frac{2}{5}$	1

이 모집단에서 크기가 n인 표본을 임의추출할 때, 표본평균 $\overline{X}$에 대하여 $E(\overline{X})\times V(\overline{X})=\frac{1}{4}$이라고 한다. n의 값을 구하시오.

• $E(\overline{X})=E(X)$, $\sigma(\overline{X})=\frac{\sigma(X)}{\sqrt{n}}$임을 이용하자.

모평균을 m, 모분산을 σ^2이라 하면

$m=1\times\frac{1}{10}+2\times\frac{1}{5}+3\times\frac{3}{10}+4\times\frac{2}{5}=3$

$\sigma^2=1^2\times\frac{1}{10}+2^2\times\frac{1}{5}+3^2\times\frac{3}{10}+4^2\times\frac{2}{5}-3^2=1$

표본의 크기가 n이므로

$E(\overline{X})=m=3$, $V(\overline{X})=\frac{\sigma^2}{n}=\frac{1}{n}$

즉, $E(\overline{X})\times V(\overline{X})=\frac{1}{4}$이므로

$3\times\frac{1}{n}=\frac{1}{4}$ $\quad\therefore n=12$

답 12

1486

• $E(\overline{X})=E(X)=\sum_{i=1}^{n} x_ip_i$임을 이용하자.

모집단의 확률변수 X의 확률분포를 나타낸 표가 다음과 같다.

X	a	$2a$	$3a$	합계
$P(X=x)$	$\frac{3}{10}$	$\frac{3}{5}$	$\frac{1}{10}$	1

이 모집단에서 크기가 2인 표본을 임의추출할 때, 그 표본평균을 $\overline{X}$라 하자. $E(2\overline{X})=\frac{18}{5}$일 때, $P(\overline{X}=2a)$를 구하시오.

• $E(a\overline{X}+b)=aE(\overline{X})+b$임을 이용하자.

$E(2\overline{X})=2E(\overline{X})=\frac{18}{5}$ $\quad\therefore E(\overline{X})=\frac{9}{5}$

$E(X)=E(\overline{X})=\frac{a\times 3+2a\times 6+3a\times 1}{10}=\frac{9}{5}$

$\therefore a=1$

첫 번째 뽑은 수를 X_1, 두 번째 뽑은 수를 X_2라 하면

$\overline{X}=\frac{X_1+X_2}{2}$

$\overline{X}=2$인 경우를 X_1, X_2의 순서쌍 (X_1, X_2)로 나타내면

$(1, 3)$, $(2, 2)$, $(3, 1)$이므로

$P(\overline{X}=2)=\frac{3}{10}\times\frac{1}{10}+\frac{3}{5}\times\frac{3}{5}+\frac{1}{10}\times\frac{3}{10}$

$=\frac{42}{100}=\frac{21}{50}$

답 $\frac{21}{50}$

1487

• 확률의 총합은 1임을 이용하자.

모집단의 확률변수 X의 확률분포를 나타낸 표가 다음과 같다.

X	20	30	40	합계
$P(X=x)$	$\frac{1}{2}$	a	$\frac{1}{2}-a$	1

이 모집단에서 크기가 2인 표본을 임의추출하여 구한 표본평균을 $\overline{X}$라 하자. $\overline{X}$의 평균이 29일 때, $P(\overline{X}=30)$을 구하시오.

• 두 표본이 (20, 40), (30, 30), (40, 20)인 경우이다.

$E(X)=E(\overline{X})=29$이므로

$E(X)=20\times\frac{1}{2}+30\times a+40\times\left(\frac{1}{2}-a\right)$

$=30-10a=29$

$\therefore a=\frac{1}{10}$

즉, X의 확률분포를 표로 나타내면 다음과 같다.

X	20	30	40	합계
$P(X=x)$	$\frac{1}{2}$	$\frac{1}{10}$	$\frac{2}{5}$	1

크기가 2인 표본을 임의추출할 때, 확률변수 X_1, X_2에 대하여 표본평균은 $\overline{X}=\frac{X_1+X_2}{2}$이다.

X_1 \ X_2	20	30	40
20	$\frac{1}{4}$	$\frac{1}{20}$	$\frac{1}{5}$
30	$\frac{1}{20}$	$\frac{1}{100}$	$\frac{1}{25}$
40	$\frac{1}{5}$	$\frac{1}{25}$	$\frac{4}{25}$

위의 표에서 $\overline{X}=30$을 만족시키는 X_1, X_2의 순서쌍 (X_1, X_2)는 $(20, 40)$, $(30, 30)$, $(40, 20)$이므로

$P(\overline{X}=30)=\frac{1}{5}+\frac{1}{100}+\frac{1}{5}$

$=\frac{41}{100}$

답 $\frac{41}{100}$

1488

모평균과 모분산을 구하자.

> 2, 4, 6, 8의 숫자가 각각 하나씩 적힌 4장의 카드가 있다. 이 카드에서 2장의 카드를 복원추출할 때, 카드에 적힌 숫자의 표본평균 $\overline{X}$의 평균과 분산을 순서대로 적은 것은?
>
> $E(\overline{X})=E(X)$, $V(\overline{X})=\frac{V(X)}{n}$임을 이용하자.

4장의 카드에 적힌 숫자를 확률변수 X라 하고, X의 확률분포를 표로 나타내면 다음과 같다.

X	2	4	6	8	합계
$P(X=x)$	$\frac{1}{4}$	$\frac{1}{4}$	$\frac{1}{4}$	$\frac{1}{4}$	1

모평균을 m, 모분산을 σ^2이라 하면

$m=\frac{1}{4}(2+4+6+8)=5$

$\sigma^2=\frac{1}{4}(2^2+4^2+6^2+8^2)-5^2=5$

표본의 크기가 $n=2$이므로

$E(\overline{X})=m=5$, $V(\overline{X})=\frac{\sigma^2}{n}=\frac{5}{2}$ 답 ②

1489

모평균과 모분산을 구하자.

> 주머니 속에 1, 2, 2, 3의 숫자가 각각 하나씩 적힌 4개의 공이 들어 있다. 이것을 모집단으로 하여 크기가 2인 표본을 복원추출할 때, 공에 적힌 숫자의 표본평균 $\overline{X}$의 평균과 표준편차의 합은?
>
> $E(\overline{X})=E(X)$, $\sigma(\overline{X})=\frac{\sigma(X)}{\sqrt{n}}$임을 이용하자.

4개의 공에 적힌 숫자를 확률변수 X라 하고 X의 확률분포를 표로 나타내면 다음과 같다.

X	1	2	3	합계
$P(X=x)$	$\frac{1}{4}$	$\frac{1}{2}$	$\frac{1}{4}$	1

모평균을 m, 모분산을 σ^2이라 하면

$m=1\times\frac{1}{4}+2\times\frac{1}{2}+3\times\frac{1}{4}=2$

$\sigma^2=1^2\times\frac{1}{4}+2^2\times\frac{1}{2}+3^2\times\frac{1}{4}-2^2=\frac{1}{2}$

표본의 크기가 $n=2$이므로

$E(\overline{X})=m=2$

$\sigma(\overline{X})=\frac{\sigma}{\sqrt{n}}=\frac{\frac{1}{\sqrt{2}}}{\sqrt{2}}=\frac{1}{2}$

$\therefore E(\overline{X})+\sigma(\overline{X})=2+\frac{1}{2}=\frac{5}{2}$ 답 ④

1490

$m=\frac{1}{4}(1+2+3+4)$임을 이용하자.

> 주머니 속에 1부터 4까지의 자연수가 하나씩 적힌 구슬이 각각 3개씩 들어 있다. 이 주머니에서 3개의 구슬을 복원추출하여 구슬에 적힌 숫자의 평균을 $\overline{X}$라 할 때, $E(4\overline{X}-5)$를 구하시오.
>
> $E(a\overline{X}+b)=aE(\overline{X})+b$을 이용하자.

12개의 구슬에 적힌 숫자를 확률변수 X라 하고, X의 확률분포를 표로 나타내면 다음과 같다.

X	1	2	3	4	합계
$P(X=x)$	$\frac{1}{4}$	$\frac{1}{4}$	$\frac{1}{4}$	$\frac{1}{4}$	1

모평균을 m, 모분산을 σ^2이라 하면

$m=\frac{1}{4}(1+2+3+4)=\frac{5}{2}$

$\therefore E(\overline{X})=m=\frac{5}{2}$

$\therefore E(4\overline{X}-5)=4E(\overline{X})-5=4\times\frac{5}{2}-5=5$ 답 5

1491

$m=\frac{1}{9}(1+2+3+\cdots+9)$임을 이용하자.

> 1부터 9까지의 자연수가 각각 하나씩 적힌 9개의 공이 들어 있는 주머니에서 4개의 공을 복원추출하여 그 공에 적힌 숫자의 평균을 $\overline{X}$라 할 때, $V(3\overline{X}+1)$을 구하시오.
>
> $V(a\overline{X}+b)=a^2V(\overline{X})$임을 이용하자.

9개의 공에 적힌 숫자를 확률변수 X라 하고, X의 확률분포를 표로 나타내면 다음과 같다.

X	1	2	3	$\cdots$	9	합계
$P(X=x)$	$\frac{1}{9}$	$\frac{1}{9}$	$\frac{1}{9}$	$\cdots$	$\frac{1}{9}$	1

모평균을 m, 모분산을 σ^2이라 하면

$m=\frac{1}{9}(1+2+3+\cdots+9)=5$

$\sigma^2=\frac{1}{9}(1^2+2^2+3^2+\cdots+9^2)-5^2$

$=\frac{20}{3}$

표본의 크기가 $n=4$이므로

$V(\overline{X})=\frac{\frac{20}{3}}{4}=\frac{5}{3}$

$\therefore V(3\overline{X}+1)=3^2V(\overline{X})=9\times\frac{5}{3}=15$ 답 15

1492

$m=\frac{1}{n}(1+2+3+\cdots+n)$임을 이용하자.

> 1부터 n까지의 자연수가 각각 하나씩 적힌 공 n개가 상자 안에 들어 있다. 이 상자에서 2개의 공을 복원추출할 때, 공에 적힌 숫자의 표본평균 $\overline{X}$의 평균이 3이다. $\overline{X}$의 분산을 구하시오.
>
> $E(\overline{X})=E(X)$, $V(\overline{X})=\frac{V(X)}{n}$임을 이용하자.

n개의 공에 적힌 숫자를 확률변수 X라 하고, X의 확률분포를 표로 나타내면 다음과 같다.

X	1	2	3	$\cdots$	n	합계
$\mathrm{P}(X=x)$	$\frac{1}{n}$	$\frac{1}{n}$	$\frac{1}{n}$	$\cdots$	$\frac{1}{n}$	1

모평균을 m, 모분산을 σ^2이라 하면

$m=\frac{1}{n}(1+2+3+\cdots+n)$

$=\frac{1}{n}\times\frac{n(n+1)}{2}$

$=\frac{n+1}{2}=3$

$\therefore n=5$

$\sigma^2=\frac{1}{5}(1^2+2^2+3^2+4^2+5^2)-3^2=2$

표본의 크기가 2이므로

$\mathrm{V}(\overline{X})=\frac{2}{2}=1$

답 1

1493

→ $\mathrm{E}(X)=\sum_{i=1}^{n}x_ip_i$임을 이용하자.

주머니 속에 1, 1, 2, 2, 2, 3, 3이 각각 하나씩 적힌 7개의 공이 들어 있다. 이 주머니에서 3개의 공을 복원추출하여 공에 적힌 숫자의 평균을 $\overline{X}$라 할 때, $\mathrm{E}(\overline{X})\times\mathrm{V}(\overline{X})$의 값은?

→ $\mathrm{E}(\overline{X})=\mathrm{E}(X)$, $\mathrm{V}(\overline{X})=\frac{\mathrm{V}(X)}{n}$임을 이용하자.

공에 적힌 숫자를 확률변수 X라 하고, X의 확률분포를 표로 나타내면 다음과 같다.

X	1	2	3	합계
$\mathrm{P}(X=x)$	$\frac{2}{7}$	$\frac{3}{7}$	$\frac{2}{7}$	1

모평균을 m, 모분산을 σ^2이라 하면

$m=1\times\frac{2}{7}+2\times\frac{3}{7}+3\times\frac{2}{7}=2$

$\sigma^2=1^2\times\frac{2}{7}+2^2\times\frac{3}{7}+3^2\times\frac{2}{7}-2^2=\frac{4}{7}$

표본의 크기가 $n=3$이므로

$\mathrm{E}(\overline{X})=m=2$

$\mathrm{V}(\overline{X})=\frac{\sigma^2}{n}=\frac{\frac{4}{7}}{3}=\frac{4}{21}$

$\therefore \mathrm{E}(\overline{X})\times\mathrm{V}(\overline{X})=\frac{8}{21}$

답 ③

1494

→ $\mathrm{E}(X)=\sum_{i=1}^{n}x_ip_i$임을 이용하자.

주머니 속에 1, 2, 3의 숫자가 적힌 카드가 각각 1장, 2장, 3장 들어 있다. 이 주머니에서 5장의 카드를 복원추출할 때, 카드에 적힌 숫자의 표본평균 $\overline{X}$에 대하여 $\frac{\mathrm{E}(\overline{X})}{\mathrm{V}(\overline{X})}$의 값은?

→ $\mathrm{E}(\overline{X})=\mathrm{E}(X)$, $\mathrm{V}(\overline{X})=\frac{\mathrm{V}(X)}{n}$임을 이용하자.

카드에 적힌 숫자를 확률변수 X라 하고, X의 확률분포를 표로 나타내면 다음과 같다.

X	1	2	3	합계
$\mathrm{P}(X=x)$	$\frac{1}{6}$	$\frac{1}{3}$	$\frac{1}{2}$	1

모평균을 m, 모분산을 σ^2이라 하면

$m=1\times\frac{1}{6}+2\times\frac{1}{3}+3\times\frac{1}{2}=\frac{7}{3}$

$\sigma^2=1^2\times\frac{1}{6}+2^2\times\frac{1}{3}+3^2\times\frac{1}{2}-\left(\frac{7}{3}\right)^2=\frac{5}{9}$

표본의 크기가 $n=5$이므로

$\mathrm{E}(\overline{X})=m=\frac{7}{3}$, $\mathrm{V}(\overline{X})=\frac{\sigma^2}{n}=\frac{\frac{5}{9}}{5}=\frac{1}{9}$

$\therefore \frac{\mathrm{E}(\overline{X})}{\mathrm{V}(\overline{X})}=\frac{\frac{7}{3}}{\frac{1}{9}}=21$

답 ④

1495

→ $\mathrm{E}(X)=\sum_{i=1}^{n}x_ip_i$임을 이용하자.

1, 2, 3이 하나씩 적힌 카드가 각각 1장, 2장, 3장씩 있다. 이 중에서 복원추출로 2장의 카드를 뽑아 카드에 적힌 숫자의 평균을 $\overline{X}$라 할 때, $\mathrm{E}(\overline{X}^2)=\frac{b}{a}$이다. $a+b$의 값을 구하시오.

→ $\mathrm{E}(\overline{X})=\mathrm{E}(X)$임을 이용하자. (단, a, b는 서로소인 자연수이다.)

6장의 카드에 적힌 숫자를 확률변수 X라 하고 X의 확률분포를 표로 나타내면 다음과 같다.

X	1	2	3	합계
$\mathrm{P}(X=x)$	$\frac{1}{6}$	$\frac{1}{3}$	$\frac{1}{2}$	1

모평균을 m, 모분산을 σ^2이라 하면

$m=1\times\frac{1}{6}+2\times\frac{1}{3}+3\times\frac{1}{2}=\frac{7}{3}$

$\sigma^2=1^2\times\frac{1}{6}+2^2\times\frac{1}{3}+3^2\times\frac{1}{2}-\left(\frac{7}{3}\right)^2=\frac{5}{9}$

표본의 크기가 $n=2$이므로

$\mathrm{E}(\overline{X})=m=\frac{7}{3}$

$\mathrm{V}(\overline{X})=\frac{\sigma^2}{n}=\frac{\frac{5}{9}}{2}=\frac{5}{18}$

$\mathrm{V}(\overline{X})=\mathrm{E}(\overline{X}^2)-\{\mathrm{E}(\overline{X})\}^2$에서

$\frac{5}{18}=\mathrm{E}(\overline{X}^2)-\left(\frac{7}{3}\right)^2$

$\therefore \mathrm{E}(\overline{X}^2)=\frac{5}{18}+\frac{49}{9}=\frac{103}{18}$

$\therefore a+b=18+103=121$

답 121

1496

$\mathrm{E}(X)=\sum_{i=1}^{n} x_i p_i$임을 이용하자.

> 주머니 속에 1, 3, 5, 7, 9의 숫자가 하나씩 적힌 카드가 각각 3장, 4장, 6장, 4장, n장 들어 있다. 이것을 모집단으로 하여 크기가 5인 표본을 복원추출할 때, 카드에 적힌 숫자의 표본평균 $\overline{X}$의 평균이 5이다. n의 값은?
>
> $\mathrm{E}(\overline{X})=\mathrm{E}(X)$임을 이용하자.

카드에 적힌 숫자를 확률변수 X라 하고, X의 확률분포를 표로 나타내면 다음과 같다.

X	1	3	5	7	9	합계
$\mathrm{P}(X=x)$	$\frac{3}{17+n}$	$\frac{4}{17+n}$	$\frac{6}{17+n}$	$\frac{4}{17+n}$	$\frac{n}{17+n}$	1

표본평균 $\overline{X}$의 평균은 모평균과 같으므로
모평균을 m이라 하면

$m=\frac{1}{17+n}(1\times3+3\times4+5\times6+7\times4+9\times n)$

$=\frac{73+9n}{17+n}=5$

$73+9n=85+5n$, $4n=12$

$\therefore n=3$ 답 ③

1497

> 정규분포 $\mathrm{N}(10, 16)$을 따르는 모집단에서 크기가 16인 표본을 임의추출할 때, 표본평균 $\overline{X}$는 정규분포 $\mathrm{N}(m, a)$를 따른다. $m+a$의 값을 구하시오.
>
> 모집단이 정규분포 $\mathrm{N}(m, \sigma^2)$을 따르면 표본평균 $\overline{X}$는 정규분포 $\mathrm{N}\left(m, \frac{\sigma^2}{n}\right)$을 따른다.

$m=10$, $\sigma^2=16$, $n=16$이므로

$\mathrm{E}(\overline{X})=m=10$

$\mathrm{V}(\overline{X})=\frac{\sigma^2}{n}=1$

따라서 표본평균 $\overline{X}$는 정규분포 $\mathrm{N}(10, 1)$을 따른다.

$\therefore m+a=10+1=11$ 답 11

1498

> 정규분포 $\mathrm{N}(40, 10^2)$을 따르는 모집단에서 크기가 n인 표본을 임의추출할 때, 표본평균 $\overline{X}$는 정규분포 $\mathrm{N}\left(40, \frac{1}{4}\right)$을 따른다. n의 값을 구하시오.
>
> 모집단이 정규분포 $\mathrm{N}(m, \sigma^2)$을 따르면 표본평균 $\overline{X}$는 정규분포 $\mathrm{N}\left(m, \frac{\sigma^2}{n}\right)$을 따른다.

$m=40$, $\sigma^2=100$이므로

$\mathrm{E}(\overline{X})=m=40$

$\mathrm{V}(\overline{X})=\frac{\sigma^2}{n}=\frac{100}{n}$

즉, 표본평균 $\overline{X}$는 정규분포 $\mathrm{N}\left(40, \frac{100}{n}\right)$을 따르므로

$\frac{100}{n}=\frac{1}{4}$

$\therefore n=400$ 답 400

1499

$m=300$, $n=50$임을 이용하자.

> 모평균이 300, 모표준편차가 σ인 모집단에서 크기가 50인 표본을 임의추출할 때, 표본평균 $\overline{X}$는 정규분포 $\mathrm{N}\left(k, \frac{1}{2}\right)$을 따른다. $k+\sigma$의 값을 구하시오.
>
> k의 값을 구할 수 있다.

$m=300$, $n=50$이므로

$\mathrm{E}(\overline{X})=m=300$

$\mathrm{V}(\overline{X})=\frac{\sigma^2}{n}=\frac{\sigma^2}{50}$

즉, 표본평균 $\overline{X}$는 정규분포 $\mathrm{N}\left(300, \frac{\sigma^2}{50}\right)$을 따르므로

$k=300$

$\frac{\sigma^2}{50}=\frac{1}{2}$, $\sigma^2=25$

$\therefore \sigma=5$ ($\because \sigma>0$)

$\therefore k+\sigma=300+5=305$ 답 305

1500

모집단이 정규분포 $\mathrm{N}(m, \sigma^2)$을 따르면 표본평균 $\overline{X}$는 정규분포 $\mathrm{N}\left(m, \frac{\sigma^2}{n}\right)$을 따른다.

> 정규분포 $\mathrm{N}(m, \sigma^2)$을 따르는 모집단에서 표본의 크기를 각각 n_1, n_2로 하는 두 표본평균을 각각 $\overline{X_1}$, $\overline{X_2}$라 할 때, 다음 설명 중 옳은 것은? (단, $n_1>1$, $n_2>1$)
>
> ① 표본평균 $\overline{X_1}$는 정규분포 $\mathrm{N}(m, \sigma^2)$을 따른다.
>
> ② 표본평균 $\overline{X_2}$는 정규분포 $\mathrm{N}\left(m, \frac{\sigma^2}{\sqrt{n_2}}\right)$을 따른다.
>
> ③ $n_1<n_2$이면 $\mathrm{E}(\overline{X_1})<\mathrm{E}(\overline{X_2})$이다.
>
> ④ $n_1<n_2$이면 $\mathrm{V}(\overline{X_1})<\mathrm{V}(\overline{X_2})$이다.
>
> ⑤ $n_1<n_2$이면 $\sigma(\overline{X_1})>\sigma(\overline{X_2})$이다.

①, ② 표본평균 $\overline{X_1}$, $\overline{X_2}$는 각각 정규분포 $\mathrm{N}\left(m, \frac{\sigma^2}{n_1}\right)$, $\mathrm{N}\left(m, \frac{\sigma^2}{n_2}\right)$을 따른다.

③ n_1, n_2의 값에 관계없이
$\mathrm{E}(\overline{X_1})=\mathrm{E}(\overline{X_2})=m$

④, ⑤ $n_1<n_2$이면 $\frac{\sigma^2}{n_1}>\frac{\sigma^2}{n_2}$이므로
$\mathrm{V}(\overline{X_1})>\mathrm{V}(\overline{X_2})$
즉, $\sigma(\overline{X_1})>\sigma(\overline{X_2})$

따라서 옳은 것은 ⑤이다. 답 ⑤

1501

확률변수 X가 정규분포 $\mathrm{N}(m, \sigma^2)$을 따르는 모집단에서 크기가 n_1, n_2인 표본을 임의추출할 때, 표본평균을 각각 $\overline{X_1}$, $\overline{X_2}$라 하자. 확률변수 $\overline{X_1}$, $\overline{X_2}$는 정규분포를 따르고 정규분포곡선은 그림과 같다. 〈보기〉에서 옳은 것만을 있는 대로 고른 것은?

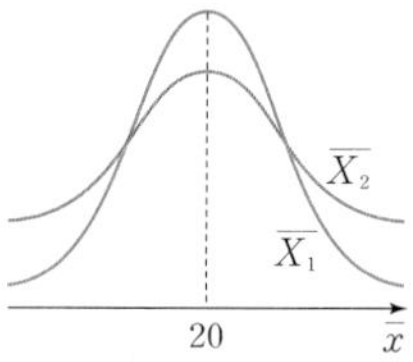

보기

ㄱ. $\mathrm{E}(\overline{X_1})=\mathrm{E}(\overline{X_2})=20$ → 대칭축이 서로 같다.
ㄴ. $\mathrm{V}(\overline{X_1})>\mathrm{V}(\overline{X_2})$ → 평균이 같을 때, 분산이 작아질수록 높이는 높아지고 폭은 좁아진다.
ㄷ. $\sigma(\overline{X_1})\le\sigma(X)$
ㄹ. $n_1>n_2$

확률변수 X가 정규분포 $\mathrm{N}(m, \sigma^2)$을 따르므로

$\mathrm{E}(\overline{X_1})=m$, $\mathrm{V}(\overline{X_1})=\dfrac{\sigma^2}{n_1}$

$\mathrm{E}(\overline{X_2})=m$, $\mathrm{V}(\overline{X_2})=\dfrac{\sigma^2}{n_2}$

ㄱ. $\overline{X_1}$, $\overline{X_2}$의 정규분포곡선이 직선 $\bar{x}=20$에 대하여 대칭이므로
$\mathrm{E}(\overline{X_1})=\mathrm{E}(\overline{X_2})=20$ (참)

ㄴ. $\overline{X_1}$의 정규분포곡선이 $\overline{X_2}$의 정규분포곡선보다 폭이 좁으므로
$\mathrm{V}(\overline{X_1})<\mathrm{V}(\overline{X_2})$ (거짓)

ㄷ. $\sigma(\overline{X_1})=\dfrac{\sigma}{\sqrt{n_1}}$, $\sigma(X)=\sigma$이므로
$\sigma(\overline{X_1})\le\sigma(X)$ (참)

ㄹ. ㄴ에서 $\mathrm{V}(\overline{X_1})<\mathrm{V}(\overline{X_2})$이므로
$\dfrac{\sigma^2}{n_1}<\dfrac{\sigma^2}{n_2}$, $\dfrac{1}{n_1}<\dfrac{1}{n_2}$
$\therefore n_1>n_2$ (참)

따라서 옳은 것은 ㄱ, ㄷ, ㄹ이다.

답 ⑤

1502

→ 표본평균 $\overline{X}$는 정규분포 $\mathrm{N}\left(m, \dfrac{\sigma^2}{n}\right)$을 따른다.

모평균이 50, 모표준편차가 5인 정규분포를 따르는 모집단에서 100개의 표본을 임의추출하여 그 표본평균을 $\overline{X}$라 할 때, $\mathrm{P}(\overline{X}\ge50.5)$를 위의 표준정규분포표를 이용하여 구하시오.

z	$\mathrm{P}(0\le Z\le z)$
0.5	0.19
1.0	0.34
1.5	0.43

→ $\overline{X}$를 $Z=\dfrac{\overline{X}-m}{\frac{\sigma}{\sqrt{n}}}$으로 표준화하자.

모집단이 정규분포 $\mathrm{N}(50, 5^2)$을 따르고, 임의추출한 100개의 표본평균 $\overline{X}$는

$\mathrm{E}(\overline{X})=m=50$, $\sigma(\overline{X})=\dfrac{\sigma}{\sqrt{n}}=\dfrac{5}{\sqrt{100}}=\dfrac{1}{2}$

이므로 정규분포 $\mathrm{N}\left(50, \left(\dfrac{1}{2}\right)^2\right)$을 따른다.

$$\therefore \mathrm{P}(\overline{X}\ge50.5)=\mathrm{P}\left(Z\ge\dfrac{50.5-50}{\frac{1}{2}}\right)$$
$$=\mathrm{P}(Z\ge1)$$
$$=0.5-\mathrm{P}(0\le Z\le1)$$
$$=0.5-0.34$$
$$=0.16$$

답 0.16

1503

모평균이 30, 모표준편차가 6인 정규분포를 따르는 모집단에서 크기가 9인 표본을 임의추출할 때, 표본평균이 26.08 이상 33.3 이하일 확률을 위의 표준정규분포표를 이용하여 구하면?

z	$\mathrm{P}(0\le Z\le z)$
1.65	0.450
1.96	0.475
2.58	0.495

→ 표본평균 $\overline{X}$를 $Z=\dfrac{\overline{X}-m}{\frac{\sigma}{\sqrt{n}}}$으로 표준화하자.

모집단이 정규분포 $\mathrm{N}(30, 6^2)$을 따르고, 임의추출한 9개의 표본평균 $\overline{X}$는

$\mathrm{E}(\overline{X})=m=30$, $\sigma(\overline{X})=\dfrac{\sigma}{\sqrt{n}}=\dfrac{6}{\sqrt{9}}=2$

이므로 정규분포 $\mathrm{N}(30, 2^2)$을 따른다.

따라서 $Z=\dfrac{\overline{X}-30}{2}$으로 놓으면 확률변수 Z는 표준정규분포 $\mathrm{N}(0, 1^2)$을 따르므로 구하는 확률은

$$\mathrm{P}(26.08\le\overline{X}\le33.3)=\mathrm{P}\left(\dfrac{26.08-30}{2}\le Z\le\dfrac{33.3-30}{2}\right)$$
$$=\mathrm{P}(-1.96\le Z\le1.65)$$
$$=\mathrm{P}(0\le Z\le1.96)+\mathrm{P}(0\le Z\le1.65)$$
$$=0.475+0.450$$
$$=0.925$$

답 ④

1504

→ 표본평균 $\overline{X}$는 정규분포 $\mathrm{N}\left(m, \dfrac{\sigma^2}{n}\right)$을 따른다.

A고등학교 학생의 몸무게는 평균이 70 kg, 표준편차가 20 kg인 정규분포를 따른다고 한다. 이 학교의 학생 중에서 100명을 임의추출하여 몸무게를 조사할 때, 그 표본평균이 74 kg 이상일 확률을 위의 표준정규분포표를 이용하여 구하시오.

z	$\mathrm{P}(0\le Z\le z)$
1.0	0.3413
1.5	0.4332
2.0	0.4772
2.5	0.4938

→ $\overline{X}$를 $Z=\dfrac{\overline{X}-m}{\frac{\sigma}{\sqrt{n}}}$으로 표준화하자.

학생의 몸무게를 확률변수 X라 하면 X는 정규분포 $\mathrm{N}(70, 20^2)$을 따르고, 임의추출한 100명의 표본평균 $\overline{X}$는

$\mathrm{E}(\overline{X})=m=70$, $\sigma(\overline{X})=\dfrac{\sigma}{\sqrt{n}}=\dfrac{20}{\sqrt{100}}=2$

이므로 정규분포 $\mathrm{N}(70, 2^2)$을 따른다.

$$\therefore \mathrm{P}(\overline{X}\ge74)=\mathrm{P}\left(Z\ge\dfrac{74-70}{2}\right)$$
$$=\mathrm{P}(Z\ge2)$$
$$=0.5-\mathrm{P}(0\le Z\le2)$$
$$=0.5-0.4772$$
$$=0.0228$$

답 0.0228

1505

표본평균 $\overline{X}$는 정규분포 $N\left(m, \frac{\sigma^2}{n}\right)$을 따른다.

수생 고등학교 학생 전체의 키는 평균이 160 cm, 표준편차가 8 cm인 정규분포를 따른다. 이 고등학교 학생 전체를 모집단으로 16명을 임의추출할 때, 키의 평균이 156 cm 이상 162 cm 이하일 확률을 위의 표준정규분포표를 이용하여 구하시오.

$\overline{X}$를 $Z=\frac{\overline{X}-m}{\frac{\sigma}{\sqrt{n}}}$으로 표준화하자.

z	$P(0\le Z\le z)$
0.5	0.1915
1.0	0.3413
1.5	0.4332
2.0	0.4772

학생의 키를 확률변수 X라 하면 X는 정규분포 $N(160, 8^2)$을 따르고, 임의추출한 16명의 표본평균 $\overline{X}$는

$E(\overline{X})=m=160$

$\sigma(\overline{X})=\frac{\sigma}{\sqrt{n}}=\frac{8}{\sqrt{16}}=2$

이므로 정규분포 $N(160, 2^2)$을 따른다.

$\therefore P(156\le\overline{X}\le162)$

$=P\left(\frac{156-160}{2}\le Z\le\frac{162-160}{2}\right)$

$=P(-2\le Z\le1)$

$=P(0\le Z\le2)+P(0\le Z\le1)$

$=0.4772+0.3413$

$=0.8185$

답 0.8185

1506

표본평균 $\overline{X}$는 정규분포 $N\left(m, \frac{\sigma^2}{n}\right)$을 따른다.

어느 전구 회사에서 생산하는 전구의 수명은 평균이 2000시간, 표준편차가 200시간인 정규분포를 따른다고 한다. 이 회사에서 생산된 제품 중에서 400개를 임의추출하여 수명을 조사할 때, 표본평균이 1990시간 이하일 확률을 구하시오.

(단, $P(0\le Z\le1)=0.3413$으로 계산한다.)

$\overline{X}$를 $Z=\frac{\overline{X}-m}{\frac{\sigma}{\sqrt{n}}}$으로 표준화하자.

전구의 수명을 확률변수 X라 하면 X는 정규분포 $N(2000, 200^2)$을 따르고, 임의추출한 400개의 표본평균 $\overline{X}$는

$E(\overline{X})=m=2000$

$\sigma(\overline{X})=\frac{\sigma}{\sqrt{n}}=\frac{200}{\sqrt{400}}=10$

이므로 정규분포 $N(2000, 10^2)$을 따른다.

$\therefore P(\overline{X}\le1990)=P\left(Z\le\frac{1990-2000}{10}\right)$

$=P(Z\le-1)$

$=0.5-P(0\le Z\le1)$

$=0.5-0.3413$

$=0.1587$

답 0.1587

1507

모평균이 100, 모표준편차가 20인 정규분포를 따르는 모집단에서 크기가 n인 표본을 임의추출하여 구한 표본평균을 $\overline{X}$라 하자. 함수 $y=f(n)$을

$f(n)=P(100\le\overline{X}\le120)$이라 할 때, $f(4)-f(1)$의 값을 위의 표준정규분포표를 이용하여 구하시오.

$=P\left(\frac{100-100}{\frac{20}{\sqrt{n}}}\le Z\le\frac{120-100}{\frac{20}{\sqrt{n}}}\right)$임을 이용하자.

z	$P(0\le Z\le z)$
0.5	0.1915
1.0	0.3413
1.5	0.4332
2.0	0.4772

모집단이 정규분포 $N(100, 20^2)$을 따르고, 표본의 크기가 n이므로 표본평균 $\overline{X}$는 정규분포 $N\left(100, \frac{20^2}{n}\right)$을 따른다.

$f(n)=P(100\le\overline{X}\le120)$

$=P\left(\frac{100-100}{\frac{20}{\sqrt{n}}}\le Z\le\frac{120-100}{\frac{20}{\sqrt{n}}}\right)$

$=P(0\le Z\le\sqrt{n})$

$\therefore f(4)-f(1)=P(0\le Z\le2)-P(0\le Z\le1)$

$=0.4772-0.3413$

$=0.1359$

답 0.1359

1508

$f(x)$는 $x=40$에 대하여 대칭이다.

어떤 모집단의 확률변수 X가 정규분포 $N(m, \sigma^2)$을 따르고 이 모집단의 확률밀도함수 $y=f(x)$가

$f(x+30)=f(50-x)$

를 만족시킨다. 이 모집단에서 크기가 16인 표본을 임의추출할 때, 표본평균을 $\overline{X}$라 하자. $V(\overline{X})=4$일 때, $P(32\le X\le44)$를 오른쪽 표준정규분포표를 이용하여 구하시오.

X를 $Z=\frac{X-m}{\sigma}$으로 표준화하자.

z	$P(0\le Z\le z)$
0.5	0.1915
1.0	0.3413
1.5	0.4332
2.0	0.4772

함수 $y=f(x)$는 $x=40$에 대하여 대칭이므로

$m=40$

따라서 $\overline{X}$는 정규분포 $N\left(40, \frac{\sigma^2}{16}\right)$을 따른다.

$V(\overline{X})=\frac{\sigma^2}{16}=4$이므로 $\sigma=8$

$\therefore P(32\le X\le44)=P\left(\frac{32-40}{8}\le Z\le\frac{44-40}{8}\right)$

$=P(-1\le Z\le0.5)$

$=0.3413+0.1915$

$=0.5328$

답 0.5328

1509

→ $\overline{X}$를 $Z=\dfrac{\overline{X}-m}{\frac{\sigma}{\sqrt{n}}}$으로 표준화하자.

확률변수 Z가 표준정규분포 $\mathrm{N}(0,\ 1)$을 따를 때, $\mathrm{P}(0\le Z\le 1.5)=\alpha$, $\mathrm{P}(0\le Z\le 2.5)=\beta$라고 한다. 모평균이 250, 모표준편차가 40인 정규분포를 따르는 모집단에서 크기가 100인 표본을 임의추출하여 표본평균을 $\overline{X}$라 할 때, $\mathrm{P}(256\le \overline{X}\le 260)$을 α, β를 이용하여 나타낸 것은?

① $\dfrac{\alpha+\beta}{10}$　② $\dfrac{\beta-\alpha}{10}$　③ $\beta-\alpha$

④ $1-\alpha-\beta$　⑤ $\dfrac{1}{2}+\alpha-\beta$

→ $=\mathrm{P}(1.5\le Z\le 2.5)$임을 이용하자.

모집단이 정규분포 $\mathrm{N}(250,\ 40^2)$을 따르고 표본의 크기가 100이므로 표본평균 $\overline{X}$는 정규분포 $\mathrm{N}\left(250,\ \dfrac{40^2}{100}\right)$, 즉 $\mathrm{N}(250,\ 4^2)$을 따른다.

$\therefore \mathrm{P}(256\le \overline{X}\le 260)=\mathrm{P}\left(\dfrac{256-250}{4}\le Z\le \dfrac{260-250}{4}\right)$

$=\mathrm{P}(1.5\le Z\le 2.5)$

$=\mathrm{P}(0\le Z\le 2.5)-\mathrm{P}(0\le Z\le 1.5)$

$=\beta-\alpha$

답 ③

1510

→ 표본평균 $\overline{X}$는 정규분포 $\mathrm{N}\left(m,\ \dfrac{\sigma^2}{n}\right)$을 따른다.

어느 농장에서 재배한 포도 1송이의 무게는 평균이 500 g, 표준편차가 30 g인 정규분포를 따른다고 한다. 이 농장에서 포도 9송이씩 한 상자에 담아 판매한다고 할 때, 이 상자들 중에서 임의로 뽑은 한 상자에 담긴 9송이의 포도의 무게의 합을 확률변수 G라 하자. 〈보기〉에서 옳은 것만을 있는 대로 고른 것은?

(단, $\mathrm{P}(|Z|\le 1)=0.68$, $\mathrm{P}(|Z|\le 2)=0.96$으로 계산한다.)

보기

→ $\mathrm{E}(G)=\mathrm{E}(9\overline{X})$임을 이용하자.

ㄱ. 확률변수 G의 평균은 4500 g이다.

ㄴ. 확률변수 G의 표준편차는 10 g이다.

ㄷ. $\mathrm{P}(G\le 4320)=0.02$

→ $\sigma(G)=\sigma(9\overline{X})$임을 이용하자.

포도 1송이의 무게를 확률변수 X라 하면 X는 정규분포 $\mathrm{N}(500,\ 30^2)$을 따르고, 임의추출한 포도 9송이의 표본평균 $\overline{X}$는

$\mathrm{E}(\overline{X})=m=500$

$\sigma(\overline{X})=\dfrac{\sigma}{\sqrt{n}}=\dfrac{30}{\sqrt{9}}=10$

이므로 정규분포 $\mathrm{N}(500,\ 10^2)$을 따른다.

확률변수 G는 한 상자에서 담긴 9송이의 포도의 무게의 합이므로

$G=9\overline{X}$

ㄱ. $\mathrm{E}(G)=\mathrm{E}(9\overline{X})=9\mathrm{E}(\overline{X})$

$=9\times 500=4500$ (참)

ㄴ. $\sigma(G)=\sigma(9\overline{X})=9\sigma(\overline{X})$

$=9\times 10=90$ (거짓)

ㄷ. 확률변수 G는 정규분포 $\mathrm{N}(4500,\ 90^2)$을 따르므로

$\mathrm{P}(G\le 4320)=\mathrm{P}\left(Z\le \dfrac{4320-4500}{90}\right)$

$=\mathrm{P}(Z\le -2)$

$=0.5-\mathrm{P}(0\le Z\le 2)$

$\mathrm{P}(|Z|\le 2)=0.96$에서

$\mathrm{P}(-2\le Z\le 2)=0.96$

$\therefore \mathrm{P}(0\le Z\le 2)=0.48$

$\therefore \mathrm{P}(G\le 4320)=0.5-0.48=0.02$ (참)

따라서 옳은 것은 ㄱ, ㄷ이다.

답 ③

1511

어떤 모집단의 분포가 $\mathrm{N}(m,\ 10^2)$을 따르고, 이 정규분포의 확률밀도함수 $f(x)$의 그래프와 구간별 확률은 아래와 같다.

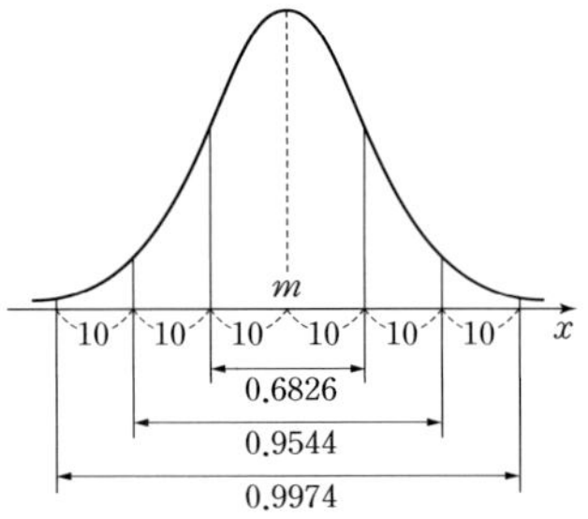

확률밀도함수 $f(x)$는 모든 실수 x에 대하여

$f(x)=f(100-x)$　→ $x=50$에 대하여 대칭인 함수이다.

를 만족한다. 이 모집단에서 크기 25인 표본을 임의추출할 때의 표본평균을 $\overline{X}$라 하자. $\mathrm{P}(44\le \overline{X}\le 48)$의 값은?

→ $=\mathrm{P}(m-3\sigma\le \overline{X}\le m-\sigma)$임을 이용하자.

$f(x)=f(100-x)$는 확률밀도함수 $f(x)$가 $x=50$에 대하여 대칭임을 뜻한다.

따라서 확률변수 X의 평균 $m=50$임을 알 수 있다.

모집단이 정규분포 $\mathrm{N}(50,\ 10^2)$을 따르므로

크기 25인 표본의 표본평균 $\overline{X}$의 분포는 정규분포 $\mathrm{N}(50,\ 2^2)$을 따른다.

$\mathrm{P}(44\le \overline{X}\le 48)=\mathrm{P}(m-3\sigma\le \overline{X}\le m-\sigma)$

$=\mathrm{P}(m-3\sigma\le \overline{X}\le m)-\mathrm{P}(m-\sigma\le \overline{X}\le m)$

$=\dfrac{1}{2}(0.9974-0.6826)$

$=0.1574$

답 ②

1512

→ 표본평균 $\overline{X}$는 정규분포 $\mathrm{N}\left(m,\ \dfrac{\sigma^2}{n}\right)$을 따른다.

모평균이 10, 모표준편차가 1인 정규분포를 따르는 어떤 모집단에서 표본을 임의로 100개 추출하여 표본평균을 조사하였다. 표본평균이 모평균보다 1 % 이상 크게 나타날 확률을 위의 표준정규분포표를 이용하여 구하시오.

z	$\mathrm{P}(0\le Z\le z)$
1.0	0.3413
1.5	0.4332
2.0	0.4772
2.5	0.4938

→ $\mathrm{P}(\overline{X}\ge 10.1)$임을 이용하자.

모집단이 정규분포 $\mathrm{N}(10,\ 1^2)$을 따르고, 임의추출한 100개의 표본평균 $\overline{X}$는

$\mathrm{E}(\overline{X})=m=10$, $\sigma(\overline{X})=\dfrac{\sigma}{\sqrt{n}}=\dfrac{1}{\sqrt{100}}=\dfrac{1}{10}$

이므로 정규분포 $\mathrm{N}(10,\ 0.1^2)$을 따른다.

$\therefore \mathrm{P}\left(\overline{X} \geq 10+10\times\frac{1}{100}\right)=\mathrm{P}(\overline{X}\geq 10.1)$

$=\mathrm{P}\left(Z\geq\frac{10.1-10}{0.1}\right)$

$=\mathrm{P}(Z\geq 1)$

$=0.5-\mathrm{P}(0\leq Z\leq 1)$

$=0.5-0.3413$

$=0.1587$

답 0.1587

1513

• 표본평균 $\overline{X}$는 정규분포 $\mathrm{N}\left(m, \frac{\sigma^2}{n}\right)$을 따른다.

A 고등학교 학생의 몸무게는 평균이 60 kg, 표준편차가 6 kg인 정규분포를 이룬다고 한다. 적재중량이 549 kg 이상이 되면 경고음을 내도록 설계되어 있는 엘리베이터에 A 고등학교 학생 중 임의추출한 9명이 탑승하였을 때, 경고음이 울릴 확률을 위의 표준정규분포표를 이용하여 구하면?

z	$\mathrm{P}(0\leq Z\leq z)$
0.5	0.1915
1.0	0.3413
1.5	0.4332
2.0	0.4772

• $9\overline{X}\geq 549$에서 $\overline{X}\geq 61$임을 이용하자.

학생의 몸무게를 확률변수 X라 하면 X는 정규분포 $\mathrm{N}(60, 6^2)$을 따르고, 임의추출한 9명의 표본평균 $\overline{X}$는

$\mathrm{E}(\overline{X})=m=60,\ \sigma(\overline{X})=\frac{\sigma}{\sqrt{n}}=\frac{6}{\sqrt{9}}=2$

이므로 정규분포 $\mathrm{N}(60, 2^2)$을 따른다.

한편, 경고음이 울리려면

$9\overline{X}\geq 549$에서 $\overline{X}\geq 61$

$\therefore \mathrm{P}(\overline{X}\geq 61)=\mathrm{P}\left(Z\geq\frac{61-60}{2}\right)$

$=\mathrm{P}(Z\geq 0.5)$

$=0.5-\mathrm{P}(0\leq Z\leq 0.5)$

$=0.5-0.1915$

$=0.3085$

답 ③

1514

• 표본평균 $\overline{X}$는 정규분포 $\mathrm{N}\left(m, \frac{\sigma^2}{n}\right)$을 따른다.

세계핸드볼연맹에서 공인한 여자 일반부용 핸드볼 공을 생산하는 회사가 있다. 이 회사에서 생산된 핸드볼 공의 무게는 평균 350 g, 표준편차 16 g인 정규분포를 따른다고 한다. 이 회사는 일정한 기간 동안 생산된 핸드볼 공 중에서 임의로 추출된 핸드볼 공 64개의 무게의 평균이 346 g 이하이거나 355 g 이상이면 생산 공정에 문제가 있다고 판단한다. 이 회사에서 생산 공정에 문제가 있다고 판단할 확률을 위의 표준정규분포표를 이용하여 구한 것은?

z	$\mathrm{P}(0\leq Z\leq z)$
2.00	0.4772
2.25	0.4878
2.50	0.4938
2.75	0.4970

• $=\mathrm{P}(\overline{X}\leq 346)+\mathrm{P}(\overline{X}\geq 355)$임을 이용하자.

회사에서 생산된 핸드볼 공의 무게를 확률변수 X라 하면 X는 정규분포 $\mathrm{N}(350, 16^2)$을 따른다.

크기가 64인 표본의 표본평균을 $\overline{X}$라 하면

$\mathrm{E}(\overline{X})=350$

$\mathrm{V}(\overline{X})=\frac{16^2}{64}=2^2$

이므로 $\overline{X}$는 정규분포 $\mathrm{N}(350, 2^2)$을 따른다.

$\mathrm{P}(\overline{X}\leq 346$ 또는 $\overline{X}\geq 355)$

$=\mathrm{P}(\overline{X}\leq 346)+\mathrm{P}(\overline{X}\geq 355)$

$=\mathrm{P}\left(Z\leq\frac{346-350}{2}\right)+\mathrm{P}\left(Z\geq\frac{355-350}{2}\right)$

$=\mathrm{P}(Z\leq -2)+\mathrm{P}(Z\geq 2.5)$

$=\mathrm{P}(Z\geq 2)+\mathrm{P}(Z\geq 2.5)$

$=(0.5-0.4772)+(0.5-0.4938)$

$=0.0228+0.0062$

$=0.0290$

답 ①

1515

• 표본평균 $\overline{X}$는 정규분포 $\mathrm{N}\left(m, \frac{\sigma^2}{n}\right)$을 따른다.

어느 공장에서 생산하는 초콜릿 1개의 무게는 평균 50 g, 표준편차 8 g인 정규분포를 따른다고 한다. 이 공장에서 생산된 초콜릿 16개를 한 상자에 포장하는데, 한 상자의 무게가 720 g 이하면 불량품으로 판정한다고 한다. 이 공장에서 생산된 3000개의 초콜릿 상자 중 불량품으로 판정되는 상자의 개수를 위의 표준정규분포표를 이용하여 구하시오.

z	$\mathrm{P}(0\leq Z\leq z)$
0.5	0.19
1.0	0.34
1.5	0.43
2.0	0.48
2.5	0.49

• $\overline{X}$를 $Z=\frac{\overline{X}-m}{\frac{\sigma}{\sqrt{n}}}$으로 표준화하자. (단, 상자의 무게는 무시한다.)

확률변수 X는 정규분포 $\mathrm{N}(50, 8^2)$을 따른다.

$n=16$이므로 표본평균 $\overline{X}$는 정규분포 $\mathrm{N}(50, 2^2)$을 따른다.

$720\div 16=45$이므로

초콜릿 상자 1개가 불량품으로 판정될 확률은 $\mathrm{P}(\overline{X}\leq 45)$

$\therefore \mathrm{P}\left(Z\leq\frac{45-50}{2}\right)=\mathrm{P}(Z\leq -2.5)=\mathrm{P}(Z\geq 2.5)$

$=0.5-0.49=0.01$

따라서 불량품으로 판정되는 상자의 개수는

$3000\times 0.01=30$

답 30

1516

• 표본평균 $\overline{X}$는 정규분포 $\mathrm{N}\left(m, \frac{\sigma^2}{n}\right)$을 따른다.

하루에 5000개의 빵을 생산하는 어느 제빵공장에서 생산되는 빵 한 개의 무게는 평균 78 g, 표준편차가 5 g인 정규분포를 따른다고 한다. 이 빵을 25개씩 무게가 100 g인 상자에 담아 전체 무게가 2000 g 이상인 상자들을 제과점에 납품하려고 할 때, 이 제빵공장에서 하루에 납품할 수 있는 상자의 개수를 구하시오.

z	$\mathrm{P}(0\leq Z\leq z)$
0.5	0.19
1.0	0.34
1.5	0.43
2.0	0.48

• $\mathrm{P}\left(\overline{X}\geq\frac{2000-100}{25}\right)$임을 이용하자.

확률변수 X는 정규분포 $\mathrm{N}(78, 5^2)$을 따른다.
$n=25$인 표본평균 $\overline{X}$는 정규분포 $\mathrm{N}(78, 1^2)$을 따른다.
빵 상자 1개가 납품될 확률은

$$\mathrm{P}\left(\overline{X} \geq \frac{2000-100}{25}\right)=\mathrm{P}(\overline{X} \geq 76)$$
$$=\mathrm{P}(Z \geq -2)$$
$$=0.5+0.48=0.98$$

한편 상자의 개수는 $\frac{5000}{25}=200$
따라서 납품 가능한 상자의 개수는
$200 \times 0.98=196$ 답 196

1517 • 표본평균 $\overline{X}$는 정규분포 $\mathrm{N}\left(m, \frac{\sigma^2}{n}\right)$을 따른다.

정규분포 $\mathrm{N}(10, 12^2)$을 따르는 모집단에서 크기가 n인 표본을 임의추출하여 그 표본평균을 $\overline{X}$라 할 때, $\mathrm{P}(10 \leq \overline{X} \leq 13)=0.4332$이다. n의 값을 위의 표준정규분포표를 이용하여 구하시오.

z	$\mathrm{P}(0 \leq Z \leq z)$
0.5	0.1915
1.0	0.3413
1.5	0.4332
2.0	0.4772

• $=\mathrm{P}\left(0 \leq Z \leq \frac{\sqrt{n}}{4}\right)=\mathrm{P}(0 \leq Z \leq 1.5)$임을 이용하자.

모집단이 정규분포 $\mathrm{N}(10, 12^2)$을 따르고, 표본의 크기가 n이므로
표본평균 $\overline{X}$는 정규분포 $\mathrm{N}\left(10, \left(\frac{12}{\sqrt{n}}\right)^2\right)$을 따른다.

$$\mathrm{P}(10 \leq \overline{X} \leq 13)=\mathrm{P}\left(\frac{10-10}{\frac{12}{\sqrt{n}}} \leq Z \leq \frac{13-10}{\frac{12}{\sqrt{n}}}\right)$$
$$=\mathrm{P}\left(0 \leq Z \leq \frac{\sqrt{n}}{4}\right)=0.4332$$

$\mathrm{P}(0 \leq Z \leq 1.5)=0.4332$이므로
$\frac{\sqrt{n}}{4}=1.5$, $\sqrt{n}=6$ $\quad \therefore n=36$ 답 36

1518 • 표본평균 $\overline{X}$는 정규분포 $\mathrm{N}\left(64, \left(\frac{7}{\sqrt{n}}\right)^2\right)$을 따른다.

모평균이 64, 모표준편차가 7인 정규분포를 따르는 모집단에서 임의추출한 크기가 n인 표본평균을 $\overline{X}$라 할 때, $\mathrm{P}\left(\overline{X} \geq 71+\frac{7}{\sqrt{n}}\right)=0.01$을 만족시키는 n의 값을 위의 표준정규분포표를 이용하여 구하면?

z	$\mathrm{P}(0 \leq Z \leq z)$
1.0	0.34
2.0	0.48
3.0	0.49

• $=\mathrm{P}(Z \geq 1+\sqrt{n})$임을 이용하자.

모집단이 정규분포 $\mathrm{N}(64, 7^2)$을 따르고, 표본의 크기가 n이므로
표본평균 $\overline{X}$는 정규분포 $\mathrm{N}\left(64, \left(\frac{7}{\sqrt{n}}\right)^2\right)$을 따른다.

$$\mathrm{P}\left(\overline{X} \geq 71+\frac{7}{\sqrt{n}}\right)=\mathrm{P}\left(Z \geq \frac{71+\frac{7}{\sqrt{n}}-64}{\frac{7}{\sqrt{n}}}\right)$$
$$=\mathrm{P}(Z \geq 1+\sqrt{n})$$
$$=0.5-\mathrm{P}(0 \leq Z \leq 1+\sqrt{n})=0.01$$

$\therefore \mathrm{P}(0 \leq Z \leq 1+\sqrt{n})=0.49$
$\mathrm{P}(0 \leq Z \leq 3)=0.49$이므로
$1+\sqrt{n}=3$, $\sqrt{n}=2$ $\quad \therefore n=4$ 답 ③

1519 • 표본평균 $\overline{X}$는 정규분포 $\mathrm{N}\left(m, \frac{\sigma^2}{n}\right)$을 따른다.

어느 공장에서 생산되는 농구공의 무게는 평균이 600 g, 표준편차가 20 g인 정규분포를 따른다고 한다. 이 공장에서 생산된 농구공 n개를 임의추출하여 무게를 달아 보았을 때, 평균이 595 g 이상 610 g 이하일 확률이 0.8185이다. n의 값을 위의 표준정규분포표를 이용하여 구하시오.

z	$\mathrm{P}(0 \leq Z \leq z)$
1.0	0.3413
1.5	0.4332
2.0	0.4772

• $\mathrm{P}(595 \leq \overline{X} \leq 610)=\mathrm{P}\left(-\frac{\sqrt{n}}{4} \leq Z \leq \frac{\sqrt{n}}{2}\right)$임을 이용하자.

농구공의 무게를 확률변수 X라 하면 X는 정규분포 $\mathrm{N}(600, 20^2)$을 따르고, 임의추출한 농구공 n개의 표본평균 $\overline{X}$는 정규분포 $\mathrm{N}\left(600, \left(\frac{20}{\sqrt{n}}\right)^2\right)$을 따른다.

$$\mathrm{P}(595 \leq \overline{X} \leq 610)=\mathrm{P}\left(\frac{595-600}{\frac{20}{\sqrt{n}}} \leq Z \leq \frac{610-600}{\frac{20}{\sqrt{n}}}\right)$$
$$=\mathrm{P}\left(-\frac{\sqrt{n}}{4} \leq Z \leq \frac{\sqrt{n}}{2}\right)$$
$$=\mathrm{P}\left(0 \leq Z \leq \frac{\sqrt{n}}{4}\right)+\mathrm{P}\left(0 \leq Z \leq \frac{\sqrt{n}}{2}\right)$$

$\mathrm{P}(0 \leq Z \leq 1)=0.3413$, $\mathrm{P}(0 \leq Z \leq 2)=0.4772$이므로
$\frac{\sqrt{n}}{4}=1$, $\frac{\sqrt{n}}{2}=2$에서
$\sqrt{n}=4$
$\therefore n=16$ 답 16

1520 • 표본평균 $\overline{X}$는 정규분포 $\mathrm{N}\left(m, \frac{\sigma^2}{n}\right)$을 따른다.

정규분포 $\mathrm{N}(8, 4)$를 따르는 모집단에서 크기가 n인 표본을 임의추출할 때, 표본평균 $\overline{X}$에 대하여 $\mathrm{P}(\overline{X} \geq 9) \leq 0.1587$이 성립한다. n의 최솟값을 오른쪽 표준정규분포표를 이용하여 구하시오.

z	$\mathrm{P}(0 \leq Z \leq z)$
0.5	0.1915
1.0	0.3413
1.5	0.4332
2.0	0.4772

• $\mathrm{P}(\overline{X} \geq 9)=\mathrm{P}\left(Z \geq \frac{\sqrt{n}}{2}\right)$임을 이용하자.

모집단이 정규분포 $\mathrm{N}(8, 4)$를 따르므로 표본평균 $\overline{X}$는
정규분포 $\mathrm{N}\left(8, \left(\frac{2}{\sqrt{n}}\right)^2\right)$을 따른다.

$$\mathrm{P}(\overline{X} \geq 9)=\mathrm{P}\left(Z \geq \frac{9-8}{\frac{2}{\sqrt{n}}}\right)$$
$$=\mathrm{P}\left(Z \geq \frac{\sqrt{n}}{2}\right)$$

$=0.5-\mathrm{P}\left(0\le Z\le \frac{\sqrt{n}}{2}\right)\le 0.1587$

$\therefore \mathrm{P}\left(0\le Z\le \frac{\sqrt{n}}{2}\right)\ge 0.5-0.1587=0.3413$

$\mathrm{P}(0\le Z\le 1)=0.3413$이므로 $\frac{\sqrt{n}}{2}\ge 1$

$\sqrt{n}\ge 2$

$\therefore n\ge 4$

따라서 n의 최솟값은 4이다. 답 4

1521 • 표본평균 $\overline{X}$는 정규분포 $\mathrm{N}\left(m, \frac{\sigma^2}{n}\right)$을 따른다.

정규분포 N(100, 64)를 따르는 모집단에서 크기가 n인 표본을 임의추출하여 그 표본평균을 $\overline{X}$라 할 때, $\mathrm{P}(98\le\overline{X}\le 102)\ge 0.98$을 만족시키는 n의 최솟값을 위의 표준정규분포표를 이용하여 구하면?

z	$\mathrm{P}(0\le Z\le z)$
1.50	0.433
1.96	0.475
2.33	0.490
2.50	0.494

• $\mathrm{P}(98\le\overline{X}\le 102)=\mathrm{P}\left(-\frac{\sqrt{n}}{4}\le Z\le \frac{\sqrt{n}}{4}\right)$임을 이용하자.

모집단이 정규분포 N(100, 64)를 따르므로 표본평균 $\overline{X}$는 정규분포 $\mathrm{N}\left(100, \left(\frac{8}{\sqrt{n}}\right)^2\right)$을 따른다.

$\mathrm{P}(98\le\overline{X}\le 102)=\mathrm{P}\left(\frac{98-100}{\frac{8}{\sqrt{n}}}\le Z\le \frac{102-100}{\frac{8}{\sqrt{n}}}\right)$

$=\mathrm{P}\left(-\frac{\sqrt{n}}{4}\le Z\le \frac{\sqrt{n}}{4}\right)$

$=2\mathrm{P}\left(0\le Z\le \frac{\sqrt{n}}{4}\right)\ge 0.98$

$\therefore \mathrm{P}\left(0\le Z\le \frac{\sqrt{n}}{4}\right)\ge 0.49$

$\mathrm{P}(0\le Z\le 2.33)=0.49$이므로

$\frac{\sqrt{n}}{4}\ge 2.33$

$\sqrt{n}\ge 9.32$

$\therefore n\ge 86.8624$

따라서 n의 최솟값은 87이다. 답 ④

1522 • 표본평균 $\overline{X}$는 정규분포 $\mathrm{N}\left(m, \frac{\sigma^2}{n}\right)$을 따른다.

어느 과일 가게에서 파는 사과의 무게는 평균이 300 g, 표준편차가 50 g인 정규분포를 따른다고 한다. 이 가게에서 파는 사과 중 임의추출된 n개의 사과의 무게의 평균을 $\overline{X}$라 할 때, $\mathrm{P}(|\overline{X}-300|\le 10)\ge 0.76$이 되도록 하는 n의 최솟값을 위의 표준정규분포표를 이용하여 구하시오.

z	$\mathrm{P}(0\le Z\le z)$
1.0	0.34
1.2	0.38
1.4	0.42
1.6	0.45

$\mathrm{P}(|\overline{X}-300|\le 10)=\mathrm{P}\left(|Z|\le\frac{\sqrt{n}}{5}\right)$임을 이용하자.

사과의 무게를 확률변수 X라 하면 X는 정규분포 $\mathrm{N}(300, 50^2)$을 따르고, 임의추출한 n개의 표본평균 $\overline{X}$는 정규분포 $\mathrm{N}\left(300, \left(\frac{50}{\sqrt{n}}\right)^2\right)$을 따른다.

$\mathrm{P}(|\overline{X}-300|\le 10)=\mathrm{P}\left(|Z|\le \frac{10}{\frac{50}{\sqrt{n}}}\right)$

$=\mathrm{P}\left(|Z|\le\frac{\sqrt{n}}{5}\right)$

$=2\mathrm{P}\left(0\le Z\le\frac{\sqrt{n}}{5}\right)\ge 0.76$

$\therefore \mathrm{P}\left(0\le Z\le \frac{\sqrt{n}}{5}\right)\ge 0.38$

$\mathrm{P}(0\le Z\le 1.2)=0.38$이므로

$\frac{\sqrt{n}}{5}\ge 1.2$, $\sqrt{n}\ge 6$

$\therefore n\ge 36$

따라서 n의 최솟값은 36이다. 답 36

1523 • 표본평균 $\overline{X}$는 정규분포 $\mathrm{N}\left(m, \frac{\sigma^2}{n}\right)$을 따른다.

정규분포 N(84, 64)를 따르는 모집단에서 크기가 n인 표본을 임의추출할 때, 표본평균 $\overline{X}$에 대하여 $\mathrm{P}\left(\overline{X}\le 76+\frac{8}{\sqrt{n}}\right)\ge 0.025$라고 한다. 자연수 n의 최댓값을 구하시오. (단, $\mathrm{P}(0\le Z\le 1.96)=0.475$로 계산한다.)

• $\mathrm{P}\left(\overline{X}\le 76+\frac{8}{\sqrt{n}}\right)=\mathrm{P}(Z\le 1-\sqrt{n})$임을 이용하자.

모집단이 정규분포 N(84, 64)를 따르므로 표본평균 $\overline{X}$는 정규분포 $\mathrm{N}\left(84, \left(\frac{8}{\sqrt{n}}\right)^2\right)$을 따른다.

$\mathrm{P}\left(\overline{X}\le 76+\frac{8}{\sqrt{n}}\right)=\mathrm{P}\left(Z\le\frac{76+\frac{8}{\sqrt{n}}-84}{\frac{8}{\sqrt{n}}}\right)$

$=\mathrm{P}(Z\le 1-\sqrt{n})$

$=0.5-\mathrm{P}(0\le Z\le\sqrt{n}-1)\ge 0.025$

$\therefore \mathrm{P}(0\le Z\le\sqrt{n}-1)\le 0.475$

$\mathrm{P}(0\le Z\le 1.96)=0.475$이므로

$\sqrt{n}-1\le 1.96$, $\sqrt{n}\le 2.96$

$\therefore n\le 8.7616$

따라서 자연수 n의 최댓값은 8이다. 답 8

1524

→ 표본평균 $\overline{X}$는 정규분포 $N\left(280, \left(\frac{20}{\sqrt{n}}\right)^2\right)$을 따른다.

어느 음료수 공장에서 생산되는 음료수 캔 한 개의 무게는 평균이 280 g, 표준편차가 20 g인 정규분포를 따른다고 한다. 이 공장에서 생산된 음료수 캔 n개를 임의추출하여 측정한 무게의 평균을 $\overline{X}$라 하자. $P(|\overline{X}-280|\le 5)\ge 0.8664$를 만족시키는 자연수 n의 최솟값을 위의 표준정규분포표를 이용하여 구하시오.

z	$P(0\le Z\le z)$
0.5	0.1915
1.0	0.3413
1.5	0.4332
2.0	0.4772

→ $=P(275\le\overline{X}\le 285)$임을 이용하자.

음료수 캔 한 개의 무게를 확률변수 X라 하면 X는 정규분포 $N(280, 20^2)$을 따르므로 임의추출한 n개의 음료수 캔의 무게의 평균 $\overline{X}$는 정규분포 $N\left(280, \left(\frac{20}{\sqrt{n}}\right)^2\right)$을 따른다.

$$\begin{aligned}P(|\overline{X}-280|\le 5)&=P(-5\le\overline{X}-280\le 5)\\&=P(275\le\overline{X}\le 285)\\&=P\left(\frac{275-280}{\frac{20}{\sqrt{n}}}\le Z\le\frac{285-280}{\frac{20}{\sqrt{n}}}\right)\\&=P\left(-\frac{\sqrt{n}}{4}\le Z\le\frac{\sqrt{n}}{4}\right)\\&=2P\left(0\le Z\le\frac{\sqrt{n}}{4}\right)\ge 0.8664\end{aligned}$$

$\therefore P\left(0\le Z\le\frac{\sqrt{n}}{4}\right)\ge 0.4332$

$P(0\le Z\le 1.5)=0.4332$이므로

$\frac{\sqrt{n}}{4}\ge 1.5$, $\sqrt{n}\ge 6$

$\therefore n\ge 36$

따라서 자연수 n의 최솟값은 36이다. 답 36

1525

대중교통을 이용하여 출근하는 어느 지역 직장인의 월 교통비는 평균이 8이고 표준편차가 1.2인 정규분포를 따른다고 한다. 대중교통을 이용하여 출근하는 이 지역 직장인 중 임의추출한 n명의 월 교통비의 표본평균을 $\overline{X}$라 할 때,

→ 표본평균 $\overline{X}$는 정규분포 $N\left(8, \left(\frac{1.2}{\sqrt{n}}\right)^2\right)$을 따른다.

$P(7.76\le\overline{X}\le 8.24)\ge 0.6826$

이 되기 위한 n의 최솟값을 오른쪽 표준정규분포표를 이용하여 구하시오. (단, 교통비의 단위는 만 원이다.)

z	$P(0\le Z\le z)$
0.5	0.1915
1.0	0.3413
1.5	0.4332
2.0	0.4772

→ $=P\left(\frac{7.76-8}{\frac{1.2}{\sqrt{n}}}\le Z\le\frac{8.24-8}{\frac{1.2}{\sqrt{n}}}\right)$임을 이용하자.

$E(\overline{X})=8$, $V(\overline{X})=\frac{(1.2)^2}{n}$

이므로 확률변수 $\overline{X}$는 정규분포 $N\left(8, \left(\frac{1.2}{\sqrt{n}}\right)^2\right)$을 따르고,

$Z=\frac{\overline{X}-8}{\frac{1.2}{\sqrt{n}}}$로 놓으면 확률변수 Z는 표준정규분포 $N(0, 1)$을 따른다.

$$\begin{aligned}P(7.76\le\overline{X}\le 8.24)&=P\left(\frac{7.76-8}{\frac{1.2}{\sqrt{n}}}\le Z\le\frac{8.24-8}{\frac{1.2}{\sqrt{n}}}\right)\\&=P\left(-\frac{\sqrt{n}}{5}\le Z\le\frac{\sqrt{n}}{5}\right)\\&=2P\left(0\le Z\le\frac{\sqrt{n}}{5}\right)\end{aligned}$$

이므로 $P(7.76\le\overline{X}\le 8.24)\ge 0.6826$에서

$2P\left(0\le Z\le\frac{\sqrt{n}}{5}\right)\ge 0.6826$

즉, $P\left(0\le Z\le\frac{\sqrt{n}}{5}\right)\ge 0.3413$

한편, $P(0\le Z\le 1)=0.3413$이므로

$\frac{\sqrt{n}}{5}\ge 1$, 즉 $n\ge 25$이어야 한다.

따라서 구하는 n의 최솟값은 25이다. 답 25

1526

→ 표본평균 $\overline{X}$는 정규분포 $N\left(m, \frac{1^2}{n}\right)$을 따른다.

정규분포 $N(m, 1^2)$을 따르는 모집단에서 크기가 n인 표본을 임의추출하여 구한 표본평균을 $\overline{X}$라 할 때, 함수 $f(m)$을

$$f(m)=P\left(\overline{X}\le\frac{4}{\sqrt{n}}\right)$$

라 하자. $f(1)\ge 0.8413$, $f(4)\le 0.0228$을 모두 만족시키는 자연수 n의 개수를 표준정규분포표를 이용하여 구하시오.

z	$P(0\le Z\le z)$
0.5	0.1915
1.0	0.3413
1.5	0.4332
2.0	0.4772

→ $=P\left(Z\le\frac{\frac{4}{\sqrt{n}}-m}{\frac{1}{\sqrt{n}}}\right)$임을 이용하자.

$\overline{X}$의 분포는 정규분포 $N\left(m, \frac{1^2}{n}\right)$을 따른다.

$Z=\frac{\overline{X}-m}{\frac{1}{\sqrt{n}}}$이라 하면 Z는 표준정규분포 $N(0, 1^2)$을 따른다.

$$f(m)=P\left(\overline{X}\le\frac{4}{\sqrt{n}}\right)=P\left(Z\le\frac{\frac{4}{\sqrt{n}}-m}{\frac{1}{\sqrt{n}}}\right)=P(Z\le 4-m\sqrt{n})$$

$f(4)=P(Z\le 4-4\sqrt{n})\le 0.0228$에서 $4-4\sqrt{n}\le -2$

그러므로 $n\ge\frac{9}{4}$

$f(1)=P(Z\le 4-\sqrt{n})\ge 0.8413$에서 $4-\sqrt{n}\ge 1$

그러므로 $n\le 9$

따라서 $\frac{9}{4}\le n\le 9$이므로 자연수 n의 개수는 7이다. 답 7

1527

→ 표본평균 $\overline{X}$는 정규분포 $N(2000,\ 10^2)$을 따른다.

> 어떤 공장에서 생산되는 호스의 길이 X는 정규분포 $N(2000,\ 100^2)$을 따른다고 한다. 이 제품 중 임의추출한 100개의 호스의 길이의 평균을 $\overline{X}$라 할 때, $P(a \le \overline{X} \le 2015)=0.241$을 만족시키는 상수 a의 값을 위의 표준정규분포표를 이용하여 구하시오. (단, 단위는 m이다.)
>
> | z | $P(0 \le Z \le z)$ |
> |---|---|
> | 0.5 | 0.192 |
> | 1.0 | 0.341 |
> | 1.5 | 0.433 |
> | 2.0 | 0.477 |
>
> → $=P\left(\frac{a-2000}{10} \le Z \le 1.5\right)$임을 이용하자.

모집단이 정규분포 $N(2000,\ 100^2)$을 따르고, 표본의 크기가 100이므로 표본평균 $\overline{X}$는 정규분포 $N\left(2000,\ \frac{100^2}{100}\right)$, 즉 $N(2000,\ 10^2)$을 따른다.

$\therefore P(a \le \overline{X} \le 2015)=P\left(\frac{a-2000}{10} \le Z \le \frac{2015-2000}{10}\right)$

$=P\left(\frac{a-2000}{10} \le Z \le 1.5\right)$

(i) $\frac{a-2000}{10} \le 0$일 때,

$P\left(\frac{a-2000}{10} \le Z \le 1.5\right)$

$=P\left(0 \le Z \le \frac{2000-a}{10}\right)+P(0 \le Z \le 1.5)$

$=P\left(0 \le Z \le \frac{2000-a}{10}\right)+0.433=0.241$

즉, $P\left(0 \le Z \le \frac{2000-a}{10}\right)=-0.192$이므로 성립하지 않는다.

(ii) $\frac{a-2000}{10}>0$일 때,

$P\left(\frac{a-2000}{10} \le Z \le 1.5\right)$

$=P(0 \le Z \le 1.5)-P\left(0 \le Z \le \frac{a-2000}{10}\right)$

$=0.433-P\left(0 \le Z \le \frac{a-2000}{10}\right)=0.241$

$\therefore P\left(0 \le Z \le \frac{a-2000}{10}\right)=0.192$

$P(0 \le Z \le 0.5)=0.192$이므로

$\frac{a-2000}{10}=0.5$

$a-2000=5$

$\therefore a=2005$

(i), (ii)에 의하여 상수 a의 값은 2005이다.

답 2005

1528

→ 표본평균 $\overline{X}$는 정규분포 $N\left(60,\ \frac{4^2}{16}\right)$을 따른다.

> 어느 공장에서 생산되는 건전지의 수명은 평균이 60시간, 표준편차가 4시간인 정규분포를 따른다고 한다. 이 공장에서 생산된 건전지 중에서 크기가 16인 표본을 임의추출하여 건전지의 수명에 대한 표본평균을 $\overline{X}$라 할 때, $P(\overline{X} \ge a)=0.02$를 만족시키는 상수 a의 값을 구하시오. (단, $P(0 \le Z \le 2)=0.48$로 계산한다.)
>
> $=P(Z \ge a-60)$임을 이용하자.

모집단이 정규분포 $N(60,\ 4^2)$을 따르고, 표본의 크기가 16이므로 표본평균 $\overline{X}$는 정규분포 $N\left(60,\ \frac{4^2}{16}\right)$, 즉 $N(60,\ 1^2)$을 따른다.

그런데 $P(\overline{X} \ge a)=0.02$에서 $a>60$이므로

$P(\overline{X} \ge a)=P(Z \ge a-60)$

$=0.5-P(0 \le Z \le a-60)$

$=0.02$

$\therefore P(0 \le Z \le a-60)=0.48$

$P(0 \le Z \le 2)=0.48$이므로

$a-60=2$

$\therefore a=62$

답 62

1529

→ 표본평균 $\overline{X}$는 정규분포 $N\left(70,\ \left(\frac{2.5}{4}\right)^2\right)$을 따른다.

> 어느 제과점에서 판매되는 찹쌀 도넛의 무게는 평균이 70, 표준편차가 2.5인 정규분포를 따른다고 한다. 이 제과점에서 판매되는 찹쌀 도넛 중 16개를 임의추출하여 조사한 무게의 표본평균을 $\overline{X}$라 하자.
>
> $P(|\overline{X}-70| \le a)=0.9544$
>
> 를 만족시키는 상수 a의 값을 위의 표준정규분포표를 이용하여 구한 것은? (단, 무게의 단위는 g이다.)
>
> | z | $P(0 \le Z \le z)$ |
> |---|---|
> | 1.0 | 0.3413 |
> | 1.5 | 0.4332 |
> | 2.0 | 0.4772 |
> | 2.5 | 0.4938 |
>
> → $=P\left(\left|\frac{\overline{X}-70}{\frac{2.5}{4}}\right| \le \frac{a}{\frac{2.5}{4}}\right)$임을 이용하자.

표본의 크기가 16이므로

$\overline{X}$는 정규분포 $N\left(70,\ \left(\frac{2.5}{4}\right)^2\right)$을 따른다.

$P(|\overline{X}-70| \le a)=P\left(\left|\frac{\overline{X}-70}{\frac{2.5}{4}}\right| \le \frac{a}{\frac{2.5}{4}}\right)=P\left(|Z| \le \frac{8}{5}a\right)$

$P(|Z| \le 2)=0.9544$이므로 $\frac{8}{5}a=2$에서 $a=1.25$

답 ②

1530

표본평균 $\overline{X}$는 정규분포 $N\left(196.8, \frac{10^2}{4}\right)$을 따른다.

어느 학교의 체육대회에서 학급 대항 멀리뛰기 시합을 하는데, 각 학급에서 임의추출한 학생 4명이 멀리뛰기 기록에 대한 표본평균 $\overline{X}$가 상수 L보다 크면 이 학급은 예선을 통과한 것으로 한다. 어느 학급 학생들의 멀리뛰기 기록은 평균 196.8, 표준편차 10인 정규분포를 따른다고 한다. 이 학급이 예선을 통과할 확률이 0.8770일 때, 상수 L의 값을 오른쪽 표준정규분포표를 이용하여 구한 것은?

(단, 멀리뛰기 기록의 단위는 cm이다.)

z	$P(0\le Z\le z)$
1.07	0.3577
1.16	0.3770
1.18	0.3810
1.27	0.3980

$P(\overline{X}>L)=P\left(Z>\frac{L-196.8}{5}\right)$임을 이용하자.

주어진 학급의 멀리뛰기 기록은 정규분포 $N(196.8, 10^2)$을 따르므로 4명의 표본평균 $\overline{X}$는 정규분포 $N\left(196.8, \frac{10^2}{4}\right)$, 즉 $N(196.8, 5^2)$을 따른다.

이 학급이 예선을 통과할 확률이 0.8770이므로

$$P(\overline{X}>L)=P\left(\frac{\overline{X}-196.8}{5}>\frac{L-196.8}{5}\right)$$
$$=P\left(Z>\frac{L-196.8}{5}\right)$$

이고, 표준정규분포표를 이용하면

$$0.8770=0.3770+0.5$$
$$=P(0\le Z<1.16)+0.5$$
$$=P(-1.16<Z\le 0)+P(Z\ge 0)$$
$$=P(Z>-1.16)$$

$\therefore \frac{L-196.8}{5}=-1.16$

$\therefore L=191$

답 ②

1531

표본평균 $\overline{X}$는 정규분포 $N\left(800, \frac{14^2}{49}\right)$을 따른다.

어느 세제 공장에서 생산되는 세제 A의 무게는 평균이 800 g, 표준편차가 14 g인 정규분포를 따른다고 한다. 이 공장에서는 생산 시스템의 이상 여부를 점검하기 위하여 하루에 생산된 세제 A 중에서 크기가 49인 표본을 임의추출하여 얻은 세제의 무게에 대한 표본평균을 $\overline{X}$라 하자. $\overline{X}$가 상수 c보다 작으면 생산 시스템에 이상이 있는 것으로 판단하고 생산 시스템을 점검한다. 이 공장에서 생산 시스템에 이상이 있다고 판단될 확률이 0.02라 할 때, c의 값을 위의 표준정규분포표를 이용하여 구하면?

z	$P(0\le Z\le z)$
1.88	0.47
2.05	0.48
2.33	0.49

$P(\overline{X}\le c)=P\left(Z\le\frac{c-800}{2}\right)$임을 이용하자.

세제 A의 무게를 확률변수 X라 하면 X는 정규분포 $N(800, 14^2)$을 따르고, 표본의 크기가 49이므로 표본평균 $\overline{X}$는 정규분포 $N\left(800, \frac{14^2}{49}\right)$, 즉 $N(800, 2^2)$을 따른다.

그런데 $P(\overline{X}\le c)=0.02$에서 $c<800$이므로

$$P(\overline{X}\le c)=P\left(Z\le\frac{c-800}{2}\right)=0.02$$

즉, $0.5-P\left(0\le Z\le\frac{800-c}{2}\right)=0.02$이므로

$$P\left(0\le Z\le\frac{800-c}{2}\right)=0.48$$

$P(0\le Z\le 2.05)=0.48$이므로

$$\frac{800-c}{2}=2.05$$

$800-c=4.1$

$\therefore c=795.9$

답 ⑤

1532

어느 양식장에서 양식되는 전복 1마리의 무게는 평균이 140 g, 표준편차가 12 g인 정규분포를 따른다고 한다. 전복 9마리를 한 상자에 넣어 판매하려고 할 때, 한 상자의 무게가 상위 5 % 이내에 해당하는 것을 1등급으로 판매한다. 1등급으로 판매되는 한 상자의 최소 무게를 구하시오.

(단, $P(0\le Z\le 1.65)=0.45$, $P(0\le Z\le 1.96)=0.475$로 계산하고, 상자의 무게는 생각하지 않는다.)

한 상자의 최소 무게를 a g이라 하면 $P(9\overline{X}\ge a)=0.05$임을 이용하자.

전복 1마리의 무게를 확률변수 X라 하면 X는 정규분포 $N(140, 12^2)$을 따르므로 전복 9마리로 한 상자를 만들었을 때, 전복 9마리의 무게의 표본평균을 $\overline{X}$라 하면

$\overline{X}$는 정규분포 $N\left(140, \frac{12^2}{9}\right)$, 즉 $N(140, 4^2)$을 따른다.

1등급으로 판매되는 전복 한 상자의 최소 무게를 a g이라 하면

$P(9\overline{X}\ge a)=P\left(\overline{X}\ge\frac{a}{9}\right)=0.05$에서

$\frac{a}{9}>140$

$$\therefore P(9\overline{X}\ge a)=P\left(\overline{X}\ge\frac{a}{9}\right)$$
$$=P\left(Z\ge\frac{\frac{a}{9}-140}{4}\right)$$
$$=0.5-P\left(0\le Z\le\frac{\frac{a}{9}-140}{4}\right)$$
$$=0.05$$

$$\therefore P\left(0\le Z\le\frac{\frac{a}{9}-140}{4}\right)=0.45$$

$P(0\le Z\le 1.65)=0.45$이므로

$\frac{\frac{a}{9}-140}{4}=1.65$, $\frac{a}{9}=146.6$ $\quad\therefore a=1319.4(\text{g})$

따라서 1등급으로 판매되는 한 상자의 최소 무게는 1319.4 g이다.

답 1319.4 g

1533 　• 표본평균 $\overline{X}$는 정규분포 $N(50, 3^2)$을 따른다.

> 평균이 50, 표준편차가 6인 정규분포를 따르는 모집단에서 크기가 4인 표본을 임의로 추출하여 그 표본평균을 $\overline{X}$라 하자. 표준정규분포를 따르는 확률변수 Z에 대하여
>
> $2P(\overline{X} \ge a) = 1 + P(|Z| \le b)$
>
> 가 성립할 때, $a+3b$의 값을 구하시오. (단, $b>0$)
>
> • $=2P\left(Z \ge \frac{a-50}{3}\right)$임을 이용하자.

정규분포 $N(50, 6^2)$을 따르는 모집단에서 크기가 4인 표본을 임의추출하였으므로 표본평균 $\overline{X}$는 정규분포 $N(50, 3^2)$을 따른다.

따라서 $2P(\overline{X} \ge a) = 2P\left(Z \ge \frac{a-50}{3}\right)$이고

$1+P(|Z| \le b) = 1+P(-b \le Z \le b)$

$= 2-2P(Z \ge b)$

이므로

$2P\left(Z \ge \frac{a-50}{3}\right) = 2-2P(Z \ge b)$

$P\left(Z \ge \frac{a-50}{3}\right) + P(Z \ge b) = 1$

위의 식이 성립하려면

$-b = \frac{a-50}{3}$

$\therefore a+3b=50$

답 50

1534 　• 표본평균 $\overline{X}$는 정규분포 $\left(50, \left(\frac{\sigma}{4}\right)^2\right)$을 따른다.

> 어느 학교 학생들의 통학 시간은 평균이 50분, 표준편차가 σ분인 정규분포를 따른다. 이 학교 학생들을 대상으로 16명을 임의추출하여 조사한 통학 시간의 표본평균을 $\overline{X}$라 하자. $P(50 \le \overline{X} \le 56) = 0.4332$일 때, σ의 값을 위의 표준정규분포표를 이용하여 구하시오.
>
> • $P(a \le \overline{X} \le b) = P\left(\frac{a-m}{\frac{\sigma}{\sqrt{n}}} \le Z \le \frac{b-m}{\frac{\sigma}{\sqrt{n}}}\right)$임을 이용하자.

z	$P(0 \le Z \le z)$
1.0	0.3413
1.5	0.4332
2.0	0.4772

학생들의 통학 시간을 확률변수 X라 하면 X는 정규분포 $N(50, \sigma^2)$을 따르므로 임의추출한 16명의 통학 시간의 표본평균 $\overline{X}$는 정규분포 $\left(50, \left(\frac{\sigma}{4}\right)^2\right)$을 따른다.

$\therefore P(50 \le \overline{X} \le 56) = P\left(\frac{50-50}{\frac{\sigma}{4}} \le Z \le \frac{56-50}{\frac{\sigma}{4}}\right)$

$= P\left(0 \le Z \le \frac{24}{\sigma}\right)$

$= 0.4332$

즉, $\frac{24}{\sigma} = 1.5$이므로 $\sigma = 16$

답 16

1535 　• 표본평균 $\overline{X}$는 정규분포 $N\left(m, \left(\frac{5}{6}\right)^2\right)$을 따른다.

> 어느 회사에서 일하는 플랫폼 근로자의 일주일 근무 시간은 평균이 m시간, 표준편차가 5시간인 정규분포를 따른다고 한다. 이 회사에서 일하는 플랫폼 근로자 중에서 임의추출한 36명의 일주일 근무 시간의 표본평균이 38시간 이상일 확률을 위의 표준정규분포표를 이용하여 구한 값이 0.9332일 때, m의 값은?
>
> • $P(a \le \overline{X}) = P\left(\frac{a-m}{\frac{\sigma}{\sqrt{n}}} \le Z\right)$임을 이용하자.

z	$P(0 \le Z \le z)$
0.5	0.1915
1.0	0.3413
1.5	0.4332
2.0	0.4772

플랫폼 근로자의 일주일 근무 시간을 확률변수 X라 하면 X는 정규분포 $N(m, 5^2)$을 따르므로 플랫폼 근로자 중에서 임의추출한 36명의 일주일 근무 시간의 표본평균을 $\overline{X}$라 하면 $\overline{X}$는 정규분포 $N\left(m, \left(\frac{5}{6}\right)^2\right)$을 따른다.

$P(\overline{X} \ge 38) = P\left(Z \ge \frac{38-m}{\frac{5}{6}}\right)$

$= P\left(Z \ge \frac{6}{5}(38-m)\right) = 0.9332$

이므로 $P\left(0 \le Z \le \frac{6}{5}(m-38)\right) = 0.4332$

이때, $P(0 \le Z \le 1.5) = 0.4332$이므로 $\frac{6}{5}(m-38) = 1.5$

$\therefore m = 39.25$

답 ③

1536 　• 표본평균 $\overline{X}$는 정규분포 $N(m, 2^2)$을 따른다.

> 어느 약품 회사가 생산하는 약품 1병의 용량은 평균이 m, 표준편차가 10인 정규분포를 따른다고 한다. 이 회사가 생산한 약품 중에서 임의로 추출한 25병의 용량의 표본평균이 2000 이상일 확률이 0.9772일 때, m의 값을 위의 표준정규분포표를 이용하여 구한 것은?
>
> (단, 용량의 단위는 mL이다.)
>
> • $P(a \le \overline{X}) = P\left(\frac{a-m}{\frac{\sigma}{\sqrt{n}}} \le Z\right)$임을 이용하자.

z	$P(0 \le Z \le z)$
1.5	0.4332
2.0	0.4772
2.5	0.4938
3.0	0.4987

약품 1병의 용량을 확률변수 X라 하면 X는 정규분포 $N(m, 10^2)$을 따르므로 임의로 추출한 25병의 용량의 표본평균을 확률변수 $\overline{X}$라 하면 $\overline{X}$는 정규분포 $N(m, 2^2)$을 따른다.

$P(\overline{X} \ge 2000) = P\left(Z \ge \frac{2000-m}{2}\right) = 0.9772$

$0.5 + P\left(0 \le Z \le \frac{m-2000}{2}\right) = 0.9772$

$P\left(0 \le Z \le \frac{m-2000}{2}\right) = 0.4772$

이때, $P(0 \le Z \le 2) = 0.4772$이므로

$\frac{m-2000}{2}=2$

$\therefore m=2004$

답 ②

1537

→ 표본평균 $\overline{X}$는 정규분포 $N\left(10, \left(\frac{\sigma}{3}\right)^2\right)$을 따른다.

> 정규분포 $N(10, \sigma^2)$을 따르는 모집단에서 크기가 9인 표본을 임의추출하여 구한 표본평균 $\overline{X}$가
>
> $P(\overline{X}\le 8)=P(Z\ge 3)$
>
> 일 때, 모표준편차 σ의 값을 구하시오.
>
> (단, Z는 표준정규분포를 따르는 확률변수이다.)
>
> → $P(Z\le a)=P(Z\ge -a)$임을 이용하자.

$\overline{X}$는 정규분포 $N\left(10, \left(\frac{\sigma}{3}\right)^2\right)$을 따르므로

$P(\overline{X}\le 8)=P\left(Z\le \frac{8-10}{\frac{\sigma}{3}}\right)=P\left(Z\le -\frac{6}{\sigma}\right)$

이다. 문제의 조건에 의해

$P\left(Z\le -\frac{6}{\sigma}\right)=P(Z\ge 3)$이므로

$-\frac{6}{\sigma}=-3$

$\therefore \sigma=2$

답 2

1538

→ 표본평균 $\overline{X}$는 정규분포 $N(m, 1^2)$을 따른다.

> 어느 공장에서 생산되는 제품의 길이 X는 평균이 m이고, 표준편차가 4인 정규분포를 따른다고 한다.
>
> $P(m\le X\le a)=0.3413$일 때, 이 공장에서 생산된 제품 중에서 임의추출한 제품 16개의 길이의 표본평균이 $a-2$ 이상일 확률을 위의 표준정규분포표를 이용하여 구한 것은?
>
> (단, a는 상수이고, 길이의 단위는 cm이다.)
>
> $P(a\le \overline{X})=P\left(\frac{a-m}{\frac{\sigma}{\sqrt{n}}}\le Z\right)$임을 이용하자.

z	$P(0\le Z\le z)$
1.0	0.3413
1.5	0.4332
2.0	0.4772

제품의 길이 X는 정규분포 $N(m, 4^2)$을 따르므로

$P(m\le X\le a)=P\left(\frac{m-m}{4}\le Z\le \frac{a-m}{4}\right)$

$=P\left(0\le Z\le \frac{a-m}{4}\right)$

$=0.3413$

즉, $\frac{a-m}{4}=1$이므로 $a=m+4$

한편, 생산된 제품 중에서 임의추출한 제품 16개의 길이의 표본평균을 $\overline{X}$라 하면 $\overline{X}$는 정규분포 $N(m, 1^2)$을 따르므로

$P(\overline{X}\ge a-2)=P(\overline{X}\ge m+2)$

$=P\left(Z\ge \frac{(m+2)-m}{1}\right)$

$=P(Z\ge 2)$

$=0.5-P(0\le Z\le 2)$

$=0.5-0.4772$

$=0.0228$

답 ①

1539

→ $m=3.4$임을 알 수 있다. → $P(X\le 3.9)=P(Z\le 1)$이 된다.

> 어느 지역 신생아의 출생 시 몸무게 X가 정규분포를 따르고
>
> $P(X\ge 3.4)=\frac{1}{2}$, $P(X\le 3.9)+P(Z\le -1)=1$
>
> 이다. 이 지역 신생아 중에서 임의추출한 25명의 출생 시 몸무게의 표본평균을 $\overline{X}$라 할 때, $P(\overline{X}\ge 3.55)$의 값을 오른쪽 표준정규분포표를 이용하여 구한 것은? (단, 몸무게의 단위는 kg이고, Z는 표준정규분포를 따르는 확률변수이다.)
>
> → $P(a\le \overline{X})=P\left(\frac{a-m}{\frac{\sigma}{\sqrt{n}}}\le Z\right)$임을 이용하자.

z	$P(0\le Z\le z)$
1.0	0.3413
1.5	0.4332
2.0	0.4772
2.5	0.4938

확률변수 X가 정규분포 $N(m, \sigma^2)$을 따른다고 하면

$P(X\ge 3.4)=\frac{1}{2}$이므로 $m=3.4$

또, $P(Z\le -1)=P(Z\ge 1)$이므로

$P(X\le 3.9)+P(Z\ge 1)=1$에서

$P(X\le 3.9)=P(Z\le 1)$

$P(X\le 3.9)=P\left(Z\le \frac{3.9-3.4}{\sigma}\right)=P\left(Z\le \frac{0.5}{\sigma}\right)$

이므로 $\frac{0.5}{\sigma}=1$, $\sigma=0.5$

따라서 확률변수 X가 정규분포 $N(3.4, 0.5^2)$을 따르므로

확률변수 $\overline{X}$는 정규분포 $N(3.4, 0.1^2)$을 따른다.

즉 $P(\overline{X}\ge 3.55)=P\left(Z\ge \frac{3.55-3.4}{0.1}\right)$

$=P(Z\ge 1.5)$

$=0.5-P(0\le Z\le 1.5)$

$=0.5-0.4332$

$=0.0668$

답 ③

1540

→ 표본평균 $\overline{X}$는 정규분포 $N\left(m, \frac{\sigma^2}{n}\right)$을 따른다.

> 정규분포 $N(50, 8^2)$을 따르는 모집단에서 크기가 16인 표본을 임의추출하여 구한 표본평균을 $\overline{X}$, 정규분포 $N(75, \sigma^2)$을 따르는 모집단에서 크기가 25인 표본을 임의추출하여 구한 표본평균을 $\overline{Y}$라 하자.
>
> $P(\overline{X}\le 53)+P(\overline{Y}\le 69)=1$일 때, $P(\overline{Y}\ge 71)$의 값을 위의 표준정규분포표를 이용하여 구한 것은?
>
> → 표본평균 $\overline{X}$와 $\overline{Y}$를 표준화하자.

z	$P(0\le Z\le z)$
1.0	0.3413
1.5	0.4332
2.0	0.4772
2.5	0.4938

모집단이 정규분포 $N(50, 8^2)$을 따르고 표본의 크기가 16이므로

표본평균 $\overline{X}$는 정규분포 $N\left(50, \frac{8^2}{16}\right)$, 즉 $N(50, 2^2)$을 따른다.

$\therefore P(\overline{X}\le 53)=P\left(Z\le \frac{53-50}{2}\right)$

$=P(Z\le 1.5)$

$=0.5+P(0\le Z\le 1.5)$

모집단이 정규분포 $N(75, \sigma^2)$을 따르고 표본의 크기가 25이므로 표본평균 $\overline{Y}$는 정규분포 $N\left(75, \left(\frac{\sigma}{5}\right)^2\right)$을 따른다.

$\therefore P(\overline{Y}\le 69)=P\left(Z\le \frac{69-75}{\frac{\sigma}{5}}\right)$

$=P\left(Z\le -\frac{30}{\sigma}\right)$

$=0.5-P\left(0\le Z\le \frac{30}{\sigma}\right)$

이때, $P(\overline{X}\le 53)+P(\overline{Y}\le 69)=1$이므로

$P(0\le Z\le 1.5)=P\left(0\le Z\le \frac{30}{\sigma}\right)$

즉, $1.5=\frac{30}{\sigma}$이므로 $\sigma=20$

$\therefore P(\overline{Y}\ge 71)=P\left(Z\ge \frac{71-75}{4}\right)$

$=P(Z\ge -1)$

$=0.5+P(0\le Z\le 1)$

$=0.5+0.3413=0.8413$

답 ①

1541 • 표본평균 $\overline{X}$는 정규분포 $N(68, 1^2)$을 따른다.

정규분포 $N(68, 8^2)$을 따르는 모집단에서 크기가 64인 표본을 임의추출하여 구한 표본평균을 $\overline{X}$, 정규분포 $N(m, 9^2)$을 따르는 모집단에서 크기가 36인 표본을 임의추출하여 구한 표본평균을 $\overline{Y}$라 하자. $P(\overline{X}\le 70)=P(\overline{Y}\ge 50)$일 때, $P(\overline{X}\ge 67)+P(\overline{Y}\le k)=1$을 만족시키는 상수 k의 값을 구하시오.

• 표본평균 $\overline{Y}$는 정규분포 $N\left(m, \left(\frac{3}{2}\right)^2\right)$을 따른다.

$\overline{X}$는 $N(68, 1^2)$을 따르고 $\overline{Y}$는 $N\left(m, \left(\frac{3}{2}\right)^2\right)$을 따른다.

$P(\overline{X}\le 70)=P\left(Z\le \frac{70-68}{1}\right)=P(Z\le 2)$이고

$P(\overline{Y}\ge 50)=P\left(Z\ge \frac{50-m}{\frac{3}{2}}\right)$이므로

$\frac{50-m}{\frac{3}{2}}=-2$에서 $m=53$

$P(\overline{X}\ge 67)+P(\overline{Y}\le k)=1$

$P(Z\ge -1)+P\left(Z\le \frac{k-53}{\frac{3}{2}}\right)=1$

$\frac{k-53}{\frac{3}{2}}=-1$

$k=\frac{103}{2}$

답 $\frac{103}{2}$

1542 • 표본평균 $\overline{X}$는 정규분포 $N\left(50, \frac{8^2}{16}\right)$을 따른다.

정규분포 $N(50, 8^2)$을 따르는 모집단에서 크기가 16인 표본을 임의추출하여 구한 표본평균을 $\overline{X}$, 정규분포 $N(75, \sigma^2)$을 따르는 모집단에서 크기가 25인 표본을 임의추출하여 구한 표본평균을 $\overline{Y}$라 하자. $P(\overline{X}\le 53)+P(\overline{Y}\le 69)=1$일 때, $P(\overline{Y}\ge 71)$의 값을 위의 표준정규분포표를 이용하여 구한 것은?

z	$P(0\le Z\le z)$
1.0	0.3413
1.5	0.4332
2.0	0.4772
2.5	0.4938

• 표본평균 $\overline{Y}$는 정규분포 $N\left(75, \left(\frac{\sigma}{5}\right)^2\right)$을 따른다.

모집단이 정규분포 $N(50, 8^2)$을 따르고 표본의 크기가 16이므로 표본평균 $\overline{X}$는 정규분포 $N\left(50, \frac{8^2}{16}\right)$, 즉 $N(50, 2^2)$을 따른다.

$\therefore P(\overline{X}\le 53)=P\left(Z\le \frac{53-50}{2}\right)$

$=P(Z\le 1.5)$

$=0.5+P(0\le Z\le 1.5)$

모집단이 정규분포 $N(75, \sigma^2)$을 따르고 표본의 크기가 25이므로 표본평균 $\overline{Y}$는 정규분포 $N\left(75, \left(\frac{\sigma}{5}\right)^2\right)$을 따른다.

$\therefore P(\overline{Y}\le 69)=P\left(Z\le \frac{69-75}{\frac{\sigma}{5}}\right)$

$=P\left(Z\le -\frac{30}{\sigma}\right)$

$=0.5-P\left(0\le Z\le \frac{30}{\sigma}\right)$

$P(\overline{X}\le 53)+P(\overline{Y}\le 69)=1$이므로

$P(0\le Z\le 1.5)=P\left(0\le Z\le \frac{30}{\sigma}\right)$

즉, $1.5=\frac{30}{\sigma}$이므로 $\sigma=20$

$\therefore P(\overline{Y}\ge 71)=P\left(Z\ge \frac{71-75}{4}\right)$

$=P(Z\ge -1)$

$=0.5+P(0\le Z\le 1)$

$=0.5+0.3413$

$=0.8413$

답 ①

1543 • 표본평균 $\overline{X}$는 정규분포 $N\left(m, \frac{\sigma^2}{n}\right)$을 따른다.

정규분포 $N(0, 4^2)$을 따르는 모집단에서 크기가 9인 표본을 임의추출하여 구한 표본평균을 $\overline{X}$, 정규분포 $N(3, 2^2)$을 따르는 모집단에서 크기가 16인 표본을 임의추출하여 구한 표본평균을 $\overline{Y}$라 하자. $P(\overline{X}\ge 1)=P(\overline{Y}\le a)$를 만족시키는 상수 a의 값을 구하시오.

z	$P(0\le Z\le z)$
1.0	0.3413
1.5	0.4332
2.0	0.4772

• 표본평균 $\overline{X}$와 $\overline{Y}$를 표준화하여 비교하자.

확률변수 $\overline{X}$는 정규분포 $N\left(0, \left(\frac{4}{3}\right)^2\right)$을 따르므로

$Z=\frac{\overline{X}-0}{\frac{4}{3}}$ 으로 놓으면 확률변수 Z는 표준정규분포 $N(0, 1)$을 따른다.

또, 확률변수 $\overline{Y}$는 정규분포 $N\left(3, \left(\frac{1}{2}\right)^2\right)$을 따르므로

$Z=\frac{\overline{Y}-3}{\frac{1}{2}}$ 으로 놓으면 확률변수 Z는 표준정규분포 $N(0, 1)$을 따른다.

$P(\overline{X}\ge 1)=P(\overline{Y}\le a)$에서

$P\left(Z\ge \frac{1-0}{\frac{4}{3}}\right)=P\left(Z\le \frac{a-3}{\frac{1}{2}}\right)$

$P\left(Z\ge \frac{3}{4}\right)=P(Z\le 2(a-3))$

$\frac{3}{4}+2(a-3)=0$에서

$a=\frac{21}{8}$ 답 $\frac{21}{8}$

1545

표본평균 $\overline{X}$는 정규분포 $N\left(16, \frac{6^2}{16}\right)$을 따른다.

어느 회사에서는 생산되는 제품을 1000개씩 상자에 넣어 판매한다. 이때, 상자에서 임의로 추출한 16개 제품의 무게의 표본평균이 12.7 이상이면 그 상자를 정상 판매하고, 12.7 미만이면 할인 판매한다. A 상자에 들어 있는 제품의 무게는 평균 16, 표준편차 6인 정규분포를 따르고, B 상자에 들어 있는 제품의 무게는 평균 10, 표준편차 6인 정규분포를 따른다고 할 때, A 상자가 할인 판매될 확률이 p, B 상자가 정상 판매될 확률이 q이다. $p+q$의 값을 위의 표준정규분포표를 이용하여 구하시오. (단, 무게의 단위는 g이다.)

z	$P(0\le Z\le z)$
1.6	0.4452
1.8	0.4641
2.0	0.4772
2.2	0.4861

$p=P(\overline{X}<12.7)$임을 이용하자.

A 상자에 들어 있는 제품의 무게를 확률변수 X라 하면 X는 정규분포 $N(16, 6^2)$을 따르므로 임의추출한 16개 제품의 무게의 표본평균을 $\overline{X}$라 하면 $\overline{X}$는 정규분포 $N\left(16, \frac{6^2}{16}\right)$, 즉 $N\left(16, \left(\frac{3}{2}\right)^2\right)$을 따른다.

A 상자가 할인 판매될 확률은

$p=P(\overline{X}<12.7)$
$=P\left(Z<\frac{12.7-16}{\frac{3}{2}}\right)$
$=P(Z<-2.2)$
$=0.5-P(0\le Z\le 2.2)$
$=0.5-0.4861$
$=0.0139$

B 상자에 들어 있는 제품의 무게를 확률변수 Y라 하면 Y는 정규분포 $N(10, 6^2)$을 따르므로 임의추출한 16개 제품의 무게의 표본평균을 $\overline{Y}$라 하면 $\overline{Y}$는 정규분포 $N\left(10, \frac{6^2}{16}\right)$, 즉 $N\left(10, \left(\frac{3}{2}\right)^2\right)$을 따른다.

B 상자가 정상 판매될 확률은

$q=P(\overline{Y}\ge 12.7)$
$=P\left(Z\ge \frac{12.7-10}{\frac{3}{2}}\right)$
$=P(Z\ge 1.8)$
$=0.5-P(0\le Z\le 1.8)$
$=0.5-0.4641$
$=0.0359$

$\therefore p+q=0.0139+0.0359=0.0498$ 답 0.0498

1544

표본평균 $\overline{X}$는 정규분포 $N\left(m, \frac{\sigma^2}{n}\right)$을 따른다.

정규분포 $N(m, \sigma^2)$을 따르는 모집단에서 크기가 n인 표본을 임의추출하여 구한 표본평균을 $\overline{X}$라 하자. $\sigma=k$일 때의 확률을 $f(k)=P\left(\overline{X}\ge m+\frac{2}{\sqrt{n}}\right)$라 할 때, $f(2)+f(4)$의 값을 구하시오. (단, $P(0\le Z\le 0.5)=1.1915$, $P(0\le Z\le 1)=0.3413$)

$P(a\le \overline{X})=P\left(\frac{a-m}{\frac{\sigma}{\sqrt{n}}}\le Z\right)$임을 이용하자.

$f(2)=P\left(\overline{X}\ge m+\frac{2}{\sqrt{n}}\right)$
$=P\left(\frac{\overline{X}-m}{\frac{2}{\sqrt{n}}}\ge 1\right)$
$=P(Z\ge 1)$
$=P(Z\ge 0)-P(0\le Z\le 1)$
$=0.5-0.3413=0.1587$

$f(4)=P\left(\overline{X}\ge m+\frac{2}{\sqrt{n}}\right)$
$=P\left(\frac{\overline{X}-m}{\frac{4}{\sqrt{n}}}\ge \frac{1}{2}\right)$
$=P\left(Z\ge \frac{1}{2}\right)$
$=P(Z\ge 0)-P\left(0\le Z\le \frac{1}{2}\right)$
$=0.5-0.1915=0.3085$

$\therefore f(2)+f(4)=0.1587+0.3085=0.4672$ 답 0.4672

1546

독립시행의 확률을 적용하자.

어느 공장에서 생산되는 제품의 무게가 정규분포 $N(11, 2^2)$을 따른다고 하자. A와 B 두 사람이 크기가 4인 표본을 각각 독립적으로 임의추출하였다. A와 B가 추출한 표본의 평균이 모두 10g 이상 14g 이하가 될 확률을 위의 표준정규분포표를 이용하여 구하시오.

z	$P(0\le Z\le z)$
1	0.3413
2	0.4772
3	0.4987

$P(a\le \bar{X}\le b)=P\left(\frac{a-m}{\frac{\sigma}{\sqrt{n}}}\le Z\le \frac{b-m}{\frac{\sigma}{\sqrt{n}}}\right)$임을 이용하자.

생산되는 제품의 무게를 확률변수 X라 하면 X는 정규분포 $N(11, 2^2)$을 따르고, 표본의 크기가 4이므로 표본평균 $\bar{X}$는 정규분포 $N\left(11, \frac{2^2}{4}\right)$, 즉 $N(11, 1^2)$을 따른다.

$$\therefore P(10\le \bar{X}\le 14)=P\left(\frac{10-11}{1}\le Z\le \frac{14-11}{1}\right)$$
$$=P(-1\le Z\le 3)$$
$$=P(0\le Z\le 1)+P(0\le Z\le 3)$$
$$=0.3413+0.4987$$
$$=0.84$$

A와 B 두 사람이 각각 독립적인 표본을 임의추출하였으므로 두 사람이 뽑은 표본의 표본평균이 10 이상 14 이하가 될 확률은 모두 0.84로 같고, 두 사건은 서로 독립이다.
따라서 구하는 확률은
$0.84\times 0.84=0.7056$

답 0.7056

1547

표본평균 $\bar{X}$는 정규분포 $N\left(16, \frac{6^2}{16}\right)$을 따른다.

어느 회사에서 생산되는 제품을 1000개씩 상자에 넣어 판매한다. 상자에서 임의로 추출한 16개의 제품의 무게의 평균이 12.7 이상이면 그 상자를 정상 판매하고, 12.7 미만이면 할인 판매한다. A상자에 들어 있는 제품의 무게는 평균이 16, 표준편차가 6인 정규분포를 따르고, B상자에 들어 있는 제품의 무게는 평균이 10, 표준편차가 6인 정규분포를 따른다고 할 때, A상자가 할인 판매될 확률이 p, B상자가 정상 판매될 확률이 q이다. $p+q$의 값을 위의 표준정규분포표를 이용하여 구하시오. (단, 무게의 단위는 g이다.)

z	$P(0\le Z\le z)$
1.6	0.4452
1.8	0.4641
2.0	0.4772
2.2	0.4861

$p=P(\bar{X}<12.7)$임을 이용하자.

A상자에 들어 있는 제품의 무게를 확률변수 X라 하면 X는 정규분포 $N(16, 6^2)$을 따르므로 크기가 16인 표본의 표본평균 $\bar{X}$는 정규분포 $N\left(16, \frac{6^2}{16}\right)$, 즉 $N\left(16, \left(\frac{3}{2}\right)^2\right)$을 따른다.
또한, B상자에 들어 있는 제품의 무게를 확률변수 Y라 하면 Y는 정규분포 $N(10, 6^2)$을 따르므로 크기가 16인 표본의 표본평균 $\bar{Y}$는 정규분포 $N\left(10, \frac{6^2}{16}\right)$, 즉 $N\left(10, \left(\frac{3}{2}\right)^2\right)$을 따른다.
A상자가 할인 판매되려면 임의로 추출한 16개의 제품의 무게의 평균이 12.7 미만이어야 하므로

$$p=P(\bar{X}<12.7)=P\left(Z<\frac{12.7-16}{\frac{3}{2}}\right)$$
$$=P(Z<-2.2)=P(Z>2.2)$$
$$=0.5-P(0\le Z\le 2.2)$$
$$=0.5-0.4861=0.0139$$

B상자가 정상 판매되려면 임의로 추출한 16개의 제품의 무게의 평균이 12.7 이상이어야 하므로

$$q=P(\bar{Y}\ge 12.7)=P\left(Z\ge \frac{12.7-10}{\frac{3}{2}}\right)$$
$$=P(Z\ge 1.8)=0.5-P(0\le Z\le 1.8)$$
$$=0.5-0.4641=0.0359$$

$\therefore p+q=0.0139+0.0359=0.0498$

답 0.0498

1548

다음 중 전수조사가 적합한 것을 모두 고르시오.

ㄱ. 핸드폰 매장의 재고 조사 (재고량 전부를 조사하여야 한다.)
ㄴ. 대한민국의 초미세먼지 조사
ㄷ. 우리나라의 인구 주택 총조사
ㄹ. 공장에서 생산되는 전구의 수명 조사

모든 전구의 수명을 조사하면 정작 팔 전구가 없어진다.

ㄴ, ㄹ은 표본조사가 적합하다.
ㄱ, ㄷ은 전수조사를 해야 한다.
따라서 구하는 답은 ㄱ, ㄷ이다.

답 ㄱ, ㄷ

1549

모표준편차가 12인 모집단에서 크기가 n인 표본을 임의추출할 때, 표본평균 $\bar{X}$의 표준편차가 1 이하가 되도록 하는 n의 최솟값을 구하시오.

$\sigma(\bar{X})=\frac{\sigma(X)}{\sqrt{n}}$임을 이용하자.

표본평균 $\bar{X}$의 표준편차는

$$\sigma(\bar{X})=\frac{12}{\sqrt{n}}$$

즉, $\frac{12}{\sqrt{n}}\le 1$에서 $\sqrt{n}\ge 12$

$\therefore n\ge 144$

따라서 n의 최솟값은 144이다.

답 144

1550

정규분포 $N(75, 10^2)$을 따르는 어떤 모집단에서 크기가 25인 표본을 임의추출할 때, $E(\bar{X})+\sigma(\bar{X})$의 값을 구하시오.

$E(\bar{X})=E(X)$, $V(\bar{X})=\frac{V(X)}{n}$임을 이용하자.

모평균이 75, 모표준편차가 10, 표본의 크기가 25이므로

$E(\overline{X})=75$

$\sigma(\overline{X})=\frac{10}{\sqrt{25}}=2$

$\therefore E(\overline{X})+\sigma(\overline{X})=75+2=77$

답 77

1551 서술형

→ 확률의 총합은 1임을 이용하자.

모집단의 확률변수 X의 확률분포를 표로 나타내면 다음과 같다.

X	1	2	3	계
$P(X=x)$	a	b	$\frac{2}{5}$	1

이 모집단에서 크기가 2인 표본을 임의추출하여 구한 표본평균 $\overline{X}$에 대하여 $E(\overline{X})=\frac{11}{5}$일 때, $V(\overline{X})$의 값을 구하시오. (단, a, b는 상수이다.)

→ $E(\overline{X})=E(X)$, $V(\overline{X})=\frac{V(X)}{n}$임을 이용하자.

$a+b+\frac{2}{5}=1$ …… ㉠

$E(X)=E(\overline{X})$이므로

$a+2b+\frac{6}{5}=\frac{11}{5}$ …… ㉡

㉠, ㉡을 연립하여 풀면 $a=\frac{1}{5}$, $b=\frac{2}{5}$ …… 40%

$V(X)=\left(\frac{1}{5}+\frac{8}{5}+\frac{18}{5}\right)-\left(\frac{11}{5}\right)^2=\frac{14}{25}$ …… 40%

$V(\overline{X})=\frac{V(X)}{n}=\frac{V(X)}{2}=\frac{7}{25}$ …… 20%

답 $\frac{7}{25}$

1552

→ $E(\overline{X})=E(X)=\sum_{i=1}^{n}x_ip_i$임을 이용하자.

1, 2, 3, 4의 숫자가 각각 하나씩 적힌 공이 4개 들어 있는 주머니에서 복원추출로 2개의 공을 꺼낼 때, 공에 적힌 숫자의 평균을 $\overline{X}$라 하자. $E(\overline{X})\times V(\overline{X})$의 값은?

→ $V(\overline{X})=\frac{V(X)}{n}$임을 이용하자.

4개의 공에 적힌 숫자를 확률변수 X라 하고 X의 확률분포를 표로 나타내면 다음과 같다.

X	1	2	3	4	합계
$P(X=x)$	$\frac{1}{4}$	$\frac{1}{4}$	$\frac{1}{4}$	$\frac{1}{4}$	1

모평균을 m, 모분산을 σ^2이라 하면

$m=\frac{1}{4}(1+2+3+4)=\frac{5}{2}$

$\sigma^2=\frac{1}{4}(1^2+2^2+3^2+4^2)-\left(\frac{5}{2}\right)^2=\frac{5}{4}$

표본의 크기가 $n=2$이므로

$E(\overline{X})=m=\frac{5}{2}$, $V(\overline{X})=\frac{\sigma^2}{n}=\frac{\frac{5}{4}}{2}=\frac{5}{8}$

$\therefore E(\overline{X})\times V(\overline{X})=\frac{25}{16}$

답 ③

1553

→ 모집단이 정규분포 $N(m, \sigma^2)$을 따르면 표본평균 $\overline{X}$는 정규분포 $N\left(m, \frac{\sigma^2}{n}\right)$을 따른다.

어떤 공장에서 생산되는 제품의 무게는 평균이 400 g, 표준편차가 10 g인 정규분포를 따른다고 한다. 이 중에서 25개의 제품을 뽑아 측정한 무게의 표본평균이 402 g 이하일 확률을 위의 표준정규분포표를 이용하여 구하시오.

z	$P(0\le Z\le z)$
0.5	0.19
1.0	0.34
1.5	0.43
2.0	0.48

→ 구한 정규분포를 표준화하자.

생산되는 제품의 무게를 확률변수 X라 하면 X는 정규분포 $N(400, 10^2)$을 따르고, 임의추출한 25개의 표본평균 $\overline{X}$는

$E(\overline{X})=m=400$

$\sigma(\overline{X})=\frac{\sigma}{\sqrt{n}}=\frac{10}{\sqrt{25}}=2$

이므로 정규분포 $N(400, 2^2)$을 따른다.

$\therefore P(\overline{X}\le 402)=P\left(Z\le\frac{402-400}{2}\right)$

$=P(Z\le 1)$

$=0.5+P(0\le Z\le 1)$

$=0.5+0.34$

$=0.84$

답 0.84

1554

→ 표본평균 $\overline{X}$는 정규분포 $N(85, 4^2)$을 따른다.

어느 농장에서 생산되는 달걀 한 개의 무게는 평균이 85 g, 표준편차가 12 g인 정규분포를 따른다고 한다. 이 농장에서는 한 상자에 달걀을 임의로 9개씩 넣고, 그 무게가 693 g 이하이면 불량품으로 분류한다. 이 농장에서 생산한 10000개의 달걀 상자 중에서 불량품으로 판정되는 상자의 개수를 구하시오.

z	$P(0\le Z\le z)$
1.2	0.38
1.5	0.43
1.8	0.46
2.0	0.48
2.3	0.49

→ $P(9\overline{X}\le 693)=P(\overline{X}\le 77)$임을 이용하자.

달걀의 무게를 확률변수 X라 하면 확률변수 X는 정규분포 $N(85, 12^2)$을 따른다.

$n=9$이므로 표본평균 $\overline{X}$는 정규분포 $N(85, 4^2)$을 따른다.

달걀 상자가 불량품으로 판정될 확률은

$P(9\overline{X}\le 693)=P(\overline{X}\le 77)$

$=P\left(Z\le\frac{77-85}{4}\right)$

$=P(Z\le -2)$

$=P(Z\ge 2)$

$=0.5-P(0\le Z\le 2)$

$=0.5-0.48$

$=0.02$

따라서 불량품으로 판정될 상자의 개수는

$10000\times 0.02=200$

답 200

1555

→ 표본평균 $\overline{X}$는 정규분포 $N\left(m, \left(\frac{3}{\sqrt{n}}\right)^2\right)$을 따른다.

어느 공장에서 생산되는 건전지의 수명은 평균 m시간, 표준편차 3시간인 정규분포를 따른다고 한다. 이 공장에서 생산된 건전지 중에서 크기가 n인 표본을 임의추출하여 건전지의 수명에 대한 표본평균을 $\overline{X}$라 하자. $P(m-0.5\le\overline{X}\le m+0.5)\le0.9876$을 만족시키는 표본의 크기 n의 최댓값을 위의 표준정규분포표를 이용하여 구하시오.

z	$P(0\le Z\le z)$
1.0	0.3413
1.5	0.4332
2.0	0.4772
2.5	0.4938

→ $P(a\le\overline{X}\le b)=P\left(\frac{a-m}{\frac{\sigma}{\sqrt{n}}}\le Z\le\frac{b-m}{\frac{\sigma}{\sqrt{n}}}\right)$임을 이용하자.

모집단이 정규분포 $N(m, 3^2)$을 따르고, 표본의 크기가 n이므로 표본평균 $\overline{X}$는 정규분포 $N\left(m, \left(\frac{3}{\sqrt{n}}\right)^2\right)$을 따른다.

$$P(m-0.5\le\overline{X}\le m+0.5)=P\left(\frac{-0.5}{\frac{3}{\sqrt{n}}}\le Z\le\frac{0.5}{\frac{3}{\sqrt{n}}}\right)$$
$$=P\left(-\frac{\sqrt{n}}{6}\le Z\le\frac{\sqrt{n}}{6}\right)$$
$$=2P\left(0\le Z\le\frac{\sqrt{n}}{6}\right)\le0.9876$$

$\therefore P\left(0\le Z\le\frac{\sqrt{n}}{6}\right)\le0.4938$

$P(0\le Z\le2.5)=0.4938$이므로

$\frac{\sqrt{n}}{6}\le2.5$, $\sqrt{n}\le15$

$\therefore n\le225$

답 225

1556

→ 표본평균 $\overline{X}$는 정규분포 $N(120, 2^2)$을 따른다.

정규분포 $N(120, 10^2)$을 따르는 모집단에서 크기가 25인 표본을 임의로 추출할 때, 그 표본평균 $\overline{X}$에 대하여 $P(115\le\overline{X}\le k)=0.9710$이 성립한다. 상수 k의 값을 위의 표준정규분포표를 이용하여 구하시오.

z	$P(0\le Z\le z)$
1.0	0.3413
1.5	0.4332
2.0	0.4772
2.5	0.4938

→ $P(a\le\overline{X}\le b)=P\left(\frac{a-m}{\frac{\sigma}{\sqrt{n}}}\le Z\le\frac{b-m}{\frac{\sigma}{\sqrt{n}}}\right)$임을 이용하자.

모집단이 정규분포 $N(120, 10^2)$을 따르고, 표본의 크기가 25이므로 표본평균 $\overline{X}$는 정규분포 $N\left(120, \frac{10^2}{25}\right)$, 즉 $N(120, 2^2)$을 따른다.

그런데 $P(115\le\overline{X}\le k)=0.9710$에서 $k>120$이므로

$$P(115\le\overline{X}\le k)=P\left(\frac{115-120}{2}\le Z\le\frac{k-120}{2}\right)$$
$$=P\left(-2.5\le Z\le\frac{k-120}{2}\right)$$
$$=P(0\le Z\le2.5)+P\left(0\le Z\le\frac{k-120}{2}\right)$$
$$=0.4938+P\left(0\le Z\le\frac{k-120}{2}\right)$$
$$=0.9710$$

$\therefore P\left(0\le Z\le\frac{k-120}{2}\right)=0.4772$

$P(0\le Z\le2)=0.4772$이므로

$\frac{k-120}{2}=2$

$k-120=4$

$\therefore k=124$

답 124

1557

→ 표본평균 $\overline{X}$는 정규분포 $N\left(m, \frac{15^2}{n}\right)$을 따른다.

어느 회사에서 생산한 야구공 한 개의 무게는 mg, 표준편차는 15g인 정규분포를 따른다. 이 회사에서 생산한 야구공 중에서 n개를 임의추출하여 구한 표본평균을 $\overline{X}$라 하자. $P(|\overline{X}-m|\le7.5)=0.9876$일 때, 표본의 크기 n의 값을 구하시오.

→ $=P(m-7.5\le\overline{X}\le m+7.5)$임을 이용하자.

z	$P(0\le Z\le z)$
1.0	0.3413
1.5	0.4332
2.0	0.4772
2.5	0.4938
3.0	0.4987

야구공 한 개의 무게를 확률변수 X라고 하면 X는 $N(m, 15^2)$을 따른다.

따라서 $\overline{X}$는 $N\left(m, \frac{15^2}{n}\right)$을 따른다.

$$P(|\overline{X}-m|\le7.5)=P\left(\frac{-7.5}{\frac{15}{\sqrt{n}}}\le Z\le\frac{7.5}{\frac{15}{\sqrt{n}}}\right)$$
$$=P\left(-\frac{\sqrt{n}}{2}\le Z\le\frac{\sqrt{n}}{2}\right)$$
$$=2P\left(0\le Z\le\frac{\sqrt{n}}{2}\right)=0.9876$$

따라서 $\frac{\sqrt{n}}{2}=2.5$이므로 $n=25$

답 25

1558 서술형

→ 표본평균 $\overline{X}$는 정규분포 $N\left(m, \frac{\sigma^2}{n}\right)$을 따른다.

어느 공장에서 생산한 제품 A의 무게는 평균이 400g, 표준편차가 20g인 정규분포를 따르며, 제품 B의 무게는 평균이 200g, 표준편차가 12g인 정규분포를 따른다. 이 공장에서 생산한 제품 A 중 임의추출한 n개의 무게의 표본평균을 $\overline{X}$, 이 공장에서 생산한 제품 B 중 임의 추출한 m개의 무게의 표본평균을 $\overline{Y}$라 하자. $P(\overline{X}\ge404)=0.1587$일 때, $P(\overline{Y}\ge203)\ge P(\overline{X}\ge404)$이기 위한 $n+m$의 최댓값을 위의 표준정규분포표를 이용하여 구하시오.

→ 표본평균 $\overline{X}$와 $\overline{Y}$를 모두 표준화하여 비교하자.

z	$P(0\le Z\le z)$
0.5	0.1915
1.0	0.3413
1.5	0.4332
2.0	0.4772
2.5	0.4938

제품 A는 정규분포 $N(400, 20^2)$을 제품 B는 정규분포 $N(200, 12^2)$을 따른다.

표본의 크기가 n인 표본평균 $\overline{X}$는 정규분포 $N\left(400, \left(\frac{20}{\sqrt{n}}\right)^2\right)$을 따르

고, 표본의 크기가 m인 표본평균 $\overline{Y}$는 정규분포 $N\left(200, \left(\frac{12}{\sqrt{m}}\right)^2\right)$을 따른다.

$P(\overline{X} \geq 404) = P\left(Z \geq \frac{404-400}{\frac{20}{\sqrt{n}}}\right) = P\left(Z \geq \frac{\sqrt{n}}{5}\right)$

$= 0.1587 = 0.5 - 0.3413$

이므로 $\frac{\sqrt{n}}{5} = 1$, $\sqrt{n} = 5$, $n = 25$ …… 40%

$P(\overline{Y} \geq 203) = P\left(Z \geq \frac{203-200}{\frac{12}{\sqrt{m}}}\right)$

$= P\left(Z \geq \frac{\sqrt{m}}{4}\right) \geq 0.1587$

$\frac{\sqrt{m}}{4} \leq 1$, $m \leq 16$ …… 40%

따라서 $n+m$의 최댓값은 $25+16=41$이다. …… 20%

답 41

1559

표본평균 $\overline{X}$는 정규분포 $N\left(m, \frac{\sigma^2}{n}\right)$을 따른다.

모집단의 확률변수 X가 정규분포 $N(100, 5^2)$을 따를 때, 이 모집단에서 크기가 16인 표본을 임의추출하여 구한 평균을 $\overline{X}$라고 하자. $P(X \geq 108) = P(\overline{X} < a)$를 만족시키는 상수 a의 값을 구하시오.

표본평균 $\overline{X}$를 표준화하여 구하자.

$P(X \geq 108) = P(Z \geq 1.6)$

$P(\overline{X} < a) = P\left(Z < (a-100) \times \frac{4}{5}\right)$

$(a-100) \times \frac{4}{5} = -1.6$

$\therefore a = 98$

답 98

1560

중복이 가능하고 순서가 있다.

크기가 N인 모집단에서 크기가 n인 표본을 복원추출하는 방법의 수가 125, 1개씩 연속적으로 n개를 비복원추출하는 방법의 수가 60, 한꺼번에 n개를 비복원추출하는 방법의 수가 10일 때 자연수 N과 n의 합을 구하시오. (단, $N > n$)

중복되지 않고 순서도 없다. 중복되지 않고 순서가 있다.

N개 중에서 n개를 복원추출하는 방법의 수는

${}_N\Pi_n = 125$ ……㉠

1개씩 연속적으로 n개를 비복원추출하는 방법의 수는

${}_NP_n = 60$ ……㉡

한꺼번에 n개를 비복원추출하는 방법의 수는

${}_NC_n = 10$ ……㉢

㉡, ㉢에서

$n! = \frac{{}_NP_n}{{}_NC_n} = \frac{60}{10} = 6$ $\therefore n = 3$

$n=3$을 ㉠에 대입하면

$N^3 = 125$ $\therefore N = 5$

$\therefore N+n = 5+3 = 8$

답 8

1561

확률변수 X는 이항분포 $B\left(360, \frac{5}{6}\right)$을 따른다.

어떤 모집단의 확률변수 X의 확률질량함수가

$P(X=x) = {}_{360}C_x \frac{5^x}{6^{360}}$ $(x=0, 1, 2, \cdots, 360)$

이고, 이 모집단에서 크기가 100인 표본을 임의추출하여 구한 표본평균을 $\overline{X}$라 할 때, $E(\overline{X}) \times V(\overline{X})$의 값은?

$E(\overline{X}) = E(X)$, $V(\overline{X}) = \frac{V(X)}{n}$임을 이용하자.

확률변수 X의 확률질량함수가

$P(X=x) = {}_{360}C_x \frac{5^x}{6^{360}}$

$= {}_{360}C_x \left(\frac{5}{6}\right)^x \left(\frac{1}{6}\right)^{360-x}$ $(x=0, 1, 2, \cdots, 360)$

이므로 확률변수 X는 이항분포 $B\left(360, \frac{5}{6}\right)$를 따른다.

모평균을 m, 모분산을 σ^2이라 하면

$m = 360 \times \frac{5}{6} = 300$, $\sigma^2 = 360 \times \frac{5}{6} \times \frac{1}{6} = 50$

표본의 크기가 $n=100$이므로

$E(\overline{X}) = m = 300$, $V(\overline{X}) = \frac{\sigma^2}{n} = \frac{50}{100} = \frac{1}{2}$

$\therefore E(\overline{X}) \times V(\overline{X}) = 300 \times \frac{1}{2} = 150$

답 ⑤

1562

다음은 어떤 모집단의 확률변수 X의 확률분포를 표로 나타낸 것이다.

X	1	2	3	합계
$P(X=x)$	0.5	0.3	0.2	1

이 모집단에서 크기가 2인 표본을 임의추출할 때, 표본평균 $\overline{X}$의 확률분포를 표로 나타내면 다음과 같다.

확률의 총합은 1이다.

$\overline{X}$	1	1.5	2	2.5	3	합계
$P(\overline{X}=\overline{x})$	0.25	a	b	0.12	0.04	1

$a+V(\overline{X})$의 값을 구하시오.

$\overline{X}$가 1.5인 경우는 뽑은 두 수가 (1, 2), (2, 1)인 경우이다.

확률변수 X가 가질 수 있는 값이 1, 2, 3이고 2개의 표본을 추출하므로 표로 나타내면 다음과 같다.

X	$\overline{X}$	$P(\overline{X})$
1, 1	1	0.5×0.5
1, 2	1.5	0.5×0.3
1, 3	2	0.5×0.2
2, 1	1.5	0.3×0.5
2, 2	2	0.3×0.3
2, 3	2.5	0.3×0.2
3, 1	2	0.2×0.5
3, 2	2.5	0.2×0.3
3, 3	3	0.2×0.2

$a=0.5\times0.3+0.3\times0.5=0.3$

$b=0.5\times0.2+0.3\times0.3+0.2\times0.5=0.29$

즉, 표본평균 $\overline{X}$의 확률분포를 표로 나타내면 다음과 같다.

$\overline{X}$	1	1.5	2	2.5	3	합계
$P(\overline{X}=\bar{x})$	0.25	0.3	0.29	0.12	0.04	1

$E(\overline{X})=1\times0.25+1.5\times0.3+2\times0.29+2.5\times0.12+3\times0.04$

$=1.7$

$V(\overline{X})=1^2\times0.25+1.5^2\times0.3+2^2\times0.29+2.5^2\times0.12+3^2\times0.04-(1.7)^2$

$=0.305$

$\therefore a+V(\overline{X})=0.3+0.305=0.605$ 답 0.605

다른풀이 모평균을 m, 모분산을 σ^2이라 하면

$m=1\times0.5+2\times0.3+3\times0.2=1.7$

$\sigma^2=1^2\times0.5+2^2\times0.3+3^2\times0.2-1.7^2=0.61$

표본의 크기가 $n=2$이므로

$V(\overline{X})=\frac{\sigma^2}{n}=\frac{0.61}{2}=0.305$

1563

$P\left(\overline{X}\le\frac{306.88}{16}\text{ 또는 }\overline{X}\ge\frac{333.12}{16}\right)$임을 이용하자.

어떤 제과점에서 만드는 과자 한 개의 무게는 평균이 20g, 표준편차가 2g인 정규분포를 따른다고 한다. 이 제과점에서는 과자 16개를 한 상자에 담아서 판매하는데, 한 상자의 무게가 306.88g 이하이거나 333.12g 이상이면 반품된다고 한다. 어느 날 이 제과점에서 출하한 과자 상자 100개 중에서 반품된 상자가 7개 이하일 확률을 위의 표준정규분포표를 이용하여 구하시오. (단, 상자의 무게는 생각하지 않는다.)

z	$P(0\le Z\le z)$
1.0	0.34
1.64	0.45

상자 100개 중에서 반품되는 상자의 수를 확률변수 Y라 하면 Y는 이항분포를 따른다.

한 상자에 들어 있는 과자 16개의 평균 무게를 $\overline{X}$라 하면 $\overline{X}$는 정규분포 $N\left(20, \frac{2^2}{16}\right)$, 즉 $N\left(20, \left(\frac{1}{2}\right)^2\right)$을 따르므로

출하한 상자가 반품될 확률은

$P(16\overline{X}\le306.88\text{ 또는 }16\overline{X}\ge333.12)$

$=P(\overline{X}\le19.18\text{ 또는 }\overline{X}\ge20.82)$

$=P(\overline{X}\le19.18)+P(\overline{X}\ge20.82)$

$=P(Z\le-1.64)+P(Z\ge1.64)$

$=2P(Z\ge1.64)=2\{0.5-P(0\le Z\le1.64)\}$

$=2\times(0.5-0.45)=0.1$

과자 상자 100개 중에서 반품되는 상자의 수를 확률변수 Y라 하면 Y는 이항분포 $B(100, 0.1)$을 따르고, 100은 충분히 큰 수이므로

$E(Y)=100\times0.1=10$, $V(Y)=100\times0.1\times0.9=9$

즉, 확률변수 Y는 근사적으로 정규분포 $N(10, 3^2)$을 따른다.

따라서 구하는 확률은

$P(Y\le7)=P\left(Z\le\frac{7-10}{3}\right)$

$=P(Z\le-1)=0.5-P(0\le Z\le1)$

$=0.5-0.34=0.16$ 답 0.16

1564

$E(\overline{X})=E(X)$, $\sigma(\overline{X})=\frac{\sigma(X)}{\sqrt{n}}$임을 이용하자.

정규분포 $N(m, \sigma^2)$을 따르는 모집단에서 크기가 n_1, n_2 $(n_1<n_2)$인 표본을 임의추출하였을 때, 그 표본평균을 각각 $\overline{X_1}$, $\overline{X_2}$라 하자. 표본평균 $\overline{X_1}$, $\overline{X_2}$에 대한 확률분포를 나타내는 함수를 각각 $y=f(x)$, $y=g(x)$라 할 때, 두 함수 $y=f(x)$, $y=g(x)$의 그래프의 모양으로 알맞은 것을 그림에서 찾아 차례대로 나열한 것은?

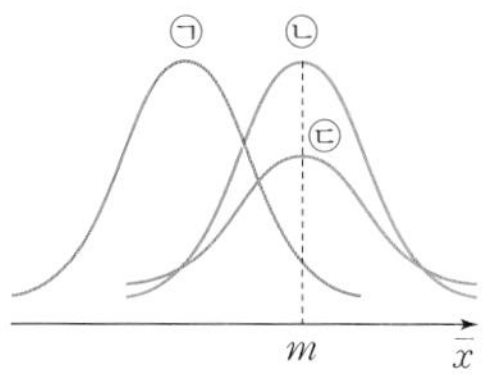

표준편차가 작아질수록 높이는 높아지고 폭은 좁아진다.

모집단이 정규분포 $N(m, \sigma^2)$을 따르므로 표본평균 $\overline{X_1}$, $\overline{X_2}$는 각각 정규분포 $N\left(m, \frac{\sigma^2}{n_1}\right)$, $N\left(m, \frac{\sigma^2}{n_2}\right)$을 따른다.

즉, 표본의 크기에 관계없이 평균은 같고, $n_1<n_2$에서 $\frac{\sigma^2}{n_1}>\frac{\sigma^2}{n_2}$이므로 표본의 크기가 n_1일 때의 표준편차가 더 크다.

따라서 $y=f(x)$의 그래프와 $y=g(x)$의 그래프는 대칭축이 직선 $x=m$으로 일치하고, $y=f(x)$의 그래프가 $y=g(x)$의 그래프보다 높이가 더 낮고 옆으로 넓게 퍼진 모양이므로 $y=f(x)$, $y=g(x)$의 그래프의 모양은 차례대로 ㉢, ㉡이다.

답 ⑤

1565

표본평균 $\overline{X}$는 정규분포 $N\left(m, \frac{\sigma^2}{n}\right)$을 따른다.

모집단의 확률변수 X가 정규분포 $N(10, 2^2)$을 따른다. 이 모집단에서 크기가 4인 표본을 복원추출하여 그 표본평균을 $\overline{X}$라 할 때, $P(X\ge a)=P(\overline{X}\ge b)$를 만족시키는 두 실수 a, b의 관계로 옳은 것은?

확률변수 X 와 $\overline{X}$를 모두 표준화하여 비교하자.

① $a+b=0$ ② $a-b=0$ ③ $|a|+|b|=2$
④ $a^2+b^2=1$ ⑤ $a-2b+10=0$

모집단이 정규분포 $N(10, 2^2)$을 따르고, 표본의 크기가 4이므로 표본평균 $\overline{X}$는 정규분포 $N\left(10, \frac{2^2}{4}\right)$, 즉 $N(10, 1^2)$을 따른다.

$Z_1=\frac{X-10}{2}$, $Z_2=\overline{X}-10$으로 놓으면

Z_1, Z_2는 각각 표준정규분포 $N(0, 1^2)$을 따르므로

$P(X\ge a)=P(\overline{X}\ge b)$에서

$P\left(Z_1\ge\frac{a-10}{2}\right)=P(Z_2\ge b-10)$

$\frac{a-10}{2}=b-10$

$a-10=2b-20$

$\therefore a-2b+10=0$ 답 ⑤

1566

→ 표본평균 $\overline{X}$는 정규분포 $N\left(m, \frac{\sigma^2}{n}\right)$을 따른다.

정규분포 $N(30, 10^2)$을 따르는 모집단에서 크기가 100인 표본을 임의추출할 때, 그 표본평균을 $\overline{X}$라 하자. 〈보기〉에서 옳은 것만을 있는 대로 고르시오.

(단, $P(0 \le Z \le 1) = 0.34$, $P(0 \le Z \le 2) = 0.48$로 계산한다.)

보기

ㄱ. 표본평균 $\overline{X}$는 평균이 30, 표준편차가 1인 정규분포를 따른다.

ㄴ. $P(29 \le \overline{X} \le 32) = 0.82$

ㄷ. 표본의 크기가 $\frac{1}{4}$배가 되면 표본평균 $\overline{X}$의 표준편차는 4로 늘어난다.

→ $\sigma(\overline{X}) = \frac{\sigma(X)}{\sqrt{n}}$임을 이용하자.

모집단의 확률변수 X가 정규분포 $N(30, 10^2)$을 따르고, 표본의 크기가 100이므로 표본평균 $\overline{X}$는 정규분포 $N(30, 1^2)$을 따른다. (참)

ㄴ. 표본평균 $\overline{X}$가 정규분포 $N(30, 1^2)$을 따르므로

$$P(29 \le \overline{X} \le 32) = P\left(\frac{29-30}{1} \le Z \le \frac{32-30}{1}\right)$$
$$= P(-1 \le Z \le 2)$$
$$= P(0 \le Z \le 1) + P(0 \le Z \le 2)$$
$$= 0.34 + 0.48 = 0.82 \text{ (참)}$$

ㄷ. 표본의 크기가 $\frac{1}{4}$배가 되면 표본의 크기는

$100 \times \frac{1}{4} = 25$이므로

$$V(\overline{X}) = \frac{V(X)}{25} = \frac{100}{25} = 4$$

즉, 표본평균 $\overline{X}$는 정규분포 $N(30, 2^2)$을 따르므로 $\overline{X}$의 표준편차는 2로 늘어난다. (거짓)

따라서 옳은 것은 ㄱ, ㄴ이다.

답 ㄱ, ㄴ

1567

→ 확률의 총합은 1임을 이용하자.

다음은 어떤 모집단의 확률분포를 표로 나타낸 것이고, 세 수 a, b, c는 이 순서대로 등차수열을 이룬다.

→ $2b = a + c$임을 이용하자.

X	1	2	3	합계
$P(X=x)$	a	b	c	1

이 모집단에서 크기가 4인 표본을 임의추출하여 구한 표본평균을 $\overline{X}$라 하자. $E(2\overline{X}-1) = \frac{7}{2}$일 때, X의 분산을 구하시오.

→ $E(a\overline{X}+b) = aE(\overline{X}) + b$임을 이용하자.

a, b, c가 이 순서대로 등차수열을 이루므로

$2b = a + c$ ……㉠

또 확률의 총합은 1이므로

$a + b + c = 1$ ……㉡

㉠, ㉡을 연립하여 풀면 $b = \frac{1}{3}$

$E(2\overline{X}-1) = 2E(\overline{X}) - 1 = \frac{7}{2}$이므로

$E(\overline{X}) = \frac{9}{4}$

$a = \frac{1}{3} - \alpha$, $c = \frac{1}{3} + \alpha$ (α는 상수)라 하면

$$E(\overline{X}) = E(X) = 1 \times \left(\frac{1}{3} - \alpha\right) + 2 \times \frac{1}{3} + 3 \times \left(\frac{1}{3} + \alpha\right)$$
$$= 2 + 2\alpha = \frac{9}{4}$$

$\therefore \alpha = \frac{1}{8}$, $a = \frac{5}{24}$, $c = \frac{11}{24}$

$E(X^2) = 1^2 \times \frac{5}{24} + 2^2 \times \frac{1}{3} + 3^2 \times \frac{11}{24} = \frac{17}{3}$이므로

$$V(X) = E(X^2) - \{E(X)\}^2 = \frac{17}{3} - \left(\frac{9}{4}\right)^2 = \frac{29}{48}$$

따라서 표본의 크기가 $n = 4$이므로

$$V(\overline{X}) = \frac{V(X)}{n} = \frac{\frac{29}{48}}{4} = \frac{29}{192}$$

답 $\frac{29}{192}$

1568

모평균이 5, 모분산이 2인 정규분포를 따르는 모집단에서 크기가 n인 표본을 임의추출할 때, 표본평균 $\overline{X}$에 대하여 $f(n) = E(\overline{X}^2 - 5\overline{X} + 1)$이 성립한다. $y = f(n)$의 그래프의 개형은?

① 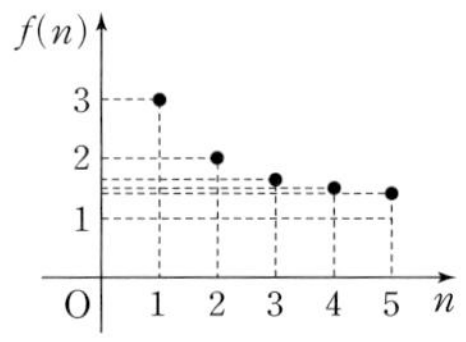

② 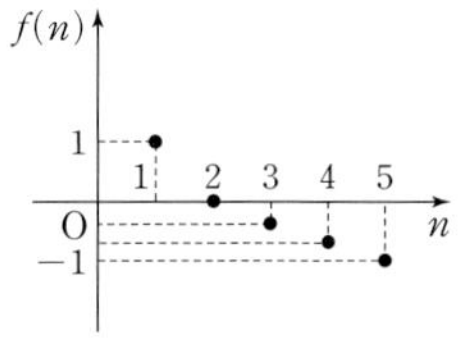

③ 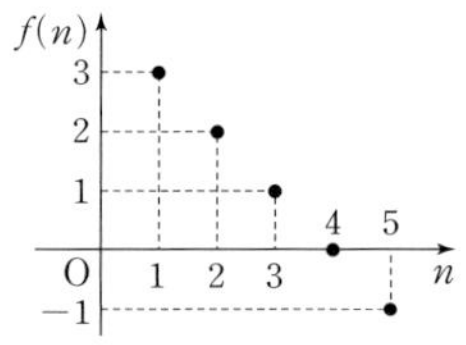

④ 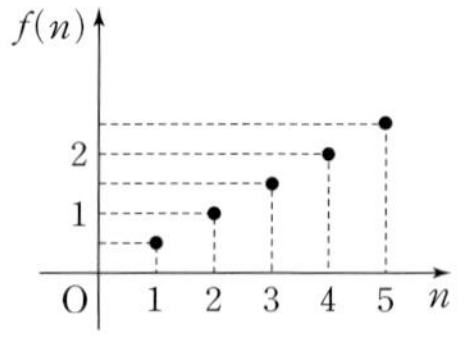

⑤ 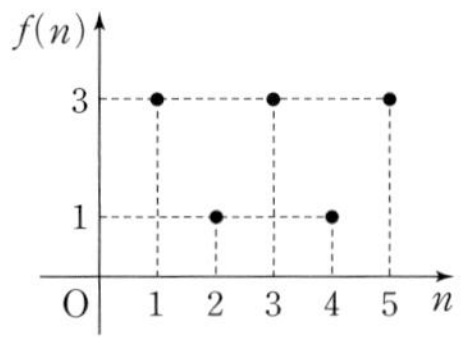

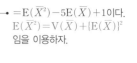

→ $= E(\overline{X}^2) - 5E(\overline{X}) + 1$이다. $E(\overline{X}^2) = V(\overline{X}) + \{E(\overline{X})\}^2$임을 이용하자.

모집단이 정규분포 $N(5, 2)$를 따르고, 표본의 크기가 n이므로 표본평균 $\overline{X}$의 평균과 분산은

$E(\overline{X}) = m = 5$, $V(\overline{X}) = \frac{\sigma^2}{n} = \frac{2}{n}$

$V(\overline{X}) = E(\overline{X}^2) - \{E(\overline{X})\}^2$에서

$\frac{2}{n} = E(\overline{X}^2) - 5^2$

$\therefore E(\overline{X}^2) = \frac{2}{n} + 25$

$$\therefore f(n) = E(\overline{X}^2 - 5\overline{X} + 1)$$
$$= E(\overline{X}^2) - 5E(\overline{X}) + 1$$

$=\frac{2}{n}+25-25+1$

$=\frac{2}{n}+1$

따라서 표본의 크기 n은 자연수이므로 $y=f(n)$의 그래프의 개형은 그림과 같다.

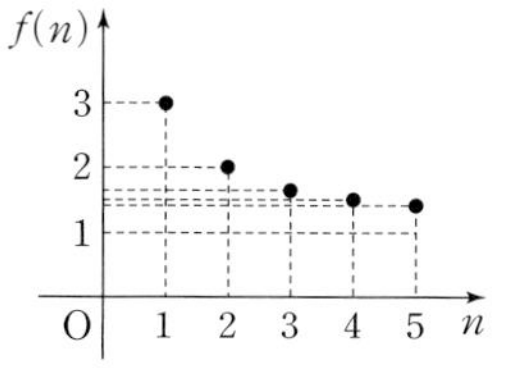

답 ①

1569

공의 개수는 $\frac{n(n+1)}{2}$개이다.

주머니 안에 숫자 1이 적힌 공이 1개, 숫자 2가 적힌 공이 2개, …, 숫자 n이 적힌 공이 n개 들어 있다. 이 주머니에서 n개의 공을 복원추출할 때, 공에 적힌 숫자의 표본평균을 $\overline{X}$라 하자. $V(\overline{X})=\frac{1}{4}$을 만족시키는 자연수 n의 값을 구하시오.

$P(X=k)=\frac{2k}{n(n+1)}$ $(k=1, 2, \cdots, n)$임을 이용하자.

주머니 안에 있는 공의 개수는

$1+2+3+\cdots+n=\frac{n(n+1)}{2}$이고, 공에 적힌 숫자를 확률변수 X라 하고 X의 확률분포를 표로 나타내면 다음과 같다.

X	1	2	…	n	합계
$P(X=x)$	$\frac{2}{n(n+1)}$	$\frac{4}{n(n+1)}$	…	$\frac{2n}{n(n+1)}$	1

즉, $P(X=k)=\frac{2k}{n(n+1)}$ $(k=1, 2, \cdots, n)$이므로

$$E(X)=\sum_{k=1}^{n} k\times\frac{2k}{n(n+1)}$$
$$=\sum_{k=1}^{n}\frac{2k^2}{n(n+1)}$$
$$=\frac{2}{n(n+1)}\times\frac{n(n+1)(2n+1)}{6}$$
$$=\frac{2n+1}{3}$$

$$E(X^2)=\sum_{k=1}^{n} k^2\times\frac{2k}{n(n+1)}$$
$$=\sum_{k=1}^{n}\frac{2k^3}{n(n+1)}$$
$$=\frac{2}{n(n+1)}\times\left\{\frac{n(n+1)}{2}\right\}^2$$
$$=\frac{n(n+1)}{2}$$

$$\therefore V(X)=E(X^2)-\{E(X)\}^2$$
$$=\frac{n(n+1)}{2}-\left(\frac{2n+1}{3}\right)^2$$
$$=\frac{n^2+n-2}{18}$$

표본의 크기가 n이므로

$$V(\overline{X})=\frac{\frac{n^2+n-2}{18}}{n}=\frac{1}{4}$$

$2n^2-7n-4=0$

$(2n+1)(n-4)=0$

$\therefore n=4$ ($\because n$은 자연수)

답 4

1570

$\sigma(\overline{X})=\frac{\sigma(X)}{\sqrt{n}}$임을 이용하자.

모평균이 m인 정규분포를 따르는 모집단에서 크기가 n인 표본을 임의추출하여 그 표본평균을 $\overline{X}_n$라 하고, 표본평균 $\overline{X}_n$의 표준편차를 $f(n)$이라 할 때, 〈보기〉에서 옳은 것만을 있는 대로 고르시오.

보기

ㄱ. n의 값이 증가하면 $f(n)$의 값은 감소한다.

ㄴ. 모표준편차는 $4f(4)$의 값과 같다.

ㄷ. $P(|\overline{X}_n-m|\le f(n))$의 값은 n의 값에 관계없이 항상 일정하다.

n이 커지면 $\sigma(\overline{X})$의 값은 작아진다.

ㄱ. 모표준편차를 σ라 하면 $f(n)=\frac{\sigma}{\sqrt{n}}$이므로

n의 값이 증가하면 $f(n)$의 값은 감소한다. (참)

ㄴ. 모표준편차를 σ라 하면 $f(4)=\frac{\sigma}{\sqrt{4}}$

$\therefore \sigma=2f(4)$ (거짓)

ㄷ. $f(n)$은 표본평균의 표준편차이므로

$$P(|\overline{X}_n-m|\le f(n))=P\left(\left|\frac{\overline{X}_n-m}{f(n)}\right|\le 1\right)$$
$$=P(|Z|\le 1)=(\text{일정})\ (참)$$

따라서 옳은 것은 ㄱ, ㄷ이다.

답 ㄱ, ㄷ

1571

$=P\left(|Z|\le\frac{6}{\sigma}\right)$임을 이용하자.

어느 통조림 공장에서 생산하는 통조림 1개의 무게를 확률변수 X라 하면 X는 정규분포 $N(m, \sigma^2)$을 따르고, $P(|X-m|\le 6)=0.9544$, $P(X\le 153)=0.8413$을 만족시킨다. 이 공장에서 생산하는 통조림 중에서 임의추출한 9개의 무게의 평균을 $\overline{X}$라 할 때, $P(\overline{X}\ge 151)$을 위의 표준정규분포표를 이용하여 구하시오. (단, 무게의 단위는 g이다.)

z	$P(0\le Z\le z)$
1.0	0.3413
1.5	0.4332
2.0	0.4772
2.5	0.4938
3.0	0.4987

표본평균 $\overline{X}$는 정규분포 $N\left(m, \frac{\sigma^2}{n}\right)$을 따른다.

확률변수 X가 정규분포 $N(m, \sigma^2)$을 따르므로

$Z=\frac{X-m}{\sigma}$으로 놓으면 확률변수 Z는 표준정규분포 $N(0, 1^2)$을 따른다.

$$P(|X-m|\le 6)=P\left(\left|\frac{X-m}{\sigma}\right|\le\frac{6}{\sigma}\right)$$
$$=P\left(|Z|\le\frac{6}{\sigma}\right)$$
$$=2P\left(0\le Z\le\frac{6}{\sigma}\right)=0.9544$$

$P\left(0\le Z\le\frac{6}{\sigma}\right)=0.4772$이므로

$\frac{6}{\sigma}=2$ $\quad\therefore \sigma=3$

즉, 확률변수 X는 정규분포 $\mathrm{N}(m,\ 3^2)$을 따른다.

$$\mathrm{P}(X\le 153)=\mathrm{P}\left(Z\le\frac{153-m}{3}\right)$$
$$=0.5+\mathrm{P}\left(0\le Z\le\frac{153-m}{3}\right)$$
$$=0.8413$$

$\mathrm{P}\left(0\le Z\le\frac{153-m}{3}\right)=0.3413$이므로

$\frac{153-m}{3}=1$

$\therefore m=150$

확률변수 X는 정규분포 $\mathrm{N}(150,\ 3^2)$을 따르고, 임의추출한 통조림 9개의 무게의 평균 $\overline{X}$에 대하여

$\mathrm{E}(\overline{X})=m=150,\ \mathrm{V}(\overline{X})=\frac{\sigma^2}{n}=\frac{3^2}{9}=1$

이므로 $\overline{X}$는 정규분포 $\mathrm{N}(150,\ 1^2)$을 따른다.

$Z=\frac{\overline{X}-150}{1}$으로 놓으면 확률변수 Z는 표준정규분포 $\mathrm{N}(0,\ 1^2)$을 따르므로

$$\mathrm{P}(\overline{X}\ge 151)=\mathrm{P}\left(Z\ge\frac{151-150}{1}\right)$$
$$=\mathrm{P}(Z\ge 1)$$
$$=0.5-\mathrm{P}(0\le Z\le 1)$$
$$=0.5-0.3413$$
$$=0.1587$$

답 0.1587

1572

→ $=\mathrm{P}\left(\frac{m-m}{4}\le Z\le\frac{a-m}{4}\right)$임을 이용하자.

어느 공장에서 생산되는 제품의 길이 X는 평균이 m이고, 표준편차가 4인 정규분포를 따른다고 한다.

z	$\mathrm{P}(0\le Z\le z)$
1.0	0.3413
1.5	0.4332
2.0	0.4772

$\mathrm{P}(m\le X\le a)=0.3413$일 때, 이 공장에서 생산된 제품 중에서 임의추출한 제품 16개의 길이의 표본평균이 $a-2$ 이상일 확률을 위의 표준정규분포표를 이용하여 구한 것은? (단, a는 상수이고, 길이의 단위는 cm이다.) 표본평균 $\overline{X}$는 정규분포 $\mathrm{N}\left(m,\ \frac{\sigma^2}{n}\right)$을 따른다.

제품의 길이 X는 정규분포 $\mathrm{N}(m,\ 4^2)$을 따르므로

$$\mathrm{P}(m\le X\le a)=\mathrm{P}\left(\frac{m-m}{4}\le Z\le\frac{a-m}{4}\right)$$
$$=\mathrm{P}\left(0\le Z\le\frac{a-m}{4}\right)=0.3413$$

즉, $\frac{a-m}{4}=1$이므로 $a=m+4$

한편, 생산된 제품 중에서 임의추출한 제품 16개의 길이의 표본평균을 $\overline{X}$라 하면 $\overline{X}$는 정규분포 $\mathrm{N}(m,\ 1^2)$을 따르므로

$$\mathrm{P}(\overline{X}\ge a-2)=\mathrm{P}(\overline{X}\ge m+2)$$
$$=\mathrm{P}\left(Z\ge\frac{(m+2)-m}{1}\right)$$
$$=\mathrm{P}(Z\ge 2)$$
$$=0.5-\mathrm{P}(0\le Z\le 2)$$
$$=0.5-0.4772=0.0228$$

답 ①

1573

정규분포 $\mathrm{N}(10,\ 2^2)$을 따르는 모집단에서 임의추출한 크기가 n인 표본의 표본평균을 $\overline{X}$, 표준정규분포를 따르는 확률변수를 Z라 하자. 〈보기〉에서 옳은 것만을 있는 대로 고르시오.

(단, a, b는 상수이다.)

보기

ㄱ. $\mathrm{V}(\overline{X})=\frac{4}{n}$

→ $10=m$임을 이용하자.

ㄴ. $\mathrm{P}(\overline{X}\le 10-a)=\mathrm{P}(\overline{X}\ge 10+a)$

ㄷ. $\mathrm{P}(\overline{X}\ge a)=\mathrm{P}(Z\le b)$이면 $a+\frac{2}{\sqrt{n}}b=10$이다.

→ $\mathrm{P}(\overline{X}\ge a)=\mathrm{P}\left(\frac{a-10}{\frac{2}{\sqrt{n}}}\le Z\right)$임을 이용하자.

정규분포 $\mathrm{N}(10,\ 2^2)$을 따르는 모집단에서 임의추출한 크기가 n인 표본의 표본평균 $\overline{X}$에 대하여

ㄱ. $\mathrm{V}(\overline{X})=\frac{2^2}{n}=\frac{4}{n}$ (참)

ㄴ. $\overline{X}$는 평균이 $\mathrm{E}(\overline{X})=10$인 정규분포를 따르므로
$\mathrm{P}(\overline{X}\le 10-a)=\mathrm{P}(\overline{X}\ge 10+a)$ (참)

ㄷ. $\overline{X}$는 정규분포 $\mathrm{N}\left(10,\ \frac{2^2}{n}\right)$, 즉 $\mathrm{N}\left(10,\ \left(\frac{2}{\sqrt{n}}\right)^2\right)$을 따르므로

$Z=\frac{\overline{X}-10}{\frac{2}{\sqrt{n}}}$은 표준정규분포 $\mathrm{N}(0,\ 1)$을 따른다.

$\mathrm{P}(\overline{X}\ge a)=\mathrm{P}(Z\le b)$에서

$$\mathrm{P}\left(Z\ge\frac{a-10}{\frac{2}{\sqrt{n}}}\right)=\mathrm{P}(Z\le b)=\mathrm{P}(Z\ge -b)$$

즉, $\frac{a-10}{\frac{2}{\sqrt{n}}}=-b$이므로 $a-10=-\frac{2}{\sqrt{n}}b$

$a+\frac{2}{\sqrt{n}}b=10$ (참)

따라서 ㄱ, ㄴ, ㄷ 모두 옳다.

답 ㄱ, ㄴ, ㄷ

1574

→ 표본평균 $\overline{X}$는 정규분포 $\mathrm{N}\left(m,\ \frac{\sigma^2}{n}\right)$을 따른다.

모평균 75, 모표준편차 5인 정규분포를 따르는 모집단에서 임의추출한 크기 25인 표본의 표본평균을 $\overline{X}$라 하자. 표준정규분포를 따르는 확률변수 Z에 대하여 양의 상수 c가 $\mathrm{P}(|Z|>c)=0.06$을 만족시킬 때, 〈보기〉에서 옳은 것만을 있는 대로 고르시오.

→ $\mathrm{P}(|Z|\le c)=1-0.06=0.94$임을 이용하자.

보기

ㄱ. $\mathrm{P}(Z>a)=0.05$인 상수 a에 대하여 $c>a$이다.

ㄴ. $\mathrm{P}(\overline{X}\le c+75)=0.97$

ㄷ. $\mathrm{P}(\overline{X}>b)=0.01$인 상수 b에 대하여 $c<b-75$이다.

$\mathrm{P}(|Z|>c)=0.06$에서

$\mathrm{P}(|Z|\le c)=1-0.06=0.94$이므로

$\mathrm{P}(0\le Z\le c)=\frac{1}{2}\mathrm{P}(|Z|\le c)$

$=\frac{1}{2}\times 0.94=0.47$

ㄱ. $P(Z>a)=0.05$이면

$P(0\le Z\le a)=0.5-P(Z>a)$

$=0.5-0.05=0.45$

즉, $P(0\le Z\le a)<P(0\le Z\le c)$이므로

$a<c$ (참)

ㄴ. 모집단의 확률변수 X가 정규분포 $N(75,\ 5^2)$을 따르고, 표본의 크기가 25이므로 표본평균 $\overline{X}$는 정규분포 $N(75,\ 1^2)$을 따른다.

$\therefore P(\overline{X}\le c+75)=P\left(Z\le \frac{c+75-75}{1}\right)$

$=P(Z\le c)$

$=0.5+P(0\le Z\le c)$

$=0.5+0.47=0.97$ (참)

ㄷ. $P(\overline{X}>b)=P\left(Z>\frac{b-75}{1}\right)$

$=P(Z>b-75)=0.01$

$P(0\le Z\le b-75)=0.5-P(Z>b-75)$

$=0.5-0.01=0.49$

즉, $P(0\le Z\le c)<P(0\le Z\le b-75)$이므로

$c<b-75$ (참)

따라서 ㄱ, ㄴ, ㄷ 모두 옳다. 답 ㄱ, ㄴ, ㄷ

1575 확률변수 Y는 $n=2500$이고 $p=P(X\le 50)$인 이항분포를 따른다.

어느 공장에서 생산되는 제품의 무게 X는 평균이 60 g, 표준편차가 5 g인 정규분포를 따른다고 한다. 제품의 무게가 50 g 이하인 제품은 불량품으로 판정한다. 이 공장에서 생산된 제품 중에서 2500개를 임의로 추출할 때, 2500개 무게의 평균을 $\overline{X}$, 불량품의 개수를 Y라 하자. 위의 표준정규분포표를 이용하여 옳은 것만을 〈보기〉에서 있는 대로 고르시오.

z	$P(0\le Z\le z)$
0.5	0.19
1.0	0.34
1.5	0.43
2.0	0.48
2.5	0.49

보기

ㄱ. $P(\overline{X}\ge 60)=\frac{1}{2}$ 표본평균 $\overline{X}$는 정규분포 $N\left(m,\ \frac{\sigma^2}{n}\right)$을 따른다.

ㄴ. $P(Y\ge 57)=P(\overline{X}\le 59.9)$

ㄷ. 임의의 양수 k에 대하여

$P(60-k\le X\le 60+k)>P(60-k\le \overline{X}\le 60+k)$

확률변수 Y를 정규분포로 바꾼 후 표준화하자.

확률변수 X가 정규분포 $N(60,\ 5^2)$을 따르므로 한 개의 제품이 불량품으로 판정될 확률은

$P(X\le 50)=P\left(Z\le \frac{50-60}{5}\right)$

$=P(Z\le -2)$

$=P(Z\ge 2)$

$=0.5-P(0\le Z\le 2)$

$=0.5-0.48=0.02$

불량품의 개수인 확률변수 Y는 이항분포 $B(2500,\ 0.02)$를 따르고 2500은 충분히 큰 수이므로

$E(Y)=2500\times 0.02=50$

$V(Y)=2500\times 0.02\times 0.98=49$

즉, 확률변수 Y는 근사적으로 정규분포 $N(50,\ 7^2)$을 따른다.

한편, 크기가 2500인 표본의 표본평균 $\overline{X}$는 정규분포

$N\left(60,\ \frac{5^2}{2500}\right)$, 즉 $N\left(60,\ \left(\frac{1}{10}\right)^2\right)$을 따른다.

ㄱ. $P(\overline{X}\ge 60)=P\left(Z\ge \frac{60-60}{\frac{1}{10}}\right)$

$=P(Z\ge 0)=\frac{1}{2}$ (참)

ㄴ. $P(Y\ge 57)=P\left(Z\ge \frac{57-50}{7}\right)$

$=P(Z\ge 1)$

$=0.5-P(0\le Z\le 1)$

$=0.5-0.34=0.16$

$P(\overline{X}\le 59.9)=P\left(Z\le \frac{59.9-60}{\frac{1}{10}}\right)$

$=P(Z\le -1)=P(Z\ge 1)$

$=0.5-P(0\le Z\le 1)$

$=0.5-0.34=0.16$

$\therefore P(Y\ge 57)=P(\overline{X}\le 59.9)$ (참)

ㄷ. $P(60-k\le X\le 60+k)$

$=P\left(\frac{60-k-60}{5}\le Z\le \frac{60+k-60}{5}\right)$

$=P\left(-\frac{k}{5}\le Z\le \frac{k}{5}\right)$

$=2P\left(0\le Z\le \frac{k}{5}\right)$

$P(60-k\le \overline{X}\le 60+k)$

$=P\left(\frac{60-k-60}{\frac{1}{10}}\le Z\le \frac{60+k-60}{\frac{1}{10}}\right)$

$=P(-10k\le Z\le 10k)$

$=2P(0\le Z\le 10k)$

$\frac{k}{5}<10k$이므로

$P(60-k\le X\le 60+k)<P(60-k\le \overline{X}\le 60+k)$

(거짓)

따라서 옳은 것은 ㄱ, ㄴ이다. 답 ㄱ, ㄴ

1576

어느 지역 학생들의 1일 인터넷 사용시간 X는 평균이 m분, 표준편차가 30분인 정규분포를 따른다. 이 지역 학생들을 대상으로 9명을 임의추출하여 조사한 1일 인터넷 사용시간의 표본평균을 $\overline{X}$라 하자. 함수 $G(k)$, $H(k)$를

→ 표본평균 $\overline{X}$는 정규분포 $\mathrm{N}(m,\ 10^2)$을 따른다.

$G(k)=\mathrm{P}(X\le m+30k)$,

$H(k)=\mathrm{P}(\overline{X}\ge m-30k)$

라 할 때, 옳은 것만을 〈보기〉에서 있는 대로 고른 것은?

→ 확률변수 X와 $\overline{X}$를 모두 표준화하자.

보기

ㄱ. $G(0)=H(0)$

ㄴ. $G(3)=H(1)$

ㄷ. $G(1)+H(-1)=1$

확률변수 X는 정규분포 $\mathrm{N}(m,\ 30^2)$을 따르고,
임의추출한 9명의 표본평균 $\overline{X}$에 대하여

$\mathrm{E}(\overline{X})=m,\ \sigma(\overline{X})=\dfrac{30}{\sqrt{9}}=10$

즉, 표본평균 $\overline{X}$는 정규분포 $\mathrm{N}(m,\ 10^2)$을 따르므로

$G(k)=\mathrm{P}(X\le m+30k)$

$=\mathrm{P}\left(Z\le\dfrac{m+30k-m}{30}\right)$

$=\mathrm{P}(Z\le k)$

$H(k)=\mathrm{P}(\overline{X}\ge m-30k)$

$=\mathrm{P}\left(Z\ge\dfrac{m-30k-m}{10}\right)$

$=\mathrm{P}(Z\ge -3k)$

ㄱ. $G(0)=\mathrm{P}(Z\le 0)=0.5$

$H(0)=\mathrm{P}(Z\ge 0)=0.5$

$\therefore G(0)=H(0)$ (참)

ㄴ. $G(3)=\mathrm{P}(Z\le 3)=0.5+\mathrm{P}(0\le Z\le 3)$

$H(1)=\mathrm{P}(Z\ge -3)$

$=0.5+\mathrm{P}(-3\le Z\le 0)$

$=0.5+\mathrm{P}(0\le Z\le 3)$

$\therefore G(3)=H(1)$ (참)

ㄷ. $G(1)=\mathrm{P}(Z\le 1)$, $H(-1)=\mathrm{P}(Z\ge 3)$이므로

$G(1)+H(-1)=\mathrm{P}(Z\le 1)+\mathrm{P}(Z\ge 3)$

$=1-\mathrm{P}(1\le Z\le 3)$

이때, $\mathrm{P}(1\le Z\le 3)>0$이므로

$G(1)+H(-1)<1$ (거짓)

따라서 옳은 것은 ㄱ, ㄴ이다. 답 ③

11 모평균의 추정

본책 306~326쪽

1577

$\mathrm{P}(-1.96\le Z\le 1.96)=0.95$이므로

$\mathrm{P}\left(-1.96\le\dfrac{\overline{X}-m}{\boxed{\dfrac{\sigma}{\sqrt{n}}}}\le\boxed{1.96}\right)=0.95$

따라서 모평균 m에 대한 신뢰도 95 %의 신뢰구간은

$-1.96\times\boxed{\dfrac{\sigma}{\sqrt{n}}}\le\overline{X}-m\le\boxed{1.96}\times\boxed{\dfrac{\sigma}{\sqrt{n}}}$

$\therefore \overline{X}-1.96\times\boxed{\dfrac{\sigma}{\sqrt{n}}}\le m\le\overline{X}+\boxed{1.96}\times\boxed{\dfrac{\sigma}{\sqrt{n}}}$

답 (가): $\dfrac{\sigma}{\sqrt{n}}$, (나): 1.96

1578

정규분포 $\mathrm{N}(m,\ \sigma^2)$을 따르는 모집단에서 크기가 4인 표본의 표본평균 $\overline{X}$의 값이 30일 때, 모평균 m에 대한 신뢰도 95 %의 신뢰구간은

$30-1.96\dfrac{6}{\sqrt{n}}\le m\le 30+1.96\dfrac{6}{\sqrt{n}}$ 이므로

$\sigma=6$ 답 6

1579

정규분포 $\mathrm{N}(m,\ \sigma^2)$을 따르는 모집단에서 크기가 4인 표본의 표본평균 $\overline{X}$의 값이 30일 때, 모평균 m에 대한 신뢰도 95 %의 신뢰구간은

$30-1.96\dfrac{6}{\sqrt{n}}\le m\le 30+1.96\dfrac{6}{\sqrt{n}}$ 이므로

$n=4$ 답 4

1580

모평균 m에 대한 신뢰도 95 %의 신뢰구간은

$20-1.96\dfrac{10}{\sqrt{25}}\le m\le 20+1.96\dfrac{10}{\sqrt{25}}$

$20-3.92\le m\le 20+3.92$

$\therefore 16.08\le m\le 23.92$ 답 $16.08\le m\le 23.92$

1581

모평균 m에 대한 신뢰도 99 %의 신뢰구간은

$20-2.58\dfrac{10}{\sqrt{25}}\le m\le 20+2.58\dfrac{10}{\sqrt{25}}$

$20-5.16\le m\le 20+5.16$

$\therefore 14.84\le m\le 25.16$ 답 $14.84\le m\le 25.16$

1582

표본의 크기가 4일 때, 모평균 m에 대한 신뢰도 95 %의 신뢰구간은

$100-1.96\dfrac{5}{\sqrt{4}}\le m\le 100+1.96\dfrac{5}{\sqrt{4}}$

$100-4.9\le m\le 100+4.9$

$\therefore 95.1\le m\le 104.9$ 답 $95.1\le m\le 104.9$

1583

표본의 크기가 100일 때, 모평균 m에 대한 신뢰도 95 %의 신뢰구간은

$100-1.96\frac{5}{\sqrt{100}} \le m \le 100+1.96\frac{5}{\sqrt{100}}$

$100-0.98 \le m \le 100+0.98$

$\therefore 99.02 \le m \le 100.98$ 답 $99.02 \le m \le 100.98$

1584

정규분포 $N(m, 5^2)$을 따르므로 $\sigma=5$ 답 5

1585

정규분포 $N(m, 5^2)$을 따르는 모집단에서 n개의 표본을 임의추출하여 모평균을 신뢰도 95%로 추정할 때, 신뢰구간의 길이가

$2\times1.96\frac{\sigma}{4}$ 이므로

$\sqrt{n}=4 \quad \therefore n=16$ 답 16

1586

모평균 m에 대한 신뢰도 95%의 신뢰구간의 길이는

$2\times1.96\frac{12}{\sqrt{9}}=15.68$ 답 15.68

1587

모평균 m에 대한 신뢰도 99%의 신뢰구간의 길이는

$2\times2.58\frac{12}{\sqrt{9}}=20.64$ 답 20.64

1588

• 모평균 m에 대한 신뢰도 99%의 신뢰구간은 $\bar{x}-2.58\frac{\sigma}{\sqrt{n}} \le m \le \bar{x}+2.58\frac{\sigma}{\sqrt{n}}$임을 이용하자.

> 모평균이 m, 모표준편차가 12인 정규분포를 따르는 모집단에서 크기가 36인 표본을 임의추출하여 구한 표본평균이 70이다. 이 표본을 이용하여 얻은 모평균 m에 대한 신뢰도 99%의 신뢰구간을 구하시오. (단, $P(|Z|\le2.58)=0.99$로 계산한다.)

모평균 m에 대한 신뢰도 99%의 신뢰구간은

$70-2.58\frac{12}{\sqrt{36}} \le m \le 70+2.58\frac{12}{\sqrt{36}}$

$70-5.16 \le m \le 70+5.16$

$\therefore 64.84 \le m \le 75.16$ 답 $64.84 \le m \le 75.16$

1589

• 모평균 m에 대한 신뢰도 95%의 신뢰구간은 $\bar{x}-2\frac{\sigma}{\sqrt{n}} \le m \le \bar{x}+2\frac{\sigma}{\sqrt{n}}$임을 이용하자.

> 어느 고등학교 3학년 학생들의 영어 점수는 표준편차가 20점인 정규분포를 따른다고 한다. 이 중에서 100명을 임의추출하여 조사한 결과 평균이 60점일 때, 3학년 학생 전체의 영어 점수의 평균 m에 대한 신뢰도 95%의 신뢰구간은?
> (단, $P(|Z|\le2)=0.95$로 계산한다.)

모표준편차 $\sigma=20$, 표본평균 $\bar{x}=60$, 표본의 크기 $n=100$이므로 모평균 m에 대한 신뢰도 95%의 신뢰구간은

$60-2\frac{20}{\sqrt{100}} \le m \le 60+2\frac{20}{\sqrt{100}}$

$60-4 \le m \le 60+4$

$\therefore 56 \le m \le 64$ 답 ③

1590

• 모평균 m에 대한 신뢰도 99%의 신뢰구간은 $\bar{x}-2.6\frac{\sigma}{\sqrt{n}} \le m \le \bar{x}+2.6\frac{\sigma}{\sqrt{n}}$임을 이용하자.

> 육상부의 100 m 달리기 기록은 표준편차가 1.5초인 정규분포를 따른다고 한다. 이 육상부의 25명의 기록을 조사한 결과 그 평균이 15.3초였을 때, 이 육상부의 100 m 달리기 기록의 평균 m에 대한 신뢰도 99%의 신뢰구간은?
> (단, $P(-2.6\le Z\le2.6)=0.99$로 계산한다.)

모표준편차 $\sigma=1.5$, 표본의 크기 $n=25$, 표본평균 $\bar{x}=15.3$이고, 모평균 m에 대한 신뢰도 99%의 신뢰구간은

$15.3-2.6\frac{1.5}{\sqrt{25}} \le m \le 15.3+2.6\frac{1.5}{\sqrt{25}}$

$15.3-0.78 \le m \le 15.3+0.78$

$\therefore 14.52 \le m \le 16.08$ 답 ④

1591

• 모평균 m에 대한 신뢰도 95%의 신뢰구간은 $\bar{x}-1.96\frac{\sigma}{\sqrt{n}} \le m \le \bar{x}+1.96\frac{\sigma}{\sqrt{n}}$임을 이용하자.

> 어느 마을에서 수확하는 수박의 무게는 평균이 m kg, 표준편차가 1.4 kg인 정규분포를 따른다고 한다. 이 마을에서 수확한 수박 중에서 49개를 임의추출하여 얻은 표본평균을 이용하여, 이 마을에서 수확하는 수박의 무게의 평균 m에 대한 신뢰도 95%의 신뢰구간을 구하면 $a\le m\le7.992$이다. a의 값은? (단, Z가 표준정규분포를 따르는 확률변수일 때, $P(|Z|\le1.96)=0.95$로 계산한다.)

모표준편차 $\sigma=1.4$, 표본의 크기 $n=49$이고, 표본평균을 $\bar{x}$라 하면 모평균 m에 대한 신뢰도 95%의 신뢰구간은

$\bar{x}-1.96\times\frac{1.4}{\sqrt{49}} \le m \le \bar{x}+1.96\times\frac{1.4}{\sqrt{49}}$

신뢰구간이 $a\le m\le7.992$이므로

$7.992-a=2\times1.96\times\frac{1.4}{\sqrt{49}}$

$\therefore a=7.992-0.784$

$=7.208$ 답 ②

1592

> 어느 농가에서 생산하는 석류의 무게는 평균이 m, 표준편차가 40인 정규분포를 따른다고 한다. 이 농가에서 생산하는 석류 중에서 임의추출한, 크기가 64인 표본을 조사하였더니 석류 무게의 표본평균의 값이 $\bar{x}$이었다. 이 결과를 이용하여, 이 농가에서 생산하는 석류 무게의 평균 m에 대한 신뢰도 99%의 신뢰구간을 구하면 $\bar{x}-c\le m\le\bar{x}+c$이다. c의 값은? (단, 무게의 단위는 g이고, Z가 표준정규분포를 따르는 확률변수일 때 $P(0\le Z\le2.58)=0.495$로 계산한다.)
>
> • 모평균 m에 대한 신뢰도 99%의 신뢰구간은 $\bar{x}-2.58\frac{\sigma}{\sqrt{n}} \le m \le \bar{x}+2.58\frac{\sigma}{\sqrt{n}}$임을 이용하자.

모표준편차 $\sigma=40$, 표본의 크기 $n=64$이므로 모평균 m에 대한 99%의 신뢰구간은

$\bar{x}-2.58\frac{40}{\sqrt{64}} \le m \le \bar{x}+2.58\frac{40}{\sqrt{64}}$

이 신뢰구간이 $\bar{x}-c \le m \le \bar{x}+c$이므로

$2.58\frac{40}{\sqrt{64}}=c$

$\therefore c=12.9$ 답 ④

1593

A고등학교 3학년 학생들의 수학 점수는 표준편차가 5점인 정규분포를 따른다고 한다. 이 중에서 100명을 임의추출하여 조사한 결과 평균이 42점이고, A고등학교 3학년 학생 전체의 수학 점수의 평균 m에 대한 신뢰도 99 %의 신뢰구간이 $a \le m \le b$일 때, a의 값을 구하시오.

z	$P(0 \le Z \le z)$
1.96	0.475
2.17	0.485
2.58	0.495

• 모평균 m에 대한 신뢰도 99 %의 신뢰구간은 $\bar{x}-2.58\frac{\sigma}{\sqrt{n}} \le m \le \bar{x}+2.58\frac{\sigma}{\sqrt{n}}$임을 이용하자.

모표준편차 $\sigma=5$, 표본평균 $\bar{x}=42$, 표본의 크기 $n=100$이므로 모평균 m에 대한 신뢰도 99 %의 신뢰구간은

$42-2.58\frac{5}{\sqrt{100}} \le m \le 42+2.58\frac{5}{\sqrt{100}}$

$42-1.29 \le m \le 42+1.29$

$\therefore 40.71 \le m \le 43.29$

$\therefore a=40.71$ 답 40.71

1594

표준편차가 3인 정규분포를 따르는 모집단에서 9개의 표본을 임의추출하여 그 값을 조사하였더니 다음과 같았다. 모평균 m에 대한 신뢰도 95 %의 신뢰구간은?

(단, $P(|Z| \le 1.96)=0.95$로 계산한다.)

10, 11, 12, 8, 9, 9, 11, 10, 10

• 표본평균 $\bar{X}$의 값을 $\bar{x}$라 하면 $\bar{x}=\frac{1}{9}(10+11+12+8+9+9+11+10+10)$임을 이용하자.

표본평균 $\bar{X}$의 값을 $\bar{x}$라 하면

$\bar{x}=\frac{1}{9}(10+11+12+8+9+9+11+10+10)=10$

모표준편차 $\sigma=3$, 표본의 크기 $n=9$이므로 모평균 m에 대한 신뢰도 95 %의 신뢰구간은

$10-1.96\frac{3}{\sqrt{9}} \le m \le 10+1.96\frac{3}{\sqrt{9}}$

$10-1.96 \le m \le 10+1.96$

$\therefore 8.04 \le m \le 11.96$ 답 ③

1595

어느 지역에서 생산되는 귤의 당도는 평균이 m이고 표준편차가 1.5인 정규분포를 따른다고 한다. 다음 표는 이 지역에서 생산된 귤 중에서 임의로 9개를 추출하여 당도를 측정한 결과를 나타낸 것이다.

(단위: 브릭스)

당도	10	11	12	13	합계
귤의 개수	4	2	2	1	9

이 결과를 이용하여 이 지역에서 생산되는 귤의 당도의 평균 m을 신뢰도 95 %로 추정한 신뢰구간을 구하시오.

(단, $P(0 \le Z \le 1.96)=0.475$로 계산한다.)

• 표본평균 $\bar{X}$의 값을 $\bar{x}$라 하면 $\bar{x}=\frac{1}{9}(10\times4+11\times2+12\times2+13\times1)$임을 이용하자.

표본평균 $\bar{X}$의 값을 $\bar{x}$라 하면

$\bar{x}=\frac{10\times4+11\times2+12\times2+13\times1}{9}=\frac{99}{9}=11$

모표준편차 $\sigma=1.5$, 표본의 크기 $n=9$이고, 모평균 m의 신뢰구간을 신뢰도 95 %로 추정하면

$11-1.96\frac{1.5}{\sqrt{9}} \le m \le 11+1.96\frac{1.5}{\sqrt{9}}$

$11-0.98 \le m \le 11+0.98$

$\therefore 10.02 \le m \le 11.98$ 답 $10.02 \le m \le 11.98$

1596

정규분포 $N(m, 10^2)$을 따르는 어느 모집단에서 25개의 표본 $x_1, x_2, \cdots, x_{25}$를 임의추출하였더니 $\sum_{k=1}^{25} x_k=375$이었다. 모평균 m에 대한 신뢰도 95 %의 신뢰구간을 구하시오.

(단, $P(0 \le Z \le 2)=0.475$로 계산한다.)

• 표본평균 $\bar{X}$의 값을 $\bar{x}$라 하면 $\bar{x}=\frac{1}{25}\sum_{k=1}^{25} x_k$임을 이용하자.

$\sum_{k=1}^{25} x_k=375$이므로 표본평균 $\bar{X}$의 값을 $\bar{x}$라 하면

$\bar{x}=\frac{(\text{표본의 총합})}{(\text{표본의 개수})}=\frac{375}{25}=15$

모표준편차 $\sigma=10$, 표본의 크기 $n=25$이므로 모평균 m에 대한 신뢰도 95 %의 신뢰구간은

$15-2\frac{10}{\sqrt{25}} \le m \le 15+2\frac{10}{\sqrt{25}}$

$\therefore 11 \le m \le 19$ 답 $11 \le m \le 19$

모평균 m에 대한 신뢰도 95 %의 신뢰구간은 $\bar{x}-1.96\frac{\sigma}{\sqrt{n}} \le m \le \bar{x}+1.96\frac{\sigma}{\sqrt{n}}$임을 이용하자.

1597

어느 공장에서 생산되는 제품의 길이는 모표준편차가 $\frac{1}{1.96}$ m인 정규분포를 따른다고 한다. 이 공장에서 생산되는 제품 중에서 임의추출한 10개 제품의 길이를 측정하여 표본평균을 구하였다. 이 표본평균을 이용하여 구한 제품의 길이의 모평균에 대한 신뢰도 95 %의 신뢰구간을 $[\alpha, \beta]$라 하자. α와 β가 이차방정식 $10x^2-100x+k=0$의 두 근일 때, 상수 k의 값을 구하시오.

(단, $\mathrm{P}(0 \le Z \le 1.96)=0.475$로 계산한다.)

근과 계수의 관계를 이용하자.

모평균을 m, 표본평균 $\overline{X}$의 값을 $\bar{x}$라 하고 신뢰도 95 %로 모평균을 추정하면

$$\bar{x}-1.96\times\frac{\frac{1}{1.96}}{\sqrt{10}} \le m \le \bar{x}+1.96\times\frac{\frac{1}{1.96}}{\sqrt{10}}$$

$$\bar{x}-\frac{1}{\sqrt{10}} \le m \le \bar{x}+\frac{1}{\sqrt{10}}$$

$$\therefore \alpha=\bar{x}-\frac{1}{\sqrt{10}},\ \beta=\bar{x}+\frac{1}{\sqrt{10}} \quad \cdots\cdots ㉠$$

α, β가 이차방정식 $10x^2-100x+k=0$의 두 근이므로 근과 계수의 관계에 의하여 $\alpha+\beta=10$

㉠에서 $\alpha+\beta=2\bar{x}=10$

$\therefore \bar{x}=5$

또한, $\alpha\beta=\frac{k}{10}$이므로 ㉠에서

$$\alpha\beta=\left(5-\frac{1}{\sqrt{10}}\right)\left(5+\frac{1}{\sqrt{10}}\right)$$

$$=25-\frac{1}{10}=\frac{249}{10}=\frac{k}{10}$$

$\therefore k=249$

답 249

1598 표본의 크기가 충분히 크면 모표준편차 대신 표본표준편차를 사용할 수 있다.

어느 공장에서 생산되는 통조림 400개를 임의추출하여 그 무게를 조사하였더니 평균이 200 g, 표준편차가 20 g이었다. 이 공장에서 생산되는 통조림의 무게는 정규분포를 따른다고 할 때, 위의 표준정규분포표를 이용하여 통조림 무게의 평균 m을 신뢰도 95 %로 추정한 신뢰구간은?

z	$\mathrm{P}(0 \le Z \le z)$
1.64	0.450
1.96	0.475

표본표준편차의 값이 s일 때, $\bar{x}-1.96\frac{s}{\sqrt{n}} \le m \le \bar{x}+1.96\frac{s}{\sqrt{n}}$임을 이용하자.

표본의 크기 $n=400$, 표본평균 $\bar{x}=200$, 표본표준편차 $s=20$이고, 표본의 크기 n이 충분히 크므로 모표준편차 대신 표본표준편차를 사용할 수 있다.

모평균 m의 신뢰도 95 %의 신뢰구간은

$$200-1.96\frac{20}{\sqrt{400}} \le m \le 200+1.96\frac{20}{\sqrt{400}}$$

$$200-1.96 \le m \le 200+1.96$$

$\therefore 198.04 \le m \le 201.96$

답 ①

1599 표본의 크기가 충분히 크면 모표준편차 대신 표본표준편차를 사용할 수 있다.

어느 고등학교의 3학년 학생 중에서 100명을 임의추출하여 수학 성적을 조사한 결과 평균이 70점, 표준편차가 4점이었다. 이 학교 3학년 전체 학생들의 수학 성적은 정규분포를 따른다고 할 때, 전체 학생들의 수학 성적에 대한 평균 m을 신뢰도 95 %로 추정한 신뢰구간을 구하시오.

(단, $\mathrm{P}(-1.96 \le Z \le 1.96)=0.95$로 계산한다.)

표본표준편차의 값이 s일 때, $\bar{x}-1.96\frac{s}{\sqrt{n}} \le m \le \bar{x}+1.96\frac{s}{\sqrt{n}}$임을 이용하자.

표본의 크기 $n=100$, 표본평균 $\bar{x}=70$, 표본표준편차 $s=4$이고, 표본의 크기 n이 충분히 크므로 모표준편차 대신 표본표준편차를 사용할 수 있다.

모평균 m에 대한 신뢰도 95 %의 신뢰구간은

$$70-1.96\frac{4}{\sqrt{100}} \le m \le 70+1.96\frac{4}{\sqrt{100}}$$

$$70-0.784 \le m \le 70+0.784$$

$\therefore 69.216 \le m \le 70.784$

답 $69.216 \le m \le 70.784$

1600 표본의 크기가 충분히 크면 모표준편차 대신 표본표준편차를 사용할 수 있다.

어느 지역의 고등학생의 몸무게는 정규분포를 따른다고 한다. 이 지역 고등학생 81명을 임의추출하여 몸무게를 조사하였더니 평균이 56.5 kg, 표준편차가 9 kg이었다. 이 지역 고등학생의 몸무게의 평균 m에 대한 신뢰도 99 %의 신뢰구간을 구하시오.

(단, $\mathrm{P}(|Z| \le 2.58)=0.99$로 계산한다.)

표본표준편차의 값이 s일 때, $\bar{x}-2.58\frac{s}{\sqrt{n}} \le m \le \bar{x}+2.58\frac{s}{\sqrt{n}}$임을 이용하자.

표본의 크기 $n=81$, 표본평균 $\bar{x}=56.5$, 표본표준편차 $s=9$이고, 표본의 크기 n이 충분히 크므로 모표준편차 대신 표본표준편차를 사용할 수 있다.

모평균 m에 대한 신뢰도 99 %의 신뢰구간은

$$56.5-2.58\frac{9}{\sqrt{81}} \le m \le 56.5+2.58\frac{9}{\sqrt{81}}$$

$$56.5-2.58 \le m \le 56.5+2.58$$

$\therefore 53.92 \le m \le 59.08$

답 $53.92 \le m \le 59.08$

1601 표본의 크기가 충분히 크면 모표준편차 대신 표본표준편차를 사용할 수 있다.

전구를 대량 생산하고 있는 공장이 있다. 어느 날 생산된 전구 중에서 100개의 전구를 임의추출하여 수명을 조사한 결과 평균이 1000시간, 표준편차가 50시간이었다. 이 공장에서 생산한 전구의 수명은 정규분포를 따른다고 할 때, 전구 전체의 평균 수명 m에 대한 신뢰도 95 %의 신뢰구간을 추정하였을 때 신뢰구간에 포함되는 자연수 m의 개수를 구하시오.

(단, $\mathrm{P}(|Z| \le 1.96)=0.95$로 계산한다.)

표본표준편차의 값이 s일 때, $\bar{x}-1.96\frac{s}{\sqrt{n}} \le m \le \bar{x}+1.96\frac{s}{\sqrt{n}}$임을 이용하자.

표본의 크기 $n=100$, 표본평균 $\bar{x}=1000$, 표본표준편차 $s=50$이고,

표본의 크기 n이 충분히 크므로 모표준편차 대신 표본표준편차를 사용할 수 있다.
모평균 m에 대한 신뢰도 95 %의 신뢰구간은

$$1000-1.96\frac{50}{\sqrt{100}}\le m\le 1000+1.96\frac{50}{\sqrt{100}}$$

$1000-9.8\le m\le 1000+9.8$

$\therefore 990.2\le m\le 1009.8$

따라서 자연수 m은 991, 992, 993, ⋯, 1009로 19개이다.

답 19

1602 표본의 크기가 충분히 크면 모표준편차 대신 표본표준편차를 사용할 수 있다.

> 전국연합학력평가 후 응시생 1600명을 임의로 추출하여 가채점하였더니 수리영역 점수의 표준편차가 16점이었다. 수험생 전체 수리영역의 평균점수 m을 95 %의 신뢰도로 추정한 신뢰구간이 $\alpha\le m\le\beta$일 때, $\beta-\alpha$의 값은? (단, $\mathrm{P}(0\le Z\le 1.96)=0.475$)
>
> 표본표준편차의 값이 s일 때, $\bar{x}-1.96\frac{s}{\sqrt{n}}\le m\le\bar{x}+1.96\frac{s}{\sqrt{n}}$임을 이용하자.

모평균 m의 신뢰구간은

$$\bar{X}-1.96\times\frac{16}{\sqrt{1600}}\le m\le\bar{X}+1.96\times\frac{16}{\sqrt{1600}}$$

$\therefore \beta-\alpha=2\times1.96\frac{16}{\sqrt{1600}}=1.568$

답 ②

1603 0.4850×2=0.97임을 이용하자.

> S공장에서 생산된 치약의 무게는 정규분포를 따른다고 한다. 이 공장에서 생산된 치약 중에서 100개를 임의추출하여 무게를 잰 결과 평균이 80g, 표준편차가 20 g이었다. 위의 표준정규분포표를 이용하여 이 공장에서 생산된 치약의 무게의 평균 m을 신뢰도 97 %로 추정한 신뢰구간이 $k_1\le m\le k_2$일 때, k_2의 값을 구하시오.
>
> | z | $\mathrm{P}(0\le Z\le z)$ |
> |---|---|
> | 1.82 | 0.4656 |
> | 1.96 | 0.4750 |
> | 2.17 | 0.4850 |
> | 2.58 | 0.4951 |
>
> $\mathrm{P}(-2.17\le Z\le 2.17)=0.97$이므로 $\bar{x}-2.17\frac{s}{\sqrt{n}}\le m\le\bar{x}+2.17\frac{s}{\sqrt{n}}$임을 이용하자.

표본의 크기 $n=100$, 표본평균 $\bar{x}=80$, 표본표준편차 $s=20$이고, 표본의 크기 n이 충분히 크므로 모표준편차 대신 표본표준편차를 사용할 수 있다.
주어진 표준정규분포표에서 $\mathrm{P}(0\le Z\le 2.17)=0.4850$이므로
$\mathrm{P}(-2.17\le Z\le 2.17)=0.97$
모평균 m의 신뢰도 97 %의 신뢰구간은

$$80-2.17\frac{20}{\sqrt{100}}\le m\le 80+2.17\frac{20}{\sqrt{100}}$$

$80-4.34\le m\le 80+4.34$

$\therefore 75.66\le m\le 84.34$

$\therefore k_2=84.34$

답 84.34

1604

> 정규분포를 따르는 모집단에서 64개의 임의추출한 표본을 $X_1, X_2, X_3, \cdots, X_{64}$라고 할 때,
>
> $\sum_{n=1}^{64}X_n=576,\ \sum_{n=1}^{64}X_n^{\,2}=5751$ (표본평균 $\bar{X}=\frac{1}{64}\sum_{i=1}^{64}X_i$임을 이용하자.)
>
> 이었다. 이 모집단의 평균 m을 신뢰도 95 %로 추정한 신뢰구간이 $\alpha\le m\le\beta$일 때, $\alpha+\beta$의 값을 구하시오.
>
> (단, $\mathrm{P}(0\le Z\le 2)=0.475$로 계산한다.)
>
> $\mathrm{P}(-2\le Z\le 2)=0.95$임을 이용하자.

표본평균: $\bar{X}=\frac{1}{64}\sum_{i=1}^{64}X_i=\frac{576}{64}=9$

표본분산:
$$S^2=\frac{1}{64-1}\sum_{i=1}^{64}(X_i-9)^2=\frac{1}{63}\sum_{i=1}^{64}(X_i^{\,2}-18X_i+81)=\frac{\sum_{i=1}^{64}X_i^{\,2}-18\sum_{i=1}^{64}X_i+64\times81}{63}=\frac{5751-18\times576+64\times81}{63}=9$$

신뢰도 95 %로 추정한 신뢰구간은 $\mathrm{P}(0\le Z\le 2)=0.475$이므로

$$9-2\frac{3}{\sqrt{64}}\le m\le 9+2\frac{3}{\sqrt{64}}$$

$9-\frac{3}{4}\le m\le 9+\frac{3}{4},\ \frac{33}{4}\le m\le\frac{39}{4}$

$\alpha=\frac{33}{4},\ \beta=\frac{39}{4}$이므로

$\alpha+\beta=\frac{72}{4}=18$

답 18

참고 표본평균, 표본분산, 표본표준편차
모집단에서 크기가 n인 표본 $X_1, X_2, \cdots, X_n$을 추출하였을 때

① 표본평균: $\bar{X}=\frac{1}{n}(X_1+X_2+\cdots+X_n)=\frac{1}{n}\sum_{i=1}^{n}X_i$

② 표본분산: $S^2=\frac{1}{n-1}\{(X_1-\bar{X})^2+(X_2-\bar{X})^2+\cdots+(X_n-\bar{X})^2\}=\frac{1}{n-1}\sum_{i=1}^{n}(X_i-\bar{X})^2$

③ 표본표준편차: $S=\sqrt{S^2}$

1605 $\bar{x}=12$이다.

> 어느 회사 직원들의 한 해 출장 횟수는 표준편차가 4회인 정규분포를 따르는데 이 회사 직원 중에서 n명을 임의추출하여 한 해 동안 출장을 다녀온 횟수를 조사하였더니 평균이 12회였다. 이 회사 직원들의 한 해 출장 횟수의 평균 m을 신뢰도 95 %로 추정한 신뢰구간이 $10\le m\le 14$일 때, n의 값을 구하시오.
>
> (단, $\mathrm{P}(|Z|\le 2)=0.95$로 계산한다.)
>
> 신뢰도 95 %의 신뢰구간은 $\bar{x}-2\frac{\sigma}{\sqrt{n}}\le m\le\bar{x}+2\frac{\sigma}{\sqrt{n}}$임을 이용하자.

모표준편차 $\sigma=4$, 표본평균 $\bar{x}=12$이므로 모평균 m에 대한 신뢰도 95 %의 신뢰구간은

$12-2\frac{4}{\sqrt{n}} \le m \le 12+2\frac{4}{\sqrt{n}}$

$10 \le m \le 14$이므로

$12-2\frac{4}{\sqrt{n}}=10,\ 12+2\frac{4}{\sqrt{n}}=14$

즉, $2\times\frac{4}{\sqrt{n}}=2$에서 $\sqrt{n}=4$

$\therefore n=16$

답 16

모평균 m에 대한 신뢰도 95 %의 신뢰구간은 $\bar{x}-1.96\frac{\sigma}{\sqrt{n}} \le m \le \bar{x}+1.96\frac{\sigma}{\sqrt{n}}$ 임을 이용하자.

1606

어느 회사 직원들의 하루 여가 활동 시간은 모평균이 m, 모표준편차가 10인 정규분포를 따른다고 한다. 이 회사 직원 중 n명을 임의추출하여 신뢰도 95 %로 추정한 모평균 m에 대한 신뢰구간이 [38.08, 45.92]일 때, n의 값은? (단, 시간의 단위는 분이고, Z가 표준정규분포를 따르는 확률변수일 때 $P(0\le Z\le 1.96)=0.475$로 계산한다.)

모표준편차 $\sigma=10$이고, 표본평균을 $\bar{x}$라 하면 모평균 m에 대한 신뢰도 95 %의 신뢰구간은

$\bar{x}-1.96\frac{10}{\sqrt{n}} \le m \le \bar{x}+1.96\frac{10}{\sqrt{n}}$

이 신뢰구간이 [38.08, 45.92]이므로

$\bar{x}-1.96\frac{10}{\sqrt{n}}=38.08$ ······㉠

$\bar{x}+1.96\frac{10}{\sqrt{n}}=45.92$ ······㉡

㉡−㉠을 하면

$2\times1.96\frac{10}{\sqrt{n}}=7.84$

$\sqrt{n}=5$

$\therefore n=25$

답 ①

모평균 m에 대한 신뢰도 99 %의 신뢰구간은 $\bar{x}-2.58\frac{s}{\sqrt{n}} \le m \le \bar{x}+2.58\frac{s}{\sqrt{n}}$ 임을 이용하자.

1607

A학교 학생들의 국어 성적은 정규분포를 따른다고 한다. 이 학교 전체 학생 중에서 n명을 임의추출하여 국어 성적을 조사한 결과 평균이 60점, 표준편차가 20점이었다. 전체 학생들의 국어 성적의 평균 m에 대한 신뢰도 99 %의 신뢰구간이 $57.42\le m\le 62.58$일 때, n의 값을 구하시오.
(단, n은 충분히 큰 수이고, $P(|Z|\le 2.58)=0.99$로 계산한다.)

$\bar{x}=60$, $s=20$이다.

표본평균 $\bar{x}=60$, 표본표준편차 $s=20$이고, 표본의 크기 n이 충분히 크므로 모표준편차 대신 표본표준편차를 사용할 수 있다.
모평균 m에 대한 신뢰도 99 %의 신뢰구간은

$60-2.58\frac{20}{\sqrt{n}} \le m \le 60+2.58\frac{20}{\sqrt{n}}$

$57.42\le m\le 62.58$이므로

$60-2.58\frac{20}{\sqrt{n}}=57.42,\ 60+2.58\frac{20}{\sqrt{n}}=62.58$

즉, $2.58\times\frac{20}{\sqrt{n}}=2.58$에서

$\frac{20}{\sqrt{n}}=1$

$\therefore n=400$

답 400

모평균 m에 대한 신뢰도 95 %의 신뢰구간은 $\bar{x}-1.96\frac{s}{\sqrt{n}} \le m \le \bar{x}+1.96\frac{s}{\sqrt{n}}$ 임을 이용하자.

1608

어느 공장에서 생산되는 컬링 스톤을 일정한 세기로 빙판 위에 던질 때, 미끄러지는 거리는 정규분포를 따른다고 한다. 이 공장에서 생산된 컬링 스톤 중에서 임의추출한 n개에 대하여 미끄러지는 거리를 측정하였더니 평균이 $\bar{x}$m, 표준편차가 13m이었다. 이를 이용하여 이 공장에서 생산되는 컬링 스톤 전체의 미끄러지는 거리의 평균을 신뢰도 95 %로 추정한 신뢰구간이 [119.04, 122.96]일 때, $n+\bar{x}$의 값을 구하시오. (단, n은 충분히 큰 수이고, $P(0\le Z\le 1.96)=0.475$로 계산한다.)

$s=13$이다.

표본표준편차 $s=13$이고, 표본의 크기 n이 충분히 크므로 모표준편차 대신 표본표준편차를 사용할 수 있다.
모평균 m에 대한 신뢰도 95 %의 신뢰구간은

$\bar{x}-1.96\frac{13}{\sqrt{n}} \le m \le \bar{x}+1.96\frac{13}{\sqrt{n}}$

이 신뢰구간이 [119.04, 122.96]이므로

$\bar{x}-1.96\frac{13}{\sqrt{n}}=119.04$ ······㉠

$\bar{x}+1.96\frac{13}{\sqrt{n}}=122.96$ ······㉡

㉠+㉡을 하면

$2\bar{x}=242 \quad \therefore \bar{x}=121$

$\bar{x}=121$을 ㉡에 대입하면

$1.96\frac{13}{\sqrt{n}}=1.96,\ \sqrt{n}=13$

$\therefore n=169$

$\therefore n+\bar{x}=169+121=290$

답 290

모평균 m에 대한 신뢰도 99 %의 신뢰구간은 $\bar{x}-3\frac{\sigma}{\sqrt{n}} \le m \le \bar{x}+3\frac{\sigma}{\sqrt{n}}$ 임을 이용하자.

1609

정규분포를 이루는 모집단의 표준편차를 σ라 할 때, 이 모집단에서 추출한 크기가 n인 표본의 표본평균 $\bar{X}$의 값을 $\bar{x}$라고 한다. 신뢰도 99 %로 추정한 모평균 m의 신뢰구간이
$\bar{x}-0.1\sigma\le m\le\bar{x}+0.1\sigma$가 되도록 하는 n의 값을 구하시오.
(단, $P(0\le Z\le 3)=0.495$로 계산한다.)

$P(-3\le Z\le 3)=0.99$로 주어졌다.

신뢰도 99 %로 추정한 모평균 m의 신뢰구간은

$\bar{x}-3\frac{\sigma}{\sqrt{n}} \le m \le \bar{x}+3\frac{\sigma}{\sqrt{n}}$

$\bar{x}-0.1\sigma\le m\le\bar{x}+0.1\sigma$에서 $3\frac{\sigma}{\sqrt{n}}=0.1\sigma$

$\sqrt{n}=30 \quad \therefore n=900$

답 900

1610

모평균 m에 대한 신뢰도 99%의 신뢰구간은 $\bar{x}-3\frac{s}{\sqrt{n}}\le m\le \bar{x}+3\frac{s}{\sqrt{n}}$임을 이용하자.

$n=121$이다.

어느 고등학교에서 실시한 수학 학력 진단 테스트의 점수는 정규분포를 따른다고 한다. 이 학교 학생 121명을 임의추출하여 수학 학력 진단 테스트 점수를 조사하였더니 평균이 60점, 표준편차가 a점이었다. 이 고등학교 학생 전체에 대한 수학 학력 진단 테스트 점수의 평균 m을 신뢰도 99%로 추정한 신뢰구간이 $54\le m\le 66$일 때, a의 값은?

$\bar{x}=60$, $s=a$로 계산한다.

(단, $\mathrm{P}(|Z|\le 3)=0.99$로 계산한다.)

$\mathrm{P}(-3\le Z\le 3)=0.99$로 주어졌다.

표본의 크기 $n=121$, 표본평균 $\bar{x}=60$, 표본표준편차 $s=a$이고, 표본의 크기 n이 충분히 크므로 모표준편차 대신 표본표준편차를 사용할 수 있다.

모평균 m에 대한 신뢰도 99%의 신뢰구간은

$$60-3\frac{a}{\sqrt{121}}\le m\le 60+3\frac{a}{\sqrt{121}}$$

$$60-\frac{3}{11}a=54$$

$\therefore a=22$

답 ①

1611

$n=64$이다.

어느 음식점을 방문한 고객의 주문 대기 시간은 평균이 m분, 표준편차가 σ분인 정규분포를 따른다고 한다. 이 음식점을 방문한 고객 중 64명을 임의추출하여 얻은 표본평균을 이용하여, 이 음식점을 방문한 고객의 주문 대기 시간의 평균 m에 대한 신뢰도 95%의 신뢰구간을 구하면 $a\le m\le b$이다.

$b-a=4.9$일 때, σ의 값을 구하시오. (단, Z가 표준정규분포를 따르는 확률변수일 때, $\mathrm{P}(|Z|\le 1.96)=0.95$로 계산한다.)

모평균 m에 대한 신뢰도 95%의 신뢰구간은 $\bar{x}-1.96\frac{\sigma}{\sqrt{n}}\le m\le \bar{x}+1.96\frac{\sigma}{\sqrt{n}}$임을 이용하자.

고객의 주문 대기 시간이 표준편차가 σ인 정규분포를 따를 때, 64명을 임의추출하여 얻은 표본평균의 값을 $\bar{x}$라 하면 고객의 주문 대기 시간의 평균 m에 대한 신뢰도 95%의 신뢰구간은

$$\bar{x}-1.96\times\frac{\sigma}{\sqrt{64}}\le m\le \bar{x}+1.96\times\frac{\sigma}{\sqrt{64}}$$

즉,

$$\bar{x}-1.96\times\frac{\sigma}{8}\le m\le \bar{x}+1.96\times\frac{\sigma}{8}$$

이때 $a\le m\le b$이고 $b-a=4.9$이므로

$$b-a=2\times 1.96\times\frac{\sigma}{8}=0.49\sigma$$

따라서 $0.49\sigma=4.9$에서

$\sigma=10$

답 10

1612

$n=16$, $\bar{x}=12.34$이다.

어느 회사에서 생산하는 음료수 1병에 들어 있는 칼슘 함유량은 모평균이 m, 모표준편차가 σ인 정규분포를 따른다고 한다. 이 회사에서 생산한 음료수 16병을 임의추출하여 칼슘 함유량을 측정한 결과 표본평균이 12.34이었다. 이 회사에서 생산한 음료수 1병에 들어 있는 칼슘 함유량의 모평균 m에 대한 신뢰도 95%의 신뢰구간이 $11.36\le m\le a$일 때, $a+\sigma$의 값을 구하시오. (단, $\mathrm{P}(0\le Z\le 1.96)=0.475$로 계산하고, 칼슘 함유량의 단위는 mg이다.)

모평균 m에 대한 신뢰도 95%의 신뢰구간은 $\bar{x}-1.96\frac{\sigma}{\sqrt{n}}\le m\le \bar{x}+1.96\frac{\sigma}{\sqrt{n}}$임을 이용하자.

모표준편차 σ, 표본평균 $\bar{x}=12.34$, 표본의 크기 $n=16$이므로 모평균 m에 대한 신뢰도 95%의 신뢰구간은

$$12.34-1.96\frac{\sigma}{\sqrt{16}}\le m\le 12.34+1.96\frac{\sigma}{\sqrt{16}}$$

$11.36\le m\le a$에서

$$12.34-1.96\frac{\sigma}{\sqrt{16}}=11.36$$

$$1.96\frac{\sigma}{\sqrt{16}}=0.49\sigma=0.98$$

$\therefore \sigma=2$

$$a=12.34+1.96\frac{2}{\sqrt{16}}$$

$=12.34+0.98$

$=13.32$

$\therefore a+\sigma=13.32+2=15.32$

답 15.32

1613

$n=49$이다.

어느 회사에서 생산하는 초콜릿 한 개의 무게는 평균이 m, 표준편차가 σ인 정규분포를 따른다고 한다. 이 회사에서 생산하는 초콜릿 중에서 임의추출한, 크기가 49인 표본을 조사하였더니 초콜릿 무게의 표본평균의 값이 $\bar{x}$이었다. 이 결과를 이용하여, 이 회사에서 생산하는 초콜릿 한 개의 무게의 평균 m에 대한 신뢰도 95%의 신뢰구간을 구하면 $1.73\le m\le 1.87$이다.

$\frac{\sigma}{\bar{x}}=k$일 때, $180k$의 값을 구하시오.

(단, 무게의 단위는 g이고, Z가 표준정규분포를 따르는 확률변수일 때 $\mathrm{P}(0\le Z\le 1.96)=0.475$로 계산한다.)

모평균 m에 대한 신뢰도 95%의 신뢰구간은 $\bar{x}-1.96\frac{\sigma}{\sqrt{n}}\le m\le \bar{x}+1.96\frac{\sigma}{\sqrt{n}}$임을 이용하자.

모평균 m에 대한 신뢰도 95%의 신뢰구간이

$$\bar{x}-1.96\times\frac{\sigma}{\sqrt{49}}\le m\le \bar{x}+1.96\times\frac{\sigma}{\sqrt{49}}$$ 이므로

$$\bar{x}-1.96\times\frac{\sigma}{7}=1.73 \quad \cdots\cdots ㉠$$

$$\bar{x}+1.96\times\frac{\sigma}{7}=1.87 \quad \cdots\cdots ㉡$$

㉠+㉡에서

$2\bar{x}=3.6$이므로 $\bar{x}=1.8$

㉡−㉠에서

$2\times1.96\times\frac{\sigma}{7}=0.14$이므로

$\sigma=0.25$

따라서 $k=\frac{0.25}{1.8}=\frac{5}{36}$이므로

$180k=180\times\frac{5}{36}=25$

답 25

1614

P$(-1.28\le Z\le1.28)=0.8$임을 이용하자.

표준편차가 σ로 알려진 정규분포를 따르는 모집단에서 크기가 n인 표본을 임의추출하여 얻은 모평균 m에 대한 신뢰도 80 %의 신뢰구간이 [107.2, 132.8]이었다. 같은 표본을 이용하여 얻은 모평균 m에 대한 신뢰도 96 %의 신뢰구간에 속하는 자연수의 개수를 위의 표준정규분포표를 이용하여 구하시오.

z	P$(0\le Z\le z)$
1.28	0.40
2.06	0.48
2.56	0.49

신뢰도 80 %의 신뢰구간은 $\bar{x}-1.28\frac{\sigma}{\sqrt{n}}\le m\le\bar{x}+1.28\frac{\sigma}{\sqrt{n}}$임을 이용하자.

표본평균의 값을 $\bar{x}$라 할 때, 모평균 m에 대한 신뢰도 80 %의 신뢰구간은

$\bar{x}-1.28\frac{\sigma}{\sqrt{n}}\le m\le\bar{x}+1.28\frac{\sigma}{\sqrt{n}}$

이 신뢰구간이 [107.2, 132.8]이므로

$\bar{x}-1.28\frac{\sigma}{\sqrt{n}}=107.2$ ……㉠

$\bar{x}+1.28\frac{\sigma}{\sqrt{n}}=132.8$ ……㉡

㉠+㉡을 하면

$2\bar{x}=240$ $\therefore \bar{x}=120$

$\bar{x}=120$을 ㉡에 대입하면

$1.28\frac{\sigma}{\sqrt{n}}=12.8$

$\therefore \frac{\sigma}{\sqrt{n}}=10$

모평균 m에 대한 신뢰도 96 %의 신뢰구간은

$\bar{x}-2.06\frac{\sigma}{\sqrt{n}}\le m\le\bar{x}+2.06\frac{\sigma}{\sqrt{n}}$에서

$120-2.06\times10\le m\le120+2.06\times10$

$\therefore 99.4\le m\le140.6$

따라서 모평균 m에 대한 신뢰도 96 %의 신뢰구간에 속하는 자연수의 개수는 100, 101, 102, …, 140의 41이다.

답 41

1615

정규분포 $\mathrm{N}(m, 50^2)$을 따르는 모집단에서 크기가 49인 표본을 임의추출하여 신뢰도 95 %로 추정한 모평균 m의 신뢰구간의 길이를 구하시오. (단, $\mathrm{P}(|Z|\le1.96)=0.95$로 계산한다.)

모평균의 신뢰도 95 %인 신뢰구간의 길이는 $2\times1.96\frac{\sigma}{\sqrt{n}}$임을 이용하자.

모표준편차가 50, 표본의 크기가 49이므로

신뢰도 95 %로 모평균 m을 추정할 때, 신뢰구간의 길이는

$2\times1.96\times\frac{50}{7}=28$

답 28

1616

어느 공장에서 파이프 1개의 길이는 모표준편차가 2 m인 정규분포를 따른다고 한다. 이 회사에서 생산된 파이프 64개를 임의추출하여 측정한 길이의 평균은 50 m이었다. 이 회사에서 생산된 파이프 1개의 길이의 평균 m을 신뢰도 99 %로 추정할 때, 신뢰구간의 길이를 구하시오.

(단, $\mathrm{P}(|Z|\le2.58)=0.99$로 계산한다.)

모평균의 신뢰도 99 %인 신뢰구간의 길이는 $2\times2.58\frac{\sigma}{\sqrt{n}}$임을 이용하자.

모표준편차가 2 m, 표본의 크기가 64이므로 신뢰도 99 %로 모평균 m을 추정할 때, 신뢰구간의 길이는

$2\times2.58\times\frac{1}{4}=1.29$

답 1.29

다른풀이 모표준편차가 2 m, 표본평균이 50 m, 표본의 크기가 64이므로 모평균 m에 대한 99 %의 신뢰구간은

$50-2.58\times\frac{2}{8}\le m\le50+2.58\times\frac{2}{8}$

$50-0.645\le m\le50+0.645$

따라서 신뢰구간의 길이는

$2\times0.645=1.29$

1617

모평균의 신뢰도 95 %인 신뢰구간의 길이는 $2\times1.96\frac{\sigma}{\sqrt{n}}$임을 이용하자.

어느 농장에서 수확한 망고의 무게는 표준편차가 15 g인 정규분포를 따른다고 한다. 이 농장에서 수확한 망고 100개를 임의추출하여 무게를 조사하였더니 평균 무게가 300 g이었다. 이 농장에서 수확한 전체 망고의 평균 무게 m의 신뢰도 95 %의 신뢰구간이 $a\le m\le b$일 때, $b-a$의 값을 구하시오.

(단, $\mathrm{P}(0\le Z\le1.96)=0.475$로 계산한다.)

신뢰구간의 길이임을 이용하자.

신뢰구간이 $a\le m\le b$일 때, $b-a$는 신뢰구간의 길이이다.

모표준편차가 15g, 표본의 크기가 100이므로 신뢰도 95 %로 모평균 m을 추정할 때, 신뢰구간의 길이는

$b-a=2\times1.96\times\frac{3}{2}=5.88$

답 5.88

1618

신뢰구간의 길이는 $2\times2\times\frac{\sigma}{\sqrt{1000}}$임을 이용하자.

모집단에서 크기가 1000인 표본을 임의추출하여 신뢰도 95 %로 모평균을 추정하였더니 신뢰구간의 길이는 20이 되었다. 표본의 크기를 4000으로 하여 신뢰도 99 %로 모평균을 추정할 때, 신뢰구간의 길이를 구하시오.

(단, $\mathrm{P}(|Z|\le2)=0.95$, $\mathrm{P}(|Z|\le3)=0.99$이다.)

신뢰구간의 길이는 $2\times3\times\frac{\sigma}{\sqrt{4000}}$임을 이용하자.

표본의 크기가 1000, 모평균의 표준편차가 σ일 때, 모평균의 신뢰도 95 %인 신뢰구간의 길이는

$2\times2\times\frac{\sigma}{\sqrt{1000}}=20 \quad \therefore \sigma=50\sqrt{10}$

표본의 크기가 4000일 때, 신뢰도 99 %로 모평균을 추정하면 신뢰구간의 길이는

$2\times3\times\frac{\sigma}{\sqrt{4000}}=2\times3\times\frac{50\sqrt{10}}{20\sqrt{10}}=15$

답 15

1619

정규분포 $N(m, 3^2)$을 따르는 모집단에서 크기가 $n(n+1)$인 표본을 임의추출하여 신뢰도 95 %로 모평균을 추정하였을 때, 그 신뢰구간의 길이를 l_n이라고 한다. $\sum_{n=1}^{15} l_n^2$의 값을 구하시오.

(단, $P(|Z|\le2)=0.95$로 계산한다.)

→ 신뢰구간의 길이는 $2\times2\times\frac{3}{\sqrt{n(n+1)}}$임을 이용하자.

→ $\sum_{n=1}^{15}\frac{144}{n(n+1)}$임을 이용하자.

모표준편차 $\sigma=3$, 표본의 크기가 $n(n+1)$일 때, 신뢰도 95 %로 추정한 신뢰구간의 길이 l_n은

$l_n=2\times2\frac{3}{\sqrt{n(n+1)}}=\frac{12}{\sqrt{n(n+1)}}$

이므로

$l_n^2=\frac{144}{n(n+1)}$

$\therefore \sum_{n=1}^{15} l_n^2=\sum_{n=1}^{15}\frac{144}{n(n+1)}$

$=144\sum_{n=1}^{15}\left(\frac{1}{n}-\frac{1}{n+1}\right)$

$=144\left\{\left(\frac{1}{1}-\frac{1}{2}\right)+\left(\frac{1}{2}-\frac{1}{3}\right)+\left(\frac{1}{3}-\frac{1}{4}\right)+\cdots+\left(\frac{1}{15}-\frac{1}{16}\right)\right\}$

$=144\left(1-\frac{1}{16}\right)$

$=144\times\frac{15}{16}=135$

답 135

1620

어느 고등학교 3학년 학생들의 모의고사 점수는 표준편차가 40점인 정규분포를 따른다고 한다. 이 고등학교 3학년 학생들의 모의고사 점수의 평균을 신뢰도 95 %로 추정한 신뢰구간의 길이가 4가 되도록 하려면 몇 명의 성적을 조사해야 하는지 구하시오.

(단, $P(|Z|\le2)=0.95$로 계산한다.)

→ 신뢰구간의 길이는 $2\times2\times\frac{40}{\sqrt{n}}=4$임을 이용하자.

모표준편차 $\sigma=40$이고, 표본의 크기를 n이라 하면 신뢰도 95 %의 신뢰구간의 길이가 4이므로

$2\times2\frac{40}{\sqrt{n}}=4,\ \sqrt{n}=40$

$\therefore n=1600$(명)

따라서 1600명의 성적을 조사해야 한다.

답 1600명

1621

어떤 공장에서 생산된 제품 한 개의 무게는 표준편차가 5 g인 정규분포를 따른다고 한다. 모평균 m을 신뢰도 99 %로 추정할 때, 신뢰구간의 길이가 0.3 이하가 되도록 하기 위한 표본의 크기 n의 최솟값을 구하시오.

(단, $P(0\le Z\le2.58)=0.495$로 계산한다.)

→ $2\times2.58\frac{5}{\sqrt{n}}\le0.3$임을 이용하자.

모표준편차 $\sigma=5$이고, 모평균 m에 대한 신뢰도 99 %의 신뢰구간의 길이가 0.3 이하이어야 하므로

$2\times2.58\frac{5}{\sqrt{n}}\le0.3$

$\sqrt{n}\ge86 \quad \therefore n\ge7396$

따라서 n의 최솟값은 7396이다.

답 7396

1622

분산이 2인 정규분포를 따르는 모집단에서 크기가 n인 표본을 임의추출하여 신뢰도 95 %로 모평균 m을 추정하려고 한다. 오른쪽 표준정규분포표를 이용하여 신뢰구간의 길이가 2 이하가 되도록 하는 n의 최솟값을 구하시오.

z	$P(0\le Z\le z)$
1.65	0.450
1.96	0.475
2.33	0.490
2.58	0.495

→ 표준편차는 $\sqrt{2}$이다.

→ 모평균의 신뢰도 95 %인 신뢰구간의 길이는 $2\times1.96\frac{\sigma}{\sqrt{n}}$임을 이용하자.

모표준편차 $\sigma=\sqrt{2}$이고, 주어진 표준정규분포표에서 $P(|Z|\le1.96)=0.95$이므로 신뢰도 95 %로 추정한 신뢰구간의 길이가 2 이하가 되려면

$2\times1.96\frac{\sqrt{2}}{\sqrt{n}}\le2$

$\sqrt{n}\ge1.96\sqrt{2}$

$\therefore n\ge7.6832$

n은 자연수이므로 n의 최솟값은 8이다.

답 8

1623

어느 제약회사에서 생산하는 알약 1개의 무게는 표준편차가 40 mg인 정규분포를 따른다고 한다. 이 회사에서 생산하는 알약의 평균 무게를 신뢰도 99 %로 추정한 모평균 m에 대한 신뢰구간이 $a\le m\le b$일 때, $b-a\le40$이 되도록 하는 표본의 크기 n의 최솟값을 구하시오.

(단, $P(0\le Z\le2.58)=0.495$로 계산한다.)

→ 모평균의 신뢰도 99 %인 신뢰구간의 길이는 $2\times2.58\frac{\sigma}{\sqrt{n}}$임을 이용하자.

→ 신뢰구간의 길이임을 이용하자.

신뢰구간이 $a\le m\le b$일 때, $b-a$는 신뢰구간의 길이이다.

모표준편차가 40 mg이고 표본의 크기가 n이므로 신뢰도 99 %로 추정한 모평균의 신뢰구간의 길이는

$b-a=2\times2.58\times\frac{40}{\sqrt{n}}\le40$

$\sqrt{n}\ge5.16$이므로 $n\ge26.6256$

따라서 자연수 n의 최솟값은 27이다.

답 27

1624

정규분포 $N(m, \sigma^2)$을 따르는 모집단에서 크기가 n인 표본을 임의추출하여 구한 표본평균을 $\overline{X}$라 하자. 모평균 m에 대한 신뢰도 95 %의 신뢰구간의 길이가 $\frac{1}{2}\sigma$ 이하일 때, 표본의 크기 n의 최솟값을 구하시오. (단, $P(|Z|\le 2)=0.95$로 계산한다.)

$2\times 2\times \frac{\sigma}{\sqrt{n}}\le \frac{1}{2}\sigma$임을 이용하자.

신뢰도 95 %로 추정한 모평균의 신뢰구간의 길이는 $\frac{1}{2}\sigma$ 이하이므로

$2\times 2\frac{\sigma}{\sqrt{n}}\le \frac{1}{2}\sigma$

$\sqrt{n}\ge 8$

$\therefore n\ge 64$

따라서 표본의 크기 n의 최솟값은 64이다. 답 64

1625

모표준편차가 15인 정규분포를 따르는 모집단의 평균을 신뢰도 99 %로 추정할 때, 모평균과 표본평균의 차를 3 이하로 하려면 표본의 크기를 얼마 이상으로 해야 하는지 구하시오.

(단, $P(|Z|\le 3)=0.99$로 계산한다.)

$|\overline{X}-m|\le 3\times \frac{\sigma}{\sqrt{n}}\le 3$임을 이용하자.

모평균을 m, 표본평균 $\overline{X}$의 값을 $\overline{x}$, 표본의 크기를 n이라 하면 모표준편차가 15이므로 신뢰도 99 %로 추정한 모평균 m의 신뢰구간은

$\overline{x}-3\frac{15}{\sqrt{n}}\le m\le \overline{x}+3\frac{15}{\sqrt{n}}$

$\therefore |m-\overline{x}|\le 3\frac{15}{\sqrt{n}}$

모평균 m과 표본평균 $\overline{x}$의 차가 3 이하이어야 하므로

$3\frac{15}{\sqrt{n}}\le 3$, $\sqrt{n}\ge 15$

$\therefore n\ge 225$

따라서 표본의 크기를 225 이상으로 해야 한다. 답 225

1626

우리나라 신생아들의 몸무게는 표준편차가 0.4 kg인 정규분포를 따른다고 한다. 전체 신생아의 몸무게의 평균 m을 신뢰도 95 %로 추정할 때, 모평균 m과 표본평균 $\overline{X}$의 값 $\overline{x}$의 차가 0.05 이하가 되도록 하려면 적어도 몇 명의 몸무게를 조사해야 하는가?

(단, $P(|Z|\le 1.96)=0.95$로 계산한다.)

$|\overline{X}-m|\le 1.96\times \frac{\sigma}{\sqrt{n}}\le 0.05$임을 이용하자.

표본의 크기를 n이라 하면 모표준편차가 0.4이므로 신뢰도 95 %로 추정한 모평균 m의 신뢰구간은

$\overline{x}-1.96\frac{0.4}{\sqrt{n}}\le m\le \overline{x}+1.96\frac{0.4}{\sqrt{n}}$

$\therefore |m-\overline{x}|\le 1.96\frac{0.4}{\sqrt{n}}$

모평균 m과 표본평균 $\overline{x}$의 차가 0.05 이하이어야 하므로

$1.96\frac{0.4}{\sqrt{n}}\le 0.05$, $\sqrt{n}\ge 15.68$

$\therefore n\ge 245.8624$

따라서 적어도 246명을 조사해야 한다. 답 ③

1627

$|\overline{x}-m|\le 3\times \frac{\sigma}{\sqrt{n}}\le 1$임을 이용하자.

어느 도시에 거주하는 고등학교 3학년 남학생의 몸무게의 분포는 표준편차가 4 kg인 정규분포를 따른다고 한다. 이 도시의 고등학교 3학년 남학생의 몸무게의 평균을 신뢰도 99 %로 추정할 때, 표본평균 $\overline{X}$의 값 $\overline{x}$와 모평균 m의 차를 1 kg 이하로 하려면 표본의 크기를 최소한 몇 명으로 해야 하는지 구하시오.

(단, $P(|Z|\le 3)=0.99$로 계산한다.)

표본의 크기를 n이라 하면 모표준편차가 4이므로 신뢰도 99 %로 추정한 모평균 m의 신뢰구간은

$\overline{x}-3\frac{4}{\sqrt{n}}\le m\le \overline{x}+3\frac{4}{\sqrt{n}}$

$\therefore |\overline{x}-m|\le 3\frac{4}{\sqrt{n}}$

표본평균 $\overline{x}$와 모평균 m의 차가 1 이하이어야 하므로

$3\frac{4}{\sqrt{n}}\le 1$, $\sqrt{n}\ge 12$

$\therefore n\ge 144$

따라서 표본의 크기는 최소한 144명 이상이어야 한다.

답 144명

$P(|Z|\le k)=\frac{\alpha}{100}$라 하면 신뢰도 α %로 추정한 모평균 m의 신뢰구간의 길이는 $2\times k\times \frac{s}{\sqrt{n}}$임을 이용하자.

1628

어느 고등학교 학생 전체에서 100명을 추출하여 성적을 조사하였더니 평균이 200점, 표준편차가 50점인 정규분포를 따르고 있었다. 전체 학생의 성적의 평균 m을 신뢰도 α %로 추정하였더니 신뢰구간이 $190.6\le m\le 209.4$이었을 때, α의 값은?

(단, $P(0\le Z\le 1.88)=0.47$로 계산한다.)

표본의 크기 $n=100$, 표본표준편차 $s=50$이고, 표본의 크기 n이 충분히 크므로 모표준편차 대신 표본표준편차를 사용할 수 있다.

$P(|Z|\le k)=\frac{\alpha}{100}$라 하면 신뢰도 α %로 추정한 모평균 m의 신뢰구간의 길이는

$2\times k\frac{50}{\sqrt{100}}=209.4-190.6$

$10k=18.8$

$\therefore k=1.88$

$P(0\le Z\le 1.88)=0.47$이므로

$2P(0\le Z\le 1.88)=2\times 0.47=0.94$

$\therefore \alpha=94$ 답 ②

1629

어느 고등학교 3학년 학생의 800 m 달리기 기록은 정규분포를 따른다고 한다. 이 학교 학생 100명을 임의추출하여 800 m 달리기 기록을 조사하였더니 표준편차가 50초이었다. 이 학교 3학년 학생 전체의 800 m 달리기 기록의 평균 m을 신뢰도 $\alpha\,\%$로 추정한 신뢰구간의 길이가 16일 때, α의 값을 위의 표준정규분포표를 이용하여 구하시오.

z	$P(0\le Z\le z)$
1.6	0.445
2	0.477
2.2	0.486

$P(|Z|\le k)=\frac{\alpha}{100}$라 하면 신뢰도 $\alpha\,\%$로 추정한 모평균 m의 신뢰구간의 길이는 $2\times k\times\frac{s}{\sqrt{n}}$임을 이용하자.

표본의 크기 $n=100$, 표본표준편차 $s=50$이고, 표본의 크기 n이 충분히 크므로 모표준편차 대신 표본표준편차를 사용할 수 있다.

$P(-k\le Z\le k)=\frac{\alpha}{100}$라 하면 신뢰도 $\alpha\,\%$로 추정한 신뢰구간의 길이는

$2\times k\frac{50}{\sqrt{100}}=10k$

즉, $10k=16$이므로 $k=1.6$

그런데 주어진 표준정규분포표에서 $P(0\le Z\le 1.6)=0.445$이므로

$P(-1.6\le Z\le 1.6)=2\times 0.445$
$=0.89$

$\therefore \alpha=89$

답 89

1630

정규분포를 따르는 모집단의 평균을 크기가 n인 표본의 평균을 이용하여 추정하려고 한다. 신뢰도 99 %로 추정한 신뢰구간의 길이가 l일 때, 오른쪽 표준정규분포표를 이용하여 신뢰도 61 %로 추정한 신뢰구간의 길이를 구하면?

z	$P(0\le Z\le z)$
0.28	0.110
0.86	0.305
1.28	0.400
2.58	0.495

$P(-0.86\le Z\le 0.86)=0.61$임을 이용하자.

신뢰구간의 길이는 $2\times 0.86\times\frac{\sigma}{\sqrt{n}}$임을 이용하자.

모표준편차를 σ라 하면 신뢰도 99 %로 추정한 신뢰구간의 길이 l은

$l=2\times 2.58\frac{\sigma}{\sqrt{n}}$

주어진 표준정규분포표에서 $P(-0.86\le Z\le 0.86)=0.61$이므로 신뢰도 61 %로 추정한 신뢰구간의 길이를 l'이라 하면

$l'=2\times 0.86\frac{\sigma}{\sqrt{n}}$

$=\frac{1}{3}\times 2\times 2.58\frac{\sigma}{\sqrt{n}}$

$=\frac{1}{3}l$

답 ①

1631

$2\times 3\times\frac{s}{\sqrt{n}}$임을 이용하자.

어느 고등학교 학생의 수학 점수는 정규분포를 따른다고 한다. 이 학교에서 100명의 학생을 임의추출하여 수학 점수를 조사하였더니 평균이 70점, 표준편차가 15점이었다. 전체 학생들의 수학 점수의 평균 m을 신뢰도 99 %, 95 %로 각각 추정할 때, 두 신뢰구간의 길이의 차를 구하시오.

(단, $P(|Z|\le 2)=0.95$, $P(|Z|\le 3)=0.99$로 계산한다.)

$2\times 2\times\frac{s}{\sqrt{n}}$임을 이용하자.

표본의 크기 $n=100$, 표본평균 $\bar{x}=70$, 표본표준편차 $s=15$일 때, 신뢰도 99 %로 추정한 모평균 m의 신뢰구간의 길이는

$2\times 3\frac{15}{\sqrt{100}}=9$

신뢰도 95 %로 추정한 모평균 m의 신뢰구간의 길이는

$2\times 2\frac{15}{\sqrt{100}}=6$

따라서 두 신뢰구간의 길이의 차는

$9-6=3$

답 3

1632

$2\times 2.5\times\frac{\sigma}{\sqrt{n}}$ 임을 이용하자.

$P(-1.0\le Z\le 1.0)=0.68$임을 이용하자.

정규분포를 따르는 모집단에서 임의추출한 n개의 표본으로 모평균을 신뢰도 98 %로 추정하면 신뢰구간의 길이가 l이고, 신뢰도 68 %로 추정하면 신뢰구간의 길이가 al이다. 오른쪽 표준정규분포표를 이용하여 a의 값을 구하시오. (단, a는 상수이다.)

z	$P(0\le Z\le z)$
0.5	0.19
1.0	0.34
1.5	0.43
2.0	0.47
2.5	0.49

$P(-2.5\le Z\le 2.5)=0.98$ 임을 이용하자.

$2\times 1\times\frac{\sigma}{\sqrt{n}}$임을 이용하자.

모표준편차를 σ라 하면

주어진 표준정규분포표에서 $P(-2.5\le Z\le 2.5)=0.98$이므로 신뢰도 98 %로 추정한 신뢰구간의 길이 l은

$l=2\times 2.5\frac{\sigma}{\sqrt{n}}$

$=5\frac{\sigma}{\sqrt{n}}$

주어진 표준정규분포표에서 $P(-1\le Z\le 1)=0.68$이므로

신뢰도 68 %로 추정한 신뢰구간의 길이 al은

$al=2\times 1\frac{\sigma}{\sqrt{n}}$

$=\frac{2}{5}\times 5\frac{\sigma}{\sqrt{n}}$

$=\frac{2}{5}l$

$\therefore a=\frac{2}{5}$

답 $\frac{2}{5}$

1633

신뢰도 98 %로 추정한 모평균 m의 신뢰구간의 길이는 $2\times2.84\times\frac{\sigma}{\sqrt{n}}$임을 이용하자.

정규분포를 따르는 모집단의 평균을 크기가 n인 표본의 평균을 이용하여 추정하려고 한다. 신뢰도 98 %로 추정한 신뢰구간의 길이가 l일 때, 신뢰도 a %로 추정한 신뢰구간의 길이는 $\frac{l}{2}$이다. 위의 표준정규분포표를 이용하여 a의 값을 구하시오.

z	$P(0\le Z\le z)$
1.42	0.42
1.68	0.45
2.08	0.48
2.84	0.49

신뢰구간의 길이는 $2\times1.42\times\frac{\sigma}{\sqrt{n}}$임을 이용하자.

모표준편차를 σ라 하면 $P(-2.84\le Z\le2.84)=0.98$이므로 신뢰도 98 %로 추정한 신뢰구간의 길이 l은

$l=2\times2.84\frac{\sigma}{\sqrt{n}}$

$\frac{l}{2}=\frac{1}{2}\times2\times2.84\frac{\sigma}{\sqrt{n}}=2\times1.42\frac{\sigma}{\sqrt{n}}$이고

주어진 표준정규분포표에서

$P(-1.42\le Z\le1.42)=2\times0.42$
$=0.84$

이므로 $a=84$

답 84

1634

$P(-1.12\le Z\le1.12)=0.7372$임을 이용하자.

분산이 σ^2인 정규분포를 따르는 모집단에서 크기가 n인 표본을 임의추출하여 모평균 m을 추정한 후 신뢰구간의 길이를 구하고자 한다. 위의 표준정규분포표를 이용하여 구한 모평균 m에 대한 신뢰도 73.72 %의 신뢰구간의 길이가 l이고, 모평균 m에 대한 신뢰도 a %의 신뢰구간의 길이는 $2l$이다. a의 값을 구하시오.

z	$P(0\le Z\le z)$
1.12	0.3686
1.69	0.4545
2.24	0.4875

$l=2\times1.12\times\frac{\sigma}{\sqrt{n}}$임을 이용하자.

주어진 표준정규분포표에서

$P(0\le Z\le1.12)=0.3686$이므로

$P(-1.12\le Z\le1.12)=0.7372$

모표준편차는 σ, 표본의 크기는 n이므로 모평균 m을 신뢰도 73.72 %로 추정한 신뢰구간의 길이 l은

$l=2\times1.12\frac{\sigma}{\sqrt{n}}=2.24\frac{\sigma}{\sqrt{n}}$

$\therefore 2l=2\times2.24\frac{\sigma}{\sqrt{n}}$

신뢰구간의 길이 $2l$은 모표준편차가 σ, 표본의 크기가 n일 때 모평균 m을 신뢰도 a %로 추정한 것이므로

$\frac{a}{100}=P(|Z|\le2.24)$
$=P(-2.24\le Z\le2.24)$
$=2P(0\le Z\le2.24)$
$=2\times0.4875$
$=0.975$

$\therefore a=97.5$

답 97.5

1635

$P(-1.28\le Z\le1.28)=0.80$임을 이용하자.

정규분포 $N(m,\ \sigma^2)$을 따르는 모집단에서 크기가 n인 표본을 임의추출하여 모평균 m을 신뢰도 80 %로 추정하였더니 신뢰구간의 길이가 $2k$이었다. 같은 표본을 이용하여 신뢰도 a %로 모평균 m을 추정하였더니 신뢰구간의 길이가 $4k$가 되었다. 위의 표준정규분포표를 이용하여 a의 값을 구하시오.

z	$P(0\le Z\le z)$
1.28	0.40
1.34	0.41
2.06	0.48
2.56	0.49

신뢰도 80 %로 추정한 모평균 m의 신뢰구간의 길이는 $2\times1.28\times\frac{\sigma}{\sqrt{n}}=2k$임을 이용하자.

주어진 표준정규분포표에서 $P(0\le Z\le1.28)=0.40$이므로 신뢰도 80 %로 추정한 모평균 m의 신뢰구간의 길이는

$2\times1.28\frac{\sigma}{\sqrt{n}}=2k$

$\therefore k=1.28\frac{\sigma}{\sqrt{n}}$

a %로 추정한 모평균 m의 신뢰구간의 길이는 $4k$이므로

$4k=4\times1.28\frac{\sigma}{\sqrt{n}}$
$=2\times2.56\frac{\sigma}{\sqrt{n}}$

주어진 표준정규분포표에서 $P(0\le Z\le2.56)=0.49$이므로

$a=98$

답 98

1636

$P(-k\le Z\le k)=\frac{a}{100}$라 하자.

표준편차가 4인 정규분포를 따르는 모집단에서 256개의 표본을 임의추출하여 신뢰도 a %로 모평균 m을 추정하였더니 신뢰구간의 길이가 0.3이었다. 같은 표본을 이용하여 신뢰도 $2a$ %로 모평균 m을 추정할 때, 위의 표준정규분포표를 이용하여 신뢰구간의 길이를 구하시오.

z	$P(0\le Z\le z)$
0.6	0.23
1.2	0.38
1.8	0.46
2.4	0.49

신뢰구간의 길이는 $2\times k\times\frac{4}{\sqrt{256}}=0.3$임을 이용하자.

모표준편차 $\sigma=4$, 표본의 크기 $n=256$이고,

$P(-k\le Z\le k)=\frac{a}{100}$라 하면 신뢰도 a %로 모평균을 추정할 때 신뢰구간의 길이는

$2\times k\frac{4}{\sqrt{256}}=\frac{k}{2}$

즉, $\frac{k}{2}=0.3$이므로

$k=0.6$

$P(-0.6\le Z\le0.6)=\frac{a}{100}$에서

$a=100P(-0.6\le Z\le0.6)$
$=200P(0\le Z\le0.6)$
$=200\times0.23=46$

$\mathrm{P}(-k' \le Z \le k') = \frac{2a}{100} = \frac{92}{100}$라 하면

$2\mathrm{P}(0 \le Z \le k') = 0.92$

$\therefore \mathrm{P}(0 \le Z \le k') = 0.46$

그런데 주어진 표준정규분포표에서 $\mathrm{P}(0 \le Z \le 1.8) = 0.46$이므로

$k' = 1.8$

따라서 신뢰도 $2a\,\%$로 모평균을 추정할 때 신뢰구간의 길이는

$2 \times 1.8 \frac{4}{\sqrt{256}} = 0.9$ 답 0.9

1637

어느 지역 주민들의 하루 여가 활동 시간은 평균이 m분, 표준편차가 σ분인 정규분포를 따른다고 한다. 이 지역 주민 중 16명을 임의추출하여 구한 하루 여가 활동 시간의 표본평균이 75분일 때, 모평균 m에 대한 신뢰도 95%의 신뢰구간이 $a \le m \le b$이다. 이 지역 주민 중 16명을 다시 임의추출하여 구한 하루 여가 활동 시간의 표본평균이 77분일 때, 모평균 m에 대한 신뢰도 99%의 신뢰구간이 $c \le m \le d$이다. $d-b=3.86$을 만족시키는 σ의 값을 구하시오. (단, Z가 표준정규분포를 따르는 확률변수일 때, $\mathrm{P}(|Z| \le 1.96) = 0.95$, $\mathrm{P}(|Z| \le 2.58) = 0.99$로 계산한다.)

- $\bar{x}=75$일 때, 신뢰도 95 %의 신뢰구간은 $75-1.96\frac{\sigma}{\sqrt{16}} \le m \le 75+1.96\frac{\sigma}{\sqrt{16}}$임을 이용하자.
- $\bar{x}=77$일 때, 신뢰도 99 %의 신뢰구간은 $77-2.58\frac{\sigma}{\sqrt{16}} \le m \le 77+2.58\frac{\sigma}{\sqrt{16}}$임을 이용하자.

표본평균을 $\bar{x}$라 하면

(i) $\bar{x}=75$일 때,

신뢰도 95 %의 신뢰구간은

$$75-1.96\times\frac{\sigma}{\sqrt{16}} \le m \le 75+1.96\times\frac{\sigma}{\sqrt{16}}$$

(ii) $\bar{x}=77$일 때,

신뢰도 99 %의 신뢰구간은

$$77-2.58\times\frac{\sigma}{\sqrt{16}} \le m \le 77+2.58\times\frac{\sigma}{\sqrt{16}}$$

(i), (ii)에서

$b = 75+1.96\times\frac{\sigma}{4}$, $d = 77+2.58\times\frac{\sigma}{4}$

이므로

$$d-b = (77-75)+\frac{\sigma}{4}(2.58-1.96)$$
$$=2+0.155\sigma$$
$$=3.86$$

$\therefore \sigma = 12$ 답 12

1638

표준편차가 5인 정규분포를 따르는 모집단에서 100개의 표본을 임의추출하여 모평균을 추정하였더니 신뢰구간의 길이가 3이었다. 같은 모집단에서 새로운 표본을 임의추출하여 같은 신뢰도로 모평균을 추정할 때, 신뢰구간의 길이가 2가 되도록 하는 표본의 크기를 구하시오.

- $\mathrm{P}(|Z| \le k) = \frac{\alpha}{100}$라 하면 신뢰도 $\alpha\,\%$로 추정한 신뢰구간의 길이는 $2\times k\times\frac{5}{\sqrt{100}}=3$임을 이용하자.
- 표본의 크기를 n이라 하면 신뢰구간의 길이는 $2\times k\times\frac{5}{\sqrt{n}}=2$임을 이용하자.

모표준편차 $\sigma=5$, 표본의 크기가 100이고,

$\mathrm{P}(|Z| \le k) = \frac{\alpha}{100}$일 때, 신뢰도 $\alpha\,\%$로 추정한 신뢰구간의 길이가 3이라 하면

$2\times k\frac{5}{\sqrt{100}} = 3 \qquad \therefore k=3$

새로운 표본의 크기를 n이라 하고 같은 신뢰도 $\alpha\,\%$로 추정한 신뢰구간의 길이가 2라 하면

$2\times 3\frac{5}{\sqrt{n}} = 2$, $\sqrt{n} = 15$

$\therefore n = 225$

따라서 구하는 표본의 크기는 225이다. 답 225

1639

모표준편차가 σ인 정규분포를 따르는 모집단에서 100개의 표본을 임의추출하여 95 %의 신뢰도로 모평균을 추정하였더니 신뢰구간의 길이가 l이었다. 같은 모집단에서 400개의 표본을 임의추출하여 95 %의 신뢰도로 모평균을 추정한다고 할 때, 신뢰구간의 길이는? (단, $\mathrm{P}(0 \le Z \le 1.96) = 0.475$로 계산한다.)

- $l = 2\times 1.96\times\frac{\sigma}{\sqrt{100}}$이다.
- $2\times 1.96\times\frac{\sigma}{\sqrt{400}}$임을 이용하자.

표본의 크기가 100일 때, 신뢰도 95 %로 추정한 모평균의 신뢰구간의 길이 l은

$l = 2\times 1.96\frac{\sigma}{\sqrt{100}}$

표본의 크기가 400일 때, 신뢰도 95 %로 추정한 모평균의 신뢰구간의 길이는

$2\times 1.96\frac{\sigma}{\sqrt{400}} = \frac{1}{2}\times 2\times 1.96\frac{\sigma}{\sqrt{100}} = \frac{1}{2}l$ 답 ②

다른풀이 표본의 크기를 n이라 하면 같은 신뢰도로 추정할 때, 신뢰구간의 길이는 $\frac{1}{\sqrt{n}}$에 비례하므로 표본의 크기가 100일 때와 400일 때의 신뢰구간의 길이의 비는

$\frac{1}{\sqrt{100}} : \frac{1}{\sqrt{400}} = \frac{1}{10} : \frac{1}{20} = 2:1$

따라서 구하는 신뢰구간의 길이는 $\frac{1}{2}l$이다.

1640

95 %로 추정한 신뢰구간의 길이는 $2\times2\times\frac{\sigma}{\sqrt{n}}=2l$임을 이용하자.

정규분포를 따르는 모집단에서 크기가 n인 표본을 임의추출하여 신뢰도 95 %로 모평균을 추정하였더니 신뢰구간의 길이가 $2l$이었다. 표본의 크기를 $4n$으로 하여 신뢰도 99 %로 모평균을 추정할 때, 신뢰구간의 길이는?

(단, $\mathrm{P}(|Z|\le2)=0.95$, $\mathrm{P}(|Z|\le3)=0.99$로 계산한다.)

99 %로 추정한 신뢰구간의 길이는 $2\times3\times\frac{\sigma}{\sqrt{4n}}$임을 이용하자.

모표준편차를 σ라 하면 표본의 크기가 n일 때, 모평균 m에 대한 신뢰도 95 %의 신뢰구간의 길이는

$$2l=2\times2\frac{\sigma}{\sqrt{n}} \qquad \therefore \frac{\sigma}{\sqrt{n}}=\frac{1}{2}l$$

표본의 크기가 $4n$일 때, 모평균 m에 대한 신뢰도 99 %의 신뢰구간의 길이는

$$2\times3\frac{\sigma}{\sqrt{4n}}=2\times3\frac{\sigma}{2\sqrt{n}}=3\frac{\sigma}{\sqrt{n}}=\frac{3}{2}l$$

답 ②

1641

신뢰구간의 길이는 $2\times2.58\times\frac{\sigma}{\sqrt{n}}$임을 이용하자.

정규분포를 따르는 모집단에서 크기가 n인 표본과 크기가 $16n$인 표본을 임의추출하여 신뢰도 99 %로 모평균을 추정하려고 한다. 표본의 크기가 n인 경우의 신뢰구간의 길이는 표본의 크기가 $16n$인 경우의 신뢰구간의 길이의 몇 배인가?

(단, $\mathrm{P}(|Z|\le2.58)=0.99$로 계산한다.)

신뢰구간의 길이는 $2\times2.58\times\frac{\sigma}{\sqrt{16n}}$임을 이용하자.

모집단에서 크기가 n인 표본을 임의추출하여 신뢰도 99 %로 모평균을 추정하였을 때, 신뢰구간의 길이 l_1은

$$l_1=2\times2.58\frac{\sigma}{\sqrt{n}} \qquad \cdots\cdots ㉠$$

모집단에서 크기가 $16n$인 표본을 임의추출하여 신뢰도 99 %로 모평균을 추정하였을 때, 신뢰구간의 길이 l_2는

$$l_2=2\times2.58\frac{\sigma}{\sqrt{16n}}$$
$$=2\times2.58\times\frac{\sigma}{4\sqrt{n}} \qquad \cdots\cdots ㉡$$

㉠, ㉡에서 $l_1=4l_2$

따라서 신뢰도 99 %일 때, 표본의 크기가 n인 신뢰구간의 길이는 표본의 크기가 $16n$인 신뢰구간의 길이의 4배이다.

답 ③

1642

$72-1.96\frac{\sigma}{7}\le m\le72+1.96\frac{\sigma}{7}$임을 이용하자.

어느 학교 학생들의 하루 독서 시간은 평균이 m분, 표준편차가 σ분인 정규분포를 따른다고 한다. 이 학교 학생 중 49명을 임의추출하여 조사한 하루 독서 시간의 표본평균이 72분일 때, 모평균 m에 대한 신뢰도 95 %의 신뢰구간이 $a\le m\le b$이다.
이 학교 학생 중 16명을 다시 임의추출하여 구한 하루 독서 시간의 표본평균이 75분일 때, 모평균 m에 대한 신뢰도 99 %의 신뢰구간이 $c\le m\le d$이다. $d-b=5.19$를 만족시키는 σ의 값을 구하시오. (단, $\mathrm{P}(|Z|\le1.96)=0.95$, $\mathrm{P}(|Z|\le2.58)=0.99$로 계산한다.)

$75-2.58\frac{\sigma}{4}\le m\le75+2.58\frac{\sigma}{4}$임을 이용하자.

독서 시간을 확률변수 X라고 하면 X는 정규분포 $\mathrm{N}(m, \sigma^2)$을 따른다.
표본평균이 72분, 표본의 크기가 49이므로 모평균 m을 신뢰도 95 %로 추정한 신뢰구간을 구하면

$$72-1.96\times\frac{\sigma}{7}\le m\le72+1.96\times\frac{\sigma}{7}$$

$$a=72-1.96\times\frac{\sigma}{7},\ b=72+1.96\times\frac{\sigma}{7}$$

표본평균이 75분, 표본의 크기가 16이므로 모평균 m을 신뢰도 99 %로 추정한 신뢰구간을 구하면

$$75-2.58\times\frac{\sigma}{4}\le m\le75+2.58\times\frac{\sigma}{4}$$

$$c=75-2.58\times\frac{\sigma}{4},\ d=75+2.58\times\frac{\sigma}{4}$$

$$d-b=75+2.58\times\frac{\sigma}{4}-\left(72+1.96\times\frac{\sigma}{7}\right)$$
$$=3+0.365\sigma=5.19$$

$0.365\sigma=2.19$

$\therefore \sigma=6$

답 6

1643

$l=2\times1.96\frac{\sigma}{\sqrt{n}}$임을 이용하자.

정규분포 $\mathrm{N}(m, \sigma^2)$을 따르는 모집단에서 크기가 n인 표본을 임의추출하여 신뢰도 95 %로 모평균을 추정할 때의 신뢰구간의 길이를 l이라 하자. 같은 신뢰도로 모평균을 추정할 때의 신뢰구간의 길이를 $\frac{l}{k}$로 하기 위한 표본의 크기를 $f(k)$라 할 때,
$f(1)+f(2)+f(3)+\cdots+f(20)$의 값은?

(단, $\mathrm{P}(|Z|\le1.96)=0.95$로 계산한다.)

$\frac{l}{k}=2\times1.96\frac{\sigma}{\sqrt{f(k)}}$임을 이용하자.

표본의 크기가 n일 때, 신뢰도 95 %의 신뢰구간의 길이 l은

$$l=2\times1.96\frac{\sigma}{\sqrt{n}} \qquad \cdots\cdots ㉠$$

표본의 크기가 $f(k)$일 때, 신뢰도 95 %의 신뢰구간의 길이가

$\frac{l}{k}$이므로

$$\frac{l}{k}=2\times1.96\frac{\sigma}{\sqrt{f(k)}} \qquad \cdots\cdots ㉡$$

㉠÷㉡을 하면 $k=\frac{\sqrt{f(k)}}{\sqrt{n}}$이므로

$f(k)=k^2n$

$\therefore f(1)+f(2)+f(3)+\cdots+f(20)=n\sum_{k=1}^{20}k^2$

$=n\times\frac{20\times21\times41}{6}$

$=2870n$

답 ⑤

1644

정규분포 $N(m,\ \sigma^2)$을 따르는 모집단에서 크기가 n인 표본을 임의추출하여 구한 표본평균을 $\overline{X}$라 하자. 모평균 m에 대한 신뢰도 95 %의 신뢰구간의 길이가 11.76일 때, $P(\overline{X}\geq m+5.88)$을 구하시오. (단, $P(|Z|\leq1.96)=0.95$로 계산한다.)

$2\times1.96\frac{\sigma}{\sqrt{n}}=11.76$임을 이용하자.

$\frac{\sigma}{\sqrt{n}}=3$임을 이용하자.

모평균 m에 대한 신뢰도 95 %의 신뢰구간의 길이가 11.76이므로

$2\times1.96\frac{\sigma}{\sqrt{n}}=11.76,\ \frac{\sigma}{\sqrt{n}}=3$

$\therefore P(\overline{X}\geq m+5.88)=P\left(\frac{\overline{X}-m}{3}\geq\frac{m+5.88-m}{3}\right)$

$=P(Z\geq1.96)$

$=0.5-P(0\leq Z\leq1.96)$

$=0.5-0.475$

$=0.025$

답 0.025

1645

정규분포 $N(m,\ 9^2)$을 따르는 모집단에서 크기가 n인 표본을 임의추출할 때, 표본평균과 모평균의 차가 2 이하일 확률은 0.96이다. 자연수 n의 값을 구하시오.

(단, $P(0\leq Z\leq2)=0.48$로 계산한다.)

$P(|\overline{X}-m|\leq2)=P\left(\left|\frac{\overline{X}-m}{\frac{9}{\sqrt{n}}}\right|\leq\frac{2\sqrt{n}}{9}\right)=0.96$임을 이용하자.

$P(|\overline{X}-m|\leq2)=0.96$에서

$P\left(\left|\frac{\overline{X}-m}{\frac{9}{\sqrt{n}}}\right|\leq\frac{2\sqrt{n}}{9}\right)=0.96$

$P\left(|Z|\leq\frac{2\sqrt{n}}{9}\right)=0.96$

그런데 $P(0\leq Z\leq2)=0.48$이므로

$2=\frac{2\sqrt{n}}{9}\qquad\therefore n=81$

답 81

1646

평균이 m, 분산이 4인 정규분포를 따르는 모집단에서 크기가 n인 표본을 임의추출하여 얻은 표본평균을 $\overline{X}$라고 할 때, $|\overline{X}-m|\leq\frac{1}{5}$인 확률이 95 % 이상이 되게 하는 n의 최솟값을 구하시오. (단, $P(-1.96\leq Z\leq1.96)=0.95$이다.)

$P\left(|\overline{X}-m|\leq\frac{1}{5}\right)=P\left(\left|\frac{\overline{X}-m}{\frac{2}{\sqrt{n}}}\right|\leq\frac{\sqrt{n}}{10}\right)\geq0.95$임을 이용하자.

$P\left(|\overline{X}-m|\leq\frac{1}{5}\right)\geq0.95$이므로

$P\left(\frac{|\overline{X}-m|}{\frac{2}{\sqrt{n}}}\leq\frac{\sqrt{n}}{10}\right)\geq0.95$

$P\left(|Z|\leq\frac{\sqrt{n}}{10}\right)\geq0.95$

$P(-1.96\leq Z\leq1.96)=0.95$이므로 $\frac{\sqrt{n}}{10}\geq1.96$이어야 한다.

$\sqrt{n}\geq19.6$이므로 $n\geq384.16$

따라서 n의 최솟값은 385이다.

답 385

1647

모평균 m에 대한 신뢰도 95 %의 신뢰구간은 $\overline{x}-1.96\frac{\sigma}{\sqrt{n}}\leq m\leq\overline{x}+1.96\frac{\sigma}{\sqrt{n}}$임을 이용하자.

어느 나라에서 작년에 운행된 택시의 연간 주행거리는 모평균이 m인 정규분포를 따른다고 한다. 이 나라에서 작년에 운행된 택시 중에서 16대를 임의추출하여 구한 연간 주행거리의 표본평균이 $\overline{x}$이고, 이 결과를 이용하여 신뢰도 95 %로 추정한 m에 대한 신뢰구간이 $[\overline{x}-c,\ \overline{x}+c]$이었다. 이 나라에서 작년에 운행된 택시 중에서 임의로 1대를 선택할 때, 이 택시의 연간 주행거리가 $m+c$ 이하일 확률을 오른쪽 표준정규분포표를 이용하여 구한 것은?

(단, 주행거리의 단위는 km이다.)

z	$P(0\leq Z\leq z)$
0.49	0.1879
0.98	0.3365
1.47	0.4292
1.96	0.4750

$P(X\leq m+c)=P\left(Z\leq\frac{c}{\sigma}\right)=P(Z\leq0.49)$임을 이용하자.

표본의 크기 $n=16$이고, 모표준편차를 σ라 하면 모평균 m에 대한 신뢰도 95 %의 신뢰구간은

$\overline{x}-1.96\frac{\sigma}{\sqrt{16}}\leq m\leq\overline{x}+1.96\frac{\sigma}{\sqrt{16}}$

이 신뢰구간이 $[\overline{x}-c,\ \overline{x}+c]$이므로

$1.96\frac{\sigma}{\sqrt{16}}=c$

$\therefore c=0.49\times\sigma$

택시의 연간 주행거리를 확률변수 X라 하면 X는 정규분포 $N(m,\ \sigma^2)$을 따르므로

$P(X\leq m+c)=P\left(Z\leq\frac{c}{\sigma}\right)$

$=P(Z\leq0.49)$

$=0.5+P(0\leq Z\leq0.49)$

$=0.5+0.1879$

$=0.6879$

답 ③

1648

$\bar{x}-c\frac{\frac{1}{2}}{\sqrt{25}}\le m\le\bar{x}+c\frac{\frac{1}{2}}{\sqrt{25}}$임을 이용하자.

어느 공장에서 생산하는 제품의 무게는 모평균이 m, 모표준편차가 $\frac{1}{2}$인 정규분포를 따른다고 한다. 이 공장에서 생산한 제품 중에서 25개를 임의추출하여 신뢰도 95 %로 추정한 모평균 m에 대한 신뢰구간이 $[a, b]$일 때, $P(|Z|\le c)=0.95$를 만족시키는 c를 a, b로 나타낸 것은? ($a=\bar{x}-\frac{c}{10}$, $b=\bar{x}+\frac{c}{10}$임을 이용하자.)
(단, 무게의 단위는 g이고, 확률변수 Z는 표준정규분포를 따른다.)

모표준편차 $\sigma=\frac{1}{2}$, 표본의 크기 $n=25$이고, 표본평균을 $\bar{x}$라 하면 모평균 m에 대한 신뢰도 95 %의 신뢰구간은

$$\bar{x}-c\frac{\frac{1}{2}}{\sqrt{25}}\le m\le\bar{x}+c\frac{\frac{1}{2}}{\sqrt{25}}$$

이 신뢰구간이 $[a, b]$이므로

$a=\bar{x}-\frac{c}{10}$, $b=\bar{x}+\frac{c}{10}$

즉, $b-a=\frac{2c}{10}$이므로

$c=5(b-a)$

답 ⑤

1649

신뢰구간의 길이는 $2\times k\frac{\sigma}{\sqrt{n}}$임을 이용하자.

정규분포 $N(m, \sigma^2)$을 따르는 모집단에서 표본을 추출하여 모평균을 추정하려고 할 때, 모평균 m에 대한 신뢰구간의 설명으로 옳은 것만을 〈보기〉에서 있는 대로 고른 것은?

보기

ㄱ. 표본평균이 커지면 신뢰구간의 길이는 길어진다.
ㄴ. 표본의 크기가 일정할 때, 신뢰도를 높이면 신뢰구간의 길이는 길어진다. (신뢰구간의 길이는 신뢰도, 표준편차, 표본의 크기에 영향을 받는다.)
ㄷ. 신뢰도가 일정할 때, 표본의 크기를 크게 하면 신뢰구간의 길이는 짧아진다.

표준정규분포 $N(0, 1)$을 따르는 확률변수 Z에 대하여

$P(|Z|\le k)=\frac{\alpha}{100}$라 하면 정규분포 $N(m, \sigma^2)$을 따르는 모집단에서 크기가 n인 표본을 임의추출할 때, 모평균을 신뢰도 α %로 추정한 신뢰구간의 길이는 $2\times k\frac{\sigma}{\sqrt{n}}$이다.

ㄱ. 표본평균은 신뢰구간을 추정할 때는 영향을 주지만 신뢰구간의 길이에는 영향을 주지 않으므로 신뢰구간의 길이는 표본평균과 관계없다. (거짓)
ㄴ. 표본의 크기가 일정할 때, 신뢰도를 높이면 k의 값이 커지므로 신뢰구간의 길이는 길어진다. (참)
ㄷ. 신뢰도가 일정할 때, 표본의 크기를 크게 하면 $\sqrt{n}$의 값이 커지므로 신뢰구간의 길이는 짧아진다. (참)

따라서 옳은 것은 ㄴ, ㄷ이다.

답 ⑤

1650

$P(|Z|\le k)=\frac{\alpha}{100}$라 하면 신뢰도 α %로 추정한 신뢰구간의 길이는 $2\times k\frac{\sigma}{\sqrt{n}}$임을 이용하자.

정규분포 $N(m, \sigma^2)$을 따르는 모집단에서 임의추출한 크기가 n인 표본평균 $\bar{X}$에서 모평균 m을 신뢰도 α %로 추정할 때, 다음 중 신뢰구간의 길이가 가장 긴 것은?
(단, $P(|Z|\le 1.96)=0.95$, $P(|Z|\le 2.58)=0.99$로 계산한다.)

① $n=200$, $\alpha=95$
② $n=200$, $\alpha=99$
③ $n=250$, $\alpha=95$
④ $n=400$, $\alpha=95$
⑤ $n=400$, $\alpha=99$

신뢰도가 클수록, 표본의 크기가 작아질수록 신뢰구간의 길이는 길어진다.

신뢰도 95 %일 때, 모평균의 신뢰구간의 길이는

$2\times 1.96\frac{\sigma}{\sqrt{n}}$

신뢰도 99 %일 때, 모평균의 신뢰구간의 길이는

$2\times 2.58\frac{\sigma}{\sqrt{n}}$

즉, 신뢰도 α의 값은 커질수록, 표본의 크기 n의 값은 작아질수록 신뢰구간의 길이는 길어진다.
따라서 신뢰구간의 길이가 가장 긴 것은 ②이다.

답 ②

1651

표본평균 $\bar{X}$는 정규분포 $N\left(m, \frac{\sigma^2}{n}\right)$을 따른다.

정규분포를 따르는 모집단에서 표본을 임의추출하여 모평균을 추정하려고 한다. 〈보기〉에서 옳은 것을 모두 고른 것은?

보기

ㄱ. 표본평균 $\bar{X}$의 분산은 표본의 크기에 반비례한다.
ㄴ. 동일한 표본을 사용할 때, 신뢰도 99 %인 신뢰구간은 신뢰도 95 %의 신뢰구간을 포함한다.
ㄷ. 신뢰도가 일정할 때, 표본의 크기가 작을수록 신뢰구간이 짧아진다. ($1.96\frac{\sigma}{\sqrt{n}}<2.58\frac{\sigma}{\sqrt{n}}$임을 이용하자.)

ㄱ. 모평균이 m, 모분산이 σ^2인 모집단에서 크기가 n인 표본을 임의추출할 경우, 표본평균 $\bar{X}$는 근사적으로 정규분포 $N\left(m, \frac{\sigma^2}{n}\right)$을 따르므로 분산은 표본의 크기에 반비례한다. (참)
ㄴ. 신뢰도 95 %인 신뢰구간은 $\left[\bar{X}-1.96\frac{\sigma}{\sqrt{n}}, \bar{X}+1.96\frac{\sigma}{\sqrt{n}}\right]$
신뢰도 99 %인 신뢰구간은 $\left[\bar{X}-2.58\frac{\sigma}{\sqrt{n}}, \bar{X}+2.58\frac{\sigma}{\sqrt{n}}\right]$
$1.96\frac{\sigma}{\sqrt{n}}<2.58\frac{\sigma}{\sqrt{n}}$이므로 신뢰도 99 %인 신뢰구간이 신뢰도 95 %인 신뢰구간보다 길다.
따라서 신뢰도 99 %인 신뢰구간이 신뢰도 95 %인 신뢰구간을 포함한다. (참)
ㄷ. 신뢰도 95 %인 신뢰구간의 길이는 $2\times 1.96\times\frac{\sigma}{\sqrt{n}}$,
신뢰도 99 %인 신뢰구간의 길이는 $2\times 2.58\times\frac{\sigma}{\sqrt{n}}$
신뢰도가 일정할 때, 표본의 크기 n이 작을수록 신뢰구간의 길이는 길어진다. (거짓)

따라서 옳은 것은 ㄱ, ㄴ이다.

답 ③

1652

• 표본평균 $\overline{X}$는 정규분포 $N\left(m, \frac{\sigma^2}{n}\right)$을 따른다.

평균이 m이고, 표준편차가 σ인 정규분포를 따르는 모집단에서 크기가 n인 표본을 임의추출하여 모평균을 추정할 때, 〈보기〉에서 옳은 것만을 있는 대로 고른 것은?
(단, $P(|Z|\le 1.96)=0.95$, $P(|Z|\le 2.58)=0.99$로 계산한다.)

보기

ㄱ. 표본평균 $\overline{X}$의 평균은 m이고, 표준편차는 $\frac{\sigma}{\sqrt{n}}$이다.

ㄴ. 신뢰도가 일정할 때, 표본의 크기가 작을수록 신뢰구간의 길이는 길어진다.

ㄷ. 동일한 표본을 사용할 때, 신뢰도 95 %의 신뢰구간은 신뢰도 99 %의 신뢰구간을 포함한다.

• 신뢰도 99 %의 신뢰구간이 신뢰도 95 %의 신뢰구간을 포함한다.

ㄱ. 모집단이 정규분포 $N(m, \sigma^2)$을 따를 때, 표본평균 $\overline{X}$는 정규분포 $N\left(m, \frac{\sigma^2}{n}\right)$을 따른다. (참)

ㄴ. 신뢰도 α %일 때, 신뢰구간의 길이는

$$2\times k\frac{\sigma}{\sqrt{n}}\ \left(P(|Z|\le k)=\frac{\alpha}{100}\right)$$

이므로 표본의 크기가 작을수록 신뢰구간의 길이는 길어진다. (참)

ㄷ. 표본평균 $\overline{X}$의 값이 $\overline{x}$일 때, 신뢰도 95 %의 신뢰구간은

$$\overline{x}-1.96\frac{\sigma}{\sqrt{n}}\le m\le \overline{x}+1.96\frac{\sigma}{\sqrt{n}}$$

또 신뢰도 99 %의 신뢰구간은

$$\overline{x}-2.58\frac{\sigma}{\sqrt{n}}\le m\le \overline{x}+2.58\frac{\sigma}{\sqrt{n}}$$

이므로 신뢰도 95 %의 신뢰구간은 신뢰도 99 %의 신뢰구간에 포함된다. (거짓)

따라서 옳은 것은 ㄱ, ㄴ이다.

답 ④

1653

A, B, C, D 네 도시의 기혼 남성의 결혼 연령을 조사하기 위하여 각 도시에서 표본을 추출하여 조사한 자료가 다음과 같았다.

	A	B	C	D
표본평균	33	29	33	29
표준편차	3	2	2	3
표본의 크기	100	256	256	100

각 도시 기혼 남성의 결혼 연령의 분포는 정규분포를 따른다고 할 때, 모평균의 신뢰구간에 대한 〈보기〉의 설명 중에서 옳은 것만을 있는 대로 고르시오. (단, $P(0\le Z\le 1.96)=0.475$, $P(0\le Z\le 2.58)=0.495$로 계산한다.)

• B와 C의 표준편차와 표본의 크기가 서로 같음을 이용하자.

보기

ㄱ. 신뢰도 95 %로 추정한 B와 C의 신뢰구간의 길이는 같다.

ㄴ. 신뢰도 95 %로 추정한 A의 신뢰구간의 길이가 신뢰도 99 %로 추정한 C의 신뢰구간의 길이보다 길다.

ㄷ. 신뢰도 95 %로 추정한 B의 신뢰구간의 길이가 신뢰도 95 %로 추정한 D의 신뢰구간의 길이보다 짧다.

• $2\times 1.96\frac{3}{\sqrt{100}}$이다. • $2\times 2.58\frac{2}{\sqrt{256}}$이다.

모평균 m에 대한 신뢰도 95 %와 99 %의 신뢰구간의 길이는 각각 $2\times 1.96\frac{\sigma}{\sqrt{n}}$, $2\times 2.58\frac{\sigma}{\sqrt{n}}$이다.

ㄱ. B와 C의 표본의 크기와 표준편차가 서로 같기 때문에 신뢰도 95 %로 추정한 B와 C의 신뢰구간의 길이는 같다. (참)

ㄴ. 신뢰도 95 %로 추정한 A의 신뢰구간의 길이는

$$2\times 1.96\frac{3}{\sqrt{100}}=2\times 1.96\frac{3}{10}=1.176$$

신뢰도 99 %로 추정한 C의 신뢰구간의 길이는

$$2\times 2.58\frac{2}{\sqrt{256}}=2\times 2.58\frac{2}{16}=0.645$$

즉, 신뢰도 95 %로 추정한 A의 신뢰구간의 길이가 신뢰도 99 %로 추정한 C의 신뢰구간의 길이보다 길다. (참)

ㄷ. 신뢰도 95 %로 추정한 B의 신뢰구간의 길이는

$$2\times 1.96\frac{2}{\sqrt{256}}=2\times 1.96\frac{2}{16}=0.49$$

신뢰도 95 %로 추정한 D의 신뢰구간의 길이는

$$2\times 1.96\frac{3}{\sqrt{100}}=2\times 1.96\frac{3}{10}=1.176$$

즉, 신뢰도 95 %로 추정한 B의 신뢰구간의 길이가 신뢰도 95 %로 추정한 D의 신뢰구간의 길이보다 짧다. (참)

따라서 ㄱ, ㄴ, ㄷ 모두 옳다.

답 ㄱ, ㄴ, ㄷ

1654

어떤 두 직업에 종사하는 전체 근로자 중 한 직업에서 표본 A를 추출하고 또 다른 직업에서 표본 B를 추출하여 월급을 조사하였더니 다음과 같은 결과를 얻었다.

표본	표본의 크기	평균	표준편차	신뢰도(%)	모평균의 추정
A	n_1	240	12	α	$237 \le m \le 243$
B	n_2	230	10	α	$228 \le m \le 232$

(단위는 만 원이고, 표본 A, B의 월급 분포는 정규분포를 이룬다.)

위 자료에 대한 설명으로 옳은 것만을 〈보기〉에서 있는 대로 고른 것은?

→ 표준편차가 더 작을수록 분포가 더 고르다.

보기

ㄱ. 표본 A보다 표본 B의 분포가 더 고르다.

ㄴ. 표본 A의 크기가 표본 B의 크기보다 작다.

ㄷ. 신뢰도를 α보다 크게 하면 신뢰구간의 길이도 길어진다.

$P(|Z| \le k) = \frac{\alpha}{100}$라 하면 신뢰도 α%로 추정한 모평균 m에 대한 신뢰구간은 $\bar{x} - k\frac{\sigma}{\sqrt{n}} \le m \le \bar{x} + k\frac{\sigma}{\sqrt{n}}$임을 이용하자.

ㄱ. 표준편차가 작은 표본 B의 분포가 더 고르다. (참)

ㄴ. 두 표본 A, B에 대하여 $P(-k \le Z \le k) = \frac{\alpha}{100}$라 할 때, 모평균 m을 신뢰도 α%로 추정한 각각의 신뢰구간은

표본 A의 신뢰구간: $240 - k\frac{12}{\sqrt{n_1}} \le m \le 240 + k\frac{12}{\sqrt{n_1}}$

표본 B의 신뢰구간: $230 - k\frac{10}{\sqrt{n_2}} \le m \le 230 + k\frac{10}{\sqrt{n_2}}$

표본 A의 신뢰구간에서 $k\frac{12}{\sqrt{n_1}} = 3$,

표본 B의 신뢰구간에서 $k\frac{10}{\sqrt{n_2}} = 2$이므로

$\sqrt{n_1} = 4k$, $\sqrt{n_2} = 5k$

$n_1 = 16k^2$, $n_2 = 25k^2$

$\therefore n_1 < n_2$ (참)

ㄷ. 신뢰도를 α보다 크게 하면 k의 값이 커지므로 신뢰구간의 길이도 길어진다. (참)

따라서 ㄱ, ㄴ, ㄷ 모두 옳다. 답 ⑤

참고 ㄱ. 자료를 비교했을 때, 표준편차가 더 작거나 평균을 중심으로 더 모여 있는 자료의 분포를 더 고르다고 한다.

1655

표준편차가 10인 정규분포를 따르는 모집단에서 크기가 400인 표본을 임의추출하여 구한 표본평균이 70이었다. 모평균 m에 대한 신뢰도 99%의 신뢰구간이 $70 - a \le m \le 70 + a$일 때, a의 값은? (단, $P(0 \le Z \le 2.58) = 0.495$로 계산한다.)

모평균 m에 대한 신뢰도 99%의 신뢰구간은 $\bar{x} - 2.58\frac{\sigma}{\sqrt{n}} \le m \le \bar{x} + 2.58\frac{\sigma}{\sqrt{n}}$임을 이용하자.

모표준편차 $\sigma = 10$, 표본평균 $\bar{x} = 70$, 표본의 크기 $n = 400$이므로 모평균 m에 대한 신뢰도 99%의 신뢰구간은

$$70 - 2.58\frac{10}{\sqrt{400}} \le m \le 70 + 2.58\frac{10}{\sqrt{400}}$$

$70 - 1.29 \le m \le 70 + 1.29$

$\therefore a = 1.29$ 답 ②

다른풀이 모평균 m에 대한 99%의 신뢰구간이 $70 - a \le m \le 70 + a$이므로 신뢰구간의 길이가 $2a$이다. 즉,

$$2a = 2 \times 2.58 \times \frac{10}{\sqrt{400}} = 2.58$$

$\therefore a = 1.29$

1656

→ 표본평균 $\bar{x} = \frac{42000}{100}$이다.

어느 과수원에서 재배한 복숭아의 무게는 평균 mg, 표준편차 25g인 정규분포를 따른다고 한다. 이 과수원에서 임의추출한 복숭아 100개의 무게의 합이 42kg일 때, 이 과수원에서 재배한 복숭아의 무게의 모평균 m에 대한 신뢰도 95%의 신뢰구간은? (단, $P(0 \le Z \le 2) = 0.475$로 계산한다.)

$\bar{x} - 2\frac{\sigma}{\sqrt{n}} \le m \le \bar{x} + 2\frac{\sigma}{\sqrt{n}}$임을 이용하자.

모표준편차 $\sigma = 25$, 표본의 크기 $n = 100$, 표본평균

$\bar{x} = \frac{42000}{100} = 420$이므로

모평균 m에 대한 신뢰도 95%의 신뢰구간은

$$420 - 2\frac{25}{\sqrt{100}} \le m \le 420 + 2\frac{25}{\sqrt{100}}$$

$420 - 5 \le m \le 420 + 5$

$\therefore 415 \le m \le 425$ 답 ④

참고 과수원에서 재배한 복숭아의 무게의 평균을 g, 과수원에서 임의추출한 복숭아 100개의 무게의 합을 kg으로 주어졌으므로 표본평균을 구할 때에 단위가 일치하도록 유의하여 계산하자.

1657

표본의 크기가 충분히 크면 모표준편차 대신 표본표준편차를 사용할 수 있다.

전국 고등학교 야구 대회에 참가한 선수들의 몸무게는 정규분포를 따른다고 한다. 이 선수들 중에서 100명을 임의추출하여 몸무게를 조사하였더니 평균이 70 kg, 표준편차가 10 kg이었다. 이 대회에 참가한 전체 선수들의 몸무게의 평균 m에 대한 신뢰도 99 %의 신뢰구간은?

(단, $\mathrm{P}(0 \le Z \le 2.58) = 0.495$로 계산한다.)

표본표준편차의 값이 s일 때,

$\bar{x} - 1.96\frac{s}{\sqrt{n}} \le m \le \bar{x} + 1.96\frac{s}{\sqrt{n}}$임을 이용하자.

표본의 크기 $n=100$, 표본평균 $\bar{x}=70$, 표본표준편차 $s=10$이고, 표본의 크기 n이 충분히 크므로 모표준편차 대신 표본표준편차를 사용할 수 있다.

모평균 m에 대한 신뢰도 99 %의 신뢰구간은

$$70 - 2.58\frac{10}{\sqrt{100}} \le m \le 70 + 2.58\frac{10}{\sqrt{100}}$$

$70 - 2.58 \le m \le 70 + 2.58$

$\therefore 67.42 \le m \le 72.58$

답 ②

1658

표본의 크기가 충분히 크면 모표준편차 대신 표본표준편차를 사용할 수 있다.

어떤 고등학교 남학생의 몸무게는 정규분포를 따른다고 한다. 이 학교 남학생 중에서 400명을 임의추출하여 몸무게를 조사하였더니 평균이 a kg, 표준편차가 10 kg이었다. 이 학교 전체 남학생 몸무게의 평균 m에 대한 신뢰도 95 %의 신뢰구간이 $63.52 \le m \le b$일 때, $a+b$의 값을 구하시오.

(단, $\mathrm{P}(|Z| \le 1.96) = 0.95$로 계산한다.)

표본표준편차의 값이 s일 때,

$\bar{x} - 1.96\frac{s}{\sqrt{n}} \le m \le \bar{x} + 1.96\frac{s}{\sqrt{n}}$임을 이용하자.

표본의 크기 $n=400$, 표본평균 $\bar{x}=a$, 표본표준편차 $s=10$이고, 표본의 크기 n이 충분히 크므로 모표준편차 대신 표본표준편차를 사용할 수 있다.

모평균 m에 대한 신뢰도 95 %의 신뢰구간은

$$a - 1.96\frac{10}{\sqrt{400}} \le m \le a + 1.96\frac{10}{\sqrt{400}}$$

$a - 0.98 \le m \le a + 0.98$

$a - 0.98 = 63.52,\ a + 0.98 = b$

$\therefore a = 64.5,\ b = 65.48$

$\therefore a + b = 129.98$

답 129.98

1659 서술형

표본표준편차의 값이 s일 때, 모평균 m에 대한 신뢰도 95 %의 신뢰구간은 $\bar{x} - 1.96\frac{s}{\sqrt{n}} \le m \le \bar{x} + 1.96\frac{s}{\sqrt{n}}$임을 이용하자.

어느 도시의 고등학교 1학년 남학생의 몸무게는 정규분포를 따른다고 한다. 이 도시의 고등학교 1학년 남학생 n명을 임의추출하여 몸무게를 조사하였더니 평균이 56 kg, 표준편차가 5 kg이었다. 이 도시의 고등학교 1학년 남학생 전체에 대한 몸무게의 평균 m을 신뢰도 95 %로 추정한 신뢰구간이 $54.6 \le m \le 57.4$일 때, n의 값을 구하시오.

(단, n은 충분히 큰 수이고, $\mathrm{P}(0 \le Z \le 1.96) = 0.475$로 계산한다.)

표본의 크기가 충분히 크면 모표준편차 대신 표본표준편차를 사용할 수 있다.

표본평균 $\bar{x}=56$, 표본표준편차 $s=5$이고, 표본의 크기 n이 충분히 크므로 모표준편차 대신 표본표준편차를 사용할 수 있다.

신뢰도 95 %로 추정한 모평균 m의 신뢰구간은

$$56 - 1.96\frac{5}{\sqrt{n}} \le m \le 56 + 1.96\frac{5}{\sqrt{n}}$$ …… 20%

$54.6 \le m \le 57.4$에서 $56 - 1.4 \le m \le 56 + 1.4$ …… 30%

$1.96\frac{5}{\sqrt{n}} = 1.4,\ \sqrt{n} = 7$

$\therefore n = 49$ …… 30%

답 49

1660

어느 고등학교 2학년 학생들의 몸무게는 표준편차가 10인 정규분포를 따른다고 한다. 이 학생들 중에서 100명을 임의추출하여 전체 학생의 몸무게의 평균 m을 신뢰도 95 %로 추정할 때, 신뢰구간의 길이를 구하시오.

(단, $\mathrm{P}(|Z| \le 1.96) = 0.95$로 계산한다.)

모평균의 신뢰도 95 %인 신뢰구간의 길이는 $2 \times 1.96\frac{\sigma}{\sqrt{n}}$임을 이용하자.

모표준편차 $\sigma=10$, 표본의 크기 $n=100$일 때, 모평균에 대한 신뢰도 95 %의 신뢰구간의 길이는

$$2 \times 1.96\frac{10}{\sqrt{100}} = 3.92$$

답 3.92

1661

표준편차가 6인 정규분포를 따르는 모집단에서 크기가 n인 표본을 임의추출하여 모평균 m을 신뢰도 99 %로 추정할 때, 신뢰구간의 길이가 0.6 이하가 되도록 하기 위한 n의 최솟값을 구하시오.

(단, $\mathrm{P}(|Z| \le 3) = 0.99$로 계산한다.)

$2 \times 3\frac{6}{\sqrt{n}} \le 0.6$임을 이용하자.

모표준편차 $\sigma=6$, 표본의 크기가 n일 때, 모평균 m을 신뢰도 99 %로 추정한 신뢰구간의 길이가 0.6 이하이므로

$2 \times 3\frac{6}{\sqrt{n}} \le 0.6$에서

$$\frac{6}{\sqrt{n}} \le \frac{1}{10}$$

$\sqrt{n} \geq 60$

$\therefore n \geq 3600$

따라서 n의 최솟값은 3600이다. 답 3600

1662

→ $P\left(\bar{X}-3\frac{10}{\sqrt{n}} \leq m \leq \bar{X}+3\frac{10}{\sqrt{n}}\right)=0.99$임을 이용하자.

표준편차가 10인 정규분포를 따르는 모집단의 평균을 99 %의 신뢰도로 추정할 때, 모평균 m과 표본평균 $\bar{X}$의 차가 1 이하가 되도록 하려면 적어도 몇 개의 표본을 조사해야 하는지 구하시오.

→ $3\frac{10}{\sqrt{n}} \leq 1$임을 이용하자. (단, $P(|Z| \leq 3)=0.99$로 계산한다.)

표본의 크기를 n이라 하면

$P\left(\bar{X}-3\frac{10}{\sqrt{n}} \leq m \leq \bar{X}+3\frac{10}{\sqrt{n}}\right)$

$=P\left(-3\frac{10}{\sqrt{n}} \leq m-\bar{X} \leq 3\frac{10}{\sqrt{n}}\right)$

$=P\left(|m-\bar{X}| \leq 3\frac{10}{\sqrt{n}}\right)=0.99$

모평균 m과 표본평균 $\bar{X}$의 차가 1 이하이어야 하므로

$3\frac{10}{\sqrt{n}} \leq 1$, $\sqrt{n} \geq 30$

$\therefore n \geq 900$

따라서 적어도 900개의 표본을 조사해야 한다. 답 900

1663

표준편차가 3인 정규분포를 따르는 모집단에서 324개의 표본을 임의추출하여 신뢰도 a %로 모평균 m을 추정하였더니 신뢰구간의 길이가 0.2이었다. 같은 표본을 이용하여 신뢰도 $2a$ %로 모평균 m을 추정할 때, 위의 표준정규분포표를 이용하여 신뢰구간의 길이를 구하시오.

z	$P(0 \leq Z \leq z)$
0.6	0.23
1.2	0.38
1.8	0.46
2.4	0.49

→ $P(-k \leq Z \leq k)=\frac{a}{100}$라 하면 신뢰도 a %로 추정한 모평균 m의 신뢰구간의 길이는 $2\times k\frac{3}{\sqrt{324}}$임을 이용하자.

모표준편차 $\sigma=3$, 표본의 크기 $n=324$이고,

$P(-k \leq Z \leq k)=\frac{a}{100}$라 하면 신뢰도 a %로 추정한 모평균 m의 신뢰구간의 길이는

$2\times k\frac{3}{\sqrt{324}}=\frac{k}{3}$

즉, $\frac{k}{3}=0.2$이므로 $k=0.6$

$P(-0.6 \leq Z \leq 0.6)=\frac{a}{100}$에서

$a=100P(-0.6 \leq Z \leq 0.6)$

$=200P(0 \leq Z \leq 0.6)$

$=200\times 0.23=46$

$P(-k' \leq Z \leq k')=\frac{2a}{100}=\frac{92}{100}$라 하면

$2P(0 \leq Z \leq k')=0.92$

$\therefore P(0 \leq Z \leq k')=0.46$

그런데 주어진 표준정규분포표에서 $P(0 \leq Z \leq 1.8)=0.46$이므로

$k'=1.8$

따라서 신뢰도 $2a$ %로 모평균을 추정할 때, 신뢰구간의 길이는

$2\times 1.8\frac{3}{\sqrt{324}}=0.6$ 답 0.6

1664

→ 모평균 m에 대한 신뢰도 95 %의 신뢰구간의 길이는 $2\times 2\times \frac{\sigma}{\sqrt{n}}$임을 이용하자.

정규분포 $N(m, \sigma^2)$을 따르는 모집단에서 크기가 n인 표본을 임의추출하여 신뢰도 95 %로 모평균을 추정하였더니 신뢰구간의 길이가 $8l$이었다. 표본의 크기를 $9n$으로 하여 신뢰도 99 %로 모평균을 추정할 때, 신뢰구간의 길이는?

(단, $P(|Z| \leq 2)=0.95$, $P(|Z| \leq 3)=0.99$로 계산한다.)

→ 신뢰구간의 길이는 $2\times 3\times \frac{\sigma}{\sqrt{9n}}$가 된다.

모집단이 정규분포 $N(m, \sigma^2)$을 따르고 표본의 크기가 n일 때, 신뢰도 95 %의 신뢰구간의 길이가 $8l$이므로

$2\times 2\frac{\sigma}{\sqrt{n}}=8l$

$\therefore \frac{\sigma}{\sqrt{n}}=2l$

표본의 크기가 $9n$일 때, 신뢰도 99 %의 신뢰구간의 길이는

$2\times 3\frac{\sigma}{\sqrt{9n}}=2\frac{\sigma}{\sqrt{n}}$

$=4l$ 답 ⑤

1665 서술형

→ 모평균 m에 대한 신뢰도 95 %의 신뢰구간은 $\bar{x}-1.96\frac{\sigma}{\sqrt{n}} \leq m \leq \bar{x}+1.96\frac{\sigma}{\sqrt{n}}$임을 이용하자.

모표준편차가 σ인 정규분포를 따르는 모집단에서 임의추출한 크기가 n인 표본의 표본평균이 $\bar{x}$이고, 이를 이용하여 구한 모평균 m에 대한 신뢰도 95 %의 신뢰구간이 $\bar{x}-c \leq m \leq \bar{x}+c$이다. 이 모집단에서 임의추출한 크기가 2500인 표본의 표본평균을 $\bar{X}$라 하면

$P\left(\bar{X} \geq m+\frac{1}{4}c\right)=0.0071$

이다. n의 값을 오른쪽 표준정규분포표를 이용하여 구하시오.

z	$P(0 \leq Z \leq z)$
1.22	0.3888
1.96	0.4750
2.45	0.4929
2.58	0.4951

→ $P\left(\bar{X}-m \geq \frac{1}{4}c\right)=P\left(\frac{\bar{X}-m}{\frac{\sigma}{50}} \geq \frac{\frac{c}{4}}{\frac{\sigma}{50}}\right)$임을 이용하자.

크기가 n인 표본평균 $\bar{x}$에 대하여 모평균 m을 신뢰도 95 %로 추정한 신뢰구간은

$\bar{x}-1.96\frac{\sigma}{\sqrt{n}} \leq m \leq \bar{x}+1.96\frac{\sigma}{\sqrt{n}}$이므로

$c=1.96\frac{\sigma}{\sqrt{n}}$ …… 40%

표본의 크기가 2500인 표본평균 $\bar{X}$는 정규분포 $N\left(m, \left(\frac{\sigma}{50}\right)^2\right)$을 따르므로

$$\mathrm{P}\left(\overline{X}\ge m+\frac{1}{4}c\right)=\mathrm{P}\left(\overline{X}-m\ge\frac{1}{4}c\right)$$

$$=\mathrm{P}\left(\frac{\overline{X}-m}{\frac{\sigma}{50}}\ge\frac{\frac{c}{4}}{\frac{\sigma}{50}}\right)=\mathrm{P}\left(Z\ge\frac{50c}{4\sigma}\right)$$

$$=\mathrm{P}\left(Z\ge\frac{24.5}{\sqrt{n}}\right)$$ …… 40%

$\mathrm{P}\left(\overline{X}\ge m+\frac{1}{4}c\right)=0.0071$이므로 표준정규분포에서

$\frac{24.5}{\sqrt{n}}=2.45$

$\therefore n=100$ …… 20%

답 100

1666

정규분포 $\mathrm{N}(m, \sigma^2)$을 따르는 모집단에서 임의추출한 표본평균 $\overline{X}$로부터 모평균 m을 추정할 때, 신뢰구간의 길이는 표본의 크기 n과 신뢰도 α %에 따라 변한다. 다음 중 신뢰구간의 길이가 가장 긴 것은?
(단, $\mathrm{P}(|Z|\le1.96)=0.95$, $\mathrm{P}(|Z|\le2.58)=0.99$로 계산한다.)

① $n=49$, $\alpha=99$ ② $n=64$, $\alpha=95$
③ $n=64$, $\alpha=99$ ④ $n=81$, $\alpha=95$
⑤ $n=81$, $\alpha=99$

$\mathrm{P}(|Z|\le k)=\frac{\alpha}{100}$라 하면 신뢰도 α %로 추정한 모평균의 신뢰구간의 길이는 $2\times k\frac{\sigma}{\sqrt{n}}$임을 이용하자.

신뢰도 95 %일 때, 모평균의 신뢰구간의 길이는

$2\times1.96\frac{\sigma}{\sqrt{n}}$

신뢰도 99 %일 때, 모평균의 신뢰구간의 길이는

$2\times2.58\frac{\sigma}{\sqrt{n}}$

즉, 신뢰도 α의 값은 커질수록, 표본의 크기 n의 값은 작아질수록 신뢰구간의 길이는 길어진다.
따라서 신뢰구간의 길이가 가장 긴 것은 ①이다.

답 ①

1667

모평균이 m, 모표준편차가 1인 정규분포를 따르는 모집단에서 크기가 16인 표본을 임의추출하여 구한 표본평균의 값이 $\overline{x}$이다. 모평균이 9일 때, 이 표본을 이용하여 얻은 모평균에 대한 신뢰도 95 %의 신뢰구간에 모평균이 포함되도록 하는 $\overline{x}$의 최댓값을 M이라 하자. $100M$의 값은?
(단, $\mathrm{P}(|Z|\le1.96)=0.95$로 계산한다.)

$m=9$일 때 $\overline{x}$의 범위를 구하자.

$\overline{x}$를 이용하여 얻은 모평균 m에 대한 신뢰도 95 %의 신뢰구간은

$\overline{x}-1.96\frac{1}{\sqrt{16}}\le m\le\overline{x}+1.96\frac{1}{\sqrt{16}}$

즉, $\overline{x}-0.49\le m\le\overline{x}+0.49$

모평균이 9이고, 이 모평균이 신뢰구간에 포함되므로

$\overline{x}-0.49\le9\le\overline{x}+0.49$에서

$8.51\le\overline{x}\le9.49$

따라서 $M=9.49$이므로

$100M=100\times9.49=949$

답 ④

1668

$\mathrm{P}(|Z|\le k)=\frac{\alpha}{100}$라 하면 신뢰도 α %로 추정한 모평균 m에 대한 신뢰구간은 $\overline{x}-k\frac{\sigma}{\sqrt{n}}\le m\le\overline{x}+k\frac{\sigma}{\sqrt{n}}$임을 이용하자.

정규분포 $\mathrm{N}(m, 6^2)$을 따르는 모집단에서 크기가 36인 표본을 임의추출하여 신뢰도 x %로 모평균 m을 추정한 신뢰구간이 $\alpha\le m\le\beta$일 때, $f(x)=\beta-\alpha$라고 하자. 상수 x_1, x_2에 대하여 $f(x_1)=3$, $f(x_2)=4$일 때, 오른쪽 표준정규분포표를 이용하여 x_2-x_1의 값을 구하시오.

z	$\mathrm{P}(0\le Z\le z)$
1.0	0.3413
1.5	0.4332
2.0	0.4772
2.5	0.4938

신뢰구간의 길이임을 이용하자.

표본의 크기를 36, 신뢰도에 따른 상수를 k라고 하면 모표준편차가 6이므로 신뢰구간의 길이 $f(x)$는

$f(x)=2k\frac{6}{\sqrt{36}}=2k$

$f(x_1)=3$이므로 이때 만족하는 $k=1.5$이고 $x_1=86.64$

$f(x_2)=4$이므로 이때 만족하는 $k=2$이고 $x_2=95.44$

$\therefore x_2-x_1=8.8$

답 8.8

1669

A, B에서 크기가 100인 표본을 뽑았을 때 표본평균을 각각 $\overline{X_1}$, $\overline{X_2}$라고 하자.

정규분포 $\mathrm{N}(m_1, 10^2)$을 따르는 모집단 A와 정규분포 $\mathrm{N}(m_2, 10^2)$을 따르는 모집단 B가 있다. 모집단 A에서 표본 $x_1, x_2, \cdots, x_{100}$을 임의추출하여 신뢰도 95 %로 추정한 m_1의 신뢰구간이 $48.04\le m_1\le51.96$이었다. 모집단 B에서 표본 $y_1, y_2, \cdots, y_{100}$을 임의추출한 결과 $9\sum_{k=1}^{100}x_k=10\sum_{k=1}^{100}y_k$가 성립할 때, 신뢰도 99 %로 추정한 m_2의 신뢰구간에 속하는 모든 정수의 합을 구하시오. (단, $\mathrm{P}(|Z|\le1.96)=0.95$, $\mathrm{P}(|Z|\le2.58)=0.99$로 계산한다.)

$\overline{X_1}-1.96\frac{10}{10}\le m_1\le\overline{X_1}+1.96\frac{10}{10}$임을 이용하자.

$\frac{1}{100}\sum_{k=1}^{100}x_k=\overline{X_1}$, $\frac{1}{100}\sum_{k=1}^{100}y_k=\overline{X_2}$임을 이용하자.

두 모집단 A, B에서 크기가 100인 표본을 뽑았을 때 표본평균을 각각 $\overline{X_1}$, $\overline{X_2}$라 하면

$\overline{X_1}-1.96\times\frac{10}{10}=48.04$, $\overline{X_1}+1.96\times\frac{10}{10}=51.96$

이므로 $\overline{X_1}=50$

$\overline{X_1}=\frac{x_1+x_2+x_3+\cdots+x_{100}}{100}$, $\overline{X_2}=\frac{y_1+y_2+y_3+\cdots+y_{100}}{100}$이므로

$9\sum_{k=1}^{100}x_k=10\sum_{k=1}^{100}y_k$의 양변을 100으로 나누면

$0.9\times\overline{X_1}=\overline{X_2}$

$\therefore \overline{X_2}=45$

m_2에 대한 신뢰도 99 %의 신뢰구간을 구하면

$45-2.58\times\frac{10}{10}\le m_2\le45+2.58\times\frac{10}{10}$

$42.42 \le m_2 \le 47.58$

따라서 이 구간에 속하는 모든 정수의 합은

$43+44+45+46+47=225$ 답 225

1670 신뢰도 95 %의 신뢰구간은 $\overline{X}-2\frac{\sigma}{\sqrt{n}} \le m \le \overline{X}+2\frac{\sigma}{\sqrt{n}}$임을 이용하자.

어느 자동판매기에서 판매되는 음료수의 용량은 표준편차가 6 mL인 정규분포를 따른다고 한다. 이 자동판매기에서 판매되는 전체 음료수의 평균 용량을 신뢰도 95 %로 추정할 때, 모평균과 표본평균의 차가 3 mL 이하가 되도록 하는 표본의 크기의 최솟값을 구하시오. (단, $P(-2 \le Z \le 2)=0.95$로 계산한다.)

$2\frac{\sigma}{\sqrt{n}} \le 3$임을 이용하자.

모평균을 m, 표본평균을 $\overline{X}$, 표본의 크기를 n이라 하면

$$P\left(\overline{X}-2\frac{6}{\sqrt{n}} \le m \le \overline{X}+2\frac{6}{\sqrt{n}}\right)$$
$$=P\left(-2\frac{6}{\sqrt{n}} \le m-\overline{X} \le 2\frac{6}{\sqrt{n}}\right)$$
$$=P\left(|m-\overline{X}| \le 2\frac{6}{\sqrt{n}}\right)=0.95$$

모평균 m과 표본평균 $\overline{X}$의 차가 3 mL 이하이어야 하므로

$2\frac{6}{\sqrt{n}} \le 3$, $\sqrt{n} \ge 4$

$\therefore n \ge 16$

따라서 표본의 크기의 최솟값은 16이다. 답 16

1671 모평균 m에 대한 신뢰도 99 %의 신뢰구간은 $\overline{x}-2.58\frac{\sigma}{\sqrt{n}} \le m \le \overline{x}+2.58\frac{\sigma}{\sqrt{n}}$임을 이용하자.

어느 나라에서 작년에 운행된 택시의 연간 주행거리는 모평균이 m인 정규분포를 따른다고 한다. 이 나라에서 작년에 운행된 택시 중에서 36대를 임의추출하여 구한 연간 주행거리의 표본평균이 $\overline{x}$이고, 이 결과를 이용하여 신뢰도 99 %로 추정한 모평균 m에 대한 신뢰구간이 $[\overline{x}-c,\ \overline{x}+c]$이었다. 이 나라에서 작년에 운행된 택시 중에서 임의로 1대를 선택할 때, 이 택시의 연간 주행거리가 $m+c$ 이하일 확률을 위의 표준정규분포표를 이용하여 구하시오.

z	$P(0 \le Z \le z)$
0.43	0.166
0.98	0.336
1.96	0.475
2.58	0.495

(단, 주행거리의 단위는 km이다.)

$P(X \le m+c)=P\left(\frac{X-m}{\sigma} \le \frac{c}{\sigma}\right)=P\left(Z \le \frac{c}{\sigma}\right)$임을 이용하자.

이 나라에서 작년에 운행된 택시의 연간 주행거리를 확률변수 X라 하고, X의 표준편차를 σ라 하면 X는 정규분포 $N(m, \sigma^2)$을 따른다. 표본의 크기가 36, 표본평균이 $\overline{x}$일 때, 모평균 m에 대한 신뢰도 99 %의 신뢰구간은

$$\overline{x}-2.58\frac{\sigma}{\sqrt{36}} \le m \le \overline{x}+2.58\frac{\sigma}{\sqrt{36}}$$

이므로

$$c=2.58\frac{\sigma}{\sqrt{36}}=0.43\sigma$$

따라서 구하는 확률은

$$P(X \le m+c)=P(X \le m+0.43\sigma)$$
$$=P\left(\frac{X-m}{\sigma} \le \frac{(m+0.43\sigma)-m}{\sigma}\right)$$
$$=P(Z \le 0.43)$$
$$=0.5+P(0 \le Z \le 0.43)$$
$$=0.5+0.166$$
$$=0.666$$

답 0.666

1672 $\frac{4}{5}=P\left(\overline{x}-k\frac{\sigma}{\sqrt{n}} \le m \le \overline{x}+k\frac{\sigma}{\sqrt{n}}\right)$임을 이용하자.

정규분포 $N(m, \sigma^2)$을 따르는 모집단에서 임의추출한 크기가 n인 표본의 표본평균 $\overline{X}$의 값이 $\overline{x}$일 때, 신뢰도 80 %의 신뢰구간 $\overline{x}-k\frac{\sigma}{\sqrt{n}} \le m \le \overline{x}+k\frac{\sigma}{\sqrt{n}}$ 내에 모평균 m이 포함되는지를 확인하는 실험을 50회 반복한 결과 40회 포함되었다. 표본의 크기 n은 변함없이 구간의 길이를 $\frac{3}{2}$배 늘여 늘어난 구간 내에 모평균 m이 몇 회나 포함되는지 확인하는 실험을 100회 반복한다고 할 때, 모평균 m이 늘어난 구간 내에 몇 회 속하는지를 위의 표준정규분포표를 이용하여 구하시오. (단, k는 상수이다.)

z	$P(0 \le Z \le z)$
1.28	0.40
1.92	0.47

늘어난 신뢰구간의 길이는 $\frac{3}{2} \times 2 \times k\frac{\sigma}{\sqrt{n}}$이다.

모평균 m이 신뢰구간 $\overline{x}-k\frac{\sigma}{\sqrt{n}} \le m \le \overline{x}+k\frac{\sigma}{\sqrt{n}}$ 내에 속하는 횟수가 50회 중에서 40회이므로

$$\frac{4}{5}=P\left(\overline{x}-k\frac{\sigma}{\sqrt{n}} \le m \le \overline{x}+k\frac{\sigma}{\sqrt{n}}\right)$$

즉, $0.4=P\left(0 \le m \le \overline{x}+k\frac{\sigma}{\sqrt{n}}\right)=P(0 \le Z \le k)$

$\therefore k=1.28$

따라서 신뢰구간의 길이를 l이라 하면

$$l=2 \times k\frac{\sigma}{\sqrt{n}}=2 \times 1.28\frac{\sigma}{\sqrt{n}}$$

$\frac{3}{2}$배 늘어난 신뢰구간의 길이는

$$\frac{3}{2}l=\frac{3}{2} \times 2 \times 1.28\frac{\sigma}{\sqrt{n}}$$
$$=2 \times 1.92\frac{\sigma}{\sqrt{n}}$$

모평균 m이 늘어난 구간 내에 속하는 횟수를 a라 하면

$$\frac{a}{100}=P(-1.92 \le Z \le 1.92)$$
$$=2P(0 \le Z \le 1.92)$$
$$=2 \times 0.47=0.94$$

$\therefore a=94$ 답 94회

1673

• $\overline{X_A}$는 정규분포 $N\left(m, \frac{3^2}{12}\right)$을 따르고, $\overline{X_B}$는 정규분포 $N\left(m, \frac{3^2}{7}\right)$을 따른다.

정규분포 $N(m, 3^2)$을 따르는 모집단에서 임의추출한 크기 12인 표본과 크기 7인 표본의 표본평균을 각각 $\overline{X_A}$, $\overline{X_B}$라 하고, $\overline{X_A}$와 $\overline{X_B}$의 분포를 이용하여 추정한 모평균 m에 대한 신뢰도 95 %의 신뢰구간을 각각 $[a, b]$, $[c, d]$라 하자. 〈보기〉에서 옳은 것만을 있는 대로 고른 것은?

보기

ㄱ. $V(\overline{X_A}) < V(\overline{X_B})$

ㄴ. $P(\overline{X_A} \le m+2) > P(\overline{X_B} \le m+2)$

ㄷ. $a+d > b+c$

• $\overline{X_A}$와 $\overline{X_B}$의 분포를 이용한 모평균의 신뢰구간의 길이는 각각 $b-a$, $d-c$임을 이용하자.

ㄱ. $\overline{X_A}$는 $N\left(m, \frac{3^2}{12}\right)$인 정규분포를 따르고, $\overline{X_B}$는 $N\left(m, \frac{3^2}{7}\right)$인 정규분포를 따르므로

$V(\overline{X_A}) < V(\overline{X_B})$ (참)

ㄴ. $\overline{X_A}$, $\overline{X_B}$의 분포는 그림과 같다.

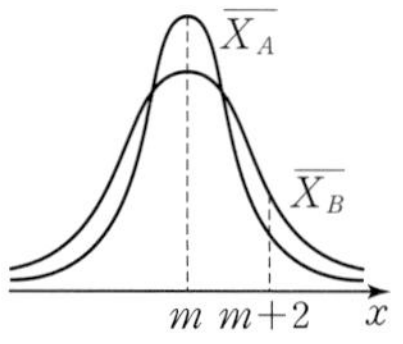

따라서 $P(\overline{X_A} > m+2) < P(\overline{X_B} > m+2)$이므로

$P(\overline{X_A} \le m+2) > P(\overline{X_B} \le m+2)$ (참)

ㄷ. $P(|Z| \le k) = 0.95$라 하면

$b-a = 2k\frac{3}{\sqrt{12}}$, $d-c = 2k\frac{3}{\sqrt{7}}$

즉, $d-c > b-a$이므로

$a+d > b+c$ (참)

따라서 ㄱ, ㄴ, ㄷ 모두 옳다. 답 ⑤

1674

• A와 B가 추정한 신뢰구간의 길이는 각각 $b-a$와 $d-c$임을 이용하자.

표준편차가 5인 모집단에서 A, B 두 사람이 각각 다음과 같은 방법으로 모평균 m을 추정하려고 한다.

A : 표본의 크기가 n_1이고 신뢰도가 α_1 %이다.
B : 표본의 크기가 n_2이고 신뢰도가 α_2 %이다.

A가 추정한 신뢰구간을 $a \le m \le b$, B가 추정한 신뢰구간을 $c \le m \le d$라 할 때, 〈보기〉에서 옳은 것만을 있는 대로 고른 것은?

보기

• 신뢰도가 높을수록 신뢰구간의 길이가 길어진다.

ㄱ. $n_1 = n_2$이고 $\alpha_1 < \alpha_2$이면 $b-a < d-c$이다.

ㄴ. $n_1 < n_2$이고 $\alpha_1 = \alpha_2$이면 $a < c$, $d < b$이다.

ㄷ. $n_1 < n_2$이고 $\alpha_1 < \alpha_2$이면 $b-a < d-c$이다.

• 표본의 크기가 커지면 신뢰구간의 길이는 짧아진다.

A가 추정한 신뢰구간의 길이는 $b-a$
B가 추정한 신뢰구간의 길이는 $d-c$

ㄱ. 표본의 크기가 같을 때, 신뢰도가 높을수록 신뢰구간의 길이가 길어지므로

$b-a < d-c$ (참)

ㄴ. 신뢰도가 같아도 표본의 크기에 따라 표본평균이 달라질 수 있으므로 신뢰구간의 길이는 비교할 수 있지만 신뢰구간의 포함 관계는 알 수 없다. (거짓)

ㄷ. 표본의 크기가 커지면 신뢰구간의 길이는 짧아지고, 신뢰도가 커지면 신뢰구간의 길이는 길어지는데 $n_1 < n_2$이고 $\alpha_1 < \alpha_2$이면 두 신뢰구간의 길이를 비교할 수 없다. (거짓)

따라서 옳은 것은 ㄱ뿐이다. 답 ①

1675

• $P(|Z| \le k) = \frac{\alpha}{100}$라 하면 신뢰도 α %로 추정한 모평균 m에 대한 신뢰구간은 $\bar{x} - k\frac{\sigma}{\sqrt{n}} \le m \le \bar{x} + k\frac{\sigma}{\sqrt{n}}$임을 이용하자.

정규분포 $N(m, \sigma^2)$을 따르는 모집단에서 크기가 n인 표본을 임의추출하여 모평균을 추정하려고 한다. 신뢰도 95 %로 추정한 신뢰구간의 길이를 l이라 할 때, 〈보기〉에서 옳은 것만을 있는 대로 고른 것은?

(단, $P(0 \le Z \le 2) = 0.475$, $P(0 \le Z \le 3) = 0.495$로 계산한다.)

보기

ㄱ. $l = \frac{4\sigma}{\sqrt{n}}$

ㄴ. 신뢰도 99 %로 추정한 신뢰구간의 길이는 $\frac{3}{2}l$이다.

ㄷ. 신뢰도 99 %로 추정할 때, 신뢰구간의 길이가 $3l$이 되려면 표본의 크기는 $6n$이어야 한다.

• 신뢰구간의 길이는 $2 \times k\frac{\sigma}{\sqrt{n}}$임을 이용하자.

ㄱ. 모평균을 신뢰도 95 %로 추정한 신뢰구간의 길이 l은

$l = 2 \times 2\frac{\sigma}{\sqrt{n}} = \frac{4\sigma}{\sqrt{n}}$ (참)

ㄴ. 모평균을 신뢰도 99 %로 추정한 신뢰구간의 길이는

$2 \times 3\frac{\sigma}{\sqrt{n}} = \frac{3}{2}\left(2 \times 2\frac{\sigma}{\sqrt{n}}\right) = \frac{3}{2}l$ (참)

ㄷ. 모평균을 신뢰도 99 %로 추정할 때, 신뢰구간의 길이가 $3l$이 되게 하는 표본의 크기를 n'이라 하면

$3l = 2 \times 3\frac{\sigma}{\sqrt{n'}} = \frac{6\sigma}{\sqrt{n'}}$

$l = \frac{4\sigma}{\sqrt{n}}$이므로

$3l = 3 \times \frac{4\sigma}{\sqrt{n}} = \frac{12\sigma}{\sqrt{n}}$

즉, $\frac{6\sigma}{\sqrt{n'}} = \frac{12\sigma}{\sqrt{n}}$에서 $\sqrt{n'} = \frac{1}{2}\sqrt{n}$

$\therefore n' = \frac{1}{4}n$ (거짓)

따라서 옳은 것은 ㄱ, ㄴ이다. 답 ③

1676

→ 모평균 m에 대한 신뢰도 95 %의 신뢰구간은 $\bar{x}-1.96\frac{\sigma}{\sqrt{n}}\le m\le\bar{x}+1.96\frac{\sigma}{\sqrt{n}}$임을 이용하자.

> 어느 자동차 회사에서 생산하는 전기 자동차의 1회 충전 주행 거리는 평균이 m이고 표준편차가 σ인 정규분포를 따른다고 한다.
> 이 자동차 회사에서 생산한 전기 자동차 100대를 임의추출하여 얻은 1회 충전 주행 거리의 표본평균이 $\overline{x_1}$일 때, 모평균 m에 대한 신뢰도 95 %의 신뢰구간이 $a\le m\le b$이다.
> 이 자동차 회사에서 생산한 전기 자동차 400대를 임의추출하여 얻은 1회 충전 주행 거리의 표본평균이 $\overline{x_2}$일 때, 모평균 m에 대한 신뢰도 99 %의 신뢰구간이 $c\le m\le d$이다.
> $\overline{x_1}-\overline{x_2}=1.34$이고 $a=c$일 때, $b-a$의 값은? (단, 주행 거리의 단위는 km이고, Z가 표준정규분포를 따르는 확률변수일 때 $\mathrm{P}(|Z|\le1.96)=0.95$, $\mathrm{P}(|Z|\le2.58)=0.99$로 계산한다.)
>
> → $a=c$임을 이용하여 $\overline{x_1}-\overline{x_2}$의 식을 구한다.
>
> → 모평균 m에 대한 신뢰도 99 %의 신뢰구간은 $\bar{x}-2.58\frac{\sigma}{\sqrt{n}}\le m\le\bar{x}+2.58\frac{\sigma}{\sqrt{n}}$임을 이용하자.

전기 자동차 100대를 임의추출하여 얻은 1회 충전 주행 거리의 표본평균이 $\overline{x_1}$일 때, 모평균 m에 대한 신뢰도 95 %의 신뢰구간은

$$\overline{x_1}-1.96\times\frac{\sigma}{\sqrt{100}}\le m\le\overline{x_1}+1.96\times\frac{\sigma}{\sqrt{100}}$$

$$\overline{x_1}-1.96\times\frac{\sigma}{10}\le m\le\overline{x_1}+1.96\times\frac{\sigma}{10}$$

전기 자동차 400대를 임의추출하여 얻은 1회 충전 주행 거리의 표본평균이 $\overline{x_2}$일 때, 모평균 m에 대한 신뢰도 99 %의 신뢰구간은

$$\overline{x_2}-2.58\times\frac{\sigma}{\sqrt{400}}\le m\le\overline{x_2}+2.58\times\frac{\sigma}{\sqrt{400}}$$

$$\overline{x_2}-2.58\times\frac{\sigma}{20}\le m\le\overline{x_2}+2.58\times\frac{\sigma}{20}$$

이때, $a=c$에서

$$\overline{x_1}-1.96\times\frac{\sigma}{10}=\overline{x_2}-2.58\times\frac{\sigma}{20}$$

이고 $\overline{x_1}-\overline{x_2}=1.34$이므로

$$\overline{x_1}-\overline{x_2}=1.96\times\frac{\sigma}{10}-2.58\times\frac{\sigma}{20}$$
$$=0.67\times\frac{\sigma}{10}=1.34$$

$$\sigma=\frac{1.34\times10}{0.67}=20$$

따라서,

$$b-a=2\times1.96\times\frac{\sigma}{10}$$
$$=2\times1.96\times2$$
$$=7.84$$

답 ②

1677

→ 신뢰구간의 길이는 $b-a=2\times1.96\times\frac{\sigma}{\sqrt{n}}$임을 이용하자.

> 평균이 m이고 표준편차가 5인 정규분포를 따르는 모집단이 있다. 어느 조사에서 크기 n인 표본을 임의추출하여 얻은 모평균에 대한 신뢰도 95 %의 신뢰구간이 $[a, b]$일 때, 조사비용과 추정의 정확도에 따른 수익이 다음과 같다고 한다.
>
> 비용: $10n$, 수익: $10^{\frac{2}{b-a}}$
>
> n이 100의 배수일 때, 수익이 비용보다 크게 되는 n의 최솟값을 오른쪽 표를 이용하여 구한 것은? (단, Z가 표준정규분포를 따르는 확률변수일 때, $\mathrm{P}(0\le Z\le1.96)=0.4750$이다.)
>
> | n | $\frac{\sqrt{n}}{1+\log n}$ |
> |---|---|
> | 1600 | 9.51 |
> | 1700 | 9.75 |
> | 1800 | 9.97 |
> | 1900 | 10.19 |
> | 2000 | 10.40 |
>
> → $10n<10^{\frac{\sqrt{n}}{9.8}}$이고 양변에 상용로그를 취하자.

모평균에 대한 신뢰도 95 %의 신뢰구간이 $[a, b]$이므로

$$b-a=2\times1.96\times\frac{5}{\sqrt{n}}=\frac{19.6}{\sqrt{n}}\quad\cdots\cdots ㉠$$

수익이 비용보다 커야 하므로 $10n<10^{\frac{2}{b-a}}$

$\therefore 10n<10^{\frac{\sqrt{n}}{9.8}}$ ($\because$ ㉠)

위 식의 양변에 상용로그를 취하면

$$1+\log n<\frac{\sqrt{n}}{9.8}\qquad\therefore 9.8<\frac{\sqrt{n}}{1+\log n}$$

주어진 표에서

$n=1700$일 때 $\frac{\sqrt{n}}{1+\log n}=9.75$,

$n=1800$일 때 $\frac{\sqrt{n}}{1+\log n}=9.97$

이므로 부등식 $9.8<\frac{\sqrt{n}}{1+\log n}$을 만족시키는 100의 배수 n의 최솟값은 1800이다.

답 ③

1678

> 모집단 A는 정규분포 $\mathrm{N}(m_1, \sigma^2)$을 따르고, 모집단 B는 정규분포 $\mathrm{N}\left(m_2, \left(\frac{\sigma}{2}\right)^2\right)$을 따른다. 모집단 A에서 크기 n_1, 모집단 B에서 크기 n_2인 표본을 각각 임의추출할 때의 표본평균을 각각 $\overline{X_A}$, $\overline{X_B}$라 하자. 〈보기〉에서 옳은 것만을 있는 대로 고른 것은?
> (단, n_1, n_2는 1보다 큰 자연수이다.)
>
> → $\mathrm{E}(\overline{X_A})=m_1$, $\mathrm{E}(\overline{X_B})=m_2$임을 이용하자.
>
> **보기**
>
> ㄱ. $m_1=m_2$이면 $\mathrm{E}(\overline{X_A})=\mathrm{E}(\overline{X_B})$이다.
>
> ㄴ. 표본평균 $\overline{X_B}$는 정규분포 $\mathrm{N}\left(m_2, \left(\frac{\sigma}{2}\right)^2\right)$을 따른다.
>
> ㄷ. $n_1=4n_2$일 때, m_1에 대한 신뢰도 95 %의 신뢰구간이 $[a, b]$이고, m_2에 대한 신뢰도 95 %의 신뢰구간이 $[c, d]$이면, $b-a=d-c$이다.
>
> → 표본평균 $\overline{X_B}$의 표준편차는 $\frac{\frac{\sigma}{2}}{\sqrt{n_2}}$임을 이용하자.

ㄱ. $E(\overline{X_A})=m_1$, $E(\overline{X_B})=m_2$이므로
$m_1=m_2$이면 $E(\overline{X_A})=E(\overline{X_B})$ (참)

ㄴ. $\overline{X_B}$는 정규분포 $N\left(m_2, \left(\frac{\sigma}{2\sqrt{n_2}}\right)^2\right)$을 따른다. (거짓)

ㄷ. $\overline{X_A}$, $\overline{X_B}$는 각각 정규분포 $N\left(m_1, \left(\frac{\sigma}{\sqrt{n_1}}\right)^2\right)$, $N\left(m_2, \left(\frac{\sigma}{2\sqrt{n_2}}\right)^2\right)$
을 따르므로 표준정규분포를 따르는 확률변수 Z에 대하여
$P(|Z|\le k)=0.95$일 때

$b-a=2\times k\times\frac{\sigma}{\sqrt{n_1}}$

$d-c=2\times k\times\frac{\sigma}{2\sqrt{n_2}}=\frac{k}{\sqrt{n_2}}\sigma$

이고 $n_1=4n_2$이므로

$b-a=2\times k\times\frac{\sigma}{\sqrt{n_1}}=2\times k\times\frac{\sigma}{2\sqrt{n_2}}=\frac{k}{\sqrt{n_2}}\sigma=d-c$

$\therefore b-a=d-c$ (참)

따라서 옳은 것은 ㄱ, ㄷ이다. 답 ③

1679

$\overline{x_1}=80$임을 의미한다.

> 어느 고등학교 학생들의 1개월 자율학습실 이용 시간은 평균이 m, 표준편차가 5인 정규분포를 따른다고 한다. 이 고등학교 학생 25명을 임의추출하여 1개월 자율학습실 이용 시간을 조사한 표본평균이 $\overline{x_1}$일 때, 모평균 m에 대한 신뢰도 95%의 신뢰구간이 $80-a\le m\le 80+a$이었다. 또 이 고등학교 학생 n명을 임의추출하여 1개월 자율학습실 이용 시간을 조사한 표본평균이 $\overline{x_2}$일 때, 모평균 m에 대한 신뢰도 95%의 신뢰구간이 다음과 같다.
>
> 신뢰구간은 $\overline{x_2}-1.96\frac{5}{\sqrt{n}}\le m\le\overline{x_2}+1.96\frac{5}{\sqrt{n}}$임을 이용하자.
>
> $\frac{15}{16}\overline{x_1}-\frac{5}{7}a\le m\le\frac{15}{16}\overline{x_1}+\frac{5}{7}a$
>
> $n+\overline{x_2}$의 값은? (단, 이용 시간의 단위는 시간이고, Z가 표준정규분포를 따르는 확률변수일 때, $P(0\le Z\le 1.96)=0.475$로 계산한다.)

학생들의 1개월 자율학습실 이용 시간을 X라 하면 X는 정규분포 $N(m, 5^2)$을 따른다.
25명을 임의추출하여 구한 표본평균이 $\overline{x_1}$이므로 모평균 m에 대한 신뢰도 95 %의 신뢰구간은

$\overline{x_1}-1.96\times\frac{5}{\sqrt{25}}\le m\le\overline{x_1}+1.96\times\frac{5}{\sqrt{25}}$

주어진 조건에서 $\overline{x_1}=80$이므로

$a=1.96\times\frac{5}{\sqrt{25}}=1.96$

또 n명을 임의추출하여 구한 표본평균이 $\overline{x_2}$이므로 모평균 m에 대한 신뢰도 95 %의 신뢰구간은

$\overline{x_2}-1.96\times\frac{5}{\sqrt{n}}\le m\le\overline{x_2}+1.96\times\frac{5}{\sqrt{n}}$

따라서 주어진 조건에서

$\overline{x_2}=\frac{15}{16}\overline{x_1}=\frac{15}{16}\times 80=75$

이고 $1.96\times\frac{5}{\sqrt{n}}=\frac{5}{7}a$에서 $n=49$

$\therefore n+\overline{x_2}=49+75=124$ 답 ②

Memo

Memo